令和07年

Fundamental
Information
Technology
Engineer

基本情報技術者
合格教本

角谷 一成 著
イエローテールコンピュータ 編著

技術評論社

はじめに

— 本書の特徴と使い方 —

受験される方のタイプに合わせ、本書の特徴を生かした使い方をご案内します。

初受験なら「何を勉強するんだろう？」からのスタートがお勧め

「出題範囲が幅広い」という基本情報技術者試験の特徴は、初受験者にとって大きな不安材料です。試験範囲を示す『基本情報技術者（レベル2）シラバス』も、出題項目や用語がリストアップされているだけで、具体的な学習内容には触れられていません。

本書では、各章の初めにシラバスの構成を一覧できる『**この章の構成と攻略法**』を設けました。まず、この部分から目を通してみてください。その章で扱う分野の特徴と攻略法、どんなテーマや内容が含まれており、他のテーマとどうつながるのかがわかります。

大まかでも全体像が把握できれば、学習中も迷うことなく、スムーズに学習に入ることができるでしょう。

暗記物が苦手なリトライ受験者は記憶のリンクを増やそう

基本情報技術者試験では、1つの知識が複数の分野に出てきます。例えば、第1章の論理演算は、第2章の論理回路、第3章のデータベースなどにも出現しています。

本書では、同じ項目や関連の深い項目の参照先ページを『☞』や、側注の『**こちらも参照**』に示してあります。参照先を読み、知識のリンクを張っていくことで、記憶は確かになり、知識量も自然に増えてきます。

また、『**試験はこう出る**』や『**出題分析**』を使い、試験を意識した能動的な作業をすることで、さらに記憶が強固になります。

準備期間が短い受験者は勉強する箇所・深さのメリハリをつけよう

リトライ受験者であれば、得意な分野は「本文だけを流し読み」、またはその逆に本文を読まずに『**試験はこう出る**』と『**出題分析**』の問題を解き、間違った項目だけ本文を読んだり、用語を確認したりする方法もあります。

どちらの場合も、『**章末まとめ問題**』や問題演習用のWebアプリに収録の『**過去問題**（分野別に演習可能）』を解き、実戦レベルに達しているかを確認しておきましょう。

初受験でも「準備期間があまりとれない」という受験者は、各章の冒頭にある『**この章の構成と攻略法**』をざっと読み、馴染みの薄い章から攻めることで、未学習をつぶしていくという戦術をお勧めします。

試験合格の想定ラインは1000点満点中600点とされていますから、万一受験日までに全章の学習が終えられなくても、苦手分野が克服できていれば、合格の可能性がグッと上がります。

シラバスの分類項目

本書は、基本情報技術者試験の科目A試験対策用として、シラバス(試験範囲の詳細)に準拠して作られています。シラバスの大分類1～9は、本書の1章～9章にそれぞれ該当し、章内のテーマはシラバスの中分類および小分類の順に並んでいます。また、すべての小分類が各テーマの中で網羅されています。

さらに詳しく

本文で解説した項目を、さらに詳細に解説します。知識の幅が広がり、記憶の強度も高まります。

こちらも参照

解説と関連の深い項目や、同じ項目で別の箇所でも解説しているところへのリンクです。

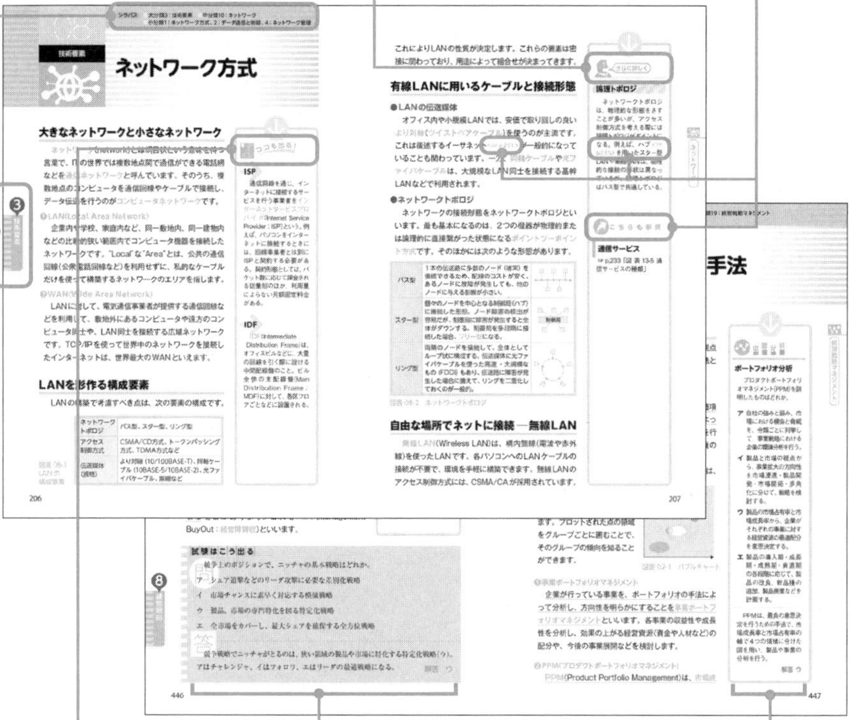

ココも出る!

本文で解説した項目と、一緒に出題されることが多い項目を解説しています。

頻出

試験によく出るテーマを示しています。受験まで時間がないときは、ここを中心に学習するとよいでしょう。

試験はこう出る

出題分析

実際の試験問題を例題として掲示。解き方や出題される問題レベルがわかります。

CONTENTS

※節の数字は基本情報技術者試験 レベル2 シラバスVer9.0の中分類を、《 》は小分類の項目を示しています。

9 データベース

10 ネットワーク

11 セキュリティ

第4章　開発技術

12 システム開発技術

※節の数字は基本情報技術者試験 レベル2 シラバスVer9.0の中分類を、《　》は小分類の項目を示しています。

第5章　プロジェクトマネジメント

第6章　サービスマネジメント

第9章　企業と法務

「基本情報技術者」試験
受験ガイダンス

「基本情報技術者」試験とは？

ITエンジニアを目指すなら ここからがスタート!!

基本情報技術者試験は、ITベンダーなどで、システムの開発やITサービスの提供などに従事するために必要となる、基礎知識や技術を網羅した試験です。

基本情報技術者は、**3つの知識分野**が必要とされています（下図左）。ここで、コンピュータやプログラムに関する知識（**テクノロジ系**）はITエンジニアとして当然身につけておくべきものですが、開発や運用の現場における仕事の進め方など（**マネジメント系**）、クライアントとなる顧客企業が行う業務など（**ストラテジ系**）といった、関連する知識も必須になっています。

試験範囲は多岐にわたりますが、これはITエンジニアが活躍するフィールドが、さまざまな分野に広がっているからです。IT関連企業の多くは、基本情報技術者をエンジニアに必須の基礎資格と捉えています。試験対策として幅広い基礎知識を学ぶことが、ITエンジニアのベースになり、将来の可能性を広げると考えられているのです。

また、**情報処理技術者試験の体系**において、基本情報技術者は入門資格と位置づけられています。**応用情報技術者**やさらに上位の試験では、問題の難易度は高いものの、知識分野の構成や内容は、どの試験も共通しています。そのため、まず基本情報技術者を取得することが、より上位の試験対策へ向けた近道といえるでしょう。

●3つの知識分野

テクノロジ系
コンピュータ言語やアルゴリズム、システム設計・開発、セキュリティなどに関する知識

マネジメント系
開発プロジェクトのマネジメント、ITサービスの提供や運用に関する知識

ストラテジ系
ビジネスやインダストリの基礎、利用されるシステムや製品、コンプライアンスや関連法規、経営戦略などに関する知識

●情報処理技術者試験の体系

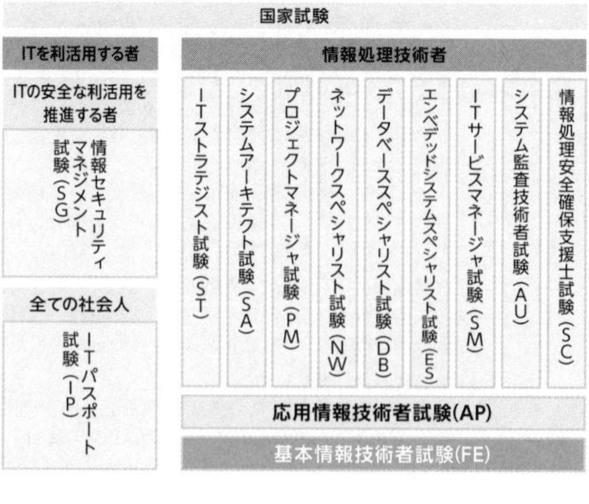

はじめに目標とする受験日を決めよう！

試験はCBT方式によって全国の会場受験で行われる

基本情報技術者試験は、科目 A（知識を問う小問形式）と科目 B（技能を問う小問形式）に分けて行われます。問題数と試験時間、採点方法は右の通りです（詳細は最新の試験要綱※で確認のこと）。また、試験の実施は、期間を定めない通年試験で行われているので、いつでも受験が可能です（再受験は、前回の受験日の翌日から起算して 30 日を超えた日以降）。

受験方法は、受験する会場を予約し、会場のコンピュータで行う CBT (Computer Based Testing) 方式で実施されます（詳細は、IPA のホームページを参照）。受験会場は、会場・日程ごとに定員があるので、受験するめどがついたら、希望する会場を早めに申し込むことをおすすめします。

出題範囲についても、情報処理技術者試験「試験要綱※」に記載されています。また、範囲の詳細は「シラバス（情報処理試験における知識・技能の細目）※」が参考になります。なお採点方法は、IRT (Item Response Theory：項目応答理論、解答結果から評価点を算出する）に基づく方式で行われますが、受験対策として、特に意識する必要はないでしょう。

出題の概要

●科目A試験(90分)

・1問1答形式の四肢択一（全60問必須）。
・60問中の4問は、今後出題される問題の評価に使われ、評価対象にならない。

●科目B試験(100分)

・小問形式（全20問必須）で、説明文章が提示されたうえで、設問に解答する。
・20問中の1問は、今後出題される問題の評価に使われ、評価対象にならない。
・プログラム問題は、空欄穴埋め、トレース、プログラムの修正など（公開サンプル問題を参照）。
・プログラム問題は、擬似言語が用いられる。

<問題の出題分野と範囲>

・下記の①～④から16問、⑤から4問出題される。

①プログラム全般に関わること
プログラムの要求仕様の把握、言語仕様に基づくプログラムの実装、プログラムの解読や変更、処理の流れによる変数の変化、プログラムのテスト、誤りの特定（デバッグ）や修正方法の検討 など

②プログラムの処理の基本要素に関すること
型、変数、配列、代入、算術演算、比較演算、論理演算、選択処理、繰返し処理、手続・関数の呼出し など

③データ構造およびアルゴリズムに関すること
再帰、スタック、キュー、木構造、グラフ、連結リスト、整列、文字列処理 など

④プログラムの諸分野への適用に関すること
数理、データサイエンス、AIなどの分野を題材としたプログラム など

⑤情報セキュリティの確保に関すること
情報セキュリティ要求事項の提示、マルウェアからの保護、バックアップ、ログ取得及び監視、情報の転送における情報セキュリティの維持、脆弱性管理、利用者アクセスの管理、運用状況の点検 など

受験要項　※詳細は、最新の受験概要を参照のこと。

●CBT会場での試験　随時、申込みが可能（その他の受験方法の詳細は随時更新）

・試験会場が空席の場合に申込み可能。
・科目Aと科目Bともに、総合評価点が1000点満点中600点で合格。
・科目Aが一部免除制度の対象となる。

IPA情報処理技術者試験のホームページ　http://www.jitec.ipa.go.jp/

※共に IPA のホームページからダウンロードできます（随時更新されるので注意）。

効率よく合格できる、受験対策の進め方

全問正解する必要はない、合格ラインの約7割を目指そう！

受験対策の方法は、ITに関わる経験や知識量、受験日までの期間や対策に使える時間などによって変わってきます。すでに情報処理やプログラム言語に関する学習経験や業務経験のある人なら、1～2か月の対策期間で合格することも可能です。しかし、IT初心者が短期間でチャレンジするのはハードルが高いもの。無理に初回合格を目指すより、最初はお試し受験と割り切って、長期計画で合格を目指す方法もあります。

いずれにしても、自分に合ったプランを立てることが重要なのは、過去の合格者たちが実証しています。余裕のあるスケジュールを立てて、一歩ずつ対策を進めていくことが確実な合格へとつながります。

初受験なら、下記のステップ❶からじっくりと。学習経験や業務経験がある人は、ステップ❷から短期強化型の学習で進めましょう。

❶じっくりと基礎を習得！

まずは、参考書やテキストを最初から終わりまで順に読み進め、全体をつかむことから始めましょう。専門用語の理解と、自分の苦手な分野の発見を目指します。

❷弱点の補強

苦手分野を重点的に補強します。本書は出題範囲をほぼ網羅しているので、問題集などを併用すれば、さらなる得点力UPにつながります。

❸科目B試験の対策

ある程度科目A対策が進んだら、科目B対策を始めます。科目Aで理解した知識を活用し、実践形式で問題に慣れていきましょう。

❹最終チェック！

ひととおり習得したら、本書を確認用として使います。章末問題や問題集で確認し、理解の浅い項目は❷に戻って復習し直します。

●午前試験の出題範囲

分野	大分類		中分類	
テクノロジ系	1	基礎理論	1	基礎理論
			2	アルゴリズムとプログラミング
	2	コンピュータシステム	3	コンピュータ構成要素
			4	システム構成要素
			5	ソフトウェア
			6	ハードウェア
	3	技術要素	7	ユーザーインタフェース
			8	情報メディア
			9	データベース
			10	ネットワーク
			11	セキュリティ
	4	開発技術	12	システム開発技術
			13	ソフトウェア開発管理技術
マネジメント系	5	プロジェクトマネジメント	14	プロジェクトマネジメント
	6	サービスマネジメント	15	サービスマネジメント
			16	システム監査
ストラテジ系	7	システム戦略	17	システム戦略
			18	システム企画
	8	経営戦略	19	経営戦略マネジメント
			20	技術戦略マネジメント
			21	ビジネスインダストリ
	9	企業と法務	22	企業活動
			23	法務

CBT試験の攻略法

基本情報技術者試験は、全国各地のテストセンターにおいてPCを使って受験するCBT（Computer Based Testing）方式方式で行われています。このページでは、CBT方式ならではのコツも含めて、試験本番ですぐに実践できる得点力アップのポイントを紹介していきます。なお、解説している内容は、公開情報をもとにしたもので、解説画面などは実際のものとは異なります。最新情報は、IPAのホームページや受験者専用サイト※で確認しましょう。

受験の申込みと試験当日の注意点

申込みは希望する会場を指定

受験の申し込みはインターネットでアカウントを作成したうえで受験予約を行います。受験日は3か月先の月末まで選択可能ですが、受験したい会場に空きがない場合は選択できません。また、受験日の変更は3日前までです。なお、科目Aと科目Bは連続して行われるので、別日で受験することはできません。

試験当日は、本人確認書類を提示する必要があります。本人確認書類は、運転免許証やパスポートなど、規定された顔写真付きの証明書である必要があります。有効な本人確認書類を受付で提示できないと受験ができず、受験料も返還されません。

社員証や学生証は認められない場合があるので、IPAのホームページからリンクされた受験者専用サイト※に記載されている証明書の要件を確認し、当日にあわてることがないようにしておきましょう。

試験開始30分前に会場へ

交通トラブルによる試験実施の中止や振り替えによる再受験などは行われません。電車が止まったり渋滞が発生するなどの交通トラブルに備えて、試験会場までの経路は必ず複数のルートを調べておきましょう。

当日は早めに試験会場に到着することを心がけましょう。受付は、試験開始時刻の30分前からで、注意事項の説明、試験開始前の操作確認が行われます。また、試験開始の5分前以降は試験開始時刻より前であっても受験は認められません（2023年12月1日からは、試験開始から80分以内なら入室できますが、試験時間の繰り下げはありません）。

試験室に入ると、机上にはハンカチやティッシュ、目薬など許可されている持ち物以外は置くことができず、ロッカーに入れておくことが求められます。メモ用紙とボールペンは会場に用意されています。

※ CBT-Solutions 受験者専用サイト　https://cbt-s.com/examinee/examination/fe

CBT試験の“問題・解答画面”の概要

基本情報技術者試験で実施されているCBT試験は、「PCの画面上に表示された問題を読み、画面上の選択肢をクリックすることで解答する方式」の試験です。

科目Aと科目B試験では表示形式や使える機能が異なるので、ここでは科目A試験を想定した操作を紹介していきます。なお、本解説は試験の公開情報を基にしているため、実際の操作機能や画面・アイコンのデザインは異なる場合があります。

また実際の操作については、試験を開始する前に「操作説明」ボタンを押すと表示されるので、ひととおり確認しておくとよいでしょう。

出題画面と選択肢の表示

試験の画面は左右に2分割して表示され、左のウィンドウには問題一覧が、右にはその問題が表示されます。文字が小さくて読みにくいときや大きすぎるときは、画面右上の「文字サイズ」で変更できます。

解答は、表示されている選択肢のボタンをクリックすることで選択します。このとき、クリックした選択肢のボタンと、一覧表示されている問番号が黒に変わります（解答済みであることを示す）。解答を変更したいときは、別の選択肢を再度クリックすればOKです。

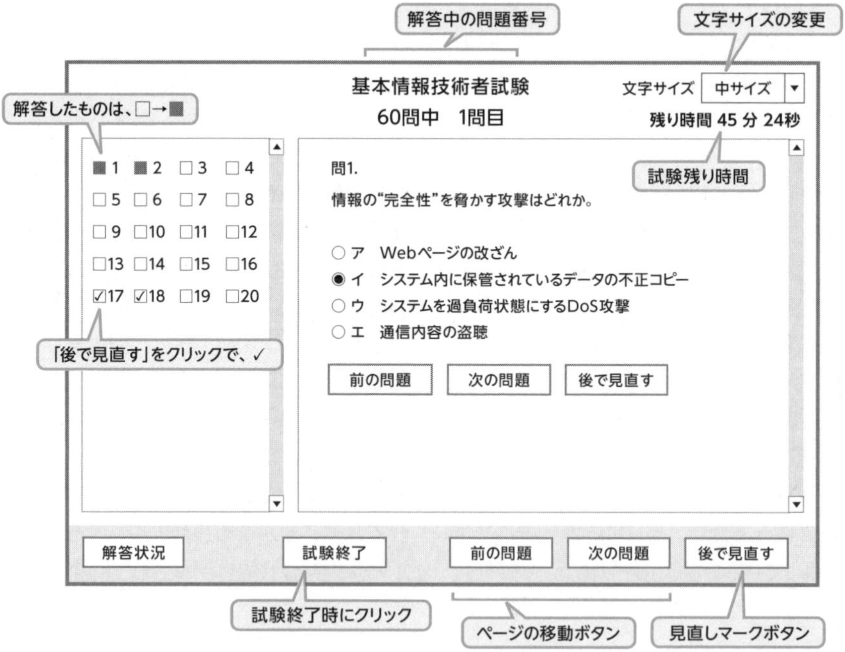

次の問題を表示させたいときは、問題の下と画面の下にある「次の問題」を、戻りたいときは「前の問題」をクリックします。

また、一覧表示の問番号をクリックすると、該当する問題へダイレクトにジャンプすることができます。

便利な機能を活用して効率良く解答！

科目A試験は60問、試験時間は90分なので、1問の解答に掛けられる時間は平均1分30秒です。見直し時間を考慮すると、時間的な余裕はほとんどありません。

どの選択肢が正解か迷ったときは、とりあえず選択肢を選んでおき、「後で見直す」ボタンをクリックすると、問題一覧の該当する番号にチェックマークが付きます。再度見直したときに、「後で見直す」ボタンをクリックすればチェックマークが外れて解答済みになります。

どうしても答えが決められないときに執着するのはNG。正解できたはずの他の問題を解く時間を失わないようにしましょう。

すべての問題を解き終えて試験を終了したいときは、残り時間がある場合は「試験終了」ボタンをクリックします。また、残り時間がなくなると自動的に終了します。

科目Aが終わると10分間の休憩時間がカウントされます。この間に退出してトイレや外での休憩が可能ですが、再入室の際は、再び本人および所持品の確認が必要になります。なお、10分が経過すると自動的に試験時間のカウントが始まるので遅れないように注意しましょう。また、10分経過前に科目B試験を始めたいときは、「試験開始」ボタンをクリックすると開始できます。

両方の試験が終了すると、得点が表示されて合否判定が出ます。忘れ物を確認し、試験官に筆記用具とメモ用紙を渡したら試験会場から退室しましょう。

「問題への書込み」はメモ用紙でカバー

CBT試験で「解きづらいなぁ」と強く感じるのは、ペーパー試験と違って、問題文の重要部分にメモを書き込む、求めた値を計算式に書き添えておく、などができないこと。これは、科目Aと科目Bに共通するCBT試験の難しい部分です。ただし、試験開始前にA4サイズのメモ用紙（裏表両面書込み可）とボールペンが配られるので（両方とも各試験終了時に回収）、うまく活用しましょう。カギとなる情報を手早く書き出して整理しながら考えると、ケアレスミスを防ぎ、判断時間の短縮にもなります。

メモ用紙を使うときのコツは、自分だけがわかればよいので、時短のため、とにかく簡略化して書くこと。例えば、PERT図で作業日数の計算<☞ p.397 >をするときは、○と線だけを適当な位置に書いて、計算した値を書き込んでいきましょう。

プログラムなどは、ごく簡素な流れ図を書いて、空欄で問われているところや、解くためのポイントになる箇所のみ、手早く書き入れておきます。また、メモに問番号と選択肢の符号を書いておくと、見直しの際の確認に役立ちます。

PERTを簡略化して計算

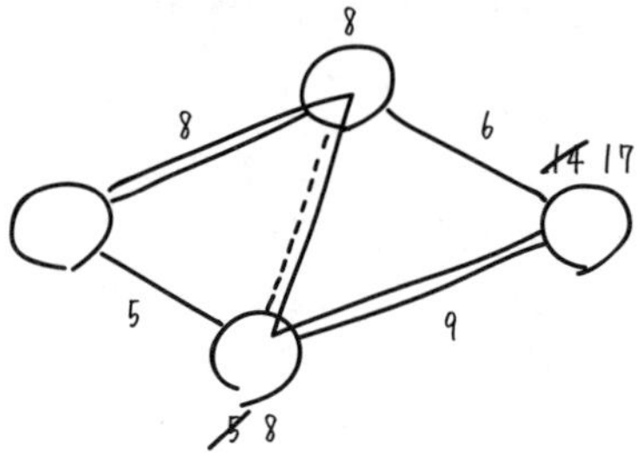

プログラムを簡単な流れ図に

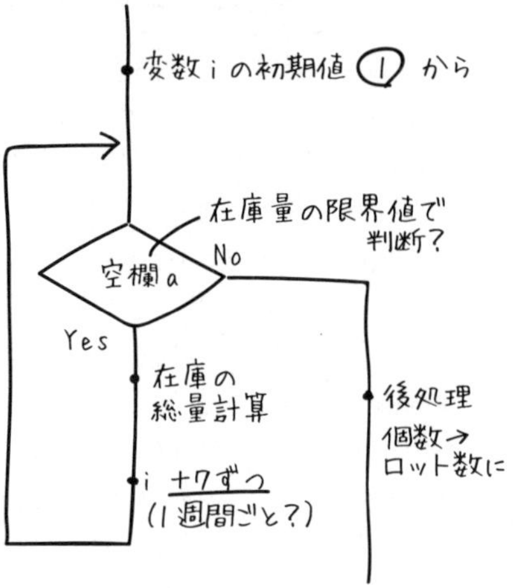

「解ける問題」で完璧を目指す

科目A試験は全60問で、合格ラインは約6割です。IRT方式の採点のため単純には測れませんが、合格するには科目A試験で34問以上、科目B試験で12問以上の正解(評価対象がそれぞれ56問、19問で行われるため。その他は以降の試験の評価用に使われる)が必要と考えられます。

試験時間には余裕がないため、知らない用語や解き方がわからない問題に時間を取られると、思わぬ焦りが生じることもあります。そんなときは、確実に解ける問題でのケアレスミスをなくし、手堅く得点を取りにいくほうが戦略上は有利になる、ということを思い出し、冷静に解答しましょう。

最後に、いずれも地味で初歩的なテクニックですが、「問題文の読み落としや読み間違いをしない」、「計算はメモ用紙に書き出して数値を確認しながら解く」、「問番号と選択肢ボタンの押し間違いに注意する」が、実は試験本番では一番重要なコツといえます。

第1章

基礎理論

第1章

テクノロジ系 基礎理論

この章の構成と攻略法

この章の内容と学習ポイント

コンピュータを学んでいくうえでの基礎に当たる章です。しっかり学んでおくと、後の章で学ぶ知識を結びつけるのに有効なうえ、技術者として仕事に就いたときにも役立つ内容が多数盛り込まれています。学習のポイントは、見た目の難しさに惑わされず、それぞれの仕組みに慣れていくこと。余裕がある場合はじっくり時間をかけ、直前対策で時間をかけられない場合は、過去問を中心に、該当箇所と照らし合わせながら進めるとよいでしょう。

中分類1 基礎理論

２進数の仕組みや基数変換、論理演算から数学的な内容まで含みます。学習のスタートに当たるので、ここでつまずくと学習の日数配分にも影響します。「わからなければ後から」という考えで読み進めてみましょう。特に論理演算は、後の章にも関連することが多いので、しっかり理解しておくとスムーズに読み進められます。

小分類1 離散数学

1 基数　2 数値の表現　3 算術演算と精度
4 集合と命題　5 論理演算

攻略法と他章との関連

コンピュータにおける処理の基本となる2進数について、さまざまな問題が取り上げられています。中心となるのは基数変換、補数表現、シフト演算、論理演算などです。単純な用語問題ではなく、思考を求められる問題や計算問題として出題されます。どんな問題でも解けるようにしておくためには、確実な理解と繰り返しの演習が必要です。

小分類2 応用数学

1 確率と統計　2 数値計算
3 数値解析　4 数式処理
5 グラフ理論　6 待ち行列理論
7 最適化問題

攻略法と他章との関連

確率・統計、正規分布、待ち行列理論など、数学的な内容が多いため、不得意な人にとってはやや難しい項目です。ただ試験問題は、公式に当てはめて解くような、いわゆる数学的なものは少なく、解く際の工夫がポイントになります。受験対策として考えるなら、過去問演習を繰り返し、出題に慣れていったほうが効率的。余裕があれば、上位試験の応用情報の過去問にも目を通しておくとよいでしょう。

小分類 3　情報に関する理論

1 情報理論　2 符号理論　3 文字の表現
4 述語論理　5 形式言語　6 オートマトン
7 計算量　8 AI (Artificial Intelligence：人工知能)
9 コンパイラ理論　10 プログラム言語論

➔攻略法と他章との関連
小分類の項目を見ただけでは、どんな内容か想像しにくいのですが、該当する過去問題を見てみると、それほど難しいことは問われません。解き方に定石はありませんが、気づいてしまえば容易な問題も数多く出ています。また計算量については本章の各アルゴリズムの中で取り上げています。AIに関する出題は近年増えているので要注意。

小分類 4　通信に関する理論

1 伝送理論

➔攻略法と他章との関連
通信回線や伝送制御などを取り上げた小分類です。内容は伝送路、多重化方式、信号同期方式などですが、出題はほとんどありません。基礎部分でもあり、第3章のネットワークとも関連しています。

小分類 5　計測・制御に関する理論

1 信号処理　2 制御に関する理論

➔攻略法と他章との関連
信号処理としてはA/D変換のサンプリングに関する問題が出ています。また、制御に関する理論からはフィードバック制御、センサーの種類とその用途についての問題が出ています。

中分類 2　アルゴリズムとプログラミング

アルゴリズムは、科目 B 対策にもつながる重要な項目です。しっかりと理解するためには数多くの問題を解いて流れ図に慣れ、ポイントになる部分にすばやく目を付けられるようにしておきましょう。もう一方のデータ構造も頻出テーマなので、それぞれの特徴を整理しておくことをお勧めします。プログラミングとプログラム言語、その他の言語の範囲からは、ほぼ 1 問と出題は少ないものの必ず出ています。繰り返し出ている問題が多いので、過去問に目を通して落とさないようにしましょう。

小分類 1　データ構造

1 データ構造　2 データ構造の種類

➡攻略法と他章との関連

データ構造の種類は、どれも特徴があり、試験でも出題が多い項目です。キューとスタックは単純ですが、実例を絡めてひとまとまりで出題されることもあるので要注意。リストやさまざまな木構造も欠かさずに押さえておきましょう。

小分類 2　アルゴリズム

1 流れ図　2 代表的なアルゴリズム
3 アルゴリズム設計

➡攻略法と他章との関連

アルゴリズムは限りなく考えられるので、出題の丸暗記は困難ですが、過去問からの出題はあります。また、詳細は異なっていても、同じようなテーマなら解答時間を節約できます。そのためにも数多くの問題を解くことがポイントになります。まぎらわしい用語の多い再帰とプログラム構造は定番のひとつとして整理しておくとよいでしょう。なお、小分類3の「計算量」については、探索と整列に関連して、小分類12、13で取り上げています。

小分類 3　プログラミング

1 プログラミング　2 文法の表記法

➡攻略法と他章との関連

プログラミングは、実際の現場におけるルールともいえる内容です。コーディング規則やプログラムの構造、モジュール分割、サブルーチンの考え方などは、第 4 章のシステム開発技術と深く関わりを持っています。出題数は多くないものの、具体例での出題もあるので理解が必要。そのほかWebプログラミングの特徴も押さえておきましょう。

小分類 4　プログラム言語

1 プログラム言語

18 プログラム言語 ☞ p.100

➡攻略法と他章との関連

プログラム言語の問題で多いのは、スクリプト言語に関する用語問題です。また、JavaスクリプトやJavaアプレットは確実に。そのほかのスクリプト言語と特徴も押さえておきましょう。シラバス9.0から、手続き型言語のR、オブジェクト指向言語のC++などが追加されています。

小分類 5　その他の言語

1 マークアップ言語　2 その他の言語

19 マークアップ言語 ☞ p.102

➡攻略法と他章との関連

この小分類のうち、マークアップ言語は、その種類と特徴について問われます。名称が似ているものが多いので、特徴によって判別できるようにしておきましょう。XMLなどは第8章の「ビジネス文書を標準化するEDI(p.515)」にも関連しています。その他の言語に含まれるUMLはオブジェクト指向設計で用いる表記法です。実際の例は、第4章システム開発技術の「業務分析や要件定義に用いられる手法(p.338)」の中で取り上げています。

※アルゴリズムと擬似言語のうち、擬似言語の詳細については p.577 からの「擬似言語の攻略」で解説しています

01

基礎理論

1+1=10

コンピュータで扱う「数」の工夫

コンピュータは「工夫」で動かす

普段使っているパソコンも、車の車体に組み込まれている制御用コンピュータも、「コンピュータ」に分類されます。外見も役割もまったく異なるのに、共通点はあるのでしょうか？ それは「電子回路の組合せ」で作られており、「プログラムで動作」させていることです。

プログラムには、これらの電子回路に計算などを行わせる複雑な命令が書かれていますが、個々の回路自体は、電流が「流れていない(OFF)」と「流れている(ON)」の2つの状態しか持たないとても単純な仕組みです。

図表 01-1　OFFとONだけを持つ

単純な電子回路の塊を目的どおりに動かすには、仕組みを上手く利用する工夫が必要です。どんな工夫でコンピュータを操るのか、まずそこから紹介しましょう。

0と1だけで数を扱うコンピュータ

●0と1だけで表す2進数

コンピュータでは、数値や文字だけでなく、音声や画像や動画など、さまざまな種類のデータを扱います。しかし、コンピュータ内部の回路では、OFFとONの2つの状態しか持てません。そこで、すべてのデータを「0」と「1」の2つの数字のみで扱う**2進数**に置き換えています。

2進数は、あまり馴染みがありませんが、仕組みは単

さらに詳しく

2進数以外もある？

2進数はコンピュータを学ぶうえで欠かせないものですが、3進数や4進数、5進数など、あらかじめ決めておけば、何進数であっても利用することが可能になる。コンピュータの世界では、2進数のほか、8進数や16進数がよく使われるが、これらは後のページで解説していく。

n進数を区別する表現

2進数と10進数など、複数の○×進数が混在していると、区別がつかないことがある。例えば“11”と書かれていたとき、2進数なのか10進数なのかがわからないと、意味が変わってしまう。

・2進数の“11”なら
　……10進数の“3”
・10進数の“11”なら
　……10進数の“11”

そこで、混在している場合は括弧を付けて、

$(11)_2$　……2進数
$(11)_{10}$　……10進数

のように表す。

純です。日常で使われる**10進数**では0～9までの10種類の数字を使い、9までいくと1桁上がります。同様に2進数では0～1までの2種類の数字を使うので、1までいくと1桁上がります。1ずつ足していくものとして、10進数と2進数の桁上がりの違いを見てみましょう。

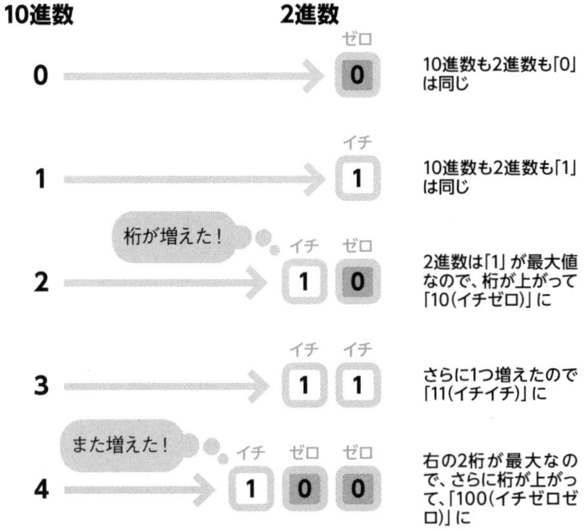

図表 01-2　10 進数と 2 進数

●2進数のn桁で表せる数

コンピュータの仕組みは、電流のOFFとONの状態を2進数に置き換えたようなものと説明しました。ただ、前ページの例のように電球が1つだけでは2通りの数しか表せませんから、複数の電球をまとめることで多くの数を表現します。ここで、電球1つ(＝1桁分)のことを、コンピュータの最小単位である**ビット(bit)** <☞ p.30 >と呼んでいます。OFFを“0”、ONを“1”に置き換えて整理す

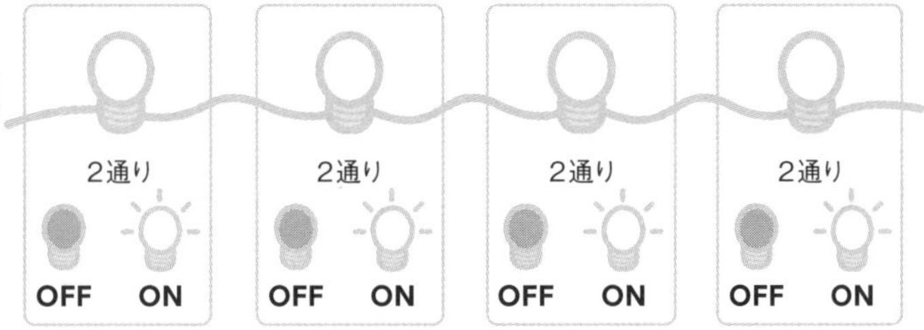

図表 01-3
2 進数の考え方

さらに詳しく

2進数の桁上がり

10進数と2進数を対応させると、下表のようになる。2の1乗(＝2)以降は、2のn乗の箇所で2進数の桁上がりが発生する。0～15の対応については、頻繁に使われるので、パッと見たらわかるように暗記しておくと便利。

2進数	10進数
0	0
1	1
10	2
11	3
100	4
101	5
110	6
111	7
1000	8
1001	9
1010	10
1011	11
1100	12
1101	13
1110	14
1111	15
10000	16
⋮	⋮

ると、次のようになります。

図表 01-4　桁数と数の表現

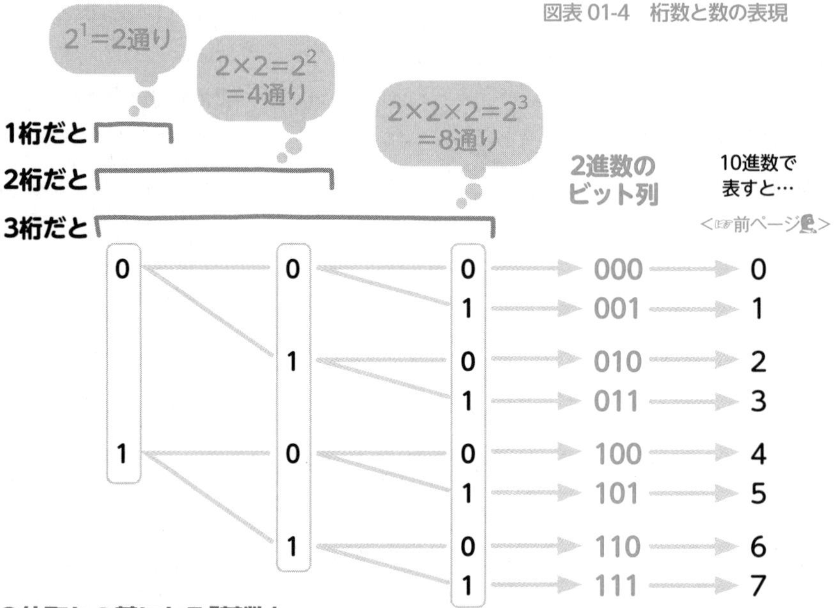

●位取りの基になる「基数」

「2の2乗(＝4)」など、「○○の××乗」の計算を**べき乗**といいます。桁上がりした箇所($2=2^1$、$4=2^2$、$8=2^3$…)は、どれも2のべき乗の答えになる数値です。これは、2進数が2を基に位取りをするからで、この「基」になる数を**基数**(2進数の基数は2、10進数なら10)と呼びます。各桁には基数による**桁の重み**がかかっており、2進数なら1桁目から順に2^0、2^1、2^2、2^3、…という重みになります。また下図のように、2進数において、ある桁の重みは右隣の桁の2倍、左隣の1/2倍になることを覚えておくと便利です。例えば2進数1000の左端の桁「1」の重みは2^3(＝10進数の8)になります。

さらに詳しく

2の0乗って何？

2進数の1桁目に出てくる2^0(2の0乗)は、便宜上1と定義しています。証明方法はさまざまですが、どんな数字でも、0乗は1(3^0も10^0も)と覚えておけばよいでしょう。

図表 01-5　2進数の桁の重み

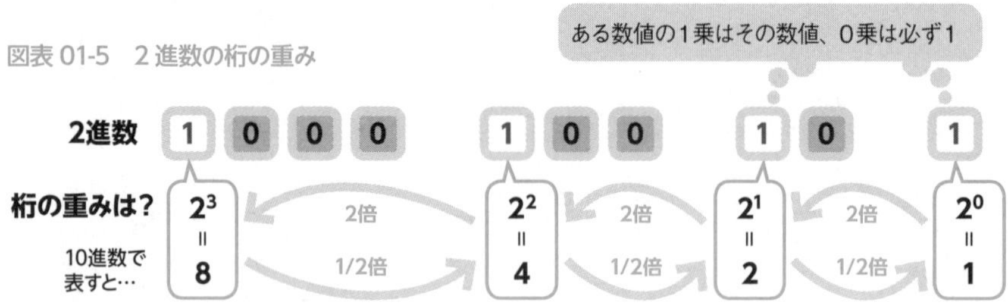

基数変換って、何をすること？

頻出

●10進数とはどんな数？

コンピュータ内部で扱う2進数の値は、そのままではわかりにくいため、日常で使われる10進数の値に変換して考えたほうが便利です。このように、ある基数の値を、別の基数の値に変換することを**基数変換**といいます。

基数変換を行う際には、「桁の重み」がポイントになります。そこで、まず10進数とはどんな数なのかを確認しましょう。10進数は10が基数ですから、ある桁の重みは右隣の桁の10倍です。2進数と同様に、各桁の重みを順に表すと、一の位($10^0=1$) → 十の位($10^1=10$) → 百の位($10^2=100$) …となります。

例えば10進数の213を、1桁目から順に桁の重みを示す式で分解すると、$213=(10^0\times3)+(10^1\times1)+(10^2\times2)$ になります。

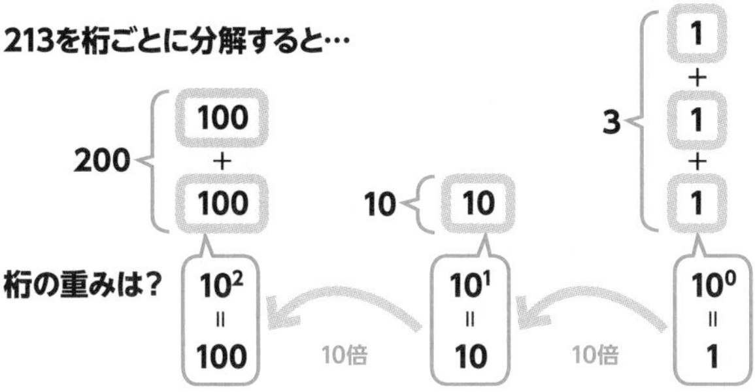

図表 01-6　10 進数の桁の重み

●2進数から10進数への基数変換

2進数の111をこれまでの方法で分解すると、$(1\times2^0)+(1\times2^1)+(1\times2^2)=7$となります。実は、この式が2

図表 01-7　10 進数への基数変換

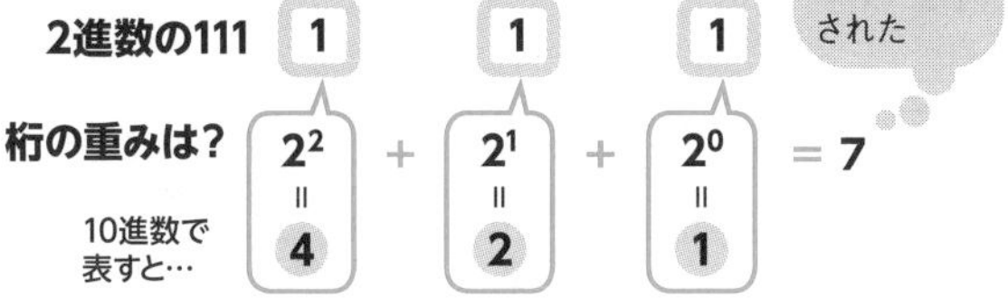

出題分析

桁の重み

16進小数2A.4Cと等しいものはどれか。

ア　$2^5+2^3+2^1+2^{-2}+2^{-5}+2^{-6}$

イ　$2^5+2^3+2^1+2^{-1}+2^{-4}+2^{-5}$

ウ　$2^6+2^4+2^2+2^{-2}+2^{-5}+2^{-6}$

エ　$2^6+2^4+2^2+2^{-1}+2^{-4}+2^{-5}$

16進数1桁は2進数の4ビットに対応するため、まずは16進小数2A.4Cを2進小数に変換する。次に変換した2進小数を各桁の重みの和で表せばよい。

2	A	.	4	C
↓	↓		↓	↓
0010	1010		0100	1100
↓	↓		↓	↓
2^5	2^3 2^1		2^{-2}	2^{-5} 2^{-6}

以上により、

$2^5+2^3+2^1+2^{-2}+2^{-5}+2^{-6}$

解答 ア

進数→10進数への変換方法になります。2進数の各桁ごとに重みを掛け合わせ、それを合計することで10進数への基数変換を行うことができます。

●小数点以下の2進数の基数変換

桁の重みは整数部分だけでなく、小数点以下にもあります。まず10進数で考えてみましょう。

10進数では、ある桁の重みは右隣の桁の10倍、左隣の1/10倍です。このルールは小数点以下の桁にも適用され、0.1（$=10^{-1}$）は左隣1の1/10倍、0.01（$=10^{-2}$）は0.1の1/10倍…と、確かに1/10倍ずつですね。

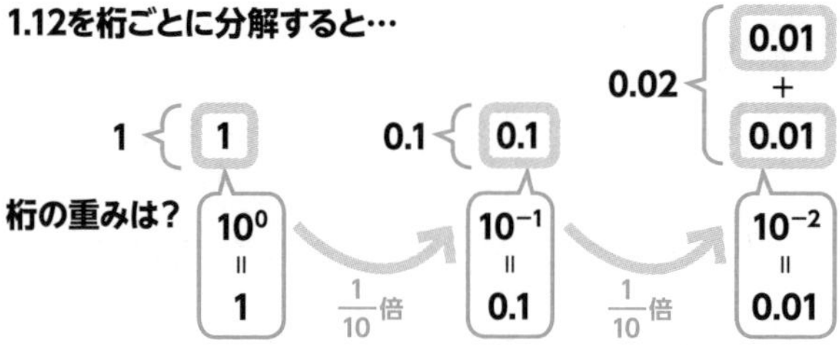

図表 01-8　10 進数の小数の桁の重み

2進数も10進数と同様です。ある桁の重みはその右隣の2倍の重みを持ち、左隣の1/2倍の重みを持ちます。つまり下図のように基数変換が可能です。

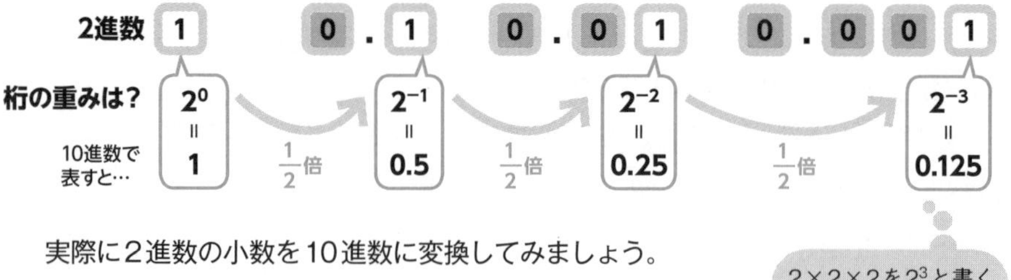

実際に2進数の小数を10進数に変換してみましょう。

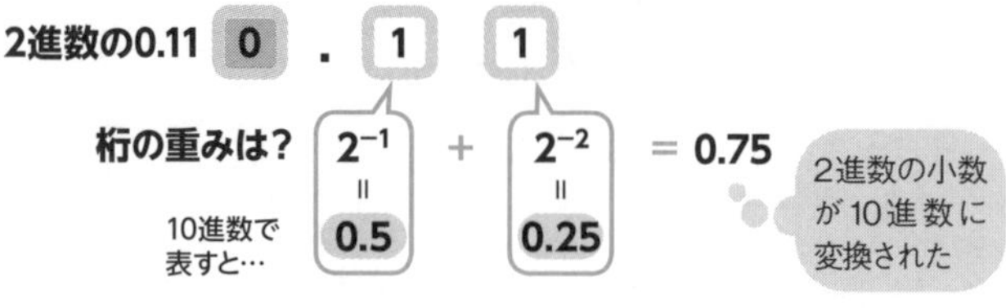

図表 01-9
2 進数の小数の桁の重みと基数変換

ココも出る！

n桁目の重みを計算する式

桁の重みは、べき乗で表すことができる。この「～乗」の部分を指数という。試験では、「n桁目の重み」がいくつになるのかを、式で考えさせる問題がある。各桁の重みを示す指数に注目してみよう。

10進数では…

100	10	1
‖	‖	‖
10^2	10^1	10^0

2進数では…

100	10	1
‖	‖	‖
2^2	2^1	2^0
‖	‖	‖
4	2	1

重みを求める桁の位置を仮にn桁目とすると、重みを表す指数は「n－1」で表せる。

例：10進数の3桁目

$10^{3-1}=10^2$

$=10\times10=100$

2進数への基数変換はやや面倒

●10進数から2進数への基数変換

10進数から2進数への変換には、2つの方法があります。1つめは、2進数→10進数の変換を逆にたどり、10進数を2のべき乗の和の式に分解するやり方です。

この方法では、2のべき乗の結果の値($2^2=4$、$2^3=8$、$2^4=16$ …)を、ある程度覚えておき、うまく組み合わせるのがポイントで、慣れが必要になります。

2^6　2^5　2^2　2^{-1}　2^{-3}

〔例〕$(100.625)_{10}=64+32+4+0.5+0.125$

$=2^6+2^5+2^2+2^{-1}+2^{-3}=(1100100.101)_2$

注:$(XX)_{10}$ は 10 進数、$(XX)_2$ は 2 進数を表す<☞ p.22>。
2進数の小数は<☞ p.26「図表 01-9 2 進数の小数の桁の重みと基数変換」>を参照のこと。

●機械的に変換する方法

やや手間がかかるものの機械的に行える方法で、10進数を整数部と小数部に分けて2進数に変換します。

❶整数部

10進数を2進数の基数2で割った余りを順に求め、商が0になるまでこれを繰り返します。

〔例〕$(100.625)_{10}$ ←まず整数部の100を変換

		余り	重み
2) 100			
2) 50	…	0	重みは2^0
2) 25	…	0	2^1
2) 12	…	1	2^2
2) 6	…	0	2^3
2) 3	…	0	2^4
2) 1	…	1	2^5
0	…	1	2^6
商			$(1100100)_2$

ココも出る!

2進数の加算

2進数の四則演算は、いったん10進数に変換する方法と、2進数のまま計算する方法がある。ここでは2進数のまま加算する例を説明しよう。

2進数

0110＋0011 の計算

1桁目

```
   0 1 1 0
+) 0 0 1 1
-----------
         ↓
0+1=1    1
```

2桁目

```
       1
   0 1 1 0
+) 0 0 1 1
-----------
       ↓
1+1=10 0 1
(桁上がり)
```

3桁目

```
     1 1
   0 1 1 0
+) 0 0 1 1
-----------
     ↓
     0 0 1
```

桁上がり分を含めて
1+1+0=10(桁上がり)

4桁目

```
   1
   0 1 1 0
+) 0 0 1 1
-----------
   ↓
   1 0 0 1
```

桁上がり分を含めて
1+0+0=1

計算結果は、

1001 になる。

例では桁数が少ないが、桁数が多い場合や解答が2進数で求められている場合は、2進数のままのほうが手早く計算できる。

❷小数部

小数部に2進数の基数2を掛け、結果の値の整数の部分を順に取り出します。小数部が0になれば終了です。ただし、0にならずに同じ数列が繰り返される**無限小数**<☞>になることがあります。

〔例〕　$(100.625)_{10}$　←残した小数部を変換

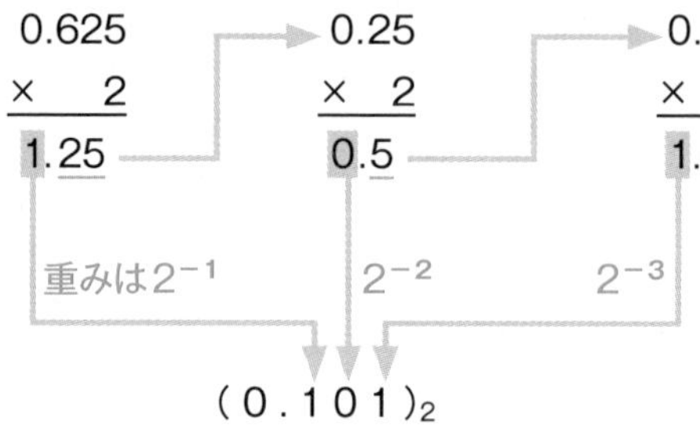

以上により、整数部と小数部を合わせたものが、答えになります。

$(100.625)_{10} = (1100100.101)_2$

さて、試験問題はこの問題のように単純に計算させるものは少ないのですが、ときにはオーソドックスな形で出ることもあります。チャレンジしてみましょう。

試験はこう出る

問

10進数の0.40625を2進数で表したものはどれか。

ア　0.01001　　イ　0.0101
ウ　0.01011　　エ　0.01101

答

10進数は小数部だけなので、2を掛けていき積の小数部が0になるまで続けると、次のようになる。

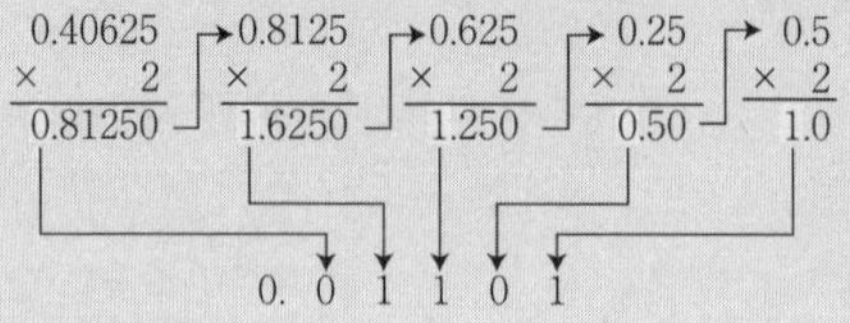

解答　エ

さらに詳しく

無限小数

10進数0.2を2進数に変換すると、次のように展開される。

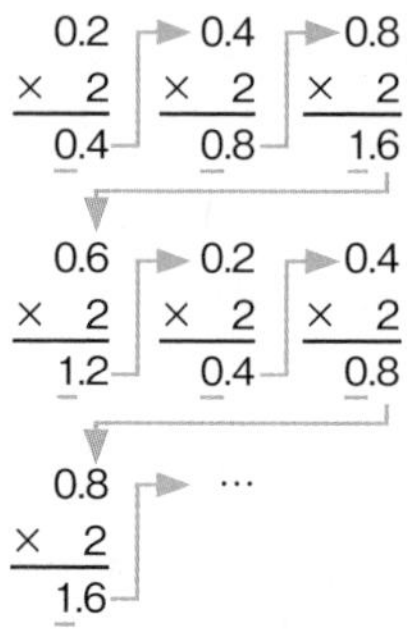

0.2を2進数に変換すると、0.001100110011…のように、0011のパターンをずっと繰り返す**無限小数(循環小数)**になる。

逆に、2進数の無限小数にならない10進数の小数は、2^{-n}の和で表現できることを覚えておこう。

〔例〕

・0.125
$= 2^{-3} = (0.001)_2$

・0.375
$= 0.25 + 0.125$
$= 2^{-2} + 2^{-3}$
$= (0.01)_2 + (0.001)_2$
$= (0.011)_2$

2進数から8進数・16進数への基数変換

2進数から8進数、16進数への基数変換は、2進数を8進数は3桁、16進数は4桁ごとに区切って読み換えることで、容易に変換できます。

8進数は、10進数の8(2進数の1000)で桁が上がります(6→7→10→11)。10進数の7は2進数の111ですから、2進数を3桁ごとに区切って8進数に読み換えます。同様に、10進数の15は2進数の1111なので、16(2進数の10000)で桁が上がる16進数への変換は4桁ごとに区切ります。区切る位置は2進数の小数点を基準にし、桁数が足りない場合は0を補います。

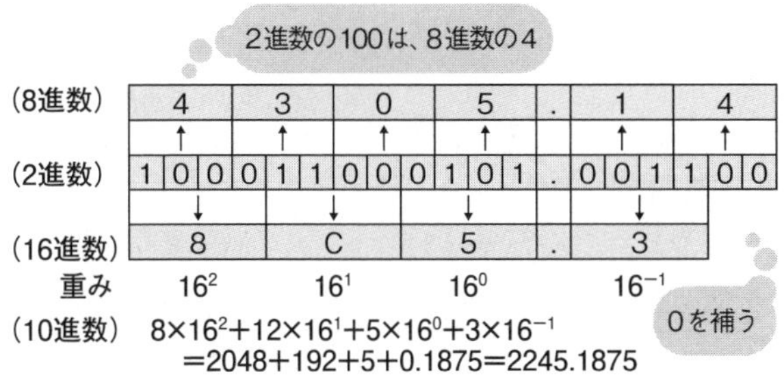

図表 01-10　2進数から8進数・16進数への基数変換

試験はこう出る

問

8進数の1.54と1.64を加算した結果を10進数で表したものはどれか。

ア　3.1　　イ　3.375　　ウ　3.5　　エ　3.8

答

8進数は2進数を3桁ずつ区切ったものなので、いったん2進数にして加算するとわかりやすい。

$(1.54)_8 = (1.1011)_2$　$(1.64)_8 = (1.1101)_2$

加算すると、

$$
\begin{array}{r}
1.1011 \\
+\ 1.1101 \\
\hline
11.1000
\end{array}
$$

10進数に変換

$(11.1000)_2 = (2^1 \times 1) + (2^0 \times 1) + (2^{-1} \times 1)$

$= 2 + 1 + 0.5 = 3.5$

解答　ウ

さらに詳しく

8進数と16進数

2進数は10進数に比べて数列が長くなり、人間には読みづらい。そこで、2進数の数列を、何桁かまとめて扱うときに使われるのが、8進数や16進数である。

8進数は0～7の8つの数字で表記する。16進数は0～9とアルファベットのA～Fの計16個の数字・英字で表記する。

10進数	8進数	16進数
0	0	0
1	1	1
2	2	2
3	3	3
4	4	4
5	5	5
6	6	6
7	7	7
8	10	8
9	11	9
10	12	A
11	13	B
12	14	C
13	15	D
14	16	E
15	17	F
16	20	10
17	21	11
18	22	12
⋮	⋮	⋮

シラバス　●大分類1：基礎理論　●中分類1：基礎理論
●小分類1：離散数学

2進数による さまざまな数値の表現

1 単位の基本はビットとバイト

コンピュータが処理を行うときのデータの最小単位を**ビット**(bit)といいます。ビットは2進数1桁を表すbinary digitの略語で、1ビットで2通りの情報を表現できます。

さらに、8ビットをひとまとまりとして扱う単位が**バイト**(byte)で、1バイトで256通り(2^8=256)の情報を表すことができます。

また、ハードディスクのデータ容量などのとても大きい値や、コンピュータ内部の処理時間などのごく小さい値は、M(メガ＝100万)やμ(マイクロ＝100万分の1)などの**SI接頭語**を用いて、見やすく表記します<☞さらに詳しく>。

●SI接頭語の換算方法

SI接頭語の記号は3桁ごと(1,000倍や1/1,000倍)に決められているので、桁が大きくなったら上位(小さくなったら下位)の記号に置き換えます。

3桁で区切ったカンマを超えるたびに、ひとつ大きなSI接頭語に上がると考えよう。

10^3=k
↓
10^6=M　1,000バイト
↓
10^9=G　1,000,000バイト
↓
10^{12}=T　1,000,000,000バイト
↓
1,000,000,000,000バイト

〔例〕**100Mバイトのファイルを12本保存したいとき、HDDの空き容量は最低何Gバイト必要か。**

※答えがGバイトで求められていることに注目！

合計容量：100Mバイト×12本 ＝ 1,200Mバイト

SI接頭語の換算：1.2Gバイト

さらに詳しく

ワード

複数ビットをまとめた情報の単位として、ワード(word；語)がある。ワードは、コンピュータ内部のCPUやメモリなどが処理を行うときに、ひとまとまりとして扱うデータの単位を示している。

1ワードの長さはコンピュータやOSによって異なり、2バイト(16ビット)、4バイト(32ビット)、8バイト(64ビット)などがある。

SI接頭語とべき乗

SI(国際単位系)接頭語とは、大きな量または小さな量を簡潔に表すために定められたもの。コンピュータ内部では2進数が基本なので、2の10乗で表せる1,024としたほうが矛盾が生じない。

接頭語	べき乗	備考
テラ(T)	10^{12}	≒ 2^{40}
ギガ(G)	10^9	≒ 2^{30}
メガ(M)	10^6	≒ 2^{20}
k(キロ)	10^3	≒ 2^{10}
ミリ(m)	10^{-3}	
マイクロ(μ)	10^{-6}	
ナノ(n)	10^{-9}	
ピコ(p)	10^{-12}	

2進整数を表す固定小数点数形式

固定小数点数形式は、コンピュータ内部における2進数を使った数値の表現方法の1つです。数値を決まった大きさ(8ビット、16ビット、32ビットなど)で表す方式で、表現する数値の大きさによって使い分けます。一般には、小数点を最下位ビット(LSB；Least Significant Bit)の右側に固定しておき整数を表します。

●符号なし固定小数点数

8ビットの固定小数点数形式は、0～255の範囲(0～2^8-1)の数値が表現できます。

10進数								
0	0	0	0	0	0	0	0	0
1	0	0	0	0	0	0	0	1
2	0	0	0	0	0	0	1	0
≀				≀				
254	1	1	1	1	1	1	1	0
255	1	1	1	1	1	1	1	1

↑小数点の位置

図表 02-1　符号なし固定小数点数形式の表現範囲

また、最上位ビット(MSB；Most Significant Bit)で符号を表すことで、負数を表現することもできます。

符号ビットは、0ならば正、1ならば負を表します。負数の表現については、次項の「補数表現」を使います。

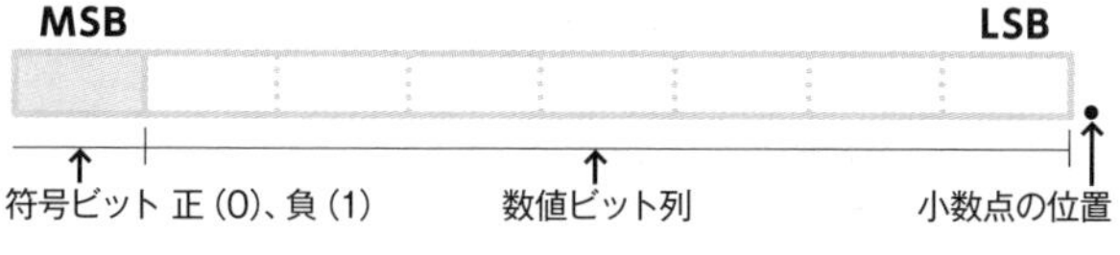

図表 02-2　固定小数点数形式の構成

負の数を表現する補数表現

頻出

●補数を使うメリット

ある数nの補数とは、「ある数nに補うと100…0になる数」のことです。例えば、10進数の530は、470を補うと1000になるため、470は530の3桁の補数です。

補数を使うメリットは「足し算で引き算ができる」こと。

ココも出る！

有効桁数を求める

nビットの符号なし固定小数点数の有効桁数は、10進数で何桁(x)になるか？ この計算は、次の式を解けばよい。

$2^n=10^x$

$x=\log_{10}2^n$

$=n\times\log_{10}2$

$\log_{10}2=0.301$ なので、

$x=n\times0.301$(切捨て)

例えば、nが32ビットのとき、

$32\times0.301=9.632$

であるから、有効桁数は9桁になる。なお、最大値の桁数を求められたときには、xは切り上げる。nが32ビットならば、10桁になる。ただし、最大値は10桁の数値だが、それ以上の10桁の数値を表すことはできない。有効桁数は精度を保障する桁数であるから、32ビットで確実に表せる桁数は9桁になる。

さらに詳しく

表現できる範囲

2の補数において、nビットで表現できる範囲は、

$-(2^{n-1})$ ～ $(2^{n-1}-1)$

となる。これに対し、1の補数表現では、

$-(2^{n-1}-1)$ ～ $(2^{n-1}-1)$

となり、マイナス側で1少ない。この理由は、0が2種類(＋0と－0)存在してしまうからである。

「980－530＝450」を、530の補数470を用いて「980＋470＝1450」と計算し、最上位桁の1を省くと、減算の結果と同じ450になることがわかります。

●補数の求め方

2の補数は、2進数において負の数を表現する際に用いられます。求め方は、符号ビットを含めたすべてのビットを反転したもの(**1の補数**)に1を加算します。8ビットでは次のような数値範囲を表現することができます。

負の数は2の補数表示

10進数								
+127	0	1	1	1	1	1	1	1
+126	0	1	1	1	1	1	1	0
~								
+2	0	0	0	0	0	0	1	0
+1	0	0	0	0	0	0	0	1
0	0	0	0	0	0	0	0	0
−1	1	1	1	1	1	1	1	1
−2	1	1	1	1	1	1	1	0
~								
−126	1	0	0	0	0	0	1	0
−127	1	0	0	0	0	0	0	1
−128	1	0	0	0	0	0	0	0

図表 02-3　符号付き固定小数点数形式の表現範囲

10進数の100－17を8ビットの固定小数点数(負の数は2の補数表示)で計算してみましょう。100＋(－17)と考えて、17の2の補数である$(11101111)_2$を加算します。桁あふれを無視して、下位8ビットだけを取り出し、10進数に変換すると83になります。

100		0	1	1	0	0	1	0	0
+) (−17)		1	1	1	0	1	1	1	1
	1	0	1	0	1	0	0	1	1

実数を表現する浮動小数点数形式

数値計算の分野では、非常に大きな値や非常に小さな値を扱うことが多いため、限られたバイト数の中で効率よく実数を表現するために、**浮動小数点数形式**がよく使われます。

出題分析

2の補数表現

2の補数で表された負数10101110の絶対値はどれか。

ア　01010000
イ　01010001
ウ　01010010
エ　01010011

① 各ビットの値を反転。(0→1, 1→0)
② ①のビット列に1を加算。

10101110
⇩ ① ビットを反転
01010001
⇩ ② 1を加算する
01010010

解答 ウ

●浮動小数点数形式とは

固定小数点数形式が主に整数データを表現するのに対し、実数データは浮動小数点数形式で表現します。

基本となるのは指数表現で、実数を「**数値＝仮数×基数^{指数}**」のように表します。例えば、2進数「11000000」は、次のように「0.11」$\times 2^8$と表すことができます。

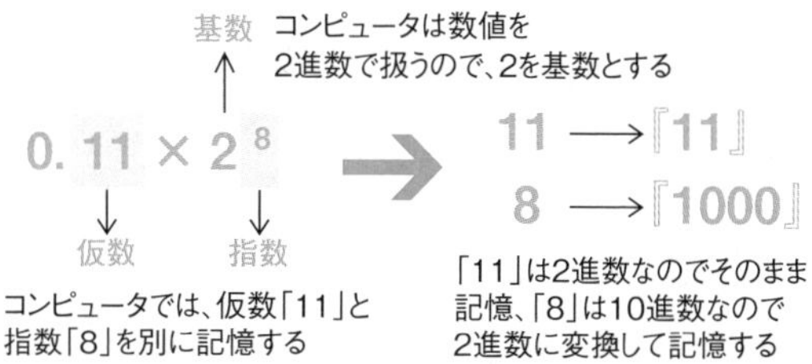

指数表現では、0.11の「11」のような小数部分が**仮数**になります。また、n乗のnの部分は**指数**、「2のn乗」で表す場合の**基数**<☞ p.24>は「2」になります。

なお、浮動小数点数形式では、仮数部で有効桁数を確保し、指数部で数の大きさを表すことで、限られたビット数で、とても大きい数値やごく小さい数値を表現できます。ただし、どんなに演算の精度を上げても**誤差**が発生する<☞次ページ>ことは覚えておきましょう。

●浮動小数点数形式への格納

実際に浮動小数点数をコンピュータで記憶する場合は、決められたルールに基づいて行われます。標準的なのが**IEEE（米国電気電子技術者協会）形式**で、64ビットの**倍精度形式**と、32ビットの**単精度形式**があります。ここでは、IEEE 754の単精度形式を例にします。

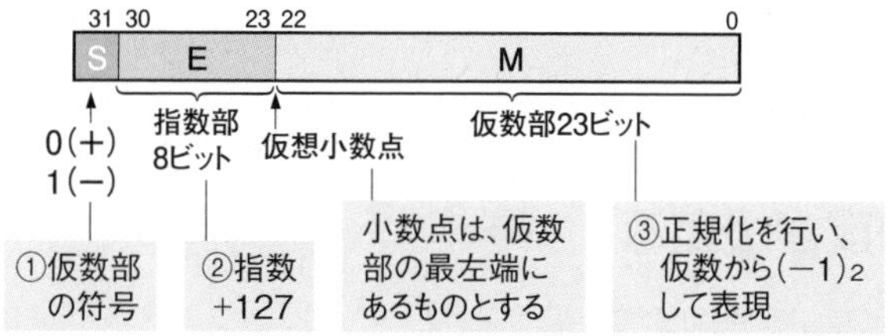

図表 02-4　IEEE の単精度形式の例

さらに詳しく

指数表現と桁移動

例えば、10進数（基数は10）の指数表現は、次のようになる。

$-59{,}000{,}000{,}000{,}000$
$= -59 \times 10^{12}$

0.000000000783
$= 0.783 \times 10^{-9}$

10進数の100を指数表現する場合、次のように、複数の表現ができる。

100
$= 0.1 \times 10^3$
$= 1 \times 10^2$
$= 10 \times 10^1$
$= 100 \times 10^0$※
$= 1000 \times 10^{-1}$
$= 10000 \times 10^{-2}$

※$10^0 = 1$

仮数部の値を10^n倍にすると、指数部は「元の値−n」となる。

指数部が独立しているため、大きな数から小さな数までを、一定の桁数の2進数で表現できる。

正規化

浮動小数点数の演算では、精度が重要になるため、桁数の限られる仮数部を有効に使いたい。そこで、仮数部の最上位ビットが0にならないように、仮数部と指数部を調整する。これを**正規化**という。演算や代入を行うタイミングで正規化を実施することで、演算途中における有効数字の桁落ちを防止できる。

IEEE 754形式では、①符号は仮数が正なら0、負なら1とします。単精度の場合、②指数部の値は8ビットで表します(00000000と11111111は特殊用途に使用)。指数には、正(整数)と負(小数)の両方が必要なため、00000001を−126とすることで指数を表現しています(イクセス表現<☞>)。③仮数は**正規化**<☞前ページ>したうえで、さらに仮数から−1した表現※にします。

※IEEEモデルでは、正規化を行うときに「1.M」(Mは仮数部の意味)の形にする。例えば、$(0.101)_2 \times 2^{-3}$は、$(1.01)_2 \times 2^{-4}$とし、格納時には最上位の1を省略することで、精度(有効桁数)が1桁分上がる。

〔例〕 **$(0.2)_{10}$を正規化した浮動小数点数に変換する。**

(1) 10進数から2進数へ変換する。ここで、0.2は無限小数<☞p.28>のため、23ビットの仮数部で表現できない部分は切り捨てられる。

$0.2 = (0.00110011\cdots)_2$

(2) 仮数部を正規化し、1.Mになるようにする。

$(0.00110011\cdots)_2 \times 2^0$

$= (1.10011\cdots)_2 \times 2^{-3}$

ここに注目!

仮数部に入りきらない部分は切り捨てられる

10進数　　2進数

0.2＝0.00110011001100110011001 1001100 …

仮数部 23 ビット

正規化した分を調整

0.2＝1.10011001100110011001100 1100 … ×2^{-3}

仮数部 23 ビット

仮数部が1.1の形になるように、3ビット左にずらす

はみ出しが減り、精度が向上

(3) 指数部は、イクセス表現にして格納。

$-3 + 127 = 124 = (01111100)_2$

〔格納結果〕

0	01111100	10011001100110011001100

誤差を知れば演算精度が上がる 頻出

浮動小数点数形式は非常に広い範囲の実数を扱うことができますが、範囲内のすべての値を正確に表現できる

さらに詳しく

指数とイクセス表現

指数の値は、正負のどちらもありうるため、表現方法に工夫が必要になる。単精度のIEEE 754形式では、実際の指数に$(2^7 - 1) = 127$を加えることによって、8ビットの指数部で−126〜＋127までの値を表現している。

実際の指数	指数の値	10進数の表現
−126	00000001	1
−125	00000010	2
↓	↓	↓
0	01111111	127
1	10000000	128
↓	↓	↓
126	11111101	253
127	11111110	254

補数を使った指数表現

指数部の表現方法として、IEEE形式以外に2の補数を使うことがある。試験では問題文中にルールが示されるので、注意しておこう。

《例》 2^{-2}

指数部分「−2」を2の補数で表現する。

(1) 8ビットで＋2を表す。
00000010

(2) ビットを反転し、＋1をして補数を求める。
11111110

(3) 左端の符号ビットが1になっているのでマイナスの値であることがわかる。
11111110

わけではありません(とびとびの値で表現している)。

浮動小数点数を使用する場合には、真の値と表現している値との差(**誤差**)を見極め、必ず演算の精度を確認し、計算順序などを工夫する必要があります。

●仮数部で発生する誤差

❶丸め誤差

左ページの例のように、10進数0.2を2進数にすると、0.00110011…と無限小数<☞ p.28>になります。浮動小数点数では仮数部の桁数が有限なので、四捨五入や切上げ、切捨てによる誤差が生じることになります。これが**丸め誤差**です。

〔例〕 **10進数0.2を2進数にすると無限小数になり、仮数部に入りきらない部分は切り捨てられ、丸め誤差になる。**

10進数　　　　2進数

0.2＝0.00110011001100110011001 1001100 …

仮数部 23 ビット

10進数に戻したときには、ピッタリ0.2にならない

この部分が切り捨てられることで丸め誤差が発生

また、2つの値の加減算は、①指数の大きいほうに桁を合わせる(仮数部のシフト)→②仮数部を加減算する→③計算結果を正規化する、という手順で行われます。このとき対象となる値によっては、次の誤差が発生します。

❷桁落ち

絶対値のほぼ等しい2つの数値を減算したときに、有効数字※の桁数(有効桁数)が急激に減少し、それによって発生する誤差です。

〔例〕 $1.110100101 \times 2^3 - 1.110100010 \times 2^3$

$= 0.000000011 \times 2^3$

正規化すると、 $1.100000000 \times 2^{-5}$

となり、有効数字の桁数は10桁→2桁に減少する。

❸情報落ち

絶対値の差が非常に大きい2つの数値の加減算を行ったときに、絶対値の小さいほうの値が有効桁数内に収ま

出題分析

誤差の種類

桁落ちの説明として、適切なものはどれか。

ア　値がほぼ等しい浮動小数点数どうしの減算において、有効桁数が大幅に減ってしまうことである。

イ　演算結果が、扱える数値の最大値を超えることによって生じるエラーのことである。

ウ　浮動小数点数の演算結果について、最小の桁よりも小さい部分の四捨五入、切上げまたは切捨てを行うことによって生じる誤差のことである。

エ　浮動小数点数の加算において、一方の数値の下位の桁が結果に反映されないことである。

桁落ちとは、絶対値のほぼ等しい2つの数の差を求めたとき、結果が小さい値になり有効桁数が少なくなる現象。例えば、54.7723 － 54.7814 ＝ －0.0091では、有効桁数6桁が2桁になる。イはオーバーフロー、ウは丸め誤差、エは情報落ちについての説明。

解答 ア

※有効数字：誤差を含むことを前提としたうえで、意味のある数字(信頼性の高い桁)。

らず、演算結果に反映されないために発生する誤差です。

〔例〕 $2^{600} + 2^{-600} = 2^{600}$

この例では、2^{-600}が無視されることになる<☞>。

❹打切り誤差

ある程度の値で収束が確認できたところで、処理を打ち切ることで生じる誤差です。演算結果が有効桁数では表現できない場合などで発生します。

●指数部で発生する誤差

指数部で一定の表現範囲を超えると誤差が発生します。オーバーフローやアンダーフローは、正と負のどちらの場合でも発生することに注意しましょう。

❶オーバーフロー

非常に絶対値の大きな値どうしの乗算を行った場合、指数部が表現し得る正の最大値を超えることがあり、このときに誤差が発生します。

〔例〕 $2^{600} \times 2^{600} = 2^{1200}$（オーバーフロー）

❷アンダーフロー

絶対値の小さな値（＝非常に0に近い値）どうしの乗算を行った場合、指数部での表現範囲の最小値よりも小さい数値が表現できないことがあり、それによりアンダーフローとなります。

さらに詳しく

情報落ちの発生原因

情報落ちは、浮動小数点数形式の加減算が、指数部を大きいほうに揃えてから仮数部どうしの計算をすることで発生する。

ココも出る！

情報落ちを減らすための工夫

情報落ちは、絶対値の差が要因となる。そこで、絶対値の小さい順に数値を並べ換え、絶対値の差のない数値どうしの演算を先に行い、ある程度の大きさになってから絶対値の大きな値を加減すると誤差を減らすことができる。

試験はこう出る

問

コンピュータを使用して整数の加減算を行う場合、オーバーフローの可能性がある組合せはどれか。

	演算	オペランドx	オペランドy
a	x+y	正	正
b	x+y	正	負
c	x+y	負	正
d	x+y	負	負
e	x−y	正	正
f	x−y	正	負
g	x−y	負	正
h	x−y	負	負

ア a, d, f, g　　イ b, c, e, h

ウ b, e　　エ c, e, h

答

オーバーフローは、同符号の加算や異符号の減算を行ったときに発生する可能性がある。a〜hの各演算の中で、a：正＋正、d：負＋負＝−（正＋正）、f：正−負＝正＋正、g：負−正＝−（正＋正）が該当する。

解答　ア

文字としての数字を表現する

キーボードなどから数字を入力すると、そのデータは各桁の数字に対応する10進数の文字として扱われます。これは、印刷、表示用途としての10進数であり、10進数の体系を残したままのコード形式で記録されます。なお、計算用に使う場合は、内部で2進数へ変換されます。

● 10進数を表すコード体系

❶BCDコード(2進化10進コード)

BCDコード(Binary Coded Decimal)は、10進数の1桁を2進数4桁に対応させて表現したものです。数字を表すコードの基本となるもので、どの文字コード体系においても、下位4ビットは、BCDコードと同じ値になるように定義されています。

〔例〕12345をBCDコードで表す。

「1」	「2」	「3」	「4」	「5」
0001	0010	0011	0100	0101

❷ゾーン10進数(アンパック10進数)

10進数1桁を1バイト(8ビット)で表す形式です。1バイトの下位4ビットで0～9までの数値を表現し、上位4ビットは文字コードの種類を表します(ゾーン部と呼ぶ)。符号は、最下位バイトの上位4ビットで示されます。

〔例〕+6078をゾーン10進数で表す。　文字コードはJISコード(0011)を使用する。

「6」		「0」		「7」		「8」	
0011	0110	0011	0000	0011	0111	1100	1000

ゾーン部　　符号「1100」は正

❸パック10進数

10進数1桁を4ビットで表し、最下位の4ビットに符号を付加します。必ずバイト(8ビット)単位にするため、1バイトに満たないときは「0000」を入れます。

〔例〕−6078をパック10進数で表す。

1バイト		1バイト		1バイト	
0000	0110	0000	0111	1000	1101
	「6」	「0」	「7」	「8」	

0を詰める　　符号「1101」は負

ココも出る!

BCDコード体系

BCDコードは、各コード体系の下位4ビットに当てはめられ、0～9までの数字を次のように表す。

10進数	BCDコード
0	0000
1	0001
2	0010
3	0011
4	0100
5	0101
6	0110
7	0111
8	1000
9	1001

例えばJISコード(< ☞ p.60 >)では、

1＝0011 0001
2＝0011 0010
3＝0011 0011

となり、上位4ビットは数字を表す共通のビット列が入る。

03

基礎理論

1+1=10

シフト演算

2進数の乗算・除算を行うシフト演算

シフト演算は、桁を左右にずらす（桁移動する）ことで、べき乗の計算をする方法で、ひいては乗算や除算を行うことができます。どのような仕組みなのか、まずは10進数で考えてみましょう。桁あふれが発生しないとき、桁を移動（シフト）すると、図のように値が変化します。

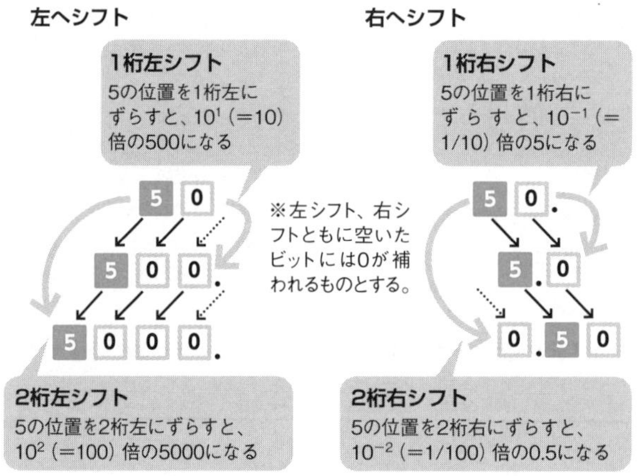

図表 03-1　シフト演算の仕組み

2進数でも確認してみましょう。左へ1ビット桁移動するごとに数値は2倍になり、元の数値を基準にすると、2倍→4倍→8倍→16倍になることがわかります。

ただし、最後の行のように、あふれが発生した場合に

重み	2^7	2^6	2^5	2^4	2^3	2^2	2^1	2^0	
	0	0	0	1	0	1	0	0	$=1\times2^4+1\times2^2=(20)_{10}$
	0	0	1	0	1	0	0	0	$=1\times2^5+1\times2^3=(40)_{10}$
	0	1	0	1	0	0	0	0	$=1\times2^6+1\times2^4=(80)_{10}$
	1	0	1	0	0	0	0	0	$=1\times2^7+1\times2^5=(160)_{10}$
	0	1	0	0	0	0	0	0	$=1\times2^6=(64)_{10}$

さらに詳しく

オーバーフローの発生

オーバーフローが発生した場合は、シフト結果が正しい値にならない。8ビットの場合は次のようになる。

①論理シフト
$0\sim2^8-1$（=255）の範囲を超えたとき。

②算術シフト
$-2^7\sim2^7-1$
（=$-128\sim127$）の範囲を超えたとき。

は、この法則は当てはまりません。

あふれが発生しないとき、2進数のシフト演算は次のようになります。

左にnビットシフト→元の数値の2^n倍になる
右にnビットシフト→元の数値の2^{-n}倍になる

論理シフトと算術シフト

頻出

シフトには、論理シフトと算術シフトがあり、違いは左端の1ビットを符号として扱うかどうかです。論理シフトは全ビットを対象とするので負の数を扱うことはできませんが、算術シフトは符号ビットを固定するので負の数も扱えます。どちらもあふれたビットは捨てられ、空いたビットには次の規則により値が格納されます。

	左シフト	右シフト
論理シフト	0	0
算術シフト	0	符号ビットと同じもの

図表 03-2 シフト演算の規則

●論理シフト

❶論理右シフト

2進数の全ビットをそのまま右へ移動します。空いた左端のビットには0が入ります。

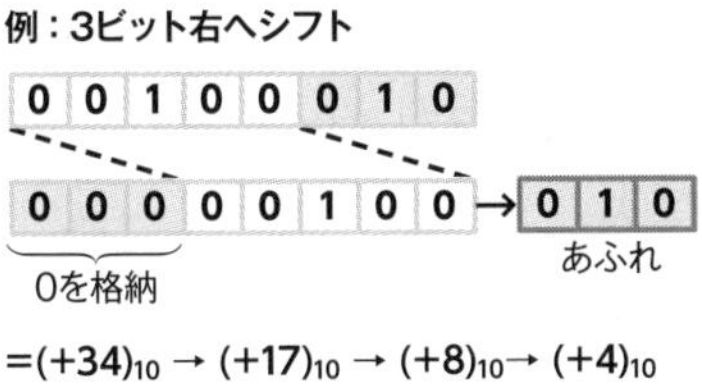

❷論理左シフト

2進数の全ビットをそのまま左へ移動します。空いた右端ビットには0が入ります。

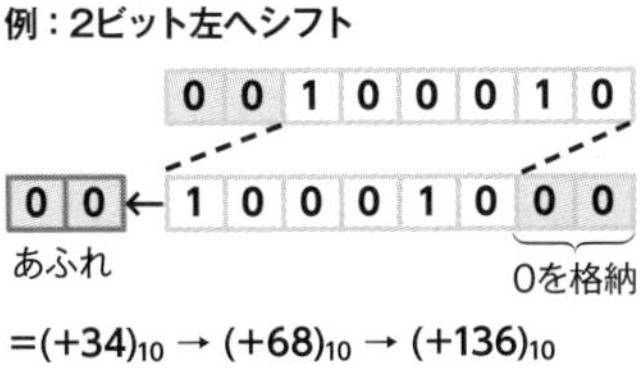

●算術シフト

❶算術右シフト

符号付き2進数の符号ビット以外のすべてのビットをそのまま右へ移動します。左の空いたビットには、符号

出題分析

16進数のシフト演算

32ビットのレジスタに16進数ABCDが入っているとき、2ビットだけ右に論理シフトした値はどれか。

ア 2AF3
イ 6AF3
ウ AF34
エ EAF3

16進数は、2進数4桁を数字またはアルファベットで表現したもの。16進数ABCDを2進数32ビットのレジスタに格納すると、
0000 0000 0000 0000
1010 1011 1100 1101
となり、右に2ビット論理シフトすると、
0000 0000 0000 0000
0010 1010 1111 0011
となる。これを再び16進数にすると、2AF3となる。

解答 ア

ビットと同じ値が入ります。

例：3ビット右へシフト

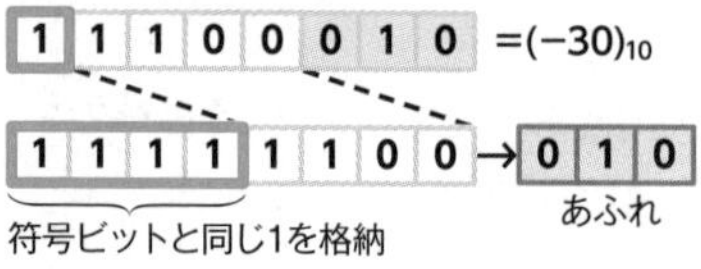

$=(-30)_{10} \rightarrow (-15)_{10} \rightarrow (-8)_{10} \rightarrow (-4)_{10}$

❷算術左シフト

符号ビット以外の全ビットをそのまま左へ移動します。空いた右端のビットには0が入ります。

例：2ビット左へシフト

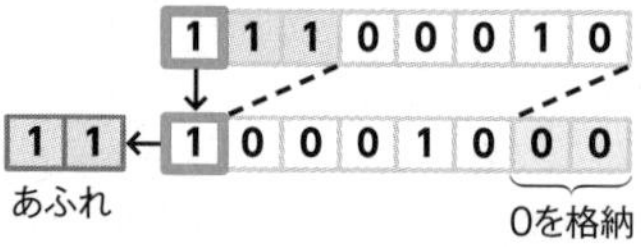

$=(-30)_{10} \rightarrow (-60)_{10} \rightarrow (-120)_{10}$

●シフトの実例

シフトする値によって、正しい結果が得られないことがあります。$(-90)_{10}$で確かめてみましょう。

1 0 1 0 0 1 1 0 $=(-90)_{10}$

〔例1〕 $(-90)_{10}$を右へ1ビットシフト

論理シフトでは、負数のため正しい値になりません(符号が無視されたため)。算術シフトでは、2^{-1}倍(＝−45)となり正しい結果になっています。

論理シフト

0 1 0 1 0 0 1 1 $=(+83)_{10}$

算術シフト

1 1 0 1 0 0 1 1 $=(-45)_{10}$

〔例2〕 $(-90)_{10}$を左へ1ビットシフト

論理シフトでは、負数のため正しい値になりません。算術シフトでは**オーバーフロー**が発生します。結果の値は、$-90\times2^1=-180$を負の最小値(−128)で割った余りになっています。

論理シフト

0 1 0 0 1 1 0 0 $=(+76)_{10}$

算術シフト

1 1 0 0 1 1 0 0 $=(-52)_{10}$

出題分析

論理シフト演算

次の16ビットの固定小数点レジスタの内容を2ビット左へ論理シフトしたものをaとし、3ビット右へ論理シフトしたものをbとしたとき、aはbの何倍になるか。ここで、論理シフトではシフト後に空きとなったビットに0が補われるものとする。

0000 0001 0100 0000

ア　aはbの6倍である。
イ　aはbの12倍である。
ウ　aはbの24倍である。
エ　aはbの32倍である。

元のビット列を問題文のとおりシフトを行っても、aとbどちらも“1”のビットは失われない。そのため、aはbを5ビット左へ論理シフトしたものになり、

$2^5=32$倍。

解答 エ

シフトを使った計算問題の解法

頻出

シフト演算は、一見して関連していないような問題にも応用できます。目を付けるポイントとしては、乗除算が関連していること。具体的な例で見てみましょう。

〔例1〕 **10進数の演算式7÷32の結果を2進数で表したものを求める。**

10進数7は、2進数 1 1 1

除算の結果が求められているので、シフト演算で解けそうです。10進数32は2^5で表せるので、元の数を5ビット右シフトすれば求める結果になります。

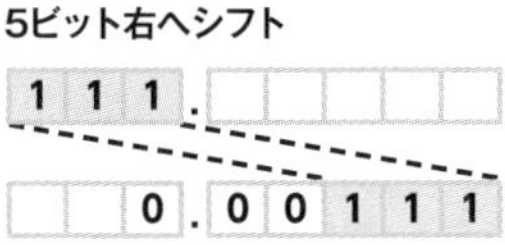

$(7)_{10} \div (32)_{10} = (0.00111)_2$

また、2のn乗倍以外の倍率についての問題も出ています。これには、シフト演算の結果に元の値を加算したり、再びシフト演算を行ったりといった方法をとります。

〔例2〕 **2進数で表された正の整数xを10倍にする。ただし、桁あふれは起こらないものとする。**

10倍＝(4倍＋1倍)×2倍

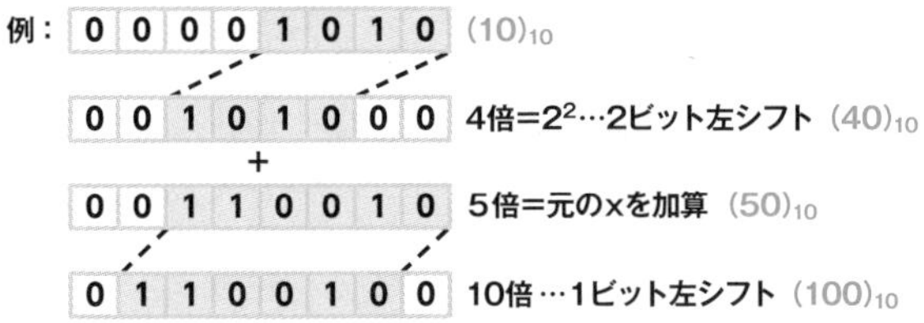

元の値が整数であれば、必ず2^nの和に分解できるので、その他の倍率が求められても対応できます。試験の選択肢になったものは、以下の倍率です。

12倍＝8倍＋4倍＝2^3+2^2

18倍＝(8倍＋1倍)×2倍＝$(2^3+2^0)\times 2^1$

20倍＝(4倍＋1倍)×4倍＝$(2^2+2^0)\times 2^2$

出題分析

シフトによる乗算

2進数mの9倍の値を求める方法はどれか。ここで、桁移動によって、あふれが生じることはないものとする。

ア mを2ビット左シフトしたものに、mを1ビット左シフトしたものを加える。

イ mを3ビット左シフトしたものに、mを加える。

ウ mを3ビット左シフトする。

エ mを9ビット左シフトする。

あふれが発生しないとしているので、2進数mを左にnビット桁移動するとmの2^n倍の値になる。そこで、mを9倍するためには、mを8倍(2^3＝3ビット左シフト)し、それにmを加えればよい。

解答 イ

シラバス　大分類1：基礎理論　中分類1：基礎理論
小分類1：離散数学

04

基礎理論

1＋1＝10

集合と論理演算

1 命題どうしの関係を示した論理式

基礎理論

コンピュータには四則演算だけでなく、論理的な判断を行う機能も備わっています。例えば、「AとBは等しい」や「X＞0」といった判断は、プログラムのアルゴリズムを構築する際には必須なものといえます。また、正誤が明確にできる文章や条件式を**命題**と呼び、「**真**(True)」または「**偽**(False)」の値を持ちます。ここで、真(＝1)は正しいと判断できる場合、偽(＝0)は正しいと判断できないことを指しています。さらに、複数の命題を関連付けるため、4つの論理式が用意されています。

論理式	意味	記号	記述例
論理積 (AND)	～かつ	・　∧	A・B
論理和 (OR)	～または	＋　∨	A＋B
論理否定 (NOT)	～でない	￣　¬	$\overline{A}$
論理包含 (含意)	～ならば	⇒　→　⊃	A⇒B

図表 04-1　命題どうしの関係を示す論理式

なお、論理式の入力値の組合せとその出力値を、図で表現したものを**ベン図**、一覧で示したものを**真理値表**と呼びます(下図は、入力がAとB、2つの場合)。

論理積　(A・B)

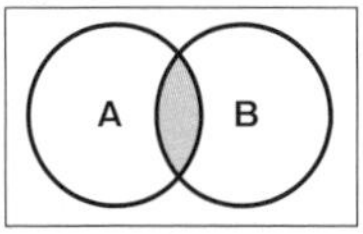

論理和　(A＋B)

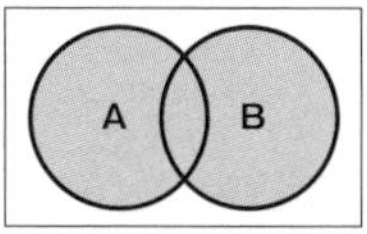

論理否定　($\overline{A}$)

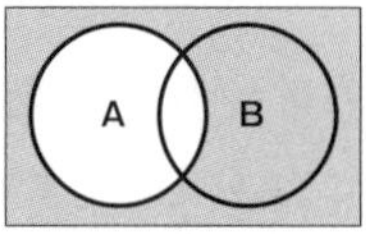

論理包含　(A⇒B)

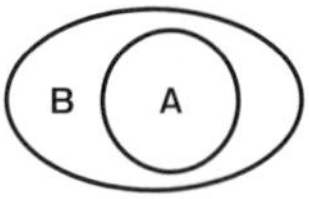

※色アミの部分に、論理演算の結果が「真」となる要素が含まれる。

図表 04-2　論理式のベン図

さらに詳しく

論理式の基本法則

基本法則を覚えておくと、複雑な論理式の整理に役立つ。ここで、0は偽、1は真を表している。

①基本演算

$A \cdot 0=0$　$A \cdot 1=A$

$A+0=A$　$A+1=1$

②同一の法則

$A \cdot A=A$　$A+A=A$

③交換の法則

$A \cdot B=B \cdot A$

$A+B=B+A$

④結合の法則

$A \cdot (B \cdot C)=(A \cdot B) \cdot C$

$A+(B+C)=(A+B)+C$

⑤分配の法則

$A \cdot (B+C)$
$=(A \cdot B)+(A \cdot C)$

$A+(B \cdot C)$
$=(A+B) \cdot (A+C)$

⑥吸収の法則

$A \cdot (A+B)=A$

$A+(A \cdot B)=A$

⑦矛盾・排中の法則

$A \cdot \overline{A}=0$

$A+\overline{A}=1$

⑧ド・モルガンの法則

$\overline{A \cdot B}=\overline{A}+\overline{B}$

$\overline{A+B}=\overline{A} \cdot \overline{B}$

<table>
<tr><th>A</th><th>B</th><th>A・B</th><th>A＋B</th><th>$\overline{A}$</th><th>A⇒B</th></tr>
<tr><td>0</td><td>0</td><td>0</td><td>0</td><td rowspan="2">1</td><td>1</td></tr>
<tr><td>0</td><td>1</td><td>0</td><td>1</td><td>1</td></tr>
<tr><td>1</td><td>0</td><td>0</td><td>1</td><td rowspan="2">0</td><td>0</td></tr>
<tr><td>1</td><td>1</td><td>1</td><td>1</td><td>1</td></tr>
</table>

図表 04-3　論理式の真理値表

集合の概念と演算の種類

「ある条件によって、グループ(同じ属性を持つ要素)に分類できるものの集まり」のことを、**集合**と呼びます。例えば、山田さんは男性で野球部のメンバーだとします。この場合、山田さんは両方の集合の重なる部分に含まれる**要素**になります。

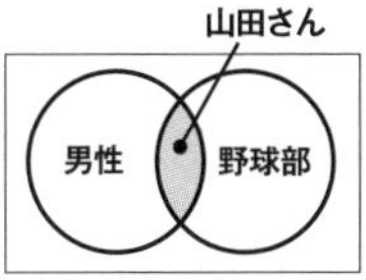

これを集合の記号を用いて記述すると、

山田さん∈男性や**山田さん∈野球部**　と表現できます。

●部分集合

部分集合は、集合どうしの包含関係を示します。例えば次の要素があるとき、

A＝{1, 2, 3, 4, 5, 6, 7, 8, 9,}

B＝{1, 3, 5, 7, 9,}

Bの要素はすべてAの要素に含まれることから、「BはAの部分集合」であり、**B⊂A**と記述します。また、部分集合の関係はB＝Aも含まれますが、上記の例のように、B≠Aの場合を、特に**真部分集合**といいます。

●集合の演算

集合どうしの関係には、次のようなものがあります。

演算の種類	演算の種類	記号
和集合	2つ以上の集合において、少なくとも一方に属する要素を集めたもの	∪
積集合(共通集合)	2つ以上の集合において、どちらにも属する要素を集めたもの	∩
補集合	ある集合(全体集合)における部分集合(A)に対し、そこに含まれない要素を集めたもの	$\overline{A}$

図表 04-4　集合の演算

出題分析

論理式の変形

論理式 $\overline{A}\cdot\overline{B}\cdot C+A\cdot\overline{B}\cdot C+\overline{A}\cdot B\cdot C+A\cdot B\cdot C$と恒等的に等しいものはどれか。

ここで、・は論理積、＋は論理和、$\overline{A}$はAの否定を表す。

ア　A・B・C

イ　A・B・C＋A・B・C

ウ　A・B＋B・C

エ　C

問題の論理式から共通部分を見つけ出し、分配則を適用していこう。

$\overline{A}\cdot\overline{B}\cdot C+A\cdot\overline{B}\cdot C+\overline{A}\cdot B\cdot C+A\cdot B\cdot C$ から共通のCに目をつけると、

$C\cdot(\overline{A}\cdot\overline{B}+A\cdot\overline{B}+\overline{A}\cdot B+A\cdot B)$となる。

さらに、Aと$\overline{A}$に目をつけて分配則を適用すると、

$C\cdot(A\cdot(B+\overline{B})+\overline{A}\cdot(B+\overline{B}))$となる。

ここで、排中の法則から$B+\overline{B}=1$なので、

$C\cdot(A+\overline{A})=C\cdot 1=C$

解答 エ

基本となる3つの論理演算 頻出

論理演算は、コンピュータを構成する論理回路によって、論理式を実現したものです。基本となる論理演算は、AND(論理積)演算、OR(論理和)演算、NOT(論理否定)演算の3つ。真理値表は、論理式と同様です<☞ p.43 図表04-3 論理式の真理値表>。

AND演算は2つの入力値AとBが共に「1」のときだけ「1」を出力します。OR演算はAかBのいずれか、または両方が「1」なら「1」を出力します。NOT演算は入力値を逆にする演算で、「1」→「0」、「0」→「1」と出力します。

論理演算の組合せ

3つの基本論理演算を組み合わせることで、XOR(排他的論理和;EOR)演算、NAND(否定論理積)演算、NOR(否定論理和)演算を実現できます。

		排他的論理和	否定論理積	否定論理和
A	B	A XOR B	A NAND B	A NOR B
0	0	0	1	1
0	1	1	1	0
1	0	1	1	0
1	1	0	0	0

図表04-5 組合せ論理演算の真理値表

XOR演算は、2つの入力値A、Bが同じ値のときは「0」を、異なるとき「1」を出力します。NAND演算とNOR演算は、それぞれ、AND演算とOR演算の出力値を逆に(否定)したものです。

論理演算によるビット操作

論理演算を使うと2進数に対し、ビットごとの操作が可能になります。次の2つは試験でもよく出題され、さまざまな応用パターンも出ています。

●ビットの反転

ビットの反転とは、ビットが「0」であれば「1」に、「1」

さらに詳しく

組合せ演算のベン図

組合せ演算をベン図で表すと、次のようになる。

XOR $(\overline{A}\cdot B+A\cdot\overline{B})$

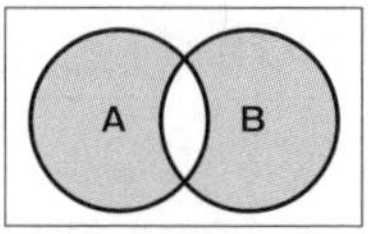

NAND $(\overline{A\cdot B})$

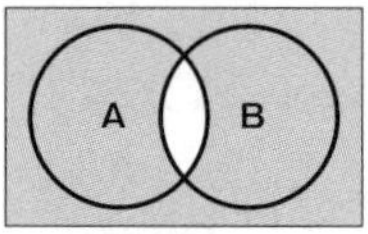

NOR $(\overline{A+B})$

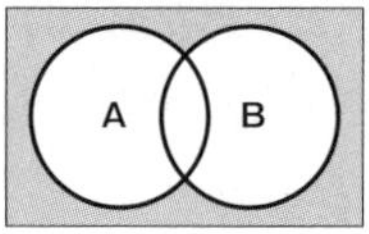

であれば「0」にする操作です。反転を実現するには、反転させたいビットだけを1にしたビット列(マスクビットという)との排他的論理和をとります。

	1	0	0	1	1	0	1	1
XOR	1	1	1	1	1	1	1	1
	0	1	1	0	0	1	0	0

●ビットマスク(ビットの取出し)

ビットマスク演算は、特定のビットだけを取り出す操作です。実現するには、取得したいビット位置のみを1としたビット列(マスクビット)とのAND(論理積)をとります。例えば、8ビットの2進数から下位4を取り出すには、マスクビット列、"00001111"とAND演算を行います。

	1	0	0	1	1	0	1	1
AND	0	0	0	0	1	1	1	1
	0	0	0	0	1	0	1	1

出題分析

ビットの取出し

最上位をパリティビットとする8ビット符号において、パリティビット以外の下位7ビットを得るためのビット演算はどれか。

ア　16進数0FとのANDをとる。

イ　16進数0FとのORをとる。

ウ　16進数7FとのANDをとる。

エ　16進数FFとのXORをとる。

下位7ビットを得たいので、"01111111"="7F"(16進数)とのANDをとる。

解答 ウ

試験はこう出る

問

16ビットの2進数nを16進数の各桁に分けて、下位の桁から順にスタックに格納するために、次の手順を4回繰り返す。a、bに入る適切な語句の組合せはどれか。ここで、XXXX_{16}は16進数XXXXを表す。

〔手順〕

(1) [a] を xに代入する。

(2) xをスタックにプッシュする。

(3) nを [b] 論理シフトする。

	a	b
ア	n AND $000F_{16}$	左に4ビット
イ	n AND $000F_{16}$	右に4ビット
ウ	n AND $FFF0_{16}$	左に4ビット
エ	n AND $FFF0_{16}$	右に4ビット

答

2進数4ビットは16進数1桁に対応するので、2進数nを4ビットごとに区切り、16進数として下位の桁から順にスタックへ格納すればよい。

(1)2進数nとマスクビット$000F_{16}$とのAND演算を行い、下位4ビットをxに求める。

(2)(1)で得られたxをスタックにプッシュ(格納)。

(3)次の桁(4ビット)を取り出すため、nを右に4ビット論理シフトする。

《例》2進数1100 0100 0110 0010

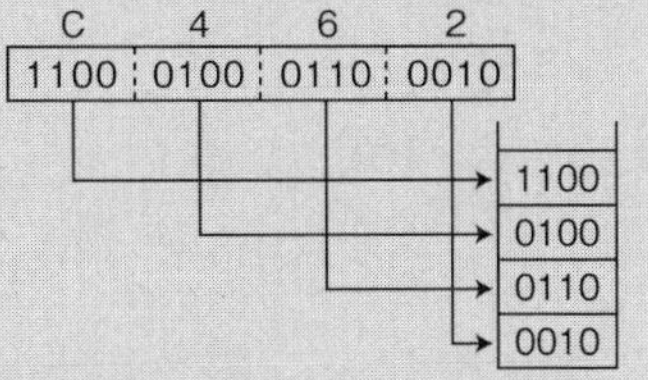

解答　イ

05

基礎理論

1+1=10

確率と統計

1 事象が起こる可能性を示す確率

基礎理論

　確率とは、ある事象（出来事）の起こる可能性の度合いを数値化したもので、気象予報の降水確率やくじの当たる確率など、さまざまな分野で使用されています。

❶事象Aが起こる確率

$$\text{確率}\ P(A)=\frac{\text{事象Aに含まれる根元事象の数}}{\text{全事象に含まれる根元事象の数}}$$

なお、確率 P の値は、必ず $0 \leqq P \leqq 1$ の範囲になる。

❷事象Aが起こらない（余事象）確率

$$\text{確率}\ P(\overline{A})=1-P(A)$$

〔例〕一組のトランプカード（ジョーカーを含まない52枚）の中から、２枚を抜き出したときに、２枚ともハートのカードである確率は、1枚目にハートのカードを引いて（戻さない）、２枚目もハートである確率を求めればよい。

$$\frac{13}{52}\times\frac{12}{51}=\frac{1}{17}$$

順列と組合せの求め方

●順列の求め方

　順列とは、異なる n 個のものから、r 個を取り出して並べる場合の数で、次の式で計算することができます。

$$_{n}P_{r}=\frac{n!}{(n-r)!}\quad(n\geqq r)$$
$$=n\times(n-1)\times(n-2)\times\cdots\times(n-r+1)$$

!（階乗）：1ずつ小さい整数を、1まで順に掛けた積を計算。
例）$3!=3\times2\times1=6$

〔例〕アルファベット26種類から、異なる３つの文字を選び、任意の順に並べた場合の単語の数を求めよ。

$$_{26}P_{3}=\frac{26!}{(26-3)!}$$
$$=26\times25\times24$$
$$=15{,}600\text{通り}$$

さらに詳しく

確率の基本用語

場合の数：示された条件を満たす場合が何通りあるかを表す数。

試行：同じ条件の基で何回も繰り返して行うことができ、その結果が偶然によるような実験や観測。

根元事象（基本事象）：ある試行において最も基本的と考えられる事象。例えば、サイコロを投げるという試行では、{1}, {2}, …, {6} の6通りがある。

全事象：根本事象全体からなる事象。サイコロの例では{1, 2, 3, 4, 5, 6}。

和事象A∪B：事象Aまたは事象Bが起こる事象。

積事象A∩B：事象AとBが同時に起こる事象。

排反事象：事象AとBが同時に起こることがない場合、AとBは排反。

独立事象：複数の事象が互いに無関係に起こったり起こらなかったりする事象。

確率変数：試行の結果、ある値となる確率が決まる変数のこと。サイコロを投げる試行なら出るサイコロの目、試験の得点を扱うなら確率変数は得点。

●組合せの求め方

組合せとは、異なるn個のものから、r個のものを取り出す方法の数で、次の式で計算することができます。

$$ {}_nC_r = \frac{{}_nP_r}{r!} = \frac{n!}{r!(n-r)!} $$

〔例〕アルファベット26種類から、異なる3つの文字を選ぶ組合せを求めよ。

$$ {}_{26}C_3 = \frac{26!}{3!(26-3)!} = \frac{26\times25\times24}{3\times2\times1} $$

$=2,600$通り

確率の加法定理と乗法定理

●確率の加法定理

❶事象Aと事象Bが排反でないとき、AとBの和事象の起こる確率

$$ P(A\cup B)=P(A)+P(B)-P(A\cap B) $$

❷事象Aと事象Bが排反であるとき、AとBの和事象の起こる確率

$$ P(A\cup B)=P(A)+P(B)\quad(A\cap B=\varphi) $$

●確率の乗法定理

❶事象Aと事象Bが互いに独立であるとき、これらが同時に起こる確率

$$ P(A\cap B)=P(A)\times P(B) $$

❷事象Bが事象Aの従属事象であるとき、これらが同時に起こる確率

$$ P(A\cap B)=P(A)\times P(B\mid A) $$

※$P(B|A)$は、Aが起こったときのBが起こる確率(条件付き確率)。

●独立試行

繰り返し試行しても、事象の起こる確率が一定である試行を独立試行といいます。ある事象の起こる確率がpであるとき、n回の試行でその事象がr回発生する確率xは、次のように計算できます。

$$ x={}_nC_r\,p^r(1-p)^{n-r} $$

〔例〕毎回1/10の確率の(当たりを戻す)くじを、3回引いたとき、1回だけ当たりを引く確率を求めよ。

$$ {}_3C_1\left(\frac{1}{10}\right)^1\left(\frac{9}{10}\right)^2 $$

$$ =3\times\left(\frac{1}{10}\right)\times\left(\frac{81}{100}\right)=0.243 $$

ココも出る!

マルコフ過程

マルコフ過程とは、現在の値のみによって、次に起こる(過去の履歴は考慮しなくてよい)であろう確率(推移確率)が決定されるような確率過程のこと。ただ1つの状態から決定されるものを単純マルコフ過程と呼ぶ。過去の試験では、ある日の天気が雨のとき、その2日後が晴れになる確率を求めるという問題が出ている。

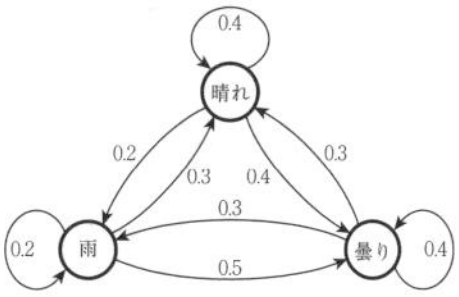

上図では、

① 雨 → 晴れ → 晴れ
② 雨 → 曇り → 晴れ
③ 雨 → 雨 → 晴れ

それぞれの確率は、

$P①=0.3\times0.4=0.12$
$P②=0.5\times0.3=0.15$
$P③=0.2\times0.3=0.06$

確率の加法定理により、$P①$、$P②$、$P③$の和で求められるので0.33となる。

条件付き確率とベイズの定理

●条件付き確率

事象Aが起こったとき、事象Bが起こる確率を「Aが起こったときに、Bが起こる」**条件付き確率**と呼びます。この確率を$P(B|A)$と表し、次の式で計算できます。

$$P(B \mid A)=\frac{P(A \cap B)}{P(A)}$$

〔問題例〕箱に1～7の数字が書かれた赤玉5個(1～5の数字)と白玉2個(6～7の数字)が入っている。箱から取り出した玉が赤玉だったとき、それが偶数である確率を求めよ。

〔解き方〕赤玉を取り出す事象をA、その中から偶数が書かれた玉を取り出す事象をB、両方起こる事象をA∩Bとすると、

$$P(A)=\frac{5}{7} \qquad P(B)=\frac{2}{5}$$

$$P(A \cap B)=P(A) \times P(B)=\frac{5}{7} \times \frac{2}{5}=\frac{2}{7}$$

上記の公式にあてはめると、

$$P(B|A)=\frac{\frac{2}{7}}{\frac{5}{7}}=\frac{2}{7} \times \frac{7}{5}=\frac{2}{5}$$

なお、事象Aが起こる確率は、事象Bが起こったときに事象Aが起こる確率をすべて加えたものになります(確率の加法定理)。

●ベイズの定理

ベイズの定理は、あらかじめわかっている条件(**事前確率**)を基にして、新たな確率(**事後確率**)を求めるというものです。ベイズの定理についての公式は、条件付き確率と確率の乗法定理を組み合わせたもので、$P(B)>0$のとき、次の式が成り立ちます。

$$P(A|B)=\frac{P(B|A) \times P(A)}{P(B)}$$

上記の式を構成している要素は、次の意味を持ちます。

・$P(A|B)$　…事象Bが起こったときに、事象Aが起こる条件付き確率(原因|結果、**事後確率**)

出題分析

条件付き確率

5つの選択肢の中から、正しいものを2つ選ぶ問題がある。解答者が無作為に2つを選んだ場合、2つとも正解である確率はいくらか。

ア　1/25　**イ**　1/20
ウ　1/10　**エ**　4/25

条件付き確率の式を変形すれば求められる。まず5つの中から2つの正解を選ぶので、1つ目が正解である事象をAとすると$P(A)=2/5$である。さらにAが起きたとき、正解を引く確率$P(B \mid A)$は、残り4つのうちから1つの正解を選ぶので1/4。したがって、どちらも正解である確率は、両者の積(同時に起こる確率)を求めればよい。2/5 × 1/4 = 2/20 = 1/10。

解答　ウ

・$P(B|A)$　…事象Aが起こったときに、事象Bが起こる条件付き確率(結果|原因、尤度《ゆうど》)
※尤度は、結果から原因を推測した値

・$P(A)$　…事象Aが起こる(原因)確率(事前確率)

・$P(B)$　…事象Bが起こる(結果)確率

〔問題例〕工場では同じ製品を2つのラインで製造している。ラインAでは製品全体の60%を製造、ラインBでは40%を製造している。また、製造した製品のうちの不良品の割合は、ラインAでは2%、ラインBでは1%であることがわかっている。完成した製品の1つが不良品であったとき、ラインAで製造したものである確率を求めよ。

〔解き方〕ラインAで作られた製品を$P(A)$、それが不良品である確率を$P(E|A)$、ラインBで作られた製品を$P(B)$、それが不良品である確率を$P(E|B)$すると、

$$P(A|E)=\frac{P(E|A)\times P(A)}{P(E)}$$

$P(E)$は、ラインAとBの不良品に分けられるので、

$$=\frac{P(E|A)\times P(A)}{P(E|A)\times P(A)+P(E|B)\times P(B)}$$

ここで、$P(E|A)\times P(A)$は、

$$\frac{2}{100}\times\frac{60}{100}=\frac{120}{10000}$$

また、$P(E|B)\times P(B)$は、

$$\frac{1}{100}\times\frac{40}{100}=\frac{40}{10000}$$

上記の式にあてはめると、

$$\frac{\frac{120}{10000}}{\frac{120}{10000}+\frac{40}{10000}}=\frac{120}{10000}\div\frac{160}{10000}=\frac{3}{4}=0.75$$
$$=75\%$$

なお、ベイズの定理によって求めた事後確率を新たな事前確率として使い、確率を高めていくことを逐次ベイズ推定(ベイズ更新)といい、情報処理においては、機械学習などに応用されています。

データの傾向から予測する確率分布

これまで解説してきた確率は、与えられた条件によって値が明確でしたが、そのようなものは限られています。

出題分析

ベイズの定理

複数の袋からそれぞれ白と赤の玉をいくつかずつ取り出すとき、ベイズの定理を利用して事後確率を求める場合はどれか。

ア　ある袋から取り出した2つの玉の色が同じと推定することができる確率を求める場合

イ　異なる袋から取り出した玉が同じ色であると推定することができる確率を求める場合

ウ　玉を1つ取り出すために, ある袋が選ばれると推定することができる確率を求める場合

エ　取り出した玉の色から、どの袋から取り出されたのかを推定するための確率を求める場合

ベイズの定理は、「結果から原因を求める」ための考え方で、「原因から結果を求める」条件付き確率の因果を入れ換えることで実現している。

解答 エ

店の来店者が商品を購買する確率、気温などの計測値によって定まる確率などを求めたいときは、特定の分布を見ながら確率を予測します。

確率分布とは、とり得る値によって確率を示してくれる関数やグラフです。用途によって適切な分布モデルを選ぶことで、データの傾向を予測することができます。

●確率分布の種類

確率分布は、とり得る範囲内でとびとびの整数値しかとらない離散分布と、連続的な値をとる連続分布に分けられます。代表的な分布には次のような特徴があります。

分布名	ポアソン分布	正規分布	指数分布
タイプ	離散型	連続型	連続型
特性	期間内の事象発生回数を表す。事象の発生が時間的にランダムで、発生頻度が低い場合に近似する	自然界におけるさまざまな現象において近似する	ある事象の発生から、次の発生までの期間を表す分布で近似。事象が発生する確率は変化しない（無記憶性）
用途例	端末からの処理要求の発生、計算機の故障発生など、一定期間内で事象が発生する回数の予測など	品質管理におけるばらつきの把握、測定値の誤差の把握など	銀行窓口における処理時間の予測、計算機が故障してから次に故障するまでの期間の予測など

図表 05-1　代表的な分布の特徴

標準偏差で形が変わる正規分布

「ある範囲～ある範囲」というように、確率変数が連続した値をとる場合に用いられるのが正規分布で、現実の世界で起こるさまざまな事象で近似されます。

正規分布は、平均と標準偏差でその分布の形が決まり、

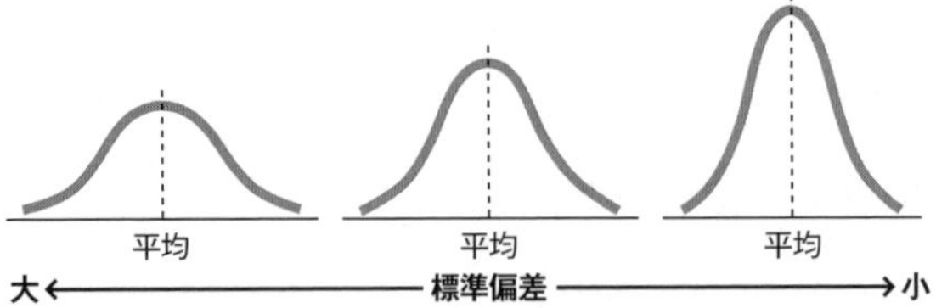

図表 05-2　正規分布の形

1 基礎理論

さらに詳しく

確率分布

変数xがとり得る値αと、xが値αをとる確率との関係を示すものを、xの確率分布と呼ぶ。確率変数xには、とり得る値がとびとびの離散型（二項分布、ベルヌーイ分布、ポアソン分布など）と、連続した値をとる連続型（正規分布、指数分布など）がある。

出題分析

確率分布の種類

正規分布の説明として、適切なものはどれか。

ア　故障確率に用いられ、バスタブのような形状をした連続確率分布のこと

イ　全ての事象の起こる確率が等しい現象を表す確率分布のこと

ウ　平均値を中心とする左右対称で釣鐘状の連続確率分布のこと

エ　離散的に発生し、発生確率は一定である離散確率分布のこと

ア：バスタブ曲線について述べたもので、3つの故障（初期、偶発、摩耗）確率について、ワイブル分布を組み合わせることで表せる。イ：一様分布で、サイコロの各目が出る確率などが該当する。エ：ランダムに発生し、期間内のどの時点でも同様な確率で発生するポアソン分布が該当。

解答 ウ

標準偏差の値が大きければ(分布のばらつきが大きければ)正規分布の形は低く広い形になり、小さければ狭く高い形になります。 ここで、平均がm、標準偏差がσである正規分布は$N(\mathrm{m},\ \sigma^2)$と表します(σ^2は分散)。

●標準正規分布

平均0、分散1に変換した正規分布を**標準正規分布**と呼び、$N(0,1)$で表します。標準正規分布では、確率変数xを右下の**標準正規分布表**から求めることができます。

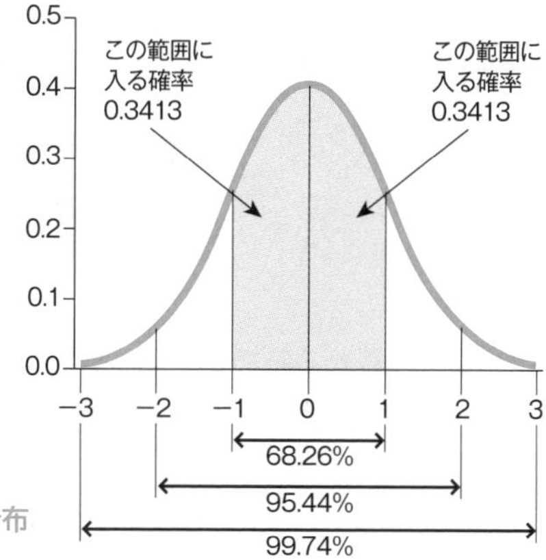

図表 05-3
標準正規分布

●歪《わい》度と尖《せん》度　分布の偏りを示す指標

❶歪度　…左右対称の形に比べてどのようにゆがんでいるかを示します。正負によって右図のようになります。

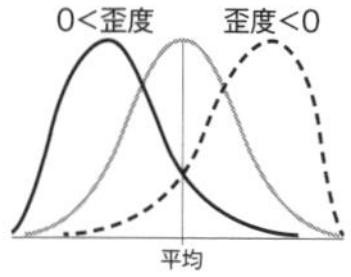

❷尖度　…左右対称の形に比べてどのように扁平しているかを示します。正負によって右図のようになります。

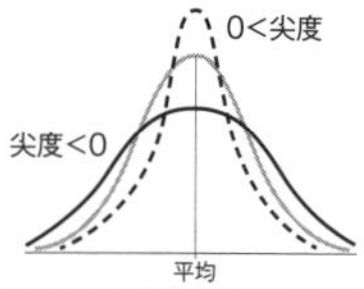

〔例題〕 **ある工場で大量に生産されている製品の重量の分布は、平均が5.2kg、標準偏差が0.1kgの正規分布であった。5.0kg未満の製品は、社内検査で不合格とされる。生産された製品の不合格品の割合は約何%か。**

・標準偏差が0.1kgなので、5.0～5.4kgは標準正規分布表の偏差2.0より、0.4772×2＝0.9544
求めるのは、5.0kg未満の割合なので(右図の網掛け部分)、
(1−0.9544)÷2＝0.0228≒2.3%　となる。

さらに詳しく

標準正規分布の例

ある試験は、100点満点で平均50点、標準偏差10の正規分布に従う。ある生徒の得点結果が平均±標準偏差(40～60点)の範囲に入る確率を標準正規分布表から求めたい。

標準偏差10の正規分布に従うので、標準正規分布表から1.0の確率を使えばよい。

0.3413×2＝0.6826

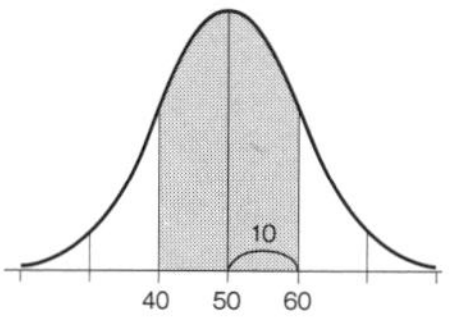

標準正規分布表

偏差u	確率P(0≦x≦u)
0.0	0.0000
0.2	0.0793
0.4	0.1554
0.6	0.2257
0.8	0.2881
1.0	0.3413
1.2	0.3849
1.4	0.4912
1.6	0.4452
1.8	0.4641
2.0	0.4772
2.2	0.4861
2.4	0.4918
2.6	0.4953
2.8	0.4974
3.0	0.4987

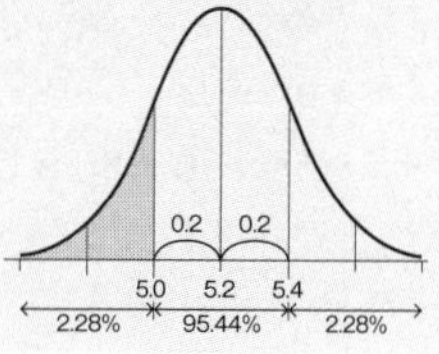

データの傾向がわかる統計

●平均値、メジアン、モード

平均値、メジアン、モードは代表値とも呼ばれ、データの大きさや頻度の大まかな傾向をつかむことができます。

❶平均値(算術平均)

「データ合計÷データ個数」で求めます。それぞれのデータ値に発生確率(重み)を掛けることによる重み付きの平均値を期待値と呼びます。

❷メジアン(中央値)

データを昇順(または降順)に並べたときの中央の値。偶数個の場合は中央2つの平均値をとります。

❸モード(最頻値)

出現頻度が最も高いデータを指します。

●分散度

分散度は、データの散らばりの程度を表現する値です。

❶レンジ

データの範囲。「データの最大値ー最小値」で求めます。

❷分散、標準偏差

それぞれのデータをx、データ個数をnとすると、次のように計算できます。

$$分散＝\Sigma(x-算術平均)^2 \div n \quad 標準偏差＝\sqrt{分散}$$

❸偏差値

平均が50、標準偏差が10になるように変換した値。

$$xの偏差値＝50+10(x-平均)\div 標準偏差$$

ココも出る！

回帰分析

統計的に原因を究明したり、未来を予測したりする分析手法。まず現在のデータにより散布図を作成。そこに一次関数を当てはめることで、因果関係や予測につなげる。

説明変数(原因となる変数)が1つで分析を行うものが単回帰分析、複数の説明変数で行うものが重回帰分析。また、複数の説明変数を使い、「事象が起こる確率」を求めるものをロジスティック回帰分析という。事例としては、気象データから災害発生確率を求める、複数の検査データから症状の発生確率を求めるなどがある。

主成分分析／因子分析

ともにデータの関連性を明らかにする統計手法。主成分分析は、多くの事象について、互いに相関のない主成分に要約する手法。因子分析は、結果に基づく要因を明らかにしていく手法。

〔例題〕次のデータにおける算術平均、メジアン、モード、レンジ、分散、標準偏差を求めよ。

{54、98、67、86、54、57、88、92、35、49}

・算術平均＝(54+98+67+86+54+57+88+92+35+49)÷10＝68

その他の値は、昇順に並べ換える必要がある。

{35、49、54、54、57、67、86、88、92、98}

・メジアン＝(57+67)÷2＝62

・モード＝54

・レンジ＝98－35＝63

・分散＝$\{(35-68)^2+(49-68)^2+\cdots+(98-68)^2\}\div 10＝416.4$

・標準偏差＝20.4

●度数分布表、ヒストグラム

データの散らばりや分布の状態は、数値だけを見てもわかりにくいものです。そこで、まず**度数分布表**にまとめ、その表から**ヒストグラム**を作成すると傾向をとらえやすくなります。

階級	階級値	データ①	データ②
0～10	5	0	0
11～20	15	0	0
21～30	25	0	0
31～40	35	0	1
41～50	45	1	1
51～60	55	2	3
61～70	65	3	1
71～80	75	2	0
81～90	85	1	2
91～100	95	1	2

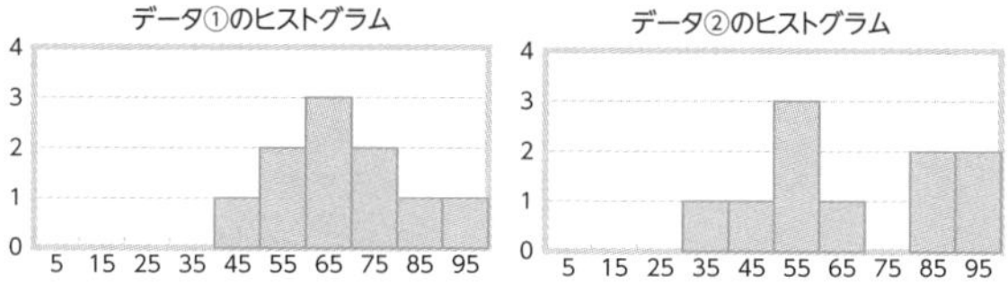

図表 05-3　ヒストグラムの例

●相関図と相関係数

何らかの因果関係があると予想される2つのデータ系列をそれぞれ縦軸と横軸にとり、個々のデータをプロットする(点を打つ)ことで作成される点グラフを**相関図**(散布図)といいます。点の分布がほぼ直線上に分布している場合には、2つの系列間に相関があります。

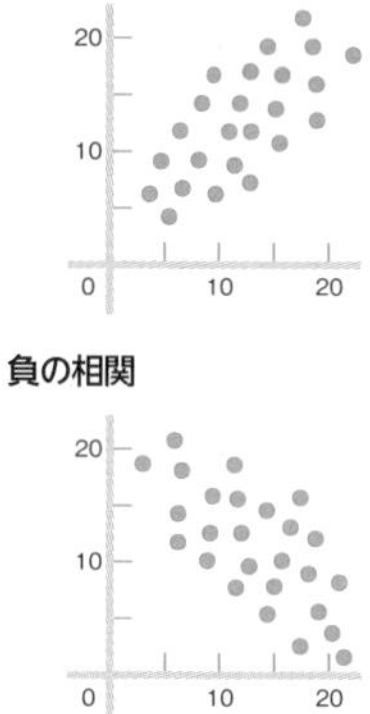

図表 05-4　相関図の例

相関係数は、相関の強さを表し、+1～−1までの値をとります。係数が正の場合は右上がりの直線上に、負の場合は右下がりの直線上に点の分布が集まります。相関係数の絶対値が0.7以上であれば強い相関があり、逆に0.2以下ならほとんど相関はありません。相関係数は、次の式で計算できます。

$(x,\ y)=(x_1,\ y_1),(x_2,\ y_2),\ \cdots,(x_n,\ y_n)$であるとき、

$$相関係数=\frac{\Sigma(x_i-x\,の平均)(y_i-y\,の平均)}{n\times x\,の標準偏差\times y\,の標準偏差}$$

出題分析

平均値を求める

プログラム上で平均値を求める次のような出題もある。ここではガウス記号が使われているが、その意味は問題文で解説されている。

N個の観測値の和S(ただし、S>0)から平均値Xを算出する。小数第2位を四捨五入して小数第1位まで平均値を求めるとき、正しい式はどれか。ここで、/は除算、[X]はXを超えない最大の整数とする。

ア　[S/N+0.05]

イ　[S/N−0.05]+0.1

ウ　[S/N×10]/10+0.1

エ　[S/N×10+0.5]/10

[X]はXを超えない最大の整数なので、小数部は切り捨てられてしまう。小数第1位を四捨五入した値を求めるためには、あらかじめXに0.5を加えておく。問題では、S/Nの値の小数第2位を四捨五入して小数第1位まで求めるので、まずS/Nを10倍してから、小数第1位で四捨五入する。最後に、結果を10で割ればよい。

〔例1〕 2.43
[S/N×10+0.5]/10
=[24.8]/10
→ 24/10=2.4

〔例2〕 3.56
[S/N×10+0.5]/10
=[36.1]/10
→ 36/10=3.6

解答 **エ**

基礎理論

06

基礎理論

1+1=10

その他の応用数学

基本情報のシラバスには、「応用数学」の分類として、さまざまなものが取り上げられています。前項の確率と統計以外に、数値計算やグラフ理論、待ち行列理論、最適化問題なども要注意のテーマです。

数値計算

数値計算には、ベクトル、行列、数列などがあります。まずは基本を押さえておきましょう。

●ベクトルとスカラ

ベクトルとは、大きさと方向を持つ数です。またベクトルは、x軸とy軸方向の成分によって、次のように表現します。

$$\vec{a}=(3,2)$$

または

$$\vec{a}=\begin{pmatrix}3\\2\end{pmatrix}$$

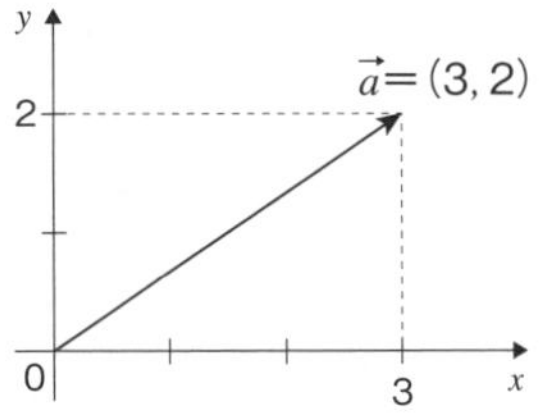

図表 06-1　ベクトルの表し方

❶ベクトルの和（差）

$$\vec{a}=(a_1,\ a_2)\quad \vec{b}=(b_1,\ b_2)\quad \text{のとき、}$$
$$\vec{a}+\vec{b}=(a_1+b_1,\ a_2+b_2)$$

❷ベクトルの実数倍

$$k\vec{a}=k(a_1,\ a_2)=(ka_1,\ ka_2)$$

ここで実数kをスカラといいます。スカラは、スケールのことで、ベクトルに対して長さや速さなど大きさだけの数を指します。$k=0$のときはゼロベクトルになります。

さらに詳しく

ベクトルの基本用語

基底ベクトル：x軸、y軸に沿う大きさが1のベクトルのこと。$\vec{e}_1=(1, 0)$はx軸を定め、$\vec{e}_2=(0, 1)$はy軸を定める。xy平面上のすべてのベクトルは、基底ベクトルの実数倍の和として表せる。

1次従属と1次独立：2つのベクトルにおいて、どちらかがもう一方の実数倍で表現できる場合を1次従属といい、そうでない場合を1次独立という。

単位ベクトル：長さが1のベクトルのこと。任意の単位ベクトルは偏角θを使って、$(\cos\theta, \sin\theta)$と表現できる。

ベクトルの内積：2つのベクトルを掛け合わせて得られる値のこと。この値は、2つのベクトルが成す角$(\cos\theta)$であり、両者の位置関係を表している。ベクトル$\vec{a}=(a_1, a_2)$、$\vec{b}=(b_1, b_2)$のとき、

$$\vec{a}\cdot\vec{b}=a_1b_1+a_2b_2$$

となる。なお、ベクトルが直交している場合、内積は0になる。

●行列

数値や変数を正方形や長方形の形に並べ、括弧で括ったものを行列といいます。行列では、横方向が行、縦方向が列、行列内の数字を要素と呼びます。また行列は、普通の数と同じように、「和や差」、「実数との積」、「行列どうしの積」を行うことができます。また、行列を使って連立方程式を解くこともできます。

2行×3列の行列　　3行×2列の行列

$$\begin{pmatrix} 1 & 2 & 3 \\ 4 & 5 & 6 \end{pmatrix} \qquad \begin{pmatrix} 1 & 2 \\ 3 & 4 \\ 5 & 6 \end{pmatrix}$$

❶行列の和(差)

行の数と列の数が同じ場合に演算が可能です。

$$A=\begin{pmatrix} a_{11} & a_{12} & a_{13} \\ a_{21} & a_{22} & a_{23} \end{pmatrix} \quad B=\begin{pmatrix} b_{11} & b_{12} & b_{13} \\ b_{21} & b_{22} & b_{23} \end{pmatrix}$$

$$A+B=\begin{pmatrix} a_{11}+b_{11} & a_{12}+b_{12} & a_{13}+b_{13} \\ a_{21}+b_{21} & a_{22}+b_{22} & a_{23}+b_{23} \end{pmatrix}$$

❷行列の積

掛けられる側の列の数と、掛ける側の行の数が同じ場合に演算が可能で、結果の行列は、掛けられる側の行数×掛ける側の列数になります。

$$A=\begin{pmatrix} a_{11} & a_{12} & a_{13} \\ a_{21} & a_{22} & a_{23} \end{pmatrix} \quad B=\begin{pmatrix} b_{11} & b_{12} \\ b_{21} & b_{22} \\ b_{31} & b_{32} \end{pmatrix}$$

$$A\times B=\begin{pmatrix} a_{11}\cdot b_{11}+a_{12}\cdot b_{21}+a_{13}\cdot b_{31} & a_{11}\cdot b_{12}+a_{12}\cdot b_{22}+a_{13}\cdot b_{32} \\ a_{21}\cdot b_{11}+a_{22}\cdot b_{21}+a_{23}\cdot b_{31} & a_{21}\cdot b_{12}+a_{22}\cdot b_{22}+a_{23}\cdot b_{32} \end{pmatrix}$$

❸転置行列

元の行列の行・列の要素を入れ換えた行列です。行列の対角線で要素が対称になります。

$$A=\begin{pmatrix} 1 & 2 & 3 \\ 4 & 5 & 6 \\ 7 & 8 & 9 \end{pmatrix} \qquad A'=\begin{pmatrix} 1 & 4 & 7 \\ 2 & 5 & 8 \\ 3 & 6 & 9 \end{pmatrix}$$

ココも出る!

単位行列

行の数と列の数が等しい正方行列で、次のように対角線上の要素がすべて1で、それ以外が0の行列を単位行列という。

$$\begin{pmatrix} 1 & 0 \\ 0 & 1 \end{pmatrix} \quad \begin{pmatrix} 1 & 0 & 0 \\ 0 & 1 & 0 \\ 0 & 0 & 1 \end{pmatrix}$$

単位行列Eは、次数の等しい任意の行列Aに対して、$AE=EA=A$ の関係が成り立つ。

逆行列

正方行列Aに対して、掛けても掛けられても単位行列Eとなるような行列をAの逆行列といい、A^{-1}で表す。

$$AA^{-1}=E$$
$$A^{-1}A=E$$

例えば、2次の行列では次のようになる。

$$A=\begin{pmatrix} 1 & 2 \\ 3 & 4 \end{pmatrix} \quad A^{-1}=\begin{pmatrix} -2 & 1 \\ 3/2 & -1/2 \end{pmatrix}$$

ならば

$$\begin{pmatrix} 1 & 2 \\ 3 & 4 \end{pmatrix}\times\begin{pmatrix} -2 & 1 \\ 3/2 & -1/2 \end{pmatrix}$$
$$=\begin{pmatrix} -2+3 & 1+(-1) \\ -6+6 & 3+(-2) \end{pmatrix}$$
$$=\begin{pmatrix} 1 & 0 \\ 0 & 1 \end{pmatrix}$$

$$\begin{pmatrix} -2 & 1 \\ 3/2 & -1/2 \end{pmatrix}\times\begin{pmatrix} 1 & 2 \\ 3 & 4 \end{pmatrix}$$
$$=\begin{pmatrix} -2+3 & -4+4 \\ 3/2+(-3/2) & 3+(-2) \end{pmatrix}$$
$$=\begin{pmatrix} 1 & 0 \\ 0 & 1 \end{pmatrix}$$

●数列

数列は、規則に従って並んだ数です。それぞれの数は項と呼び、最初の項を初項、n番目の項をn項といいます。

❶等差数列

初項に一定の数（公差）を加えて得られる数列です。

初項a、公差dの第n項a_nは、

$$a_n = a + (n-1)d$$

❷等比数列

初項に一定の数（公比）を掛けて得られる数列です。

初項a、公比rの第n項a_nは、

$$a_n = ar^{n-1}$$

❸数列の和

数列の初項からn項までを加えたものです。

$$S_n = a_1 + a_2 + \cdots\cdots + a_n$$

記号Σを使って表すと、$S_n = \sum_{k=1}^{n} a_k$

・初項a、公差dの等差数列の和

$$S_n = \frac{1}{2}n(a + a_n) \quad = \frac{1}{2}n\{2a + (n-1)d\}$$

・初項a、公比rの等比数列の和

$$S_n = \frac{a(1-r^n)}{1-r} \ (r \neq 1) \qquad S_n = na \ (r = 1)$$

❹フィボナッチ数列

2つ前の項と1つ前の項を加えて得られる数列です。第n項を求めるには、再帰呼出し<☞p.96>を用います。

初項$F_0 = 0$、$F_1 = 1$の第n項は、

$$F_n = F_{n+2} - F_{n+1} \quad (n \geqq 0)$$

・フィボナッチ数列の和

初項$F_0 = 0$、$F_1 = 1$のF_nまでの和は、

$$F_{n+2} - 1 \quad (n \geqq 0)$$

出題分析

等差数列

第7項が15、第18項が−7である等差数列の初項はどれか。

ア −1　**イ** 13
ウ 27　**エ** 54

初項a、公差dとすると、
$a_7 = a + (7-1)d = 15$
$a_{18} = a + (18-1)d = -7$
なので、これを連立方程式として解けばよい。
$a + 6d = 15$
$a + 17d = -7$
$d = -2$、$a = 27$

解答 ウ

フィボナッチ数列

次に示す関数$F(K)$で、$K = 7$のときの関数値はどれか。

関数の定義
$F(0) = 0$、$F(1) = 1$
$F(K) = F(K-1) + F(K-2)$
$(K \geqq 2)$

ア 5　**イ** 8
ウ 13　**エ** 21

$F(7) = F(6) + F(5)$、$F(6) = F(5) + F(4)$…なので、再帰呼出しによりさかのぼった後、戻っていけば求めることができる。問題文には$F(0) = 0$、$F(1) = 1$が示されているので、$F(7)$を求めるには、
$F(2) = F(0) + F(1) = 1$
$F(3) = F(1) + F(2) = 2$
$F(4) = F(2) + F(3) = 3$
$F(5) = F(3) + F(4) = 5$
$F(6) = F(4) + F(5) = 8$
$F(7) = F(5) + F(6) = 13$

解答 ウ

数値解析

近似解を数値的に求める考え方や計算過程で生じるさまざまな**誤差**<☞p.34>についてが中心課題になっています。**ニュートン法**については、科目Bの出題も考えられるのでアルゴリズムも押さえておきましょう。

●ニュートン法

ニュートン法は、**ニュートン・ラフソン法**(Newton-Raphson method)とも呼ばれるもので、方程式の解の一つを数値計算で求めるアルゴリズムです。最初に真の解に近いと思われる予測値を1つ設定しておき、この予測値を基準にして、徐々に真の解に近づけていきます。グラフで表すと次のようになります。

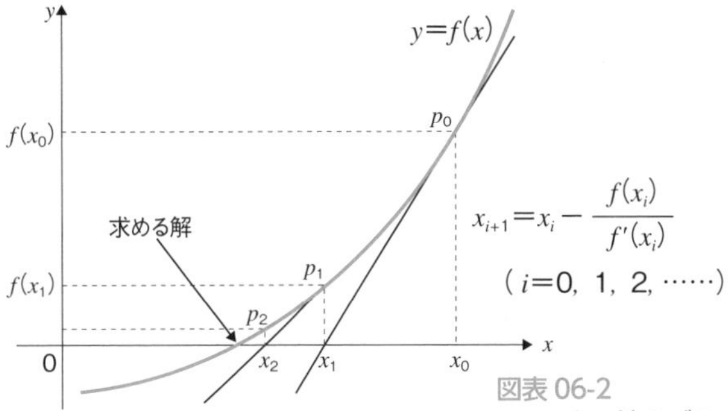

図表 06-2
ニュートン法のグラフ

その他の処理や理論

●数式処理

コンピュータを用いて、数式を記号的に代数処理する考え方が課題です。因数分解、微分、積分などです。

●グラフ理論

グラフ理論とは、複数の点(**ノード**)と線(**エッジ**)によって、ノード間の関係を抽象化するものです。通信網やハイパーリンク、交通路線、電子回路など、日常のさまざまな事象を抽象化する際に用いられています。なお、つながりに方向があるものを**有向グラフ**と呼び、方向を矢印で示します。これに対し、方向のないものを**無向グラフ**ということがあります。また、グラフにおけるノー

さらに詳しく

ニュートン法のアルゴリズム

方程式が $f(x)$ で与えられているとき、$f(x)=0$ となる x(近似解)を求めるニュートン法のアルゴリズムは、次のようになる。(左本文図を参照)

①最初の予測値を x_0 とする。

②座標 $p_0(x_0, f(x_0))$ における $f(x)$ のグラフの接線を引き、接線と x 軸が交わる点(x 切片)を x_1 とする。接線の方程式は、$f(x_0)$ を微分した $f'(x_0)$ を使用して、

$y-f(x_0)=f'(x_0)(x-x_0)$

で求めることができる。

③x_0 と x_1 の差が、決められた収束値より小さければ終了する。このとき x_1 を解とする。

④座標 $p_1(x_1, f(x_1))$ における $f(x)$ のグラフの接線から x 切片を求めて x_2 とし、x_1 との差を判定する。(以下省略)

以上のように、最初の予測値を計算によって徐々に真の解に近づける($x_0 \rightarrow x_1 \rightarrow x_2 \rightarrow \cdots \rightarrow x_n$)ことで解を求める。なお、繰返し処理は、規定回数、または、x_i と x_i+1 の差が、あらかじめ決めてある収束値より小さくなるまで行う。

こちらも参照

誤差

☞p.34

ドとエッジの関係を、隣接行列で表すこともあります。

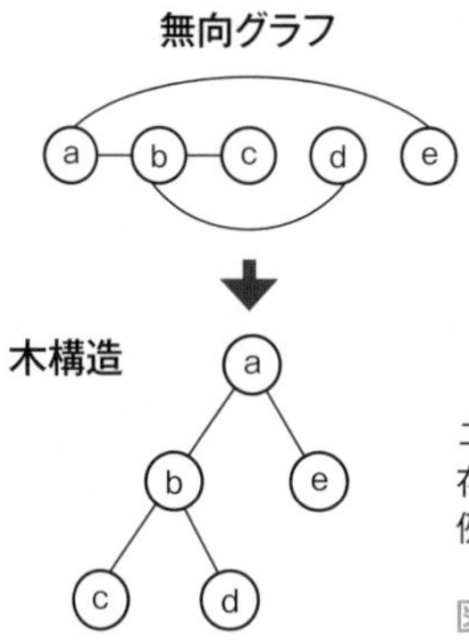

隣接行列

	a	b	c	d	e
a	0	1	0	0	1
b	1	0	1	1	0
c	0	1	0	0	0
d	0	1	0	0	0
e	1	0	0	0	0

エッジ(線)が存在するときは1、存在しないときは0で表す。上の例は、木構造で表すことが可能。

図表 06-3　グラフと隣接行列

●待ち行列理論

待ち行列は、銀行のATM、スーパーのレジなどで、日常的に出会う現象です。ポイントになるのは、訪れる人数、時間間隔、機械の数、利用(サービス)時間で、これらを考慮して、数学的に考えるのが待ち行列理論です。

待ち行列を考える目的は、「いったいどれくらい待たなければならないか」を知ることです。

❶ケンドール記法

待ち行列において、平均待ち時間を求めるには、次の要素が必要になります。なお、サービスを受ける人は次々にやってくるものとして考えます。

・到着分布…待ち行列に並びにくる人の到着間隔。
・サービス時間分布…サービスを行う時間。
・窓口(端末)数…サービスを行うレジやATMなどの数。

これらを、モデル化して表現したものがケンドール記法で、M/M/1、M/M/m、M/D/1などがあります。

※M：ポアソン分布または指数分布＜☞ p.50＞、D：一定値、m：定数→Mはマルコフ過程＜☞ p.47＞の意味で、現在の値だけ考えればよいということ。

❷M/M/1モデル

最もシンプルなモデルで、①到着間隔分布はランダム、②サービス時間分布もランダム、③窓口数は1つで、④待ち行列はあふれないことを前提にしています。このモデルにおける平均待ち時間の計算は次のようになります。

さらに詳しく

待ち行列のイメージ

M/M/1モデルは、時間あたりの到着数が増えるほど、待ち行列は伸びて待ち時間は長くなる。

M／M／1（∞）
①　②　③　④

①単位時間当たりの到着数(ポアソン分布に従う)
②1件当たりのサービス時間(指数分布に従う)
③サービス窓口数(1個)
④システム内の滞留可能数(無限大)

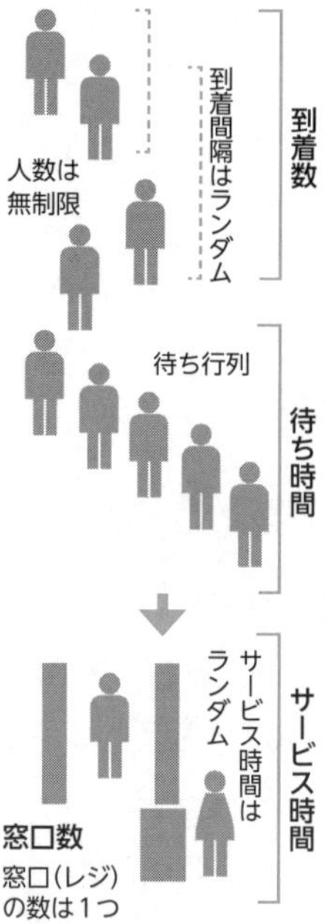

待ち行列の要素と関係式

・平均到着率(λ《ラムダ》)
・平均サービス率(μ《ミュー》)
・窓口利用率(ρ《ロー》)

$$\rho = \frac{\lambda}{\mu}$$

$$\text{平均待ち時間} = \frac{\text{窓口利用率}}{1-\text{窓口利用率}} \times \text{平均サービス時間}$$

実際の問題を解いてみましょう。

〔例題〕 **コンピュータによる伝票処理システムがある。このシステムの伝票処理はM/M/1の待ち行列モデルによる。平均待ち時間がT秒以上となるのは、処理装置の利用率が少なくとも何％以上となったときか。**

①伝票の到着は、ポアソン分布に従う。

②伝票をためる数に制限はない。

③伝票1件の処理時間は、平均T秒の指数分布に従う。

上記の式を使い、平均待ち時間がT秒以上になる利用率を求めればよい。

③より、平均サービス時間をT秒、窓口利用率をρとおくと右のようになる。

$T〔秒〕 \leqq T〔秒〕 \times \rho / (1-\rho)$

$1 \leqq \rho / (1-\rho)$

$\rho \geqq (1-\rho)$

$2\rho \geqq 1$

$\rho \geqq 0.5$

よって、利用率は50%以上

●最適化問題

最適化問題を解くための各種手法が取り上げられています。具体的には、**線形計画法**<☞p.536>、**PERT**<☞p.397>、**最短経路問題**などです。

❶最短経路問題

2つの点(ノード)を結ぶ、最短となる経路を求めるための最適化問題です。このほか、1つの点から他のすべての点までの最短経路を求める場合などがあります。

❷動的計画法

問題解決のための過程を何段階かに分け、各段階において、そのつど最適解を求める手法です。さらに求めた途中結果を記録しておき、次の段階で利用することによって計算の省力化を行います。右の最短経路問題であれば、各点における経路の数を記録しておき、次の点における経路を求める際に値を利用します(求める点の左側と下側の数を加算する)。

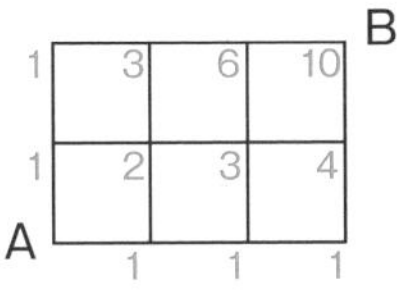

図表 06-4
動的計画法の例

出題分析

最短経路の組合せ

図のA地点から、線上をたどってB地点に到達するための最短経路の数は、何通りあるか。ここで、縦1区画の長さはすべて等しく、横1区画の長さもすべて等しいものとする。

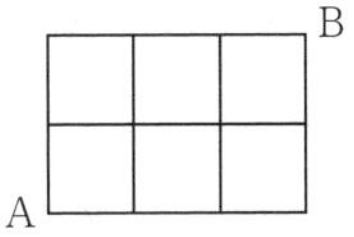

ア 6　　**イ** 10

ウ 12　　**エ** 36

A地点からB地点へ行くには、全部で5区画分進まなければならない。例えば、「横→横→横→縦→縦」、「縦→横→横→縦→横」などで、必ず横方向に3区画分、縦方向に2区画分進むことになる。つまり、A地点からB地点に行くためには、5区画中の横方向に進む3区画を決めれば1つの経路を決定できる。したがって、経路の数は、5つの中から3つを取り出す組合せとなる。

$${}_5C_3 = \frac{5!}{(5-3)! \times 3!}$$

$$= \frac{5 \times 4 \times 3 \times 2 \times 1}{2 \times 1 \times 3 \times 2 \times 1}$$

＝10(通り)

解答 イ

情報に関する理論

日常にはさまざまな情報が存在しますが、それらをコンピュータに取り込んだり転送したりするためには、扱いやすい形に変換する必要があります。これを符号化と呼んでいます。例えば、文字はコード化し、自然言語は構文に変換することで表現することができます。

> ココも出る！
>
> **EBCDIC（エビシディック）コード**
>
> EBCDICは、IBM社が自社の汎用コンピュータ用に設計したコードで、汎用コンピュータの標準となっている。拡張2進化10進符号ともいう。

文字の表現はコード化して扱う

コンピュータで扱う文字には、それぞれ2進数で構成されるビットパターンが割り当てられており、これを文字コード（情報交換用符号）と呼んでいます。複数のコード体系が存在しますが、情報をやり取りするためにはコード体系が合致している必要があります。

●さまざまな文字コード体系

❶ASCII（アスキー）コード

アメリカ規格協会（ANSI）が制定した文字コードです。1文字を7ビットの符号とパリティビット（誤り検出用ビット）1ビットを加えた8ビットで表します。

❷EUCコード（拡張UNIXコード）

UNIX上で2バイトコードを扱うためのコード体系です。決められた範囲内にその各国独自の文字を定義することで、世界各国の異なった言語にも対応できます。

❸JISコード

ISOコードに片仮名や漢字を加えた日本工業規格の情報交換用符号です。漢字1文字は2バイト（16ビット）で表します。

				b_8	0	0	0	0	
				b_7	0	0	0	1	
				b_6	0	1	1	0	
				b_5	1	0	1	0	
b_4	b_3	b_2	b_1		1	2	3	4	
0	0	0	1	1			1	A	
0	0	1	0	2			2	B	
0	0	1	1	3			3	C	

2バイトのJISコード体系は、b_8～b_5とb_4～b_1の交点を読み取る。下記のように、例えば"2"ならば16進の"32"、"A"ならば16進の"41"となる。

	ビットパターン							
文字	b_8	b_7	b_6	b_5	b_4	b_3	b_2	b_1
2	0	0	1	1	0	0	1	0
A	0	1	0	0	0	0	0	1

図表 07-1　JISコード表の例

❹シフトJISコード

日本国内のパソコンで使用されている文字コードで、1バイトコード(8ビット)と2バイトコード(16ビット)の混在を容易にしたものです。漢字のコード部分はJISコードとの互換性がありません。

❺Unicode(ユニコード)

世界各国の主な文字体系にすべて対応させるため、各文字を2バイトで表し、アルファベットや漢字などを統一的に取り扱う文字コードセット。業界標準規格のため、別途ISO/IEC(国際電気標準会議)が制定した国際規格として策定されたものが、UCS <☞>です。こちらは1995年にJIS X0221としてJIS規格に定められています。

自然言語を厳密に定義する形式言語

人が使っている自然言語に対して、コンピュータなどで情報として扱うために曖昧さを排除した言語を**形式言語**といいます。形式言語の構文を形式的(厳密な表現という意味)に定義するために正規(正則)言語があり、その表現方法が**正規表現**です。正規表現の問題は、まず表現のルールが提示されるので、しっかり見極めましょう。

試験はこう出る

問

UNIXにおける正規表現[A－Z]＋[0－9]＊ が表現する文字列の集合の要素となるものはどれか。ここで、正規表現は次の規則に従う。

[A－Z]は、大文字の英字1文字を表す。
[0－9]は、数字1文字を表す。
＋は、直前の正規表現の1回以上の繰返しであることを表す。
＊は、直前の正規表現の0回以上の繰返しであることを表す。

ア　456789　　イ　ABC+99　　ウ　ABC99＊　　エ　ABCDEF

答

ルールではA～Zの1回以上の繰り返しで始まることとしており、省略できないので、数字から始まることはない。一方、後に続く数字は省略できる。また、＋、＊の記号は繰り返しを制御する文字であり、文字列中に現れることはない。　解答　エ

さらに詳しく

UCS

UCS(Universal Character Set)は、Unicode互換の文字コードセット(文字集合)。UCS-2は16ビットで文字を表し、UCS-4は32ビットで表す。また、**UTF**はユニコードを2進数に変換する方式(符号化方式)。UTF-8は8ビット単位の不定長で文字が表現され、漢字や仮名1文字は3バイトになる。また、UTF-16は16ビット単位で文字を表現する。

構文記述に使われるBNF

構文記述用として用いられるBNF(Backus-Naur Form)も形式言語の1つです。より複雑なルールを用いるので、あらかじめ慣れておかないと、戸惑うことになりかねません。

例えば、BNFで“曜日”を定義すると、

＜平日＞::＝月｜火｜水｜木｜金　　＜休日＞::＝土｜日

となります。ここで“::＝”は「定義」、“｜”は「または」を表しており、平日は「月、火、水、木、金」のいずれかで、休日は「土、日」のどちらかであることを示しています。また、BNFは再帰的な表現(自分から自分を呼び出せる性質)を許していることがポイントになります。次のような定義を考えてみましょう。

```
<数値>::=<数字列>|
          <数字列>E<数字列>|
          <数字列>E<符号><数字列>
<数字列>::=<数字>|<数字列><数字>
<数字>  ::=0|1|2|3|4|5|6|7|8|9
<符号>  ::=+|−
```

単純なほうから見ていくと、数字は「0〜9」のいずれかであり、符号は「＋」または「－」です。次に＜数字列＞は、“｜”の左右に同じ＜数字＞が入っており、これが再帰表現です。定義を詳しく見ていきます。

＜数字列＞＝＜数字＞＝0〜9

＜数字列＞＝＜数字列＞＜数字＞

　　　　　＝＜数字列＞0〜9

意味しているのは、＜数字列＞は再帰によって限りなく増やすことができ、最後は＜数字＞で終わるということ。つまり＜数字列＞は桁数を問わない数字であるということです。次に＜数値＞です。“｜”によって、3通りの記述方法を許しています。最初は＜数字列＞なので、なんらかの数字です。同様に2番目は、数字と数字の間

さらに詳しく

BNFの出題例

例題として、数値に関する構文が左のとおり定義されているとき、次の4つのうちで＜数値＞として扱われるものがどれかを考えてみよう。

① －12
② 12E－10
③ ＋12E－10
④ ＋12E10

＜数値＞に記述されたどの定義も、最初は＜数字列＞であることから、0〜9までの数字から始まらなくてはならない。さらに符号が入る場合は、＜数字列＞とEがあり、符号の後にも＜数字列＞が必要。つまり、②12E－10のみが＜数値＞と定義できることになる。

に“E”が入ります。“E”は指数を表す記号で、1.23E10なら1.23×10^{10}を表します。3番目は、符号付きの指数表現で、1.23E+10なら1.23×10^{10}、1.23E－10なら1.23×10^{-10}を表すということです。このようなBNFのルールは、符号や指数の記号の位置関係も含まれています。例えば＜数値＞の定義は、先頭の符号は許されないことや符号や指数記号は1つであること、末尾は数字で終わらなくてはいけないことが見て取れます。

数式を表す逆ポーランド表記法

頻出

数式を表現する方法の一つが**逆ポーランド表記法**(後置記法ともいう)で、括弧を使わずに演算の優先順位を表せるため、コンピュータで扱いやすくなります。逆ポーランド表記法では、演算子を被演算子の後ろに置いて表します。例えば“A＋B”は、“AB＋”と表記されます。具体的に例を見ていきましょう。

試験はこう出る

問

逆ポーランド記法(後置記法)では、例えば、式Y＝(A－B)×Cを、YAB－C×＝ と表現する。次の式を逆ポーランド記法で表現したものはどれか。

Y＝(A＋B)×(C－D÷E)

ア　YAB＋C－DE÷×＝

イ　YAB＋CDE÷－×＝

ウ　YAB＋EDC÷－×＝

エ　YBA＋CD－E÷×＝

答

通常の式を逆ポーランド記法の式に変換するには、優先順位の低い演算子から、対象となっている括弧の右側へ出していき、最後にすべての括弧を外す。

①式の優先順位がわかるように括弧を付加する。

Y＝((A＋B)×(C－(D÷E)))

②優先順位の低い演算子から順に、右側へ出す。

Y((A＋B)×(C－(D÷E)))＝

出題分析

逆ポーランド表記法

逆ポーランド表記法で示した次の式を計算した結果はどれか。ここで、式xy－はxからyを引いた値、式xy÷はxをyで割った商を表す。

式：435－÷

ア －2　**イ** －0.2

ウ 0.2　**エ** 0.5

問題文の式、435－÷は、最初に35－の部分から計算し、3－5＝－2となる。次に計算結果を元の式に当てはめると、4(－2)÷となる。これを計算すると、4÷(－2)＝－2になる。

解答 ア

$\rightarrow$ Y((A + B) (C − (D ÷ E)) ×) =

$\rightarrow$ Y((AB) + (C(D ÷ E) −) ×) =

$\rightarrow$ Y((AB) + (C(DE) ÷ −) ×) =

③最後に、すべての括弧を外す。

YAB + CDE ÷ − × =

解答　イ

試験では、逆ポーランド表記法による式を通常の式に直す問題も出ています。手順を見ていきましょう。ポイントとなる注意点は「演算子は直前の２つの項にかかる」、「演算子は左から処理する」の２点です。

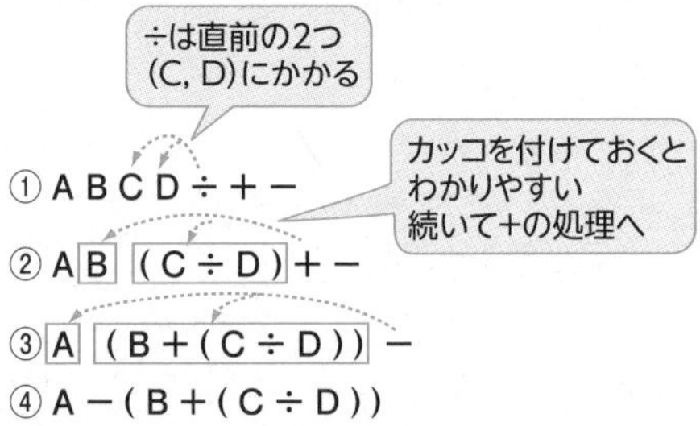

図表 07-2　逆ポーランド表記法から通常の式に直す手順

時間による変化を表すオートマトン 頻出

オートマトン(automaton)とは、入力、処理、出力といったコンピュータの動作をモデル化し、この関係を処理手順(アルゴリズム)として表現したものです。特に、状態が有限のものを有限オートマトンといいます。通常、データには初期状態があり、その後複数の状態を遷移しながら、最終状態で停止します。この遷移を図や表にしたものが、状態遷移図や状態遷移表です。

❶状態遷移図

状態遷移とは、行動によって推移する状態を表現するものです。状態遷移図は、複数の状態と遷移を示す矢印によって表した図で、矢印はある状態において、ある入力が与えられた場合の遷移を示しています。また、遷移した結果、状態が終了状態となるとき、そのデータが受理されたといいます。

さらに詳しく

2分木を使った変換

逆ポーランド記法への変換は、2分木<☞p.79「2分探索木」>を使用する方法もある。

次のような算術式を2分木の表現にして、その2分木を後順走査(2分木を左から節点を含めて戻りながらなぞること)を行うと、後置記法(逆ポーランド記法)で表現した式を得ることができる。

〔例〕

X＝(A＋B)×(C－D÷E)

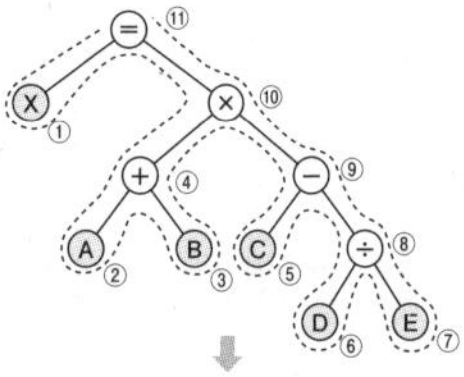

X A B ＋ C D E ÷ − × ＝
① ② ③ ④ ⑤ ⑥ ⑦ ⑧ ⑨ ⑩ ⑪

次のオートマトンでは文字列“ababaa”を左から与えたとき、次のように遷移します。

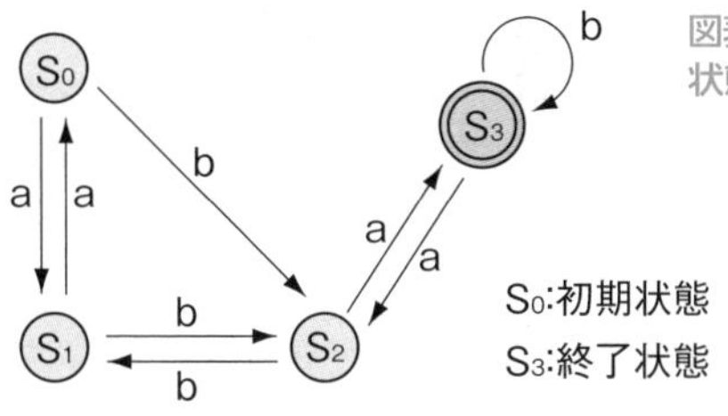

図表 07-3
状態遷移図の例

$S_0 \rightarrow S_1 \rightarrow S_2 \rightarrow S_3 \rightarrow S_3 \rightarrow S_2 \rightarrow S_3$

S_3は終了状態であるため、この文字列はオートマトンにより受理される文字列であることがわかります。

こちらも参照

計算量

☞ p.88「探索アルゴリズムの計算量」、p.91「整列アルゴリズムの計算量」

❷状態遷移表

現在の「状態」と投入した「値」によって、次の状態に至る遷移を一覧にしたものが**状態遷移表**です。例えば、右上のような入力文字列を検査する状態遷移表で考えてみましょう。この検査では、文字を入力した後の状態がeになると不合格とします。初期状態をaとして、表をたどっていくと、合否の結果がわかります。

		入力文字				
		空白	数字	符号	小数点	その他
現在の状態	a	a	b	c	d	e
	b	a	b	e	d	e
	c	e	b	e	d	e
	d	a	e	e	e	e

+0010 ➡ [+][0][0][1][0] a→c→b→b→b→b

12.2 ➡ [1][2][.][2] a→b→b→d→e 不合格

−1 ➡ [−][1] a→c→b

図表 07-4　状態遷移表の例

試験はこう出る

問　入力記号、出力記号の集合が{0, 1}であり、状態遷移図で示されるオートマトンがある。0011001110を入力記号とした場合の出力記号はどれか。ここで、S_1は初期状態を表し、グラフの辺のラベルは、入力／出力を表している。

〔状態遷移図〕

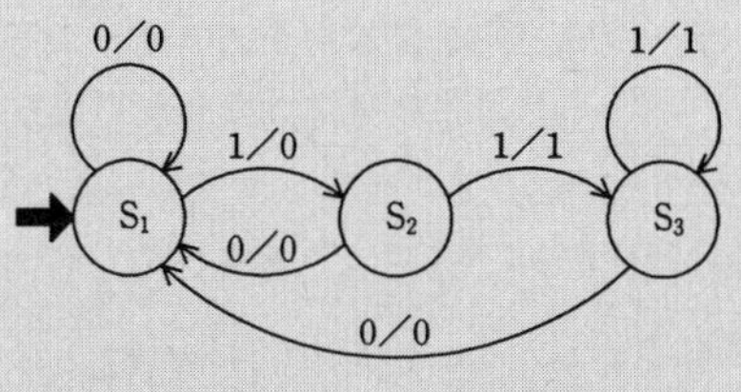

ア　0001000110　　イ　0001001110　　ウ　0010001000　　エ　0011111110

答　問題文のビット列は次のように遷移する（括弧内は出力）。

$S_1(0) \rightarrow S_1(0) \rightarrow S_2(0) \rightarrow S_3(1) \rightarrow S_1(0) \rightarrow S_1(0) \rightarrow S_2(0) \rightarrow S_3(1) \rightarrow S_3(1) \rightarrow S_1(0)$

出力されたビット列を並べると、0001000110となる。　解答　ア

データ通信に関する符号化

通信路を使ってデータを転送するときは、情報に抜け落ちがないかを確認し、もし誤った情報が転送されていれば修正する手立てを講じる必要があります。これには、**誤り検出**および**誤り訂正**の誤り制御の技術を使います。また、通信量を減らすためにデータ圧縮<☞ p.208>なども行います。なお、誤り制御については、電磁気的な要因によるメモリエラーやRAID<☞ p.150>などの記憶装置における誤り制御としても使われる技術です。

●誤り検出と誤り訂正

❶パリティチェック(parity check)

送信するデータにチェック用の**パリティビット**(1ビット)を用いて、エラーを検出する方式です。パリティビットを含めて1の数が偶数になるようにする**偶数パリティ**と、奇数になるようにする**奇数パリティ**があります。

例えば、0101001にパリティビットを付けると、図のようになります。なお、パリティチェックでは、エラーの検出は可能ですが訂正はできません。

〈偶数パリティ〉

1	0	1	0	1	0	0	1

↑ パリティビット

〈奇数パリティ〉

0	0	1	0	1	0	0	1

↑ パリティビット

図表 07-5　パリティチェック

❷CRC(Cyclic Redundancy Check；巡回冗長検査)

データ転送時の誤り訂正方式の一つで、連続した誤り(バースト誤り)の発見に効果があります。特殊な計算を行った結果<☞>をチェックデータとして付加します。誤り検出のみで訂正はできません。

❸ECC(Error Correcting Code)

パリティチェックよりも信頼性の高く、エラー検出に加えてエラー訂正機能を持っています。この誤り検出・訂正には、**ハミング符号**<☞>が使われます。メモリモジュールにも使われており、メモリ内のデータのエラーを検出したり、自動的にエラー訂正ができます。そのため、信頼性が求められるシステムに利用されます。

ココも出る！

ハフマン符号化

文字をコード化する際に用いる変換方式。出現率の高い文字を短いビット列に、出現率が低い文字を長いビット列に変換することによって、平均ビット長が短くなるように工夫されている。可逆圧縮方式として多く採用されている。

さらに詳しく

CRCの仕組み

CRCは、フレーム同期方式のHDLC手順などで採用されているもので、0と1で構成されるビット列を多項式(例:0100101＝X5＋X2＋X0)に見立て、あらかじめ決められた生成多項式で割算(モジュロという特殊な演算)し、その余りをデータの末尾に付加して送信する。受信側で同じ生成多項式で割り切れれば正常と判断し、割り切れなければ再送要求を行う。

ハミング符号

ハミング符号(hamming code)は、データ中に含んだチェックビットが一定の規則性を持つようにしておき、それを検査して誤りの検出と訂正を行う方式。4ビットの情報ビットに対し、3ビットのチェックビットを付加したハミングコードにより、2ビットの誤り検出と1ビットの誤り訂正が可能になる。

知的な機能を模したAI（人工知能）

AI（Artificial Intelligence；**エーアイ**、**人工知能**）とは、人間の頭脳が持つ機能を模倣したシステムを指します。現在のAI以前には、専門知識などを蓄積した**知識ベース**と、それを使って推論を行う**推論エンジン**から構成される**エキスパートシステム**が作られ、専門分野における意思決定に利用されました。

現在のAIは、統計学を用いた判断機能や学習機能などを持たせることで、より人間の判断に近い結果を導き出すことが可能になってきています。学習については、次のような技術があります。

機械学習とその手法

頻出

人間が経験によって得る判断の過程をコンピュータによって実現する手法です。与えられた大量のデータを基に、AI自ら学習を行って特徴や法則性を見つけ出し、その後に与えられる未知のデータについて推論を行います。

学習が進むほど認識や判断の精度が向上しますが、学習の方向性は人間が与える必要があります。なお、推論はさまざまな場面へ対応できること（**汎化**という）が重要で、未知のデータへの対応能力を**汎化性能**といいます。

●機械学習の手法

機械学習には、次のような3つの手法があります。ここで、学習者（AI）を**エージェント**と呼んでいます。

❶教師あり学習

判断の手がかりとなるデータを与えたり、入力するデータに対する正解を与えたりする（ラベル付け、**アノテーション**という）ことで、判断の基準とするための特徴を見つけ出し、その条件や法則を探していきます。これにより、未来の結果や状態などを予測して導き出すことができます。教師あり学習における学習方法は、次のように大きく2つあります。

・**回帰**：データの連続性や因果関係を学習させることで、それまでの傾向によって未来を予測します。

ココも出る！

データクレンジング

分析結果に悪影響を及ぼす例外的なデータなど、特異なデータ（特殊な場合にしか発生しない）をあらかじめ排除しておく作業。また、どのようにデータクレンジングを行い、さらに得られた結果をどう解釈するのかを専門的な知識や経験によって判断していく人材を**データサイエンティスト**と呼ぶ。

さらに詳しく

自己教師あり学習

ラベル付けされていないデータについて、自動的にラベルを生成し、事前学習と転移学習を行うことで自己学習を進めていく手法。膨大なデータであっても人の手によるラベル付けをすることがなくなるため、時間と労力を大幅に削減できる。

例）　売上予測、傾向予測など

・**分類**：特徴や関係性を学習することで、どのクラスに属するかを予測します。

例）　動物の種類の判別、年齢の判断など

❷教師なし学習

正解を与えない学習方法。大量のデータを与えることで、AIが自ら規則性や構造の学習を行い、予測を導き出していきます。調査・分析や新しい切り口を見つける手がかり(マーケティング分野など)、異常の発見(医療や製造現場など)に利用されています。教師なし学習には、次のような手法があります。

・**クラスタリング**：出現頻度を分析したり、規則性や類似度によるグルーピングを行います。分類されたグループの意味づけは、あとから人間が判断します。

・**次元削減**：大量のデータをもとに、特徴や類似性を重要度として捉え、データを要約していきます。

❸強化学習

ある条件下における試行に対し、その評価を報酬として与え、最適解を探っていく方法です。膨大な判断が必要となる課題の解決方法を見つけ出せることから、囲碁や将棋ゲームや自動運転、ロボット制御などに利用されています。

機械学習のアルゴリズム

機械学習の手法には数多くのアルゴリズムが存在しており、用途に応じて選択したり、組み合わせたりすることで誤差を減らし、精度を高めることができます。代表的なアルゴリズムの特徴を紹介します。

❶線形回帰とロジスティック回帰

線形回帰は、連続値の傾向をもとに値の予測を行う回帰問題に使用されるアルゴリズムです。一方の**ロジスティック回帰**は、分類問題に使用されることが多いアルゴリズムです。こちらは入力データがどのクラスに属するかといった確率の予測に用いられます。

ココも出る！

学習に使用するデータ

機械学習では、学習の段階によって次のようなデータを用いる。

・**学習(訓練)データ**

学習を行っていないAIモデル(個々のAIシステム)に対する学習(訓練)用のデータ。誤ったデータや曖昧なデータを含めないことが重要になる。

・**検証データ**

学習済みのAIモデルの調整用データ。機械学習の判断を決定づける変数(ハイパーパラメータ)の調整を行っていく。

・**テストデータ**

最終段階において、AIモデルの精度や汎用性を評価するための評価用データ。これまでに与えていない未知のデータを用いる。

過学習

偏った学習をさせすぎたことで、AIの予測が偏ってしまうこと。予測結果を評価できる「教師あり学習」においては、一つひとつの正解に適合させすぎる調整を行うことで発生する。過学習になってしまった場合、全体の傾向から予測できるよう、適合度合いに制限を設けながら調整を行う。また、「教師なし学習」では、学習データに対しモデルが複雑過ぎる場合に過学習が発生し、データが変わると予測結果が大きく変わってしまうことになる。

❷決定木とランダムフォレスト

決定木は、データの判断を行う際にツリー構造を使って細分化していくアルゴリズム手法です。また、**ランダムフォレスト**は、複数の決定木を使い、その予測結果を集計することで精度を高める手法です。

❸サポートベクトルマシン
(**SVM**；Support Vector Machine)

主として分類に用いられるアルゴリズムで、データを分類するための最適な境界線の決定をサポートし、新たな入力データへの判定精度を高めます。境界線の決定は、分類の基準となる境界データとの距離を大きくする**マージン最大化**の考え方を用いています。

自立的に学習するディープラーニング

ディープラーニング(**深層学習**)は、多層化したニューラルネットワークを用いた機械学習の手法で、より高度な学習を行うことができます。あらかじめ人間が方向性を与えなくても、多方面または大量のデータを基にコンピュータが自律的に学習を進め、高度な情報を導き出せるのが特徴です。ただし、過程や結果が意図しない方向性へ進むこともあります。

❶ニューラルネットワーク

人間の脳神経回路を模倣したモデルです。単純な仕組みのニューロンモデル(**パーセプトロン**<☞>)を組み合わせてネットワークを構築することで成り立っています。基本的なニューラルネットワークは、**入力層**、**隠れ層**、**出力層**で構成され、さらに隠れ層の多重化を増やしていったものをディープニューラルネットワークと呼んでいます。

また、正しい答えを出すための学習を重ねることで、学習パラメータが最適化されて正確さが増していきます。

そのほかのニューラルネットワークの特徴としては、次のニューロンへ引き渡す出力の計算に**活性化関数**<☞>を使うこと。また、ニューロン間で引き渡される際の重みの調整を自動で行うことがあります。

ココも出る！

主成分分析

主成分とは、統計解析の考え方によりデータを要約し、個々のデータを表現できるもの。**主成分分析**は、新たな主成分を作り出していく機械学習のアルゴリズム。データの特徴量(データ項目数)を減らす次元削減を行うことで、データ解析を容易にすることができる。

さらに詳しく

パーセプトロン

最も基本となる単純パーセプトロンは、複数の入力に重み(入力の重要度を調整)を掛け合わせたものと、パラメータとして与えたバイアス(出力度合を調整)との総和を求め、ステップ関数(0以上なら1を返す機能)を使って出力を行う。また、**多層パーセプトロン**は、単純パーセプトロンを組み合わせたもので、入力層、隠れ層、出力層で構成されている。

活性化関数

次のニューロンへ値を引き渡す際に、入力とバイアスによる計算値を変換するための関数。活性化関数を変更することにより、さまざまな問題に対応できる出力を得ることができる。代表的な活性化関数には、シグモイド関数、ステップ関数、ReLU関数などがある。

❷ニューラルネットワークの性能向上

・**バックプロパゲーション（誤差逆伝播法）**：ニューラルネットワークの誤差を減らすための手法。通常とは逆に、出力層から入力層に向かって伝播させる方法で、目標値から計算した誤差をフィードバックすることで各層の重みとバイアスを修正していきます。

・**事前学習と転移学習**：**事前学習**は、ディープラーニングの学習において、本来目的とする学習を行う前に汎用的な知識を学ばせる方法です。**転移学習**は、事前学習で得た知識を目的を達成するための知識に移行（微調整）していくことです。転移学習により学習時間の短縮と性能の向上が期待できます。

・**ファインチューニング**：転移学習の方法の1つで、目的によって変化することのない汎用的な知識を学ばせた後、それに付加する形で特定の目的のための知識を学ばせていきます。これにより、特定の目的への適応力を向上させることができます。

さまざまな分野に生かすAI技術

現在、AIは身近なものとして利用されており、具体例として次のようなものがあります。

❶自然言語処理

自然言語とは人が使う言葉のこと。AIに文章の構造や言葉の意味、文脈などを学習させることで、人の言葉を解析して要求を理解したり、文章などを自動で作成したりする技術です。電話の音声応答やスマートスピーカー、チャット応対、自動翻訳などに利用されています。

❷音声、画像、合成、生成などへの応用

・**畳み込みニューラルネットワーク**

（**CNN**；Convolutional Neural Network）：主に画像認識の分野で利用されるニューラルネットワークの1つで、機能の異なるいくつかの層を組み合わせることで画像や音声から特徴を抽出し、抽象化により認識していきます。顔認識や音声認識、医療における画像

> ココも出る！
>
> **勾配消失問題**
>
> バックプロパゲーションでは、誤差を最小化するため、データと関数の誤差の測定に確率的勾配降下法を用いている。ニューラルネットワークを多層化していくと勾配がなくなってしまう層が現れ、それ以上学習が進まなくなり、この現象を勾配消失問題という。対策の1つとして、活性化関数の種類を変更する方法がある。

診断、自動運転といった用途に利用されています。

- **リカレントニューラルネットワーク**
(**RNN**；Recurrent Neural Network)：ニューラルネットワークの中間層の計算結果を再び中間層の入力として計算を繰り返していく方式で、再帰型(＝リカレント)とも呼ばれます。文章解析による機械翻訳、文章生成といった自然言語処理などに応用されています。
- **生成モデル**：学習データとして音声や画像、楽曲などを与えておくことで、要求される特徴を持った新たな音声や画像などを作り出す技術です。ディープラーニング技術を取り入れた**深層生成モデル**では、より高度な画像生成が可能になっています。
- **敵対的生成ネットワーク**
(**GAN**；Generative Adversarial Network)：教師なし学習アルゴリズムの１つで、生成する側(本物の特徴から偽物を作る)と識別する側(生成した偽物と本物を見分ける)という２つのニューラルネットワークを競わせることで学習精度を高めていくモデルです。
- **基盤モデル**：多様で大規模なデータで学習を行う大規模な機械学習モデル。学習に加えて再トレーニングを行うことで幅広い分野に適応できます。
- **拡散モデル**：画像に対して「ノイズを加える(拡散)」過程を学習させ、「ノイズを除去する(逆拡散)」ための修復を生成に利用していくモデルです。
- **言語モデル**：文章の並びや単語の出現に対して確率を割り当てる考え方によって言語処理を行うモデルです。また、**大規模言語モデル**(**LLM**；Large Language Models)は、言語モデルのうち、「計算量」、「データ量」、「パラメータ数」の３要素を大規模に増やすことで、より自然な言語処理を可能にしています。音声会話応答や文章の作成、翻訳などで応用されており、生成AIのChatGPT<☞>がよく知られています。

さらに詳しく

ChatGPT

2022年に公開された生成AI。人がテキストで指示を入力すると、要求を分析してそれを満たす会話や文章を返答する。要約文の作成やグラフの生成など、ビジネス分野でも利用できることから多大なユーザーを獲得した。

ココも出る！

プロンプトエンジニアリング

大規模言語モデルの能力を最大限に引き出すため、与える指示の設計や調整を行う技術。AIが理解しやすい文(プロンプト)により指示を出すことで、求める条件に合致した結果を得やすくする。

08

基礎理論

1+1=10

通信に関する理論

コンピュータで処理した情報を、通信回線を用いて伝送する技術がデータ通信です。

高速通信回線を支える多重化方式

高速の通信回線を同時に複数の利用者で使用できるようにする技術で、次のような方式があります。

❶周波数分割多重化方式（FDM；Frequency Division Multiplex）

アナログ回線で用いられ、複数利用者の信号を異なる周波数の信号に変調して、同時に送信する方式です。

❷時分割多重化方式（TDM；Time Division Multiplex）

デジタル回線で用いられ、時間を細かく分割して、それぞれの信号に一定の時間を割り当て（タイムスロット）、これを規則的に繰り返しながら送信する方式です。

❸符合分割多重化方式（CDM；Code Division Multiplex）

携帯電話などで利用される方式で、CDMA方式ともいいます。すべての利用者は同じ周波数を使用しますが、利用者ごとに異なるコードを割り当てて相手を区別します。送信時と同じコードを用いなければ復調できないため機密性に優れ、周波数帯域を有効利用できます。

送受信のタイミングを合わせる同期方式

データの送受信を行うには、送信側と受信側でお互いにタイミングを合わせてやり取りを行う必要があります。これを「同期をとる」といい、次のような方式があります。

❶調歩同期方式（非同期方式）…低速回線用

送信データ1文字ごとに、スタートビット（'0'）とスト

ココも出る！

伝送方式

通信回線には、通常、電気信号を送る伝送路と戻りの伝送路（またはデータ伝送用と制御信号用）の2本が必要である。これを2線式と呼び、一般の電話回線に使用されている。専用回線には4本の伝送路からなる4線式もある。

単向式：単一方向にしかデータを流さない方式。

半二重方式：両方向への通信が可能だが、同時に両方向から送信できないため、送信・受信を交互に行う方式。2線式の伝送路が使用される。

全二重方式：両方向へ同時に送受信を行える方式。2線式または4線式の伝送路が使用される。

ップビット(‘1’)を付けて送る方式で、スタートビットにより同期をとります。1文字が8ビットの場合、1文字の送信に最低10ビット必要なため伝送効率が悪く、低速の回線(1,200bps以下)で使用します。送信データがないときは、ストップビットが連続して送信されています。

❷SYN同期方式(キャラクター同期方式)…中速回線用

送信するデータ文字列の前に同期用の符号(**SYN符号**;synchronize)をいくつか送信し、この符号によって同期をとった後、データを連続送信する方式です。受信側では同期がとれた後、1文字分に対応したビット数ごとに文字の区切りと見なして文字を組み立てるので、文字間が時間的に空くことは許されません。

❸フレーム(フラグ)同期方式…高速回線用

データを**フレーム**単位で送信する方式です。送信するデータの前後に、**フラグパターン**(‘01111110’)が付けられ、このパターンに囲まれた部分(**フレーム**)を単位として同期をとります。この方式を用いた伝送制御が**HDLC**(High-level Data Link Control)です。

送信データがないときは、絶えずフラグパターンが送られ、受信側ではそれ以外の信号を受信するとデータが送られてきたと判断します。そして、再びフラグパターンが現れるまでをデータとして受信します。データの長さに制約がなく、高速で大量なデータ送信に向きます。

ココも出る!

変復調方式

デジタル信号をアナログ信号に変換することを変調、その逆を復調という。

振幅変調方式(AM):デジタル信号の1と0に従って、アナログ信号を送出する。雑音や信号レベルの変動に弱い。

周波数変調方式(FM):デジタル信号の1と0を、帯域の違う2つの周波数に変調。

位相変調方式(PM):デジタル信号の1と0に対応して、搬送波の位相を変える。

こちらも参照

誤り検出・訂正方式

☞p.66「データ通信に関する符号化」

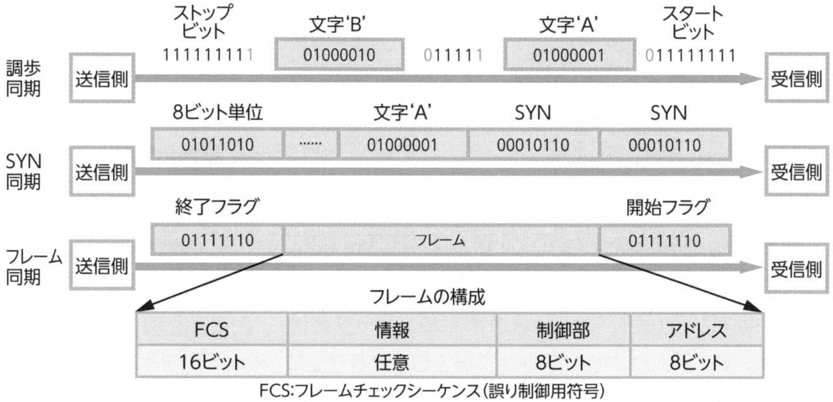

図表 08-1　各同期方式による送受信（文字は JIS8 単位符号）

09

基礎理論

1+1=10

計測・制御に関する理論

ハードウェアとソフトウェアを組み合わせて制御を行う「組み込みシステム」に携わるIT技術者は、直接ハードウェアをコントロールするための知識が必要になります。ここでは、最も基本になる技術を解説します。

アナログデータは、値が連続しているのが特徴。一方のデジタルデータは断続的になっている。

信号処理（A/D変換、D/A変換）

頻出

アナログ信号をデジタル信号に変換することを、**A/D変換**（analog-to-digital）と呼び、音声などのアナログデータをコンピュータで扱う場合に必須です。デジタル化された信号は、A/D変換された時間間隔に合わせて**D/A変換**することで、元のアナログ信号に戻せます。

A/D変換は、**標本化→量子化→符号化**の順に行われます。その際、雑音を除去する**ローパスフィルタ**を使った**フィルタリング**を行うことがあります。A/D変換の前処理では波形のゆがみを除去し、D/A変換の後処理では出力波形を滑らかにします。

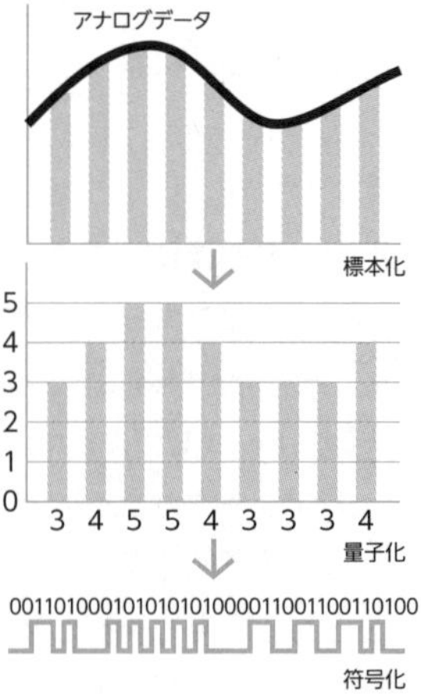

図表09-1　A/D変換の手順

❶標本化（サンプリング）

標本化では、連続的に変化しているアナログデータに対して、一定間隔ごとにその瞬間の値を測定します。1秒間に行う標本化の回数を**サンプリング周波数**と呼び、単位はHz（ヘルツ）が使われます。

❷量子化・符号化

量子化では、測定した信号の値を適当な整数値に丸め、符号化でその値をnビットの2進数に変換します。nの値が大きいほど精度（音質など）に優れますが、データ量は多くなります。例えば、サンプリング周波数8kHzで、8ビットで符号化した場合の1秒間のデータ量は、8,000×8＝64kビットになります。

ココも出る！

標本化定理（シャノンの定理）

対象とするアナログ信号の最高周波数をfとすると、2f以上の周波数で標本化（サンプリング）して伝送すれば、受信側で元のアナログ信号に復元できる。

制御に関する基本的な理論

頻出

この範囲に含まれる知識として、次の事柄を押さえておきましょう。

❶組込みシステム(Embedded system)

身の回りには、携帯電話、炊飯器、エアコン、エレベータ、自動車など、コンピュータを組み込むことで、特定の機能を実現するシステムが数多くあります。これらを**組込みシステム(エンベデッドシステム)**と呼び、組み込まれたコンピュータによって機器を制御しています。

組込みシステムには、一定時間内に処理を完了させる厳しいリアルタイム性や高い信頼性が要求されます。そのため、これらの性能を生かすための**リアルタイムOS**が採用されます。代表的なものにμITRONがあります。

❷センサーとアクチュエーター

制御対象の温度、光、圧力などの状態を把握するには、それぞれに対応した各種の**センサー**<☞>が用いられています。また、演算結果の電気信号を制御のための機械的な動作に変換する**アクチュエーター**を通じて、動力源となる電動(モーターなど)、油圧、水圧、空気圧などに変換し、制御対象を一定の状態に保ちます。

❸制御の方式

目標値とセンサーによる実測値の差が0になるように、「計測→演算→動作データの出力」をループさせて制御する方式を**クローズドループ制御**といい、変化を反映させることから**フィードバック制御**と呼んでいます。また、フィードバックループがないものを**オープンループ制御**と呼びます。

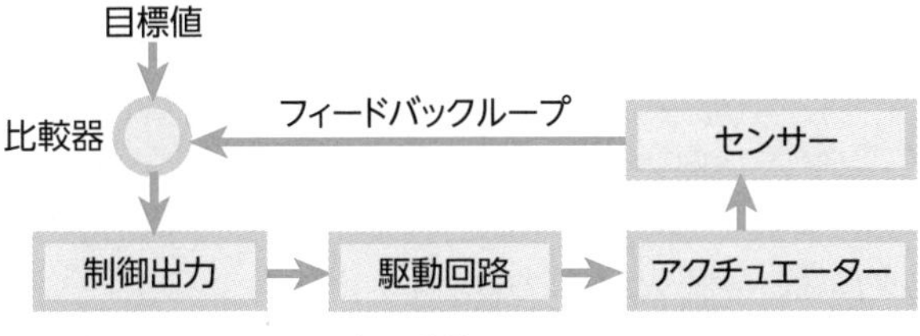

図表 09-2　フィードバック制御

ココも出る！

フィードフォワード制御

フィードバック制御の妨げとなる、制御を乱す外的要因の発生を事前に検知して補正する制御方式。フィードバック制御と併用することで、より安定した制御が行える。

センサーの種類

光センサー：光を検知して、電気信号に変換する。カメラの露出計、リモコン受信部、街灯、煙探知機などに利用されている。

温度センサー：温度を検知する。接触式と非接触式、温度範囲によって分けられる。代表的な**サーミスタ**（感熱抵抗体）は、温度上昇に対して抵抗が増加するもの(サーモスタットなどに利用)または減少するもの（電子体温計などに利用）などがある。

加速度センサー：物体の動きや振動、傾きなどを検知する。

ジャイロセンサー：物体の回転(角速度）を検知する。スマホやカーナビ、デジカメの手ぶれ補正などに利用される。

磁気センサー：磁場を検出するセンサー。代表的なものに**ホール素子**がある。電流計、開閉検出、位置検出など多用途に利用。

圧力センサー：物質間の力学エネルギーを検出。**ひずみゲージ**は、変形の検出、重量測定、強度測定などに利用される。

10

基礎理論

データ構造

データ構造とは、コンピュータ上にデータを格納する論理構造です。さまざまなデータ構造が存在しますが、用途に応じてどれを選ぶかで処理効率が変わってきます。

最も基本となる配列（表）

配列(array、table)は、同じ種類で同じ大きさのデータが連続した表形式のデータ構造で、個々の配列要素は、添え字(インデックス)によって識別します。添え字は配列の次元数に応じた個数を持ち、0あるいは1から始まります。

●一次元配列Aの例

A(1)	A(2)	A(3)

●二次元配列Bの例

B(1,1)	B(1,2)	B(1,3)
B(2,1)	B(2,2)	B(2,3)

●三次元配列Cの例

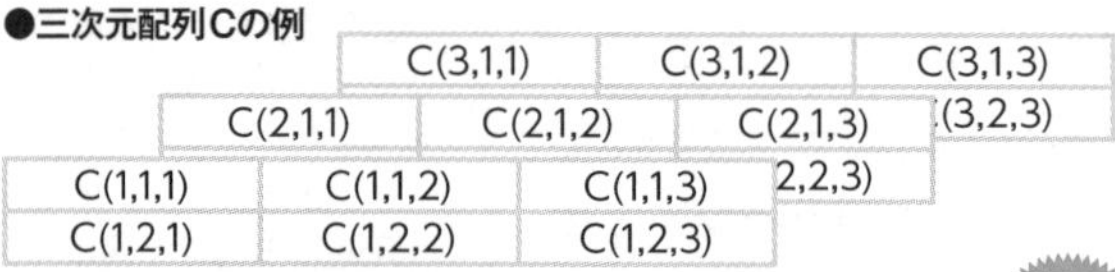

図表 10-1　配列の種類

頻出

先に入れたものを後から出すスタック

スタック(stack)は、最後に格納されたデータが最初に取り出される後入れ先出し(LIFO；Last-In First-Out)型のデータ構造です。

データを積み上げる操作をプッシュ(push)、上から取り出す操作をポップ(pop)といいます。スタックの用途には、サブルーチンの呼出しや関数の再帰呼出しにおける、データの退避・復元などに利用されます。

ココも出る！

静的配列と動的配列

配列は、あらかじめ定義された要素数を超えてデータを格納することはできないが、プログラム言語によっては、要素数に応じて自動的に配列の大きさを増やしてくれるものもある。前者を静的配列、後者を動的配列という。

さらに詳しく

リストの特徴

リストへのデータ挿入、削除はポインタを変更するだけでよいため、データが物理的に並んでいなくてもかまわない。格納のための並べ換えなどが不要になるため配列に比べて効率的に運用できる。ただし、アクセスの際には順にしかたどれないという欠点もある。

格納する場所は、スタックポインタ(SP)で管理します。プッシュする場合は、SP－1→SPのアドレス計算を行い、ポップするときは、SPが指すアドレスからデータを取り出してから、SP＋1→SPの処理を行います。

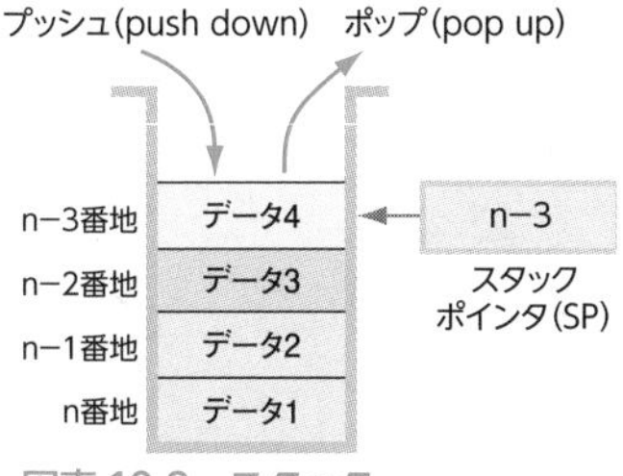

図表 10-2　スタック

先に入れたものを先に出すキュー 頻出

キュー(queue)は、最初に格納されたデータが最初に取り出される先入れ先出し(FIFO；First-In First-Out)型のデータ構造です。

図表 10-3　キュー

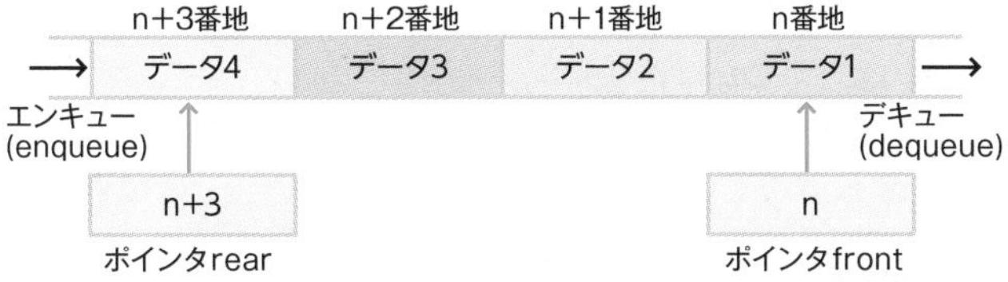

データを列の最後に格納する操作をエンキュー(enqueue)、反対に列の先頭から順に取り出す操作をデキュー(dequeue)といいます。

キューの用途には、マルチプログラミングにおける実行待ちの列(タスク指名待ち行列)などがあります。

要素どうしをつなげたリスト 頻出

リスト(list)は、ポインタ型のデータをつないで、全体を操作できるようにしたデータ構造です。リストは、データ部とポインタ部からなるセルと呼ばれる単位で管理され、ポインタ部の値により次に連結(リンク)されるセルが決まるという特徴があります<☞前ページ>。リストには次のような種類があります。

❶線形リスト

始端と終端のあるリストで、2つのタイプがあります。

出題分析

スタックとキューの操作

4つのデータA、B、C、Dがこの順に入っているキューと空のスタックがある。手続pop_enq、deq_pushを使ってキューの中のデータをD、C、B、Aの順に並べ換えるとき、deq_pushの実行回数は最小で何回か。ここで、pop_enqはスタックから取り出したデータをキューに入れる操作であり、deq_pushはキューから取り出したデータをスタックに入れる操作である。

ア 2　　イ 3

ウ 4　　エ 5

元のデータが先入れ先出し構造のキューにあり、順に後入れ先出し構造のスタックに入れて取り出せば並べ換えができる。ただし、最後のデータ(ここではDが該当)は、キューに残したままでもよいため、データ数−1回でよい。

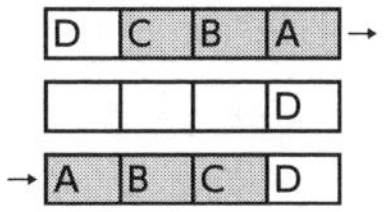

解答 イ

・単(片)方向リスト

ポインタが順方向にだけ付けられたリスト構造。最後のセルのポインタ部には、NULL値が格納されています。

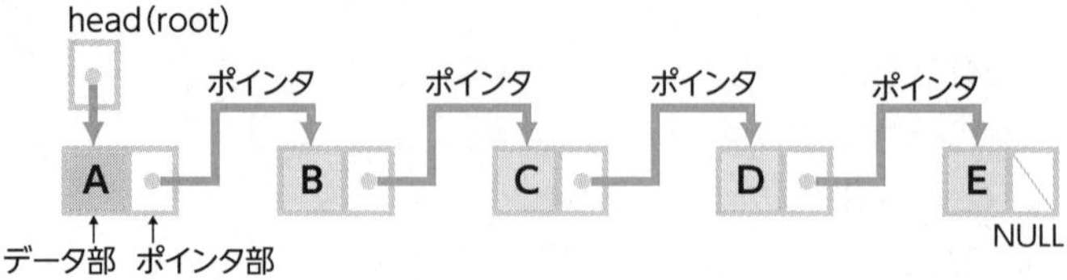

図表 10-4　単方向リスト

・双(両)方向リスト

直前のデータへのポインタと次のデータへのポインタを持ち、両方向へリンクをたどることができます。

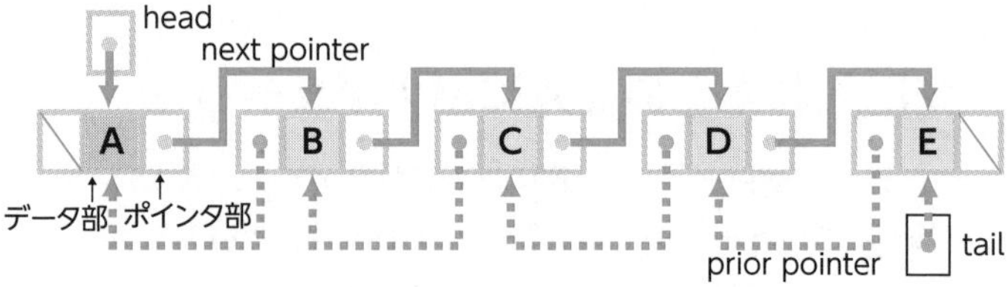

図表 10-5　双方向リスト

❷環状(循環) リスト

先頭と最後のセルをポインタによってつなげたリスト。線形リストと同様に、単方向と双方向があります。

データを探しやすい木構造

頻出

木構造(tree structure)は、階層構造でデータを管理するもので、木を逆さにしたような形をしています。個々の要素を節(ノード；node)とよび、節どうしは親子関係を持ちます。親をもたない最上位の要素を、根(ルート；root)と呼びます。また、子を持たない最下位の要素を、葉(リーフ；leaf)と呼びます。

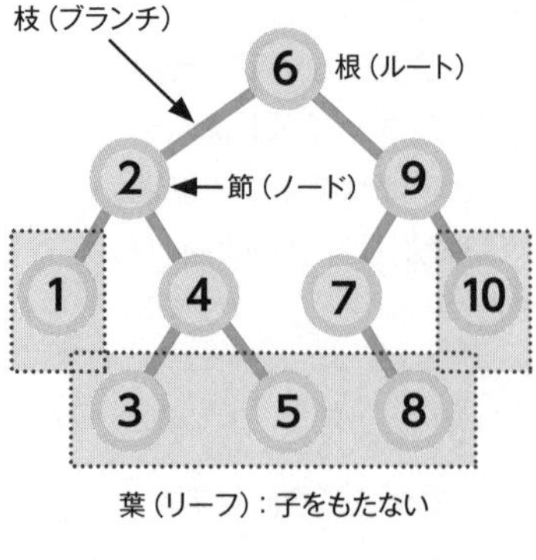

図表 10-6
木構造の要素

ココも出る！

バランス木(平衡木)

根から子を持たない葉ノードまでを、できるだけ同じ深さになるようにした木構造(2分探索木)。探索時間を平均化することができる。追加や削除を行った場合、構造を保つための再構築が必要となる。深さの差が1以内のAVL木もバランス木の1つである。

❶2分木

節から分岐する枝が2本以下のものを**2分木**とよび、根からすべての葉に至る枝の数(深さ)が、同じかまたは1つしか違わない(この場合の最後の葉は、左側に寄っている必要がある) 2分木を**完全2分木**といいます。

・2分探索木

各節にデータを格納したもので、どの節についても「**節の左側のデータ<節のデータ<節の右側にあるデータ**」を満たすようにデータが格納されます。2分探索木のうち、任意の節において、左右の部分木の深さの差が1以下のものを**AVL木**といいます。

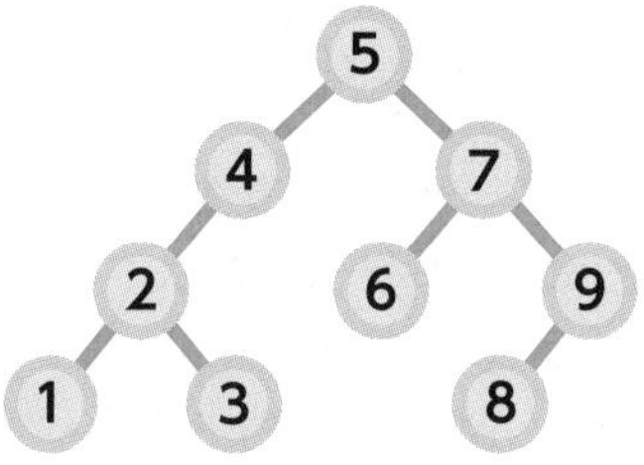

図表 10-7　2分探索木の例

・2分木の走査

2分木の走査(なぞり方)には、前順(先行順序)、間順(中間順序)、後順(後行順序)の3つがあります。

図表 10-8　3つの走査方式

❷多分木

1つの節が複数の子を持つ木構造。葉までの階層の深さがすべて等しい多分木を**B木**といい、データ量が多くなっても記憶効率、探索効率が良く、階層型データベースなどで利用されます。

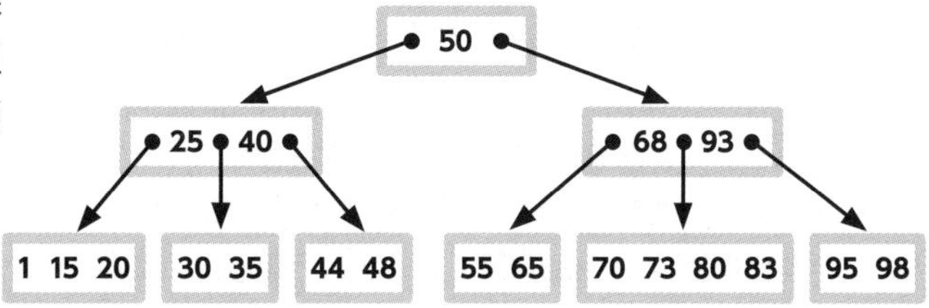

図表 10-9
多分木の例

ココも出る！

木構造の探索順
(グラフのアルゴリズム)

木構造に収められたデータの探索順には、次の2つがある。

・**深さ優先探索**

木の深さを優先させて探索を行う方法。最下位(葉)まで到達したら、1つ上位に戻ったうえで、再度、深い方向に探索を進めていく。

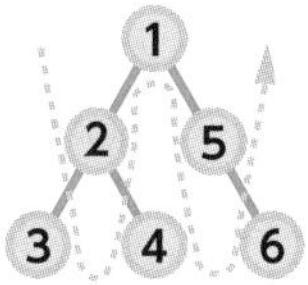

・**幅優先探索**

上位から始め、同じレベルを探索したら、1つずつ深いレベルを探索を進めていく方法。

11

基礎理論

アルゴリズムと擬似言語

アルゴリズムとは、処理の手順を表したものです。手順とは「まず何をして」、「次に何をして」、… という順番のことで、それに沿って必要な処理を1つ1つ記述していきます。具体的には、まず必要な処理を洗い出し、**流れ図**(フローチャート)などの図式表現を使って整理し、次に各種の**プログラム言語**を使ってプログラム記述していきます。試験で仕様が決められている**擬似言語**もプログラム言語の1つですが、アルゴリズムを整理する用途にも用いることができます。

試験対策としては、流れ図→擬似言語への変換をスムーズに行えること、擬似言語を読み取ってアルゴリズムをすばやく把握できることを目標にするとよいでしょう。

3つの制御構造がアルゴリズムの基本

処理の流れの構造(処理手順)は、次の3つの構造に集約できます。これらを**基本制御構造**といいます。

❶順次構造(上から順に、処理を行う)

1つの処理が終了したら次の処理を行うというように、処理が上から下へと順番に行われます。流れ図では□(処理記号)で表し、□の中に処理内容を記述します。右図では、処理1、処理2、処理3を連続して行います。

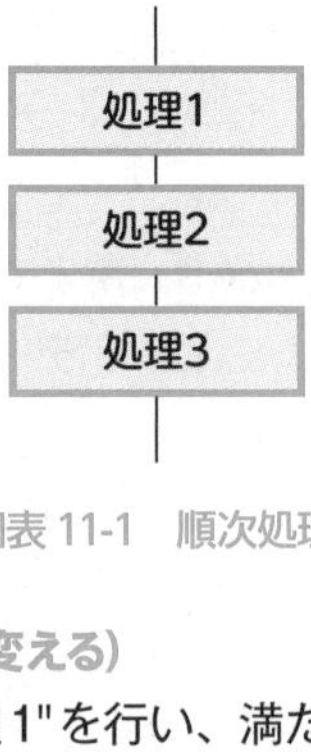

図表 11-1 順次処理

❷選択構造(条件を判断して、行う処理を変える)

条件を満たした(Yes)場合には"処理1"を行い、満たさない場合(No)には"処理2"を行うというように、条件

さらに詳しく

流れ図で用いる記号

流れ図はアルゴリズムを表現する、最も一般的な図式手法である。下記のような記号を組み合わせ、処理を結ぶ線が交差したり、できるだけ構造が入り組まないように記述を行う。

端子：全体処理の開始または終了を示す。

処理：処理の内容を記述する。

定義済み処理：他の場所で定義された処理。

判断：記述された条件によって流れを変える。

入出力：外部からのデータ入力や外部へのデータ出力を表す。

によって次に行う処理が変更されます。下図では、条件を判断して、処理１または処理２のいずれかを行います。また、矢印（矢先）は見やすくしたいときや下→上へ制御を変えたいときに付加します。

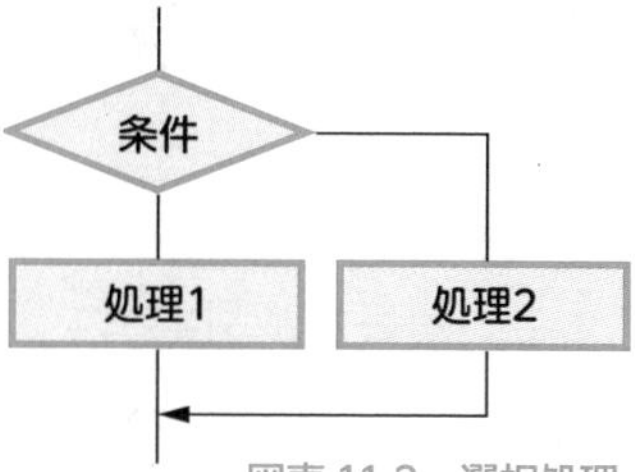

図表 11-2　選択処理

❸繰返し構造（条件を判断して、同じ処理を繰り返す）

条件に合致する間、処理を繰り返します。条件の判断をどの時点で行うかによって、次の２つに分けられます。繰返しはループと呼ぶこともあります。

《前判定繰返し》

処理に入る前に、繰返し条件の判定を行います。このため、１度も処理が実行されないことがあります。

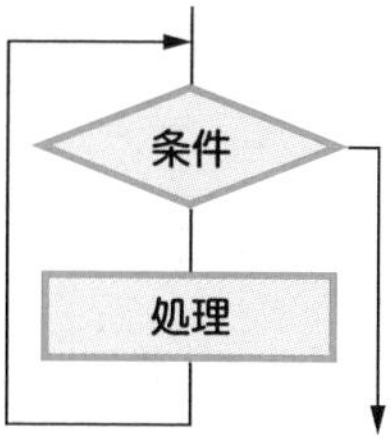

図表 11-3　前判定繰返し処理

《後判定繰返し》

処理を行った後に、繰返し条件を判定し、まだ条件に当てはまる場合は再度処理を繰返しを行います。１度目は無条件に（判定を行わずに）処理が実行されるので、問題がないかの確認が必要です。

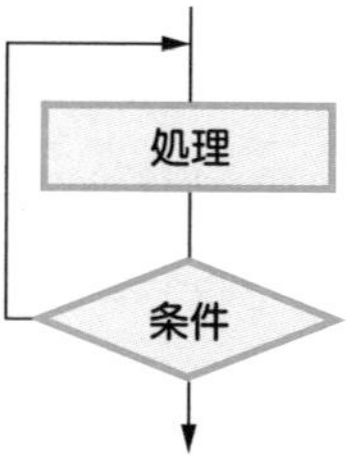

図表 11-4　後判定繰返し処理

流れ図を読み解いてみよう

基本制御構造が理解できたら、実際に流れ図によるアルゴリズムを見ていきましょう。記述された流れ図やプログラムを確認しながら、アルゴリズムの構造や処理の流れを細かく読み取る作業をトレースといいます。

トレースの実際は、具体的なデータ（テストデータ）を

さらに詳しく

ループ端記号

繰返し制御（ループ）は、矢印を使っても表せるが、多重ループでは線が混在して見にくくなるときは、ループ端記号を使うとよい。ループ端には繰返し条件を記述するが、始端に書いた場合は、前判定の繰返しを意味し、終端に書いた場合は、後判定の繰返しを意味する。なお後判定にした場合は、繰返し条件に合致していなくても、必ず１度は実行されてしまうので注意が必要となる。

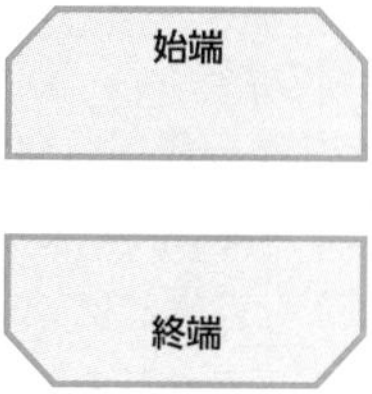

用意して、流れ図の処理を1つずつ追いかけながら結果を確認していきます。根気のいる作業ですが、流れ図やプログラムを読み取る早道といえるでしょう。

❶処理の概要(会員向けディスカウント)

このアルゴリズム(流れ図)は、買物の合計額によってディスカウント価格を判断します。「合計額が5,000円以上なら1割引の金額を、5,000円未満ならそのままの金額を表示」します。

❷流れ図の解説

処理は大きく2つに分かれており、前半は、[1]で合計額を0に(初期化)したら、[2]〜[4]で、買い物が終了するまで合計額を累計していきます。計算は、商品ごとに入力した「単価と数量」により行います。後半は、[5]の選択で合計額の値を判断する部分です。合計額が5,000円以上かどうかにより、[6]でディスカウント額(1割引)を算出します。

❸処理のポイント

[1]合計額←0　…「合計額」の初期化を行います。これは変数にはどんな値が入っているかわからないことを前提としており、特に累計用に使用する変数ではセオリーといえます。

[3]合計額←合計額＋(単価×数量)　…もとの合計額に、「単価×数量」で計算された値を加えたものを、新たな合計額として置き換えることを意味しています。

[4]買物終了？　…後判定繰返しなので、必ず1つ以上の商品は購入することを前提としていることに注意しましょう。なお、「買物終了？」の判断は明示していませんが、実際には終了ボタンを押すなどのアクションになります。

❹トレース

テストデータに、「2,000円×1、1,000円×2、3,500円×1」を想定してみましょう。[2]〜[4]を3回繰り返し、合計額7,500円で[5]の判定に入り、[6]の処理が行われるので、6,750円が表示されます。

さらに詳しく

代入と累計の処理

代入は、「i←1」(←は＝の意味)と表し、変数iに何が入っていても1に置き換わる。一方、累計は「i←i＋1」のように表し、iに入っていた元の値と1を加算したものがiに置き換わる。なお、変数は定義しただけでは値が保証されないため、累計処理などに使うものであれば、必ず初期化が必要となる。

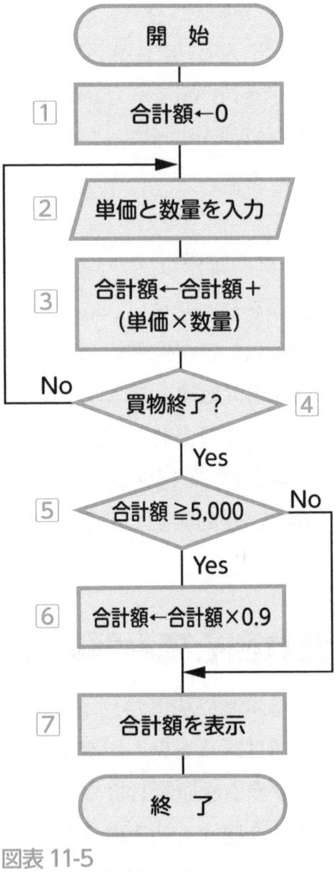

図表 11-5
合計額を計算するアルゴリズム

多重の繰返し制御

多重の繰返しとは、繰返し部分が入れ子になった制御構造です。2次元(または、それ以上)の配列を扱う際に使うと構造がすっきりして扱いやすくなります。

次の流れ図は九九表を出力するアルゴリズムで、ループ端記号を使って繰返しを表現しています。判断記号を使っても表現できますが、多重ループで矢線が多くなるので、ループ端記号のほうが見やすくなります。

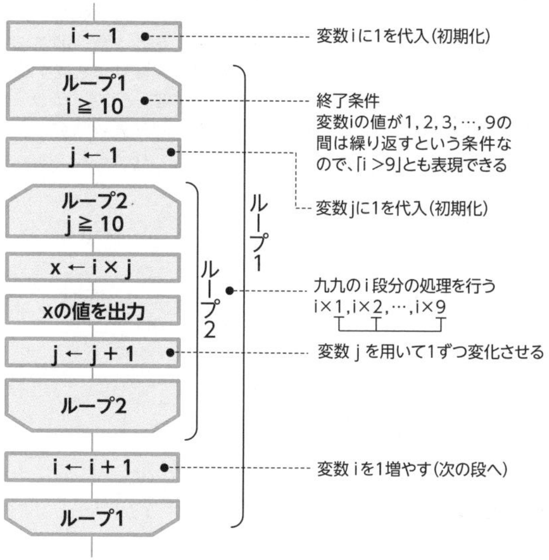

図表 11-6　九九表を出力するアルゴリズム

流れ図では、変数iが1のとき変数jを1, 2, 3, …, 9と変化させ、1×1、1×2、1×3、…、1×9の結果を順に表示します。これを変数iが9になるまで繰り返すことで九九表の作成を行っています。外側の繰返しと内側の繰返しを分けて考える(ループに関わる変数の初期化を含む)と処理を把握しやすくなります。

擬似言語とアルゴリズム

擬似言語は、プログラム言語に代わるものとして、IPAが仕様を作成したものです。試験用の仮想的な言語のた

さらに詳しく

擬似言語と科目B対策

擬似言語は、基本情報試験の科目B対策として十分に慣れておきたい。注意したいのは、過去問題としてIPAから公開されている午後試験の擬似言語とは仕様が変わっていること。変更後の仕様を使った問題は、公開されているサンプル問題で確認しておこう。なお、詳細な擬似言語仕様については、IPAのホームページにある「試験で使用する情報技術に関する用語・プログラム言語など」のVer. 5.0に記載されている。

め、実行できる処理系はありません。また、決められている仕様は基本的なものだけで、問題ごとに仕様が設定されることもあります。ただし、試験問題はアルゴリズムを解く力を問われているので、細かな仕様にとらわれる必要はありません。実際に動作を行ってアルゴリズムを検証したい場合は、JavaやPythonなどの言語に置き換えてみるとよいでしょう。

擬似言語プログラムの大前提

擬似言語の問題は、プログラム間の呼出しがあることが前提になっています<☞ p.98 メインルーチンとサブルーチン>。また、そのほとんどが「呼び出される側」であり、**手続**または**関数**として出題されます。ポイントとしては呼び出す側から「引数」として値を受け取ること。まとめると次のような形になります。

① 処理に必要なデータを「引数」として受け取る
② 処理を行う
③ 結果を「戻り値」として返す（返さないこともある）

82ページの流れ図を、「呼び出す側」、「呼び出される側」に分割すると下記のようになり、右側の「請求」が、擬似言語問題として出題される「手続」になります。

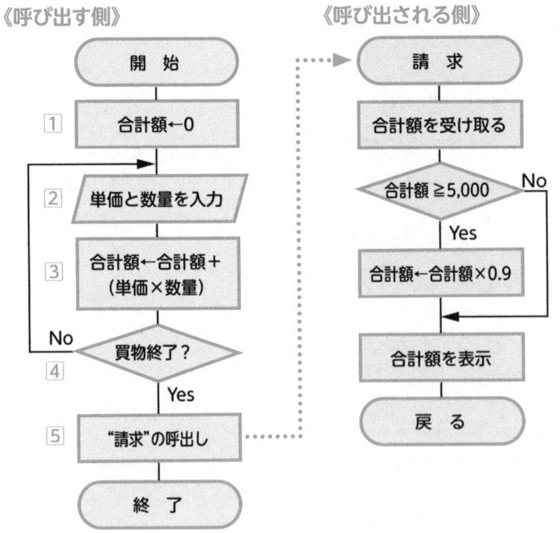

さらに詳しく

手続と関数

擬似言語の仕様では、呼び出される側を「手続」または「関数」と呼んでいる。両者の違いは明確にされていないため、問題によって変わることがある。一般に、「戻り値（呼び出される側で処理した結果）」を返さない場合を「手続」、戻り値を返す場合を「関数」としているようだが、呼び方の違いだけと考えておけばよい。

手続と関数の役割

擬似言語において、呼び出す側と呼び出される側に分けるのは、システム開発におけるモジュール<☞ p.344>化によるものです。つまり、よく使う共通化できる処理を手続や関数として用意しておけば、開発が効率化でき、不具合を排除しやすくなります。また、それぞれが独立していることで、管理のしやすさにもつながります。

●手続と関数で処理した結果をやり取りするパターン

擬似言語の問題では、手続と関数とのやり取りとしていくつかのパターンがあります。必ずしも引数だけではないことに注意しましょう。

① **引数(変数または配列)で受け渡し、同じ引数で戻す**
…呼び出される側で完結し、何も戻さないこともある

② **共通領域(擬似言語では「大域」)でやり取りする**
…呼び出す側で 共通領域に値を入れておき、呼び出される側では処理結果によって共通領域を書き替える

③ **引数(変数または配列)で受け渡し、結果を論理値(trueとfalse)で返す**

さらに詳しく

引数と関数の関係

引数は、呼び出す側の関数(手続)から呼び出される側の関数(手続)を呼び出す際、処理に必要な値を受け渡すための変数や配列のこと。

呼び出す側(引数)

引数を渡して処理を依頼する ↓　↑ 処理した結果を返す(戻り値)

呼び出される側(引数)

具体的には、手続名や関数名の後にある(　)内に、値が格納された引数を記述して呼び出す。呼び出される側でも引数を定義しておくことで値を受け取ることができる。このとき引数の型は、呼び出す側と呼び出される側で合わせておく必要がある。なお、呼び出される側で処理した結果を「戻り値」として同じ引数に入れて返す場合もある。

擬似言語プログラムの構造

擬似言語プログラムの構造は、大きく2つの部分に分けることができます。**宣言部**は、手続きや関数、プログラムの中で使用する変数などの名前や仕様(構造と型)を決めておきます。また**処理部**では、具体的な処理手順を記述していきます。下記は、前ページの「手続」“請求”を擬似言語にしたものです。流れ図と比較してみましょう。

```
○SEIKYU(整数型：goukei)                   ] 宣言部

  if(goukei が5000以上である)              ]
    goukei ← goukei × 0.9                 ]
    /* 5,000以上なら0.9倍 */               ] 処理部
  endif                                   ]
  goukeiを表示                             ]
```

●擬似言語の書き方と科目Bの出題例

具体的な擬似言語の書き方や試験での出題例は、巻末にまとめていますので、科目B対策として、ひととおり目を通しておくとよいでしょう。

12

基礎理論

探索のアルゴリズム

探索とは、多くのデータ要素の中から目的とする要素を探し出すことです。アルゴリズムを考える際には、配列と要素の位置を示す添え字<☞ p.76>を使います。

ココも出る！

番兵法

配列の要素数が確定しないとき、データの終了を判定するため、有効なデータとしてありえない値などを入れておく手法。プログラム中で操作する場合は、要素数nの配列A[n]に対し、A[n＋1]を設け、そこに番兵を入れて判定する。

線形探索のアルゴリズム

線形探索(sequential search)は、配列要素を順に照合していく方法で行います。アルゴリズムのポイントは終了条件で、要素が見つからなかったときに探索する範囲を越えないように、探索位置を移動するつど要素番号(添え字)を確認することです。また、配列の末尾に検索する値そのものや、あり得ない値を格納しておくことで確認を省く方法があります(番兵法<☞>)。

〔手順〕 右の流れ図は、配列A(A[i], i＝1, 2, 3, …, n)の中から、変数Xと同じ値を持つ要素を見つけるアルゴリズムである。処理開始直後に、配列Aの末尾にXを格納することで、配列Aに同じ値がない場合でも末尾のXによって繰返し処理を終了することができる。手順は次のとおり。

❶ 探索するキーと同じデータ(これを番兵という)を配列末尾にあらかじめ格納しておく。
❷ 配列の先頭から順に探索を始める。
❸ 配列の途中でキーと同じデータが見つかれば、探索処理は直ちに終了する。
❹ キーと同じデータを探索できなかった場合は、番兵により探索データを検出したときと同様に処理は終了。

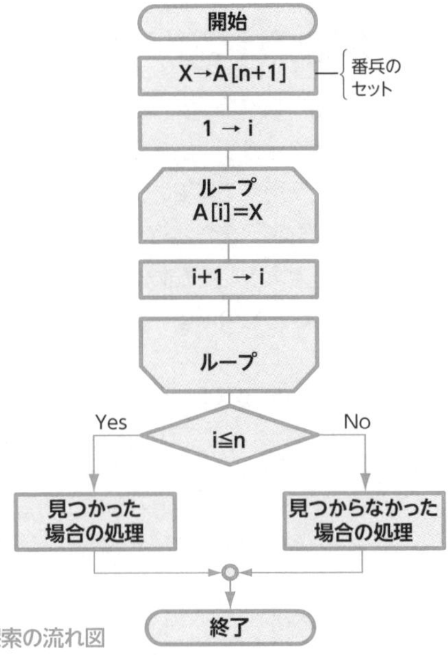

図表 12-1　線形探索の流れ図

2分探索のアルゴリズム

頻出

2分探索(binary search)は、配列要素が、値の昇順、または降順に整列済みであることを前提とした配列に対して行う効率のよい探索方法です。配列の要素を次々に2分して探索範囲を絞っていきます。

〔手順〕　配列要素が昇順に整列されている配列A(要素数7)から、変数X(＝10)と同じ値を持つ要素を見つけるアルゴリズムは以下のようになる。ここで、Lowは探索範囲の下限、Highは上限、mは範囲の中央値を示す。

❶Low＝1，High＝7より、m＝(1＋7)÷2＝4となり、Low＜High，A[4]≠Xである。

5	7	10	12	15	18	20
A[1]	A[2]	A[3]	A[4]	A[5]	A[6]	A[7]
↑Low			↑m			↑High

❷A[4]＞Xであるから、High＝m－1とする。つまり、A[4]以上のデータは、探す必要がないということである。

5	7	10	12	15	18	20
A[1]	A[2]	A[3]	A[4]	A[5]	A[6]	A[7]
↑Low		↑High	↑m			

❸Low＝1，High＝3より、m＝(1＋3)÷2＝2となり、Low＜High，A[2]≠Xである。

5	7	10	12	15	18	20
A[1]	A[2]	A[3]	A[4]	A[5]	A[6]	A[7]
↑Low	↑m	↑High				

❹A[2]＜Xであるから、Low＝m＋1とする。つまり、A[2]以下のデータは、探す必要がない。

5	7	10	12	15	18	20
A[1]	A[2]	A[3]	A[4]	A[5]	A[6]	A[7]
	↑m	↑HighおよびLow				

❺Low＝3，High＝3より、m＝(3＋3)÷2＝3となり、Low＝High、A[3]＝Xである。ここで、一致するものが見つかった。もし、ここで一致しなかった場合は、LowまたはHighの値が変更されて、Low＞Highとなるため、繰返しを終了し、「一致するものが見つからなかった」という結果になる。

出題分析

最大探索回数

2分探索において、整列されているデータの個数が4倍になると最大探索回数はどうなるか。

ア　1回増える
イ　2回増える
ウ　約2倍になる
エ　約4倍になる

データの個数が4倍になったとき、元のデータの個数になるまで2回多く比較が行われることになる。

解答 イ

ハッシュ表探索

ハッシュ表探索とは、**ハッシュ法**を利用したもので、キーの値をデータが格納される位置に直接または、ハッシュ関数により変換して関連付ける方法です。探索時も同じ方法で格納位置を探し出すため、探索時間は最も短くて済みます。ただしハッシュ関数による変換の際、異なるキー値から同一の格納場所(ハッシュ値)が得られる**衝突**(**コリジョン**)の発生が避けられません。このとき、先に格納されているデータを**ホーム**、衝突を起こしたデータを**シノニム**と呼びます。

さらに詳しく

衝突発生時の対処法

ハッシュ表の格納時に衝突が発生したときは、予備の領域を用意しておき、シノニムデータを格納する方法をとる。手法としては、衝突が起きたとき、アドレス値を増分しながら空きアドレスを見つける**オープンアドレス法**、シノニムデータを線形リストとして格納する**直接連鎖法**などがある。どの手法にせよ探索時間は増加する。

データの格納

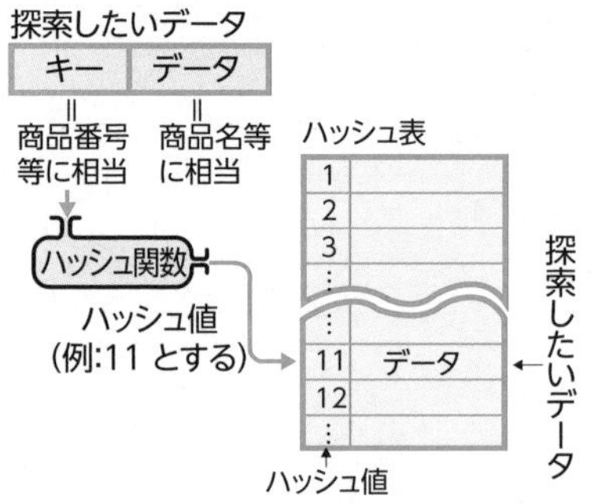

衝突の発生

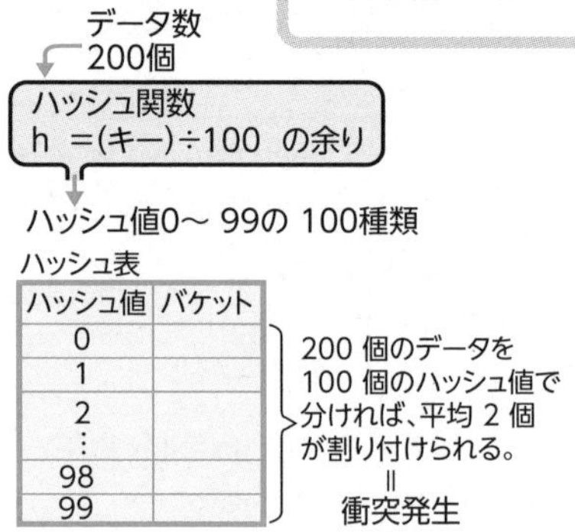

図表 12-2　ハッシュ表探索

探索アルゴリズムの計算量

探索の対象となる要素の数をnとしたときの平均比較回数と最大比較回数は、それぞれ表のような値になります。全体の計算量は、**オーダ**を使って表します。オーダとは、次数の高いものを残して表現する大まかな計算量で、データ量に応じた計算時間の目安になります。また、アルゴリズムがこれより遅くならないという計算量の上限値ともいえます。右表のように、線形探索ならnに比例するので、$O(n)$(nのオーダ)となります。また、ハッシュ表探索は、直接特定できるため、計算量、オーダともに1となります。

図表 12-3
探索アルゴリズムの計算量

	平均	最大	オーダ
線形探索	$\frac{(n+1)}{2}$	n	$O(n)$
2分探索	$[\log_2 n]$	$[\log_2 n]+1$	$O(\log_2 n)$
ハッシュ表探索	1	1	$O(1)$

注) [ ] 記号は、小数点以下切り捨て

13

基礎理論

整列のアルゴリズム

整列(**ソート**；sort)とは、配列のデータやファイル内のレコードを、ある規則に従って並べ換えることです。小さい順に並べることを**昇順**、大きい順に並べることを**降順**といいます。整列のアルゴリズムは、**選択ソート**(基本選択法)、**バブルソート**(基本交換法)、**挿入ソート**(基本挿入法)などのほか、数多くのアルゴリズムが考えられており、試験では、その種類と特徴が問われます。

選択ソート(基本選択法)のアルゴリズム

選択ソート(**基本選択法**)は、範囲内の最小値を配列の先頭要素から順に格納していく整列法です。

〔手順〕 配列A(A[i]：i ＝ 1, 2, 3, …, n)を昇順に整列するアルゴリズムを考えてみる。

❶最初に、A[1]～A[n]から最小値を選択する。配列の先頭のA[1]とそれ以降の要素を比較して、A[1]よりも小さい値が見つかったら、その要素の添え字を変数mに格納する。

❷以降は、A[m]と残りの範囲を比較して、A[m]よりも小さい値が見つかったら、その要素の添え字を変数mに格納する。この結果、対象範囲(A[1]～A[n])の最小値をA[m]に求めることができるので(流れ図のループ2の処理)、A[m]とA[1]を交換する。なお交換は、最小値の変更がない場合には行われない。これは、ループ2に入る前に「i→m」としておき、交換前に「i≠m」を聞くことで判断している。

❸次に、対象範囲をA[2]～A[n]として、同じ手順で最小値を見つけ出し、A[2]と交換する。これを対象範囲がA[n－1]～A[n]になるまで繰り返すことで(ループ1の処理)、配列全体を整列する。

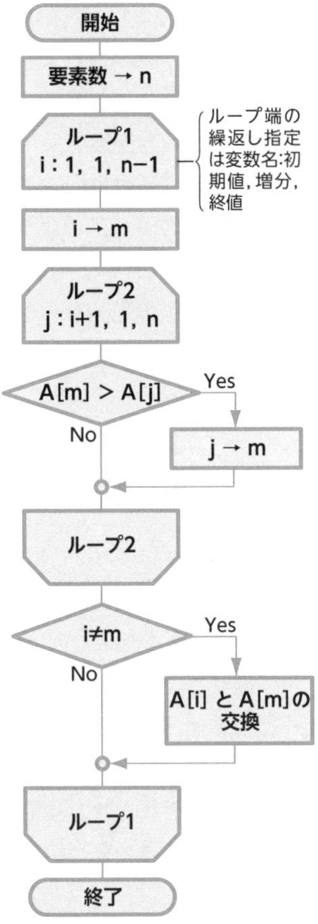

図表13-1
選択ソート(基本選択法)の
アルゴリズム

バブルソート（基本交換法）のアルゴリズム

バブルソート（基本交換法）は、隣接する要素どうしの比較と入換えを繰り返し行うことで、すべての要素を整列する整列法です。ここでも配列A（A[i]：i ＝ 1，2，3，…，n）を昇順に整列するアルゴリズムを考えてみます。

最初のループ２の実行によって（i ＝ 1～（n－1）まで）、対象範囲内の最大値はA[n]に格納されます。次のループ２の実行によって、比較・交換の範囲は１つ狭まり、A[n－1]に２番目に大きな値が格納されます。

このように、バブルソートでは、隣どうしの要素で比較と交換を繰り返し行うため、全体の交換回数は基本選択法よりも多くなります。ただし、右の流れ図のようにSW（交換の有無を判定する変数）を使用すると、すでに整列済みに近い状態の配列なら短時間で整列できます。

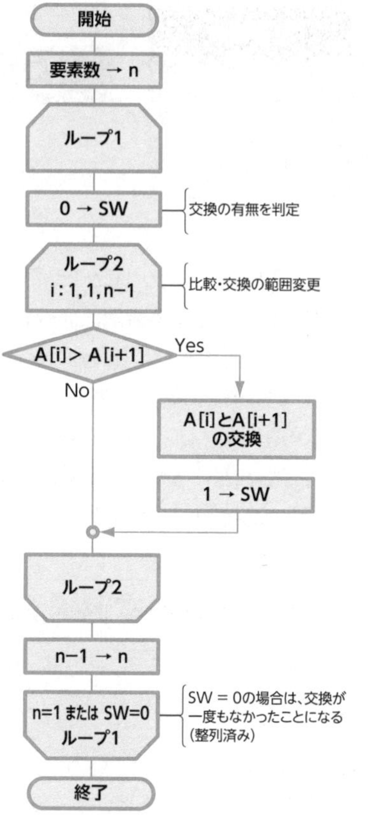

図表13-2　バブルソートの流れ図

クイックソートのアルゴリズム

クイックソートは、複数のデータの中の適当な要素を基準値（軸）とし、この基準値より小さい要素は基準値より前方に、大きな要素は後方に振り分けます。さらに、基準値の前方データと後方データにおいて新たに基準値を決めて次々と分割していきます。

これをそれぞれの要素が１つになるまで繰り返すことで整列を行います。

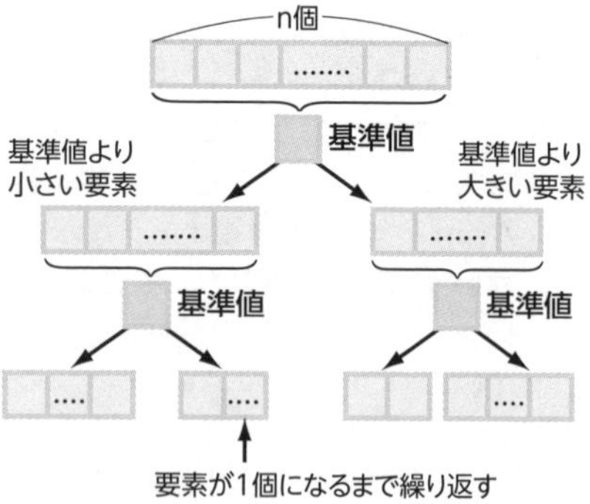

図表13-3　クイックソートのアルゴリズム

整列のアルゴリズムの一覧と概要のまとめ

整列法			アルゴリズムの概要
選択法	基本法	選択ソート	範囲内での最小値(または最大値)を選択して、それを範囲の先頭(または最後)の要素と交換する処理を繰り返すもの。
	改良法	ヒープソート	未整列の部分をヒープとよばれる木構造で構成し、そこから最大値(または最小値)を取り出して、すでに整列されている部分に移す。この操作を繰り返すことで整列を行うもの。ヒープとは、すべてのノードで親が子より大きい値を持つ木構造のこと。
交換法	基本法	バブルソート	隣接する要素を比較して、大きさの順序が逆なら交換する処理を繰り返すもの。
	改良法	シェーカーソート	要素の比較を前方からと後方からの2方向から交互にバブルソートを行うもの。
	改良法	クイックソート	基準値(軸 :ピボット)を定め、これより大きな要素と小さな要素のグループに振り分ける。振り分けたグループに対して、同様の処理を繰り返すもの。
挿入法	基本法	挿入ソート	すでに整列されている範囲内の必要な位置に、新たな要素を挿入する処理を繰り返すもの。
	改良法	シェルソート	ある間隔(gap)で要素を取り出した部分列を整列し、徐々に、この間隔を狭くして、gap=1となったところで、基本整列法により整列を行うもの。

図表13-4　整列アルゴリズムの種類

整列アルゴリズムの計算量

基本交換法(バブルソート)、基本選択法、基本挿入法ともに、1回目が$(n-1)$回、2回目は$(n-2)$回実行されます。配列全体が整列されるまでの総比較回数(途中で整列済みにならない場合)は、

$$(n-1)+(n-2)+\cdots\cdots+1=\frac{n(n-1)}{2}\text{回}$$

であり、計算量は、$O(n^2)$(nが大きければ、n^2に比例する)になります。また、その他の計算量については下表のとおりです。

	比較回数	オーダ	大きさ
交換法、選択法、挿入法	$n(n-1)/2$	$O(n^2)$	大 ↕ 小
シェルソート	$n\log_2 n$	$O(n^{1.25}\sim n^{1.5})$	
クイックソート、ヒープソート	$n\log_2 n$	$O(n\log_2 n)$	

図表13-5　整列アルゴリズムの計算量

ココも出る!

マージソート

データ配列をいったん分割して並べ換えた後、再び併合(マージ)することで整列を完成させる方法。手順としては、

①配列を要素が1になるまで、2分割していく。

②配列要素の小さい(昇順の場合)ほうから併合。

③併合を繰り返し、配列が1つになったとき、整列が完了する。

文字列処理のアルゴリズム

文字列処理とは、1文字ごとに収められた配列から、特定の文字列を探し出すアルゴリズムです。見つかった文字列は、出現回数をカウントしたり、他の文字列に置き換えたり、区切りを挿入する、圧縮処理を行うなど、さまざまなバリエーションが存在します。配列(テーブル)を理解し、要素の位置を示す添え字(ポインタ)を制御することが、処理を行う際のポイントになります。

文字列の探索処理

文字が格納された配列から、指定した文字列を探索したり、出現回数を調べたりする処理です。

	(1)	(2)	(3)	(4)	(5)	(6)	(7)	(8)
MOJ	A	B	P	P	E	N	S	\

TAN	P	E	N	\

〔手順〕 配列MOJに格納されている文字列の中から、配列TANに一致する文字列を探索する。なお、各文字列の最後には、特殊文字'\'が格納されている。

❶ 文字列が探索できた場合は、配列MOJ内の見つかった先頭位置を示す添え字の値を変数ICHIに格納する。

❷ 一致する文字列が探索できなかった場合は、最初に変数ICHIを初期化したときに格納した0が、そのまま保持されている。

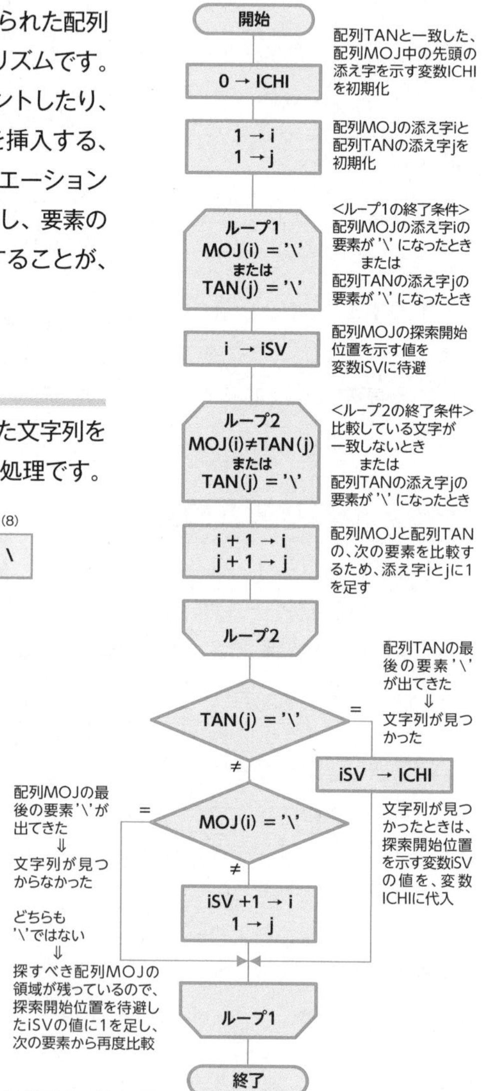

図表 14-1　文字列探索の流れ図

部分文字列の置換処理

部分文字列の置換処理は、配列に収められた文字列の中から、該当する部分文字列を検索し、別の文字列で置き換える処理です。ここでは、置き換えた文字列を別配列としていますが、同一配列にする場合は文字送りの処理が必要となり、難易度が高くなります。

> **ココも出る!**
>
> **文字列圧縮処理**
>
> 置き換える部分文字列が元の部分文字列より短かく、全体として文字列が短くなる場合を文字列圧縮処理と呼ぶことがある。バリエーションとしては、空白を詰める処理、同一文字が連続して出現した場合に2番目以降を回数を示す数字に置き換える処理などがある。

※文字列中の△は、空欄を表す。

MOJ1：len1=13

(1)	(2)	(3)	(4)	(5)	(6)	(7)	(8)	(9)	(10)	(11)	(12)	(13)	(14)
T	H	I	S	△	I	S	△	A	△	P	E	N	…

BF：len2=2

(1)	(2)	(3)
I	S	…

AF：len3=3

(1)	(2)	(3)	(4)
X	Y	Z	…

MOJ2

(1)	(2)	(3)	(4)	(5)	(6)	(7)	(8)	(9)	(10)	(11)	(12)	(13)	(14)	(15)	(16)
T	H	X	Y	Z	△	X	Y	Z	△	A	△	P	E	N	…

〔手順〕 配列MOJ1に格納されている文字列の中から配列BFに一致する部分文字列を探索し、配列AFの文字列で置き換える。新たな文字列は、配列MOJ2に格納する。

❶ 配列MOJ2は要素数を格納する十分な大きさを持っているものとする。

❷ 配列MOJ1、BF、AFは、十分な大きさを持っており、初期化後に文字が格納されている。また、文字数はそれぞれlen1、len2、len3に格納されている。

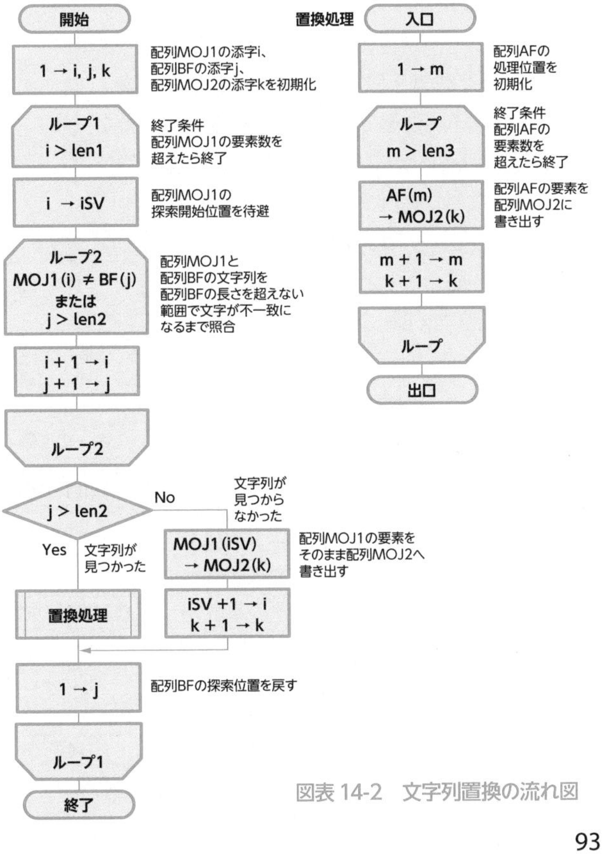

図表 14-2　文字列置換の流れ図

ファイル処理のアルゴリズム

ファイル処理は、事務計算でよく利用されるもので、バッチ処理<☞ p.146>による大量データを前提としています。**コントロールブレーク処理**のほか、**併合（マージ）処理**、**突合せ（マッチング）処理**などがあります。

↓キー1　↓キー2

顧客番号	商品コード	数量	受注金額	
1001	AB01	10	3100	←明細行
1001	AB01	5	2500	←小計
	商品小計	15	5600	
1001	PP01	5	2000	
1001	PP01	10	1300	
	商品小計	15	3300	
	顧客合計	30	8900	←合計
1050	PP01	15	800	
⋮	⋮	⋮	⋮	

図表 15-1　明細出力の例

コントロールブレーク処理

コントロールブレーク処理は、コントロールを行う**キー項目**の変化（**ブレイクポイント**）をとらえて処理手順を変える手法です。代表的な**帳票印刷処理**では、明細データのキー項目でコントロールブレーク処理し、顧客別や商品別などの集計を行います。このとき複数のキー項目を使えば、分野別小計や総合計など、階層化することが可能です（ループを多重化する）。

〔手順〕

❶ 最初のレコードを読んだらキー項目の値を保存しておき、新たなレコードを読み込むたびに保存したキーとの比較を行う。

❷ キーが同一のときは、レコードの値（数量、金額など）を集計していく。

❸ キーが変わったら、それまでの集計結果を出力し、集計項目をゼロに戻す。さらに、新たなキーを保存する。

❹ すべてのレコードが終了したら、最後の集計結果を書き出して、処理を終える。

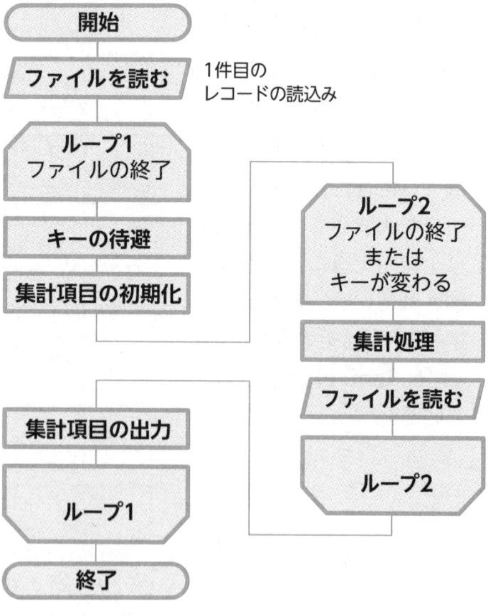

図表 15-2　コントロールブレーク処理の流れ図

突合せ（マッチング）処理

整列済みの２つのファイルのレコードを**キー項目**によって統合し、１つのファイルにする処理を**併合**（**マージ**）といいます。このバリエーションとして、マスタファイルの内容をトランザクションファイルの内容で更新（書換、削除、追加）する処理が**突合せ**（**マッチング**）です。

突合せ処理は、マスタレコードとトランザクションレコードが、**１対１**の場合であるか、**１対N**（トランザクションレコードが複数）であるかによって処理が異なるため、その見極めが大切です。

MTファイル

MTキー	MTレコード
1001	…
1003	…
1018	…
1019	…
2001	…
2002	…
2003	…
⋮	⋮

TRファイル

TRキー	TRレコード
1003	書換内容
1005	追加内容
1018	削除
2001	書換内容
2032	追加内容
2036	追加内容
⋮	⋮

図表 15-3
２つのファイルのイメージ

〔手順〕 マスタ（MT）ファイルの内容をトランザクション（TR）ファイルの内容によって更新する。ともに重複しないキーを持ち、レコードはキーの昇順に並んでいる。更新方法は次のように行う。

❶ MTレコードに対するTRレコードが存在するとき（「MTキー＝TRキー」図中②）は、書換処理としてTRレコードの内容でMTレコードを書き換えてから書き出す。削除の指定があるときは、削除処理として書き出しを行わない。
→MTファイル、TRファイルを読み込む

❷ TRレコードに対するMTレコードが存在しないとき（図中③）は、追加処理としてTRレコードの内容をマスタファイルのレコードとして書き出す。
→TRファイルを読み込む

❸ MTレコードに対するTRレコードが存在しないとき（図中①）は、更新対象外としてMTレコードの内容をそのまま書き出す。
→MTファイルを読み込む

❹ MTファイルとTRファイルの両方が終了するまで処理を行う。

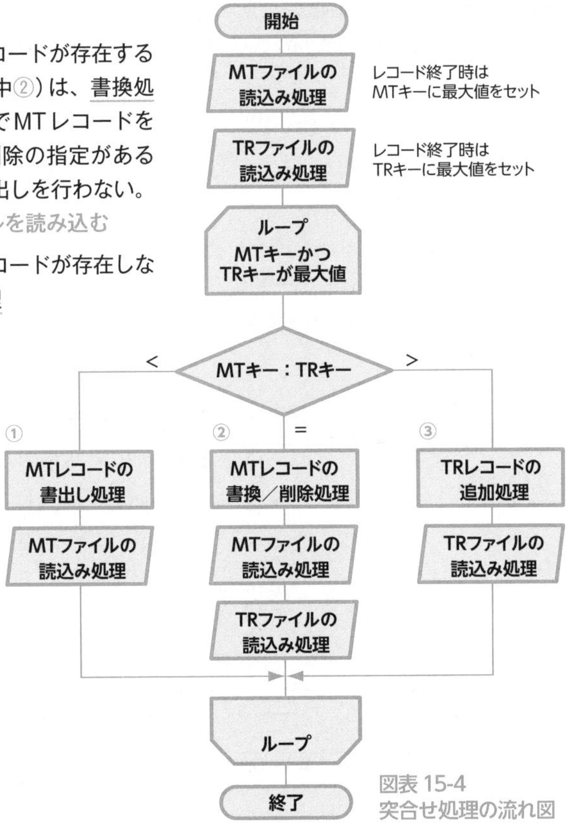

図表 15-4
突合せ処理の流れ図

16

基礎理論

再帰とプログラム構造

1 再帰とは自分自身を呼び出すこと 頻出

再帰(リカーシブ；recursive)とは、プログラムを実行中に自分自身を呼び出して実行しても、正しい結果を返すことができる性質を持ちます。再帰を使ったプログラム構造は、階乗計算やフィボナッチ数列などを求めるときに用いられます。

●再帰を使って、nの階乗を求める

nの階乗(n！)は再帰的な処理の代表であり、n＞0のとき、

$$n! = n \times (n-1) \times (n-2) \cdots\cdots \times 2 \times 1$$

と定義されます。

n＝4を例に考えると、

$$n! = 4! = 4 \times 3 \times 2 \times 1$$
$$= 4 \times 3! = n \times (n-1)!$$

となり、n!を求める階乗関数をF(n)とすると、その定義は、

$$F(n) = n \times F(n-1)$$

という形に変形できます(n＞1)。

$$F(4) = 4! = 4 \times 3! = 4 \times F(3)$$
$$F(3) = 3! = 3 \times 2! = 3 \times F(2)$$
$$F(2) = 2! = 2 \times 1! = 2 \times F(1)$$
$$F(1) = 1! = 1 \times 0! = 1 \times F(0)$$
$$F(0) = 0! = 1$$

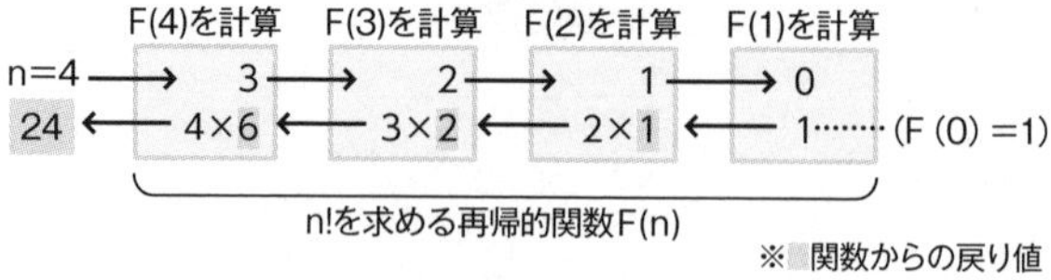

図表16-1　再帰の仕組み

さらに詳しく

再帰の実現手法

再帰的処理のためには、自分自身を呼び出すごとに局所変数(ローカル変数)のセットを一新し、以前のものとは独立させる必要がある。そのため、自分自身を呼び出す前に局所変数の内容をスタックに退避し、呼び出したプログラムから戻ったとき、スタックから取り出す、LIFO (Last-In First-Out) 方式による処理が必要となる。

ココも出る！

整数の和を求める

整数nに依存する関数F (n) があるとき、1からnまでの整数の和を求める関数F (n) を考えると、

$$F(n) = 1 + 2 + \cdots\cdots + (n-1) + n$$
$$= (1 + 2 + \cdots\cdots + (n-1)) + n$$
$$= F(n-1) + n$$

となるので、F (n) の定義は次のようになる。

n=1のとき　F (n) =1

n>1のとき

$$F(n) = F(n-1) + n$$

実行の性質を決めるプログラム構造

プログラム構造とは、実行時の性質を表しています。

●再使用可能（リユーザブル）

❶再入可能（リエントラント）

1つのプログラムを複数のプロセスで同時実行しても、それぞれに正しい結果を返すことができる構造です。プログラムを、実行によって内容が変化するデータ部分と内容が変化しない手続き部分とに分離し、手続き部分は複数のプロセスで共有し、データ部分は各プロセスごとに用意します。

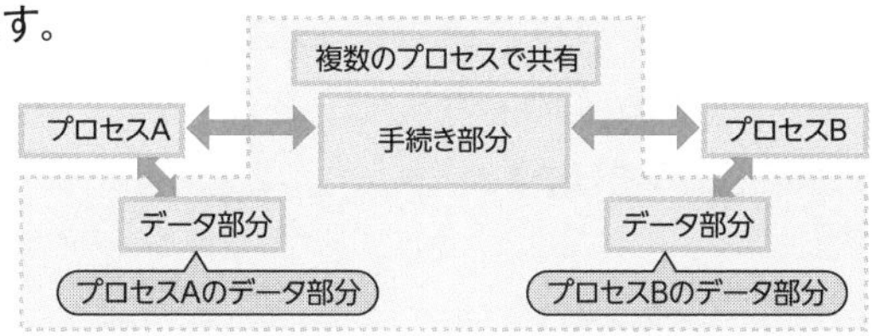

図表16-2　再入可能

❷逐次再使用可能（シリアリリユーザブル）

他のプロセスが使用し終わった主記憶上にあるプログラムを、再び補助記憶装置から主記憶へロード（実行するための読込み）し直さなくても、正しく実行できるプログラム構造です。実行により値が変化する変数の初期化をプログラムの最初か最後で行います。

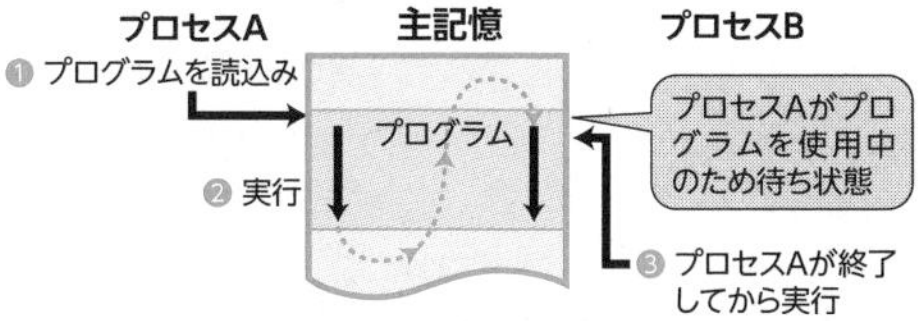

図表16-3
逐次再使用可能

●再配置可能（リロケータブル）

主記憶上のどのアドレスにも再配置ができるプログラム構造です。一般的なプログラムはこの形です。

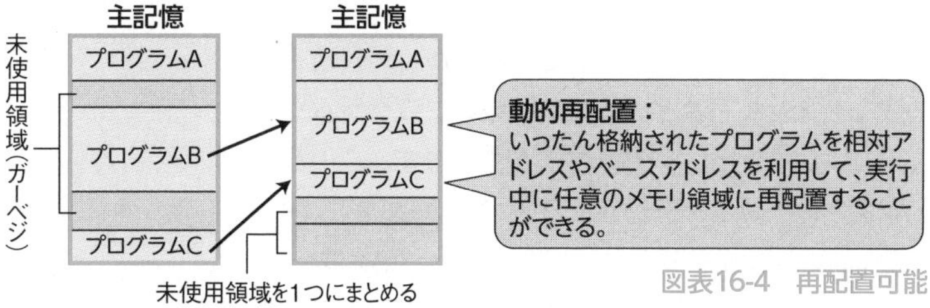

図表16-4　再配置可能

出題分析

プログラムの構造

処理が終了していないプログラムが、別のプログラムから再度呼び出されることがある。このプログラムが正しく実行されるために備えるべき性質はどれか。

ア 再帰的（リカーシブ）
イ 再使用可能（リユーザブル）
ウ 再入可能（リエントラント）
エ 再配置可能（リロケータブル）

再入可能なプログラムは、実行によって内容が変化するデータ部分と、内容が変化しない手続き部分とにプログラムが分かれている。手続き部分は複数のプログラムで共有し、データ部分をプログラムごとに用意するという方法で再入可能を実現している。

解答 ウ

17

基礎理論

プログラミング

プログラミングの標準化で改変を容易に

プログラミングとは、プログラム言語<☞ p.100>を使って記述(コーディング)を行うことです。その際、作法や基準を設けることで、複雑でまぎらわしい記述をなくし、誤りを未然に防ぐことができます。また、改変時の保守も容易になります。主な標準化には、次のものがあります。

❶プログラムの構成と順序

見出し、ファイルなどの定義、入出力領域、実行文(主プログラム、副プログラム、入出力など)の記述方法や順序を標準化しておきます。

❷構造化プログラミング、コーディング基準

論理の構造に合わせて字下げを行う、ステートメント(1命令を表すプログラムの文)をまたがるgoto文を使用しないといった基準(規約)を決めておきます。

❸名前付け

ステートメント名、ファイル名、データ名、変数名などの命名規則の基準(命名標準)を決めておきます。

❹プログラミング作法

1行に複数ステートメントを記述しないことや、1モジュールの最大ステップ数などをルール化しておきます。

メインルーチンとサブルーチン

プログラム作成を効率化するため、あらかじめ共通する処理部分を作成しておき、それを複数のプログラムから必要に応じて呼び出して使う方法があります。このとき、共通部分をサブルーチン(副プログラム)といい、呼び出す側をメインルーチン(主プログラム)といいます。

ココも出る！

データ型

データや関数の性質およびコンピュータ内部のデータ表現を示すもの。文字型、論理型、構造型などのほか、数値データを扱う型としては整数型、実数型、複素数型などの種類がある。また型によって許される演算の種類が異なる。実数については、精度により、単精度実数型、倍精度実数型、多倍精度実数型などがある。

さらに詳しく

goto文の使用

goto文は、プログラム中の任意の場所に制御を移す命令。無条件飛び越しともいう。どこへでも飛べる便利さの半面、プログラムの構造化が崩れることにつながり、後からデバッグを行う際も混乱やミスを招く要因となる。

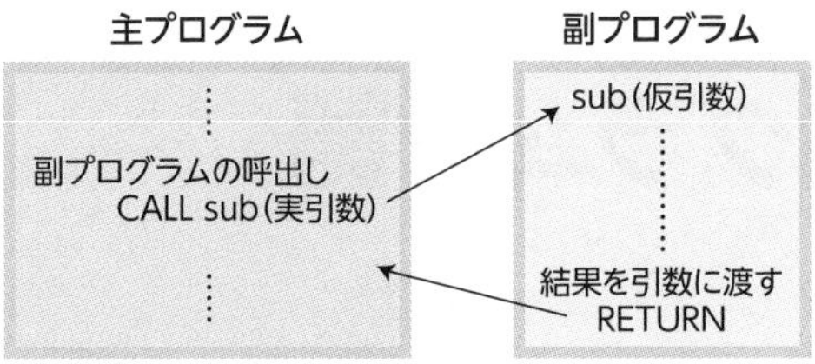

図表17-1　サブルーチンの呼出し

❶引数(ひきすう)

メインルーチン側の**パラメタ**(実行に必要な値)を**実引数**、サブルーチン側のパラメタを**仮引数**といいます。

❷データの受け渡し

- **参照渡し**：実引数と仮引数が同一の変数(同一アドレス)として扱われます。例えば、副プログラム上で仮引数の値が変更されると、実引数の値も仮引数の値に置き換わることになります。
- **値渡し**：実引数と仮引数は別の変数として扱われます。例えば、副プログラム上で仮引数の値が変更されても、実引数の値は影響を受けません。

Webプログラミングの特徴

Web上で動作させるプログラムは、クライアント(Webブラウザ)側で動作するプログラムとサーバ側で動作するプログラムの両方が必要になります。

❶クライアント側プログラミング

主としてヒューマンインタフェースと画面表示を行います。Webブラウザに依存するプログラム言語やページを単位として切り替わる表示方法は変化しつつあります。

- **リッチクライアント**：Webアプリケーションを実現するHTML <☞ p.102> による固定的な画面表示方法や動作に対して、変化に富んだ動的な表示や操作性の良さを取り入れたシステムの概念です。

❷サーバ側プログラミング(サーバサイドプログラミング)

データベースアクセスを主とした、サーバ側の動作を行うプログラミング開発を指します。Webサーバ上で動作するプログラム言語を用いて行います。

出題分析

プログラムの構造

プログラミングの標準化に関する記述のうち、適切なものはどれか。

ア プログラマの個性を否定することが目的ではなく、コンパイラによる最適化の効果を得やすくすることが本来の目的である。

イ プログラミングに関する規約を設けることによって、プログラマの犯しやすい誤りを未然に防止する効果がある。

ウ プログラム言語に依存しない共通事項についての規程を定めることが目的である。

エ プログラムの標準的な実行時間を明確にし、効率の良いプログラムの作成を促進する効果がある。

解答 イ

ココも出る！

Ajax

Ajax(Asynchronous JavaScript+XML)は、ブラウザ上で非同期通信を行う技術。非同期通信では、リクエストのつどサーバからの応答を待たなくてもよいため、ページの概念(画面遷移)を感じさせず、シームレスな動きを持たせることができる。グーグルマップが代表例。

プログラム言語

プログラム言語の種類

プログラム言語には多くの種類があり、用途に応じて使い分けられます。実行手順を一つ一つ記述していく手続型言語のほか、非手続型のオブジェクト指向言語、マクロ機能のように使用するスクリプト言語などがあります。試験では言語の種類と特徴が問われます。

手順を記述していく手続型言語

処理の手順を記述していく、旧来からある言語です。

言語	特　徴
Fortran	最初のコンパイラ言語、科学技術計算用
COBOL	CODASYLで開発、事務処理用コンパイラ言語
BASIC	ダートマス大でプログラミング教育用として開発、インタプリタ形式
C	AT&Tベル研究所でUNIX記述用言語として開発、ANSI-Cとして規格化。コンパイラ言語
R	統計やデータ解析のプログラム記述に特化した言語オープンソースで利用できる。
Pascal	N.Wirth（スイス）による開発、構造化プログラミング

図表18-1　手続型言語

データへの操作を中心に考えるオブジェクト指向言語

オブジェクト指向言語は、データとそれに関する操作や**手続き**（**メソッド**）をオブジェクトの単位にまとめ、処理はオブジェクトへの要求という形で表現します。

❶Java（ジャバ）

ソースプログラムは、コンパイル時に**バイトコード**（中

ココも出る！

共通言語基盤（CLI）

CLI（Common Language Infrastructure）とは、Webアプリケーションを含む、開発、実行のための仕組みを指す。Java仮想マシンと同様に、プログラミング言語や実行環境に依存せずに、アプリケーションを複数のプラットフォームでも動作させるために用いる。CLIは、マイクロソフト社が開発した.NET Frameworkをベースに標準化したもの。

さらに詳しく

仮想マシンの特徴

仮想マシン（VM）でのコンパイルは、ソースプログラムの解析のみを済ませ、実行するコンピュータごとの最適化などは行わない**バイトコード**にしておく。実行時には、環境に適合させるためのコンパイルを行うので、やや遅くなるが、互換性を保つことができる。また、最初からコンパイルを行わずに済むため、その分の時間を短縮できる。

間コード)に変換されます。バイトコードは、実行環境ごとに用意された**Java仮想マシン**(**JVM**;Java Virtual Machine)<☞前ページ>上で実行されるため、ハードウェアやOSに依存しないという特徴があります。ネットワークを通じてダウンロードされ、クライアント(Webブラウザ)側で動作する**アプレット**(applet)や、Webサーバ側で動作する**サーブレット**(servlet)作成に利用されます。

❷C++(シープラスプラス)

1983年に開発されたC言語の拡張言語で、オブジェクト指向を取り入れたもの。C言語と同じく、さまざまなソフトウェア開発に用いられており、C言語と同様にハードウェアの知識が必要になります。

即時に実行できるスクリプト言語

処理の手順をテキストとして記述し、呼び出して実行します。コンパイルは不要で、直接実行できるインタプリタ方式を採用しています。

言語	特　徴
Perl (パール)	テキスト処理用言語として開発され、Webページの掲示板やアクセスカウンターなどを実現する、CGIの作成などで使われている。
JavaScript	“Java”の名が付いているが、プログラミング言語のJavaとは別物のオブジェクト指向のスクリプト言語。HTML文書の中に命令を記述しておくことで、マウスが触れるとイラストが動くといった動的な機能を付加することができる。Webブラウザ側で動作する。**ECMAScript**(JIS X 3060)として標準化が行われている。
PHP	1994年に開発されたスクリプト言語。JavaScriptと異なり、サーバ側で動作する。用途としては、Webページとデータベースを連動し、データベースの操作を行う手続きの実行などのミドルウェア開発に用いられる。
Python (パイソン)	フリーウェアとして公開されているオブジェクト指向のスクリプト言語。充実した拡張モジュールが用意されているのが特徴。名前の由来は、英国BBCのコメディ番組「モンティ パイソン」からきている。
Ruby	日本人開発者によるオブジェクト指向のスクリプト言語。

図表18-2　スクリプト言語

出題分析

Java Servlet

Java Servletの説明として適切なものはどれか。

ア Javaで開発されたプログラムであり、クライアントの要求に応じてWebアプリケーションサーバ上で実行される。

イ Javaで開発されたプログラムであり、サーバからダウンロードして実行される。

ウ Javaで開発されたプログラムをアプリケーションの部品として取り扱うための規約である。

エ Javaで開発されたプログラムを実行するインタプリタであり、バイトコードと呼ばれる中間コードを実行する機能を持つ。

Java Servlet(Java サーブレット)は、Java言語で記述されたプログラムモジュール。クライアント側にダウンロードされるのではなく、サーバマシン側に置かれたままで起動・実行される。そのほかの選択肢は、イ:Java Applet(Javaアプレット)、ウ:Java Beans(Javaビーンズ)、エ:Java仮想マシン。

解答 ア

19

基礎理論

マークアップ言語

マークアップ言語は、文章構造を定義するための言語です。文書のテキスト属性(文字サイズ、フォント、文字修飾など)、構造(タイトル、目次、見出し、本文など)、体裁(余白、位置)、他の文書や画像・映像の動的な挿入(ハイパーテキスト)などを論理的に定義できます。

さらに詳しく

ハイパーテキスト

あるデータ(文章や画像など)から関連する別のデータへ瞬時にジャンプする機能を持った文書のことで、「リンク」ともいう。

ココも出る！

SGML

SGML(Standard Generalized Markup Language)は、電子文書交換のためにISOが標準化した文書定義言語。テキストに文字種、表示、印字体裁まで含めて記述できるほか、見出し、本文、索引など文書の構造を定義できる。SGML文書にすることで、文書の扱いが容易になる。

Webページを記述するHTML

HTML(Hyper Text Markup Language)は、Webページ(ホームページ)の記述用に用いられる言語で、画像や音声などのマルチメディアデータを扱えるのが特徴です。

HTML形式で作成された文書(HTMLファイル)は、Webブラウザさえあれば OSにかかわらず閲覧でき、オンラインマニュアルなどの文書記述にも用いられます。

❶HTMLの記述方法

HTMLファイルは、書式(色、斜体など)や文書構造、リンクなどを指定する**タグ**を文書内に付加して作成していきます。“<”と“>”で囲んだタグは、通常、<name>～</name>のように2つを対で使用し、その間の文字列に対

全体の構造を表すタグ
<HTML> <HEAD> <TITLE>タイトル </TITLE> </HEAD> <BODY> 表示したい内容を記述 </BODY> </HTML>

指定	タグ
見出し	<H1> ～ </H1>
太字	<B> ～ </B>
改行	 (このタグは単独で使います)
中央揃え	<CENTER> ～ </CENTER>
箇条書き	<UL> ～ </UL>
表	<TABLE> ～ </TABLE>
画像ファイル	<IMG SRC = "ファイル名">
ハイパーリンク	<A HREF = "リンク先"> ～ </A>

図表19-1　HTMLの記述方法

して何らかの編集や操作を行う仕組みになっています。

❷HTMLの標準化

HTMLの規格(タグや書式など)は、WWWコンソーシアム(略称、W3C<☞ p.567>)で決められ、タグは規定されたものしか使用できません。しかし、多くのWebブラウザでは、それぞれ独自の拡張タグを持つため、HTML文書が正しく表示されない場合もあります。Webページを作成する際には、この点に注意が必要です。

❸DHTML(Dynamic HTML)

スクリプト言語を使った動的表現を可能にしたHTMLの拡張仕様で、その制御の取り決めがDOM(Document Object Model)です。対話型や動きのあるWebページの作成は、Javaアプレットやプラグインなどが必要でした。DHTMLでは、HTMLページにJavaScriptなどで作成したスクリプトを埋め込むことで、利用者の操作に合わせて要素の配置や内容を変更するような動的なWebページを実現しています。

データ交換に利用するXML

XML(eXtensible Markup Language)は、文書の標準化やデータ交換を目的としたマークアップ言語で、企業間取引の標準フォーマットとして用いられています。SGML<☞ 前ページ>と同じく独自のタグを定義でき(HTMLではできない)、さらに、HTMLのようにWebページとして公開することも可能です。

- **目的に応じたタグを自由に定義できる**
- **文書構造の定義のみを規定する**

❶電子商取引での利用

XMLは、企業間の電子商取引における文書の標準化のために利用されます。取引を行う企業間で共通のタグを決めておけば、まったく同じ文書のやり取りが可能になります。例えば、ある組織内に必要なタグを定義して、文書にさまざまな属性情報を加え、ネットを介して配布を行う。受け取った側ではブラウザやプログラムにより

ココも出る!

DTD

DTD(Document Type Definition)は、SGMLやXMLなどのマークアップ言語で、文書構造を定義するスキーマ言語の1つ。ただし、XMLではXML Schemaなどのスキーマ言語が使われることが多い。

CSS

CSS(Cascading Style Sheets)とは、段階スタイルシートのこと。HTMLやXML文書の体裁(文字の大きさ、文字飾り、行間など)に関する記述を独立させた仕様。

XSL

XSL(Extensible Stylesheet Language)とは、拡張可能なスタイルシート言語。XML文書のスタイルシートを記述するための言語。

SOAP

SOAP(Simple Object Access Protocol)とは、XMLにおいて、ネットワーク上にあるデータやサービスを呼び出すためのプロトコル。

SVG

SVG(Scalable Vector Graphics)とは、XMLによる二次元のベクター画像(点ではなくベクトルデータによる画像)を記述するための言語。アニメーション機能などもサポートされている。

データの加工を行うといった使い方ができます。

❷文書データの再利用

XML文書をデータベースに格納しておくことで、WWW<☞ p.264>で情報を発信したり、業務システムでWWW上のデータや取引文書のデータを再利用する際に活用できます。電子商取引の普及にともない、標準形式となっていることも、利用価値を高めています。

オブジェクト指向開発で用いるUML

UML(Unified Modeling Language)は、オブジェクト指向分析／開発で用いられる**モデリング言語**(図式表現手法)です。システムの要件定義からテストに至るすべての工程で、モデルの統一的な表記法を提供します。

UMLを使用することで、システム開発における業務の流れの分析やシステムに要求される機能、構造を図示することができ、開発作業の効率化とともに、開発プロジェクトのメンバー間の意思疎通やコミュニケーションの円滑化が期待できます。

代表的なUMLの図としては、次のものがあります<図の詳細 ☞ p.338「さまざまな図でモデル化するUML」>。

❶クラス図

システムに必要なクラス(データとその処理手順を一体化した概念)とクラス間の関係を表現します。

❷ユースケース図

システムがどのような機能を提供するかを表現するための図です。

❸シーケンス図

オブジェクト(処理の対象となるもの)間に生じるメッセージのやり取り(システムの動作)を表現します。

ココも出る!

XHTML

HTMLを、XMLに準拠した文書を作成できるように適合させた仕様。XHTMLをモジュールで取り出した携帯情報端末向けなどの仕様にXHTML Basicがある。

こちらも参照

オブジェクト指向設計

☞ p.346

第1章　章末まとめ問題

シラバス　●大分類1：基礎理論　●中分類1：基礎理論
●小分類1：離散数学

出題：令和4年12月修了認定試験ほか

問1　桁落ちの説明

桁落ちの説明として、適切なものはどれか。

ア　値がほぼ等しい浮動小数点数同士の減算において、有効桁数が大幅に減ってしまうことである。

イ　演算結果が、扱える数値の最大値を超えることによって生じるエラーのことである。

ウ　浮動小数点の演算結果について、最小の桁よりも小さい部分の四捨五入、切上げ又は切捨てを行うことによって生じる誤差のことである。

エ　浮動小数点数の加算において、一方の数値の下位の桁が結果に反映されないことである。

シラバス　●大分類1：基礎理論　●中分類1：基礎理論
●小分類1：離散数学

出題：令和6年6月修了認定試験ほか

問2　シフトによるn倍の計算

数値を2進数で格納するレジスタがある。このレジスタに正の整数xを設定した後、“レジスタの値を2ビット左にシフトして、xを加える”操作を行うと、レジスタの値はxの何倍になるか。ここで、あふれ（オーバーフロー）は、発生しないものとする。

ア　3　　イ　4　　ウ　5　　エ　6

シラバス　●大分類1：基礎理論　●中分類1：基礎理論
●小分類1：離散数学

出題：令和5年1月修了認定試験ほか

問3　命題の真理値表

P、Q、Rはいずれも命題である。命題Pの真理値は真であり、命題（not P） or Q及び命題（not Q） or Rのいずれの真理値も真であることがわかっている。Q、Rの真理値はどれか。ここで、X or YはXとYの論理和、not XはXの否定を表す。

	Q	R
ア	偽	偽
イ	偽	真
ウ	真	偽
エ	真	真

シラバス　●大分類1：基礎理論　●中分類1：基礎理論
●小分類2：応用数学

出題：令和４年12月修了認定試験ほか

問4　状態の遷移確率

表は、ある地方の天気の移り変わりを示したものである。例えば、晴れの翌日の天気は、40％の確率で晴れ、40％の確率で曇り、20％の確率で雨であることを表している。天気の移り変わりが単純マルコフ過程であると考えたとき、雨の2日後が晴れである確率は何％か。

単位 ％

	翌日晴れ	翌日曇り	翌日雨
晴れ	40	40	20
曇り	30	40	30
雨	30	50	20

ア　15　　イ　27　　ウ　30　　エ　33

シラバス　●大分類1：基礎理論　●中分類1：基礎理論
●小分類2：応用数学

出題：令和２年７月修了認定試験ほか

問5　最短経路の数

図の線上を、点Pから点Rを通って、点Qに至る最短経路は何通りあるか。

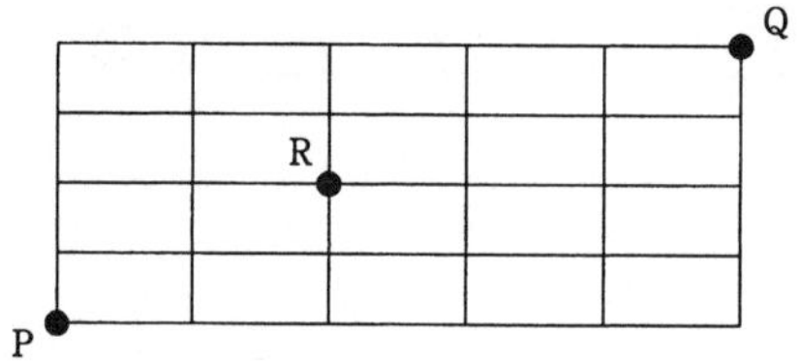

ア　16　　イ　24
ウ　32　　エ　60

シラバス　●大分類1：基礎理論　●中分類1：基礎理論
●小分類3：情報に関する理論

出題：令和３年６月修了認定試験ほか

問6　オートマトンで受理されるビット列

次の状態遷移図で表現されるオートマトンで受理されるビット列はどれか。ここで、ビット列は左から順に読み込まれるものとする。

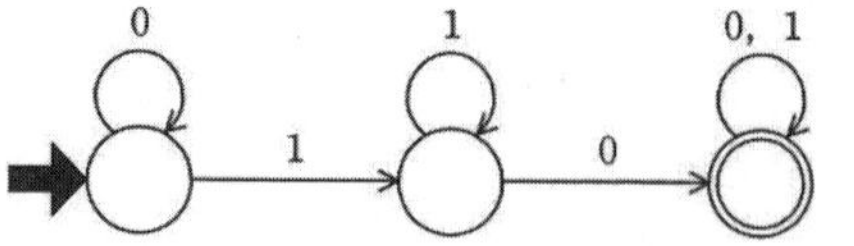

ア　0000　　イ　0111　　ウ　1010　　エ　1111

シラバス ●大分類1：基礎理論 ●中分類1：基礎理論
●小分類3：情報に関する理論
出題：令和6年6月修了認定試験ほか

問7 UNIXにおける正規表現

CHECK □□□

UNIXにおける正規表現［A－Z］＋［0－9］＊ が表現する文字列の集合の要素となるものはどれか。ここで、正規表現は次の規則に従う。

［A－Z］は、大文字の英字1文字を表す。［0－9］は、数字1文字を表す。
＋は、直前の正規表現の1回以上の繰返しであることを表す。
＊は、直前の正規表現の0回以上の繰返しであることを表す。

ア 456789　　イ ABC＋99　　ウ ABC99＊　　エ ABCDEF

シラバス ●大分類1：基礎理論 ●中分類1：基礎理論
●小分類3：情報に関する理論
出題：令和6年7月修了認定試験ほか

問8 ディープラーニングと関連が深いもの

CHECK □□□

AIにおけるディープラーニングに最も関連が深いものはどれか。

ア ある特定の分野に特化した知識を基にルールベースの推論を行うことによって、専門家と同じレベルの問題解決を行う。

イ 試行錯誤しながら条件を満たす解に到達する方法であり、場合分けを行い深さ優先で探索し、解が見つからなければ一つ前の場合分けの状態に後戻りする。

ウ 神経回路網を模倣した方法であり、多層に配置された素子とそれらを結ぶ信号線で構成されたモデルにおいて、信号線に付随するパラメタを調整することによって入力に対して適切な解が出力される。

エ 生物の進化を模倣した方法であり、与えられた問題の解の候補を記号列で表現して、それらを遺伝子に見立てて突然変異、交配、とう汰を繰り返して逐次的により良い解に近づける。

シラバス ●大分類1：基礎理論 ●中分類1：基礎理論
●小分類5：計測・制御に関する理論
出題：令和5年12月修了認定試験ほか

問9 PCM方式でのサンプリング間隔

CHECK □□□

PCM方式によって音声をサンプリング（標本化）して8ビットのデジタルデータに変換し、圧縮せずにリアルタイムで転送したところ、転送速度は64,000ビット／秒であった。このときのサンプリング間隔は何マイクロ秒か。

ア 15.6　　イ 46.8　　ウ 125　　エ 128

シラバス ●大分類1：基礎理論 ●中分類2：アルゴリズムとプログラミング
●小分類1：データ構造

出題：令和2年6月修了認定試験ほか

問10 待ち行列に対する操作

CHECK □□□

待ち行列に対する操作を、次のとおり定義する。

ENQ *n* ：待ち行列にデータ*n*を挿入する。

DEQ ：待ち行列からデータを取り出す。

空の待ち行列に対し、ENQ 1、ENQ 2、ENQ 3、DEQ、ENQ 4、ENQ 5、DEQ、ENQ 6、DEQ、DEQの操作を行った。次にDEQ操作を行ったとき、取り出されるデータはどれか。

ア 1　　イ 2　　ウ 5　　エ 6

シラバス ●大分類1：基礎理論 ●中分類2：アルゴリズムとプログラミング
●小分類1：データ構造

出題：令和4年1月修了認定試験ほか

問11 1次元配列で実現するリスト

CHECK □□□

リストを2つの1次元配列で実現する。配列要素 box [*i*] と next [*i*] の対がリストの1つの要素に対応し、box [*i*] に要素の値が入り、next [*i*] に次の要素の番号が入る。

配列が図の状態の場合、リストの3番目と4番目との間に値がHである要素を挿入したときの next [8] の値はどれか。ここで、next [0] がリストの先頭（1番目）の要素を指し、next [*i*] の値が0である要素はリストの最後を示し、next [*i*] の値が空白である要素はリストに連結されていない。

	0	1	2	3	4	5	6	7	8	9
box		A	B	C	D	E	F	G	H	I

	0	1	2	3	4	5	6	7	8	9
next	1	5	0	7		3		2		

ア 3　　イ 5　　ウ 7　　エ 8

シラバス ●大分類1：基礎理論 ●中分類2：アルゴリズムとプログラミング
●小分類2：アルゴリズム

出題：令和６年１月修了認定試験ほか

問12 ハッシュ表の衝突

CHECK

アルファベット３文字で構成されるキーがある。次の式によってハッシュ値 h を決めるとき、キー“SEP”と衝突するのはどれか。

ここで、a mod b は a を b で割った余りを表す。

h = (キーの各アルファベットの順位の総和) mod 27

ア　APR　　イ　FEB

ウ　JAN　　エ　NOV

アルファベット	順位
A	1
B	2
C	3
D	4
E	5
F	6
G	7
H	8
I	9
J	10
K	11
L	12
M	13

アルファベット	順位
N	14
O	15
P	16
Q	17
R	18
S	19
T	20
U	21
V	22
W	23
X	24
Y	25
Z	26

シラバス ●大分類1：基礎理論 ●中分類2：アルゴリズムとプログラミング
●小分類2：アルゴリズム

出題：令和６年６月修了認定試験ほか

問13 クイックソートの特徴

CHECK

整列アルゴリズムの１つであるクイックソートの記述として、適切なものはどれか。

ア　対象集合から基準となる要素を選び、これよりも大きい要素の集合と小さい要素の集合に分割する。この操作を繰り返すことによって、整列を行う。

イ　対象集合から最も小さい要素を順次取り出して、整列を行う。

ウ　対象集合から要素を順次取り出し、それまでに取り出した要素の集合に順序関係を保つよう挿入して、整列を行う。

エ　隣り合う要素を比較し、逆順であれば交換して、整列を行う。

シラバス　●大分類1：基礎理論　●中分類2：アルゴリズムとプログラミング
●小分類3：プログラミング

出題：令和4年7月修了認定試験ほか

問14 関数の解を求める

CHECK

整数 x, y $(x > y \geqq 0)$ に対して、次のように定義された関数 $F(x,\ y)$ がある。$F(231,\ 15)$ の値は幾らか。ここで、$x \bmod y$ は x を y で割った余りである。

$$F(x,\ y) = \begin{cases} x & (y = 0 \text{ のとき}) \\ F(y,\ x \bmod y) & (y > 0 \text{ のとき}) \end{cases}$$

ア　2　　イ　3　　ウ　5　　エ　7

シラバス　●大分類1：基礎理論　●中分類2：アルゴリズムとプログラミング
●小分類3：プログラミング

出題：令和5年6月修了認定試験ほか

問15 プログラムの性質を表す名称

CHECK

あるプログラムAの処理が終了していないときに、別のプログラムから再度呼び出されても正しく動作するとき、このプログラムAの性質を何と呼ぶか。

ア　再帰的　　イ　再使用可能　　ウ　再入可能　　エ　再配置可能

シラバス　●大分類1：基礎理論　●中分類2：アルゴリズムとプログラミング
●小分類5：その他の言語

出題：令和6年1月修了認定試験ほか

問16 XMLの特徴

CHECK

XMLに関する記述のうち、適切なものはどれか。

ア　HTMLを基にして、その機能を拡張したものである。
イ　XML文書を入力するためには専用のエディタが必要である。
ウ　自由にタグを宣言して、文章の属性情報や論理構造を定義することができる。
エ　文書の論理構造と表示スタイルを統合したものである。

第1章　章末まとめ問題　解答

問1　桁落ちとは、絶対値のほぼ等しい二つの数の差を求めたとき、結果が小さい値になり有効桁数が少なくなる現象である。例えば、$54.7723-54.7814=0.0091$では、有効桁数6桁が2桁になる。イはオーバフロー、ウは丸め誤差、エは情報落ちについての説明。

解答　ア

問2　レジスタに設定した数値は、あふれ（オーバーフロー）が発生しないということなので、論理シフトか算術シフトかを考慮しなくてもよい。２進数nビットの左シフトを行うと、2^n倍になる。これに元に値を加えることから、2^2x+xで$5x$となり、元の値の５倍になる。

解答　ウ

問3　OR（論理和）演算では、いずれか一方が「真」であれば、「真」となる。これを踏まえて問題の式を読み解いていけばよい。まず、命題Pの真理値は「真」なので、P＝真、not P＝偽であり、

　命題（not P）or Q＝真 ⇨ 命題 偽 or Q＝真

を満たすためには、Q＝真 でなければならない。次に、

　命題（not Q）or R＝真 ⇨ 命題 偽 or R＝真

を満たすためには、R＝真 でなければならない。

以上より、Q＝真、R＝真 であることがわかる。

解答　エ

問4　ある日の天気が雨で、その2日後が晴れになる場合には、次の3通りがある。

　① 雨　→　晴れ　→　晴れ

　② 雨　→　曇り　→　晴れ

　③ 雨　→　雨　　→　晴れ

そこで、それぞれの確率を求めると、

$P①=0.3\times0.4=0.12$

$P②=0.5\times0.3=0.15$

$P③=0.2\times0.3=0.06$

となる。$P①$～$P③$は排反（同時には起こらない）であるため、確率の加法の定理により、問題の確率は$P①$、$P②$、$P③$の和で求められる。

$P①+P②+P③=0.33$　→　33%

解答　エ

問5　点Pから点Qに至る途中で、点Rを必ず通る必要があるため、点P→点R、点R→点Qという2つの経路に分けて考える。それぞれ、点P→点Rが縦と横方向にそれぞれ２区画分進むことに着目する。つまり、計4区画分進まなければならないが、縦方向に進む2区画を決めれば1つの経路が決まる。したがって、経路の数は、4つの中から2つを取り出す組合せとなる。

$$_4C_2=\frac{4!}{(4-2)!\times2!}=\frac{4\times3\times2\times1}{2\times1\times2\times1}=6(\text{通り})$$

同様にして、点R→点Qを計算すると、

$$_5C_3=\frac{5!}{(5-3)!\times3!}=\frac{5\times4\times3\times2\times1}{2\times1\times3\times2\times1}=10(\text{通り})$$

この２つの結果を掛け合わせればよい。

　$6\times10=60$（通り）

解答　エ

問6　データには初期状態があり、いくつかの状態を遷移しながら最終状態で停止する。これを図で表したものが状態遷移図である。問題図中の細い矢印は、ある状態から矢印上の記号が与えられた場合の遷移の方向を示している。また、ビット列を順にオートマトンに入力していった結果、右端の二重丸の所で停止していれば「受理された」ということになる。選択肢のビット列を与えた場合、受理に至るのは「1010」のみである。

解答　ウ

問7　正規表現は、曖昧さを排除した形式言語の表現方法の一つ。問題に書かれたルールでは、A～Zの1回以上の繰り返しで始まることとしており、省略はできないので、数字から始まることはない。一方、後に続く数字は省略できる。また、＋、＊の記号は繰り返しを制御する文字であり、文字列中に現れることはない。

解答　エ

問8　ディープラーニングは、人間の知能を模したニューラルネットワークの階層のうちの中間層を多層化し、それぞれのデータを基に自動的に学習を進めることで、高度な情報を導き出す手法。また、中間層のアルゴリズムを形成するパーセプトロンの仕組みは、複数の入力（重要度によって重み付けされる）の総和に対し、しきい値を調整することで出力を発生させる。選択肢ウのパラメタの調整は、ディープラーニングにおいて、重み付けとしきい値を自動的に調整していくことを述べている。ア：専門的な知識をルール化して蓄積した知識ベースを基に、推論エンジンによって論理的に結果を導き出すエキスパートシステムについて述べたもの。イ：木構造などによって表現された場合分けを、深さ優先探索で解を見つけ出す方法について述べたもの。エ：生物の進化を基に考え出されたアルゴリズム。環境への適応が高いものを選択する、選択された親を交配して子を生み出す、突然変異によって新たな要素や方向性を見つけ出す、という３つの操作により、解を導いていくというもの。

解答　ウ

第1章　章末まとめ問題　解答

問9　1秒間のサンプリング回数は、64,000÷8ビット＝8,000回なので、サンプリング間隔は、1秒÷8,000＝125マイクロ秒になる。なお、PCM(パルス符号変調)は、Pulse Code Modulationの略である。

解答　ウ

問10　キューは、最初に格納されたデータが最初に取り出される。問題文の操作に従って、入れた値を見ていけばよい。最初の3つのENQ操作によりキューは「3→2→1」（矢印は挿入方向)。DEQにより「1」が取り出され、2つのENQにより「5→4→3→2」。さらにDEQにより「2」が取り出され、「6」が入って2回のDEQにより「6→5」となる。ここからDEQで取り出されるのは「5」。

解答　ウ

問11　配列boxの要素へのアクセスは、同位置のポインタ配列nextをたどることで行う。配列nextの要素が空欄の場合は無視するので、挿入や削除の場合も順送りの操作は不要になる。問題文の配列を順に追っていくと、配列nextの要素0がスタートになり、内容は1なのでリスト（配列boxの要素番号1）をたどると要素はA。さらに同位置（要素番号1）の配列nextの内容は5なので、配列box（要素番号5）をたどると要素はE。以下同様にたどると、挿入前のリストは、A (1) →E (5) →C (3) →G (7) →B (2) となる（カッコの数字はboxの要素番号)。問題は、リストの3番目と4番目との間に値Hを挿入するので、A (1) →E (5) →C (3) →H (8) →G (7) →B (2) となるようにnextの内容を入れ換える。まず、CのnextをHを指すように8に変更、HのnextをGを指すように7にすればよい。

解答　ウ

問12　ホームレコードのキー“SEP”からレコード番号h（ハッシュ値）を求め、ハッシュ値hが同じ値になるものを見つけ出せばよい。

“SEP”→　h = (19 + 5 + 16) mod 27 = 13

次に、各選択肢のキーからハッシュ関数により得られるレコード番号は、

“APR”→　h = (1 + 16 + 18) mod 27 = 8
“FEB”→　h = (6 + 5 + 2) mod 27 = 13
“JAN”→　h = (10 + 1 + 14) mod 27 = 25
“NOV”→　h = (14 + 15 + 22) mod 27 = 24

したがって、キー“SEP”と衝突するのは、“FEB”である。

解答　イ

問13　クイックソートは、始めに基準値を決め、小さい要素は基準値より前方に、大きな要素は後方に振り分ける。次に、基準値の前方と後方のそれぞれにおいて新たに基準値を決めて次々と分割。要素が1つになるまで繰り返すことで整列を行う。その他の選択肢は、イ：基本選択法、ウ：基本挿入法、エ：基本交換法（バブルソート）の説明。

解答　ア

問14　問題の関数は、ユークリッドの互除法により、自然数xとyの最大公約数を求めるものである。問題の値を関数に当てはめていくと解答が得られ、それがxとyの最大公約数となる。

$F(231, 15)$を関数に当てはめると、

$F(231, 15) = F(15, 231 \bmod 15)$
$= F(15, 6) = F(6, 15 \bmod 6) = F(6, 3)$
$= F(3, 6 \bmod 3) = F(3, 0) = 3$

解答　イ

問15　再入可能（リエントラント）とは、1つのプログラムを複数のプロセスで同時に実行しても、それぞれに対して正しい結果を返すことができるプログラム構造。プログラムを実行によって内容が変化するデータ部分と内容が変化しない手続き部分とに分離し、手続き部分は複数のプロセスで共有し、データ部分は各プロセスごとに用意する。

解答　ウ

問16　XMLは、文書の標準化やデータ交換を目的としたマークアップ言語で、企業間取引の標準フォーマットとして用いられている。SGMLと同じく独自のタグを定義でき（HTMLではできない）、さらに、HTMLのようにWebページとして公開することも可能。

その他の選択肢は、ア：XMLは、SGMLをベースにして文書データ交換を目的に開発されたもの。イ：XML文書はテキスト形式なので、通常のテキストエディタで入力できる。エ：XMLでは文書の論理構造のみを規定している。

解答　ウ

第2章

コンピュータシステム

この章の構成と攻略法

この章の内容と学習ポイント

コンピュータを構成するハードウェアの仕組みから、システム構成、OSを含むソフトウェアまでが含まれる大分類です。範囲が広く、やみくもに覚えるのは難しいので、過去問題を使って傾向を確かめながら進めていきましょう。この章の内容をテーマとする問題は、用語レベルの問題、深い理解を必要とする判断問題、計算問題と多岐に渡ります。解答するためには何を考えなければいけないのかを意識しながら解いていくとよいでしょう。

中分類3 コンピュータ構成要素

コンピュータの動作の仕組みから、プロセッサ（CPU）、メモリ、入出力装置などの種類や特徴が問われます。幅広い内容なので1つ1つ整理しておきましょう。

小分類1 プロセッサ

1. コンピュータの種類
2. コンピュータの構成
3. プロセッサの種類
4. プロセッサのアーキテクチャ
5. プロセッサの構造と方式
6. プロセッサの動作原理
7. プロセッサの性能
8. プロセッサの高速化技術
9. 並列処理
10. マルチプロセッサシステム

01 コンピュータの構成と動作 ☞ p.118
02 プロセッサの性能と高速化技術 ☞ p.125

➔攻略法と他章との関連

小分類のタイトルは「プロセッサ」ですが、内容はコンピュータの仕組み全体を含んでいます。コンピュータの構成は、アーキテクチャやレジスタの種類など。また、動作原理としては論理回路とアドレッシングの出題が目立ちます。具体例が問われるため、しっかりと動作を理解しておく必要があります。また論理回路は、「ハードウェアと論理回路（p.186）」で取り上げています。なお、割込みについては、オペレーティングシステムに関連することから、p.167で解説しています。

小分類2 メモリ

1. メモリの種類と特徴
2. 主記憶装置の構成
3. メモリシステムの構成と記憶階層
4. アクセス方式
5. メモリの容量と性能
6. 記憶媒体の種類と特徴

03 メモリの種類と特徴 ☞ p.128
04 メモリシステムと記憶階層 ☞ p.131

➔攻略法と他章との関連

小分類の項目のうちメモリの種類と特徴では、SRAMとDRAMの違い、フラッシュメモリなど。またフリップフロップなどの回路についての出題があります。第1章の「データ通信に関する符号化（p.66）」の誤り検出と誤り訂正も関連する項目です。また特に出題数が多いのがキャッシュメモリの動作で、計算問題としても出るので万全な対策をとっておきましょう。

小分類 3 バス

1 バスの種類と特徴
2 バスのシステムの構成
3 バスの容量と性能

小分類 4 入出力デバイス

1 入出力インタフェース
2 デバイスドライバ

05 バスと入出力インタフェース ☞ p.134

➔攻略法と他章との関連

小分類3のバスは、出題数が少ないのでひととおり用語レベルで対策をとっておきましょう。小分類4についても出題数は多くありません。入出力インタフェースについては、普段パソコン周りで使い慣れているものが多いので、用語と特徴を関連づけて覚えておけば万全です。ICカードやIoT機器の普及から、無線通信規格の種類についての出題が増えているので要注意。

小分類 5 入出力装置

1 入力装置
2 出力装置
3 補助記憶装置
4 その他の入出力装置

06 入出力装置 ☞ p.139
07 補助記憶装置 ☞ p.142

➔攻略法と他章との関連

入出力装置は種類が多いのですが、出題されているものは、それほど多くはありません。ディスプレイ、タッチパネル、半導体記憶装置などの特徴は確実に。磁気ディスクも出題数は少ないのですが、計算問題として出題されるため、過去問題で出ている数種類のパターンを演習しておきましょう。

中分類 4 システム構成要素

出題テーマが限られるので対策はしやすいのですが、計算問題や深い理解が求められる問題が多いため、確実に理解するまで過去問題などを使って演習を繰り返すと効果的です。一度解けても安心せず、試験直前にも復習しておきましょう。

小分類 1 システムの構成

1 システムの処理形態・利用形態・適用領域
2 システム構成
3 ハイパフォーマンスコンピューティング
4 クライアントサーバシステム
5 Web システム
6 ストレージ
7 信頼性設計

08 システムの処理形態 ☞ p.146
09 システム構成 ☞ p.148

➔攻略法と他章との関連

この小分類は、項目も数多く含まれ、出題数も多いのできちんと整理しておく必要があります。システムの処理形態とシステム構成は、種類と特徴を中心に。3層クライアントサーバシステムはよく出るテーマですが、Webサーバを通じたデータベースへのアクセスを想定しており、第3章とも関連しています。信頼性システム構成としては、フォールトトレラントシステムなどがあります。RAIDは各構成の特徴と容量計算まで押さえれば安心です。

小分類 2　システムの評価指標

1. システムの性能特性と評価
2. システムの信頼性特性と評価
3. システムの経済性の評価

10　システムの性能指標 ☞ p.152
11　システムの信頼性指標 ☞ p.154

攻略法と他章との関連

ここでは、スループットとターンアラウンドタイムの違いが定番。キャパシティプランニングは、具体例で出題されます。頻出する稼働率の計算問題は、MTBFを求める問題と複合システムの稼働率を求める問題があります。式を立てる問題もあり、確実な理解が求められます。

中分類 5　ソフトウェア

OSが行っている管理内容は、普段は気にすることがないため、なかなか理解しにくいものです。試験対策と割り切って、問題演習からスタートすると理解が進みやすくなります。OSの管理ごとに用語をまとめておくとよいでしょう。

小分類 1　オペレーティングシステム

1. OS の種類と特徴
2. OS の機能と構成
3. ジョブ管理
4. タスク管理
5. データ管理
6. 入出力管理
7. 記憶管理
8. ネットワーク制御
9. 運用の管理
10. ユーザー管理
11. セキュリティ制御
12. 障害管理

小分類 2　ミドルウェア

1. ミドルウェアの役割と機能
2. シェルの役割と機能
3. API
4. ライブラリ
5. コンポーネントウェア
6. 開発フレームワーク

12　オペレーティングシステムの種類と特徴 ☞ p.158
13　ジョブ管理とタスク管理 ☞ p.163
14　多重プログラミングと割込み ☞ p.166
15　記憶管理 ☞ p.168

攻略法と他章との関連

小分類1のオペレーティングシステムは、範囲が広いのですが、出題されるテーマは限られています。基本的には過去問を中心とした対策でよいのですが、意表を突かれる問題を想定して、ひととおりの学習をお勧めします。出題の定番としては、ジョブ管理のスプーリング、タスク管理からはタスクの状態遷移、スケジューリングによる違いなど。多重プログラミングについては、総時間の算出と、仮想記憶管理と絡めたスラッシングの発生による処理低下に関する問題などがあります。また、記憶管理からはページ置換えアルゴリズムの特徴についての問題が目立ちます。全体としては、出題バリエーションが多く、具体例で問われるため、幅広い対策が必須です。なお、小分類2の「ミドルウェア」の出題は少ないため、用語レベルの理解を中心に進めましょう。

小分類 3　ファイルシステム

1 ディレクトリ管理とファイル管理
2 ファイルシステムの種類と特徴
3 ファイル編成とアクセス手法
4 バックアップ

16　データの管理とファイルシステム　☞ p.172

➡攻略法と他章との関連

範囲は、大きくファイルシステム、ファイル編成、バックアップの3つに分かれますが、出題数は多くありません。ファイルシステムはパスの指定方法、ファイル編成は編成の種類とアクセス法を関連づけて整理しておきましょう。バックアップについては、増分、差分の違いを理解しておくことが必要です。

小分類 4　開発ツール

1 開発ツールの種類と特徴
2 言語処理ツールの種類と特徴

17　開発支援ツール　☞ p.179
18　言語処理ツール　☞ p.181

➡攻略法と他章との関連

開発支援ツールのうち、テストツールは第4章の「コーディングとモジュールテスト手法(p.354)」、「システム統合テストとソフトウェア統合テスト(p.359)」とも関連しています。また、言語処理ツールの言語プロセッサは、第1章の「プログラム言語(p.100)」と密接に関わっています。

小分類 5　オープンソースソフトウェア

1 OSS の種類と特徴
2 UNIX 系 OS
3 オープンソースコミュニティ
4 OSS の利点・活用と考慮点

19　オープンソースソフトウェア　☞ p.184

➡攻略法と他章との関連

オープンソースソフトでは、ライセンスの種類がよく出題されています。コピーレフトの意味などを理解しておきましょう。また、ライセンスについては、第4章の「知的財産適用管理 (p.377)」や第9章の「取引に関する法規と契約 (p.559)」、「ソフトウェア使用許諾契約 (p.560)」などとも関連しています。

中分類 6　ハードウェア

コンピュータや組込システムにおける回路や部品、電子制御などについて取り上げています。主な内容のうち、論理回路は第1章の「集合と論理演算 (p.42)」と、機械・制御は、第 1 章の「計測・制御に関する理論 (p.74)」と関連付けておくとよいでしょう。

小分類 1　ハードウェア

1 電気・電子回路　2 機械・制御　3 構成部品および要素と実装　4 論理設計　5 消費電力

20　ハードウェアと論理回路　☞ p.186

➡攻略法と他章との関連

電気・電子回路としては、AND、OR、NOT回路および、それらを組み合わせた回路、フリップフロップ回路などが出題されています。そのほか、消費電力の問題にも注意しましょう。

01

コンピュータシステム

コンピュータの構成と動作

コンピュータの「中身」って？

一般的なコンピュータは、下図のような5つの装置、**制御装置**、**演算装置**、**記憶装置**（主記憶装置・補助記憶装置）、**入力装置**、**出力装置**で構成されています。

処理装置は、演算装置や制御装置を持ち、一般には**CPU**（Central Processing Unit：**中央処理装置**）や、**プロセッサ**（Processing Unit）と呼ばれており、コンピュータの中核装置として、演算処理や各装置への制御を行います。

このような基本構造（**コンピュータアーキテクチャ**と呼ぶ）の大元は、数学者フォン・ノイマン（von Neumann）が提唱した**ノイマン型コンピュータ**と呼ばれるコンピュータで、2つの大きな特徴があります。

さらに詳しく

プログラム内蔵方式

初期のコンピュータでは、行う処理を変更するつど、複雑な配線をつなぎ変えていたため、たいへんな手間がかかった。ノイマン型コンピュータの大きな特徴である**プログラム内蔵方式**では、処理手順を記したプログラムを主記憶上に読み込み、これを入れ換えることで、ハードウェアから切り離し、汎用性を持たせた。また、主記憶上に読み込んだプログラムにはアドレスが振られているので、実行位置を変更することも容易になっている。

図表 01-1 5大装置

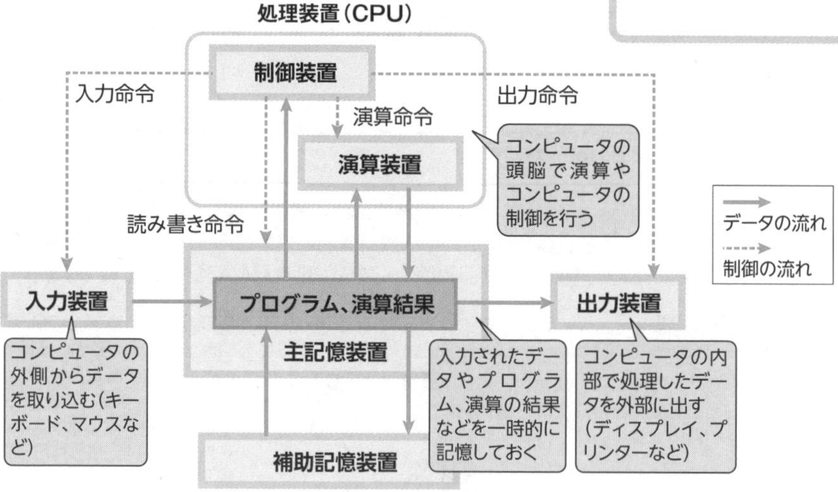

❶プログラム内蔵方式(stored program)

あらかじめプログラムとデータを主記憶装置(**メモリ**とも呼ぶ)に格納しておく方式。プログラムやデータを入れ換えることで、処理内容の変更に容易に対応できます。

❷逐次制御方式(sequential control)

命令を主記憶装置から取り出して解読し、その内容によってデータを取り出し、処理を実行するという一連の流れを自動的に繰り返すことで、プログラムを実行していく方式です。逐次制御に対して、**先回り制御**を行うパイプライン処理<☞ p.126>が考え出されています。

CPUにも種類がある

CPU(処理装置、プロセッサ<☞p.118>)は、コンピュータの中心として演算や制御を行う装置です。CPUのアーキテクチャは、大きく2つに分けられます。

❶CISC(Complex Instruction Set Computer)

複雑な処理を1命令で実行するために、マイクロプログラム<☞ p.120>を採用した(**マイクロプログラム制御方式**)CPUのアーキテクチャです。

❷RISC(Reduced Instruction Set Computer)

CISCより効率よく動作させる方式として考え出されたアーキテクチャです。命令数を減らして単純化し、1命令の長さとその実行時間を一定にすることで、パイプライン処理<☞ p.126>などの高速化を実現しています。単純な命令をハードウェア(電子回路)で実行(**ワイヤドロジック制御方式**)し、複雑な処理はその組合せで実行します。

	CISC	RISC
命令セット	簡易な命令から高機能な命令まで多くの種類がある	単純で基本的な命令に制限される
命令長	命令ごとに異なり、長い	固定長で短い
レジスタ数	少ない	多い
命令実行方式	マイクロプログラム制御方式	ワイヤドロジック制御方式
パイプライン処理<☞>	適さない	適する
同一処理当たりのステップ数	少ない	多い

図表 01-2　CISCとRISCの違い

ココも出る!

コンピュータの種類

PC(パーソナルコンピュータ)：アプリケーションプログラムによって各種の技術計算や事務処理、計測制御、教育および趣味に至るまで、汎用的な用途に使われる小型コンピュータ。

ワークステーション(WS)：グラフィックスの制作や科学技術計算などを扱うための高性能なコンピュータ。専用のOSやソフトウェアを持つものもある。

シングルボードコンピュータ(SBC)：1枚の小さな基板上にCPUやメモリ、入出力インタフェースなどを搭載したコンピュータ。拡張性は少なく、産業用や監視用などの用途に利用されている。

スーパーコンピュータ：大量データの高速計算が要求される流体力学や気象予測などの科学技術計算を前提に、高速化を図ったコンピュータ。その時代の最高レベルの性能を持つ。

汎用コンピュータ(メインフレーム)：科学技術計算や事務処理のどちらにも使用可能な、処理能力が高いコンピュータ。業務処理の中心として用いられることからメインフレーム、ホストコンピュータとも呼ばれる。

こちらも参照

パイプライン処理

☞p.126「CPUを高速化する技術」

・マイクロプログラム制御とワイヤドロジック制御

アーキテクチャを実現する制御方式によって、次のような異なる特徴があります。

	マイクロプログラム制御方式	ワイヤドロジック制御方式
処理速度	低速	高速
拡張性・機能保守	容易	困難
エミュレーション	可能	不可能

図表 01-3　制御方式の違いによる特徴

CPUの構成と動作の仕組み

CPUは制御装置と演算装置から構成され、連係しながら処理を行います。それぞれ高速で容量の小さな記憶装置**レジスタ**を持ち、命令解読、演算を実行していきます。

●主なレジスタとその役割

レジスタは、その使用目的によって**制御用レジスタ**(制御装置内)と**演算用レジスタ**(演算装置内)に分けられます。

❶制御用レジスタ

- **命令アドレスレジスタ(IAR：Instruction Address Register)**：次に実行する命令のアドレスを記憶します。プログラムカウンター(PC：Program Counter)、プログラムレジスタ(PR：Program Register)、命令カウンター、逐次制御カウンターとも呼ばれます。
- **命令レジスタ(IR：Instruction Register)**：主記憶から読み出された命令を格納するレジスタです。内容は命令解読器(命令デコーダ)<☞>で解読されます。

❷演算用レジスタ

- **アキュムレーター(累算器)**：演算装置内にある演算用レジスタで、演算結果や演算途中のデータが格納されます。
- **インデックス(指標)レジスタ**：命令の番地部(アドレス部)を指定<☞ p.123>する値が入ります。

❸汎用レジスタ(GR)

計算用、アドレス指定<☞ p.123>用など、さまざまな

ココも出る!

マイクロプログラム

マイクロプログラムは、**ワイヤドロジック(結線論理)**で実現されていた命令実行の基本動作を、プログラムとして実現したもの。基本動作を記述したマイクロ命令からなり、これらの命令は制御記憶(CS；Control Storage)と呼ばれる記憶装置に格納される。なお、マイクロプログラムは、ハードウェアとソフトウェアの中間的な性格を持つため、**ファームウェア**と呼ばれる。

命令解読器(命令デコーダ)

取り出した命令を解読し、制御信号に変換する役割を持つ。

補数器

演算装置内にあって、補数を求める回路。1の補数を求めるものと、2の補数を求めるものがある。

ベースレジスタ

演算用レジスタの1つ。アドレス計算を行う際に、基準となるアドレスを保持しておくためのレジスタ。

スタックポインタ

制御用レジスタ。スタック(後入れ先出しの記憶領域)の記憶場所を示すアドレスを保持するレジスタ。スタックは、サブルーチンや関数の戻り先の保持などで使われる。

用途に使われるレジスタで、複数が備わっています。

●プログラム動作の仕組み

コンピュータは、「入力する」、「計算する」、「出力する」などの基本動作を指示する「命令」によって動いています。これら一連の命令を組み合わせたものが**プログラム**です。

プログラムの実行に先立ち、主記憶装置上の連続した領域にプログラムが格納(**ロード**)され、実行開始番地(アドレス)がプログラムレジスタにセットされ、同時に必要なデータも主記憶装置に読み込まれます。

主記憶装置上のプログラムは、**命令サイクル**と**実行サイクル**を繰り返すことで処理を進めていきます。

❶命令サイクル(instruction fetch cycle：Iサイクル)

主記憶装置から命令を取り出し、解読する工程で、**命令フェッチ**とも呼ばれます。

(1)CPUは、命令アドレスレジスタに格納されている番地(アドレス)を主記憶装置へ送るとともに、読出し信号を読み書き制御部に伝える。

(2)主記憶装置は、指定された番地(アドレス)から命令

出題分析

レジスタの種類

処理装置を構成する要素のうち、分岐命令の実行によって更新されるものはどれか。

ア インデックスレジスタ
イ 汎用レジスタ
ウ プログラムレジスタ
エ 命令レジスタ

命令の実行は、プログラムレジスタに格納されたアドレス値により、主記憶上の命令が命令レジスタに読み込まれる。このとき、プログラムレジスタは自動的に＋1[命令語長]されるが、実行する命令が分岐命令の場合、分岐命令が示す分岐先のアドレス値に更新される。

解答 ウ

図表 01-4　命令サイクルと実行サイクル

※試験仕様の仮想コンピュータ「COMET Ⅱ」に基づく

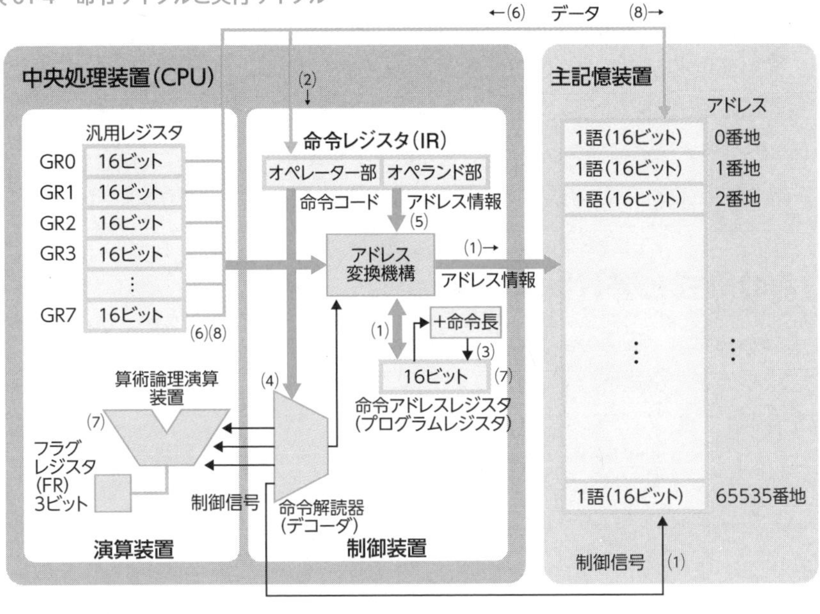

を読み出し、CPU内の命令レジスタに格納する。

(3) 1つの命令の取り出しが終了すると、プログラムレジスタの値を次に実行すべき命令のアドレスに変更する。通常の命令の場合は、プログラムレジスタに命令長(1語長または2語長)をアドレス加算する。

❷実行サイクル(execution cycle : Eサイクル)

読み出された命令を解読し、命令やアドレス(番地)に基づいて、実行、処理結果の書込みを行う工程です。

(4) (2)で命令レジスタに格納された命令のうち「オペレーター部(命令コード)<☞次項>」を**命令解読器**(デコーダ)で解読する。

(5) 命令解読の結果に基づいて、「オペランド部(アドレス情報)」を**アドレス変換機構**へ送り、有効アドレスの計算(オペランドアドレス計算)を行う。

(6) 有効アドレスに基づいて、主記憶装置からデータを取り出す(オペランドの取出し)。

(7) 命令を実行する。オペランド部で指定されたデータ(レジスタや主記憶の内容)を使って演算を行う<☞次項>。分岐命令の場合は、分岐先の有効アドレスを命令アドレスレジスタに格納する。また周辺装置への入出力要求が発生する場合は、SVC(Super Visor Call ; OSの機能を呼び出す内部割込み)<☞p.167「図表14-3」>を行う。

(8) 実行された演算結果をレジスタ、または主記憶装置へ格納する(格納の際は有効アドレスを計算する)。

命令の形式とアドレス指定

頻出

1つの命令は、下図のようにオペレーター部(命令)とオペランド部で構成されています。ただし、構成や命令コードはハードウェアによって異なります。

オペレーター部(命令)	オペランド部(アドレス情報)	
命令コード	アドレス修飾部	アドレス部

図表 01-5　命令の形式

さらに詳しく

マシンサイクル

1命令の実行は、「命令の読出し(命令フェッチ)→命令の解読(デコード)→有効(オペランド)アドレスの計算→オペランドの取出し(オペランドフェッチ)→命令の実行→結果の書込み」といったステージに分割できる。この1ステージの実行に要する時間をマシンサイクルと呼ぶ。

機械語と記号言語

コンピュータに対して演算や処理動作を行わせる命令は、ハードウェアにより異なっており、2進数(バイナリ表現)の機械語で表現される。ただし、そのままでは人にはわかりにくいため、ロードをLD、加算をADDなどと取り決めたものが記号言語である。一般にアセンブラ言語と呼ばれており、ハードウェアに依存した記述になる。高水準言語で記述されたものは、いったんアセンブラ言語に変換され、実行時には機械語となる。

こちらも参照

割込み

☞p.167「発生原因で分ける割込みの種類」

❶オペレーター部(命令)

加算、減算、比較、分岐など動作の種類を指定します。

❷オペランド部(アドレス情報)

アドレス修飾部ではアドレス指定方式やアドレス修飾を行うレジスタを指定し、アドレス部では処理対象となる情報がある主記憶装置のアドレスや使用する汎用レジスタの番号などを指定します。

●オペランドの個数による種類

可変長方式のコンピュータでは命令の種類やアドレス指定方式によって、オペランド部の長さが異なります。

❶0アドレス方式

オペランド部がない形で、スタックに格納されているデータを処理対象とし、結果もスタックに格納されます。

命令コード

❷1アドレス方式

演算対象データの一方が主記憶上に、もう一方がCPU内のアキュムレーター(またはレジスタ)に格納されている方式です。演算結果はアキュムレーターに格納されます。

命令コード	オペランド

❸2アドレス方式

第1と第2オペランドで指定される主記憶上に格納されたデータを対象とする方式です。演算結果は、一般に第1オペランドで指定される主記憶上に格納されます。

命令コード	第1オペランド	第2オペランド

❹3アドレス方式

3つのアドレスを指定できるため、C←A＋Bといった演算を1命令で指定することができます。

命令コード	第1オペランド	第2オペランド	第3オペランド

●アドレス指定(アドレッシング)方式

アドレス指定には、次のような種類があります。

さらに詳しく

命令の種類

一般的な命令の種類として、下記のものがある。そのほかサブルーチンの呼出し、割込みに関する命令(SVC)も用意されている<☞p.166 多重プログラミングと割込み>。

- 算術演算命令：加算、減算、乗算、除算、べき乗などの演算を行う命令。データの型によって、固定小数点演算、浮動小数点演算、10進演算などがある。
- 論理演算命令：否定、論理積、論理和、排他的論理和などがある。
- 転送命令：メモリとレジスタ間の移動を行う命令。ロードやストアなど。
- 比較命令：2つの値の比較を行う命令。算術比較と論理比較がある。
- 分岐命令：値がとる条件によって実行順の変更を行う。各種のジャンプ命令がある。
- シフト命令：ビット単位のシフト(シフト演算)を行う命令。左右の算術シフトと論理シフトがある。
- 入出力命令：外部ファイルや入出力装置とのやり取りを行う命令。イン／アウト命令。

❶即値アドレス指定

オペランド部の内容が、処理対象のデータになります。

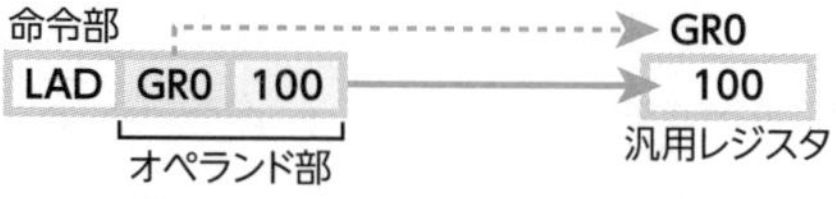

アドレス値100を汎用レジスタ0(GR0)に格納

❷直接アドレス指定

オペランド部の内容が、処理対象のデータの主記憶装置上のアドレスになります。

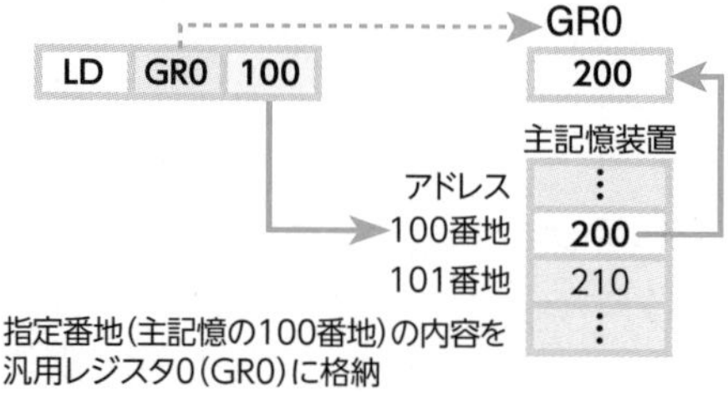

❸間接アドレス指定

オペランド部に指定された主記憶装置のアドレスから値を読み出し、その値で指定されるアドレスから対象データを読み出します。

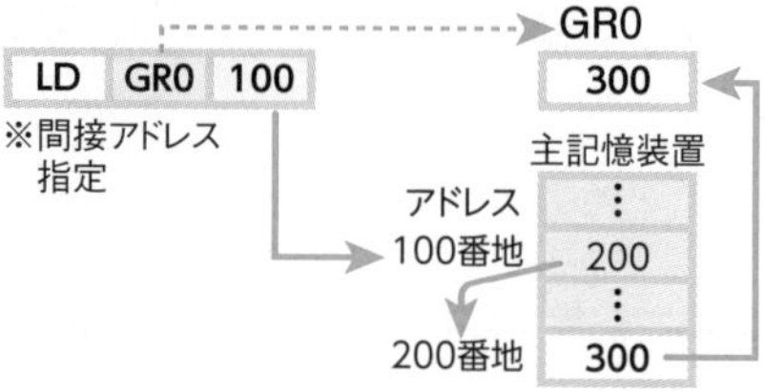

❹指標アドレス指定(インデックス修飾)

第3オペランドで指定された指標レジスタの内容と、第2オペランドのアドレスを加算し、結果を有効アドレスとして主記憶装置へアクセスし、処理対象のデータを読み出します。

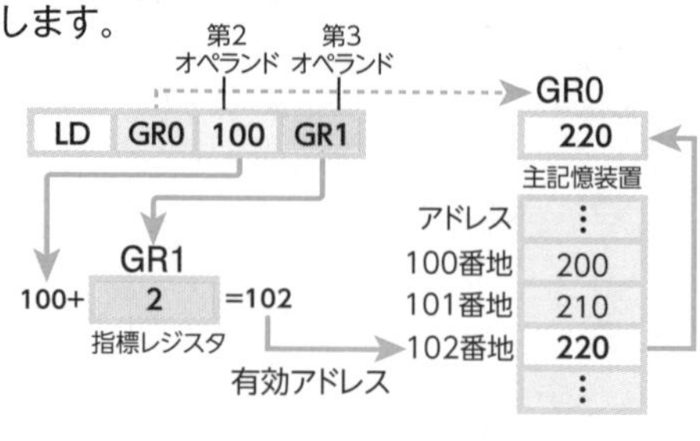

出題分析

ベースレジスタ修飾

"LOAD GR, B, AD"は、ADが示す番地にベースレジスタBの内容を加えた値を有効アドレスとして、その有効アドレスが示す主記憶に格納されているデータを汎用レジスタGRにロードする命令である。図の状態で、次の命令を実行したとき、汎用レジスタGRの内容はどれか。

LOAD GR,1,200

ア 1100
イ 1200
ウ 1201
エ 1300

①200番地に、ベースレジスタ1の内容を加えた値(200＋100＝300)を有効アドレスとする。

②300番地に格納されているデータの1300を、汎用レジスタGRに格納する。

解答 **エ**

シラバス　大分類2：コンピュータシステム　中分類3：コンピュータ構成要素
小分類1：プロセッサ

02
コンピュータシステム

プロセッサの性能と高速化技術

動作速度を決めるクロック周波数　頻出

クロックとは、コンピュータのマザーボード（CPUやメモリなどが取り付けられている基板）上にある複数の装置が、タイミングを合わせて動作するために発生させる信号のことです。また、クロック周波数とは、その信号の周波数（時間あたりの発生回数）を表します。

CPUは、このクロックに同期して動作するため、基本的にはクロック周波数が高くなる（数値が大きくなる）ほど高速に動作することができます。ただし、CPUにはさまざまな動作方式（アーキテクチャ）があり、クロック周波数の値だけでは正確な性能比較はできません。

図表 02-1　クロック周波数

●クロック周波数の単位

単位は、MHz（メガヘルツ）、またはGHz（ギガヘルツ）が使われます。例えば、200MHzなら1秒間の信号数は200×10^6回、1GHzなら10^9回になります。

❶CPI（Cycles Per Instruction）

1命令の実行に必要なクロック数を表す単位です。例えば、10CPIなら10クロック／命令になります。あるCPUが500MHzで8CPIの場合の平均命令実行時間（1命令当たりの実行時間）を求めてみましょう。

・1クロック当たりの実行時間の計算

1秒÷（クロック周波数×10^6）　……MHzの場合

さらに詳しく

補助単位とべき乗

単位記号	べき乗	備考※
T（テラ）	10^{12}	$\fallingdotseq 2^{40}$
G（ギガ）	10^9	$\fallingdotseq 2^{30}$
M（メガ）	10^6	$\fallingdotseq 2^{20}$
k（キロ）	10^3	$\fallingdotseq 2^{10}$
m（ミリ）	10^{-3}	
μ（マイクロ）	10^{-6}	
n（ナノ）	10^{-9}	
p（ピコ）	10^{-12}	

※コンピュータは2進数が基本となるため、正確には2のべき乗になる。例えば、1kは1000（$=10^3$）ではなく、1024（$=2^{10}$）。どちらで計算するかは問題文で示されることがあるので注意。

プロセッサとCPU

試験問題で使われるプロセッサという用語は、処理を行う装置全般を含んでいる。CPU（中央処理装置）はプロセッサの一種で、一般に制御装置や演算装置を持つコンピュータの中核を成す装置を指す。

他に、浮動小数点演算を行うFPUや表示用の画像処理を専門に行うGPU、音声処理などを行うデジタルシグナルプロセッサ（DSP）などがある。

500MHzは、1秒間の信号数が500×10^6であることを表します。したがって1クロック当たりの実行時間は、

1秒÷$(500 \times 10^6) = 0.002 \times 10^{-6} = 2 \times 10^{-9}$＝2ナノ秒

・平均命令実行時間（1命令当たりの実行時間）の計算

1クロック当たりの実行時間
×1命令実行に必要なクロック数

1命令の実行に8クロック（8CPI）必要なので、

2ナノ秒×8CPI＝16ナノ秒

❷MIPS（Million Instructions Per Second）

1秒間に実行可能な命令数の単位で、1MIPS＝10^6命令／秒です。例えば、50MIPSの場合、1秒間の実行命令数は(50×10^6)命令です。ここでは、MIPS値から平均命令実行時間を計算してみましょう。

1秒÷MIPS値

$= 1 \div (50 \times 10^6) = 0.02 \times 10^{-6}$

$= 20 \times 10^{-9}$＝20ナノ秒

●そのほかの性能評価指標

❶FLOPS（FLoating-point Operations Per Second）

1秒間に実行可能な浮動小数点演算命令数の単位です。

1FLOPS＝1浮動小数点命令／秒

❷命令ミックス

CPUの処理性能を測定する尺度です。各命令の種類ごとの実行時間を使用頻度に応じて重み付けし、平均命令実行時間を出します。事務処理用の**コマーシャルミックス**と、科学技術計算用の**ギブソンミックス**があります。

CPUを高速化する技術

CPUによる処理を高速化するための技術として**パイプライン処理**があります。この処理は、命令の読出しから完了までのステージを独立して動作させることで、複数の命令を並行して実行する方式です。最大の効果を発揮するのは、各ステージの処理時間が同じ場合です。つまり命令が固定長で動作も単純なRISCアーキテクチャ＜☞➚＞のほうが有利です。

ココも出る！

サイクルタイム

CPUの制御装置が指示（メモリへの読み書きなど）を出してから、再び指示を行うまでの時間。CPUだけが高速でもサイクルタイムは改善しない。

並列処理の方式

SISD（Single Instruction stream／Single Data stream）：単一命令・単一データ処理方式のこと。従来からのノイマン型コンピュータが該当する。

SIMD（Single Instruction stream／Multiple Data stream）：1つのプログラムカウンターと複数の演算装置を持ち、1つの命令で多数のデータを処理する。ベクトルプロセッサやアレイプロセッサで使用される。

MIMD（Multiple Instruction stream／Multiple Data stream）：複数のCPU（プロセッサ）が互いに同期をとりながら、複数の命令で複数のデータを処理するマルチプロセッサ構成が該当。

MISD（Multiple Instruction stream／Single Data stream）：複数命令・単一データ処理。実用化はほぼない。

➚こちらも参照

RISC

☞p.119「CPUにも種類がある

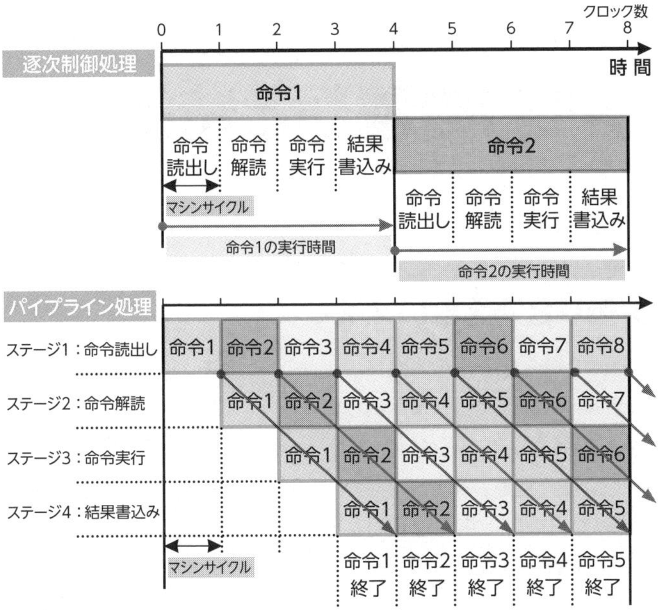

処理ステージが「命令読出し→命令解読→命令実行→結果書込み」の4段階、マシンサイクルが1クロックである場合を例に説明する。

逐次制御処理
命令2の実行終了までの時間が8クロック必要となる。

パイプライン処理
並行処理により、命令1の終了までには逐次制御処理と同じく4クロックかかるが、以降は1クロックごとに1つの命令の実行が終了する。

図表 02-2
逐次制御処理とパイプライン処理の違い

●パイプライン処理の種類

❶スーパーパイプライン

パイプラインを細分化することで、高速化を図る方式。例えば、各ステージの処理を1／2クロック単位で実行すれば、論理的には1クロックで2命令が実行可能です。またステージ数が増えれば、各ステージで行う処理はより単純になり、動作周波数を上げやすくなります。

❷スーパースカラ(super scalar)

1つのCPU内に複数の演算ユニットを内蔵し、複数のパイプラインで並列動作させる方式。1クロックでパイプラインの数だけの命令が実行できます。

❸VLIW(Very Long Instruction Word)

長くとった命令語に複数の命令をまとめておき、並列動作させる方式。命令の数を一定にしておき、パイプラインによって同時実行することで高速化を図ります。各命令は互いに依存関係のないことが前提です。

❹マルチコアプロセッサ (Multiple core processor)

1つのCPU中に2つまたは複数コアを持たせたもので、複数のCPUとして認識されます。有効に利用するためにはソフトウェアが対応している必要があります。

さらに詳しく

シングルコアプロセッサ

マルチコアプロセッサに対し、従来のプロセッサをシングルコアプロセッサと呼ぶ。

ココも出る！

投機実行

パイプラインの性能を向上させるための技法の1つ。分岐条件の分岐先が決定する前に、予測した分岐先の命令を実行していく。予測どおりに進めば処理速度の向上を図ることができる。

03

コンピュータシステム

メモリの種類と特徴

データが消えるメモリと消えないメモリ

主記憶装置には、半導体の組合せで作られた集積回路(IC：Integrated Circuit)によるICメモリが用いられています。ICメモリは、主記憶装置以外でも使われており、性質の違いでRAMとROMに大別されます。

RAMは読込みと書込みが可能で、電源を切ると記憶情報が失われます。この性質を揮発性といいます。ROMは基本的に読込みだけが可能で、電源を切っても記憶情報は保持されます。この性質を不揮発性といいます。

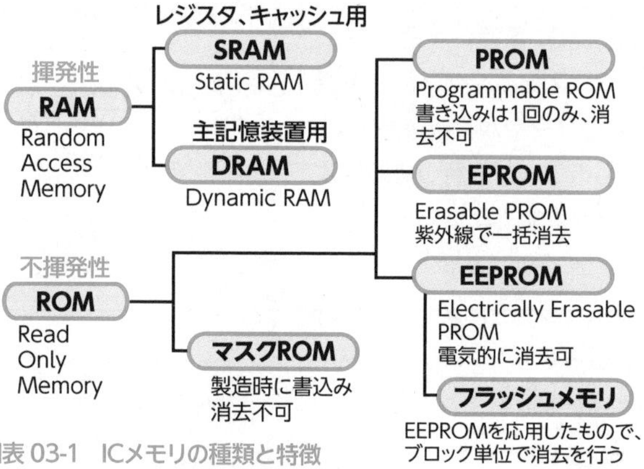

図表 03-1　ICメモリの種類と特徴

RAMの種類と特徴

頻出

RAM(Random Access Memory)には、次のような種類があります。

❶DRAM(Dynamic RAM)

1ビットの情報を記憶するメモリセルが、コンデンサ(蓄電器)とトランジスタ(半導体素子)で構成されているICメモリです。構造が単純であるため、大容量のものを

さらに詳しく

SRAMとDRAMの比較

比較項目	SRAM	DRAM
アクセス速度	高速	低速
集積度	低い	高い
内部構成	複雑	単純
ビット当たりの単価	高価	安価
リフレッシュ	不要	必要
用途	キャッシュメモリ	主記憶装置

主記憶装置の構成

主記憶装置（メインメモリ）はCPUとのやり取りを行う記憶装置で、次のような機構から構成されている。

- 記憶部：主記憶内の記憶領域。
- アドレス選択機構：CPUからデータの読出しや書込みを指示されると、この機構により主記憶内のアドレスを選択する。
- 読取り書込み機構：指定されたアドレスのデータを読み書きする機構。データはいったんメモリレジスタに格納される。

比較的安価に製造でき、主記憶装置用に使用されます。

DRAMは、コンデンサに電荷が溜まっているかどうかで“1”か“0”かを判断しますが、放置しておくと自然に放電してしまうため、一定時間間隔(数ミリ秒)でコンデンサを再充電するリフレッシュ動作を必要とします。DRAMを複数を組み合わせたメモリモジュールには次のようなものがあります。

- SDRAM(Synchronous DRAM)：パソコンの主記憶用メモリモジュールの標準規格として普及し、マザーボード上の動作クロックに同期して動作します。また、ECCメモリは、冗長ビットを持つことでエラー検出・訂正を行えるもので、誤り訂正符号としてハミング符号<☞ p.66>が採用されています。
- DIMM(Dual Inline Memory Module)：SDRAMで構成されたメモリモジュール規格の1つで、主にパソコン用として使われています。通常のSDRAM規格とは異なる規格のため互換性はなく、マザーボード上のメモリスロットの対応により選択します。
- SO-DIMM(Small Outline DIMM)：小さく薄いことからノートパソコンでよく使われているメモリモジュール規格です。スロットとやり取りするためのピン数にさまざまなものがあり、互換性はありません。

❷SRAM(Static RAM)

フリップフロップ回路<☞ p.187>(1回路で1ビットを記憶)で構成されるICメモリで、回路が複雑で大容量化は困難ですが、読み書きが高速であるため、レジスタやキャッシュメモリ、高速処理が要求される大型コンピュータの主記憶装置などに利用されます。電源を切らない限り記憶内容は失われないので、DRAMのようなリフレッシュ動作は不要です。

ROMの種類と特徴

頻出

ROM(Read Only Memory)と、その仕組みを応用したものには、次のような種類があります。

さらに詳しく

DDR SDRAM

DDR SDRAMは、SDRAMの改良型として製品化されたメモリ。DDRはダブルデータレートの意味で、SDRAMのデータ転送単位を2倍に改良した製品。また、DDR2 SDRAMは、転送単位を4倍に高速化した規格。さらに、DDR4 SDRAMは16倍にして高速化した規格である。CPUの高速化に伴い、年々高速化された規格が求められている。

出題分析

DRAMの特徴

SRAMと比較した場合のDRAMの特徴はどれか。

ア SRAMよりも高速なアクセスが実現できる。
イ データを保持するためのリフレッシュ動作が不要である。
ウ 内部構成が複雑になるので、ビット当たりの単価が高くなる。
エ ビット当たりの面積を小さくできるので、高集積化に適している。

DRAMは、リフレッシュ動作が必要なため、SRAMより低速(ア、イ)。反面、構造が単純なため高集積化が可能で、ビット当たりの単価は安い(ウ、エ)。

解答 エ

❶マスクROM

一般に、単にROMといった場合にはマスクROMを指します。マスクROMは出荷時にデータが書き込まれており、内容の変更はできません。

❷PROM(Programmable ROM)

後から書込みが可能なROMをPROM(プログラマブルROM)といいます。特殊な装置を使い、一度だけ書き込むことができますが、一度書き込んだものは消去できません。

基本的には読出し専用のROMであり、RAMに比べると書込みには時間がかかるため、RAMのように頻繁にデータを読み書きする用途には適していません。

PROMのなかでも、EPROMは紫外線照射により内容の消去が可能で、再書込みが可能です。

・EEPROM：電気的にバイト単位で内容の書換えが可能で、パソコンのBIOS<☞>や電子機器の制御プログラム格納用に使用されています。

❸フラッシュメモリ

EEPROMを改良し、ブロック単位もしくは一括でのデータ消去、大容量化、書込みの高速化などを実現したもので、ディスク装置的な使い方が可能です。デジタルカメラやモバイル機器で使われているSDメモリカードやUSBメモリのほか、BIOSやファームウェアの格納用としても使われています。

さらに詳しく

BIOS

BIOS(Basic Input/Output System)は、パソコンの電源を入れた直後に読み込まれ、キーボードやハードディスク、DVD-ROM装置などの周辺装置のチェックと初期化、単純な制御を行う入出力制御プログラムのこと。OSの起動ドライブ指定、日付や時刻、パスワードなども設定できる。更新に対応するため、フラッシュメモリが使われる。

試験はこう出る

問　メモリの誤り検出および訂正を行う方式のうち、2ビットの誤り検出機能と、1ビットの誤り訂正機能をもつものはどれか。

ア　奇数パリティ　　イ　水平パリティ

ウ　チェックサム　　エ　ハミング符号

答　ハミング符号(コード)は、データとは別に記録したチェックビットを使って誤り検出と訂正を行う方式である。

解答　エ

04

コンピュータシステム

メモリシステムと記憶階層

速いけど小さい＋遅いけど大きい組み合わせて作るメモリの記憶階層

CPUがアクセスするレジスタ、主記憶装置、補助記憶装置は、動作速度も容量も大きく異なります。そもそも高速で大容量、さらに低価格という万能な記憶装置は存在しません。そこで、速度や容量の異なる複数のメモリモジュールやディスク装置を階層的に組み合わせることで、全体として効率のよい記憶システムを実現しており、この方法を**記憶階層**といいます。また、それぞれの記憶装置間には**緩衝記憶装置**<☞>を置くことで、速度差を埋めています。

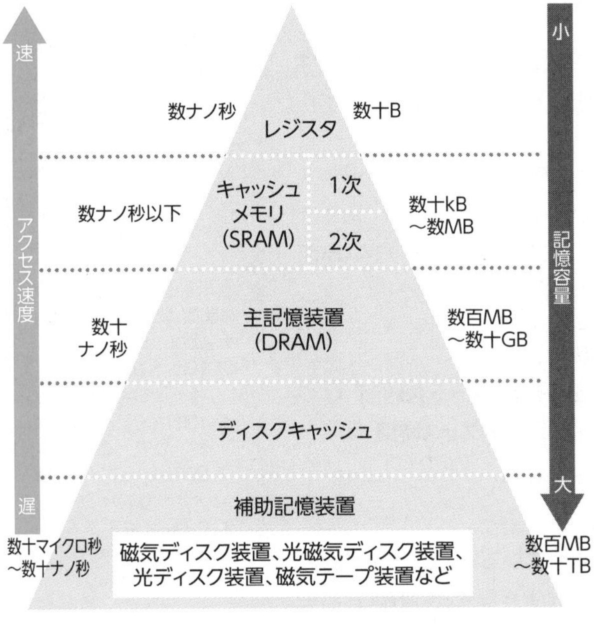

図表 04-1　記憶階層

さらに詳しく

緩衝記憶装置

緩衝記憶装置(バッファ：buffer)は、装置間の処理速度や、タイミングの違いを補正(緩衝)するために用いる記憶装置。CPUと主記憶装置の間にある**キャッシュメモリ**<☞次ページ>、主記憶装置と補助記憶装置との間にある**ディスクキャッシュ**(入出力バッファ<☞p.173「ブロッキングとデブロッキング」>)が代表的。なおディスクキャッシュは、通常ハードディスクなどに内蔵されているが、主記憶装置の一部を利用することもある。

アクセス時間の短縮

メモリ(補助記憶装置を含む記憶装置全体)のアクセス時間を短縮することは、CPUのサイクル時間の短縮、ひいてはコンピュータの処理速度の向上につながる。CPUの高速化や多重化に伴い、メモリそのものの性能向上だけでなく、キャッシュメモリを複数設けたり、ディスクキャッシュの容量を増やすといった方法により、ボトルネックを作らないことが重要になる。

速度差を埋めるキャッシュメモリ 頻出

キャッシュメモリは、CPUの動作速度と主記憶装置のアクセス時間のギャップを埋める、高速・小容量のメモリです。 主記憶装置に比べると記憶容量は非常に少ないのですが、「プログラムは最近アクセスした命令やデータを再度アクセスすることが多い」という性質(**プログラムの局所性**)を上手く利用した仕組みになっています。

具体的には、主記憶にあるデータの一部分を、より高速なキャッシュメモリに読み込んでおきます。CPUが要求するデータがキャッシュメモリ内にあればそこから読み、存在しない場合は主記憶装置から読み込みます。

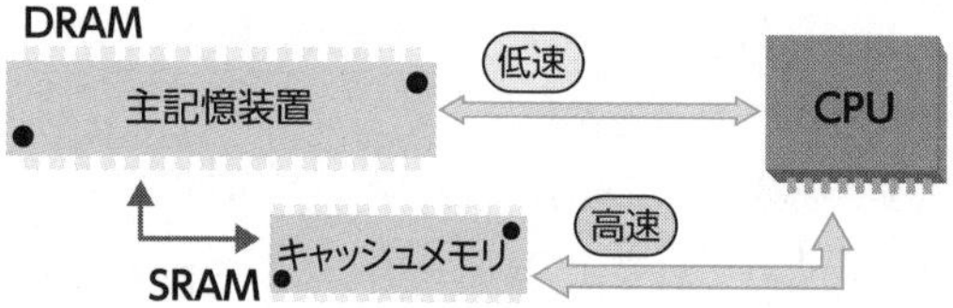

図表 04-2　キャッシュメモリ

●キャッシュのヒット率

呼び出したい情報がキャッシュメモリ上にない確率を**NFP**(Not Found Probability)、逆数の1－NFPを**ヒット率**と呼びます。

CPUから見た**実効アクセス時間**(**平均メモリアクセス時間**)は次式で表せます。ヒット率が100%に近くなるほど、実効アクセス時間はキャッシュメモリのアクセス時間に近づくことを、覚えておきましょう。

> **CPUの実効アクセス時間**
> **＝ヒット率×キャッシュメモリのアクセス時間**
> **＋(1－ヒット率)×主記憶のアクセス時間**

●主記憶装置への書込み

キャッシュメモリに記録されている情報は、最終的には主記憶装置の該当する箇所に書き戻さなければなりません。これには次ページの2つの方式があります。

ココも出る！

1次キャッシュと2次キャッシュ

CPU内部に実装されるのが**1次キャッシュ**(内部キャッシュ)、CPUとは独立して存在するのが**2次キャッシュ**。両者が併用される場合、CPUがアクセスする際の優先度は、1次キャッシュ→2次キャッシュ→主記憶の順になる。

出題分析

実効アクセス時間

キャッシュメモリと主記憶に関するアクセス時間とヒット率の組合せのうち、主記憶の実効アクセス時間がもっとも短くなるのはどれか。

	キャッシュメモリ		主記憶
	アクセス時間(ナノ秒)	ヒット率(%)	アクセス時間(ナノ秒)
ア	10	60	70
イ	10	70	70
ウ	20	70	50
エ	20	80	50

それぞれの実効アクセス時間は次のとおり(ns＝ナノ秒)。

ア 10ns×0.6＋70ns×(1－0.6)＝34

イ 10ns×0.7＋70ns×(1－0.7)＝28

ウ 20ns × 0.7 ＋ 50ns×(1－0.7)＝29

エ 20ns × 0.8 ＋ 50ns×(1－0.8)＝26

解答 エ

❶ライトスルー(write through)方式

CPUが書込み命令を実行する際に、キャッシュメモリと主記憶装置の両方にデータを書き込む方式です。そのつど速度の遅い主記憶装置に書き込むため、読込み時にしかキャッシュの効果が出ません。

❷ライトバック(write back)方式

キャッシュメモリにだけデータを書き込んでおき、実際の主記憶装置への書込みは後で行う方式です。書込み時にもキャッシュの効果が出るため、一般にライトスルー方式よりもアクセス時間を短縮できます。

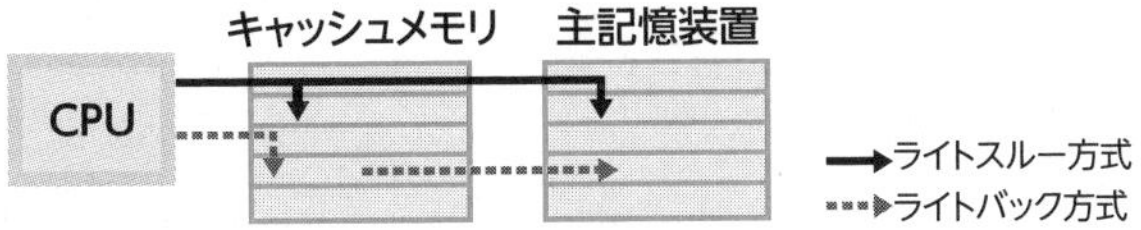

図表 04-3　キャッシュメモリからの書込み方式

連続で読み出すメモリインタリーブ

メモリインタリーブ(memory-interleave)は、連続した領域が読み書きされる場合が多いという性質(局所性という)を利用して、アクセス効率を向上させる方式です。主記憶装置を複数の**バンク**(2～32個)に分け、バンクごとに独立してアクセスできるようにバスを配置。さらに、バンクをまたがってアドレスを割り振っておきます。

下図の例では、0番地に読出し要求があった場合に、同時に連続した1～3番地のデータも読み出すよう指示が出されます。最初のバンクのデータへのアクセスが終わると、すぐに次のバンクのデータを転送できる状態になっているため、間を空けずにデータを転送することができます。

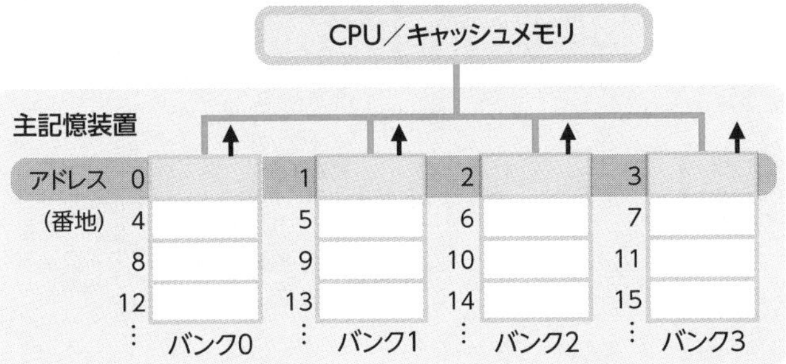

図表 04-4
メモリインタリーブ

出題分析

メモリインタリーブ

メモリインタリーブに関する記述のうち、適切なものはどれか。

ア 新しい情報をキャッシュメモリに取り出すとき、キャッシュ上では不要になった情報を主記憶に書き込む。

イ 主記憶と磁気ディスク間のアクセス時間のギャップを補う。

ウ 主記憶の更新と同時にキャッシュメモリの更新を行う。

エ 主記憶を幾つかの並列にアクセス可能な区画に分割し、連続したメモリへのアクセスを効率良く行う。

データの読み書き(アクセス)は、アドレスの順に行うことが多いため、並行して読み書きを行うと高速化できる。

解答 エ

05

コンピュータシステム

0001010
01100
0010
101
00

バスと入出力インタフェース

共同で使う伝送路「バス」

コンピュータ内部の各装置は、**バス**(bus)と呼ばれる共通の伝送路を介して接続されています。バスは、次のようにさまざまな種類があります。

●CPUを中心とした位置付けによる種類

❶内部バス(CPU内部バス)

CPU内部の装置(制御装置、演算装置、内蔵キャッシュなど)を接続します。

❷外部バス

主記憶装置や補助記憶装置などを接続します。また、汎用性のある拡張スロットの形をとり、拡張カード(インタフェースを備えた基板)を挿入して接続する形式のものを**拡張バス**と呼びます。

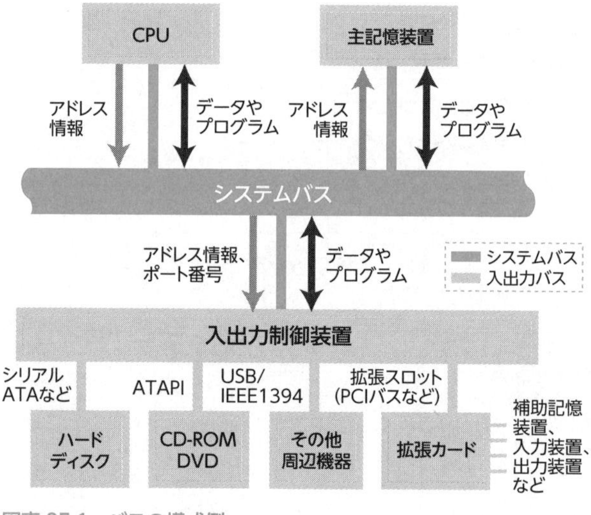

図表 05-1　バスの構成例

さらに詳しく

パソコンのバス制御

多くのパソコンでは、マザーボード上に2つのブリッジ(バス上の信号やデータを制御する装置)を持ち、高速なシステムバスを**ノースブリッジ**、低速な入出力バスを**サウスブリッジ**が担当する。なお、ノースブリッジには、**メモリバス**(主記憶用のメモリを接続する)、グラフィックスカードなどを接続する**パラレルバス**(AGP、PCI Expressなど)がある。一方のサウスブリッジには、**PCIバス**(周辺機器などを接続する汎用バス)、入出力装置用の**パラレルバス**(ATAPIなど)や**シリアルバス**(シリアルATA、USBなど)がある。

ココも出る！

バス容量と性能

バスの性能は、バス幅(同時に転送できるビット数)とクロック周波数＜☞p.125＞により決定される。

●やり取りする情報による種類

❶アドレスバス

CPUから、主記憶装置、補助記憶装置、入出力装置などに向けたアドレス情報をやり取りします。

❷コントロールバス(制御バス)

CPUからの制御情報をやり取りするためのバスです。

❸データバス

CPUのレジスタと各装置間でデータやプログラムのやり取りを行うためのバスです。

●接続する装置による種類

❶システムバス

CPU内部バスに対して、CPUから直接CPU外部へ出るバスです。主記憶装置や入出力制御装置が接続されますが、パソコンなどでは、専用の制御装置を介して、**メモリバス**に主記憶装置が接続されます<☞ p.134>。

❷入出力バス(I/Oバス)

入出力制御装置と入出力装置を接続するバス。システムバスに比べると低速です。

入出力インタフェースの規格

頻出

入出力インタフェース規格は、周辺装置を接続するための共通規格ですが、それぞれ複数のバージョンが存在し、接続できる機器の数や最大転送速度が異なります。

それぞれの規格における転送方式には、1本のケーブルで1ビットずつ送信する**シリアル転送**と、複数のケーブルでまとめて送信する(8ビットや16ビット単位など)**パラレル転送**の2種類があります。パラレル転送は、理論上高速ですが、コストが高く、太いケーブルの取り回しも困難でケーブル長も限られます。一方シリアル転送は安価でケーブルも長くできます。低速なのがネックでしたが、現在では改良されたシリアル転送の規格が一般利用では主流になっています。

❶USB (Universal Serial Bus)

キーボードやマウス、プリンターなどの接続に利用され

ココも出る！

DMA方式

DMA(Direct Memory Access)方式は、**DMA転送**を行うアクセスモード。CPUが直接主記憶装置や入出力装置へ指示を行わず、主記憶装置間や主記憶装置と入出力装置の間でやり取りを行う。これによりCPUの待ちや負荷を軽減し、データの高速転送が可能になる。CPUは**DMAコントローラ**(DMAC)に対する指示のみを行う。なお、CPUが直接指示する方式を**プログラム制御方式**(PIO：Programmed I/O)と呼ぶ。

チャネル制御方式

チャネルは、CPUの指示を受けて、独立して入出力装置の制御を行う装置。汎用コンピュータなどで利用される。**チャネル制御方式**はチャネルによる制御方式で、記憶装置と入出力装置間でやり取りを制御する。1つの装置の制御を行う**セレクタチャネル**、低速な入出力装置の制御を時分割により並行的に行う**マルチプレクサチャネル**がある。

ハブ(HUB)

集線装置のこと。ハブを介することで接続ポート数を増やせる。USB接続用のUSBハブ、イーサネットLANで使われるネットワーク用ハブ、IEEE 1394用のハブなどがある。

るシリアルインタフェース規格で、**バスパワー方式**<☞>や**ホットプラグ機能**<☞>にも対応しています。転送速度はUSB1.0では12 Mbps、USB2.0では480 Mbps。

- **USB 3.0**：全二重通信を行う高速シリアルインタフェース規格(USB 2.0までは半二重通信)。5Gビット／秒のデータ転送モードを持ち、スーパースピードUSBと呼ばれます。現在普及しているUSB 3.1 Gen 2では、転送速度10Gbpsを可能としています。
- **USBのコネクタ**：USBのコネクタ形状は種類が多く、形状も大きく異なります。試験で出題されるときは図版で示されるため、わかりにくいことがあります。

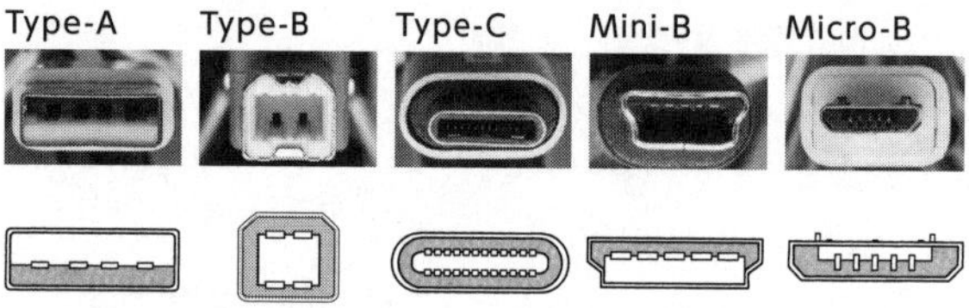

❷Thunderbolt(サンダーボルト)

ドライブやディスプレイなどの外付け周辺機器の接続に利用される高速シリアル伝送規格。Thunderbolt 3からUSB Type-Cと同じコネクタが採用され、Thunderbolt 4は、USB Type-C(USB4)と上位互換性があります。

❸HDMI(High-Definition Multimedia Interface)

パソコンとディスプレイとの接続に加え、オーディオやカメラ、AV機器などにも使われるデジタル接続規格です。1本のケーブルで映像と音声、制御用の信号を送受信でき、著作権保護技術にも対応しています。接続コネクタは、機器に応じてTypeA～Eが存在します。

❹シリアルATA(SATA)

従来からハードディスクの接続用に用いられていたATA(パラレル転送)を、より高速なシリアル伝送に置き換えた規格で、シリアルATA 3.0の転送性能は6Gbpsです。**eSATA**(External Serial ATA)は、シリアルATAの外付け用規格です。

ココも出る！

バスパワー方式

接続ケーブルによってパソコン本体から供給される電力を用いる方式を**バスパワー方式**と呼ぶ。ただし、ケーブルで供給できる電源容量には制限があるため、周辺装置の消費電力が大きい場合には、電力不足で装置が動作しないこともある。

プラグアンドプレイとホットプラグ機能

プラグアンドプレイは、装置を接続してパソコンを起動すると、自動的に認識され、デバイスドライバなどのインストールが行われる機能。さらに、パソコンの電源を入れたままコネクタの抜き差しが可能で、接続すれば直ちに使用可能になる機能を**ホットプラグ**という。

さらに詳しく

EIDE/ATA

PC/AT互換機のハードディスクの接続用インタフェースとして開発されたIDEを拡張したもので、最大4台まで接続(IDEは2台まで)できる。IDEは、後にANSI規格**ATA**(AT Attachment interface)になった。**ATAPI-4**は、CD/DVD-ROM装置などの周辺装置をサポートする規格。

❺DisplayPort(ディスプレイポート)

パソコンやAV機器とディスプレイ装置を接続するためのデジタル接続規格で、映像と音声をパケット化し、シリアル伝送を行います。HDMIと同様、1本のケーブルで映像と音声の入出力が可能なほか、著作権保護技術にも対応。コネクタは、標準のDisplayPortと左右幅の小さいMini DisplayPortが規格化されています。

無線通信のインタフェース規格

頻出

有線による接続に比べ、便利さや手軽さを感じられるのが無線接続です。IoTの普及もあり用途は増えていますが、それぞれの規格にはメリットとデメリットがあり、用途に応じて特徴を生かせる使い分けが必要です。

❶IrDA

1m程度の近距離赤外線通信規格。パソコンの周辺機器、携帯端末などとの無線通信を行うことができます。

❷Bluetooth(ブルートゥース)

2.4GHz帯の電波を利用した近距離無線通信の接続規格です。10m～数十mの接続範囲でのデータや音声の送受信に使われ、最大7台まで同時接続できます。普及率が高く、キーボードやワイヤレスマウス、携帯電話、音楽プレーヤーなどで幅広く利用されています。

❸Zigbee(ジグビー)

多数の機器(最大65,536ノード)との接続を行うセンサーネットワークでの利用を前提とした、2.4GHz帯の電波による近距離無線通信の規格です。Bluetoothに比べて転送距離が短く転送速度は低いものの、低消費電力で低コスト、また中継機能を持つという特徴があります。主な用途としては、IoTによる広範囲なネットワークの構築<☞p.517「IoTシステムと組込みシステム」>のほか、家庭での防犯システムや家電ネットワークなどがあります。

❹NFC (Near field radio communication)

電波によって近距離(10cm程度)での無線通信を行う接続規格で、通信機能と識別・認証機能を持っています。

ココも出る！

SCSI(スカジー)

SCSI(Small Computer System Interface)は、パラレルインタフェースの規格で、最大16台までの機器をデイジーチェーン接続できる。また、論理構造がバス型のため、接続機器の両端にターミネーターと呼ばれる終端抵抗が必要で、各装置を識別するID番号の設定も必要。

RS-232C

通信モデム用のインタフェース規格として普及し、プリンターなどを接続する標準規格となったシリアルインタフェース。

さらに詳しく

BLE

BLE(Bluetooth Low Energy)は、Bluetooth4.0規格の一部として追加された拡張規格。低消費電力を生かした用途を目的としたもので、通信距離は数m程度と短く、通信速度は低速である。ただ、ボタン電池で数年間稼働できることからIoT機器への利用が多く、スマートフォンや携帯用医療機器などにも使われている。

もともとは非接触型ICカードの接続規格として作られたもので、RFID(無線通信によってICタグとの情報交換を行う技術)を利用しています。日本では、NFCの規格の1つであるFelica(フェリカ)が普及しており、交通系のICカードや電子マネーカード、おさいふケータイ、IC運転免許証などで広く普及しています。

入出力装置の接続形態

入出力装置は、規格によって接続形態や接続台数が異なり、複数の接続形態を選べる装置もあります。

❶USB(スター接続、ツリー接続)

1台のUSBハブ<☞ p.135 ▦>を使ったスター接続では、最大127台の装置を接続できます。また、複数のハブを階層的に配置して、ツリー接続にすることもできます。ツリー接続では、ハブは5台(接続する装置を含めて6階層)まで接続可能で、このような階層的な接続方法をカスケード接続<☞ p.249 ▦>といいます。

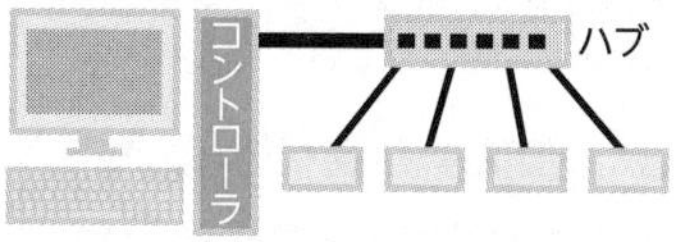

図表 05-2　スター接続

❷シリアルATA(ポイントツーポイント接続)

コントローラと装置を1対1で接続する形態です。装置の数だけ、接続ポート(接続口)が必要です。

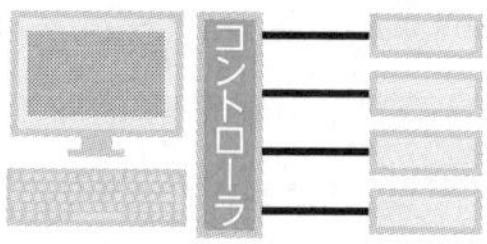

図表 05-3
ポイントツーポイント接続

❸Thunderbolt(デイジーチェーン接続、スター接続)

Thunderbolt4の場合、装置どうしを芋づる式に接続するデイジーチェーン接続で最大5台(転送距離2m)を接続できます。また、ハブを使うことでツリー接続も可能です。

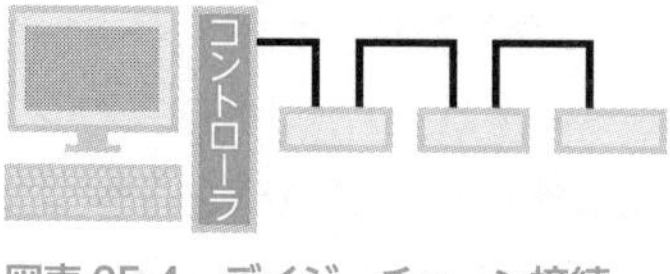

図表 05-4　デイジーチェーン接続

さらに詳しく

ICタグ(RFタグ)の方式

RFID技術によるICタグ(RFタグ)は、極小の集積回路とアンテナで構成され、電波による無線通信によって対象物の識別や位置確認を行うことができる。2つの方式があり、アクティブ方式は、電源を持ち、通信可能距離が長いのが特徴。一方、パッシブ方式は電源を持たない。読取り装置からの電磁波(電波方式)または磁界(電磁誘導方式)による電力で稼働する。

出題分析

RFIDの活用事例

RFIDの活用事例として、適切なものはどれか。

ア 紙に印刷されたデジタルコードをリーダーで読み取ることによる情報の入力

イ 携帯電話とヘッドフォンとの間の音声データ通信

ウ 赤外線を利用した近距離データ通信

エ 微小な無線チップによる人または物の識別および管理

RFIDは、RFタグやICカードなどに埋め込まれた情報を無線通信によって読み出す技術。商品タグ、交通機関のカード、個人の識別などで使用される。ア：バーコードリーダー、イ：Bluetooth、ウ：IrDA。

解答 エ

06

コンピュータシステム

入出力装置

コンピュータに情報を渡す ―入力装置

入力装置は、コンピュータにデータを取り込むための装置です。利用目的によってさまざまな種類があります。

❶キーボード

Windows用では、英語入力用の101キーボード、日本語入力用の106キーボード、Windowsキーなどを追加した109キーボードがあります。

❷ポインティングデバイス

装置を操作することで、画面に表示されたカーソルを動かし、画面上の特定位置を指し示す装置の総称です。

- マウス：一般的な光学式マウスでは、マウスから出る光の反射を読み取って座標移動の検知を行います。
- トラックボール：ボールを手のひらで回転させて位置情報を入力する装置。動かすスペースが不要です。
- タッチパネル（タッチスクリーン）：表示画面を指で触れることで位置情報の入力を行う装置。銀行ATM、スマートフォン、タブレットPCなどでよく使われています。
- デジタイザー（ペンタブレット）：平板の上で専用のペンやマウス状のカーソルを移動させることで、座標情報を入力する装置です。平板とカーソルの間に設計図面を置いて、厳密な位置情報をトレースする大型のものをデジタイザーと呼び、専用のスタイラスペンで図形やイラストを描く小型タイプをペンタブレットと呼んでいます。

❸図形・画像入力装置

- スキャナー：絵や写真などに光を当て、その反射の強弱を電気信号に変えて、イメージ情報（点の集まりの情報）として読み取る入力装置です。台の上に原稿を載せて読

ココも出る！

デバイスドライバ

接続された周辺装置を制御するためのソフトウェアで、OSに組み込まれる形で使われる。周辺装置ごとに専用のデバイスドライバがあり、例えば同じメーカーのプリンターでも、機種が異なればその機種用のドライバが必要。

さらに詳しく

タッチパネルの方式

主流の方式は、静電容量方式（導電性のある指先が近づくことで反応、スマートフォンなどに採用）、抵抗膜方式（指やペン先が触れたとき生じる電圧の変化を検知）、電磁誘導方式（センサーをパネルに組み込む方式で、左記のタブレットなどで使われ、専用ペンが必要）など。

ペンタブレットの例

み取るフラットベッドタイプが普及しています。

・**OCR（光学式文字読取装置）／OMR（光学式マーク読取装置）**：OCRは、手書きの文字を文字データとして読み取る装置で、装置のスキャナー部分で読み込んだ画像を、ソフト上で解析します。OMRは、鉛筆などで欄を塗りつぶしたマークシートを光学的に読み取る装置。試験の採点やアンケート集計などに使われています。

❹そのほかの入力装置

・**ICカード読取装置**：名刺大のカードに埋め込まれたICチップの情報を読み取る装置です。接触型のICカードは、銀行やクレジットカードなどで使われています。また、交通機関などで使われている非接触型ICカードや商店などで使われる**ICタグ**（RFタグ）は、無線通信によりICに記録したデータを管理します。この技術を**RFID**（Radio Frequency IDentification）<☞ p.137「NFC」>と呼んでいます。

・**磁気カード読取装置**：銀行やクレジットカードなどで利用されている**磁気ストライプカード**を読み取る装置です。これまでに普及しましたが、記憶容量が少ないため、接触型のICカードとの併用型の採用が進んでいます。

・**生体認証装置**：指紋や網膜、虹彩や声紋など、生体認識技術に基づいた入力装置です<☞ p.296>。

コンピュータから情報をもらう ― 出力装置

❶ディスプレイ装置

・**液晶ディスプレイ（LCD；Liquid Crystal Display）**：電圧をかけて液晶分子の並ぶ向きを変えることで、光の通過・遮断をコントロールして表示する方式です。発色がよく視野角が広い**TFT液晶**が一般に普及したため、従来型のSTN液晶はほとんど使われなくなりました。

・**有機EL（Electro Luminescence）ディスプレイ**：蛍光性化合物に電圧をかけて発光させる方式を採用しています。大型化は難しいものの視野角が広く薄型化が可能なことから、スマートフォンなどでよく使われています。

ココも出る！

バーコードリーダー

バーコードリーダーは、光学的にバーコードを読み取る装置。バーコードの規格として、日本では**JANコード**が使われている。そのほか物流統一コードの**ITFコード**、書籍用の**ISBNコード**などがある。また、小面積でより多量の情報を表示できる**2次元バーコード（QRコード）**もある<☞ p.569>。

プロジェクター

プロジェクターは、投影型のディスプレイ装置。投影するスクリーンとの距離によって、さまざまな拡大率の製品がある。

さらに詳しく

インタレースとノンインタレース

インタレースは、表示のための書き換え走査を2回に分けて行う方式。これにより、少ないデータ量で書き換えができる。動画には適しているが、静止画や文字表示ではちらつきを感じることがある。**ノンインタレース**は、1回の走査で画面全体を書き換える。

こちらも参照

DisplayPort
☞ p.137

❷プリンター／プロッター

印字方式や特徴により、さまざまな種類があります。

	印字方法	そのほかの特徴
ドットインパクトプリンター	字形を構成する細いピンの集合でインクリボンを叩いて印字。	カーボン用紙による複写印字が可能。
インクジェットプリンター	プリンターヘッドのノズルからインクを吹き付けて印字。	家庭用カラープリンターの主流。
ページ（レーザー）プリンター	1ページ分のイメージに従い、ドラム上にトナーを付着させて印字。	高品質で高速。
プロッター（X-Y プロッター）	CADなどで図形出力に使用される。	フラットベッド方式（ペンがX軸、Y軸上を移動）と、フリックションドライブ方式（ペンがX軸上を動き、紙がY軸方向へ動く）がある。
3Dプリンター	通常の2次元の画像に対し、3次元のオブジェクトを出力するプリンター。順に積層させることにより造形を行う。ホビー用の小型のものから、大がかりな設備が必要なものまで、さまざまなものがある。	液体樹脂を紫外線で硬化させながら積層する光造形方式、樹脂を押し出しながら積層する熱溶解積層方式、粉末素材をレーザーで結晶させる粉末焼結方式などがあり、強度や加工精度、速度などによって使い分ける。使用する素材は、各種の樹脂、金属など。

図表 06-1　プリンター／プロッターの種類と特徴

●画像データの容量計算

パソコンでは、ディスプレイに表示するためのデータ処理は、CPUの負荷を軽減するためビデオボード（またはビデオカード）が行います。画面表示の品質（解像度、色数）は、画面に表示するデータを一時的に蓄えておくVRAM（Video RAM）の容量によって決まります。

《画像データ量（必要なVRAM容量）を求める公式》

画像データ量
＝画像の総ドット数（横ドット×縦ドット）
×色情報〔バイト数〕

色数	ビット数
256色（2^{8}）	8ビット（1バイト）
65,536色（2^{16}）	16ビット（2バイト）
約1,677万色（2^{24}）	24ビット（3バイト）

図表 06-2　画像データの色数とビット数

ココも出る！

プリンターの分類

方式による分類として、インパクトプリンター（インクの付いた字形を紙に打ち付ける）とノンインパクトプリンター（インクやトナーを噴射して字形を作る）がある。印字単位による分類として、シリアルプリンター（1文字単位）、ラインプリンター（1行単位）、ページプリンター（ページ単位）がある。

さらに詳しく

画面解像度の規格

VGA（Video Graphics Array）は、IBM PC/AT互換パソコンの拡張グラフィックス規格で、640×480画素で16色の表示を基本とした。その後、解像度、表示色数ともに増え、SVGA（SuperVGA）では800×600画素で256色またはそれ以上のものを指し、XGA（Extended Graphics Array）は1024×768画素で65,536色をサポートする。現在では、これらの規格に限らず、より高解像度な仕様になっている。

補助記憶装置

補助記憶装置は、電源を切っても記憶が残る不揮発性の記憶装置で、主にデータやプログラムの保存に使われます。主記憶装置に比べて、読み書きの速度は遅いのですが、容量当たりの単価が安く大容量なのが特徴です。

用途によって必要な速度や容量、安定して保存できる期間や、可搬性(持ち運びの利便性)などの性能が異なるため、複数の装置を使い分けます。

磁気で読み書き ―ハードディスク装置

まずは、補助記憶装置の代表格である、ハードディスク装置(Hard Disk Drive：HDD、磁気ディスク装置)から説明していきます。

ハードディスク装置は、磁気ヘッドがディスク面を移動し、磁性体の磁性の向きを変えることでデータの読み書きを行います。ディスク面と磁気ヘッドは微小な間隔を保って浮いており、ディスク面やヘッドは摩耗しない仕組みです。また、ディスクは常に高速回転しています

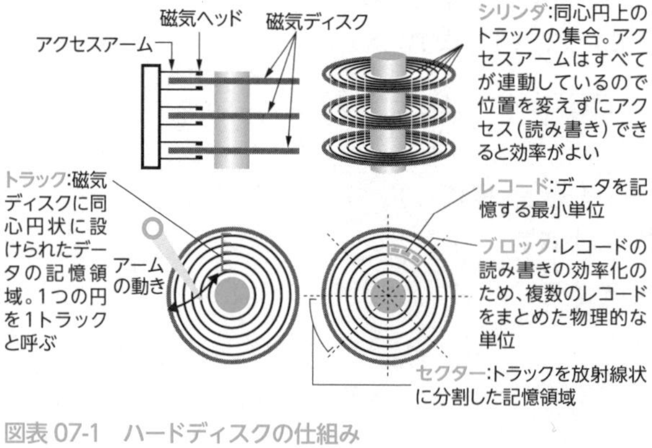

図表 07-1　ハードディスクの仕組み

ココも出る！

フラグメンテーションとデフラグ

フラグメンテーションは、ハードディスクを長期間使用する(書込みと消去を繰り返す)うちに、しだいに空き領域が分断され、ひとつながりのデータが飛び飛びの空き領域に保存されるようになった状態のこと。その結果、アクセス速度が落ちる原因になる。断片化ともいう。

デフラグメンテーション(デフラグ)は、フラグメンテーションを解消すること。小さな空き領域をつめてまとめたり、分断化された1つのデータを連続した領域に移す作業を行う。

ブロック化とブロック化因数

補助記憶装置への読み書きの際、複数レコード(論理レコード)をまとめたブロック(物理レコード)単位で行うことをブロック化という。これによりファイルのアクセス効率、記憶効率を高めることができる。このとき、いくつの論理レコードをまとめるかがブロック化因数(係数)である＜☞p.173「ブロッキングとデブロッキング」＞。

(5,000回転/分~10,000回転/分程度、回転/分の単位はrpm)。

磁気ディスクを題材とした計算問題

●容量を求める計算

容量を求めるときは、最も小さいセクター単位から、順に掛け合わせていきます。求める単位に注意しましょう。

《公式》 **磁気ディスク装置の記憶容量**
=1セクター当たりの記憶容量
×1トラック当たりのセクター数
×1シリンダ当たりのトラック数
×磁気ディスク全体のシリンダ数

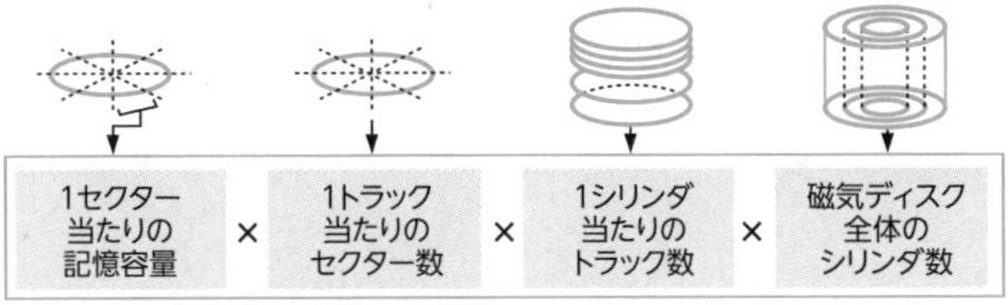

●アクセス時間を求める計算

アクセス時間(access time)とは、制御装置がデータの入出力に関する要求を出してから、データの転送が完了するまでの時間です。下図のように❶平均位置決め時間、❷平均回転待ち時間、❸データ転送時間の合計になります。ディスクは常に回転していることに注意しましょう。

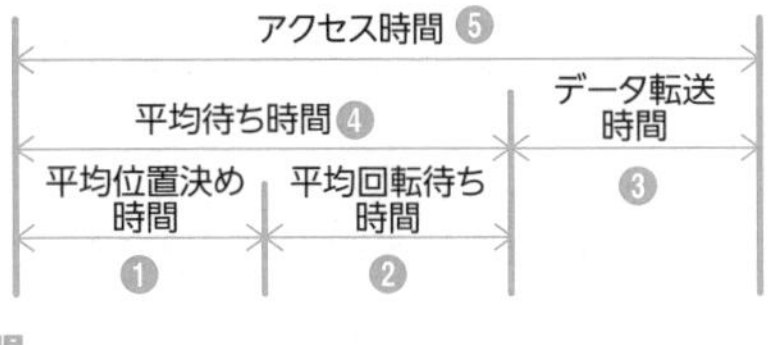

❶平均位置決め時間(シーク時間)

アクセスアームが動いて磁気ヘッドが目的のデータのあるトラック上に移動するまでの時間。

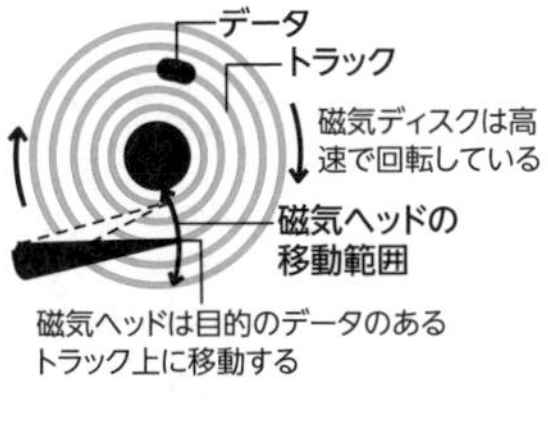

出題分析

記憶容量の計算

次の仕様の磁気ディスクがある。この磁気ディスクを、1トラックを20セクター、1セクターを1,024バイトでフォーマットすると、容量は何Mバイトとなるか。ここで、1kバイト=1,000バイト、1Mバイト=1,000kバイトとする。

シリンダ当たりのトラック数	23
シリンダ数	800

ア 330　**イ** 352
ウ 376　**エ** 394

①1トラック当たりの記憶容量を求める。
1,024バイト × 20セクター = 20,480バイト
②1シリンダ当たりの容量
20,480バイト×23トラック=471,040バイト
③装置の記憶容量
471,040バイト×800シリンダ
=376.832Mバイト

解答 ウ

アクセス時間の計算

次の仕様の磁気ディスク装置に、1セクター当たり500バイトのデータが記録されている。1セクターのデータを読み取るために必要なアクセス時間は何ミリ秒か。

回転速度	5,000回転/分
平均位置決め時間	20ミリ秒
トラック当たりのデータ容量	15,000バイト

(↘)

❷平均回転待ち時間（サーチ時間）

目的のデータが磁気ヘッドの真下に回転してくるまでの時間。なお、平均回転待ち時間は、1／2回転に要する時間。

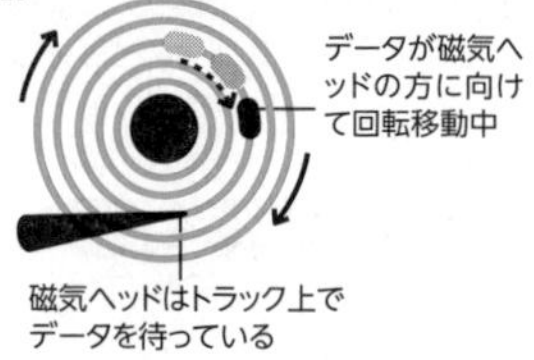

❸データ転送時間

目的のデータが磁気ヘッドの下を通り、データの読込みや書込みを行う時間。

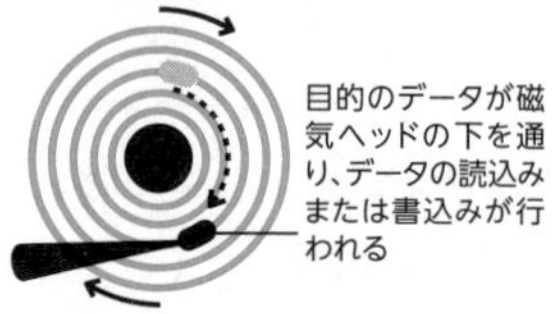

＝転送データ量÷データ転送速度

❹平均待ち時間

＝平均位置決め時間＋平均回転待ち時間

❺アクセス時間

＝平均位置決め時間＋平均回転待ち時間
＋データ転送時間

※データ転送速度
＝1トラック当たりのデータ量÷磁気ディスクが1回転する時間

（↘）

ア 7.3 **イ** 13.2
ウ 26.4 **エ** 52.4

①磁気ディスクが1回転する時間
(60×10³)ミリ秒÷5,000回転＝12ミリ秒
②平均回転待ち時間
12ミリ秒÷2＝6ミリ秒
③データ転送速度
15,000バイト÷12ミリ秒＝1,250バイト／ミリ秒
④データ転送時間
500バイト÷1,250バイト／ミリ秒＝0.4ミリ秒
⑤アクセス時間
20ミリ秒＋6ミリ秒＋0.4ミリ秒＝26.4ミリ秒

解答 ウ

レーザーで読み書き ―光ディスク

レーザー光を用いて、樹脂のディスクにデータを読み

図表 07-2
光ディスクの種類と特徴

CD-R	追記型	記録層にある有機色素にレーザー光を当てて色素を焦がすことでデータを書き込む。書き込んだデータは消去できないが追記ができる。	650～700Mバイト
CD-RW	書換え型	書込みと消去が可能。レーザー光で加熱する温度差によって、記録膜に結晶とアモルファス（非結晶）の2つの状態を作り出す相変化技術を使うことでデータを書き込む。	
DVD-R	追記型	CD-Rと同様にレーザー光を使い有機色素を変化させて書き込む。記憶面を二層にして容量を増やしたDVD-R DLもある。	4.7～8.5Gバイト
DVD-RW	書換え型	書込みには2通りの方式（DVD-R／WとDVD+R W）があり、互換性はない。書換え耐用回数は1,000回程度。記憶面を二層にして容量を増やしたものもある。	
BD-R/RE	追記型／書換え型	ブルーレイディスク。波長の短い青紫色レーザーを使用して読み書きを行う。他のメディアに比べて大容量。追記型のBD-Rと書換え型のBD-REがある。	25G（1層）/50G（2層）
BDXL	追記型／書換え型	ブルーレイディスクの拡張規格。1層／2層の規格を3層／4層として記憶容量を増やしている。対応するドライブは、上位互換。追記型のBD-R XLと書換え型のBD-RE XLがある。	100G（3層）/128G（4層）

書きする補助記憶装置を光ディスクといいます。

光ディスクには、あらかじめデータが書き込まれ新たな書込みや消去はできない読出し専用型(市販の音楽用CDや映画のDVDなど)や、追加の書込みのみ可能で消去はできない追記型、消去も書込みも可能な書換え型のものがあります。これらは、それぞれの種類ごとに規格があります。

そのほかの補助記憶装置・記憶媒体

●半導体による補助記憶装置

❶SSD(Solid State Drive:ソリッドステートドライブ)

フラッシュメモリを用いた補助記憶装置です。物理的な動作がないため、ハードディスクの代わりにすることでアクセス時間を大幅に短縮できます。また、省電力、静音性、熱を発生しにくいといった特徴もあります。

❷フラッシュメモリカード

デジタルカメラや携帯電話などの記録メディアとして普及している補助記憶装置で、フラッシュメモリを用いています。代表的なSDカード規格のほか、容量や転送速度の要求により、多くの規格や種類が生まれています。

- SDカード:最も馴染みのあるメモリカードで、サイズの違いで、SD、miniSD、microSDの3種類がある。また、ファイルシステム規格と最大容量の違いによって、SD(FAT12/16、最大2GB)、SDHC(FAT32、最大32GB)、SDXC(exFAT、最大2TB)、SDUC(exFAT、最大128TB)がある。

●磁気テープによる補助記憶装置

磁性体を塗ったテープ状の記録媒体および装置。テープを巻き取りながら記録するため、ランダムアクセスはできません。そのためバックアップ保存用の媒体としての用途が主で、大量データの保存に向いています。

- ストリーマ:磁気テープを用いたバックアップ用装置。
- DAT(Digital Audio Tape):デジタル記録を行う。

さらに詳しく

CD-Rの書込み方式

パケットライティング:CD-RW、DVD-RWなどでデータの書込みや消去を可能にするデータ管理・書込み方法。データはパケットという小さな単位で管理され、管理情報が付加される。

ディスクアットワンス:データを一度に書き込む方法。追記は不可。

トラックアットワンス:データをトラックと呼ばれる単位で書き込む方法。追記も可能。

リムーバブルメディア

固定的でなく、取り外しが可能な記録媒体の総称。具体的には、光ディスク、フラッシュメモリカード、磁気テープなどが該当する。

ココも出る!

ブロック間隔

磁気テープでは読み書きするたびに加速および減速動作があるため、一定のブロック間隔が必要になる。ただし、バックアップ用のストリーマでは、連続記憶が前提のため、この概念を持たない。

08

コンピュータシステム

システムの処理形態

集中処理は、まとめてやるか即やるか

集中処理とは、データや情報を1か所にまとめてホストコンピュータで処理するシステムの形態です。処理のタイミングによって、さらに2つに分類されます。

❶バッチ処理

データを一定期間蓄積しておき、一括して処理する形態です。給与計算や売上データの集計など、処理のタイミングが決まっている業務に適しています。

❷リアルタイム処理

データを即時(リアルタイム)に処理する形態です。高速道路の管制システム、交通機関の座席予約や銀行のATMなど、広い範囲で使用されています。

- **トランザクション処理(オンライントランザクション処理、OLTP)**：発生したデータを処理し、そのつど確定しながら進めていく形態<☞ p.225>。
- **対話型処理**：利用者とシステム側がやり取りしながら処理を進めていく形態。銀行ATMなどが該当する。
- **リアルタイム制御処理**：同時に発生するさまざまな外部事象を、限られた(要求された)時間内(通常ミリ秒単位)に処理するシステム。大規模な制御システムから、家電製品に組み込まれる制御システムまである。

分散処理は役割分担型

複数のコンピュータをネットワークで接続し、処理能力や資源を共有し合って効率の良い処理を実現する形態が**分散処理**です。同じ処理を分担して負荷を分散する(**ロードシェアリングシステム**)、機能や役割で分けて処理を

さらに詳しく

集中処理と分散処理

《集中処理の長所》
- データの一貫性を保てる。
- 故障時の対応が容易。
- セキュリティ確保が容易。
- ホストコンピュータの効率的な運用が可能。

《集中処理の短所》
- システムの大規模化により柔軟性低下。
- 開発、保守の負担大。
- 信頼性はホストに依存。

《分散処理の長所》
- 最適なハード、ソフトでシステム構築ができる(オープンシステム化)。
- システム機能や性能の拡張および増強が容易。
- 障害発生によるリスクが分散され、信頼性が向上する。

《分散処理の短所》
- 障害原因の特定が困難。
- セキュリティ確保が困難。
- 運用コストが高くなる。

RPC(遠隔手続呼出し)

RPC(Remote Procedure Call)は、ネットワークによって繋がれた他のコンピュータ上のプログラムを実行させる仕組み。CSSを含む分散処理実行の基盤となる。

行うクライアントサーバシステムなどの方法があり、さまざまなシステム構成をとります。

クライアントサーバシステム

頻出

クライアントサーバシステム(CSS；Client Server System)とは、サービスを提供する側(サーバ；server)と、サービスを要求する側(クライアント；client)とで役割を分担をする分散システムの形態です。また、サーバへの負荷を軽減するため、次の形をとることがあります。

❶3層クライアントサーバシステム(3層アーキテクチャ)

クライアントとサーバの中間に層を設け、3つの階層を用いて、効率的なシステムを実現する考え方です(対して一般形態を、2層クライアントサーバシステムと呼ぶ)。

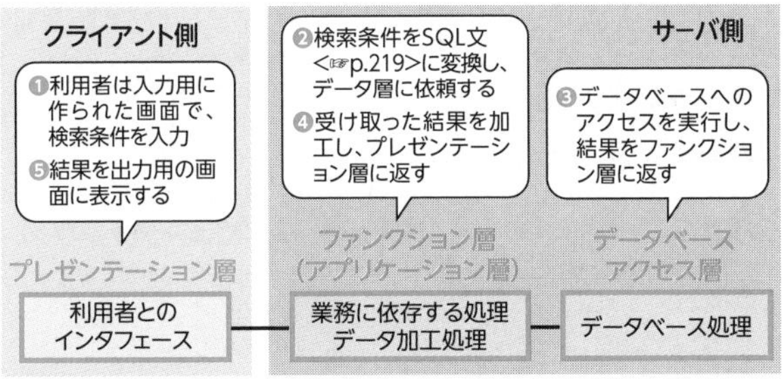

図表 08-1　3 層クライアントサーバシステム

❷ストアドプロシージャ

頻繁に使う命令群(SQL文<☞p.219>など)を、サーバ側に格納しておき、クライアントはそれら命令群の実行を指示する方式です。命令群はあらかじめ実行形式に変換してサーバに格納してあり、即時に実行できるため処理速度が向上します。また、クライアントは短い要求のみ送ればよいため、ネットワークの負荷も軽減されます。

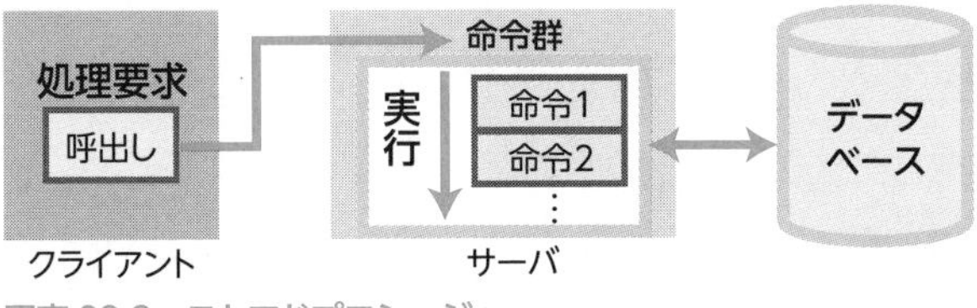

図表 08-2　ストアドプロシージャ

ココも出る！

クライアントサーバシステムの特徴

CSSは次の特徴を持つ。

- 同一処理を複数のサーバで分けることで、負荷を分散できる。
- 1台のサーバが、複数の機能を持つことも可能。
- サーバは別のサーバに処理を要求することができる。

ピアツーピア(P2P)

ピアツーピア(peer to peer：P2P)は、特定のサーバを置かず、上下関係を持たない接続形態。サーバに処理が集中しないメリットがある。単純に接続するピュア型のほか、検索用サーバを置くハイブリッド型、処理の高いノードが検索と管理を担うスーパーノード型がある。

シンクライアントシステム

端末側のコンピュータに表示や通信など最低限の機能のみを持たせ、実際の処理やデータの蓄積はサーバ側で行う形態。クライアント側にデータを残さないことで情報漏えいを防ぐことができる。

VDI(デスクトップ仮想化)

VDI(Virtual Desktop Infrastructure)は、デスクトップ環境をサーバの仮想環境に作り、端末から呼び出して利用する形態。ASPサービスのDaaS<☞p.468 図表02-1>を利用する方法もある。

09

コンピュータシステム

システム構成

役割で変わるシステム構成

頻出

システム構成は、役割によって大きく変わります。例えば、停止が許されないようなシステムでは、コストがかかっても構成装置を多重化して、信頼性を高めます。

❶デュアル(dual) システム

高い信頼性と安全性を求められるシステムに適用される形態です。通常時には2つの系列で同一データの処理を行い、その結果を一定時間ごとに(ミリ秒単位で)照合しながら処理を進めます。いずれかの系列に障害が発生した場合は、その系列を切り離して処理を続行します。

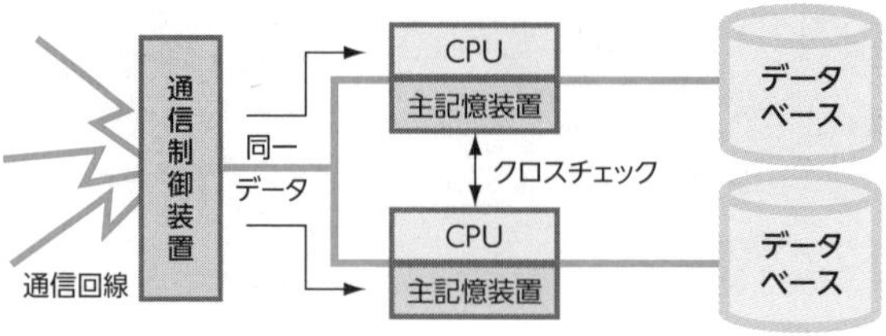

図表 09-1　デュアルシステム

❷デュプレックス(duplex) システム

待機冗長化方式とも呼ばれ、通常時は主系で主要業務を、従系でバッチ処理などリアルタイム性の低い業務を行います。主系に障害が発生した場合は、従系の処理を中断して従系を主系に切り換え、業務を続行します。

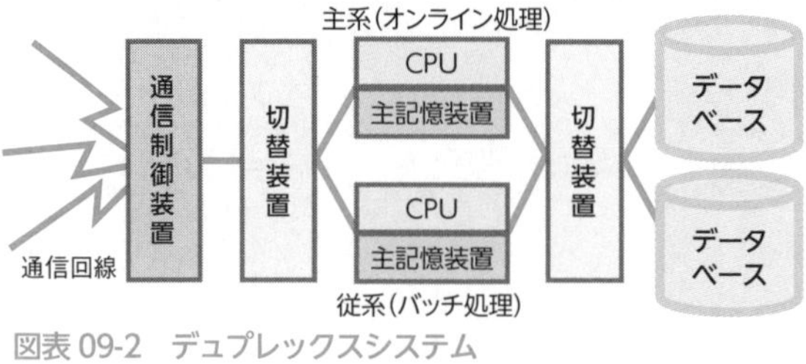

図表 09-2　デュプレックスシステム

ココも出る！

クラウドコンピューティング

インターネットを介して、アプリケーションやデータベース、ストレージ(保存領域)を利用する形態、またはサービス。場所や端末の種類を問わずにこれらを利用できる<☞ p.467 ASPサービス>。

グリッドコンピューティング

インターネットなどを介してコンピュータを結びつけ、高い処理能力を得る方法。コンピュータの仕様を問わず、誰もがオープンな形で利用できる。

VM(仮想マシン)

あるコンピュータ環境で、ソフトウェアなどによって作り出した、別のコンピュータ環境。これにより、別のコンピュータ環境用のソフトウェアなどを動作させることが可能になる。広い範囲を含んでおり、エミュレーター(他の環境を模倣するハードやソフト)やJava仮想マシン、IaaS<☞ p.468 図表02-1　クラウドサービスの形態>などもVMの1つ。

❸マルチプロセッサシステム

処理効率や負荷分散を考慮した構成です。

・密結合マルチプロセッサ(TCMP；Tightly Coupled Multiprocessor)：複数のCPUが主記憶装置を共有し、同期をとりながら処理を行います。

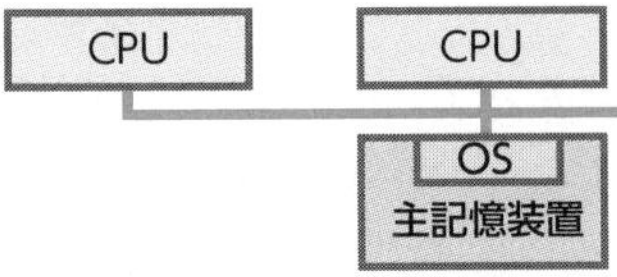

図表 09-3
密結合マルチプロセッサ

・疎結合マルチプロセッサ(LCMP；Loosely Coupled Multiprocessor)：独立した処理系を高速バスまたは通信リンクで結び、CPU間の通信を行います。

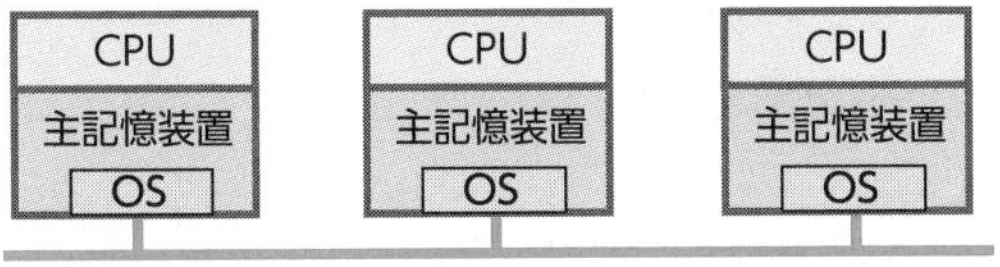

図表 09-4　疎結合マルチプロセッサ

❹クラスタコンピューティング

複数のコンピュータを接続し、単一のコンピュータとして使用する方式で、単にクラスタ(cluster)とも呼ばれます。処理能力と信頼性の両方を高められる形態です。

待機系（バックアップサイト）の運用形態

待機系は、現用系が稼働している場所に置く場合と、大規模な災害に備えて遠隔地に置く場合があります。後者をバックアップサイトと呼びます。

❶ホットサイト(ホットスタンバイ)

同一環境を、データの同期を行いながら稼働させておく形態で、障害発生時に即時に切り換えができます。

❷ウォームサイト(ウォームスタンバイ)

同一環境を非稼働状態で用意しておく形態です。障害発生時に短時間で切り換えができます。

❸コールドサイト(コールドスタンバイ)

障害の発生段階でバックアップデータを基にシステム起動と環境の構築を行います。最も時間がかかります。

ココも出る！

ハイパフォーマンスコンピューティング

流体力学や自然現象の解析など、計算量が多く高速演算が必要な処理をHPC(High Performance Computing)と呼ぶ。並列コンピューティングによって実現される。

Web型コンピューティング

3層クライアントサーバシステムを実現したCSSで、データベースアクセスやデータの加工など、すべての処理をサーバ側で行い、クライアント側は、汎用性のあるWebブラウザを利用して、データ要求の入力と情報の表示を行うシステムの形態。

負荷分散クラスタ構成

ネットワークで接続された複数のコンピュータで処理を分散させ、性能を向上する。Webサーバなどでは、ロードバランサ(負荷分散装置)を介して複数のサーバを接続する。

HA(High Availability)クラスタ構成

可用性の向上を目的としたクラスタ構成。現用系と複数の待機系によるホットスタンバイ構成をとる。障害時に待機系に引き継ぐアクティブ-スタンバイ構成と、複数の業務を担当する現用系を相互に待機系とするアクティブ-アクティブ構成がある。

速さ？信頼度？レベルで異なるRAID 頻出

RAID(Redundant Arrays of Inexpensive Disk)は、ハードディスクを複数台用いて、高速または信頼性の高いディスク装置を実現する技術です。

❶RAID0　ストライピング(striping；分散格納)

データをブロック単位に分割し、複数のハードディスクへ並列に書き込みます。大容量化と高速化は図れますが、RAIDを構成する1台が壊れるとすべてのデータが読み出せなくなるため、信頼性は低くなります。

❷RAID1　ミラーリング(mirroring；二重化)

2つのハードディスクにまったく同じファイルを書き込みます。片方のハードディスクが故障しても他方に完全な情報が残っているので信頼度が高くなりますが、データ量は全物理ディスク容量の1／2しか使えません。

❸RAID10

ストライピングを行うRAID0を複数用意して、ミラーリングを行うもので、RAID0に信頼性の要素を加える考え方です。最低でも4台を組み合わせる必要があります。

❹RAID2～4

データをビット(RAID2、3)またはブロック単位(RAID4)に分け、ストライピングを行います。同時に、データ修復用情報(方式は下表参照)を生成し、別のディスクに書き込みます。これにより1つのディスクが壊れても修復情報を使って修復することが可能です。

<table>
<tr><th></th><th>ストライピング単位</th><th>修復用情報</th><th>冗長ディスク構成</th></tr>
<tr><td>RAID2</td><td rowspan="2">ビット</td><td>ハミング符号</td><td rowspan="3">固定</td></tr>
<tr><td>RAID3</td><td rowspan="3">パリティ</td></tr>
<tr><td>RAID4</td><td rowspan="2">ブロック</td></tr>
<tr><td>RAID5</td><td>分散</td></tr>
</table>

図表 09-5　RAIDによる違い

❺RAID5

ブロック単位に分割されたデータを複数の物理ディスクに分散させて記録し(ストライピング)、さらに冗長情報であるパリティを分散記録します。RAID4に比べてパリティ用ディスクへのアクセス集中が避けられるため、高速性に加え、信頼性が高くなります。

ココも出る！

エッジコンピューティング

利用者やデバイスが多数存在する場所の近く(エッジ)に演算処理用のコンピュータを置き、前処理を行う方法。これにより、アプリケーションやネットワークの負荷軽減を図る。即時性が求められるIoTの主要な技術でもある。

フォールトトレランス

フォールトトレランス(fault tolerance)は、耐故障技術とも呼ばれ、デュプレックスシステムやデュアルシステムのように、システムを構成する装置を多重化(冗長化)することで信頼性を高める方法。障害による被害を最小限に抑えることができる。

フォールトアボイダンス

フォールトアボイダンス(fault avoidance)は、システムや構成部品の信頼性を高め、故障をゼロにする技術。実際には、無故障にするのは難しく、多大な費用がかかるため、コストに見合う効果があることが前提になる。フォールトトレランスと組み合わせて運用するのが一般的。

フォールトマスキング

フォールトマスキング(fault masking)は、システムの障害が発生したとき、その影響が外部に出ないようにする考え方。自動訂正や自動回復、冗長化によるカバー、システムの自動復旧などがある。

5台のディスクを用いてRAID5を構成した場合、いずれか4台に分散してデータブロックが記録され(ストライピング)、残り1台にパリティブロックが書き込まれます。5台のディスクのうち、いずれか1台が故障しても、残り4台の内容から完全な情報を復元できます。

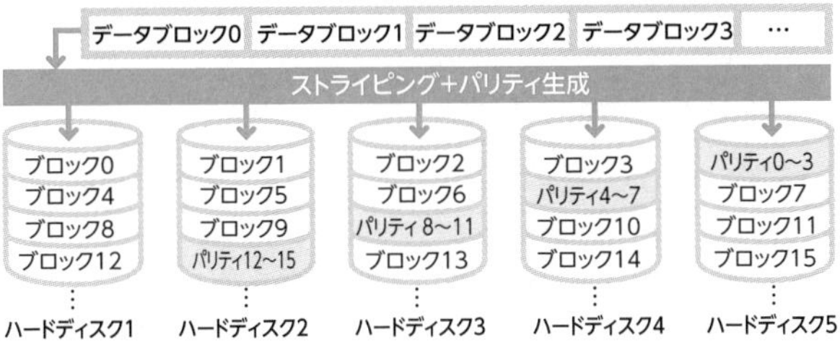

図表 09-6　RAID5 の構成

RAID5の実データ容量
=ディスク数Nの(N−1)/N台分

❻RAID6

異なるパリティを同時に記録することで、同時に2台故障しても復旧できます。4台以上の構成が必要で、パリティ用として常に2台分の容量がとられます。

「安全」を生み出す信頼性設計

頻出

故障や人為的な操作ミスは、避けて通ることができないため、できるだけ影響を抑える考え方が重要です。

❶フェールセーフ(fail safe)

システムが誤動作したとき、常に安全側にシステムを制御し、誤動作による影響範囲を最小限にとどめるように制御する考え方や方策。

❷フェールソフト(fail soft)

障害が発生したとき、性能の低下はやむを得ないとしても、システム全体を停止させず、機能を維持させようとする考え方や方策。

❸フールプルーフ(fool-proof)

意図しない使われ方をしても、システムとして誤動作をしないように設計すること。

こちらも参照

パリティチェック

☞p.66「誤り検出と誤り訂正」

ハミング符号

☞p.66 <　>

ココも出る!

NASとSAN

ネットワーク経由で利用するストレージ(補助記憶装置)。NAS(Network Attached Storage)は、複数の端末で共有するファイルサーバの形をとる。ファイル単位でアクセスを行うため、要求が増えると速度低下しやすい。

SAN(Storage Area Network)は、ストレージどうしでネットワークシステムを構築する形。ブロック単位のアクセスにより、専用のハードディスクのようにふるまう。一般にNASに比べて高速。

さらに詳しく

信頼性設計の例

《フェールセーフ》
→安全なほうへ停止

例えば信号機が故障した場合には、赤信号の状態へ制御、列車運行システムの故障時には、走行中の列車をゆっくり停止させるといった処理を行う。

《フェールソフト》
→なんとしても稼働

病院の管理システムや銀行オンラインシステムなど、処理性能が低下しても止めずに維持する。

10

コンピュータシステム

システムの性能指標

システムの性能を計る目安とは？ 頻出

円滑に稼働するシステムを構築するには、そのシステムに求められる性能を、正確に把握することが重要です。性能を表す指標には、さまざまな値が使われています。

❶レスポンスタイム(response time)

コンピュータシステムに対して問合せ、または要求の終わりを指示してから、端末に最初の処理結果のメッセージが出始めるまでの時間を意味します。即時に結果が求められるリアルタイム処理で用いられる概念です。

❷ターンアラウンドタイム(turnaround time)

処理要求が発生してから、完全に処理結果の出力が終了するまでの時間。月次の給与計算など、一括して処理を行うバッチ処理で用いられる概念です。

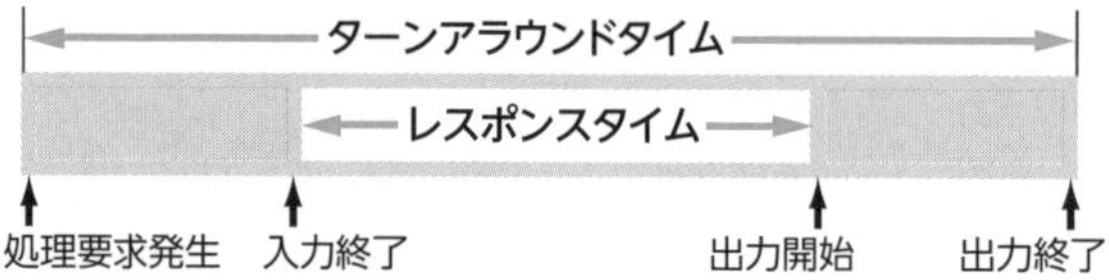

図表 10-1　レスポンスタイムとターンアラウンドタイムの違い

❸スループット(throughput)

単位時間あたりに、システムが処理できる仕事量で、処理能力を評価するための指標になります。バッチ処理<☞p.146>の場合はジョブ数、オンライントランザクション処理<☞p.146>ではトランザクション数などを目安にします。

❹ベンチマークテスト

システムを評価するテスト用プログラムを実行して、処理にかかった時間を測定します。

・TPC：オンライントランザクション処理の性能評価を行

ココも出る！

命令ミックス

コンピュータ本体の処理性能を測定する尺度で、各命令の実行時間と使用頻度に応じた重みによって算出した、平均命令実行時間。重み付けの違いで、事務処理用のコマーシャルミックスと、科学技術計算用のギブソンミックスがある。

スケールアップ／スケールアウト

ともにシステムの利用の増大や負荷に対する対応方法の考え方。スケールアップは、個々のコンピュータの能力を上げることで負荷をまかなう。スケールアウトは、コンピュータの台数を増やして負荷分散することで能力を上げて対応する。

プロビジョニング

将来的なシステム利用予測に基づいて、あらかじめ必要となるシステム利用環境を準備しておくこと。広い範囲で使われる言葉で、通信環境、サービス環境、障害時の緊急対策などを含む。

2 コンピュータシステム

うための、標準的なベンチマーク。業務別に、A～Dの４種類があります。

TPC-A	基本性能評価用
TPC-B	データベース評価用
TPC-C	業務処理評価用
TPC-D	意思決定支援システム評価用

・SPEC：整数演算を中心に評価するSPEC-intと、浮動小数点演算を中心に評価するSPEC-fpがあります。

❺モニタリング

測定用のハードウェアを組み込む評価方法をハードウェアモニタリング、測定用のソフトウェア（プログラム）を組み込むものをソフトウェアモニタリングと呼びます。ソフトウェアモニタリングでは、測定用のソフトウェア自身がシステム資源を使用している点に注意が必要です。

キャパシティプランニング

キャパシティプランニング（capacity planning）とは、システム構築や改変の際に、求められる要件に応じたシステム構成を計画することです。必要な性能（処理速度・ストレージ容量・通信量、最大負荷など）、端末数や利用者数の増加および機能拡張に伴う将来的な負荷の増大、費用面などを考慮しながら、増設や再配置を検討していきます。

❶最適な機種の選定と設備の決定（サイジング）

・利用者の要求水準を達成する性能を持つ機種の選定

・使用量と時間、最大負荷を考えた容量や台数の決定

❷経済性と拡張性への配慮

・将来のデータ量を考えた、拡張性を持つ機能選択

・資源の共有を考慮し、経済性を考えたシステムの構築

❸利用者へのサービス向上

・ヒューマンインタフェースの検討

・待ち時間を作らないシステム性能の決定

システムの経済性

システムは機能や性能だけでなく、その経済性も重要な評価対象です。大きく次のようなコストがかかります。

・初期コスト…導入に関わる費用。イニシャルコスト。

・運用コスト…運用に関わる費用。保守・改修分を含む。

ココも出る！

TCO

TCO（Total Cost of Ownership）は、情報化コストに関する評価方法の1つ。情報システムの導入、構築費用だけでなく、導入後の運用管理や利用者教育のコストなどを含めた費用で考える。

直接コスト／間接コスト

運用コストにおいて、システムの運用を維持するためのコスト。直接コストは、リース代、消耗品、電気代、保守費用など。一方、間接コストはシステム維持管理に関する社内人件費や教育・サポート費用などでつかみにくい。

IaC

IaC（Infrastructure as Code）は、システムの構成や利用環境の設定をコード化したもの。これにより、手動作業によるミスやイレギュラーな設定を防ぎ、環境の管理やプロビジョニング（p.152）が容易になる。

こちらも参照

待ち行列理論

トランザクション処理などの性能を検討する際に役立つ理論。

☞p.58「待ち行列理論」

11

コンピュータシステム

システムの信頼性指標

信頼性を表す5つの言葉「RASIS」

RASISは、コンピュータシステムの信頼性を表す指標となる、5つの単語の頭文字を組み合わせたものです。

R (Reliability)	信頼性	システムの故障のしにくさを示す。指標には、MTBF（平均故障間隔）を用いる。
A (Availability)	可用性	システムが使用できる可能性、つまりシステム機能を維持している時間の割合、確率を示す。指標には稼働率を用いる。
S (Serviceability)	保守性	システムの保守のしやすさを示す。指標には、MTTR（平均修理時間）を用いる。
I (Integrity)	完全性	システムを複数の利用者が使用するときの不都合の起こりにくさを示す。
S (Security)	機密性	システムの働きを損ねる犯罪や災害に対する強さを示す。

稼働率計算に使うMTBFとMTTR 頻出

RASISを具体的に示す値として、稼働率に関するいくつかの指標が用いられています。

システムの状態を大きく2つに分けると、正常に動作している稼働状態か、故障して停止状態のどちらかです。稼働状態をより長く保つ（稼働率を上げる）ことが、信頼性の向上につながります。

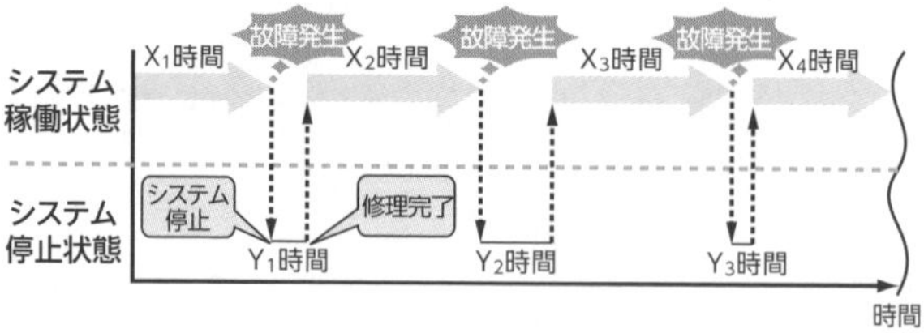

図表 11-1　システムの状態

ココも出る！

故障率

MTBFの逆数（1÷MTBF）を故障率と呼び、「単位時間当たりに故障する確率、あるいは故障する回数」を表す。なお、（1－故障率）は信頼度と呼ばれる。

さらに詳しく

複数の装置で構成される場合のMTBF

複数の装置で構成されるシステムのMTBFは、「装置がすべて動作しないと、システム全体が稼働しない」ことを前提に、次の式で計算できる。

$$\frac{1}{\text{全体のMTBF}} = \Sigma \frac{1}{\text{各構成要素のMTBF}}$$

例えば、システムを構成する3つの装置のMTBFがそれぞれ6,000時間、3,000時間、2,000時間だとすると、MTBFは次式で求められる。

$$\frac{1}{6{,}000} + \frac{1}{3{,}000} + \frac{1}{2{,}000} = \frac{6}{6{,}000} = \frac{1}{1{,}000}$$

計算結果から、このシステム全体のMTBFは、1,000時間となる。

❶MTBF（Mean Time Between Failures；平均故障間隔）

信頼性を表す尺度として用いられるのがMTBF（平均故障間隔）です。MTBFは、稼働と故障による停止が繰り返されるうちの稼働時間の平均で、値が大きいほど信頼性が高くなります。そのためには故障の発生自体を防ぐことが必要で、これには品質の高い部品でシステムを構成すること、部品の定期点検や交換の実施が効果的です。システムが連続して正常に動作している時間をX_1, X_2, X_3, … X_mとすると、次のように計算できます。

$$\text{MTBF} = \frac{X_1 + X_2 + X_3 + X_4 + \cdots + X_m}{m}$$

❷MTTR（Mean Time To Repair；平均修理時間）

MTTRは保守性を表す尺度で、故障が発生して不稼働になってから、修理が完了して稼働するまでの平均時間（修理時間の平均値）です。値が小さいほど保守が容易で、これにはできるだけ早く故障箇所を特定して修理または交換することが必要です。修理に要した時間をY_1, Y_2, Y_3, … Y_nとすると、次のように計算できます。

$$\text{MTTR} = \frac{Y_1 + Y_2 + Y_3 + \cdots + Y_n}{n}$$

❸稼働率

稼働率はある時点でシステムが稼働している確率（稼働率≦1）で、可用性の尺度となります。式中の分母「MTBF＋MTTR」は、対象となる全期間の合計時間です。

$$\text{稼働率(A)} = \frac{\text{MTBF}}{\text{MTBF} + \text{MTTR}}$$

複合システムの稼働率の計算

頻出

❶直列システムの稼働率

装置やサブシステムが直列に接続されたシステムでは、1つでも構成要素が故障すると、システム全体が停止してしまいます。次図のような直列システムの稼働率は、

出題分析

稼働率の計算

ある装置の10か月間における各月の稼働時間と修理時間は表のとおりである。この装置の稼働率はいくらか。ここで、各月の故障回数は1回ずつであったとする。

月	稼働時間	修理時間
1	100	1
2	200	1
3	100	2
4	100	2
5	200	2
6	200	1
7	200	1
8	100	1
9	100	2
10	200	2

①MTBFを求める。

(100 ＋ 200 ＋ 100 ＋ 100 ＋ 200 ＋ 200 ＋ 200 ＋ 100 ＋ 100 ＋ 200)÷10＝150時間

②MTTRを求める。

(1＋1＋2＋2＋2＋1＋1＋1＋2＋2)÷10＝1.5時間

③稼働率を求める。

$$\frac{150}{(150+1.5)} = 0.990\cdots\cdots$$

各装置の稼働率の積で求めることができます。

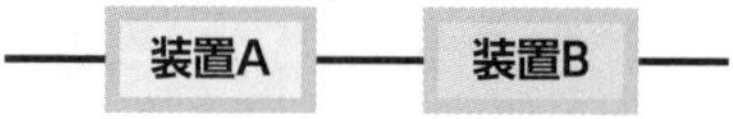

《公式》　直列システムの稼働率

装置Aの稼働率 × 装置Bの稼働率

❷並列システムの稼働率

1台でも正常に動作していれば、システムは稼働していると考えます。そのため、1から「全装置が同時に故障している確率」を引く式で計算します。また、装置が故障している確率は「1－装置の稼働率」で求められます。

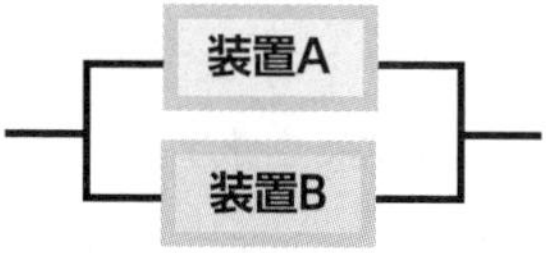

《公式》　並列システムの稼働率

1－(1－装置Aの稼働率)×(1－装置Bの稼働率)

装置Aが稼働していない確率　装置Bが稼働していない確率

装置A、Bともに稼働していない確率

❸直並列システムの稼働率

基本的には、並列の部分と直列の部分を分けて、計算を行います。

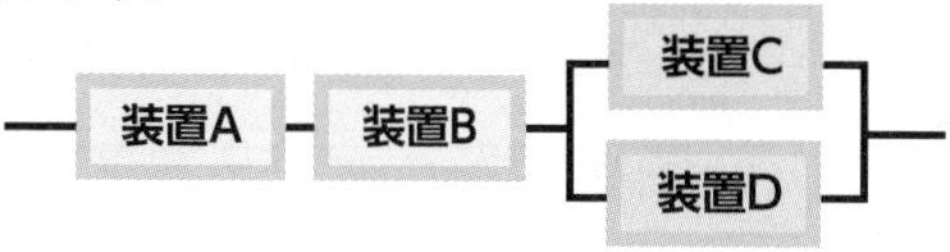

《公式》　複合システムの稼働率

装置Aの稼働率×装置Bの稼働率
×{1－(1－装置Cの稼働率)×(1－装置Dの稼働率)}

❹2 out of 3系システム

並列に接続された3台の装置のうち、2台以上が正常に動作していればシステム全体が正常に動作していると見なすシステムです。例えば、3台の装置の稼働率がいずれもaであるとき、システム全体の稼働率は次の式で計算できます。

出題分析

直並列システムの稼働率

東京～福岡を結ぶネットワークシステムがある。このシステムの信頼性を向上させるために、東京～大阪～福岡を結ぶ回線を追加した。新しいネットワークシステムの稼働率はどれか。ここで、回線の稼働率は東京～福岡、東京～大阪、大阪～福岡とも0.9とする。

ア　0.729　**イ**　0.81
ウ　0.981　**エ**　0.999

東京～福岡を結ぶネットワークシステムを整理して図で表現すると、次のようになる。

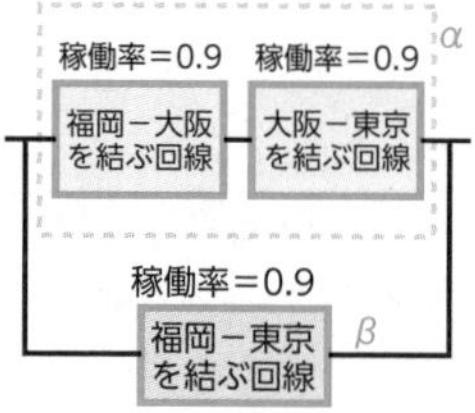

図の点線部分α(福岡～大阪、大阪～東京)は直列型であるから、この部分の稼働率は、

0.9×0.9＝0.81

となる。また、α部分とβ部分は並列型であるから、システム全体の稼働率は、

1－(1－0.81)
×(1 － 0.9)＝ 0.981

と求められる。

解答 ウ

1－(3台が同時に故障している確率)
－(3台のうち2台が同時に故障している確率)

3個中2個の組合せ→ $_3C_2$　2台が故障中の確率

$$=1 - (1-a)^3 - 3 \times a(1-a)^2$$

1台が稼働中の確率

$$=3a^2-2a^3$$

保守管理の目安になる「バスタブ」曲線

システムの信頼性を確保するためには、稼働時期に応じた保守管理が必要になります。**バスタブ曲線**は、ハードウェアライフサイクルによるシステム故障率の推移を表したもので、バスタブのような形の曲線を描くことから付けられた名前です。

このような指標により、保守の時期や維持管理のためのコストのかけ方などを検討していきます。

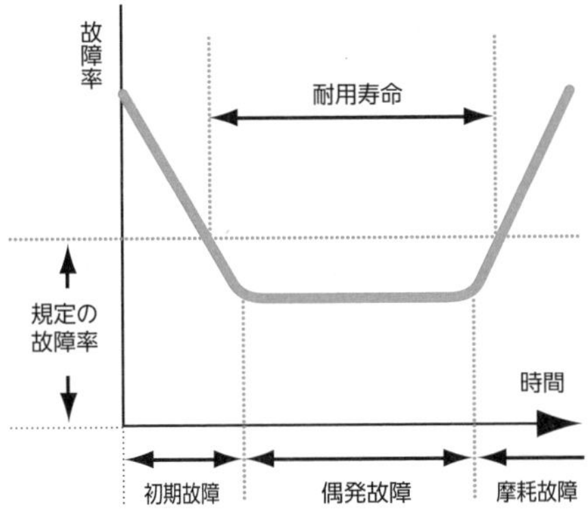

初期故障	設計や製造工程での不具合、ソフトウェアや利用環境との不適合などが原因の故障。交換や調整などで次第に減っていく。
偶発故障	安定した稼働状況になり、偶発的な故障だけが発生する。
摩耗故障	部品の経年変化や摩耗による故障、利用環境に合わなくなるなどの要因による故障。さらに故障が増え続け、最後は修理や保守に多大な費用がかかるようになる場合には廃棄される。

図表 11-2　バスタブ曲線

出題分析

システムのライフサイクル

コンピュータシステムのライフサイクルを故障の面から、初期故障期間、偶発故障期間、摩耗故障期間の3つの期間に分類するとき、初期故障期間の対策に関する記述として、最も適切なものはどれか。

ア 時間計画保全や状態監視保全を実施する。

イ システムを構成するアイテムの累積動作時間によって経時保全を行う。

ウ 設計や製造のミスを減らすために、設計審査や故障解析を強化する。

エ 部品などの事前取換えを実施する。

初期故障期間は、システム導入直後から発生する故障。稼働が安定してくると故障が減ってくる。アは偶発故障期間の対策。イとエは、摩耗故障期間の対策である。

解答 ウ

12

コンピュータシステム

オペレーティングシステムの種類と特徴

このソフトなしでは動かない！「オペレーティングシステム」

オペレーティングシステム(Operating System：以下OS)は、応用ソフトウェアやミドルウェアと、ハードウェアとの間のシステムソフトウェア(system software)に位置付けられます。プログラム実行の管理や、ハードウェアの制御を行うとともに、効率的(効果的)にシステムを活用するための機能を、利用者や応用ソフトウェアに提供します。

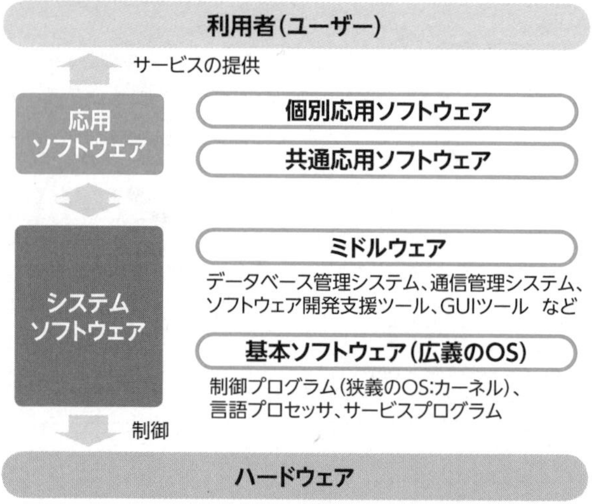

図表 12-1　ソフトウェアの位置付け

コンピュータによって異なるOSの種類

OSの概念はコンピュータの種類によらず共通していますが、OSに求められる要素は異なってきます。

さらに詳しく

応用ソフトウェア

応用ソフトウェアは、アプリケーションソフトウェア(application software)やアプリとも呼ばれ、利用者がコンピュータを用いて業務処理や問題解決を行うために利用する。個別開発ソフト(業務用ソフト)、市販パッケージソフト(表計算ソフト、グループウェアなど)がある。

ココも出る！

セキュアOS

OSが攻撃を受けた際の影響を抑えるOSの考え方。基本機能として、強制アクセス制御(ファイルへのアクセス制御に関する管理者権限をなくす)と最小特権(プロセスの権限を細分化し、必要最小限にする)がある。

こちらも参照

オープンOS

☞p.185「OSSの種類」

言語プロセッサ

☞p.181「ソフトウェア作成ツール ―言語プロセッサ」

❶汎用機用のOS

汎用コンピュータ(メインフレーム)は、企業の基幹業務で利用される大型のコンピュータで、バッチ(一括)処理、オンライントランザクション処理、リアルタイム(実時間)処理など、多くの処理形態に対応します。

例えば、売上管理や在庫管理などの業務で利用されている場合は、重要な商取引データを大量に取り扱う能力が要求されます。また、予約業務などをオンライントランザクション処理(データが発生したら即時に処理して結果を返す方式)で行っている場合は、問合せや更新の即時性と高い信頼性、安全性の確保が必要です。

❷ワークステーションのOS

ワークステーション(workstation ; WS)は、汎用コンピュータとパソコンの中間に位置し、プログラム開発や技術計算、CADなどの分野で使用されています。

ワークステーション用の標準OSは、UNIX(ユニックス)で、ソフトウェア開発用のツールとネットワーク機能を標準で備えています。OSの構造が比較的シンプルで移植性が高く、多くのメーカーで採用されています。

❸パソコンのOS

一般利用者が使用するパソコン用OSには、GUI(Graphical User Interface)を用いた操作性のよいヒューマンインタフェースが求められます。マルチメディア機能、ネットワーク機能なども持つようになっています。

制御をつかさどるシステムソフトウェア

システムソフトウェアは、基本ソフトウェアとミドルウェアに分けられます。前者は、一般にOS(オペレーティングシステム)と呼ばれ、さらにハードウェア資源の状態を常に監視して効率的な利用を実現する制御プログラム(狭義のOS)と、ソフトウェアの作成や運用を容易にするための各種サービスを提供するサービスプログラムや言語プロセッサ<☞ p.181>などで構成されています。

制御プログラムは、さまざまな管理機能を備えていま

ココも出る!

カーネル

カーネルとは、OSの核に当たる制御プログラムのこと。カーネルに必要な機能のみ残し、そのほかはカーネル外のモジュールとして独立させる考えをマイクロカーネル、逆に機能を充実させる考え方をモノリシックカーネルという。

動作モード

OSがコンピュータを制御するとき、各種の制限を設けるための動作環境のレベル分け。カーネルモード(スーパーバイザーモード)は、OSの監視プログラムが動作する環境で、コンピュータの資源を効率的に割り当てるため、入出力装置とのやり取りを含むすべての操作が許される。一方のユーザーモードは、アプリケーションが動作する環境で、割り当てられたメモリ環境以外のアドレス操作などが制限される。これにより、個々のアプリケーションにより、OSの動作が支障を受けることなく実行できる。

UNIXのコマンド

- リダイレクト:入出力装置を切り換える。
- パイプ:プロセスの標準出力を別プロセスの標準入力に割り当てる。
- バックグラウンドジョブ:バックグラウンドでコマンドを実行する。
- ブレース展開:{}で囲まれた文字列を展開する機能。記述を省略できる。

すが、なかでもタスク管理や記憶(メモリ)管理などのOSの基本機能を実現する部分を指して、**カーネル**(kernel＝核心の意味)<☞p.159>と呼ぶことがあります。

OSは大きく8つの管理機能を果たす

OSはソフトウェアに分類され、目的には次のようなものがあります。ただし、利用者と接するのは、デスクトップにおけるGUI部分などの一部です。そのほかの役割として、大きく8つの機能によって実現されています。

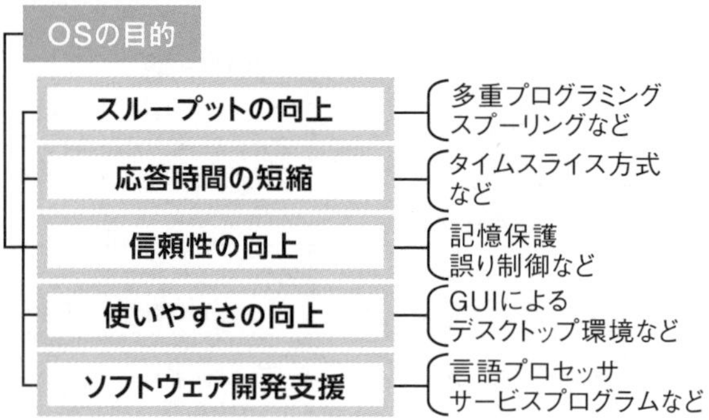

図表 12-2　OS の目的

●OSが行う管理

❶ジョブ管理…仕事の単位を連続実行。<☞p.163>

❷タスク管理…CPUの有効活用。<☞p.164、p.165>

❸データ管理…装置を意識しないデータの扱い。<☞p.172>

❹入出力管理…入出力装置や入出力の制御。<☞p.172>

❺記憶管理…主記憶装置を効率よく活用。<☞p.168>

❻通信管理…回線制御、伝送制御手順や通信規約（プロトコル）の取り決め、端末制御などを行います。

(1)**ネットワーク制御**：ネットワーク関連の管理を行います。メディアアクセス制御<☞p.242>、OSI基本参照モデル、TCP/IPによるプロトコル制御<☞p.252>などです。

(2)**セキュリティ制御**：暗号化<☞p.287>、マルウェア対策<☞p.306>、ファイアウォール<☞p.314>などを行います。

・**ロギング（logging）機能**：運用中のさまざまな情報を、ファイルに書き出す機能です。例えば、実行し

ココも出る！

ブートストラップ

ブートストラップとはコンピュータの電源を入れてからOSを起動するまでの一連の動作のこと。通常、マザーボード上のROM(書き換え可能なフラッシュメモリなど)に記憶されているBIOS<☞p.130>やUEFI(Unified Extensible Firmware Interface)により、ハードウェアのチェックやメモリの初期化を行い、OSをメモリ上にロードすることでコンピュータを起動する。

マルチブート／ネットワークブート

マルチブートは、1つのコンピュータに複数のOSを組み込むこと。**ネットワークブート**は、ネットワークを通じてOSをロードすること。同様にアプリケーションも起動する。これにより、ハードディスクを持たないコンピュータでOSを起動し、アプリケーションを利用できる。

仮想マシン(VM：Virtual Machine)

ソフトウェアによってシステムを実現すること。1台のコンピュータで複数のOSを利用できる、セキュリティリスクを軽減できるなどのメリットがある。また、**ライブマイグレーション**(live migration)は、動作中の仮想マシンを、OSやアプリケーションを停止させることなく、別のハードウェア(サーバ)へ移し換えること。

たプログラムの名、使用ファイル、利用者のログイン／ログアウト情報など。運用管理者は、これらの情報からシステム状態を把握し、障害対応を行います。

・**オーディット機能**：オーディットとは、検査や監査の意味です。システムやデータベースにアクセスしたログ、動作したソフトウェア情報などを自動的に取得して、決められたセキュリティポリシーに基づいて自動抽出します。これにより組織の外部からだけでなく、内部からの不正に対応できます。

❼**運用／ユーザー管理**…装置の故障、システムの不具合、不正な利用者による故意の破壊行為などに対して、信頼性とセキュリティ確保を行います。**運用管理**では、システムの起動および終了、処理のスケジューリング、運用中のモニタリング、オペレーターとの交信、ロギングなどを行います。また**ユーザー管理**では、システム利用者のアカウント管理<☞p.292「利用者認証」>、アクセス権<☞p.295>、利用者ログの記録などを行います。

・**アクセス制御**：利用者ごとにシステム使用権やファイルアクセス権（参照・更新・作成・削除・実行）、端末利用権などの利用範囲を定める機能です。

❽**障害管理**…障害管理は、次のような機能から構成されます。また、障害の記録も行います。

(1)**障害検知機能**：発生した異常をできるだけ早く検知するための機能。自動検出、診断機能などがあります。

(2)**障害回復機能**：発生した障害からシステムを回復する機能。命令再試行、誤り制御機能、リスタートなど。

(3)**障害対策機能**：障害発生時の被害を最小限にとどめるための機能。RAID<☞p.150>、自動バックアップ機能などがあります。

中間に位置するから「ミドルウェア」

ミドルウェア（middleware）は、基本ソフトウェアと応用ソフトウェアの中間に位置するソフトウェアです。基本ソフトウェアが持つ機能について、OSによる違いを吸

ココも出る！

ユーザーの分類

システムを操作するすべてのユーザーには、権限を付与して、その権限により操作を制限する。これにより、安全性を確保することができる。権限には、一般ユーザーのほかに次のようなものがある。

スーパーユーザー：システムを管理する者が使う権限を指す。アドミニストレータ（**administrator**：Windows系など）、ルート（**root**：Unix系で全権利を持つ）などがあり、この権限を持つ場合のみできる操作やプログラムの実行がある。**管理者権限**は権限そのものを指す。

ゲスト：部外者や正式のアカウントを手続き中などで一時的に利用するための権限。一般ユーザーの権限より制限される。

LDAP

LDAP（Lightweight Directory Access Protocol）とは、ディレクトリサーバに接続して同サービスを利用するためのプロトコル。ここでディレクトリサーバとは、ネットワークに接続された機器や利用者情報を一元管理するサーバ。LDAPにより、その管理情報を検索できる。

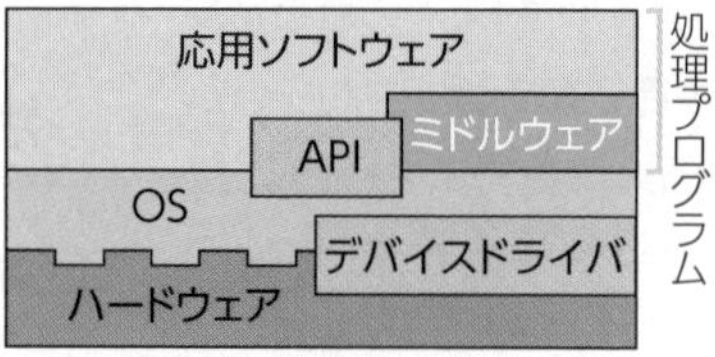

図表 12-3　OSの目的

収し、特定分野の応用ソフトウェアに対して、さまざまな機能をハードウェアを意識せず容易に利用できるようにします。

具体的には、DBMS(データベース管理システム)や通信管理システム、開発支援ツール、運用管理ツール、クライアントとサーバ間のデータ管理を行うTPモニタ(Transaction Processing)などが含まれます。

❶シェル

利用者やシステム管理者などが、直接OSに与える命令(**UNIXのコマンド**<☞p.159 >)を解釈して、プログラムの起動やシステムの制御など、カーネル<☞p.159 >の機能を呼び出すためのプログラムです。キーボードなどから入力したコマンドは、**コマンドインタプリタ**によって、1文ずつ解釈しながら実行していきます。

❷API(Application Program Interface)

OSがアプリケーションに対してさまざまな機能を提供するための関数やコマンド群。開発者は、APIを使用することで、OSが備える基本的な機能を応用ソフトウェアに実装することができます。また、APIを共通化することで、異なる機種間へのソフトの移植性が上がり、相互接続を可能にします。実行時に動的に使用できる共有ライブラリ<☞ >形式のものを**DLL**<☞ >と呼びます。

❸コンポーネントウェア

ソフトウェアを部品化した**コンポーネント**を組み合せることで、ソフトウェアを開発する手法。オブジェクト指向の考え方に基づく方法で、分散環境での開発も容易になります。技術としては、**Java Beans**(Java言語でコンポーネントを作る仕様)、**CORBA**(分散環境におけるコンポーネント利用の仕様)、**OSGi**(Javaモジュールを動的に実行するためのフレームワーク)があります。

ココも出る!

ライブラリ

補助記憶装置や記憶媒体に保管され、管理者や開発者などが、必要に応じて利用できるプログラムの集合。プログラムライブラリ(program library)ともいう。

ソースライブラリ:ソースプログラム形式のまま記録されたもので、開発者が必要に応じて、改変して利用する。

オブジェクトライブラリ:再配置可能の形式で記録したプログラムで、そのままコンパイルするか、他のプログラムに組み込む形で利用する。

ロードモジュールライブラリ:実行可能な機械語形式で記録したプログラム。そのままで実行するか、他のプログラムとともに実行する。

DLL

DLL(Dynamic Link Library:ダイナミックリンクライブラリ)とは、別のプログラムの実行時に、必要のつど呼び出される(動的に参照)共有プログラムの集まり。関数や基本機能など、多くのプログラムが共通して使うものをライブラリ化しておく。それぞれに組み込むよりもプログラムサイズやメモリ消費量が少なくて済む。

13
コンピュータシステム

― OSの役割と機能① ―
ジョブ管理とタスク管理

仕事を割り振るジョブ管理

頻出

OSの８つの機能に含まれるジョブ管理とタスク管理はプログラムを効率良く動作させるための中核を担います。ジョブ(job)とは、人から見たコンピュータに実行させるまとまった仕事の単位で、ジョブ管理は、このジョブに基づいて、コンピュータが行う仕事の単位であるタスク管理に引き継ぎます。OSはジョブ管理によって、ジョブの実行準備(資源の割当て)、実行、後始末、複数ジョブのスケジューリング、オペレーターとの情報交換を行います。

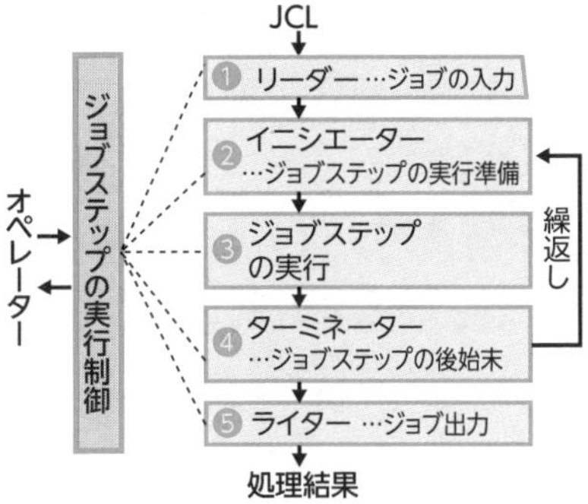

図表 13-1　ジョブステップ

●スプール(スプーリング)

プリンターなどの低速の装置にジョブの結果を出力する場合、いったん磁気ディスク装置などの高速の補助記憶装置にデータを書き込んでおき、後でCPU処理と並行して入出力処理を行う方法をとります。この一時的な出力領域をスプール(SPOOL;Simultaneous Peripheral Operations OnLine)といい、スプールを使った入出力をスプーリングといい、ジョブ管理が行います。

これにより、CPUを素早く解放することが可能になり、複数のジョブからの要求に効率よく応えることができます。スプーリングは、多重プログラミング環境では必要不可欠の機能といえます。

ココも出る！

JCL(ジョブ制御言語)

ジョブステップを指定するための言語をJCL(Job Control Language)という。JCLによってプログラムの実行順序、ジョブの実行に必要な資源、実行順序などを記述する。ジョブを構成する1つ1つの処理単位をジョブステップ(job step)と呼ぶ。

ジョブスケジューラー

OSは、複数のジョブを、そのジョブ制御言語からシステム資源を配分し、実行の優先順位などに基づいて、ジョブの実行順を決定する。これをスケジューリングといい、これを行うプログラムをスケジューラーまたはジョブスケジューラーという。

マスタスケジューラー

マスタスケジューラーは、オペレーターからの指示を解釈してジョブスケジューラーへ指示を出したり、メッセージを返す役割を担うスケジューラー。メモリ上に常駐する。

タスク管理でジョブを分割

頻出

タスク(task)とは、ジョブまたはジョブステップをCPUで実行するのに適した単位に分割したものです。

複数のプログラムが同時に実行されるマルチプログラミング環境では、1つのジョブがシステム資源を独占することは許されませんし、使用効率も悪くなります。

そこで、CPUを使用するタスクの生成、実行、消滅などをOSが自動制御することで、システム資源の効率的な利用を可能にします。生成されたタスクは、**実行可能状態**(ready)、**実行状態**(run)、**待ち状態**(wait)の3つの状態を遷移させながら実行を進めていきます。

> **ココも出る!**
>
> **プロセスとスレッド**
>
> **プロセス**(process)は、UNIX系OSにおけるタスク駆動用の概念。**スレッド**(thread)は、プロセスをさらに細分化したもの。分散処理やマルチCPUによる並行処理において、複数のCPUに分散して実行できる処理の単位を指す。

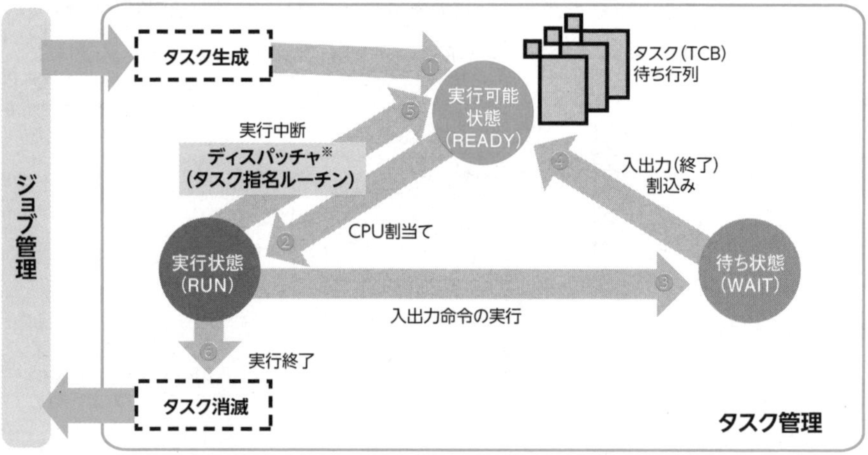

※ディスパッチャは、タスク指名ルーチンとも呼ぶ。実行可能状態のタスクを調べ、最も優先順位の高いタスクを実行状態にしたり、実行状態のタスクを中断するなどの、タスクへのCPU割当ての切換えを行う。

❶生成されたタスクのTCB(Task Control Block)が実行可能状態のタスク待ち行列に格納される。

❷実行可能状態のタスクのうち、最も優先順位の高いタスクにCPU使用権を与え、実行状態に移す。

❸実行状態のタスクが入出力命令を発行すると、入出力が終了するまで待ち状態に移される。

❹入出力が終了した(入出力割込みで通知される)待ち状態のタスクは、再び実行可能状態となる。

❺実行状態のタスクより優先順位の高いタスクが実行可能状態になったり、実行中のタスクが割り当てられたCPU時間を使い切った(タイマ割込みにより通知される)場合には、タスクの実行は中断され、実行可能状態に戻される。

❻タスクの実行が完了するまで、❷～❺を繰り返す。タスクの実行が完了すると、TCBは待ち行列から削除され、そのタスクが使用していた資源をすべて解放する。

図表 13-2　タスクの生成から消滅までの遷移

タスクのスケジューリング

タスクのスケジューリングとは、複数のタスクを、どのような順で実行していくかを決めることです。

●プリエンプティブ方式

CPUの管理をOSが行う方式です。優先順や一定時間の経過などによってタスクの切換えを行いますが、組合せによっていくつかの方法があります。

❶優先度順(プリエンプション)方式

優先度の高いタスクから実行していく方式です。より優先度が高いタスクが到着するとそちらが優先されるため、優先度が低いタスクはなかなか実行されません。

❷イベントドリブンプリエンプション方式

タスク状態の変更(入出力の終了や外部からのコマンド入力などで、割込みにより通知される=イベント)をきっかけに切換えを行う方式です。実行可能状態のタスクは、最も優先順位の高いタスクにCPU使用権を与えます。

❸ラウンドロビン(ラウンドロビンスケジューリング)方式

タスクを順に一定時間(**タイムクウォンタム**と呼ぶ)ずつ実行する**タイムスライス方式**により切換えを行います。時間内に終了しなかったタスクは、同じ優先順位内のタスクの最後に回されます。

●ノンプリエンプティブ方式

CPUの管理をプログラムに任せる方式です。タスクに優先順位はなく、実行可能になった順に実行するので、**到着順方式**とも呼ばれます。OSの負荷が軽く、オーバーヘッド時間が少なくなりますが、いつまでもCPUを解放しない(無限ループなどの)タスクが存在すると、ほかのタスクが実行できなくなります。

ココも出る!

ディスパッチャ

ディスパッチャ(dispatcher)は、タスク指名ルーチンとも呼ぶ。実行可能状態のタスクを調べ、最も優先順位の高いタスクを実行状態にしたり、実行状態のタスクを中断したりするなど、タスクへのCPU割当ての切換え(**ディスパッチ**)を行う。

TSS(タイムシェアリングシステム)

タスクを順に一定時間に区切り、CPUの使用権を切り換えながら実行を行う。このとき利用者はあたかも占有しているように利用できる。

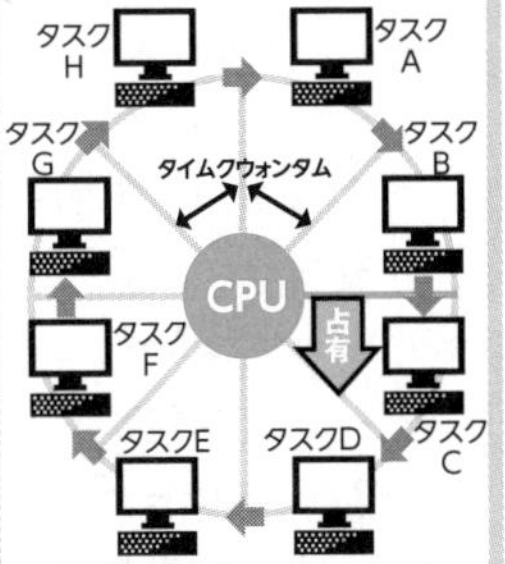

各利用者がCPUを占有しているように見える

さらに詳しく

処理時間順方式

処理時間順方式は、処理時間の短いタスクを先に実行する方式。処理時間が他のタスクに比べて極端に長いタスクがある場合、CPU資源が与えられない場合が発生する。

14

コンピュータシステム

多重プログラミングと割込み

CPUを効率的に使う多重プログラミング

多重(マルチ)プログラミングは、あるプログラムが入出力処理を実行している間のCPUの空き時間を利用し、別のプログラムを実行することです。CPUを有効に利用できるだけでなく、利用者にとっては複数のプログラムが同時並行的に実行されている形になります。

実際に、多重プログラミングによりスループット<☞ p.152>が向上する例を見てみましょう。前提条件は次のようなものです。

❶CPUは1つ、入出力装置は2つあり(I/O-1、I/O-2)、並行動作可能である。
❷実行するプログラムは、プログラムAとプログラムBの2つだけであり、CPU使用の優先順位は、プログラムAのほうが高い。
❸それぞれのプログラムの処理手順は図に示すとおりである。どちらのプログラムも所要時間は100ms(ミリ秒)で、順に実行すると200msかかる。
❹割込み処理に要する時間は無視する。

さらに詳しく

オーバーヘッド時間

オーバーヘッド時間とは、プログラムの実行制御などのために、制御プログラムがCPUを使用している時間のこと。本来の処理に使われないことから、生産性のない時間としてとらえられ、この時間を減らすことを求められる。

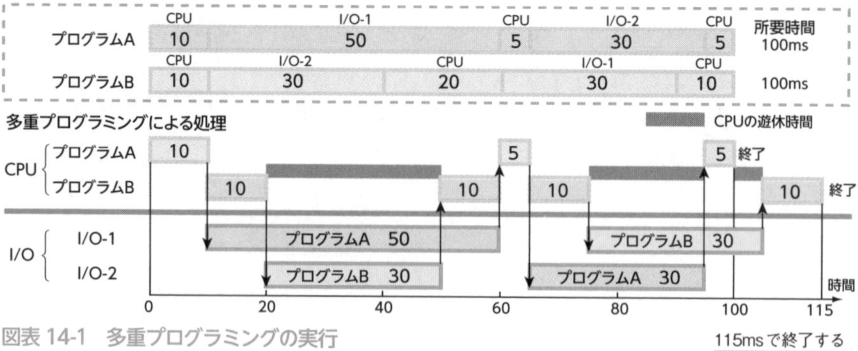

図表 14-1　多重プログラミングの実行

「割込み」は、プログラムを切り換える

割込みは、実行中のプログラムを中断し、別のプログラムに切り換えるときに使用する仕組みで、多重プログラミングを実現する際には欠かせないものです。

割込みによって中断されたプログラムは、再び実行できる状態になると、中断していた箇所から再開します。このように中断と再開の制御は、割込み処理ルーチンと呼ばれるプログラムが次のような手順で行います。

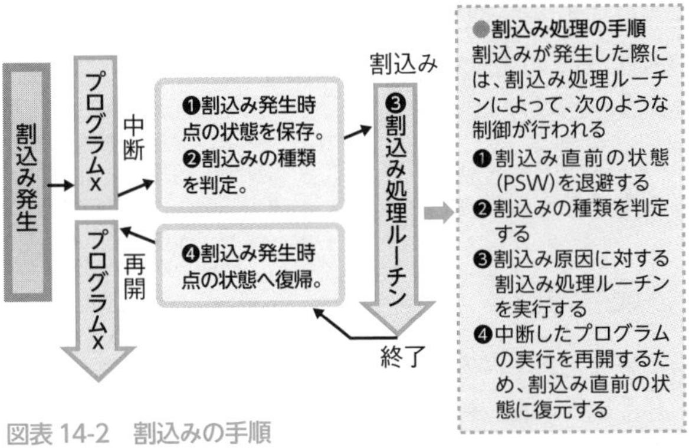

図表 14-2　割込みの手順

発生原因で分ける割込みの種類

頻出

割込みは、さまざまな要因で発生しますが、プログラムの実行中に発生する内部割込みと、ハードウェアやオペレーターの操作に起因する外部割込みに分けられます。

内部割込み	実行中のプログラムに起因する割込み (CPU内部で発生)	
	プログラム割込み	プログラム実行中のエラーにより発生。演算のオーバーフロー、アンダーフロー、ゼロによる除算、主記憶装置の記憶保護違反など
	SVC (スーパーバイザーコール) 割込み	処理プログラムから監視プログラム (オペレーティングシステム) に対して要求する割込み (入出力要求の発生やプログラムの完了)。監視プログラムコール、システムコールともいう
外部割込み	コンピュータシステム外からの割込み	
	入出力割込み	入出力動作の完了(正常または異常)、状態の変化(用紙切れなど)
	機械チェック割込み	CPUの誤動作、主記憶装置の障害、電源の異常など
	タイマ割込み	CPU割り当て時間のオーバー
	コンソール割込み	オペレーターからの介入

図表 14-3　割込みの種類

さらに詳しく

PSW

PSW(Program Status Word)は、プログラム状況語と呼ばれる。実行中のプログラムの状態を示す値が格納される数バイトの領域である。

割込みマスク

割込みに優先順位を与えるための機能。割込みが発生したとき、その割込みを受け入れるか禁止するかを指定するために利用する。

ココも出る!

ポーリング制御方式

割込みが発生しない機器や、周期的にサンプリングを行うA/D変換器などで使用される制御方式。入出力の状態を一定周期で問い合わせることで、処理を行うタイミングを図る。

— OSの役割と機能② —
記憶管理

限られた主記憶装置（アドレス空間）のうち、プログラムがどの空きスペースに格納されても、うまく動作できるように実際のアドレス空間を管理するのがOSが行う**記憶管理**（**実記憶管理**：仮想記憶に対する用語）です。また**仮想記憶管理**は、ハードディスクなどの比較的高速な補助記憶装置を主記憶装置の代わりに用いて、大きなプログラムや複数のプログラムを実行させる方法です。

格納場所を管理する実記憶管理

プログラムを作成する際には論理アドレスが使用されます。しかし、プログラムを実行するには、主記憶装置上のどこかに格納する必要があるため、論理（相対）アドレスから物理（実）アドレスへの変換が必要になります。

例えばベースアドレスを使う場合では、実行に先だってプログラムを格納した先頭の物理アドレスを**ベースレジスタ**にセットしておきます。実行時には、ベースレジスタの値を加算することでアドレス変換が行われ、プログラムは正しく動作します（再配置可能プログラム）。

プログラムやデータをアドレス空間に割り当てる方法には、次のようないくつかの方法があります。

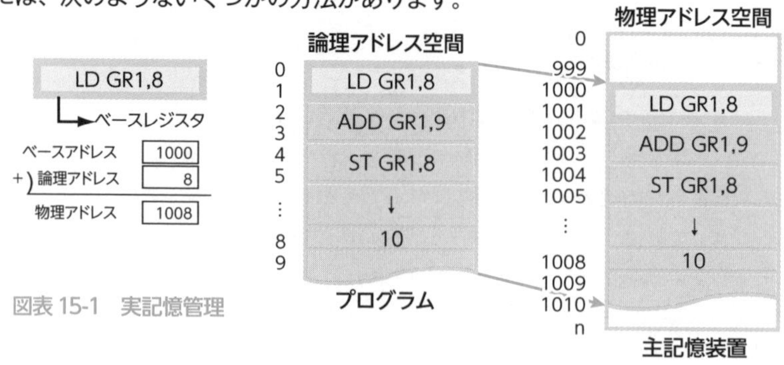

図表 15-1　実記憶管理

ココも出る！

メモリリーク

プログラムが終了時に使っていた記憶空間（主記憶領域）を解放しないなどの理由で、他のプログラムが使う記憶空間が減少して確保できなくなる現象のこと。

こちらも参照

再配置可能

☞p.97

ベースレジスタ

☞p.120

●区画（パーティション）方式

主記憶装置にプログラムを記憶するときに、記憶領域をいくつかの区画（パーティション）に分け、区画単位にプログラムを格納する方式です。一定の大きさに区画を分ける**固定区画方式**と、プログラムの大きさに合わせる**可変区画方式**があります。

記憶領域の**断片化**（**フラグメンテーション**）が生じることがあり、その際には**コンパクション**（断片化した空き領域を1つの連続した空き領域にまとめる**ガーベジコレクション**＝ゴミ収集ともいう）を行う必要があります。

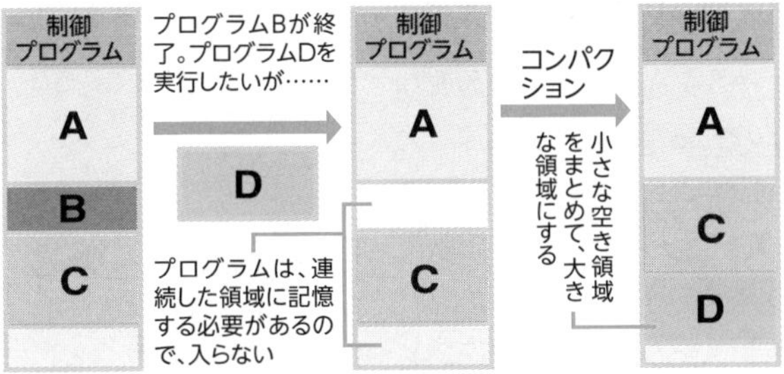

図表 15-2　区画方式（可変区画方式）

●セグメント（オーバーレイ）方式

プログラムを、同時実行しない（互いに関連のない）複数の**セグメント**に分割し、実行時に必要な部分だけを主記憶にロード（格納）する方式で、物理アドレス空間より大きなプログラムを実行できます。オーバーレイ構造のプログラムは、プログラム内で指示しておけば連係編集プログラム<☞ p.181>で作成することができます。

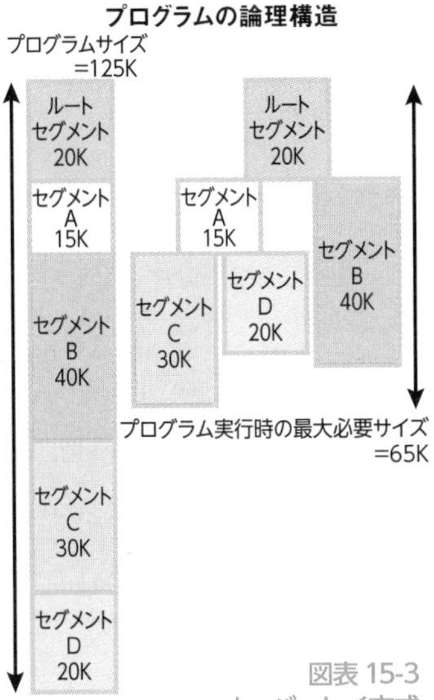

図表 15-3
オーバーレイ方式

出題分析

オーバーレイ方式

セグメントA～E、共通ルーチンF、Gで構成されるプログラムを図のようなオーバーレイ構造にしたとき、参照が許されるのはどれか。図は、例えばセグメントDの実行時には、主記憶にA、B、Dがロードされることを表している。また、"X→Y"はセグメントXからY内の領域にアクセスすることを表す。

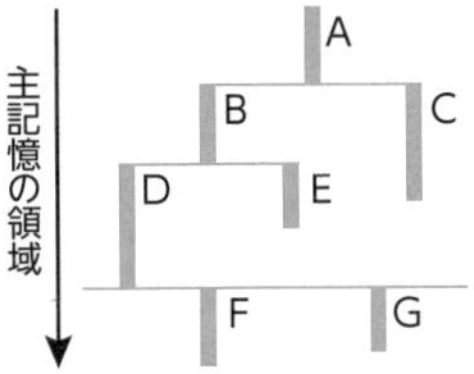

ア　B→C　**イ**　C→D
ウ　F→A　**エ**　G→F

オーバーレイ方式では、制御を行うルートセグメントは、主記憶上に残しておく必要がある（A部分）。問題図において「（B、D、E）とC」、「DとE」、「FとG」は、それぞれ同時に主記憶装置に存在しないため、参照することはできない。許されるのは、ルートを参照する「F→A」のみである。

解答 ウ

●スワッピング(swapping)方式

主記憶上の領域が不足してプログラムを実行できない場合、優先度の低いプログラムをいったん主記憶から追い出し、優先度の高いジョブの実行を行う方法です。主記憶から追い出されたプログラムは補助記憶装置に退避され(**スワップアウト**または**ロールアウト**と呼びます)、別のプログラムを実行し、主記憶領域が空いた時点で、退避しておいたプログラムを再び主記憶に格納します(**スワップイン**または**ロールイン**)。

仮想空間を管理する仮想記憶管理 頻出

仮想記憶管理は、ハードディスクなどの比較的高速な補助記憶装置を利用して実際の主記憶装置の容量より大きな記憶空間(仮想記憶装置)を作り出し、主記憶装置(ここでは仮想記憶装置に対して実記憶装置という)の容量に制限されずに、プログラムの実行を行う方法です。

ページング方式の仮想記憶システムでは、仮想記憶と実記憶を固定長のページ(多くは4kバイト)単位に分割し、ページ番号と実記憶上の**ページ枠**(物理アドレス)を**ページテーブル**で対応付けます。実行に必要なページは、必要になった時点で仮想記憶上から実記憶上へ読み込まれます(**ページイン**)。プログラム実行中に実記憶上に存

さらに詳しく

仮想記憶の特徴

次のような特徴を把握しておこう。

- 実際の主記憶装置の容量より大きなプログラムを実行できる。
- 主記憶に格納できない複数のプログラムを同時に実行できる。
- 補助記憶装置の動作速度は、主記憶装置に比べて遅いため、全体のスループット(単位時間当たり処理量)が下がる。

ココも出る!

セグメントページング方式

ページで分けたうえで、ページをいくつかまとめてセグメントとする方式。セグメント方式のように連続した実記憶空間が必要なく、フラグメンテーションにより読み込めない状況を避けることができる。

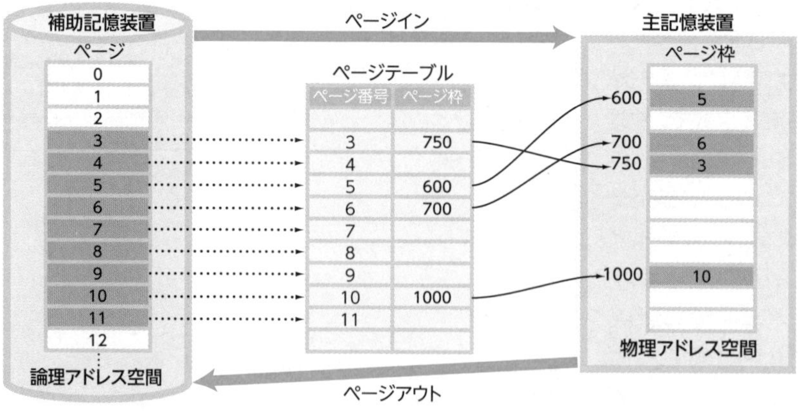

図表 15-4　仮想記憶管理

在しないページが参照されると、ページフォールトという割込みが発生します。もしも利用できる実記憶上の空き領域がない場合、実記憶上に存在するページのうち、ある基準によって選んだページを仮想記憶上に書き戻してから(ページアウト)、必要なページを実記憶上に読み込みます。こうしたページング処理を繰り返すことで、限られた容量の実記憶上で大きなプログラムを実行することができます。

●ページ置換え(リプレースメント)アルゴリズム

実記憶上に空きページ枠がない状態でページフォールトが発生したとき、どのページを追い出すかを決定する必要があります。次のような方式があります。

FIFO (First In First Out)方式	実記憶装置のページの中で、最も古くから存在するものからページアウトする。
LRU (Least Recently Used)方式	実記憶装置のページの中で、最も長い時間参照されなかったものからページアウトする。
LFU (Least Frequently Used)方式	実記憶装置のページの中で、最も参照回数の少なかったものからページアウトする。

図表 15-5　ページ置換えアルゴリズムの方式

ココも出る!

動的アドレス変換機構(DAT)

DAT(Dynamic Address Translation)は、プログラム実行時に、命令で使用している仮想アドレスを物理アドレスへ変換するハードウェア機構。プログラム動作中は、継続して変換が行われる。

スラッシング

スラッシング(thrashing)は、仮想記憶管理において、ページングの多発により、システム性能が極端に低下する現象。原因としては、同時に実行しているプログラム数が多過ぎるか、割り当てられた実記憶上のページ数が少ないことが考えられる。

試験はこう出る

問

ページング方式を用いて仮想記憶を実現しているシステムにおいて、スラッシングが発生しているときの状況はどれか。

ア　CPUの利用効率は高く、主記憶と補助記憶との間のページ転送量は多い。

イ　CPUの利用効率は高く、主記憶と補助記憶との間のページ転送量は少ない。

ウ　CPUの利用効率は低く、主記憶と補助記憶との間のページ転送量は多い。

エ　CPUの利用効率は低く、主記憶と補助記憶との間のページ転送量は少ない。

答

スラッシングは、実行するプログラムに対して、主記憶装置の空き容量が小さくなるにつれ、発生しやすくなる。スラッシングの状況では、ページフォルトが頻発し、主記憶と仮想記憶との間でページ転送量が多くなる。これによりCPUの利用効率は低くなります(スループットの低下)。

解答　ウ

— OSの役割と機能③ —

データの管理とファイルシステム

データの扱いを簡便にするデータ管理

OSの**データ管理**は、プログラムからデータを使用するとき、物理的装置(ハードディスク、磁気テープなど)に合わせて入出力手順を記述したり、装置を変更するたびにプログラムを書き換えるのは効率的ではありません。データ管理では入出力装置を意識せずに、データを取り扱うことができる機能を提供します。

汎用コンピュータのOSでは、データを**ファイル**(file)、データを格納している装置(媒体)を**ボリューム**(volume)と呼んでいます。また、Windowsでは、後者を**ドライブ**(drive)と呼んでいます。

●ファイルとレコードの概念

ファイルを構成する論理的な単位を**レコード**(または論理レコード)と呼び、1レコードは複数の**項目**(**フィールド**)で構成されています。例えば、社員ファイルの1レコードは、次のような形が考えられます。

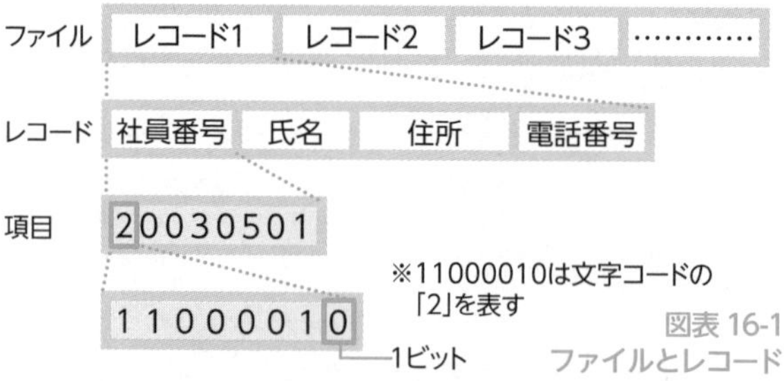

図表 16-1
ファイルとレコード

データの読み書きを助ける入出力管理

プログラムで使用するファイルは、ファイルオープン命令の実行により、初めてプログラムと関連付けられて

ココも出る！

ボリューム

ボリューム(volume)とは、磁気ディスクなど、ファイルを記憶する装置を管理する単位。一般的には、1つのボリュームに複数のファイルが存在することになる。ボリュームはボリューム名を付けて、装置を特定するために使用する。

さらに詳しく

クラスタ

クラスタ(cluster)とは、パソコンのディスク装置上での記憶領域の最小単位のこと。1クラスタは数セクターからなり、クラスタサイズは、ディスク容量や採用しているファイル管理システムによって異なる。

使用可能になります。また、ファイルに対する処理終了時にはファイルクローズ命令の実行によって資源として解放されることになります。このようなレコードの入出力に関する制御は、OSの**入出力管理**が担当します。

●ブロッキングとデブロッキング

データを記録しておく単位であるファイルは、実際にファイルを補助記憶装置へ記録する際には、記憶効率を高めたり入出力時間を短縮するために、複数のレコード(論理レコード)をまとめた**ブロック**(物理レコード)単位で行います。具体的には、書き込む際に**ブロッキング**(**ブロック化**)を行い、逆に読み出す際に通常のレコードに戻す**デブロッキング**(**非ブロック化**)を行います。なお、1ブロック当たりの論理レコード数は、主記憶装置上に確保された**入出力バッファ**の大きさによって決定します。

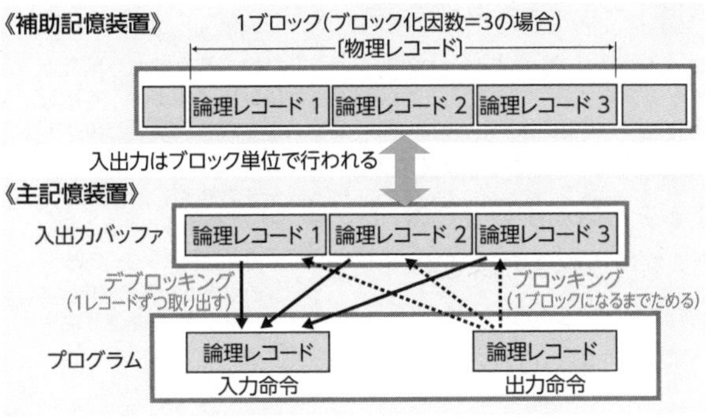

図表 16-2　論理レコードと物理レコード

ファイル編成とアクセス手法

●ファイル編成の種類と特徴

ファイル編成とは、記録媒体上へレコードを格納する方式のことで、用途によっていくつかの種類があります。

❶順編成ファイル

レコードを発生順に連続して格納する編成法で、記憶媒体にとらわれず、利用効率が良いのが特徴です。

・順次アクセスのみでキーによる直接アクセスは不可。

・レコードの途中挿入は書換えが必要。

出題分析

ファイル編成

ファイル編成に関する記述として、適切なものはどれか。

ア 区分編成ファイルは、ディレクトリとメンバから構成され、メンバ単位での更新はできない。

イ 索引編成ファイルは、直接アクセスと順アクセスの両方を可能としている。レコードの削除や挿入によって、アクセス効率や記録効率が低下することはない。

ウ 順編成ファイルは、レコードを順番に記録しているだけなので、キーによるアクセスはできないが、記録効率は高い。

エ 直接編成ファイルは、キーの値の分布にかかわらず、アクセス時間が一定であり、記録効率も高い。

順編成は、物理的に連続して記録するため、記録効率は高い。ただし、キーによる直接アクセスはできない。ア：区分編成ファイルは、メンバ単位で更新を行う。イ：レコードの削除や挿入を繰り返すと空き領域が増え、アクセス効率や記録効率が低下する。エ：キー値の分布により格納アドレスの分布が一様にならず、アクセス時間は一定でない。空き領域が多く発生し、記録効率は低い。

解答 ウ

❷直接編成ファイル

関数を用いてレコードのキー値をアドレスに変換し、記憶媒体の格納位置を決める編成法です。変換方法を**ハッシュ法**といい、関数を**ハッシュ関数**といいます。

- ・レコードに直接アクセスでき、レコードの途中挿入・追加が容易。
- ・複数のレコードのキー値が同一アドレスに変換される**シノニム**<☞>が発生することがある。
- ・記憶媒体の空き領域が多く発生し、利用効率が悪い。

❸索引順編成ファイル

直接アクセスを行うための索引を持った順編成ファイルで、**基本データ域**、**索引域**、**あふれ域**で構成されます。

- ・順次アクセスとキーによる直接アクセスの両方が効率よくできる。また、レコードの挿入、削除もファイル全体を作り換えずに行える。
- ・レコードの追加・削除を繰り返していくとフラグメンテーション(断片化)が発生し、ファイルの**再編成**が必要。

❹区分編成ファイル

メンバと呼ばれる複数の順編成ファイルを、各メンバの格納先頭アドレスを管理する**ディレクトリ**(登録簿)で管理し、メンバ単位にアクセスを行う編成方法です。

- ・順編成ファイルを管理する用途(プログラムライブラリやモジュールライブラリの格納)に用いられる。

❺VSAM編成ファイル

VSAMは、Virtual Storage Access Methodの略です。物理的な装置に依存しないファイル編成で、すべてのアクセス方法を使用できます。

ESDS (Entry Sequenced Data Set)	入力順データセット
KSDS (Key Sequenced Data Set)	キー順データセット
RRDS (Relative Record Data Set)	相対レコードデータセット
LDS (Linear Data Set)	線形データセット、 大容量データ向け

図表 16-3　VSAMのアクセス方法

シノニム

どのようなハッシュ関数を用いても、異なるキーが同一のアドレスに変換されてしまう可能性がある。この現象が**シノニム**(synonym)である。なお変換されたアドレスに格納できたレコードを**ホームレコード**、すでに他のレコードが格納されているため、変換されたアドレスに格納できなかったレコードを**シノニムレコード**と呼んで区別することもある。

ファイルの再編成

索引順編成ファイルで、レコードの追加や削除が繰り返されると、基本域を追い出されたレコードがあふれ域に多くなり、レコードの検索に時間がかかるようになる。これを解消するには、ユーティリティプログラムなどを使用して**ファイルの再編成**を行う必要がある。

●ファイルのアクセス方式

アクセス方式とは、プログラムによるデータの読込み、書込みおよびデータやレコードの取扱い方法を指します。

順次アクセス	レコードの先頭から順番にアクセスする。特定のレコードにアクセスする場合、最初からレコードを順に読み取っていかなければならない。
直接アクセス	レコードのキー値を基にして、レコードの格納アドレスを指定し、特定のレコードに直接アクセスする。
動的アクセス	最初に特定のレコードに直接アクセスし、以降は順次アクセスで処理したい場合に適用する。

図表 16-4　ファイルのアクセス方式

PCでの管理方法－ディレクトリ管理 頻出

パソコンやワークステーションにおけるファイルの概念は、レコードや項目といった論理的な単位をそれほど意識せず、単なるビット列の集まりとして扱います。

汎用コンピュータのボリュームに相当するのがドライブ(Windows環境では「A：」、「C：」など)、ブロックに相当するのはクラスタ<☞ p.172>です。また、ファイルは、ディレクトリ(directory；GUI環境ではフォルダ)と呼ばれる、階層構造を持つ仕組みで管理されます。

●ディレクトリの構造

階層構造のディレクトリは、次のように区別します。

・ルートディレクトリ：ドライブの直下に1つだけ存在する最上位のディレクトリ。

・サブディレクトリ：あるディレクトリの下に存在するディレクトリ。

・カレントディレクトリ：現在アクセスしているディレクトリ。カレントディレクトリに含まれるファイルは、パス名を使わずに直接指定できます。

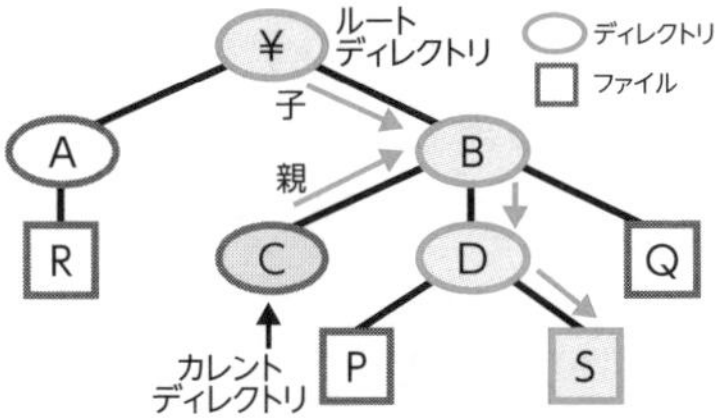

図表 16-5　ディレクトリの位置付け

ココも出る！

FATファイルシステム

FAT(File Allocation Table)は、パソコン用に作られた記憶媒体上のファイルの管理情報を書き込む部分。ある大きなファイルが1クラスタ(パソコンなどの格納領域の単位)では収まらない場合は複数個のクラスタに記録するが、必ずしも連続した領域でなくてもよい。それらの情報はFATで管理され、ファイルの読込みの際は参照し、書込みの際は常に更新する。従来のFAT(FAT16)が2ギガバイトまでのディスク領域までしか管理できなかったのに対し、拡張版のFAT32では2テラバイト(1ファイルは最大4ギガバイト)まで管理できる。

NTFS

NTFSは、マイクロソフト社のウィンドウズNT用に作られたFATとは別系統のファイル管理システム。実際上、容量制限なくディスク領域を管理でき、1ファイルの容量も制限はない。

●パスの指定方法

パスとは、参照したいファイルが含まれるディレクトリまでの経路のことです。「¥」(UNIX系OSでは「/」)で区切って指定します。例えば、右図の「DATA3」を参照するときの例を示すと、指定方法によって異なる記述になります。

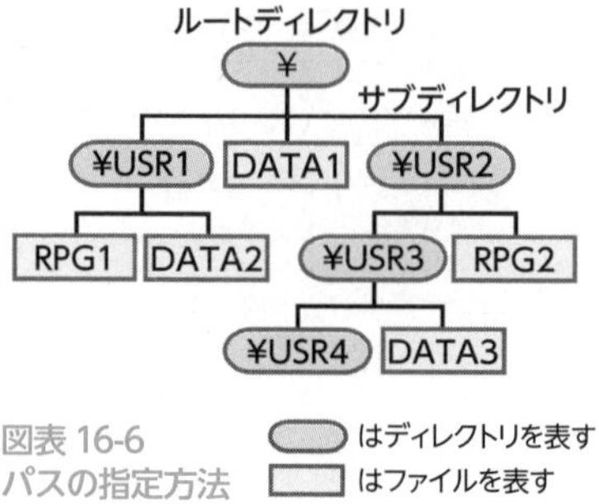

図表16-6
パスの指定方法

❶絶対パス指定

ルートディレクトリからの経路を指定します。

〔例〕 **¥USR2¥USR3¥DATA3**

(最初の¥はルートディレクトリ)

❷相対パス指定

カレントディレクトリからの経路を指定します。

(1階層上のディレクトリへの移動を「..」で表すものとする。)

〔例1〕 カレントディレクトリがUSR2のとき
USR3¥DATA3

〔例2〕 カレントディレクトリがUSR4のとき
..¥DATA3

バックアップとリカバリ

バックアップとは、装置の故障や人為的なミスなどにより、業務で使用しているデータが失われてしまうことのないように、データやシステムを別の記憶媒体に保存しておくことです。

障害が発生し、システムやデータが破損した場合は、データのリカバリ(復旧)が必要になります。リカバリは、まずバックアップデータを用いて最後にバックアップをとった状態まで復元します。さらに、バックアップ時点から障害が発生した時点までの間の更新結果をデータに反映させていきます。

ココも出る!

シンボリックリンク

シンボリックリンクとは、ファイルを階層化して扱うファイルシステムでファイルを指定するとき、目的ファイルの分身となるアイコンをデスクトップなどに置くこと。階層が深いファイルにアクセスするときもダイレクトに指定することができる。また、本来のファイル名と異なる名前を付けることができる。OSにより、詳細機能には違いがあるが、UNIXではシンボリックリンク、ウィンドウズではショートカット、MacOSではエイリアスが同様な機能に該当する。

世代管理

世代管理とは、バックアップデータなどを更新する際、バックアップの前後を1つの世代ととらえ、それぞれを保存しておくこと。障害発生時の安全性を高めるために行う。管理方法は、過去2回を含めた3世代を残す方法が、よく使われる。新しい世代が追加されるつど、最も古いファイルを削除していく。

●フルバックアップ

対象となるシステムに保存されている、すべてのファイル(システムやデータ)をバックアップします。週または月に1度など、定期的に実施するのが一般的です。

〔特徴〕

- 作業が大掛かりで時間がかかる。
- 障害が起きたときは、システムやデータをフルバックアップのみで復元できる。復旧時間と手間は最も少なくて済む。

●差分バックアップ

フルバックアップ後に更新されたデータのみをバックアップする方法です。一定期間ごとに行うフルバックアップと組み合わせて、差分バックアップを毎日実施していきます。

〔特徴〕

- 毎回、前回のフルバックアップ以降に更新されたデータをすべてバックアップする。フルバックアップからの日数が経つにつれ、データ量が多くなる。
- 前回のフルバックアップファイルと直前の差分バックアップファイルの2つを使うだけで、短時間にシステムやデータを復元できる。

> ココも出る!
>
> **多重バックアップ**
>
> 重要度の高いバックアップデータを、さらに別媒体にバックアップすること。保存期間や即時性などに応じてバックアップ媒体を選択する。通常は1次バックアップには高速な磁気ディスクを用い、2次バックアップには、光ディスクや磁気テープなどのリムーバブルメディアを利用する。必要に応じて、さらに3次以降のバックアップをとることもある。

ソフトウェア

〔差分バックアップからの復旧方法〕

図のように日曜日の深夜のフルバックアップが終わった後、月曜日、火曜日、水曜日と更新された分のデータすべてのバックアップをとります。

仮に木曜日の日中に障害が発生した場合、まず日曜日のフルバックアップデータをリストアし、それに水曜日分の1本の差分データを足せば復旧できます。

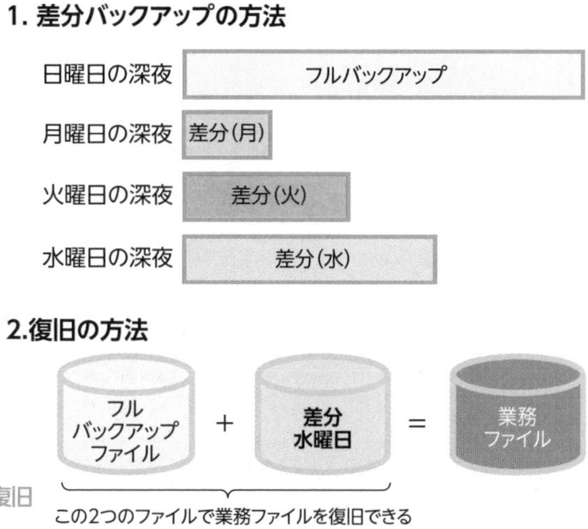

図表 16-7　差分バックアップと復旧

●増分バックアップ

前回のバックアップ後に更新または追加されたデータのみバックアップする方法です。一定期間ごとに行うフルバックアップと組み合わせて、増分バックアップを毎日実施します。

〔特徴〕

- 前日からの変更分のみ記録するため、対象となるデータの総量が少なく、差分バックアップに比べてバックアップ作業が短い。
- 次回のフルバックアップまでの間隔が空き、増分バックアップの本数が多いと、データの復元に使うバックアップファイルの数が増えて、復旧までに時間と手間がかかる。

〔増分バックアップからの復旧方法〕

図のように、日曜日の深夜にフルバックアップされた後に変更のあった分だけ、月曜日にバックアップをとります。同じように火曜日、水曜日と変更のあるところだけバックアップをとっていきます。

仮に木曜日の日中に障害が発生した場合、まず日曜日のフルバックアップデータをリストアし、月曜日、火曜日、水曜日分、計３本のバックアップデータを足すことで復旧できます。

1. 増分バックアップの方法

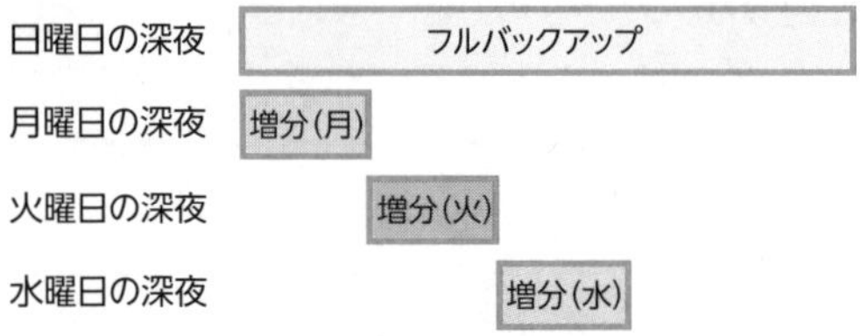

2. 復旧の方法

図表 16-8　増分バックアップと復旧

出題分析

バックアップの方法

データベースのバックアップ処理には、フルバックアップ方式と差分バックアップ方式がある。差分バックアップ方式に関する記述として、適切なものはどれか。

ア 差分バックアップ方式だけでは、障害復旧はできない。
イ 差分バックアップ方式とフルバックアップ方式を交互に運用することはできない。
ウ 差分バックアップ方式は、フルバックアップ方式だけを利用した場合に比べ、障害時の復旧時間が短い。
エ 差分バックアップ方式は、フルバックアップ方式に比べ、通常はバックアップの処理時間が長い。

差分バックアップ方式で復旧を行うためには、差分の基準となるフルバックアップデータと、障害発生前日までの差分バックアップデータが必要となる。復旧時間は、常に両方が必要なため、1本だけで済むフルバックアップ方式よりも長くなる。

解答 ア

開発支援ツール

開発ツールは、システム開発を支援するためのソフトウェア群で、システム設計の上流工程から下流工程のテストツールまで、さまざまなものが用意されています。

ソフトウェア作成ツール

プログラムのコーディングからコンパイル、デバッグ、テストに至る工程<☞ p.355>では、用途に応じて多くのツールが用意されています。またそれらのツールや開発環境を統合したものにIDE（Integrated Development Environment；統合開発環境）があります。IDEは複数の開発者が一連の開発作業を効率的に行うことを前提としており、「プロジェクト」として効率性や一貫性が保たれるように管理できます。コンパイラメーカーが提供しているものやオープンソースのものがあります。

●設計支援ツール／構築ツール

グループ設計支援、画面やGUI部品の構築、パッケージソフトの導入支援、ドキュメント作成など、開発形態や開発内容に応じて、さまざまなツールがあります。

❶静的解析ツール

プログラムを実行せずに、ソースプログラムの解析やテストケースの抽出などを行います。

- ソースコード解析ツール：ソースコードを解析し、コーディング規則に則っているか、使用されていないコードがないかを検査。また、モジュール間インタフェース（引数の型、値の相互関係など）を検査します。
- プログラム構造解析ツール：プログラムの階層構造を解析し、結果を出力します。保守工程にも有用です。

ココも出る！

ツールチェーン

それぞれの開発ツールが連続的に使用できる形のツール群。

EUC／EUD

エンドユーザーコンピューティング（EUC：End User Computing）は、情報システムの利用者が、自分たちの必要とするシステムを自発的、積極的に構築して利用すること。表計算ソフトなどを利用することが多い。

エンドユーザーデベロップメント（EUD：End User Development）は、利用者側が行うシステム開発や保守作業。マクロ機能やエンドユーザー言語などを使い、部門内の小規模システムを開発したり、既成システムを業務に適合するように改変することを含む。

こちらも参照

ローコード／ノーコード開発

☞ p.374

❷動的解析ツール

テストデータを自動生成して実行したり、制御の流れをトレース（追跡）して、解析に必要な情報を出力します。

- **テストデータ生成ツール（テストデータジェネレーター）**：プログラムの記述や入力データの構造を基にテストデータを自動生成します。
- **テストカバレッジツール**：テストデータが通ったプログラム経路を調べながら、カバー率を出力します。
- **テストベッドツール**：テストのための動作環境を提供するツールです。トップダウン／ボトムアップテスト用のスタブ／ドライバを作成します。
- **プログラム検証ツール**：プログラムの正当性を証明することで、プログラムを検証するツールです。証明にはアサーション（表明）を用います。

❸バージョン管理ツール

開発において、プログラムの作成・改変履歴を管理するためのツールです。多数の開発者による開発においては最新の状態を把握することが欠かせません。

●デバッグツール

- **トレーサー（追跡プログラム）**：プログラムの実行を追跡し、レジスタの内容や参照されたメモリのアドレス内容など、必要な情報を出力します。
- **インスペクター**：構造体などのデータ構造について、その内容を見やすい形で表示し、容易に確認できるようにするツールです。
- **スナップショット**：プログラムのある時点におけるレジスタや主記憶装置（メモリ）の内容、ファイルなどの内容をそのままの状態で出力します。
- **クロスリファレンス**：プログラムで使用している関数・変数と、それらを定義しているプログラムを一覧化し、関連を示す機能を持つツールです。
- **アサーションチェッカ**：プログラム中に挿入して、変数の間で論理的に成立すべき条件が満たされているか否かを確認するツールです。

ココも出る！

エミュレーター／シミュレーター

エミュレーターは、コンピュータのハードウェアそのものを模倣する装置またはプログラム。別のコンピュータ用に作成したソフトウェアが動作でき、同様な結果を得ることができる。一方、シミュレーターは、ある現象やシステムの動きを模倣する装置またはプログラムを指す。

ICE

ICE（In-Circuit Emulator：インサーキットエミュレーター）は、CPUをエミュレートする専用ハードウェアでデバッグ機能も有する。リアルタイムでの検証が必要となる組込みシステム開発において利用される。

こちらも参照

統合テスト

☞p.360「❷ソフトウェア統合テスト」「❸システム統合テスト」

デバッグ

☞p.355「プログラムのデバッグ」

言語処理ツール

ソフトウェア作成ツール―言語プロセッサ

プログラム言語で記述したプログラム(**原始プログラム**、**ソースコード**、**ソースプログラム**)は、コンピュータが実行できる機械語にする必要があります。その際に用いられるのが**言語プロセッサ**(言語処理プログラム)で、原始プログラムを翻訳し、機械語の**目的プログラム**(**オブジェクトモジュール**)を作成します。さらに実行形式にするためには**リンカ**(**連係編集プログラム**)による工程が必要になります。

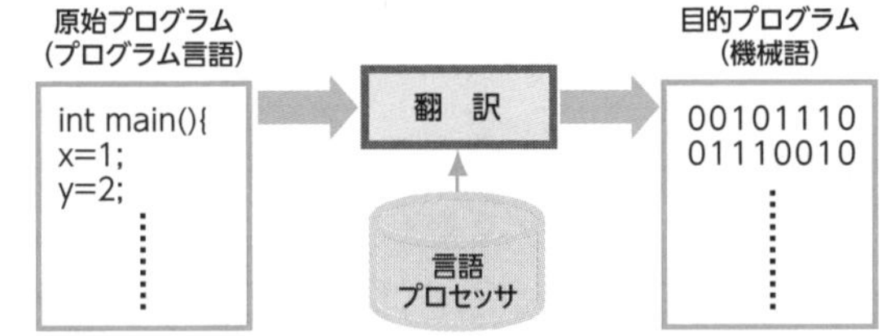

図表 18-1　プログラムの翻訳

言語プロセッサには、次のような種類があります。

❶アセンブラ(assembler)

アセンブラ言語を機械語命令に翻訳するプロセッサです。原則として、アセンブラ言語の1命令が、機械語の1命令と対応します。

❷コンパイラ(compiler)

高水準・手続き型言語で記述された原始プログラムを目的プログラムに翻訳するプロセッサです。コンパイラの多くは、プログラムの実行を高速化する最適化機能(オプティマイズ)を持っています。

❸インタプリタ(interpreter)

命令を1つずつ解釈し、そのつど翻訳しながら、即時

ココも出る！

クロスコンパイラ

クロスコンパイラは、他のコンピュータシステムで実行するためのオブジェクトモジュールを生成するプログラム。実行させるのとは異なるコンピュータでコンパイルが可能なため、プログラム開発が効率化できる。

プリプロセッサ

プリプロセッサは、コンパイル前のプリプロセス処理(前処理)を行うプログラム。前処理命令の解釈、ファイルのinclude、文字や文字列の置換、マクロ展開などの処理を行う。出力はコンパイルの単位(翻訳単位)となる。

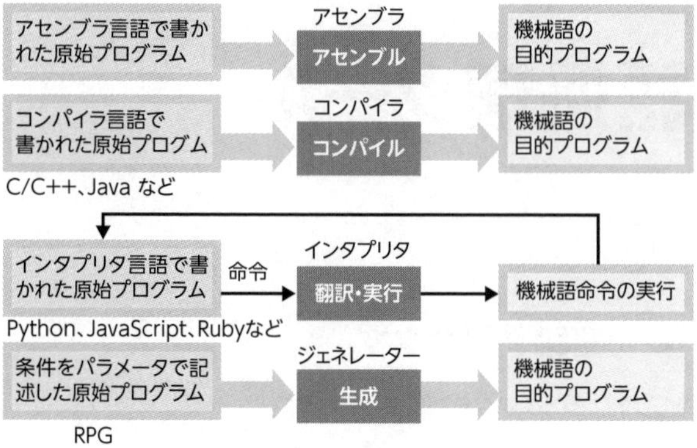

図表 18-2　言語プロセッサによる処理の違い

に実行します。Perl(パール)やPHPなど、多くのスクリプト言語もインタプリタ方式を採用しています。

❹ジェネレーター(generator)

RPG(Report Program Generator)に代表される非手続き型プログラムから、パラメータに従ってプログラムを自動生成します。

コンパイラによる実行工程

頻出

❶コンパイラによる翻訳作業

コンパイラによって作成したプログラムを実行するには、次のような工程を経る必要があります。

コンパイラによる翻訳作業中にプログラムに文法上のミス(**文法エラー**)があった場合は、言語プロセッサがエラーメッセージを出力するので、原始プログラムに戻って修正し、再びコンパイラに掛けます。また、文法上のミスがない場合でも、誤った動作をする場合(**実行エラー**)は、同様に原始プログラムに戻って修正を行います。

❷リンカによる結合編集作業

コンパイラは、翻訳作業の後、機械語の目的プログラムを出力しますが、そのままでは実行できません。コンピュータで動作させるためには、プログラムが参照している他のモジュールを結合するなどの作業が必要になります。この作業を**連係編集**といい、これを行うのが**リン**

さらに詳しく

コンパイラの作業

コンパイラの翻訳作業は次のような手順で行う。

①**字句解析**：プログラムを表現する文字の列を、変数名、演算子、予約語、定数、区切り記号など意味を持つ最小単位である字句(トークン)の列に分解する。

②**構文解析**：字句解析で切り出されたトークンをプログラム言語の構文規則に従って解析する。

③**意味解析**：変数名の宣言とその使用との対応付けや、演算子と演算数の型の整合性のチェックなど、構文解析だけではチェックできない部分の解析を行う。

④**最適化**：実行時の処理効率が高くなるよう、レジスタの有効利用を目的としたレジスタ割付や、不要な演算を省略するためのプログラム変換(再編成)を行う。

⑤**コード生成**：目的プログラムとして出力するコードを生成する。

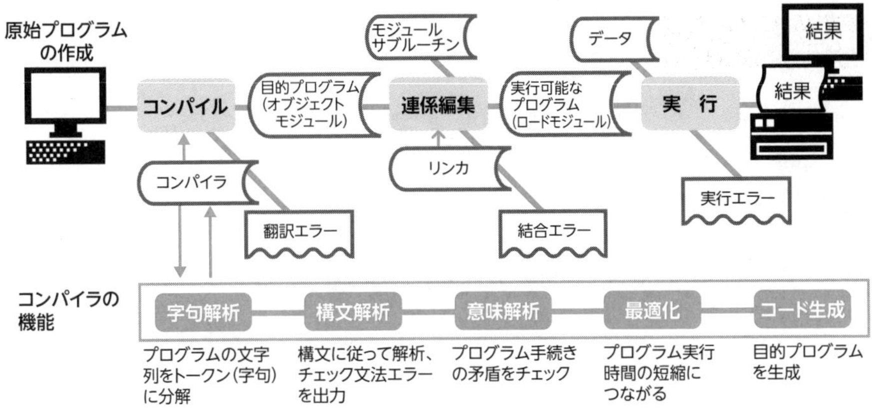

図表 18-3　コンパイラによる実行工程

カ(連係編集プログラム)です。連係編集がエラーなく終了すると、実行形式のロードモジュール(実行ファイル)が出力されます。

インタプリタによる実行工程

インタプリタでは下図のような手順をとります。

- 目的プログラムを作らない：プログラム全体を翻訳するのではなく、1命令ずつ取り出し、翻訳を行い、実行することを繰り返す。
- プログラムが未完成でも動作可能：完成したところまでを、テスト的に実行させてみることができる。
- 実行速度が遅い：1命令ずつ処理するため、実行速度が遅い。プログラムの規模が大きいと効率がよくない。

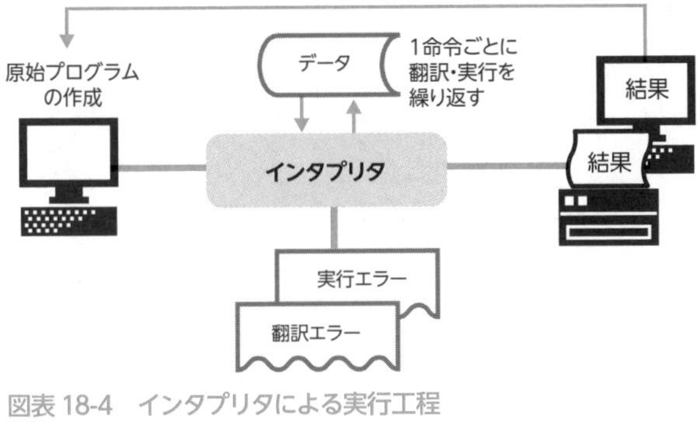

図表 18-4　インタプリタによる実行工程

さらに詳しく

動的リンキング

動的リンキングは、プログラムの実行時に必要となった共用ライブラリやシステムライブラリのモジュールを動的に連係して使用する方法。このモジュールの集合をダイナミックリンクライブラリ(DLL)<☞ p.162>という。

ココも出る！

ローダ

ローダは、プログラムの実行時に、補助記憶装置などから実行形式のプログラムを主記憶装置へ読み込む役割を持つプログラム。

19

コンピュータシステム

オープンソースソフトウェア

オープンソースソフトウェア(OSS)とは？

オープンソースソフトウェア(Open Source Software)とは、ソースコードが公開されているソフトを指します。

また、単にソースコードが入手できるだけでなく、著作者の権利を守りながら公開できるライセンス(ソフトウェアの使用許諾条件)を含んでいます。オープンソースソフトウェアは、次の基準を満たす必要があります。

1. 再頒布(はんぷ)の自由
2. ソースコードが入手可能
3. 変更および派生ソフトウェアを作成可能で、同じライセンス下での頒布を許可
4. 作者のソースコードの完全性を保証
5. 個人やグループに対する差別の禁止
6. 利用する分野に対する差別の禁止(商用も可)
7. 再頒布において追加ライセンスを必要としない
8. 特定製品でのみ有効なライセンスの禁止
9. 他のソフトウェアを制限するライセンスの禁止
10. 技術的に中立でなければならない

注）Open Source Initiative(OSI)による定義

ライセンスの種類と特徴

オープンソースライセンスで共通しているのは、一定の条件の下でソフトウェアの使用、コピー、改変、再頒布(販売を含む)を認めていることです。表中の「無保証」

条　件	GPL	BSDL	MPL
無保証	○	○	○
著作権表示の保持	○	○	○
同一ライセンスの適用	○	—	△

図表 19-1　ライセンスの種類

ココも出る！

コピーレフト

コピーレフト(Copy left)は、コピーライト(Copy right：著作権)を放棄するのではなく、著作権保有者が著作権を保持したまま、著作物(改変したものを含む)の利用、コピー、再配布、改変を制限しないという考え方。コピーレフトのソフトウェアを改変した場合も、この考え方をそのまま適用する必要がある。

デュアルライセンス

デュアルライセンスとは、2種類のライセンス形態を用意しておき、利用側がその片方を選択できるもの。

さらに詳しく

OSSの利点と考慮点

OSSの利点は、低コストで導入でき、利用環境に応じたカスタマイズが可能ということ。ただし、業務での利用には、信頼できるサポートベンダー(有償)を選定し、改変したソースコードの頒布時には公開が原則(GPL)な場合があることを考慮する必要がある。

とは、動作および動作の結果、何らかの損害が生じても、それを保障しないこと。「同一ライセンスの適用」とは、改変したソフトウェアを頒布する際に、元のライセンスを適用することを定めたものです。

❶GPL(General Public License)

GNU(UNIX互換ソフトウェア群の開発プロジェクトの総称)で採用されるフリーソフトのためのライセンス。ソースコードの公開を原則としています(コピーレフト)。

❷BSDL(Berkeley Software Distribution License)

カリフォルニア大学によるライセンス形態。ソースコードをコピー・改変して作成したプログラムは、ソースコードを非公開で頒布できます(コピーレフトでない)。

❸MPL(Mozilla Public License)

原著作者だけに特別の権利を認めるライセンスです。

OSSの種類

❶LAMP/LAPP

OSのLinux、WebサーバのApache、DBMSのMySQL/PostgreSQL、Webページ作成用のPHPの頭文字を取ったもので、Webアプリケーションの構築環境として、対象の規模を問わず広く利用されています。

❷UNIX系OS

オープンソース形態のものには、FreeBSD、NetBSD、OpenBSDなどのBSD系UNIX、GNU/Linuxなどがあります。

❸そのほかのOSS

Perl	プログラム言語、2つのライセンスから選択可。
Python	プログラム言語、コードの可読性がよい。
Ruby	オブジェクト指向のスクリプト言語、日本で開発。
CPAN	Perlで書かれたモジュールをデータベース化。
PEAR	PHPで利用できるライブラリを提供するサービス。
jQuery	JavaScriptを簡易に記述するためのライブラリ。
Eclipse	オープンソースの統合開発環境。<☞>

図表19-2　OSSの種類

ココも出る!

オープンソースコミュニティ

Linuxの開発のように、インターネットでつながった不特定多数のプログラマが開発に携わる形態。バザール方式ともいう。

Apache Tomcat

Tomcatは、Javaサーブレットを動作させるためのソフトウェア(サーブレットコンテナという)。Webサーバとしての機能も持つ。なお、「Apache(アパッチ)」はさまざまなOSSの開発を支援する財団法人であるApache Software Foundationのライセンスの下に配布されていることを示している。

Hadoop(ハドゥープ)

大規模データの分散処理を行うためのOSSによるミドルウェア(ソフトウェアライブラリ)。分散ファイルシステム「HDFS」と、分散処理を実現する「MapReduce」を提供することによって、ビッグデータを活用したソフトウェア開発が容易になる。

さらに詳しく

Eclipse

Eclipse(エクリプス)は、オープンソースの統合開発環境。さまざまな開発用のツールが用意され、JavaScriptやPHPなどの複数の言語に対応する。

ハードウェアと論理回路

ハードウェアで取り上げるもの

　ハードウェアは、コンピュータを構成する電気・電子回路、論理設計、組込みシステムを取り上げたテーマです。組込みシステムとは、事務用または産業用機器や端末、ロボットや計測機器、家電やカメラ、自動車などに内蔵されたコンピュータシステムで、単体またはネットワークを介した他の機器と連係して動作することができます。

　また、**論理回路**はハードウェアを構成する要素で、論理回路を組み合わせることによって演算を行う回路を実現できます。これは、プロセッサの動作原理を学ぶうえでも密接に関わっています。

論理回路を構成する回路

頻出

　論理演算を行う電気回路を**論理回路**といい、論理回路を組み合わせることで、計算や判定、アドレスデコード、コード変換などを行う回路を生成していきます。

●組合せ回路

　最も基本となる回路で、現在の入力値だけで出力値が決まる回路です。基本となる**AND回路**、**OR回路**、**NOT回路**のほか、**NAND回路**、**NOR回路**、**EOR回路**があります。MIL記号では次のように表します。

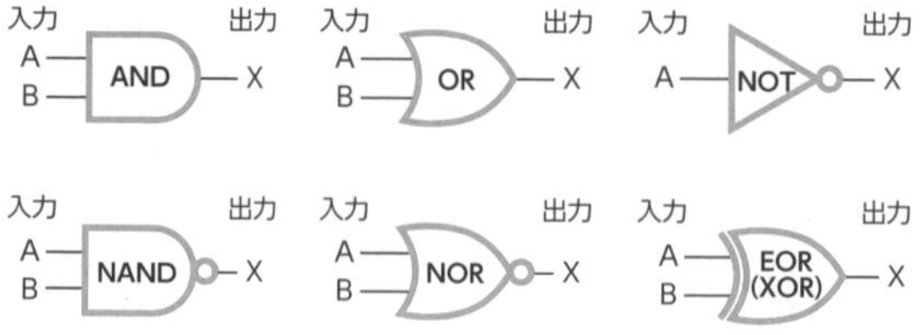

図表 20-1　組合せ回路

こちらも参照

論理演算

☞p.42「集合と論理演算」

さらに詳しく

論理回路の試験対策

　論理回路の出題には、問題図と等価な回路を選ぶものや与えられた回路の出力値を求めるものが、よく出題される。その際は、根気よく真理値表を書いてみるとよい。また、回路はMIL記号だけで出題されることがあるので覚えておくこと。

●順序回路

○フリップフロップ回路

セット状態(1)とリセット状態(0)の２つの安定状態を持つように構成した回路です。パルスを計測するカウンター、レジスタやSRAMなどに使われます。

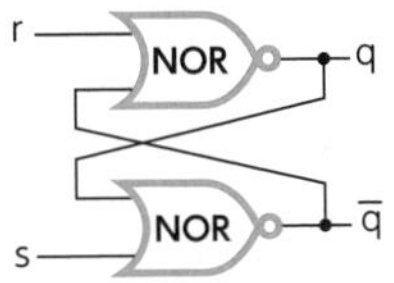

入力		出力
s	r	q
1	0	1
0	1	0
0	0	*

＊保持されている値

図表 20-2
フリップフロップ回路

回路を組み合わせて機能を実現

頻出

基本的な論理回路を組み合わせることによって、さまざまな機能を実現できます。代表例を上げておきます。

●加算回路

コンピュータの計算の基本となる加算を行う回路で、演算装置を構成するものです。次の２種類があります。

❶半加算器(Half Adder ; HA)

１桁の２進数の加算を行う回路です。桁上がりの数(図中のc)を考慮します。

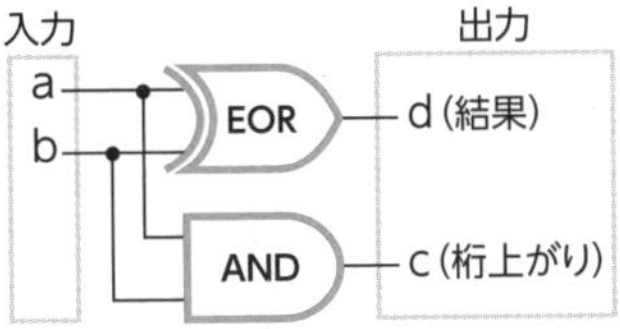

a
＋ b
c d

入力		出力	
a	b	c	d
0	0	0	0
0	1	0	1
1	0	0	1
1	1	1	0

図表 20-3　半加算器の例

❷全加算器(Full Adder ; FA)

入力に下位桁からの桁上がり(図中のc')を含め、１桁の２進数の加算を行う回路です。

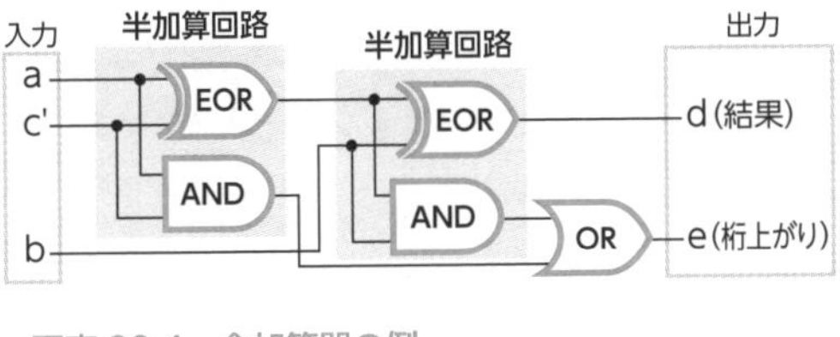

c'
a
＋ b
e d

入力			出力	
c'	a	b	e	d
0	0	0	0	0
0	0	1	0	1
0	1	0	0	1
0	1	1	1	0
1	0	0	0	1
1	0	1	1	0
1	1	0	1	0
1	1	1	1	1

図表 20-4　全加算器の例

出題分析

演算を行う論理回路

１桁の２進数A、Bを加算し、Xに桁上がり、Yに桁上げなしの和(和の１桁目)が得られる論理回路はどれか。

ア
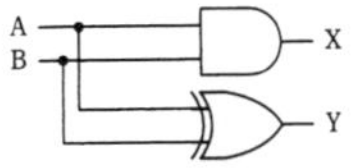

イ
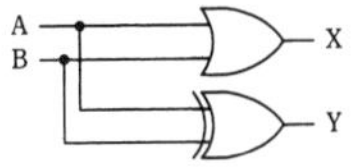

ウ
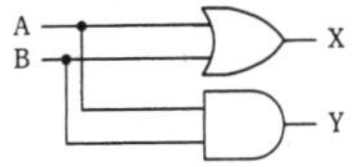

エ
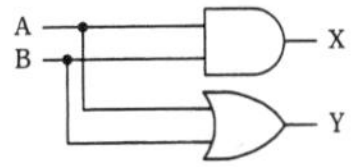

問題文が示す回路は、半加算器が該当する。回路を知っていれば容易に解けるが、知らなくても値を当てはめながら確認すればよい。ここでは、AとBの両方が1のときのみ桁上がりXに1が出力される(アとエが該当)。また、このときYは0になる必要があるので、EOR回路が該当する。

解答 ア

❸3入力多数決回路

3つの入力のうち、2つ以上同じであれば、その値を出力する回路です。多数決回路とも呼ばれます。

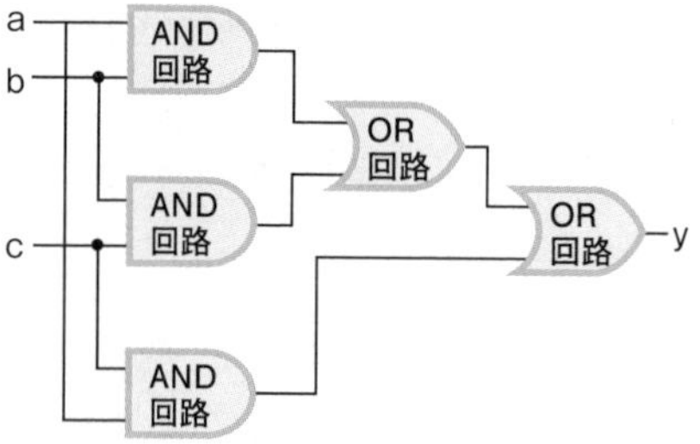

入力			出力
a	b	c	y
0	0	0	0
0	0	1	0
0	1	0	0
0	1	1	1
1	0	0	0
1	0	1	1
1	1	0	1
1	1	1	1

図表 20-5　3入力多数決回路

機械の動きをコンピュータで制御する

機械電子制御は、ハードウェアの動作をコンピュータによってコントロールすることです。対象となるハードウェアは、ロボットや自動車のエンジン、工場の製造工程、カメラのAFなど、ありとあらゆるものが該当します。制御の種類には、次のものがあります。

❶シーケンス制御

決められた動作に従って、制御を進めていく方式。

❷フィードバック制御

あらかじめ設定された目標値と現在の状況を比較し、両者を一致させるように制御を行っていく方式。さらに、用途によって次の制御に細分できます。

- **サーボ制御**

ロボット制御や工作機器の制御など、位置や角度が目標値にきっちりと決まるように制御を行います。

- **プロセス制御**

製鉄や化学工場の製造工程において、温度や圧力などを目標値に収まるように制御を行います。

❸PWM(Pulse Width Modulation) 制御

電力制御に用いられる方式です。一定電圧のオンとオフをパルスによって行うもので、オン/オフ比率を変えること(パルス幅の変調)で電流を制御します。波形を示

ココも出る!

チャタリング

機械式の電気接点(スイッチ) を押したときに、複数回のオン/オフのパルスが発生する現象。マイクロコンピュータが誤動作を起こす要因になる。チャタリングの防止には、論理回路やコンデンサを組合せて対策を行う。

集積回路

集積回路(Integrated Circuit : IC) は、トランジスタやコンデンサ、抵抗などを組み合わせて、必要な回路として基板上に実装したもの。集積度の高さによってLSI(Large Scale Integration)、VLSI(Very Large Scale Integration) などと呼ばれている。

FPGA

FPGA(Field Programmable Gate Array) は、集積回路(IC) の一種。通常の集積回路は製造後に書き換えはできないが、FPGAはプログラムによって論理回路を書き換えられるのが特徴。特殊用途向け、かつ状況に応じて回路構成に変更が必要な用途に適している。

こちらも参照

オープンループ制御
クローズドループ制御

☞ p.75「制御に関する基本的な理論」

すと、振幅は一定でパルス幅が変化しています。

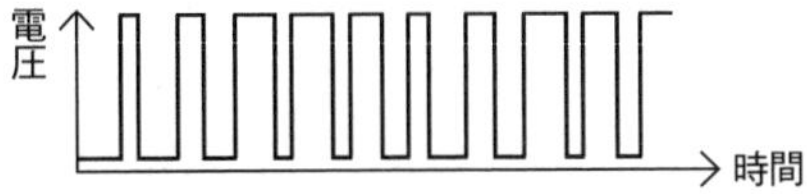

電力量の計算

●消費電力の計算

次のような公式に当てはめて求めることができます。また、消費電力を求める際は、使用時間を考慮します。

〔公式〕**電力(W)＝電圧(V)×電流(A)**
Wh(ワット・アワー)＝電力(W)×時間(h)

●電池容量の計算

電池容量は、Ah(アンペア・アワー)で表します。例えば、10Ahなら、1Aの機器で10時間、2Aの機器で5時間電流を流し続けられることを示しています。

〔公式〕**Ah(アンペア・アワー)＝電流(A)×時間(h)**

出題分析

稼働時間の計算

12Vの直流電源で動作する、消費電力120Wのノートパソコンがある。12V、60Ahの電池で連続稼働させるとき、連続で約何時間動作するか。ここで、使用する電池の電圧、電流は最後まで一定とする。
（選択肢省略）

消費電力の公式より、アンペアを求める。**電流〔A〕＝電力〔W〕÷電圧〔V〕**

120W÷12V＝10A

さらに、電池容量の公式から、稼働時間を求める。

時間〔h〕＝Ah÷電流〔A〕

60Ah÷10A＝6〔時間〕

試験はこう出る

問

家庭用の100V電源で動作し、運転中に10Aの電流が流れる機器を、図のとおりに0分から120分まで運転した。このとき消費する電力量は何Whか。ここで、電圧および電流の値は実効値であり、停止時に電流は流れないものとする。また、力率は1とする。

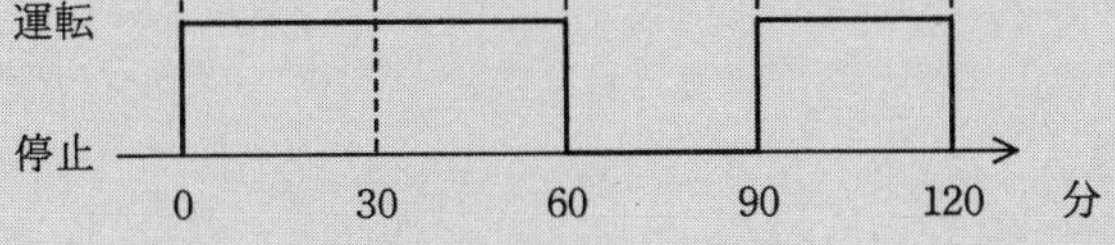

ア　1,000　　イ　1,200　　ウ　1,500　　エ　2,000

答

まず、機器の消費電力を求めると、

100(V)×10(A)＝1000(W)

問題の図から、120分間で稼働している時間を読み取ると、90分＝1.5時間。

以上から、消費電力は、

1000(W)×1.5(h)＝1500(Wh)

解答　ウ

第2章　章末まとめ問題

シラバス　●大分類2：コンピュータシステム　●中分類3：コンピュータ構成要素
●小分類1：プロセッサ

出題：令和4年7月修了認定試験ほか

問1　コンピュータの性能

CHECK

表に示す命令ミックスによるコンピュータの処理性能は何MIPSか。

命令種別	実行速度(ナノ秒)	出現頻度(%)
整数演算命令	10	50
移動命令	40	30
分岐命令	40	20

ア　11　　イ　25
ウ　40　　エ　90

シラバス　●大分類2：コンピュータシステム　●中分類3：コンピュータ構成要素
●小分類1：プロセッサ

出題：令和5年7月修了認定試験ほか

問2　プロセッサの高速化技術

CHECK

プロセッサにおけるパイプライン処理方式を説明したものはどれか。

ア　単一の命令を基に、複数のデータに対して複数のプロセッサが同期をとりながら並列にそれぞれのデータを処理する方式

イ　1つのプロセッサにおいて、単一の命令に対する実行時間をできるだけ短くする方式

ウ　1つのプロセッサにおいて、複数の命令を少しずつ段階をずらしながら同時実行する方式

エ　複数のプロセッサが、それぞれ独自の命令を基に複数のデータを処理する方式

シラバス　●大分類2：コンピュータシステム　●中分類3：コンピュータ構成要素
●小分類1：プロセッサ

出題：令和3年7月修了認定試験ほか

問3　内部割込みに分類されるもの

CHECK

内部割込みに分類されるものはどれか。

ア　商用電源の瞬時停電などの電源異常による割込み

イ　ゼロで除算を実行したことによる割込み

ウ　入出力が完了したことによる割込み

エ　メモリパリティエラーが発生したことによる割込み

シラバス ●大分類2：コンピュータシステム ●中分類3：コンピュータ構成要素
●小分類2：メモリ

出題：令和5年7月修了認定試験ほか

問4 フラッシュメモリに関する記述

CHECK □□□

フラッシュメモリに関する記述として、適切なものはどれか。

ア　高速に書換えができ、CPUのキャッシュメモリに用いられる。

イ　紫外線で全データを一括消去できる。

ウ　周期的にデータの再書込みが必要である。

エ　ブロック単位で電気的にデータが消去できる。

シラバス ●大分類2：コンピュータシステム ●中分類3：コンピュータ構成要素
●小分類2：メモリ

出題：令和6年6月修了認定試験ほか

問5 メモリインタリーブの説明

CHECK □□□

メモリインタリーブの説明として、適切なものはどれか。

ア　新しい情報をキャッシュメモリに取り出すとき、キャッシュ上では不要になった情報を主記憶に書き込む。

イ　主記憶のアクセス時間と磁気ディスクのアクセス時間とのギャップを補う。

ウ　主記憶の更新と同時にキャッシュメモリの更新を行う。

エ　主記憶を幾つかの区画に分割し、連続したメモリアドレスへのアクセスを高速化する。

シラバス ●大分類2：コンピュータシステム ●中分類3：コンピュータ構成要素
●小分類5：入出力装置

出題：令和5年7月修了認定試験ほか

問6 磁気ディスク装置の性能

CHECK □□□

磁気ディスク装置の性能に関する記述のうち、適切なものはどれか。

ア　アクセス時間は、回転速度を上げるか位置決め時間を短縮すると短くなる。

イ　アクセス時間は、処理装置の前処理時間、データ転送後の後処理時間も含む。

ウ　記憶容量は、トラック当たりの記憶容量と1シリンダ当たりのトラック数だけで決まる。

エ　データ転送速度は、回転速度と回転待ち時間で決まる。

シラバス ●大分類2：コンピュータシステム ●中分類4：システム構成要素
●小分類1：システムの構成

出題：令和5年6月修了認定試験ほか

問7 RAID1～5の方式の違い

CHECK □□□

RAID1～5の方式の違いは、何に基づいて区別されるか。

ア　構成する磁気ディスク装置のアクセス性能
イ　コンピュータ本体とのインタフェース
ウ　磁気ディスク装置の信頼性を示すMTBFの値
エ　データおよび冗長ビットの記録方法と記録位置との組合せ

シラバス ●大分類2：コンピュータシステム ●中分類4：システム構成要素
●小分類2：システムの評価指標

出題：令和6年1月修了認定試験ほか

問8 キャパシティプランニングの実施順

CHECK □□□

稼働状況が継続的に監視されているシステムがある。稼働して数年後に新規業務をシステムに適用する場合に実施する、キャパシティプランニングの作業項目の順序として、適切なものはどれか。

〔キャパシティプランニングの作業項目〕

① システム構成の案について、適正なものかどうかを評価し、必要があれば見直しを行う。
② システム特性に合わせて、サーバの台数、並列分散処理の実施の有無など、必要なシステム構成の案を検討する。
③ システムの稼働状況から、ハードウェアの性能情報やシステム固有の環境を把握する。
④ 利用者などに新規業務をヒアリングし、想定される処理件数や処理に要する時間といったシステムに求められる要件を把握する。

ア　③、②、④、①
イ　③、④、②、①
ウ　④、②、①、③
エ　④、③、①、②

シラバス ●大分類2：コンピュータシステム ●中分類4：システム構成要素
●小分類2：システムの評価指標

出題：令和5年12月修了認定試験ほか

問9 稼働率の向上

CHECK

MTBFが1,500時間、MTTRが500時間であるコンピュータシステムの稼働率を1.25倍に向上させたい。MTTRを何時間にすればよいか。

ア 100　　イ 125　　ウ 250　　エ 375

シラバス ●大分類2：コンピュータシステム ●中分類5：ソフトウェア
●小分類1：オペレーティングシステム

出題：令和3年6月修了認定試験ほか

問10 スプーリング機能の説明

CHECK

スプーリング機能の説明として、適切なものはどれか。

ア あるタスクを実行しているときに、入出力命令の実行によってCPUが遊休（アイドル）状態になると、他のタスクにCPUを割り当てる。

イ 実行中のプログラムを一時中断して、制御プログラムに制御を移す。

ウ 主記憶装置と低速の入出力装置との間のデータ転送を、補助記憶装置を介して行うことによって、システム全体の処理能力を高める。

エ 多数のバッファから成るバッファプールを用意し、主記憶装置にあるバッファにアクセスする確率を上げることによって、補助記憶装置のアクセス時間を短縮する。

シラバス ●大分類2：コンピュータシステム ●中分類5：ソフトウェア
●小分類1：オペレーティングシステム

出題：令和6年1月修了認定試験ほか

問11 動的再配置に必要なメモリアクセス時間

CHECK

図のメモリマップで、セグメント2が解放されたとき、セグメントを移動（動的再配置）し、分散する空き領域を集めて1つの連続領域にしたい。1回のメモリアクセスは4バイト単位で行い、読取り、書込みがそれぞれ30ナノ秒とすると、動的再配置をするために必要なメモリアクセス時間は合計何ミリ秒か。ここで、1kバイトは1,000バイトとし、動的再配置に要する時間以外のオーバヘッドは考慮しないものとする。

セグメント1	セグメント2	セグメント3	空き
500kバイト	100kバイト	800kバイト	800kバイト

ア　1.5　　イ　6.0　　ウ　7.5　　エ　12.0

シラバス ●大分類2：コンピュータシステム ●中分類5：ソフトウェア
●小分類5：オープンソースソフトウェア

出題：令和6年1月修了認定試験ほか

問12 OSSのライセンス

CHECK

GPLの下で公開されたOSSを使い、ソースコードを公開しなかった場合にライセンス違反となるものはどれか。

ア　OSSとアプリケーションソフトウェアとのインタフェースを開発し、販売している。
イ　OSSの改変を他社に委託し、自社内で使用している。
ウ　OSSの入手、改変、販売を全て自社で行っている。
エ　OSSを利用して性能テストを行った自社開発ソフトウェアを販売している。

シラバス ●大分類2：コンピュータシステム ●中分類6：ハードウェア
●小分類1：ハードウェア

出題：令和５年１月修了認定試験ほか

問13 7セグメントLEDの表示状態

CHECK

アノードコモン型７セグメントLEDの点灯回路で、出力ポートに16進数で92を出力したときの表示状態はどれか。ここで、P7を最上位ビット（MSB）、P0を最下位ビット（LSB）とし、ポートの出力が０のときLEDは点灯する。

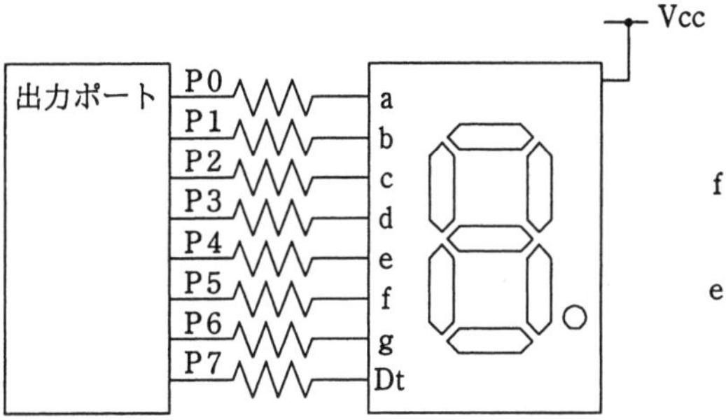

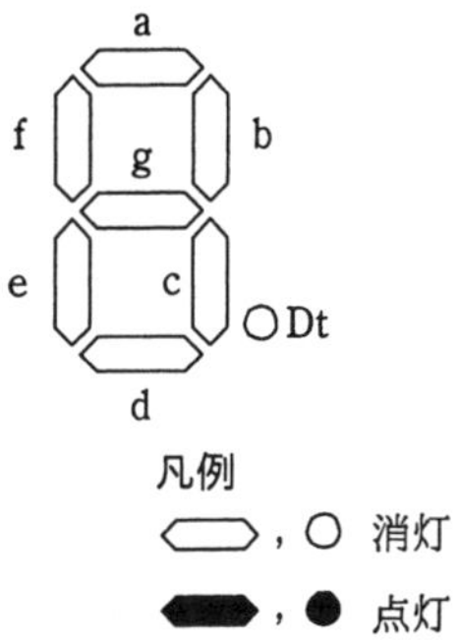

ア
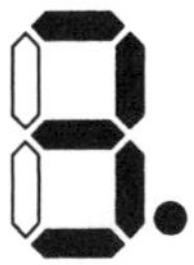

イ
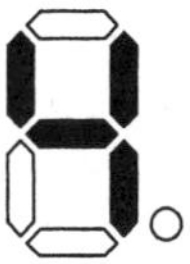

ウ
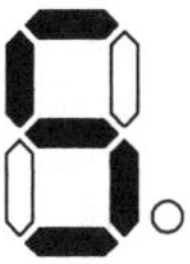

エ
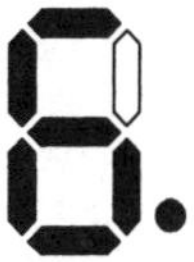

第2章　章末まとめ問題　解答

問1　命令種別ごとの平均命令実行時間を求めると、

$(10\times0.5)+(40\times0.3)+(40\times0.2)=25$〔ナノ秒〕

1秒間あたりの命令数を求める。ナノ秒は、10^{-9}なので、

1〔秒〕÷25〔ナノ秒〕$=1\div25\times10^{9}=0.04\times10^{9}$〔回〕

MIPS値は、1秒間に実行できる命令数を10^{6}単位で表した値なので、

$(0.04\times10^{9})\div10^{6}=0.04\times10^{3}=40$〔MIPS〕

解答　ウ

問2　パイプライン処理方式は、1つのCPUにおいて、命令の各ステージを独立して動作させ、複数命令を並列に実行する技術。ア：SIMDの説明。イ：CPUの高速化についての説明。エ：MIMDの説明。

解答　ウ

問3　内部割込みは実行中のプログラムに起因する割込みで、ゼロ除算やオーバーフロー、SVC割込みがある。ア：機械チェック割込み。イ：プログラム割込み。ウ：入出力割込み。エ：メモリの物理的な異常により発生することから機械チェック割込みに該当する。

解答　イ

問4　フラッシュメモリは、EEPROMを改良したもので、ブロック単位または一括での消去を行う。USBメモリやデジカメの記憶メディアとしての利用が代表的。製品としてはコンパクトフラッシュ、SDメモリカードなどがある。アはSRAM、イはEPROM、ウはDRAMのリフレッシュについての説明。

解答　エ

問5　メモリインタリーブは、主記憶装置をいくつかの独立動作可能なバンクに分割（隣り合うアドレスを別々のバンクに割り当てる）し、各バンクごとにアクセスバスを設定してアクセス行う方法。データのアクセスは、アドレス順に行うことが多いため、並行して読み書きを行うことで高速化できる。

解答　エ

問6　ア：回転速度を上げるか、位置決め時間の短縮により短くなる（正解）。イ：前処理時間や後処理時間は含まれない。ウ：装置全体は、複数のシリンダで構成される。また、セクタ方式を採用している場合、1トラックすべてに記憶できるわけではない。エ：データ転送速度は、回転速度と1トラック当たりの記憶容量によって計算できる。

解答　ア

問7　RAID1〜5の各構成は、データと冗長ビットの記録方法によって異なり、データ容量と信頼性とのバランスを考慮して使い分ける。RAID2〜4は、データ復元のための冗長データを専用のディスクに書き込む方式だが、ストライピングの単位と復元のための方式が異なる。

解答　エ

問8　現在から将来にわたるシステム能力を見極め、対応を計画する問題である。「把握」、「検討」などといったキーワードから、順序をつかむとよい。手順は、まず状況の把握が必要となる（③）。さらにシステムに求められる要件を把握する（④）。そのうえで、必要となるシステム構成の案を検討（②）。構成案ができたら評価を行い、必要があれば見直しを行う（①）。

解答　イ

問9

もとのシステムの稼働率は、

$$\frac{1{,}500}{1{,}500+500}=0.75$$

1.25倍する式を立てると、

$$0.75\times1.25=\frac{1{,}500}{1{,}500+x}$$

$$(1{,}500+x)=\frac{1{,}500}{(0.75\times1.25)}\qquad 1{,}500+x=1{,}600\qquad x=100$$

解答　ア

問10　スプーリングは、データ出力の際に低速なプリンターなどでなく、高速な磁気ディスクへ書き出してCPUを解放し、並行処理を行う仕組み。ア：多重プログラミング。イ：割込み。エ：ディスクキャッシュ。

解答　ウ

問11　問題のメモリ空間においてセグメント2が解放されたとき、空き容量を1つの連続領域にするためには、セグメント3をセグメント1側に移動すればよい。これには、セグメント3の800kバイトを4バイト単位で読取り、書込みを繰り返す。

800k÷4〔バイト〕=200k回

200k回×(30+30)〔ナノ秒〕=12,000,000〔ナノ秒〕

1ミリ秒は10^{6}ナノ秒なので、12〔ミリ秒〕となる。

解答　エ

問12　GPLは、コピーレフトに基づいたライセンスで、著作物の利用、コピー、再配布、改変を制限しないことが求められる。ソフトウェアを改変した場合も、この考え方をそのまま適用する必要があり、ソースコードを公開しない場合はライセンス違反となる。

解答　ウ

問13　7セグメントLEDは、出力デバイスとして数字の表現に使われる。各LEDは出力ポートに対応し、P7 P6 P5 P4 P3 P2 P1 P0のビット列として出力が0のとき点灯する。ここで、16進数の92をビット列で表すと、10010010となるので、a、c、d、f、gが点灯することになる。

解答　ウ

第3章

技術要素

第3章 この章の構成と攻略法

この章の内容と学習ポイント

この章は5つの分野が含まれ、それぞれは独立しています。ただし、データベース、ネットワーク、セキュリティの内容は深く関わりを持っているため、学習の際には意識しておくとよいでしょう。出題数は、セキュリティが7問前後と最も多くなっています。

中分類7 ユーザーインタフェース

ユーザーインタフェース（UI）は、文字どおり人がコンピュータと関わる部分です。ユーザビリティやアクセシビリティに考慮した機器の選択や設計がポイントです。

小分類1 ユーザーインタフェース技術

1 情報アーキテクチャ
2 ユーザーインタフェース　3 GUI

小分類2 UX/UIデザイン

1 UX（User Experience）デザイン
2 情報デザイン　3 画面設計・帳票設計　4 コード設計
5 Webデザイン　6 人間中心設計
7 ユニバーサルデザイン　8 ユーザビリティ評価

01　ユーザーインタフェース　☞ p.202

➔攻略法と他章との関連

小分類1のテーマはパソコンでなじんでいる部分。特にWeb設計関連について機能の一般名称を覚えておきましょう。小分類2のうち、画面設計・帳票設計、コード設計は、第４章システム開発の「ソフトウェア設計」の一部といえるものなので、システム開発の流れの中でまとめておくとよいでしょう。そのほかは用語問題が多いので知識量がものを言います。

中分類8 情報メディア

音声、静止画、動画などについて、データの扱い方を学びます。身近に接することの多い技術も含まれるため、なじみやすいところから整理しましょう。

小分類1 マルチメディア技術

1 マルチメディア　2 音声処理　3 静止画処理
4 動画処理　5 情報の圧縮・伸張

小分類2 マルチメディア応用

1 グラフィックス処理　2 マルチメディア応用

02　マルチメディア技術　☞ p.207

➔攻略法と他章との関連

小分類1は、計算問題が多いのが特徴。動画配信の転送レート、音声データの容量など。慣れておけば難しくないので過去問で演習を。そのほか最新の動画規格にも注目しておくとよいでしょう。小分類2は、3次元CGやアニメーション技法など。用語レベルの問題ですが、知っていないと手が出ないので要注意。

中分類 9　データベース

データベースについて、設計から構築、データベースへの操作が順に取り上げられています。一連の流れとしてつかんでおくとよいでしょう。なお、データベースを扱う言語である SQL については文法を理解しておく必要があります。そのほか、データベースの障害対策や応用技術についても出題頻度が高いテーマです。

小分類 1　データベース方式

1 データベース　2 データベース管理システム

03　データベース方式 ☞ p.211

攻略法と他章との関連

出題は少ないテーマですが、スキーマや関係データベースの考え方が問われます。データベース管理システム (DBMS) は、小分類4の「トランザクション処理(p.225)」の出題がメインです。

小分類 2　データベース設計

1 データ分析　2 データベースの設計
3 データの正規化　4 データベースの物理設計

04　データベース設計 ☞ p.214

攻略法と他章との関連

E-R図やUMLによるデータ設計、正規化、外部キーの設定などが具体例で問われます。しっかりと理解しておかないと、解けない難問もあるので注意。UMLについては、第1章の「マークアップ言語(p.102)」でも触れています。

小分類 3　データ操作

1 データベースの操作　2 データベース言語

05　データベースの操作 ☞ p.218

攻略法と他章との関連

射影、結合、選択といった操作がSQL文を使って出題されます。問題を解くためには、SQLのデータ定義、ビュー定義、データ操作について文法を理解しておくことが必須になります。

小分類 4　トランザクション処理

1 同時実行制御 (排他制御)　2 障害回復
3 トランザクション管理　4 データベースの性能向上
5 データへのアクセス制御

06　トランザクション処理 ☞ p.225

攻略法と他章との関連

ここも出題数が多いテーマです。DBMSの排他制御やトランザクション処理の障害回復は、定番ですがバリエーションが多いのが特徴。具体例で問われるので、深めの理解が必要になります。

小分類 5　データベース応用

1 データベースの応用　2 分散データベース
3 データ資源管理

07　データベースの応用 ☞ p.229

攻略法と他章との関連

出題は多くありませんが、まぎらわしい選択肢が含まれるので注意が必要です。近年の定番テーマといえるビッグデータやデータマイニングは、第7章の「システム活用促進・評価 (p.470)」と関連しています。

中分類10　ネットワーク

小分類1～5までありますが、全体は密接に関わっています。試験の出題から見ると、大きなテーマはOSI基本参照モデルとインターネットの仕組みやサービスです。またそれぞれにプロトコルが関わってきますので、用途ごとにまとめておくとよいでしょう。

小分類1　ネットワーク方式

1 ネットワークの種類と特徴　2 有線LAN
3 無線LAN　4 交換方式　5 回線に関する計算
6 インターネット技術

小分類2　データ通信と制御

1 ネットワークアーキテクチャ　2 伝送方式と回線
3 ネットワーク接続　4 伝送制御
5 メディアアクセス制御

08　ネットワーク方式とデータ制御 ☞ p.237
09　ネットワークアーキテクチャ ☞ p.247

➔攻略法と他章との関連

小分類1では、回線利用率の計算が頻出しています。インターネット技術は、本書では小分類5でまとめています。IPv6やDNSサーバなどは用語問題として、IPルーティングは具体例で問われます。また、ファイアウォールについては本章のセキュリティと関連しています。小分類2は、OSI基本参照モデルと関連するLAN間接続装置のテーマが中心。各層の特徴が問われることが多いので、しっかりと対策しておきましょう。伝送制御の一部は、第1章を参照のこと(p.72)。メディアアクセス制御としては、CSMA/CDがよく問われるテーマです。

小分類3　通信プロトコル

1 プロトコルとインタフェース

10　通信プロトコル ☞ p.252
11　IPアドレスの役割と機能 ☞ p.255

➔攻略法と他章との関連

通信プロトコルは、用途別に分類して整理しておきましょう。用途はもちろんのこと、TCP/IPのどこに対応するかの整理も必要です。セキュリティプロトコルやポート番号などは、セキュリティ分野からも出題されるので、過去問対策を確実に。また、小分類1とも関わるIPアドレスの問題は、サブネットマスク、NAPT機能が頻出するので対策を万全に。

小分類4　ネットワーク管理

1 ネットワーク運用管理　2 ネットワーク運用管理ツール
3 SNMP　4 仮想ネットワーク

小分類5　ネットワーク応用

1 インターネット　2 イントラネット　3 エクストラネット
4 ネットワークOS　5 通信サービス　6 モバイルシステム

12　ネットワーク管理 ☞ p.259
13　電子メールとネットワークサービス ☞ p.262

➔攻略法と他章との関連

小分類4は、仮想ネットワークがシラバスに追加されています。また、ネットワーク管理ツールやネットワーク管理プロトコルSNMP（SMTPエージェント、SMTP管理ステーション）についてもまとめておきましょう。小分類5は、モバイルシステムに要注目。そのほか電子メールの転送の仕組みと、それに関連するプロトコルを整理しておきましょう。インターネットに関する技術は、小分類1～3の内容を含んでいます。

中分類 11 セキュリティ

セキュリティは、基本情報の中で最も重要視されている分野です。情報システムに対する攻撃とそれに対応するための対策方法は年々増えており、覚えるべき用語も増加の一途をたどるばかり。どんな出題が多いのかを過去問学習で把握しておきましょう。

小分類 1 情報セキュリティ

1 情報セキュリティの目的と考え方
2 情報セキュリティの重要性　3 脅威　4 脆弱性
5 不正のメカニズム　6 攻撃者の種類、攻撃の動機
7 攻撃手法　8 情報セキュリティに関する技術

14 情報セキュリティ ☞ p.276
15 暗号技術 ☞ p.287
16 利用者認証 ☞ p.292

攻略法と他章との関連
小分類の項目のうち、セキュリティの概念、脅威、脆弱性、攻撃手法までは、セキュリティの基本的な考え方から、脅威となる原因、具体的な攻撃手法が問われます。名称とともにまとめておきましょう。情報セキュリティに関する技術は、かなり盛りだくさんな項目です。まず、暗号化技術は、具体例が問われる定番。認証技術や公開鍵基盤と合わせて整理が必要です。またメッセージ認証についても要注意です。

小分類 2 情報セキュリティ管理

1 情報セキュリティ管理　2 リスク分析と評価
3 情報セキュリティ継続　4 情報セキュリティ諸規定（情報セキュリティポリシーを含む組織内規程）
5 情報セキュリティマネジメントシステム（ISMS）
6 情報セキュリティ組織・機関
7 情報セキュリティに関する基準

小分類 3 セキュリティ技術評価

1 セキュリティ評価基準

17 情報セキュリティ管理とセキュリティ技術評価 ☞ p.297

攻略法と他章との関連
小分類2では、リスク管理、セキュリティポリシーといった管理方法や規程などの内容が中心。情報セキュリティマネジメントシステムは、第9章の「標準化関連」とも関連しています。セキュリティ組織・機関は、IPA関連も含めた各省庁の組織をまとめておくとよいでしょう。小分類3は、内容、出題ともに多くはありませんが、セキュリティ評価のための検査やテスト手法が問われます。

小分類 4 情報セキュリティ対策

1 情報セキュリティ対策の種類

18 情報セキュリティ対策 ☞ p.304

攻略法と他章との関連
コンピュータウイルス対策をはじめとして、さまざまなセキュリティ対策が出題されます。普段聞くことのない対策もあるので、特徴を整理しておきましょう。

小分類 5 セキュリティ実装技術

1 セキュアプロトコル　2 認証・認証技術
3 ネットワークセキュリティ　4 データベースセキュリティ
5 アプリケーションセキュリティ

19 セキュリティの実装技術 ☞ p.311

攻略法と他章との関連
ネットワークについてのセキュリティ対策が中心です。ファイアウォールやDMZ、セキュアプロトコルなどは、本章のネットワーク分野とも関連するもの。アプリケーションセキュリティはWAFを中心に出題が増えています。

01

技術要素

ユーザーインタフェース

人とコンピュータを結ぶ接点

ユーザーインタフェース（**UI**：User Interface）とは、人とコンピュータとの間を結ぶ入出力機器や入出力方式のことです。利用者にとって使いやすいシステムということに加えて、業務処理効率が良いことも重要です。このため、人間の特性（感覚特性、動作特性、人為ミスの可能性、疲労、人間の記憶容量、学習能力）を考慮したうえで設計を行うことが重要です。

誰もが使いやすい！ がキーワード

ソフトウェアやサービス、周辺機器などが使いやすく、利用者が満足できる度合いを**ユーザビリティ**といい、評価方法は、**ヒューリスティック評価**<☞>で行います。

また、年齢や障害の有無にかかわらず、どんな利用者でも使えるようにすることを**アクセシビリティ**といいます。ユーザーインタフェースを構築する際は、これらの考え方が重要で、常に意識しておく必要があるでしょう。

ノンバーバルインタフェースは、人の動作や表情、視線といった言語でないインタフェース全般を指す用語で、コンピュータでは次ページのNUIやGUIによるマウス操作やタッチパネル、視線や表情を読み取るインタフェースなどがあります。

❶自然言語インタフェース／VUI（Voice User Interface）

自然言語インタフェースとは、人が日常使う言葉でやり取りができるインタフェースを指します。また、**VUI**は、人の声で自然言語の入力を行い、応答も音声合成によって人が理解できる言葉で行うインタフェースです。

ココも出る！

インフォメーションアーキテクチャ

インフォメーションアーキテクチャ（情報アーキテクチャ）とは、情報をわかりやすく体系化し、探しやすいようにする技術のこと。具体的には、組織化（50音順に並べる、カテゴリでまとめるなど）、階層化するなどがある。また、狭義にはWeb設計の技法を指すこともある。

ヒューリスティック評価

ヒューリスティック評価とは、ユーザーインタフェースを評価するための方法。数人の専門家がユーザビリティのガイドラインに沿ってそれぞれ評価を行い、それを集約する形で問題点を明確にする。

具体的には、AIスピーカーのGoogleアシスタントやAmazonのアレクサなどがあります。

❷NUI（Natural User Interface）／マルチタッチインタフェース

NUIは、普段使っている自然な操作でやり取りするインタフェース全般を指します。具体的には、タッチパネルと指を使って操作を行うマルチタッチインタフェース<☞>、ペンタブレットの操作などがあります。

❸ジェスチャーインタフェース

ジェスチャーインタフェースは、手や指先の動きや体全体の動きをカメラで読み取ったり、赤外線センサーで検知したりして伝えるインタフェースなどを指します。

GUIは「見ればわかる」インタフェース

GUI(Graphical User Interface)は、アイコンやボタン、メニューなどを使って利用者が直感的に操作できるパソコンなどで使われるインタフェースを指します。用途に応じて数のような部品を使って構成していきます。

図表 01-1　GUIの部品

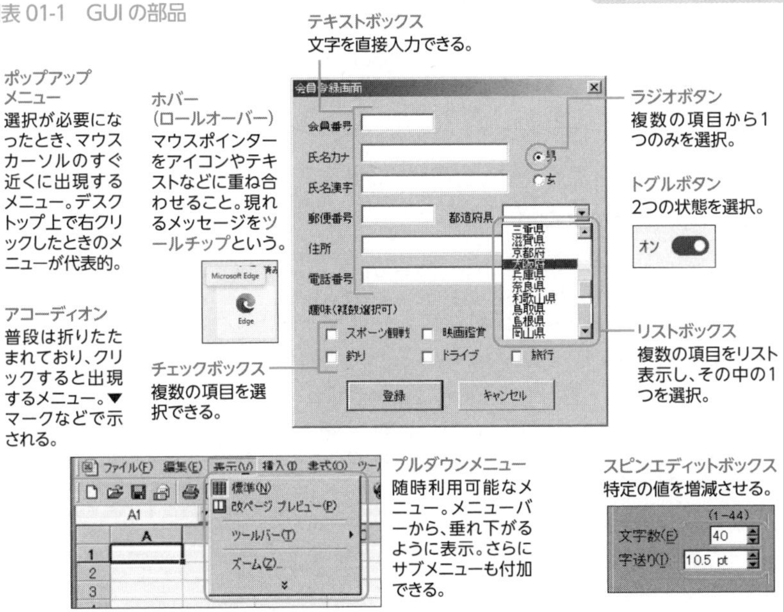

ココも出る！

マルチタッチインタフェース

タッチパネルを使った指によるジェスチャ操作のこと。指でたたくようにするタップ、上下左右にはじくフリック、ゆっくりと払うスワイプ、触れながらアイコンなどを引きずるように移動させるドラッグ、2本の指の間隔を広げる／狭める動作で、表示の拡大／縮小などを行うピンチアウト／ピンチインなどがある。

満足度を左右するUX/UIデザイン

UX(User Experience)デザインは、操作性や印象、機能やサービスなどのすべてを含むアプリ設計を指します。UXデザインのエクスペリエンスは「経験」のこと。UIデザインを入り口にして、利用者がシステムやサービスを使うことで得られるすべてを満足させられるような設計を行うということです。UX/UIデザインを成功させるポイントとして、利用者の使用場面を想定することが挙げられます。目的とする既存のサイトを実際に利用してみて、感じ方を実体験してみるのもよいでしょう。

❶ユニバーサルデザイン

文化や言語、年齢や性別の違いなどに配慮し、より多くの人が快適に利用できるインタフェースを設計することです(例：多言語対応の音声ガイドなど)。

❷情報デザイン

情報デザインは、多くの情報の中から目的に応じて収集を行い、見た目にも内容にもわかりやすく整理すること。具体例としてデザインの原則<☞>があります。

ミスを防げる、わかりやすい設計に

頻出

人とコンピュータとの接点として、最も一般的なのが文字や数字の入力や出力です。迷わずに、素早く入力でき、入力ミスをしにくい設計が求められます。また、出力する帳票も見やすく、わかりやすいことが必要です。

●画面設計・帳票設計の考慮点

項目のレイアウト	視線は左から右、上から下に動くのが自然であり、項目の配置もこれに従う。重要な項目は特別な色や罫線などを用い、関連する項目はグルーピングする。
メッセージガイド	利用者に操作ミスの内容や対処方法を具体的に示す仕組み（エラーメッセージや警告音など）を用意する。
操作性の標準化	操作方法や画面の表示方法、使用する帳票類を統一化する。操作方法を画面上で調べられるオンラインヘルプの導入を検討する。
操作環境	初心者向けのメニューに加え、習熟者向けにキーボード入力によるショートカット操作などを用意する。

図表 01-2　画面設計と帳票設計

さらに詳しく

UXデザインのモデル

UXデザインの手順として５段階モデルがある。

①戦略：アプリ設計の目的と利用者の設定からコンセプトを決める。
②要件：必要な機能をまとめ、構成や外観イメージを検討していく。
③構造：機能から全体の構造を決め、ページの流れや情報の配置を具体化していく。
④骨格：実際の動きをワイヤーフレームとして具体化し、機能や操作性を調整していく。
⑤表層：利用者が操作する外観上のイメージを作り上げていく。

デザインの原則

情報デザインのまとめ方や見せ方として意識しておきたいこととして次のようなものがある。

①近接：情報の要素が近いもの、関連性があるものを集約する。
②整理：情報を見やすく、わかりやすくするため、位置関係を考慮する。
③反復：受け手に対する見せ方に一貫性を持たせるため、タイトルや並べ方、画面デザインなどをルール付けする。
④対比：情報に強弱を付けることで、伝えたいことが埋もれないようにする。また優先順位を明確にする。

●入力データのチェック

データの入力作業は、どんなに気をつけていてもミスをゼロにはできません。適切なチェックを行うことで、誤りを未然に防ぎ、データの正確性が増します。

照合チェック	入力データと原本のデータを突き合わせて、不一致がないかを検査する。
リミットチェック	データが規定の範囲内かどうかを検査する。
ニューメリックチェック	数値を入力すべきところに、文字などが入っていないか検査する。
シーケンスチェック	ある項目をキーとして、指定の順になっているかを検査。
論理チェック	入力データが論理的に妥当かどうかを検査する。
フォーマットチェック	入力データと入力項目の桁数や桁位置を検査する。
重複チェック	データの重複の有無を検査する。

図表 01-3　入力データチェックの種類

• **チェックキャラクター（チェックディジット）チェック**

主にコード入力に用います。あらかじめ、コードの末尾に、コードから計算によって求めたチェック用の桁（**チェックキャラクター**）を追加しておきます。コードを入力したときには、チェックキャラクター以外の桁で同じ計算を行い、その結果とチェックキャラクターが一致するかを検査することで、入力ミスの有無を検出します。

〔例〕データ：9876、重み付け定数：1234、基数：11の場合

①データと重み付け定数の各桁の積を求め、その和を求める。

9×1＋8×2＋7×3＋6×4＝9＋16＋21＋24＝70

②和を基数で割って、余りを求める

70÷11＝6　余り4

③基数から余りを引き、その結果の1の位をチェックキャラクターとしてデータの末尾に付加する。

11－4＝7…チェックキャラクターは7

したがってもコードは「98767」となる。

④コードのチェックを行うときは、同じ計算を行い、結果が「0」になるかを確認する。

●コード設計

データを扱う際にはコード化を行うことで、入力の手間を省力化し、コンピュータ上でのデータ処理を行いやすくします。コード化は、将来も重複しない桁数を確保し、人にとっても認識できるような工夫が求められます。

ココも出る！

ユニバーサルデザインのガイドライン

ユニバーサルデザインのガイドラインには、ウェブアクセシビリティ向上を目的とした組織**WAI**（Web Accessibility Initiative）によって作成された、**WCAG**（Web Content Accessibility Guidelines）がある。

JIS Z 8530／JIS X 8341

JIS Z 8530（ISO 9241-210）は、ユニバーサルデザインにつながる人間中心設計のプロセスを定めた国際規格（旧規格ISO13407）。**JIS X 8341**は、ウェブコンテンツにおけるウェブアクセシビリティ規格。

フォームオーバーレイ

フォームオーバーレイとは、罫線や見出しなどのフォームをあらかじめ登録しておき、出力データとともに印刷する方式。これにより、あらかじめ用紙に様式を印刷しておくプレプリントが不要になる。

順番コード （シーケンスコード）	データの発生順や50音順に一連番号を付けたもの（例：JIS都道府県コード）。
区分コード （分類コード）	対象を一定のブロックに分け、その範囲内で一連番号を付けたもの（例：JIS市区町村コード）。
桁別コード	各桁に大・中・小分類などの意味を持たせたもの（例：勘定科目コード、職業分類コード）。
表意コード （ニモニックコード）	内容がわかるような略号をコード化したもの。（例：JIS国名コード；JPN、USA、CHN…）
合成コード	上記コードを組み合わせて用いる。

図表 01-4　コードの種類

●Webデザイン

不特定多数が利用するWeb画面は、迷うことなく操作を進めることができ、必要な情報がわかりやすく表示されることが重要になります。次のような方法があります。

❶フレーム

画面のレイアウトをナビ、メインコンテンツ、ガイドやメニューなどの形にブロック化した枠取りを指します。

❷ナビゲーション、チャンク

ナビゲーションは、利用者がスムーズに検索や移動を行ったり、現在の位置を知る（①<☞「パンくずリスト」>）ための、誘導情報やメッセージ（②）のこと。**チャンク**は、見やすくするためのまとまりのことです。

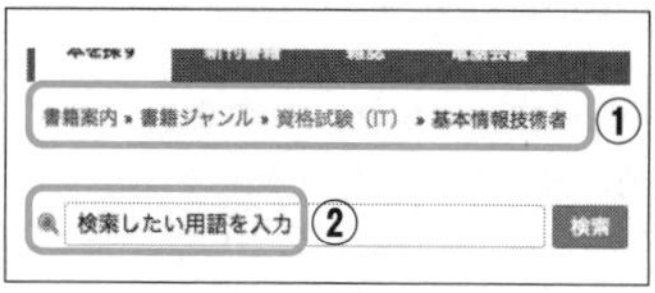

図表 01-5　ナビゲーションとチャンク

❸さまざまなWebブラウザへの対応

Webブラウザは、種類やバージョンの違い、OSやデバイスなどの環境によって、表示や機能に違いが出ることがあります。**クロスブラウザ**は、どのようなブラウザであっても同じ機能や表示を実現することです。その反対に、Webブラウザの種類にかかわらず最低限の表示や機能は使えるようにしておいたうえで、新しい基準のブラウザに対応した特徴のある表示などを加えていく考え方を**プログレッシブエンハンスメント**といいます。

ココも出る！

Webブラウザでの表示

- **UXライティング**：コンテンツ操作中の利用者が、何を行うべきかをサポートするワンポイントのテキスト。
- **カルーセル**：複数のコンテンツの見出しや要約を時間経過とともに左右に切り換えながら表示する手法。

パンくずリスト

閲覧者が、Webサイトのどの階層のページを見ているのかを把握するための情報<☞本文「ナビゲーション」>。名称は、童話の「パンくずを落としながら帰り道の目印とした」話に由来している。

出題分析

Webデザイン

利用者が現在閲覧しているWebページに表示する、Webサイトのトップページからそのページまでの経路情報を何と呼ぶか。

ア サイトマップ
イ スクロールバー
ウ ナビゲーションバー
エ パンくずリスト

「パンくずリスト」はナビゲーションの1つで、トップページからの経路を表示する。これにより、現在閲覧しているWebページの位置がわかる。

解答 エ

02

技術要素

マルチメディア技術

マルチメディアで使うデータ形式

マルチメディアデータには、音声、静止画、動画などがあります。それぞれ複数の方式が存在し、用途や特徴に応じて使い分けられています<☞図表02-1>。

例えば、Web上で公開するなら画質を落としてもデータ量を小さくしたり、再生する機器の解像度によって画質を合わせるといった方法です。

動画形式は、映像と音声の組み合わせ

MPEG(Moving Picture Experts Group)は、ISOとIEC(国際電気標準会議)による動画と音声の圧縮伸長方式または標準化を進めている組織を指します。

MPEGには、家庭用VTR並みの品質のMPEG-1、衛星放送やDVD-Videoで使用される高品質のMPEG-2、

ココも出る！

オーサリング

オーサリング(authoring)とは、文字、画像、動画、音声などの素材(マルチメディアデータ)を組み合わせて、マルチメディアコンテンツを作成すること。また、それを行うためのソフトをオーサリングツールと呼ぶ。

分類	名称	特　徴
静止画像	JPEG	一般的に使われる画像圧縮形式。写真などのフルカラー画像用として適している。
	HEIC	JPEGに比べて圧縮率の高い(約半分)画像の圧縮形式。ファイル識別子は「.heic」。
	GIF	標準では最大で256色を表現。Web上のメニューボタンやイラストなどで利用されている。複数画像を1つのファイルに収め、連続的に表示して動きを持たせるアニメーションGIF、画像中の1色を透明色とした透過GIF形式もある。
	TIFF	画素数や色数の異なる画像を1つのファイルとして扱えるようにしたファイル形式。
	BMP	ビットマップファイルの略で、Windowsが標準で利用する非圧縮の画像データ形式。
	PNG	GIFよりも圧縮率が高く、フルカラーを扱える可逆圧縮の画像形式。Web用の画像形式として利用される。
音声	MP3	MPEG-1のアルゴリズムを応用して、高音質で高い圧縮率を実現する音声の非可逆圧縮方式。Web上の音楽配信などで利用されている。
	PCM	アナログ音声のデジタル変換方式。改良版ADPCMは、差分記録で圧縮率が高い。
	WAV	PCM方式によりアナログデータをデジタル化したもの。Windowsで使われる。
音楽	MIDI	コンピュータで電子楽器を制御するためのシリアルインタフェース。音程や音の長さ、強弱、音色などの楽譜データを記録・再生するための符号化方式。

図表 02-1　マルチメディアで使うデータ形式

そして、数k～数10kbps程度の通信速度を前提にした仕様を含んだMPEG-4などがあります。

動画形式は静止画や音声と異なり、単独ではなくそれぞれを組み合わせた形です。簡単に言うと、複数の静止画をパラパラ漫画のように表示しながら、音声を合わせていくイメージです。例えば、現在数多く使われているMP4は、一般に映像は「H.264/MPEG-4 AVC」、音声は「AAC」などが採用されたコンテナフォーマット（動画や音声など、複数のデータを格納できる規格）です。

データ圧縮でコンパクトサイズに

データの意味を変えずに、データの容量を小さくする処理を圧縮、圧縮したデータを元の状態に復元する処理を伸張（解凍または展開）といいます。圧縮を行うことで、記憶容量の節減や伝送時間の短縮化が可能になります。

また、圧縮する／しないにかかわらず、複数のファイルを1つにまとめることをアーカイブ（Archive）といいます。圧縮データを受け渡す際には、送信する相手が伸張を行うソフトウェア（アーカイバ）を容易に手に入れられることが前提になります。自己解凍形式（ソフトウェアが必要ない）で送る配慮が必要でしょう。

●画像の圧縮形態

圧縮には、大きく次のような形態があります。

❶可逆圧縮

圧縮データを伸張したとき完全に元に戻せますが、圧縮率が小さくデータ容量は大きくなります。

❷非可逆圧縮

圧縮率が高く容量が小さいのですが、解凍すると品質が劣化し、完全に元のデータには戻りません。

マルチメディアで表現力をアップする

マルチメディアの素材をうまく生かすと、さまざまな表現が可能になります。目的に合った方法を選択するのがポイントです。

ココも出る！

ストリーミング

ストリーミング（streaming）とは、ネットワーク上にある音声や動画データの配信技術。データファイル全体をダウンロードしなくても、その一部を読み込んだ時点で再生が可能。

H.265/MPEG-H HEVC

大容量のデータに適した動画圧縮形式。高圧縮率、低ビットレートで画質が保てるため、4K/8Kなどの映像配信やモバイル端末向けの動画配信に向く。

Exif

Exif（Exchangeable image file format）は、静止画の画像ファイル形式。画像データに加えて、撮影情報（撮影日時、使用カメラ、絞りやシャッター速度など）、サムネイル（縮小画像）などが含まれている。世界中のデジタルカメラのほとんどで採用している。

圧縮の標準形式

・ZIP：多くのパソコン用OSに標準で組み込まれている世界標準のファイル圧縮形式。。

・MR（Modified Read）／MMR（Modified Modified Read）：MRは、G3ファクシミリ規格などに用いる画像圧縮形式。MMRは、インターネットファクシミリやG4ファクシミリ規格で用いられる。

●グラフィックス処理

グラフィックス処理の表現では、下記のような要素を考慮する必要があります。

❶色の表現

- 色の三原色：Cyan(青緑)、Magenta(赤紫)、Yellow(黄)による色表現で、混ぜ合わせることで他の色を表現でき、すべてを合わせると黒になります。印刷物などで使われます。
- 光の三原色：Red（赤）、Green（緑）、Blue（青）による光の色表現で、合わせることで他の色を表現でき、すべてを合わせると白になります。ディスプレイの表示などで使われます。

❷画像の品質

画像の品質は、大きく画素数、解像度、階調によって決まります。このほかコントラスト(明暗差)や発色(彩度；色の濃さ)なども影響します。

- 画素数：画像を構成するドットの数、ピクセル数ともいいます。
- 解像度：一般に1インチあたりの画素の数dpi(dots per inch)で表します。画像の精細感につながります。
- 階調：明るさや濃さの再現力を指します。階調が優れていると、微妙なグラデーションも再現できます。

●マルチメディア応用

複数のマルチメディアを併用すると、応用的な利用形態も可能になります。例えばCG(コンピュータグラフィクス)による3D(3次元)映像を融合したクロスリアリティ(XR：eXtended Reality)があります。これには、へ

ココも出る！

ビデオオンデマンド

ネットワークを通じた動画配信サービスのこと。TV局などでは、通常放送されたものをオンデマンド放送でいつでも視聴できる。

バーチャルサラウンド

利用者を取り囲むように複数のスピーカを設置することにより得られる立体音響を、2つのスピーカーやヘッドフォンで仮想的に実現したシステム。実現にはサラウンド放送が前提となる。

メタバース

コンピュータ上に作られた仮想空間で、インターネットを介して複数の利用者がコミュニケーションを行うことができる。参加者は、アバターと呼ばれる仮想空間上の自分自身を使って、現実世界のように振る舞う。

VR(Virtual Reality：仮想現実)	CG(コンピュータグラフィクス)による3D映像をヘッドマウントディスプレイ(VRゴーグル)に映し出し、使用者の動きをセンサーで読み取って画像の動きを合わせる手法。仮想的な空間で自由に立ち回ることができる。
AR(Augmented Reality：拡張現実)	実際に見えているもの(現実の風景など)に、別映像や文字情報などの仮想情報を重ね合わせる手法。仮想情報は表示・閲覧のみ。
MR(Mixed Reality：複合現実)	実際に見えている空間に仮想情報を合わせる手法。専用のヘッドマウントディスプレイが必要。ARとの違いは、仮想情報に触れたり動かしたりすることができ、結果が相互に影響し合うこと。医療や工場の現場で使われる。

図表 02-2　クロスリアリティ（XR）の種類

ッドマウントディスプレイ(ゴーグルのようなディスプレイ)に映し出し、使用者の動きをセンサーで読み取って画像の動きを合わせることで、コンピュータが作り出した空間にいるように感じられるVR(仮想現実感)や、実際に見えているものに、別映像や文字情報などを重ね合わせるAR(拡張現実感)などがあります<☞前ページ 図表02-2>。

3次元CGの描画手順

頻出

3次元画像は、通常そのままでは見ることができないため、最終的には2次元画像として描画します。

❶モデリング

3次元の物体を数値と式で記述する形状データとして作成します。物体の面を、ポリゴンと呼ぶ小さな多角形で表現するモデリング手法もあります。

❷幾何学的モデル、光学的モデルの決定

まず物体を描く視点を決定します。被写体の位置関係、画角(視点から被写体までの距離による角度範囲)やアングルなどです。また、光の当たり具合、光源の種類や光の強さ、光源からの距離や方向などを決めます。これにより表面の反射や影の付き方が変わります。

❸レンダリング

レンダリングは、3次元の情報を立体感のある2次元画像(3DCG)に変換していく作業です。具体的な作業は、以下の処理を順に行っていきます。

ココも出る!

モーションキャプチャ

アニメーション制作などで、人間の動きをデータ化するときに用いる方法。身体の関節などのポイントにマーカを付けて撮影し、その動きを計算して取り込む。

モーフィング

アニメーションの表現手法で、ある物体から別の物体へと変化する様子を見せる。専用ソフトは、2つの物体を描くだけで、その間の変化を作成してくれる。

①透視投影	3次元形状を2次元画像に投影。画角や消失点によって表示領域外となる部分を除外する(クリッピング)。
②隠面消去	手前の物体によって隠れる部分を削除。カメラから物体へ届く光(レイ)を追跡し、物体と光の交点ごとに一番手前になる面(ポリゴン)を計算する方法を、レイトレーシングという。
③ラスタライズ	数値で表されていた形状を、対応する画素(点)で表現。斜めの線などのジャギーを目立たないように加工する処理をアンチエイリアシングという。
④陰影付け	光の当たり具合などによって、表面の色の濃淡を付けるシェーディングを行う。また、光が遮られる部分に影を付ける(シャドーイング)。
⑤効果付与	物質表面の模様や凹凸など、表面の素材感を付与。これをテクスチャマッピングという。

図表 02-3　レンダリングの処理手順

03

技術要素

データベース方式

データの特徴で異なるデータベース

データベース(database)とは、業務で扱う関連性のあるデータを統合し、組織的に管理・蓄積したものです。データの冗長性を極力排除し、多目的な利用(検索や更新)が効率的にできるようになっています。

関係データベース(RDB)		データを2次元の表によって表現したデータベース。非構造型。
構造型データベース		
	階層型データベース	HDB (Hierarchical DB)。レコード間に階層構造を持たせた木構造で表現。親レコードと子レコードはポインタで結合する。
	ネットワーク型（網型）データベース	NDB(Network DB)。階層構造かつレコード間に複数のつながりを持たせた形で表現。
オブジェクト指向データベース		OODB (Object Oriented DB)。データと手続きを一体化（カプセル化）して表現。
ドキュメント指向データベース		1件ごとに構造の異なるドキュメントと呼ばれる形式で保存する形のデータベース。
列指向型データベース（カラム型データベース）		2次元表から列方向のデータ抽出（RDBは行方向のデータを抽出）に長けたデータベース
XMLデータベース		タグを用いてデータの構造と意味を表す。

図表 03-1　データベースの種類

データベースのモデル

データベースを構築するには、現実世界のデータをどのように構造化して、コンピュータ内部で表現するかを考えなければなりません。これをデータのモデル化といいます。モデル化に関して、1978年にANSI(アメリカ規格協会)が3階層のデータモデルを提唱しています。

これは、データ全体を概念データモデル、論理データモデル(外部モデル)、物理データモデル(内部モデル)と

さらに詳しく

データベースの利点

一般のファイルをデータベースに置き換えることによる利点には、次のようなものがある。

①データの一貫性が保たれる(完全性)

複数の業務で使用するデータを一元管理するための機能により、データの追加・更新・削除などの保守作業が容易で、常にデータの整合性を保つことができる。

②データの独立性が高い(独立性)

データとそのデータ特性(桁数やデータの型)を含めて管理することで、データを特定のプログラムから独立させることができる。これにより、データ構造に変化が生じた際もプログラムの修正が不要となり、プログラムの保守性が向上する。

③データを同時に利用できる(安全性)

複数の利用者が同時に利用してもデータの整合性が保たれる。また、データの破壊や漏えいなどが起こらないように管理されている。

いう3つの側面から整理して表すもので、これらの具体的な定義をスキーマ(schema)と呼びます。下図に示すように3階層のスキーマでデータベースを定義するため、3層スキーマと呼ばれています。

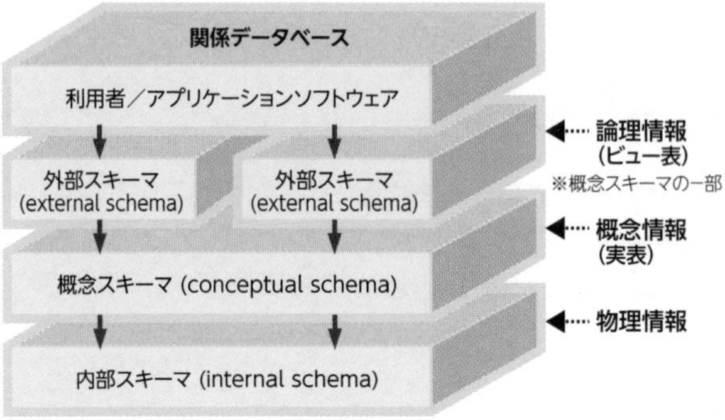

図表 03-2　3 層スキーマ

❶外部スキーマ(副スキーマ)

利用者(またはアプリケーションソフト)から見たデータの形を定義します。関係データベースでは、ビュー表(導出表)が該当します。

❷概念スキーマ(スキーマ)

コンピュータの制約に依らない、現実世界のデータ関係を明らかにします。データベース化の対象となる個々のデータの意味や相互関係(論理構造)を定義します。関係データベースでは実表(テーブル)が該当します。

❸内部スキーマ(記憶スキーマ)

記憶装置上にどうデータを格納し、アクセスするのかといった、データベースの物理的な情報(物理構造)を定義します。

表形式のデータを扱う関係モデル　頻出

関係(リレーショナル)モデルはDBMSに依存する論理データモデルであり、3層スキーマでは概念スキーマに該当します。データを2次元の表形式で持ち、表中のデータ値により、複数の表どうしを関連付けます。利用者にわかりやすく、非定型業務の処理にも向いています。

出題分析

3層スキーマの目的

DBMSが、3層スキーマアーキテクチャを採用する目的として、適切なものはどれか。

ア 関係演算によって元の表から新たな表を導出し、それが実在しているように見せる。

イ 対話的に使われるSQL文を、アプリケーションプログラムからも使えるようにする。

ウ データの物理的な格納構造を変更しても、アプリケーションプログラムに影響が及ばないようにする。

エ プログラム言語を限定して、アプリケーションプログラムとDBMSを緊密に結合する。

3層スキーマは、データの概念と論理構造、物理構造が独立させている点にある。これは、物理的な格納位置に変更があったときも、プログラム(アプリケーション)に影響しないという利点がある。

解答 ウ

こちらも参照

DBMS

☞p.213「データベース管理システム」

●関係モデルの構造

❶**表(relation；関係)**：従来のファイルに相当するもので、通常、1つのデータベース内に構成が異なる複数の表が存在します。

❷**列(attribute；属性)**：フィールド(項目)に相当し、実際のデータが格納されます。1つの表の列構成は全行で同じです。

❸**行(tuple；組)**：1行がファイルにおける1レコードに対応します。

❹**定義域(domain；ドメイン)**：各列(属性)が取り得る値の集合です。1つ1つの値を**実現値**と呼びます。

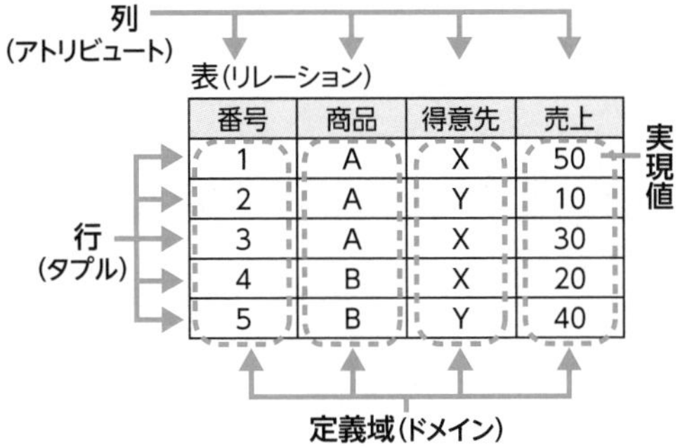

番号	商品	得意先	売上
1	A	X	50
2	A	Y	10
3	A	X	30
4	B	X	20
5	B	Y	40

図表 03-3　関係モデルの構造

データベース管理システム

データベース管理システム(DBMS)は、利用者との間に介在して、データベースの管理を効率よく行うソフトウェア(ミドルウェア)です。次のような機能を持ちます。

❶データベース定義機能

データベースの作成を行う機能で、データの論理構造(スキーマ)を決定し、与えられた論理構造から物理構造を決定します。実際の定義は、**データ定義言語(DDL；Data Definition Language** <☞ p.219>)で行います。

❷データベース操作機能

データに指示を出し、データベースへの操作を行います。データベースへの操作(検索・抽出など)は、データの格納場所やアクセス方式などの詳細な情報を知らなくても可能です。実際の操作は、**データ操作言語(DML；Data Manipulation Language** <☞ p.219>)で行います。

❸データベース管理(制御)機能

データベースは複数の利用者が同時にデータ要求を行っても、矛盾のないようにデータを保つ必要があります。そのための機能として、**保全機能(排他制御、障害回復**など)、**データ機密保護機能(アクセス制御**、データの暗号化など)を持っています<☞ p.225~228>。

ココも出る！

データ辞書／登録簿

データ辞書／登録簿(DD/D；Data Dictionary /Directory)とは、データベースに関する利用者情報やアクセス方法、登録するデータの定義などを格納する辞書のこと。「属性、名称、相互の関係、物理表現の記述」などの情報が登録され、これに基づいてデータが管理される。「データのためのデータ」の意味で**メタデータ**とも呼ばれる。

04

技術要素

データベース設計

関連を示すE-Rモデルによる設計

頻出

データベース設計では、まずE-Rモデルにより概念設計を行います。E-Rモデルで利用するE-R図(Entity-Relationship diagram)は、現実の世界をエンティティ(実体)と実体とのリレーションシップ(関連)、さらに実体や関連が持つアトリビュート(属性)という概念を用いて表した図解表現です。次の3つの記号を用いて表現します。

- エンティティ(Entity；実体)：人、場所、商品のような具体的なもの、技能、納品などの抽象的な概念を表します。エンティティには、それを識別するための識別子(主キー)が必要です。
- リレーションシップ(Relationship；関連)：2つのエンティティ間にある関係を表します。
- アトリビュート(Attribute；属性)：エンティティやリレーションシップが持つ特徴や性質などを表します。

《カーディナリティの表現》

エンティティ間のカーディナリティ(1対1、1対多、多対多)を明確にするためリレーションシップを省略した表現もあります。

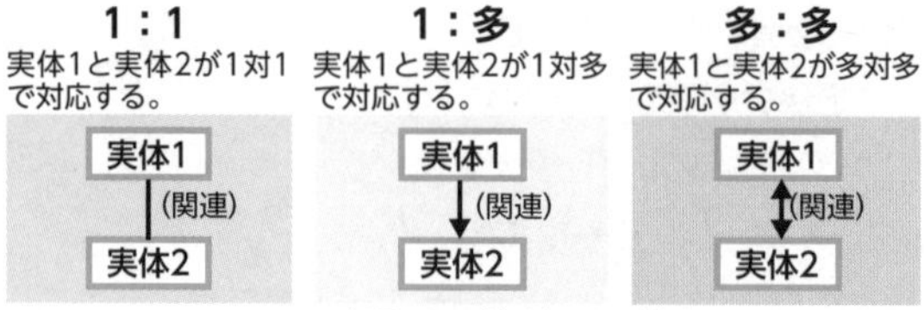

※矢印のある側が多、ない側が1

さらに詳しく

カーディナリティの例

具体的な例を使って、関係を読み取ってみよう。

〔例〕

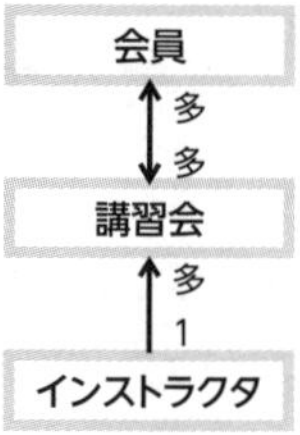

＜会員と講習会の関連＞

- 1人の会員は複数の講習会に参加できる(講習会側に矢印が付く)。
- 1つの講習会には複数の会員が参加する(会員側に矢印が付く)。

＜講習会とインストラクタの関連＞

- 1つの講習会は1人のインストラクタが担当する(インストラクタ側には矢印は付かない)。
- 1人のインストラクタは複数の講習会を担当する(講習会側に矢印が付く)。

具体的な例で設計の手順を見ていきましょう。

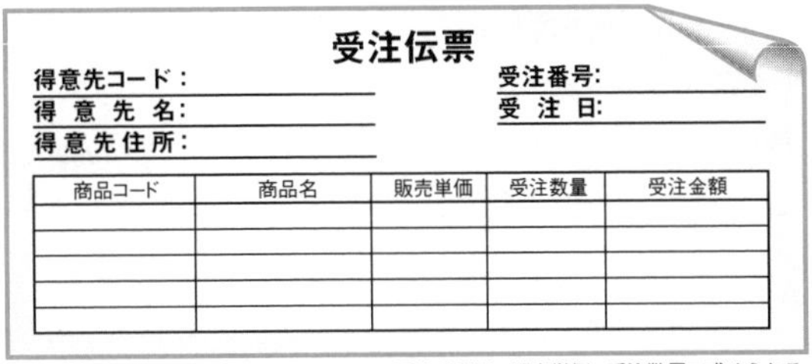

※受注金額は、販売単価×受注数量で求められる。

図表 04-1　受注伝票

上の受注伝票の情報を表すE-Rモデルの例を下に示します。エンティティ「得意先」とエンティティ「商品」との間には、「受注する」というリレーションシップがあることを示しています。なお、2つのエンティティの間に、複数のリレーションシップが発生することもあります。

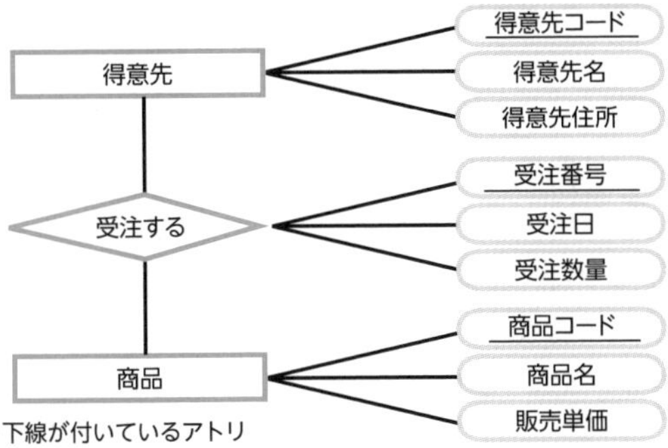

(注)下線が付いているアトリビュートが、各エンティティの識別子(主キー)

図表 04-2　E-R モデルの例

データベースの論理設計

頻出

E-Rモデルによる概念設計を基に、具体的なデータベースとして構築していく作業が**論理設計**です。

●主キーと外部キーの設定と役割

関係モデルによるデータベースでは、行を一意に特定できる1つあるいは複数項目からなるキーが必要です。これを**主キー**といい、論理設計の際に設定します。キーの値は重複しないものが必要で、**ヌル(NULL；空値)**は認められません。このような性質を**一意性制約**といいます。また**外部キー**とは、他の表の主キーと関連づけられた列

出題分析

データモデルの解釈

UMLを用いて表した図のデータモデルの解釈のうち、適切なものはどれか。

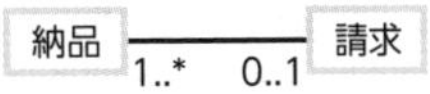

ア 1回の納品に対して分割請求できる。

イ 顧客への請求を支払いで相殺できる。

ウ 請求処理は納品と同時に実行される。

エ 複数回の納品分をまとめて請求できる。

UMLによる多重度の表現で、エンティティどうしの関連を記述することができる。エンティティ納品とエンティティ請求の関係は、「納品→請求」では「0..1(0または1)」、「請求→納品」では「1..＊(1以上)」を意味している。つまり、「複数回(1回以上)の納品分をまとめて請求できる」ことを表している。

解答 エ

さらに詳しく

UMLの多重度表記

記述	意味
＊	0以上
1	1
1..＊	1以上
0,1	0または1
0..2	0〜2

で、表どうしの整合性を保つために設定します。下の例では、受注表に新しい行を追加する場合、得意先表に存在しないコードを登録しようとするとエラーになります。また、参照されている主キーを持つ行は削除できなくなり(または警告が出され)ます。このように互いに矛盾が起きないように行う制約を**参照制約**<☞ さらに詳しく>といいます。

表　受注

得意先表の外部キー

受注番号	商品名	得意先コード
AA1024	LBスイッチ	J320
AA3014	NPボード	M501
BB4789	Sプレート	A201

受注表の主キー

外部キーによって参照できる

表　得意先

得意先コード	得意先名	得意先住所
M501	田中製作所	東京都新宿区
A201	北見沢工房	千葉県千葉市
T440	西川工作所	東京都品川区
J320	遠藤製作所	神奈川県横浜市

得意先表の主キー

── 主キー　- - - 外部キー

図表 04-3　主キーと外部キー

データの重なりをなくす正規化

頻出

関係モデルでデータベースを構築する際に必要な作業が**正規化**です。目的はデータの冗長性をなくし、一貫性と整合性を保つことで、一般に第３正規化まで行います。

❶非正規形

先に示した受注伝票の情報を元に、正規化の手順を説明します。まず、受注伝票の情報を、そのまま表現すると、次のような繰返し部分を持つ形になります。これを**非正規形**データと呼びます。

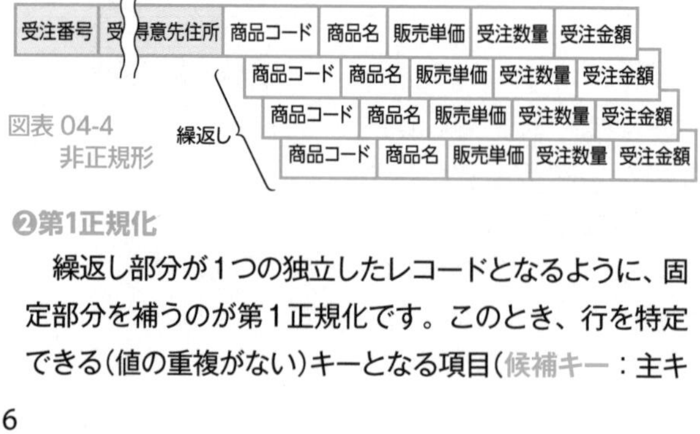

図表 04-4
非正規形

❷第1正規化

繰返し部分が1つの独立したレコードとなるように、固定部分を補うのが第１正規化です。このとき、行を特定できる(値の重複がない)キーとなる項目(**候補キー**：主キ

さらに詳しく

参照制約

参照制約とは、外部キーを設定することにより、表どうしに矛盾が起きないよう制約を行うこと。行の追加や更新、削除の際、エラーを発生させ、実行不可にする。参照整合性制約、一貫性制約ともいう。

正規化のメリット

非正規形の表に対して正規化を段階的に行うことにより、データベースの一貫性と整合性を保つことができる。

①修正時のミスを解消

項目の内容に変更が生じると、その項目が含まれている表をすべて修正する必要がある。正規化により、別の表にしておけば、１か所の修正で済み、ミスを防げる。

②削除時のミスを解消

キーになっている項目の内容の一部が存在しなくなった場合、レコードそのものの存在がなくなってしまう。

③登録時の不都合を解消

キーになっている項目の一部が未確定の場合、レコードの登録ができなくなる。

3 技術要素

ーの候補となる項目)が必要になります(図の下線の付いた項目)。また、計算によって求めることができる項目(ここでは受注金額)は除外します。

受注番号	受注日	得意先	得意先住所	商品コード	商品名	販売単価	受注数量

図表 04-5　第 1 正規形

❸第 2 正規化

主キーの一部だけから特定できる項目(部分関数従属<☞>)を別の表にします。注意しなければならないことは、分割した表と元の表には、関連付けを行うため必ず同じ項目を持たせることです。

上記の第 1 正規形のキー項目は、「受注番号+商品コード」なので、「受注番号」だけに関数従属している項目と、「商品コード」だけに関数従属している項目を別の表として独立させます。

受注番号	受注日	得意先コード	得意先名	得意先住所

受注番号	商品コード	受注数量

商品コード	商品名	販売単価

外部キーによる参照

―― 主キー
- - - 外部キー

図表 04-6　第 2 正規形

❹第 3 正規化

第 2 正規形のデータのうち、キー項目以外でも特定できる(推移関数従属<☞>性がある)データ項目を分割します。ここでは「得意先名」と「得意先住所」は、「得意先コード」に関数従属しているので(推移関数従属の状態)、これを別の表として分割します。

受注番号	受注日	得意先コード

得意先コード	得意先名	得意先住所

受注番号	商品コード	受注数量

商品コード	商品名	販売単価

外部キーによる参照

―― 主キー
- - - 外部キー

図表 04-7　第 3 正規形

このような正規化を進めることで、データの冗長性を省くことができます。なお、分割された表は必要に応じてキー項目で結合すれば元の情報を得ることが可能です。

さらに詳しく

関数従属性

ある項目の値が決まれば、それに対応して他の項目の値も一意に求めることができる性質のこと。複数の項目からキーが構成されている場合(連結キー)、キー項目の一部分のみに関数従属していることを部分関数従属と呼び、すべてのキー項目に関数従属していることを完全関数従属と呼んでいる。

推移関数従属

第 2 正規化を行った表において、キー項目以外の項目に関数従属していること。「キーによってある項目が決まり、その項目によって別の項目が決まる」といった推移的な状態にある状態。推移関数従属を解消することで第 3 正規形になる。

ココも出る!

データベースの物理設計

データベースの物理設計は、論理設計後に実際に格納されるハードウェア構成を決めていく作業。データ容量を想定したディスク容量の見積り、論理データ構造のマッピング(性能を考慮しつつ、表の属性や型・長さの決定、物理ディスクへの配置方法、DDL によるデータ定義など)を行う。最後に性能評価を行い、再調整を図っていく。

データベースの操作

データを取り出すときの操作方法　頻出

関係データベースの操作とは、業務に必要なデータをデータベースから抽出することです。基本的な操作として、**集合演算**と**関係演算**があります。

●集合演算

和（union、または、sum）	複数の表を併合する演算。重複行は併合時に排除される。
差（difference）	表a－表bの演算。表aにあって表bにない行の表が作成される。
積（product）	2つの表の両方に存在する行を抽出した表が作成される。
直積（cartesian product）	2つの表を掛け合わせる演算。それぞれの行数を掛け合わせた数になる。

●関係演算

選択（selection）	条件を指定して、表から特定の行だけを抜き出す操作。
射影（projection）	表指定した列だけを抜き出す操作。
結合（join）	複数の表を、列の値の関連で結合して、新しい表を作り出す操作。

さらに詳しく

関係演算のイメージ

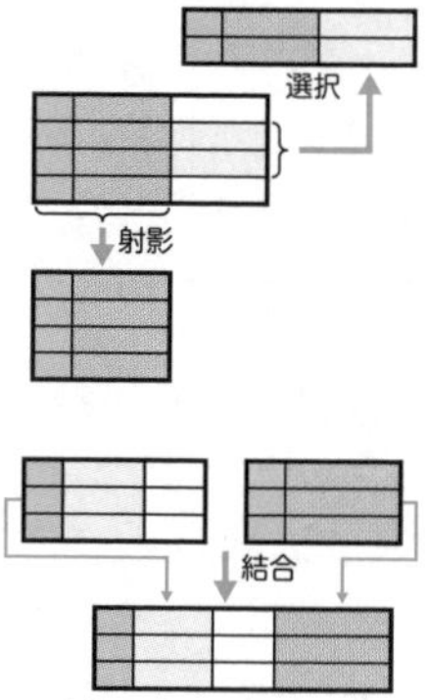

※左端の列をキーにして、
2つの表を結び付けている。

図表 05-1　関係演算の例

〔例〕
元の表

―― 主キー
------ 外部キー

売上集計表

品番	顧客番号	数量
A250	1001	49
G102	1002	20
S450	1007	60
Y320	2001	84

商品表

品番	商品名	単価
A250	商品A	1250
G102	商品G	3540
S450	商品S	2640
Y320	商品Y	1860

①選択
売上集計表から
数量≧50の行を選択する。

表1

品番	顧客番号	数量
S450	1007	60
Y320	2001	84

②射影
商品表から、
品番と単価の
列を射影する。

表2

品番	単価
A250	1250
G102	3540
S450	2640
Y320	1860

③結合
表1と商品表を品番をキーにして結合する。

※金額は単価×数量
により計算

表3

品番	顧客番号	商品名	単価	数量	金額
S450	1007	商品S	2640	60	158400
Y320	2001	商品Y	1860	84	156240

データベースを作り、操作する言語

データベースの定義(作成)は、DBMSに用意された、DDL(データ定義言語)を使って行います。また、データベースに対する操作は、DML(データ操作言語)で行います。DMLの実行方法には、次の2つの方式があります。

❶独立言語方式(問合せ方式)

独立して動作し、端末装置などから直接入力できる方式です。通常、非手続き的で、情報検索に便利なコマンドを備えています。単純な処理をすぐに実行でき、一般の利用者でも直接利用できるのが特徴です。

❷親言語方式

C言語やCOBOLなどの手続き型のプログラム言語にデータベース操作命令を埋め込む方式です。作成されたアプリケーションからアクセスを行います。

ココも出る!

親言語方式によるSQLの利用

親言語方式とは、アプリケーションを作成したプログラム言語(親言語)中にデータベース操作命令(SQL文)を埋め込む方式。このとき、表から1行ずつデータを読み込む機能をカーソル(cursor)という。これによりファイル処理と同じ考え方でプログラムを作成できる。

オプティマイザ(最適化)

SQLによるクエリ(問合せ)を、最も効率が良くアクセスできるようにすること。具体的には、アクセス経路(順次検索かインデックスを

(↗)

関係データベース用の言語－SQL

SQL(Structured Query Language)は、関係データベースの定義や操作を行うための最も一般的な言語です。

定義	説明	SQL文の書き方
スキーマ	スキーマを定義する際、誰が定義するかを明確にし、その許可識別子を指定する。 注) CREATE SCHEMA文をサポートしていないDBMSもある。	CREATE SCHEMA AUTHORIZATION 許可識別子 [CREATE TABLE …] [CREATE VIEW …] [GRANT …]
表	実際にデータが格納される表の、表名、列名、データ型、および、キーの指定を行う。PRIMARY KEYは主キー、FOREIGN KEYは外部キー (他の表の主キーである項目) を表す。1つの表の中には、同一の主キーの値を持つ行は存在しない。	CREATE TABLE 表名 ({列名 データ型, }… PRIMARY KEY 列名 FOREIGN KEY 列名 REFERENCES 表名)
ビュー	ビュー (view) とは、実在の表の一部または複数の表を組み合わせて作成した仮想の表。3層スキーマの外部スキーマに対応するもの。	CREATE VIEW ビュー名 AS SELECT 列名 FROM 表名
権限	表の作成者以外に、読取り (SELECT)、行の追加(INSERT)、削除(DELETE)、更新 (UPDATE)、すべて (ALL PRIVILEGES) などの権限を与える。	GRANT 権限 ON 表名 TO 許可識別子 (参考) 権限の取り消し REVOKE 権限 ON 表名 FROM 許可識別子

図表 05-2　データベース定義

データ定義を行うSQL-DDLと、データ操作を行うSQL-DMLを備えています。実際の記述を見ていきましょう。

❶スキーマの定義

```
CREATE SCHEMA  AUTHORIZATION  ADMIN
```

下線部分は作成者を表し、通常は利用者IDを指定し、スキーマ内で定義した表などへの処理権限を持たせます。

❷テーブルの定義

テーブルを定義する際は、正規化されたデータに基づいて、あらかじめ次のような項目を決めておきます。

- テーブル名
- 列名
- 列に格納されるデータ型とその最大長
- 主キーとなる列(列の組合せ)
- 外部キー

下記のようなデータベースをSQLで記述すると次のようになります。

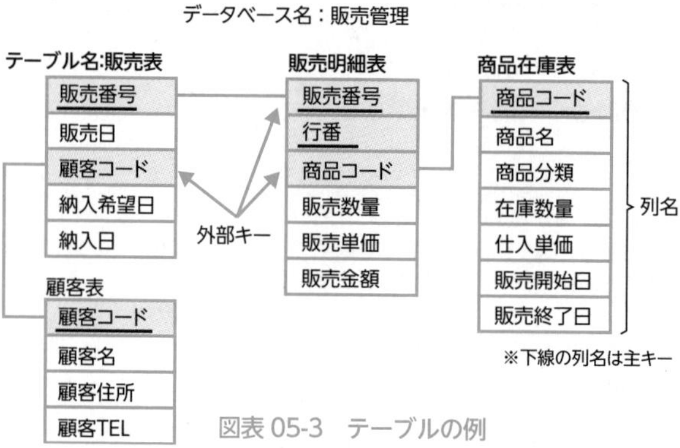

図表 05-3　テーブルの例

```
CREATE TABLE   販売明細表(
    販売番号         CHAR(6)  NOT NULL,
    行番             INT   NOT NULL,
    商品コード       CHAR(4)  NOT NULL,
    販売数量         INT   NOT NULL,
    販売単価         INT   NOT NULL,
    販売金額         INT   NOT NULL,
    PRIMARY KEY   (販売番号, 行番),
    FOREIGN KEY   販売番号  REFERENCES   販売表,
    FOREIGN KEY   商品コード
                  REFERENCES   商品在庫表)
```

- データ型CHARは文字列型で(6)は文字列の長さを表す(この場合は6文字)。
- データ型INTは整数型を表し、桁数を省略する4バイトの2進数が割り当てられる。
- NOT NULLは、その列に空白値を許さないことを示す。
- 外部キーを指定できる。
  FOREIGN KEY(外部キー項目)
  REFERENCES(対象表)

使うかなど)や結合方法の選択がある。なお、DBMSが受け付けたクエリの実行までの流れは、構文解析→オプティマイザ(最適化)→コード生成→実行の順で処理される。

さらに詳しく

SQL-DDLの指定

SQL-DDLで用いられる主な指定には次のようなものがある。

- データの型
  CHAR…文字型
  INT…整数型
- 一意性制約
  PRIMARY KEY
  …主キー(NULLは不可)
- 参照制約
  FOREIGN KEY
  ～REFERENCES
  …外部キー
- 検査制約
  CHECK(検査条件)
- 非NULL制約
  NOT NULL
  …NULL(空値)は不可
- 表明
  CREATE ASSERTION
  …表をまたいだ制約

3 技術要素

SQLによるデータベース操作

SQLによるデータ操作は、SQL-DMLで行います。主な操作は次のようになります。

操作	説明
追加	実在表に行を追加する。問合せ結果の複数の行を追加することもできる。
更新	実在表の行の値を更新する。
削除	実在表から行を削除する。
問合せ	一定の条件を満たす行を取り出す。

図表 05-4　データベースの操作

右上の商品表を例に、SQLによる記述を❶～❹の順に時系列で行ってみます。

商品表　　注）下線の項目は主キー

品番	商品名	単価
A100	商品A	80
B200	商品B	160
C300	商品C	240

顧客表

顧客番号	顧客名
100	大阪商店
200	東京商事
300	名古屋物産

売上表

品番	顧客番号	数量
B200	100	30
A100	200	10
C300	100	5
B200	200	20
A100	100	35

❶追加（INSERT）

〔SQL文の書き方〕

```
(1) INSERT INTO 表名 VALUES 列のデータ, …)
(2) INSERT INTO 表名 SELECT …
```

〔例〕　商品表に品番「D400」の商品データを追加する

```
INSERT INTO 商品表
        VALUES('D400','商品D',150)
```

商品表　　注）下線の項目は主キー

品番	商品名	単価
A100	商品A	80
B200	商品B	160
C300	商品C	240
D400	商品D	150

❷更新（UPDATE）

〔SQL文の書き方〕

```
UPDATE 表名 SET 列名 = 式 [WHERE 条件]
```

〔例〕　商品表のすべての商品単価を、元の2割引にする

```
UPDATE 商品表 SET 単価 = 単価*80/100
```

商品表　　注）下線の項目は主キー

品番	商品名	単価
A100	商品A	64
B200	商品B	128
C300	商品C	192
D400	商品D	120

❸削除（DELETE）

〔SQL文の書き方〕

```
DELETE FROM 表名 [WHERE 条件]
```

〔例〕　商品表の品番「D400」の行を削除する

```
DELETE FROM 商品表
        WHERE 品番='D400'
```

商品表　　注）下線の項目は主キー

品番	商品名	単価
A100	商品A	64
B200	商品B	128
C300	商品C	192

❹問合せ（SELECT）

〔SQL文の書き方〕

```
SELECT 列名 FROM 表名 [WHERE 条件]
```

条件に合うデータを見つける「問合せ」

アクセス権限を持つ利用者は、SELECT文を使用してさまざまな問合せを行うことができます。前ページの商品表と顧客表、売上表を利用した問合せの例を示します。

〔例〕 売上表から、数量が10以上30未満の行を取り出す

```
SELECT * FROM 売上表
   WHERE 数量>=10 AND 数量<30
```

「*」はすべての列(項目)を指定するもので、「>=」は「以上」を、「<」は「未満」、「AND」は論理積です。問合せ結果は下表のようになります。なお、このWHERE条件は、BETWEEN句を使用して、「数量 BETWEEN 10 AND 29」と記述することもできます。

品番	顧客番号	数量
A100	200	10
B200	200	20

仮の表「ビュー表」の定義

仮想表であるビュー表は、実表から一部の列を抜き出すほか、計算によって求める列を含めることができます。

SELECT文による実表の問合せ結果から作成します。

〔例〕 商品表と売上表を結合して、ビュー表を作成する

```
CREATE VIEW 売上一覧表
 AS SELECT A.品番,商品名,顧客番号,単価,数量,
              単価*数量  AS  金額
  FROM 売上表 A, 商品表 B
 WHERE A.品番 = B.品番
```

SELECT句の中で指定されているASは、計算式などで求めた列に新たな名前を付けるもので、ここでは単価×数量から「金額」という列を作り出しています。また、FROM句で指定されているAやBは相関名と呼ばれ、表名の代わりに使用することができます。複数の表に同じ列名が存在する場合は、表名または相関名と列名をピリオド(.)でつないで表します。

さらに詳しく

SQL-DMLの指定

主な指定には次のようなものがある。

・SELECT句
結果の表に表示する列を指定する。集計関数などを使って処理した列には列名が付かないので、必要ならAS演算子を使って新しい列名を付ける。

・FROM句
FROMの後に、検索を行う表を指定する。複数の表を使う場合は間にカンマ','で区切る。

・WHERE句
WHEREの後に、指定された表から行を選択する条件を記述する。

ココも出る!

カーソルを使った読出し方法

親言語方式でデータベースからデータを読み出す際には、カーソルを使う。これは、ファイル処理と同様の操作手順となる。

まず、DECLARE文でカーソル(ファイルに当たる)を定義。読み出す前にOPENし、FETCH文(リード文に当たる)で1行(レコード)ずつ読み込んで処理を行う。すべての処理が終わったら、カーソルをCLOSEする。

そのほか、トランザクション処理を行うCOMMIT文、ROLLBACK文も用意されている。

作成されるビュー表：売上一覧表

品番	商品名	顧客番号	単価	数量	金額
A100	商品A	100	80	35	2800
A100	商品A	200	80	10	800
B200	商品B	100	160	30	4800
B200	商品B	200	160	20	3200
C300	商品C	100	240	5	1200

結合処理は、WHERE条件で商品表と売上表に共通する項目「品番」の値が同じものを結び付け、1つの仮想表にまとめています。作成されたビュー表に対しても実表と同様、SELECT文による問合せを実行できます。

問合せ結果をグループ化する方法

頻出

グループ化は、あるキー項目の値が同じものをまとめる処理です。グループ化を行うには、**GROUP BY句**を使用します。指定する際は、SELECT句に続く列名をすべて（集約関数を除く）指定しなければなりません。

〔例〕 ビュー表「売上一覧表」から、商品ごとの金額の合計を求め、金額の多い順に表示する

```
SELECT 品番,SUM(金額) FROM 売上一覧表
  GROUP BY 品番 ORDER BY 2 DESC
```

問合せ結果

品番	SUM (金額)
B200	8000
A100	3600
C300	1200

ORDER BY句は、特定の項目によりデータの並べ換えを行います。指定は、列名または列番号（SELECT句の後に記述した順序）と、**昇順**（**ASC**、省略可）か**降順**（**DESC**）を記述します。

さらに詳しく

条件を指定する句

・**GROUP BY句**：どの列の値が同じ行をグループ化するのかを指定する。GROUP BY句を用いる場合、SELECT句で指定する結果表に表示させる列名は、集計関数を使った列を除いて、すべてGROUP BY句にも記述しなければならない。

・**HAVING 句**：GROUP BY句で作られたグループを、さらに選択する条件を記述する。WHERE句と似ているが、「WHERE句は行の選択条件、HAVING句はグループの選択条件」と区別して覚えよう。

・**ORDER BY句**：導出された結果を、ORDER BYの後に指定した列の値で並べ換える。複数の列名が指定されている場合は、階層的な並べ換えが行われる。ASCは昇順（小→大）、DESCは降順（大→小）になる。

・**LIKE述語**：条件に合う文字列を探す。文字列のワイルドカード指定には、"%"（任意の文字、文字がなくても合致する）、"_"（任意の1文字、文字がない場合は合致しない）。"%□□%"なら、□□を含む文字列が該当する。

こちらも参照

論理演算

☞p.42「集合と論理演算」

問合せを組み合わせる「副問合せ」

副問合せは、二重構造になった問合せ方法で、より複雑な条件でデータを抽出できます。下の例では、IN演算子NOT IN以降の( )内のSELECT文により最初の照会(副問合せ)を行い、取り出された顧客番号と一致しない(NOT IN)顧客名を、顧客表から取り出します(主問合せ)。

〔例〕 売上表に記録されていない顧客の顧客名を表示する

```
SELECT 顧客名 FROM 顧客表 WHERE 顧客番号
  NOT IN
   (SELECT DISTINCT 顧客番号 FROM 売上表)
```

問合せ結果

顧客名
名古屋物産

DISTINCTは、重複する行を1行にまとめます。なお、副問合せの部分が1つのみの結果を戻すときは、IN演算子の代わりに単純な比較演算子を記述することができます。ただし、複数行が選択されると実行時のエラーになるので注意が必要です。

1行ずつ問い合わせる「相関副問合せ」

相関副問合せは、主問合せの結果を1行ずつ副問合せに引き渡し、判定結果のみを受け取りながら順次処理を行う方法です。判定にはEXISTS演算子を使います。

〔例〕 売上表にあり、数量が30を超える商品名を表示

```
SELECT DISTINCT 商品名 FROM 商品表 WHERE
 EXISTS (SELECT 品番 FROM 売上表
  WHERE 数量>30 AND 商品表.品番=売上表.品番)
```

問合せ結果

商品名
商品A

ココも出る!

演算子と集約関数

SQL文の中には、次のような演算子と集約関数が使える。なお、集約関数の値を問合せの条件として指定する場合は、HAVING句を使用する。

●演算子
- ＝…等価
- <>…不等価
- >…より大きい
- <…より小さい
- >＝…以上
- <＝…以下

●集約関数
- AVG(列名)
  …列の平均値を返す。
- COUNT(＊)
  …結果の行数を返す。
- MAX(列名)
  …列の最大値を返す。
- MIN(列名)
  …列の最小値を返す。
- SUM(列名)
  …列の合計値を返す。

さらに詳しく

SELECT文の実行順

用いられる句の実行順は次のように優先される。

①FROM句→②WHERE句→③GROUP BY句→④HAVING句→⑤SELECT句→⑥ORDER BY句

EXISTS演算子

副問合せが1行以上を戻す場合は“真”を返し、0行の場合は“偽”を返す。NOT EXISTSでは、その逆になる。

06
技術要素

トランザクション処理

データベースの仕事単位はトランザクション

トランザクションとは、データベースに対するひとまとまりの要求単位を指します。大規模なデータベースになると多くのトランザクションが集中し、多大な負荷がかかることで障害が発生することがあります。

このような障害発生に対して、保管されているデータを保護するため、データベースには次のような４つの特性を備えていることが求められます。これを各特性の頭文字をとってACID特性と呼びます。

❶Atomicity(原子性)

データベースに対する操作を最小単位まで細分化したとき、「すべての処理が完了する」か、「どの処理も行われていない」のどちらかで終了するという性質です。

❷Consistency(一貫性)

更新処理などでデータが変更された場合に、構成する複数のデータ間に矛盾が生じないという性質です。

❸Isolation(分離性)

複数のトランザクションが同時にデータベースにアクセスしても相互に干渉せず、順序づけて実行した場合の結果と一致するという性質です。

❹Durability(持続性)

いったん更新(トランザクションが完了)されたデータベースの内容が障害などで消失しないという性質です。

重複するアクセスを防ぐ排他制御

頻出

DBMSには、複数の利用者(プログラム)が同時に同じデータに対する更新要求を行っても、データに矛盾が起

出題分析

ACID特性

トランザクションのACID特性のうち、原子性の記述として、適切なものはどれか。

ア データベースの内容が矛盾のない状態であること。
イ トランザクションが正常終了すると、更新結果は障害が発生してもデータベースから消失しないこと。
ウ トランザクション処理がすべて完了かまったく実行されていないかで終了すること。
エ 複数のトランザクションを同時に実行した場合と順番に実行した場合の処理結果が一致すること。

原子性とは、トランザクション処理の途中まで実行した状態で終了してしまうことは認めないという性質。これは、処理が中途半端であった場合、さまざまな不整合を生じる原因になるからである。

解答 ウ

こらないようにする機能が必要となります。例えば、座席予約システムで、同じ座席に対して同時に予約処理を許してしまえば、予約が重複してしまうでしょう。このような事態が発生するのを防止し、データの一貫性を保つ機能が**排他制御**(同時実行制御)機能です。

具体的には、あるプログラムがデータ更新のためのアクセスを行っている間は、他のプログラムからの同一データに対するアクセスを禁止(**ロック**;lock)しておき、先のプログラムの処理が完了してから、ロックを解除(**アンロック**;unlock)する制御を行います。

●ロック方式

❶共有ロックと専有ロック

ロックには、更新処理中のプログラム以外の読み書きを一切許可しない**専有ロック**と、複数のプログラムが同時に読み出すことのみ(更新は不可)許可する**共有ロック**があります。共有ロックがかかっているデータには専有ロックはかけられず(共有ロックは可)、専有ロックがかかっているデータには、専有ロックも共有ロックもかけられません。

❷デッドロック(deadlock)

2つのプログラム(タスク)が、お互いに相手が要求するデータ(資源)の解放を待ったまま、永久に待ち状態から抜け出せなくなる状態をいいます。

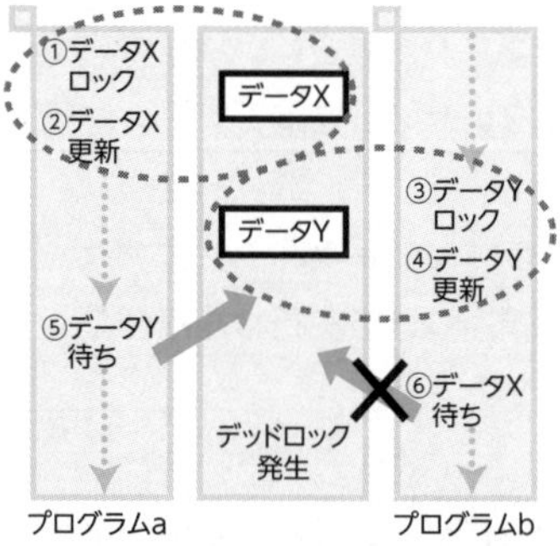

図表 06-1　デッドロックの発生

●コミットメント制御

座席やチケットの予約／取消、ATMを利用した預金の引出しなどでは、利用者から見た一連の取引(処理)がトランザクションに当たります。データベースの更新は、常

ココも出る!

データ制御とデータ機密保護機能

データベースには重要なデータや機密性の高い情報も格納されるため、**機密保護機能**が重要となる。

・アクセス権

具体的には、利用者IDやパスワードを使って利用者認証を行い、利用者が属するグループによるデータへの**アクセス権限**を設定する。アクセス権には、**参照権限**(検索が可)、**挿入権限**(追加が可)、**削除権限**(削除が可)、**更新権限**(更新が可)といった権限を組み合わせることで行う。そのほか、管理者権限やスキーマ定義権限などがある。

・データの暗号化

不正なアクセスを防止する制御を行うセキュリティ機能として、暗号化がある。暗号化は、格納されるデータやログにかける方法のほか、データベースとやり取りするデータにかける方法もある。

ロック粒度

ロック粒度とは、ロックをかける単位のこと。**粒度を細かく**すると待ちが減ることで同時に実行できるトランザクションは増えるが、オーバーヘッド時間も増えて処理効率は悪くなる。一方**粒度を粗く**するほど同時に実行できるトランザクションが減るが、処理効率は良くなる。

にトランザクション単位で管理され、取引が正常に完了した場合は更新を確定（コミット）し、途中で異常終了した場合は元に戻す処理（バックワードリカバリ；ロールバックともいう）が行われます。

○2相コミットメント

　コミットメントもバックワードリカバリもできる中間状態（セキュア状態）を設定し、すべてが正常であれば更新を確定するという2段階の処理を行うことで、不整合を防ぎます。右図では、「DB1の更新は正常に行われたものの、DB2の更新で障害が起こり、元に戻す処理（バックワードリカバリ）が行われた」様子を示しています。もし、両方とも正常に更新が行われた場合はコミットします。

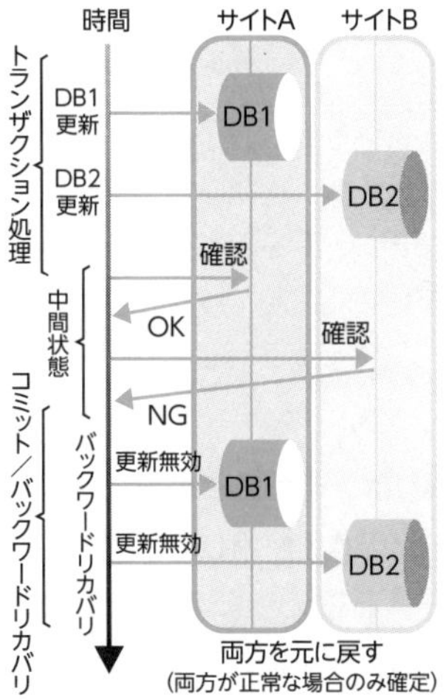

図表 06-2　2相コミットメント

障害からの回復のための方策

頻出

　データベースに障害が発生した場合の業務への影響は、通常のファイルよりはるかに大きくなります。そのため、障害からの迅速な回復（リカバリ）を行う機能は、非常に重要です。

❶バックアップ（backup）の取得

　業務終了後などのタイミングでデータベース全体のバックアップを別の記憶媒体にとっておきます（次ページ図■1）。これには基準となるデータが破壊されても、それを再現するのに必要なすべての情報を含んでいます。

❷ログ（log）の取得

　レコードの更新前後の内容を、ログファイル（ジャーナルファイル；journal fileとも呼ぶ）に書き込みます（次図

ココも出る！

ウォームスタートとコールドスタート

　ウォームスタートは、データベースが稼働状態で行うリスタートのこと。更新エラーなどのロールバック処理が該当する。一方のコールドスタートはハードディスクの交換後システムの再起動を行うような場合を指す。媒体障害時のロールフォワード処理が該当する。

再編成と再構成

　データベースを運用していくうち、処理効率が悪くなったり、運用に不都合が起こることがある。次のような対策方法をとる。

再編成：レコードの追加や更新などを繰り返していると、物理的な記憶場所がちらばり、検索処理や読出しに時間がかかるなどの影響が出てくる。そこで、いったんデータを作業ファイルに読み取って、もう一度記憶装置に保存し直すことで、処理効率を上げることができる。

再構成：データベースを運用していくうちに業務の状況が変わり、新しい項目の追加や変更など、データベースの構成そのものを変更すること。

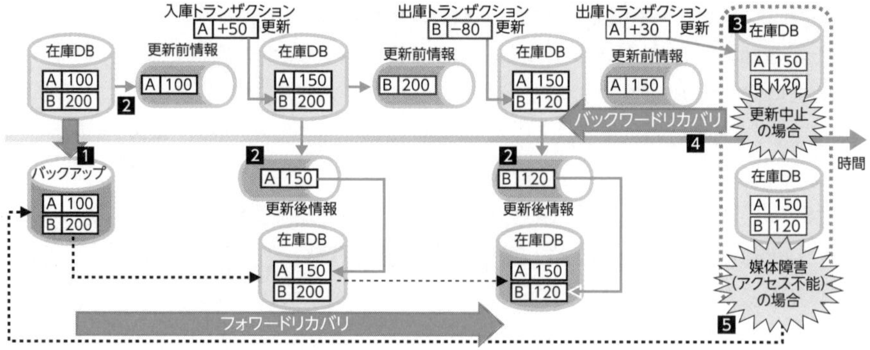

図表 06-3　バックワードリカバリとフォワードリカバリの処理

2）。ここで、更新前の内容を更新前イメージ（BI；before image）、更新後の内容を更新後イメージ（AI；after image）と呼びます。

❸バックワードリカバリ（ロールバック）

障害が発生したとき（上図3）は、その時点のデータベースの内容と、更新前イメージ（BI）を使用して、障害発生直前の状態までデータベースを復元します（上図4）。これをバックワードリカバリ（backward recovery）またはロールバックと呼び、通常DBMSが自動で行います。

❹フォワードリカバリ（ロールフォワード）

4の方法で復元できない場合は、最新のバックアップファイルと更新後イメージ（AI）とを使用して、障害発生直前の状態までデータベースを復元します（上図5）。これをフォワードリカバリ（forward recovery）、またはロールフォワードと呼びます。

インデックスによるDBの性能向上

膨大なデータベースでは、検索に時間がかかるため、検索の手がかりとなるインデックスを設定しておくことで、アクセス効率の向上を図る方法が用いられます。

例えば、社員表から社員名でデータを頻繁に検索する場合、各社員名の所属をインデックスとして作成しておきます。インデックスには複数の方式<☞>があります。

ココも出る！

チェックポイント

メモリ上の更新バッファの内容をデータベースに書き出す処理。万が一システム障害が発生しても、チェックポイントまでのデータベース内容は保証される。

さらに詳しく

インデックスの方式

・B-treeインデックス
木構造のB木を利用したもので、レコード数が膨大な場合に安定して高速に検索できる。

・ハッシュインデックス
ハッシュ関数を利用したインデックス。一意に特定できる一致検索では高速化を実現できるが、大小比較による範囲検索や不一致検索は行えない。

・転置インデックス
本のインデックスのような形で、全文検索の対象から、文字列の位置を見つけ出す。

シラバス　大分類3：技術要素　中分類9：データベース
小分類5：データベース応用

07

技術要素

データベースの応用

データウェアハウスは情報の宝箱　頻出

データを時系列で蓄積していく情報系データベースをデータウェアハウス（DWH；dataware house）と呼んでいます。企業内のさまざまなデータを保有し、企業戦略の立案や意思決定を支援するデータ提供を目的として構築されます。また、蓄積されたデータを多角的な視点で分析するための処理をオンライン分析処理（OLAP；On-Line Analytical Processing）と呼びます。

データウェアハウスの利用には、次の方法があります。

❶データマート（data mart）

データウェアハウスで蓄積された膨大なデータの中から、特定の利用者が必要とするデータだけを抽出して作成されるデータベースです。対象となるデータが絞り込まれているため、検索や分析を効率的に行うことができます。

❷データマイニング（data mining）

マイニングとは「発掘」の意味。データウェアハウスで蓄積されたデータの中から、ニューラルネットワークや統計学的手法などを活用して、ある規則性や法則性を見つけ出します。例えば、地域や季節、購入者の性別などから、小売店での売れ筋商品の規則性などを分析して、今後の販売商品戦略に役立てるなどの目的で利用します。

複数のサーバで分担―分散データベース

データをネットワークを介した複数のサーバ上に置いて、それらのすべてを1つのデータベースとして一元管理するシステムを分散データベース（distributed data

ココも出る！

ETLとELT

ETLは、蓄積された膨大なデータを使いやすい形に変換し、DWHへ格納する作業やそのためのツール。抽出（Extract）、変換（Transform）、書き出し（Load）の頭文字をとったもの。ELTは、抽出と変換を逆転した用語で、いったんDWHへ格納してから変換を行う。

データクレンジング

データクレンジングとは、データの誤りや表記のゆれなどを取り除いて、データベースの品質を向上させること。これによって、正確なデータ検索や分析が行えるようになる。

ビッグデータ

ビッグデータとは、分析の素材として蓄積された膨大なデータのこと。柔軟性、多様性、即時性がある反面、そのままでは意味を持たず、さまざまな分析によって、意味を持つデータになる。また、格納方式のキーバリューストアは、保存するデータと一意に識別できるキーをペアで保存する方法。

base system)と呼んでいます。次のような2つの形態があります。

❶レプリケーション

まったく同じデータを持つデータベースを複数箇所に配置する形態です。マスタデータベースとレプリカデータベースとの整合性を保つため、即時または定期的に書き換えを行う必要があります。

❷分散配置

全体のデータベースを各所に分散させる(例えば、関西地区のデータを大阪支社のデータベースに置き、関東地区のデータを東京本社のデータベースに置くなど)形態です。トランザクション処理(入力や更新などの処理)が発生するごとにデータベースを順次更新します。

●分散問合せと結合法

分散環境では、負荷のかかる結合演算の影響が大きいため、表の特性により効率の良い方法を選択します。

❶入れ子(ネスト) ループ結合法

表の結合する列を順に読み出し、他表の列と突き合わせて結合します。処理の負荷が大きく低速です。一方にインデックスを定義して負荷を軽減する方法もあります。

❷マージジョイン結合法

双方の表をまず結合する列で並べ換えてから、他方に転送して突き合わせます。効率的に処理できます。

❸ハッシュジョイン結合法

一方の表の結合する列からハッシュ表を作成し、他表の列と結合します。データ量が小さく、最も高速です。

「辞書」を使ったデータ資源の管理

データ資源の管理としては、データの性質や格納場所などを収集した**データディクショナリ**(データ辞書)によって行います。 また、システム自体は、開発から保守に至る管理情報を蓄積したデータベースである**リポジトリ**(repository)を活用します。

ココも出る!

透過性

分散配置による複数のサーバに接続されたデータベースにおいて、あたかも一つのサーバ上にあるかのようにアクセスできる性質。分割に対する透過性(1つの表が分割して格納されていても意識させない)や移動に対する透過性(データの場所が移動しても意識させない)など、いくつかの性質が含まれる。

IRDS

IRDS(information resource dictionary system;情報資源辞書システム)は、データディクショナリの構築や管理を行うシステム。

データ資源の分類

・構造化データ
データベースに格納された2次元表のデータ。

・半構造化データ
2次元の表形式にするには加工を要するデータ。

・非構造化データ
ドキュメントや画像、動画、音声など、2次元の表にできないデータ。

・ストリーミングデータ
リアルタイムに収集されるデータ。取引ログや各種センサーや情報機器から発信されるデータなど。

第3章　章末まとめ問題　その①

シラバス　●大分類3：技術要素　●中分類7：ユーザーインタフェース
●小分類2：UX/UIデザイン
出題：令和5年6月修了認定試験ほか

問1　チェックディジット（チェックキャラクター）

次の方式によって求められるチェックディジットを付加した結果はどれか。ここで、データを7394、重み付け定数を1234、基数を11とする。

〔方式〕

(1) データと重み付け定数の、対応する桁ごとの積を求め、それらの和を求める。

(2) 和を基数で割って、余りを求める。

(3) 基数から余りを減じ、その結果の1の位をチェックディジットとしてデータの末尾に付加する。

ア　73940　　イ　73941　　ウ　73944　　エ　73947

シラバス　●大分類3：技術要素　●中分類8：情報メディア
●小分類2：マルチメディア応用
出題：令和5年7月修了認定試験ほか

問2　隠線消去と隠面消去の説明

3次元CGのレンダリングにおける、隠線消去および隠面消去の説明はどれか。

ア　光源の位置と対象物体への光の当たり具合とを解析し、どのような色・明るさで見えるのかを決定する。

イ　指定された視点から見える部分だけを描くようにする。

ウ　生成された画像について、表示する画面に収まる部分だけを表示する。

エ　物体の表面だけでなく物体の内部や背後に隠れた部分の形状も、半透明表示などによって画像として生成する。

シラバス ●大分類3：技術要素 ●中分類8：情報メディア
●小分類1：マルチメディア技術

出題：令和4年1月修了認定試験ほか

問3 動画配信に必要な帯域幅

CHECK

800 × 600 ピクセル、24 ビットフルカラーで 30 フレーム／秒の動画像の配信に最小限必要な帯域幅はおよそいくらか。ここで、通信時にデータ圧縮は行わないものとする。

ア 350k ビット／秒　　イ 3.5M ビット／秒

ウ 35M ビット／秒　　エ 350M ビット／秒

シラバス ●大分類3：技術要素 ●中分類9：データベース
●小分類2：データベース設計

出題：令和6年6月修了認定試験ほか

問4 データの正規化(第3正規形)

CHECK

“従業員”表を第3正規形にしたものはどれか。ここで、下線部は主キーを表す。

従業員(従業員番号, 従業員氏名, {技能コード, 技能名, 技能経験年数})

({ }は繰返しを表す)

ア

<table><tr><td><u>従業員番号</u></td><td>従業員氏名</td></tr></table>

<table><tr><td><u>技能コード</u></td><td>技能名</td><td>技能経験年数</td></tr></table>

イ

<table><tr><td><u>従業員番号</u></td><td>従業員氏名</td><td><u>技能コード</u></td><td>技能経験年数</td></tr></table>

<table><tr><td><u>技能コード</u></td><td>技能名</td></tr></table>

ウ

<table><tr><td><u>従業員番号</u></td><td><u>技能コード</u></td><td>技能経験年数</td></tr></table>

<table><tr><td><u>従業員番号</u></td><td>従業員氏名</td></tr></table>

<table><tr><td><u>技能コード</u></td><td>技能名</td></tr></table>

エ

<table><tr><td><u>従業員番号</u></td><td><u>技能コード</u></td></tr></table>

<table><tr><td><u>従業員番号</u></td><td>従業員氏名</td><td>技能経験年数</td></tr></table>

<table><tr><td><u>技能コード</u></td><td>技能名</td></tr></table>

シラバス ●大分類3：技術要素 ●中分類9：データベース
●小分類1：データベース方式

出題：令和6年7月修了認定試験ほか

問5 Javaからデータベースにアクセスする API

CHECK □□□

Javaのアプリケーションプログラムがデータベースにアクセスするための標準的なAPI（Application Program Interface）はどれか。

ア　HTML　　イ　Java VM　　ウ　JDBC　　エ　SQL

シラバス ●大分類3：技術要素 ●中分類9：データベース
●小分類3：データ操作

出題：令和4年7月修了認定試験ほか

問6 射影の説明

CHECK □□□

関係データベースの操作のうち、射影（projection）の説明として、適切なものはどれか。

ア　ある表の照会結果と、別の表の照会結果を合わせて1つの表にする。
イ　表の中から特定の条件に合致した行を取り出す。
ウ　表の中から特定の列だけを取り出す。
エ　2つ以上の表の組から条件に合致した組どうしを合わせて新しい表を作り出す。

シラバス ●大分類3：技術要素 ●中分類9：データベース
●小分類3：データ操作

出題：令和6年6月修了認定試験ほか

問7 埋込みSQLから引き渡す命令

CHECK □□□

埋込みSQLにおいて、問合せによって得られた導出表を1行ずつ親プログラムに引き渡す操作がある。この操作と関係の深い字句はどれか。

ア　CURSOR　　イ　ORDER BY　　ウ　UNION　　エ　UNIQUE

シラバス ●大分類3：技術要素 ●中分類9：データベース
●小分類3：データ操作

出題：令和５年７月修了認定試験ほか

問8 SELECT文の実行結果

CHECK

国語と数学の試験を実施し、2 教科の成績は氏名とともに"得点"表に記録されている。1 教科は平均点以上で、残りの 1 教科は平均点未満の生徒氏名を"得点"表から抽出するSQL文はどれか。ここで、条件文Aと条件文Bには、それぞれ次の条件が与えられているものとする。

〔条件文〕

A　国語の点数が国語の平均点以上

B　数学の点数が数学の平均点以上

ア
```
SELECT 生徒氏名 FROM 得点
        WHERE (A AND B) AND NOT (A AND B)
```

イ
```
SELECT 生徒氏名 FROM 得点
        WHERE (A AND B) AND NOT (A OR B)
```

ウ
```
SELECT 生徒氏名 FROM 得点
        WHERE (A OR B) AND NOT (A AND B)
```

エ
```
SELECT 生徒氏名 FROM 得点
        WHERE (A OR B) AND NOT (A OR B)
```

シラバス ●大分類3：技術要素 ●中分類9：データベース
●小分類4：トランザクション処理

出題：令和５年１月修了認定試験ほか

問9 トランザクションの復旧

CHECK

トランザクションTはチェックポイント取得後に完了したが、その後にシステム障害が発生した。トランザクションTの更新内容をその終了直後の状態にするために用いられる復旧技法はどれか。ここで、チェックポイントの他に、トランザクションログを利用する。

ア　2相ロック　　　　イ　シャドウページ

ウ　ロールバック　　　エ　ロールフォワード

シラバス　●大分類3：技術要素　●中分類9：データベース
●小分類4：トランザクション処理

出題：令和5年6月修了認定試験ほか

問10 ロックの両立性

ロックの両立性に関する記述のうち、適切なものはどれか。

ア　トランザクションT_1が共有ロックを獲得している資源に対して、トランザクションT_2は共有ロックと専有ロックのどちらも獲得することができる。

イ　トランザクションT_1が共有ロックを獲得している資源に対して、トランザクションT_2は共有ロックを獲得することはできるが、専有ロックを獲得することはできない。

ウ　トランザクションT_1が専有ロックを獲得している資源に対して、トランザクションT_2は専有ロックと共有ロックのどちらも獲得することができる。

エ　トランザクションT_1が専有ロックを獲得している資源に対して、トランザクションT_2は専有ロックを獲得することはできるが、共有ロックを獲得することはできない。

シラバス　●大分類3：技術要素　●中分類9：データベース
●小分類5：データベース応用

出題：令和5年12月修了認定試験ほか

問11 キーバリューストア

ビッグデータの処理で使われるキーバリューストアの説明として、適切なものはどれか。

ア　“ノード”、“リレーションシップ”、“プロパティ”の3要素によってノード間の関係性を表現する。

イ　1件分のデータを“ドキュメント”と呼び、個々のドキュメントのデータ構造は自由であって、データを追加する都度変えることができる。

ウ　集合論に基づいて、行と列から成る2次元の表で表現する。

エ　任意の保存したいデータと、そのデータを一意に識別できる値を組みとして保存する。

第3章　章末まとめ問題 その①　解答

問1　算出方法に従って計算すればよい。

(1) 数値データ　7　3　9　4
　　　　　　　　×　×　×　×
　　重み　　　　1　2　3　4

(2) 桁ごとの掛けた値の和を求める。

　$7 + 6 + 27 + 16 = 56$

(3) 求めた値を11で割る。　$56 \div 11 = 10$　余り1

(4) 基数11 − 1 = 0　検査文字は0で 結果は 73940

解答　ア

問2　3次元CGにおいて、手前にある物体によって隠れて見えなくなるべき線や面を削除すること。ア：3次元CGにおけるシェーディングの説明。ウ：クリッピングの説明。エ：半透明表示は、レンダリング時の特殊な描画設定であり、隠面消去には含まれない。

解答　イ

問3　問題文で問われている帯域幅とは、転送レートのことで、1秒間に送信できるデータ量である。動画像1フレームの大きさは、$800 \times 600 = 480{,}000$ピクセル。これが、フルカラーで30フレーム／秒なので、

　$48 \times 10^4 \times 24$ビット × 30フレーム／秒

　$= 3456 \times 10^5$ビット／秒　　345.6Mビット／秒

解答　エ

問4　各要素を見ると、「従業員番号」と「従業員氏名」、「技能コード」と「技能名」は、1対1で対応しており、独立した表にする。残りの「技能経験年数」は、繰返し中に定義されており、従業員1人が複数の技能を持つことを示している。したがって、「従業員番号」と「技能コード」の複合キーを主キーとして「技能経験年数」を特定できる表を独立させる。

解答　ウ

問5　APIは、アプリケーションから、別のアプリケーションの機能を呼び出して使うためのインタフェース。JDBCは、Javaのアプリケーションから RDBの機能を呼び出して使うための標準化されたAPIで、製品ごとの差異はJDBSドライバで吸収する。

解答　ウ

問6　射影は、指定した列（属性）を取り出す操作。他の選択肢は、ア：和（複数の表を併合する集合演算で、重複行は併合時に排除）、イ：選択、エ：結合。

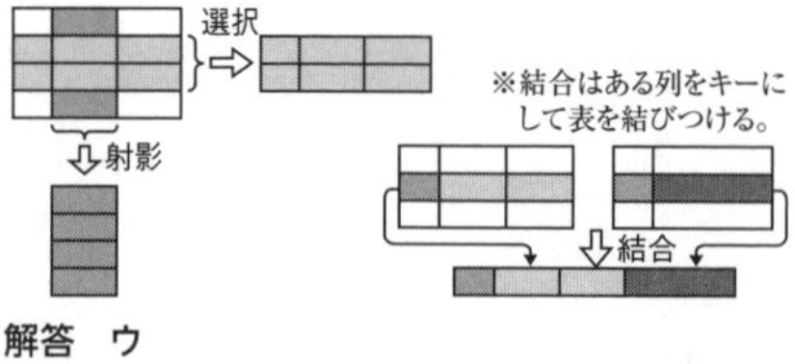

解答　ウ

問7　問題文の操作は、プログラム中にSQL文を埋め込んで使う親言語方式において、表から1行ずつデータを読み込むカーソル機能を指している。

解答　ア

問8　WHERE句で指定されている条件を分解して表現すると次のようになる。

①A AND B：2教科とも平均点以上

②NOT (A AND B)：いずれか1教科が平均点未満か、2教科とも平均点未満

③A OR B：2教科とも平均点以上か、または、いずれか1教科が平均点以上

④NOT (A OR B)：2教科とも平均点未満

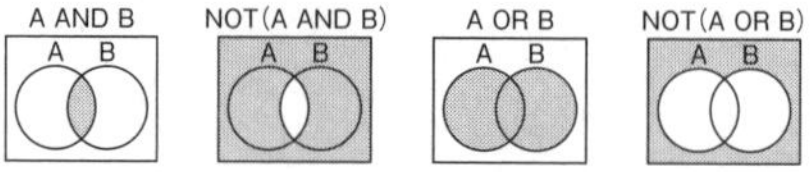

1教科が平均点以上で、かつ（AND）残りの1教科が平均未満である条件は、以下に示す部分。

これは、(A OR B) AND NOT (A AND B)である。

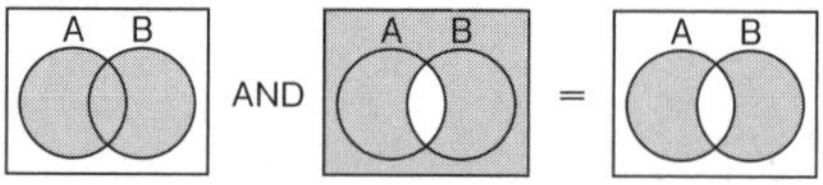

解答　ウ

問9　システム障害が発生したときの処理が求められている。チェックポイントまでのデータは、データベースに書き出されているので保証されるが、トランザクションTが完了したのはチェックポイント取得後で、障害発生時にはTの更新内容が反映されていない。そこで、まずチェックポイントの内容を復旧し、更新後ログを用いてロールフォワードを行う。

解答　エ

問10　トランザクションT_1が共有ロックを獲得している資源に対して、トランザクションT_2は共有ロックはかけられるが専有ロックはかけられない（アは誤り、イは正解）。また、トランザクションT_1が専有ロックを獲得している資源に対して、T_2は専有ロックも共有ロックもかけられない（ウ、エともに誤り）。

解答　イ

問11　キーバリューストアは、データ格納方式の1つで、データと識別に用いるキーをペアで保存し、読み出しはキーを指定することで行う。シンプルな構造のため、RDBに比べて、高速性、スケーラビリティ（台数や容量を増やしても性能を維持できる）が高く、ビッグデータの処理にも用いられる。

解答　エ

08

技術要素

ネットワーク方式とデータ制御

大きなネットワークと小さなネットワーク

ネットワーク(network)とは網目状という意味を持つ言葉で、ITの世界では複数地点間で通信ができる電話網などを通信ネットワークと呼んでいます。そのうち、複数地点のコンピュータを通信回線やケーブルで接続し、データ伝送を行うのがコンピュータネットワークです。

❶LAN(Local Area Network)

企業内や学校、家庭内など、同一敷地内、同一建物内などの比較的狭い範囲内でコンピュータ機器を接続したネットワークです。"Local"な"Area"とは、公共の通信回線(公衆電話回線など)を利用せずに、私的なケーブルだけを使って構築するネットワークのエリアを指します。

❷WAN(Wide Area Network)

LANに対して、電気通信事業者が提供する通信回線などを利用して、敷地外にあるコンピュータや遠方のコンピュータどうしや、LANどうしを接続する広域ネットワークです。TCP/IPを使って世界中のネットワークを接続したインターネットは、世界最大のWANといえます。

LANを形作る構成要素

LANの構築で考慮すべき点は、次の要素の構成です。

ネットワークトポロジ	バス型、スター型、リング型
アクセス制御方式	CSMA/CD方式、トークンパッシング方式、TDMA方式など
伝送媒体(規格)	より対線 (10/100BASE-T)、同軸ケーブル (10BASE-5/10BASE-2)、光ファイバケーブル、無線など

図表 08-1
LANの構成要素

ココも出る！

ISP

通信回線を通じ、インターネットに接続するサービスを行う事業者をインターネットサービスプロバイダ(Internet Service Provider；ISP)という。例えば、パソコンをインターネットに接続するときには、回線事業者とは別にISPと契約する必要がある。契約形態としては、パケット数に応じて課金される従量制のほか、利用量によらない月額固定料金がある。

IDF

IDF(Intermediate Distribution Frame)は、オフィスビルなどに、大量の回線を引く際に設ける中間配線盤のこと。ビル全体の主配線盤(Main Distribution Frame；MDF)に対して、各区フロアごとなどに設置される。

これによりLANの性質が決定します。これらの要素は密接に関わっており、用途によって組合せが決まってきます。

有線LANに用いるケーブルと接続形態

●LANの伝送媒体

オフィス内や小規模LANでは、安価で取り回しの良いツイストペアケーブル(より対線)を使うのが主流です。これは後述するイーサネット<☞ p.239>が一般的になっていることも関わっています。一方、同軸ケーブルや光ファイバケーブルは、大規模なLANどうしを接続する基幹LANなどで利用されます。

●ネットワークトポロジ

ネットワークの接続形態をネットワークトポロジといいます。最も基本になるのは、2つの機器が物理的または論理的に直接繋がった状態になるポイントツーポイント方式です。そのほかには次のような形態があります。

バス型	1本の伝送路に多数のノード（端末）を接続できるため、配線のコストが安く、あるノードに故障が発生しても、他のノードに与える影響が小さい。	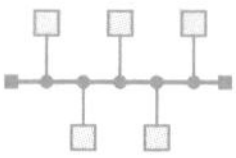
スター型	個々のノードを中心となる制御局(ハブ)に接続した形態。ノード障害の検出が容易だが、制御局に障害が発生すると全体がダウンする。制御局を多段階に接続した場合、ツリー型になる。	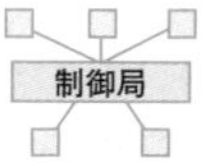
リング型	両隣のノードを接続して、全体としてループ状に構成する。伝送媒体に光ファイバケーブルを使った高速・大規模なもの（FDDI）もあり、伝送路に障害が発生した場合に備えて、リングを二重化しておくのが一般的。	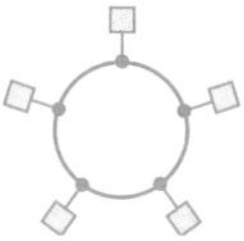

図表 08-2　ネットワークトポロジ

ルール化されているLANの規格

LANの規格は、IEEE802委員会によって標準化されています。代表的なものに次表のようなものがあります。

ここではまず、どんな種類があるかを把握しておくとよいでしょう。

さらに詳しく

論理トポロジ

ネットワークトポロジは、物理的な形態をさすことが多いが、アクセス制御方式を考える際には論理トポロジがポイントになる。例えば、ハブ<☞ p.245>を用いたスター型LANや無線LANは、物理的な接続の形状は異なっているが、論理トポロジはバス型で共通している。

こちらも参照

通信サービス

☞ p.267「図表13-5 通信サービスの種類」

IEEE規格	詳細規格	アクセス制御方式
IEEE802.3	・IEEE802.3 (10BASE-5) ・IEEE802.3a (10BASE-2) ・IEEE802.3i (10BASE-T) ・IEEE802.3u (100BASE-TXなど) ・IEEE802.3ab (1000BASE-T)	CSMA/CD (イーサネット)
IEEE802.4		トークンバス
IEEE802.5		トークンリング
IEEE802.11	・IEEE802.11a (5GHz帯、最大54Mbps) ・IEEE802.11g (2.4GHz帯、最大54Mbps) ・IEEE802.11n (Wi-Fi 4) (2.4/5GHz帯、最大600Mbps) ・IEEE802.11ac (Wi-Fi 5) (5GHz帯、最大6.9Gbps) ・IEEE802.11ax (Wi-Fi 6/6E) (2.4/5/6GHz帯、最大9.6Gbps)	CSMA/CA (無線LAN)

図表 08-3　LAN の規格

普及度No.1のイーサネット

イーサネット(Ethernet)は、有線LANにおいて最も普及しているもので、IEEE802.3により規格化され、下記のような表記方法で示されます。また、無線LANを含めたネットワークを構築するため、IEEE 802.11と互換性を持たせています。現在では、さらに高速化された10ギガビットイーサネット(10GbE)も規格化されています。

10 BASE - 5

最大伝送距離およびケーブル種別（5の部分）

5：500m（標準同軸ケーブル）…AUIコネクタ、トランシーバ
2：185m（細心同軸ケーブル）…BNCコネクタ
T：100m（ツイストペアケーブル）…モジュラジャック、ハブ
F：数百m～数km（光ファイバケーブル）

ベースバンド伝送（BASEの部分）

送りたい信号の波形を変えずに、そのまま電圧や光の強度に変換して伝送する方式

データ伝送速度（10の部分）

10：10Mbps…カテゴリ3以上のケーブル
100：100Mbps…Fast Ethernet、カテゴリ5のケーブル
1000：1,000Mbps＝1Gbps …Gigabit Ethernet

図表 08-4　IEEE802.3 の表記

ココも出る！

100BASE-TX／10GBASE-T

100BASE-TXは、IEEE 802.3uとして標準化された規格。最大転送速度は100Mbpsで、ツイストペアケーブルにはカテゴリ5のUTP(Unshielded Twisted Pair)を使うことで最大100mの接続が可能。また、10GBASE-Tは、802.3anとして標準化。最大10Gbpsの転送速度で、100mの接続を可能にする。ケーブルはカテゴリー6AのUTPケーブルを使用する。

こちらも参照

HDLC

☞p.73「フレーム同期方式」

自由な場所で接続 ― 無線LAN

頻出

無線LAN(Wireless LAN)は、構内無線(電波や赤外線)を使ったLANです。各パソコンへのLANケーブルの接続が不要で、環境を手軽に構築できるのが利点です。

現在、無線LANの規格として広く使われているのがIEEE802.11で、アクセス制御方式として、CSMA/CA <☞ p.243> を採用しています。また、電波を使って通信を行うので、多少の障害物があっても通信が可能です。

❶無線LANの接続形態

無線LANの主流IEEE802.11では、無線端末どうしが直接通信する**アドホックモード**と、ネットワーク側の**アクセスポイント**(**AP**、基地局)を経由して接続する**インフラストラクチャモード**の2つが定義されています。アクセスポイントの中には無線LAN用の通信モジュールが組み込まれており、一方のパソコンなどの端末側にも対応する規格の無線LANモジュールを組み込むことで通信を行います。なお、アクセスポイントに有線LANとの接続機能があれば、有線LANの端末との通信が可能です。

現在主流になっている無線LANの規格<☞ >のうち、電波の周波数帯に2.4GHzおよび5GHzを使う**IEEE802.11n**は最大通信速度が600Mbps、5GHzを使う**IEEE802.11ac**は、最大通信速度が約6.9Gbpsです。また、Wi-Fi 6/6Eと呼ばれる**IEEE802.11ax**は、6GHzを使うことができ、最大9.6Gbpsの通信が行えます。なお無線LANルータ(Wi-Fiルータ)の多くは、複数の規格が使えるようになっています。

❷無線LANにおけるネットワークの識別

無線LANにおいて、接続するネットワーク(AP)を特定するための識別子(最大32文字までの任意の英数字)を**SSID**(Service Set Identifier)といいます。また、1つのネットワークに複数のアクセスポイントを置く場合には、**ESSID**(Extended SSID：拡張SSID)を用いることで対応できます(現在はESSIDが標準)。SSIDの情報はアクセスポイントが発信する信号の中に含まれており、

さらに詳しく

IEEE802.11の規格

無線LANの標準化は、IEEE802.11として行われており、使用する周波数帯と最大伝送速度の違いから複数の規格がある。同じ2.4GHzの周波数帯を使用するIEEE802.11bとIEEE802.11gは互換性があり、5GHzの周波数帯を使うIEEE802.11aとは、直接通信できない。また IEEE802.11n は、2.4GHzと5GHzの両方が使えるため、すべての規格と通信が可能になる。

ココも出る！

Wi-Fi

Wi-Fiは、Wireless Fidelityを省略した名称またはロゴ。IEEE 802.11規格に関する相互接続性の検証を行っている業界団体が、互換性を確認した製品について表示を許可している。

メッシュWi-Fi

複数のアクセスポイント(Wi-Fiルータ)が連携することで形成するWi-Fiネットワーク。通信範囲が広がるほか、それぞれが各ルータとして機能するため負荷が分散され、接続数が増えても速度低下が起こりにくい。

無線LAN対応の端末は、発する信号から接続可能なネットワークを自動検知する機能を持っています。

●無線LANのセキュリティ対策

無線LANでやり取りするデータは電波で飛ばされるため、その無線LANの正当な利用者であることを確認する(認証)、送信データの暗号化によって通信の傍受(盗聴)を防ぐなど、有線のLANとは異なるセキュリティ対策が必要になります。一般に次のような方法がとられます。

❶ステルス機能

アクセスポイントが発信するESSIDの情報を端末から読み取れないように隠して(**ステルス機能**)、接続を許可されているLANのESSIDを知っている端末だけが接続できるように制限する機能です。ただし、多少のネットワーク知識があれば隠したESSIDを見つけることは可能なので、他の対策と併用する必要があります。

・**ANY接続拒否**

ANY接続とは、ESSIDを知らなくても電波状態の良好なアクセスポイントを選んで自動接続する端末側の機能です。アクセスポイント側で**ANY接続拒否**を設定しておくと、ESSIDを入力しないと接続することができなくなります。

❷MACアドレスフィルタリング

ネットワーク機器に割り当てられたMACアドレス<☞p.250>により識別をする方法です。あらかじめアクセスポイントにLANへの接続を許可する端末のMACアドレスを登録しておき、それ以外の端末は接続を拒否するという方法でアクセス制御を行います。

❸データの暗号化

データの盗聴防止策としては、送信するデータを暗号化しておく方法があります。これまで暗号化方式として使われてきた**WEP**(Wired Equivalent Privacy)は、解読されやすいことから、現在では**WPA**(Wi-Fi Protected Access)や**WPA2/3**<☞p.312>といった、より複雑な暗号化アルゴリズムが主流になっています。

さらに詳しく

無線チャネル

無線通信の電波の周波数帯は規格で定められているが、その帯域をさらにいくつかの周波数帯に区切って使っている(例えば、2.4GHz帯だと最大で14チャネルに区切られる)。チャネルとは、区切られた細かな周波数帯のことで、使用するチャネルを変更することで、近隣の無線LANや電子機器(電子レンジなど)からの電波干渉を避けることができる。

デュアルチャネル

無線通信を行う際に、チャネル2つ分の帯域を使う機能。通信速度を約2倍に高めることができる。

交換方式

通信における交換方式には、次の2つがあります。

❶回線交換方式

通信のたびに2点間に通信路を設定して通信を行う方式です。終了するまで通信路を占有するため、電話回線による会話には適しますが、LANやWANといったネットワークでは利用効率が悪く、適していません。

❷パケット交換方式

データをパケット(packet)やフレーム(frame)と呼ばれる小さい単位に分割して伝送を行う方式です。どちらもデータそのものに加えて、宛先や送信元といったアドレス情報や受信側で組み立てる際に必要となるシーケンス番号を持っています。パケット交換では、共有する伝送路が専有されるのを防げることから、ネットワークに適しています。

メディアアクセス制御

ネットワークにおけるメディアアクセス制御(MAC；Media Access Control)とは、データの送受信方法や誤り検出方法などの規定および制御技術です。

❶CSMA/CD(Carrier Sense Multiple Access with Collision Detection)方式

CSMA/CDは、主にバス型のLANに採用されます。ノード(端末)がデータを送信する場合、伝送路上に搬送波(キャリア；carrier)がないこと(他に送信中の端末がないこと)を確認してから、送信を開始します。

複数のノードが送信を待っていて同時に伝送路上にデータ(フレーム)が送出されてしまうと、衝突(コリジョン；collision)が発生してデータが破壊されてしまいます。そのため、ノードごとに異なる時間間隔を空けてから再送します。また、すべての端末にデータを送信することから自分宛でないデータを受け取った端末はその場で廃棄を行います。なおCSMA/CD方式は、接続される端末が増えてくると、待機時間が増えて通信時間が多くかかる

ココも出る！

フレームの形式

LANの伝送路上を流れるデータの単位をフレームと呼び、次のような構成になっている。ここで、FCS(フレームチェックシーケンス)は、誤り検出のための情報。なお、ギガビットイーサネットでは、最低でも512バイト以上となるように調整する。

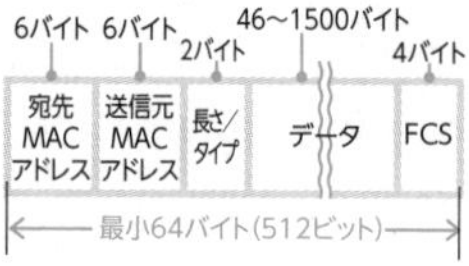

ようになることから、高速通信が求められる現在のLANでは使われなくなってきています<☞p.244 有線LANの高速化>。

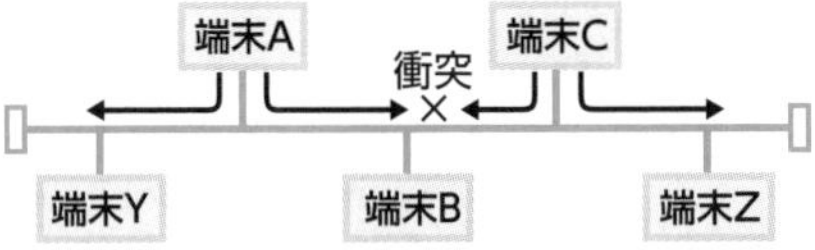

※ 送信データは伝送路の左右へ流れる
※ 端末AとCが同時に送信したため衝突が起きた

図表 08-5　CSMA/CD 方式

〔特徴〕

- 半二重通信方式のイーサネットLAN<☞p.239>で採用。
- データを送る際は、伝送路が空いているかどうかをチェックしてからすべての端末にデータを送信。自分宛でないデータを受け取った端末はその場で廃棄する。
- 衝突を検出した場合はランダムな時間待って再送信。
- 回線が混雑すると衝突と待ちが繰り返されることになり、スループットが急激に低下する。

❷CSMA/CA(Carrier Sense Multiple Access with Collision Avoidance) 方式

CSMA/CAは、無線LANで採用されている制御方式で、データの送信に先立ってキャリア検知(他のノードが送信中かどうかを調べる)を行います。ただし、無線では送信データの衝突を検出できないため、受信側から成功したことを送信側に通知するACK信号(ACKnowledgement；確認通知信号)を送る仕組みになっています。ACK信号が送られてこない場合は、何らかの通信障害が起こったものとみなして、再度送信を行います。

〔特徴〕

- 無線LANで採用。
- 受信側から送信側へのACK信号が正しく送られてこなかった場合、衝突が発生したと見なして再送を行う。

❸トークンパッシング(token passing) 方式

トークンパッシング方式は、主にリング型のLANに採用され(トークンパッシングリング方式)、伝送路上にト

出題分析

CSMA/CDの特徴

CSMA/CD方式を用いたバス型LANの特徴として、適切なものはどれか。

ア 各ノードは、フリートークンを受け取るまで通信ができない。
イ 制御局に障害が発生すると、LANシステム全体が停止する。
ウ 通信量が増加した場合でも、一定時間内に通信できることが保証されている。
エ ノードは送出した信号の衝突を検知した場合、ランダムな時間だけ待機した後、信号を再送出する。

CSMA/CD方式では、複数の端末が同時に送信を行った場合はデータの衝突が起こるが、一定時間後に再送信する。そのため回線利用率が高くなると衝突の頻度が急激に増え、再送信が増える結果、転送時間が長くなる。

解答 エ

ークン(token)と呼ぶ特別なフレームを1つだけ巡回させておき、このトークンを保有しているノード(端末)だけが送信権を得る方式です。

どのノードもアクセス要求を持たず、ただ巡回しているだけのトークンを**フリートークン**といいます。送信を行うノードは、このフリートークンを捕まえて、送信したいメッセージを付けて伝送路へ送出します。この状態を**ビジートークン**と呼びます。宛先のノードがこのビジートークンを受け取り、再び送信元が受け取ると、送信元はフリートークンを送出して、送信が完了します。

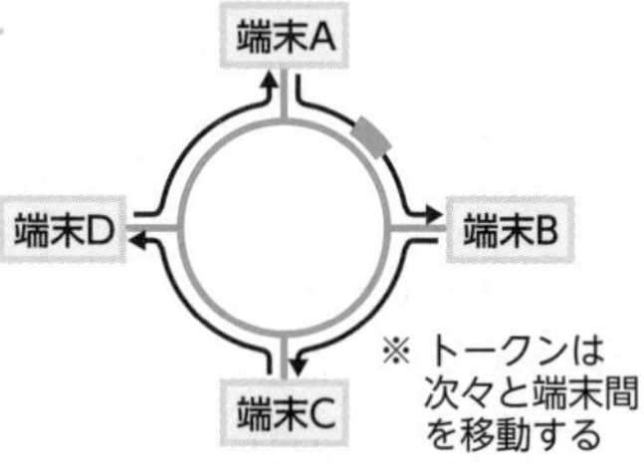

図表08-6　トークンパッシング方式

❹TDMA(Time Division Multiple Access) 方式

TDMA方式は、時間を分割して(分割された時間を**タイムスロット**と呼ぶ)各端末に送信権を与えるアクセス方式です。端末は、割り当てられた順番になるまでデータを送信できません。2つの端末に同じタイムスロットを与えればポイントツーポイント通信が可能になります。

有線LANの高速化

頻出

CSMA/CD方式では、端末数の増加や大容量のデータを通信によって伝送量が増えると、機能不全に陥ってしまうことになります。そのため、現在では端末と、ハブを進化させた**スイッチングハブ**<☞ p.245>とをツイストペアケーブルや光ファイバーケーブルで接続し、**全二重通信**<☞ p.72>を行う形に置き換わっています。スイッチングハブは宛先の端末にだけ送信ができる機能を持つため無駄なデータは送信しません。また、全二重通信とは、送信側と受信側の端末間で、送信と受信の両方向を同時に行うことができる方式です。以上により、衝突の発生を極力抑えた通信を行うことができます。

ココも出る!

PLC

PLC(Power Line Communications)は、電気配線を利用してLANを構築する仕組み。電気のコンセントに専用のアダプタを差し込むことでLANケーブルの配線が不要になる。他の家電が出す電気ノイズにより通信速度が遅くなる場合がある。

PoE

PoE(Power over Ethernet)は、イーサネットのLANケーブルを使いて電力供給を行う技術のこと。PoE対応の端末であれば、電源用コンセントがない場所への設置が可能で、監視用ネットワークカメラの設置などに用いられる。

❶ハブとスイッチングハブの違い

端末どうしを接続するハブ<☞ p.249>が中継のみ行うのに対し、スイッチングハブは接続されている端末情報を記憶する機能を持ち、宛先が存在する場合のみ、データを送信します。端末の識別に使われるのがMACアドレス<☞ p.250>で、ネットワークに接続される機器にはメーカー出荷時に割り当てられています。

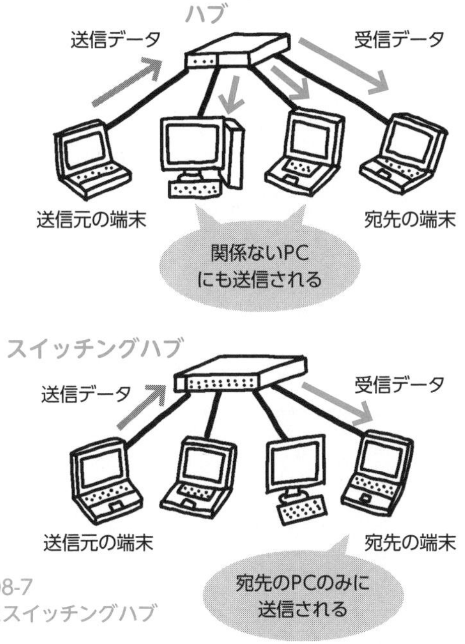

図表 08-7
ハブとスイッチングハブ

❷半二重通信と全二重通信の違い

半二重通信は、どちらかが送信中は受信のみが可能。一方の全二重通信は、同時に送信と受信が可能なため、2つの端末からの送信が重なっても衝突は起こりません。

図表 08-8
半二重通信と全二重通信

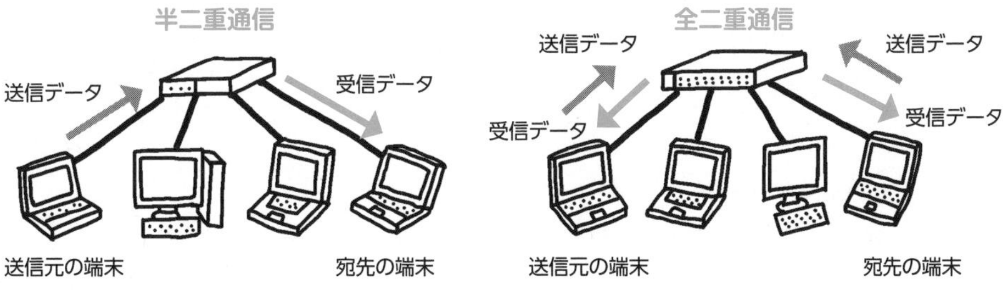

出題分析

スイッチングハブの特徴

ネットワーク機器の一つであるスイッチングハブ(レイヤ2スイッチ)の特徴として、適切なものはどれか。

ア LANポートに接続された端末に対して、IPアドレスの動的な割当てを行う。

イ 受信したパケットを、宛先MACアドレスが存在するLANポートだけに転送する。

ウ 受信したパケットを、全てのLANポートに転送(ブロードキャスト)する。

エ 受信したパケットを、ネットワーク層で分割(フラグメンテーション)する

スイッチングハブは、端末が持つMACアドレスをテーブルとして記憶しておくことで、宛先の端末のみにデータを送信する。ウは通常のハブの説明。

解答 イ

データ伝送に関する計算問題

頻出

●データ伝送時間の公式

データ伝送時間

＝ 伝送データ量〔ビット〕

÷（データ伝送速度〔ビット/秒〕× 回線利用率）

回線利用率

＝ 実際の単位時間当たりの伝送データ量

（実効伝送速度）〔ビット/秒〕

÷ 伝送可能な最大データ量（データ伝送速度）〔ビット/秒〕

●計算の例

通信速度6,400bpsの専用線で接続された端末間で、平均1,000バイトのファイルを２秒ごとに転送するときの回線利用率は何%か。ここで、ファイル転送に伴い、転送量の20%の制御情報が付加されるものとする。

実際の伝送データ量を求める

1,000〔バイト〕＋(1,000〔バイト〕×0.2)＝1,200〔バイト〕

1秒当たりの伝送データ量を求める

1,200〔バイト〕÷2秒＝600〔バイト/秒〕

バイトをビット単位に変換する

600〔バイト/秒〕×8＝4,800〔ビット/秒〕

回線利用率を求める

4,800〔ビット/秒〕÷6,400〔ビット/秒〕＝0.75＝75%

〔別解：単位に注意して計算しよう〕

伝送速度を表すbpsは、ビット/秒であることに注意！データがバイトやkバイト、Mバイトのときは、単位を揃えて計算します。上の例では、伝送データ量をビット単位に変換していますが、回線利用率をバイト単位に変換して下記のように計算すると、効率よく計算できます。

回線利用率を求める

6,400〔ビット/秒〕÷8＝800〔バイト/秒〕

600〔バイト/秒〕÷800〔バイト/秒〕＝0.75

出題分析

必要な回線速度

制御用符号を含む長さ400バイトのデータを1時間当たり3,600件送信したい。伝送効率が60%であるとき、要件を満足する最低の回線速度は何ビット/秒か。

ア　2,400
イ　4,800
ウ　9,600
エ　14,400

求める回線速度をx〔ビット/秒〕とする。伝送効率が60%なので、実効回線速度は、0.6x〔ビット/秒〕である。したがって、1時間当たりに伝送できるデータ容量は、

0.6x × 60 × 60 ＝ 3,600 × 0.6x〔ビット〕 …①

となる。一方、1時間当たりに送信したいデータは3,600件で、その容量は、

3,600 × 400〔バイト〕
＝3,600 × 3,200〔ビット〕 …②

となる。①、②から、回線速度xの値が次の不等式を成立させていれば、送信要件を満足する。

3,600 × 0.6x ≧ 3,600 × 3,200
0.6x ≧ 3,200
x ≧ 5,333.3…

この不等式が成立する最低の回線速度は、ウの9,600である。

解答 ウ

09

技術要素

ネットワークアーキテクチャ

ネットワークアーキテクチャとは？

電話で用件を伝える場合、「電話番号をダイヤルする→呼び出し音を確認する→名前を名乗って相手を確認する→用件を伝える→正確に伝わったか確認する→電話を切る」といった手順や約束事があります。

コンピュータ間のデータ通信の場合も、このような手順・規約をあらかじめ決めておく必要があり、この規約のことを**通信プロトコル**(protocol)といいます。

さらに、データ形式や符号(電話の場合の用件を伝える言語に相当)、ハードウェア部分までを論理的にとらえて体系化したものが**ネットワークアーキテクチャ**です。

ネットワークアーキテクチャには、各メーカーが独自に用意しているものもありますが、異機種間の通信のための標準的なネットワークアーキテクチャとして、ISO(国際標準化機構)が**OSI基本参照モデル**を提唱・規格化しています。このほか、デファクトスタンダードとして広く使用されているのが**TCP/IP**<☞>です。

さらに詳しく

TCP/IPの名称

TCP/IPという名称は、OSIの第4層と第3層に対応した個別のプロトコルを指すのではなく、一般に、その前後の層を含めたプロトコル体系全体(＝ネットワークアーキテクチャ)の名称として使われている。OSIはプロトコル階層の数が多く、ノード内でのプロトコル処理の負荷や伝送上のオーバーヘッドが大きいため、現在、LANやインターネットで使われている事実上の標準プロトコルはTCP/IPになっている。

機能を階層化 ―OSI基本参照モデル

頻出

OSI基本参照モデルは、プロトコルを7階層に分け、各階層ごとに必要とされる機能を定義しています。各層を**レイヤー**(layer)と呼びます。

プロトコルを階層化しておくと、階層ごとの独立性が高まり、あるレベルのプロトコルが変化しても、他のプロトコルに与える影響が少なくなり、階層ごとに改良や拡張が容易になる利点があります。

次ページ図に含まれる終端開放型システムとは、ホストコンピュータや端末などを表しており、中継開放型システムとは回線交換やパケット交換サービスなどを提供する通信網(交換機)を表します。またOSIにおけるデータ伝送は、伝送する前に相手側の同一レベルの階層とコネクション(論理的な結合)を確立してから行います。

●OSI基本参照モデル各層の役割

❶第1層：物理層

通信回線に流れる電気信号の取り決めや、接続用のケーブルやコネクタのピン形状などを規定します。

❷第2層：データリンク層

隣接する端末間において、確実なデータ伝送を行うためのプロトコルを規定。HDLC(High level Data Link Control)などの伝送制御手順が該当します。通信回線で結ばれたノード間の論理的な経路の接続(データリンクの確立)、誤り制御により確実なデータ伝送を保証します。

❸第3層：ネットワーク層

ネットワークアドレスを設定し、目的の端末までの通信路を提供するプロトコルを規定。経路選択(ルーティング)と中継機能により、パケットを送受信します。

❹第4層：トランスポート層

通信網に依存しない高品質な通信路(全二重通信路)を設定します。データ送信用単位(パケットなど)への分解

出題分析

OSI各層の役割

HDLC手順に相当するOSI基本参照モデルの層はどれか。

ア データリンク層
イ トランスポート層
ウ ネットワーク層
エ 物理層

代表的な伝送制御手順としては、基本形データ伝送制御手順(ベーシック手順)とHDLCがある。HDLCは、基本形データ伝送制御手順に比べ信頼性が高く、効率の良いデータ伝送が可能になる。

OSI基本参照モデルではデータリンク層に対応し、伝送はフレーム単位で行う。

解答 ア

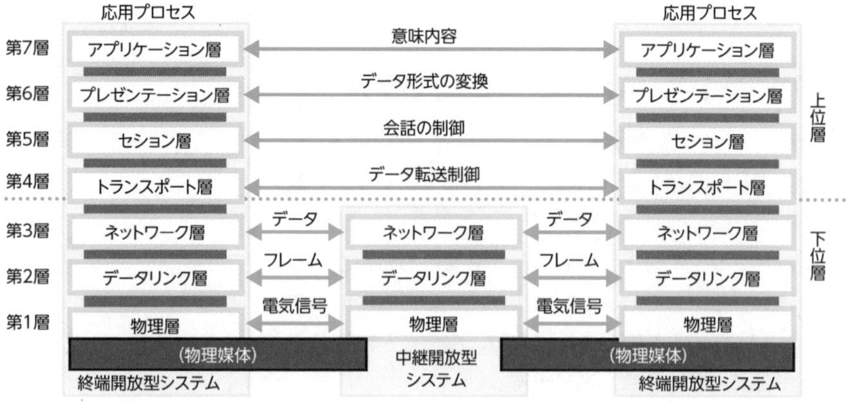

図表 09-1　OSI 基本参照モデル

／組立て、送信権制御<☞ p.251>、誤り検出・訂正<☞ p.66>、フロー制御（データの流量を調節）などを行います。

❺第5層：セション層

送信先との論理的な通信路の確立や切断を行い、通信方法を決める役割を果たします。また、半二重通信（一方が送信中に他方からは送信不可）、全二重通信（両方から同時に送信可）の制御を行います。

❻第6層：プレゼンテーション層

アプリケーション層のデータを共通な形式に変換したり、暗号化やデータの圧縮・伸張などを行います。

❼第7層：アプリケーション（応用）層

アプリケーションに応じたデータ通信機能を提供します。例えば、メールソフトで作成したメッセージを下の層に引き渡したり、下の層から受け取ったメッセージをメールソフトに引き渡したりなどです。

LANどうしを結ぶLAN間接続装置 頻出

LANを延長したりLANどうしを接続するために用いるのがLAN間接続装置です。LAN間接続装置は、OSI基本参照モデルのどの層でデータを中継するのかによって用意されており、必要に応じて使い分けます。

❶リピータ（repeater）

OSIの第1層（物理層）レベルで伝送路を接続し、単純に電気信号を増幅・整形することで伝送距離を延ばす装置です。リピータによって接続されたLAN（セグメント）は、全体で1つのLANとして扱われます。

・ハブ：複数のポートを持つリピータで、受け取ったデータはすべてのポートへ送出します。カスケード接続<☞>には、10BASE-Tは最大4段（通過できる台数）、100BASE-TXは最大2段までという制限があります。

❷ブリッジ（bridge）

OSIの第2層（データリンク層）レベルでセグメントを接続する中継装置。接続されている機器のMACアドレ

ココも出る！

カスケード接続

カスケード接続とはハブどうしを接続すること。ノードの数が多く、1台のハブではポート（ケーブルの接続口のこと）が足りない場合の対処方法。

カスケード専用のポートを持つハブではストレートケーブルを用いて一般ポートとカスケードポートをつなぐ。一般ポートどうしをつなぐ場合にはクロスケーブルを用いる。

メディアコンバータ

異なる種類のケーブル（光ファイバケーブルと各種ツイストペアケーブルなど）を接続する中継装置。そのまま変換するだけのリピータ型と通信速度などの違いを吸収できるブリッジ型がある。

レイヤー2スイッチ

レイヤー2（L2）スイッチは、スイッチングハブとも呼ばれている装置。イーサネットにおけるブリッジに該当し、宛先が存在するポートにだけパケットを流すスイッチング機能を持つ。これに対し、このような機能を持たないハブをリピータハブと呼んで区別することがある。

スを自動的に学習し、送信データに含まれる宛先MACアドレスの機器が接続されているポートにだけデータを中継します。これによりデータの衝突を防ぐことができます<☞ p.242「CSMA/CD方式」>。イーサネット<☞ p.239>では、スイッチングハブ(カスケード接続の制限はない)が使用されます。なおブリッジで接続されたノード間にループ状の経路が生じた場合、経路を特定してループを防ぐ機能を、**スパニングツリー方式**と呼んでいます。

・**MACアドレス**：MAC(Media Access Control)アドレスは、ネットワーク機器に出荷時点で割り当てられた固有のアドレス(メーカー識別子＋製造番号)です。世界中で重複しないように管理されており、MACアドレスにより、TCP/IP以外のプロトコルを用いたネットワークでも接続が可能になります。

❸ルータ(router)

異なるネットワーク間をOSIの第3層(ネットワーク層)のレベルで接続するための装置で、宛先アドレス(TCP/IP環境では**宛先IPアドレス**)を用いてパケットの中継と経路制御を行う**ルーティング機能**を持ちます。そのほかパケットフィルタリングなどのセキュリティ機能、OSI第3層以下のプロトコル変換(複数のプロトコルに対応するものをマルチプロトコルルータと呼ぶ)、WAN接続の機能(リモートルータ)などがあります。

❹ゲートウェイ(gateway)

トランスポート層(第4層)以上が異なるネットワーク相互間を、すべての層でプロトコル変換を行うことによ

ココも出る！

レイヤー3スイッチ

レイヤー3(L3)スイッチは、OSIの第3層でネットワーク間を接続するルータのルーティング機能をハードウェアで実現した装置。ルータは多機能だが、ルーティングやフィルタリングの処理をソフトウェアで実現しているため、ネットワークが高速化すると、ボトルネックとなってしまうことがある。

スイッチでは専用ICで処理を行うため高速だが、セキュリティ機能やWAN接続のインタフェースなどは備えていないものが多い。このため、ルータと共存して使うこともある。なお、レイヤー3スイッチはレイヤー2スイッチの機能を含んでいる。

図表09-2　LAN間接続装置の位置付け

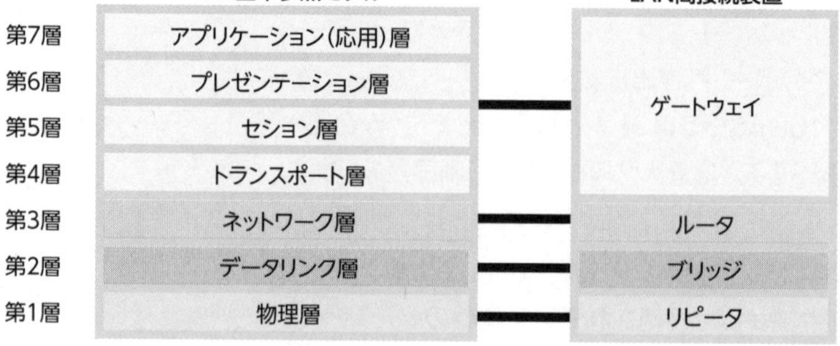

り接続する装置です。メーカー固有のネットワークアーキテクチャとTCP/IPやOSI、または、TCP/IPとOSIのプロトコル変換などに利用されます。

伝送制御

伝送制御とは、送受信間で通信を行う際のやり取りの仕組みです。手順を大まかに示すと次のようになります。

①送信側が接続要求し、送信権を得る(回線接続フェーズ)
②通信相手を確認し、回線や端末の準備完了を通知(データリンク確立フェーズ)
③データを伝送する(情報伝送フェーズ)
④伝送が終了したらデータリンクを解放する(データリンクの終結フェーズ)
⑤回線を切断する(回線切断フェーズ)

このほか送信権を得る送信権制御方式、やり取りのタイミングを合わせる同期方式、実際にデータを送る伝送制御手順、データを確実に送受信する誤り制御方式などを使い分けながらデータ伝送が行われます。

●伝送制御手順の方式

❶ベーシック手順：送信データをブロックに分け、肯定応答（ACK）を受信したら次のブロックを送り、否定応答（NAK）なら再送するという手順を繰り返します。

❷HDLC：フレーム同期<☞p.73>でやり取りする方式で、ベーシック手順(キャラクター同期）に比べて高い伝送効率、高信頼性が特徴です。送信権制御は、1次局の指示(コマンド）に従い、2次局が送受信を行います。

●送信権制御方式(ベーシック手順)

❶コンテンション方式(回線争奪方式)：先に送信要求を出した側が、早い者勝ちで送信権を得る方式です。なお、競合を避けるため、送信要求に時間差をつけます。

❷ポーリング／セレクティング方式：制御局を置いてデータリンクの確立を制御する方式。一定周期で全端末に送信の有無を問合せ（ポーリング)、選ばれた（セレクティング）端末のみが送信できます。

ココも出る！

回線接続装置

回線接続装置(Digital Service Unit；DSU)は、端末とデジタル回線をつなぐための装置で、信号変換を行う。ISDN回線を利用するためには、さらに速度変換やプロトコル変換を行うターミナルアダプタ(TA)が必要になる。

フロー制御

フロー制御とは、ネットワーク内のデータ流量を調整すること。これにより伝送速度を維持し、送受信の速度差による取りこぼしの防止、端末異常による他への影響を防ぐことができる。

マルチリンク手順

マルチリンクとは、パケット通信において、複数の回線を1つにすることで、回線速度や信頼性の向上を図る方式。その規程を標準化したもの。

こちらも参照

伝送方式
☞p.72「伝送方式」

同期方式
☞p.72

メディアアクセス制御
☞p.242

誤り検出・訂正機能
☞p.66

シラバス　大分類3：技術要素　中分類10：ネットワーク
小分類3：通信プロトコル

通信プロトコル

インターネットの約束事 ― 通信プロトコル

通信プロトコルは、通信に関する手順や約束事の集まりです。なかでもTCP/IPは、インターネットで採用される事実上の標準プロトコル群で、多数のプロトコルから成り立っています。

4つの階層化がされており、各層に対応する装置がその層に含まれるプロトコルを使ってデータのやり取りを行います。このとき、対応するプロトコルが異なると通信することはできません。OSI基本参照モデルとTCP/IPを対比させると、下図のようになります。

ココも出る！

パケットとヘッダー

TCP/IPにおけるパケットは、イーサネットにおけるフレームと同じで呼び名が異なる。ヘッダーは、データの前に付加される。アドレス情報など＜☞p.242「フレームの形式」＞。

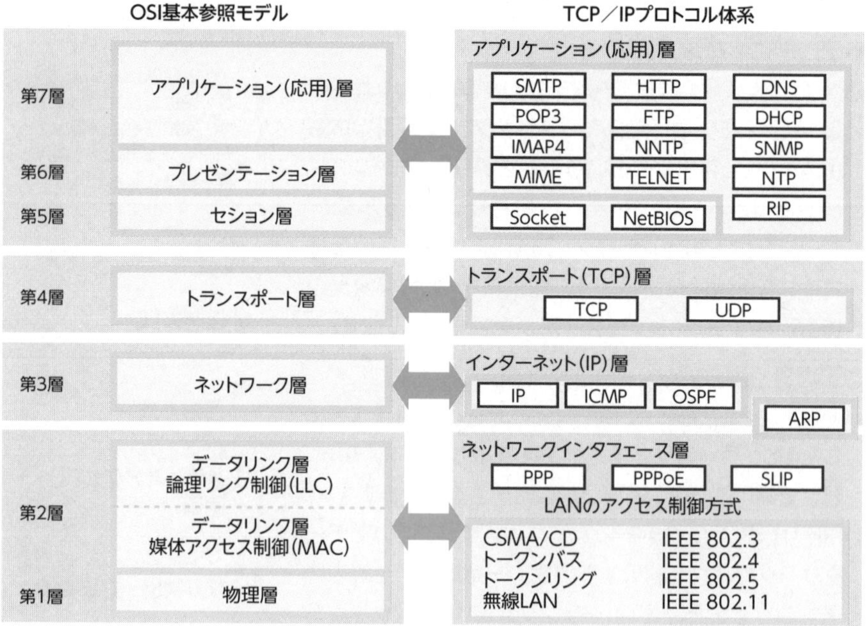

図表 10-1　TCP/IP のプロトコル体系

ネットワークインタフェース層のプロトコル

OSIの第2層以下に対応する層で、コネクタやピン形状、伝送媒体（物理層に対応）、隣接するノード間でのデータ伝送、誤り制御（データリンク層に対応）などが規定されています。

なお、この層で使用されるアドレスは、NIC（ネットワークインタフェースカード）などに割り当てられているMACアドレス<☞ p.250>です。

• PPPoE (PPP over Ethernet)

電話回線によるダイヤルアップ接続で利用されるPPP（Point to Point Protocol）を、LANなどの常時接続の環境で利用できるようにしたもの。ADSLや光ファイバによるインターネット接続サービスで採用されています。

インターネット層のプロトコル

頻出

OSIの第3層に対応するプロトコルです。

❶IP(Internet Protocol)

ネットワークを介してデータ転送を行うためのルーティング（経路選択）や中継機能を提供し、2つのノード間でコネクションレス型のデータ伝送を実現します。目的のノードまでのデータ送信は、ベストエフォート（最善の努力をするが、確実な伝送の保証はしない）で行います。

❷ARP(Address Resolution Protocol)

IPアドレスからMACアドレスを求めるためのプロトコルです。指定したIPアドレスを持つノードのMACアドレスを、同一ネットワーク内にブロードキャスト（すべてのノードに対して問い合わせを行う）します。

トランスポート層のプロトコル

OSIの第4層に対応し、データの信頼性や高速性を確保するためのプロトコルが用意されています。

❶TCP(Transmission Control Protocol)

データを送信する前に、送信側と受信側で論理的な通信路を確立するコネクション型の伝送を行うプロトコル

ココも出る！

IPoE

IPoE（IP over Ethernet）は、LANで用いられるイーサネットを、PPPoEを介さずに直接インターネットに接続する方式。IPv6のみに対応するため、IPv4にしか対応していない接続先のサービスを利用する場合には、「IPv4 over IPv6」サービスによって変換を行う必要がある。

VLAN

VLAN（Virtual LAN）は、物理的な接続とは異なる仮想的なLANを形成すること。スイッチの機能によって実現され、1つのLANを複数グループに分けることができる。

さらに詳しく

ルーティングプロトコル

ルーティングプロトコルとは、ルータどうしが一定時間ごと（またはネットワーク構成変更時）に、ルーティングテーブルの情報を自動的に交換するインターネット層のプロトコル。次の2つが代表的。

RIP（Routing Information Protocol）：目的地までのルータ数を重視。中・小規模ネットワークに向く。

OSPF（Open Shortest Path First）：転送速度などを考慮し、目的地までの速さを重視。大規模ネットワークに向く。

です。OSIの第４層と同様に、上位層に対して個々の通信網に依存しない高品質な通信路を提供します。

❷UDP(User Datagram Protocol)

コネクションレス型の伝送を行います。これは、信頼性よりも速度を重視したもので「データが相手に届いたか」という確認を行いません。UDPを使用するアプリケーション層のプロトコルには、DNS、DHCP、SNMP、NTPなどがあります。

> さらに詳しく
>
> **HTTP/2とHTTP/3**
>
> ともにHTTPの後継。HTTP/2は、ストリーム（1つのコネクション内でリクエストとレスポンスを多重化）やサーバプッシュ（リクエストなしにサーバ側からリソースを送信できる）などを取り入れたもの。HTTP/3は、下位プロトコルQUICを利用することで高速化や常時暗号化などを実現している。

アプリケーション層のプロトコル 頻出

OSIの第5～7層に対応するもので、各種サービスを実現するプロトコルが用意されています。

メール関連	**SMTP** (Simple Mail Transfer Protocol)	メールサーバ間のメール転送、クライアントからのメール送信を行うためのプロトコル。＜☞p.263＞
	POP3 (Post Office Protocol Version 3)	メールサーバからメールを取り出すためのプロトコル。＜☞p.263＞
	IMAP4 (Internet MessageAccess Protocol 4)	メールをメールサーバに置いたまま管理するためのプロトコル。＜☞p.263＞
	MIME (Multipurpose Internet Mail Extensions)	メールで文字以外のデータ（画像や音楽）を送るための拡張規格（プロトコルではない）。＜☞p.263＞
ファイル転送ほか	**HTTP** (HyperText Transfer Protocol)	HTMLファイルを転送し、WWWを実現するためのプロトコル。
	FTP (File Transfer Protocol)	ファイルを転送するためのプロトコル。
	NNTP (Network News Transfer Protocol)	ネットニュースの交換を行うプロトコル。
	DNS (Domain Name System)	ドメイン名とIPアドレスを対応させる名前解決のサービスを提供するプロトコル。ホスト名からIPアドレスを割り出すために利用。＜☞p.262＞
	DHCP (Dynamic Host Configuration Protocol)	TCP/IPのLANに接続されたコンピュータに、あらかじめ設定された範囲から未使用のIPアドレスを自動的に割り振るサービスを提供するためのプロトコル。
管理用	**Telnet**	コンピュータを遠隔操作するプロトコル。
	SNMP (Simple Network Management Protocol)	TCP/IPネットワーク環境において、ネットワーク上の機器の管理を行うためのプロトコル。
	NTP (Network Time Protocol)	ネットワークを介して、コンピュータの時計を合わせるプロトコル。

図表 10-2　アプリケーション層のプロトコル

11

技術要素

IPアドレスの役割と機能

IPアドレスの役割

インターネットには、無数のコンピュータやLAN間接続装置が接続されており、それぞれに重複しないIPアドレスが割り当てられています。これは番地のようなもので、ネットワーク層（インターネット層）のIPプロトコルを使って通信経路を確立するために用いられます。

❶IPアドレスの構成

IPアドレスは32ビットのビット列で、ネットワーク部とホスト部から構成されます。通常8ビットずつを10進数に変換し、ピリオドで区切って表します。 1つのLANには、1つのネットワークアドレスが割り当てられ、LAN内のそれぞれのコンピュータに、ホスト部の値が異なるIPアドレスを割り振ることで、各コンピュータを識別します。

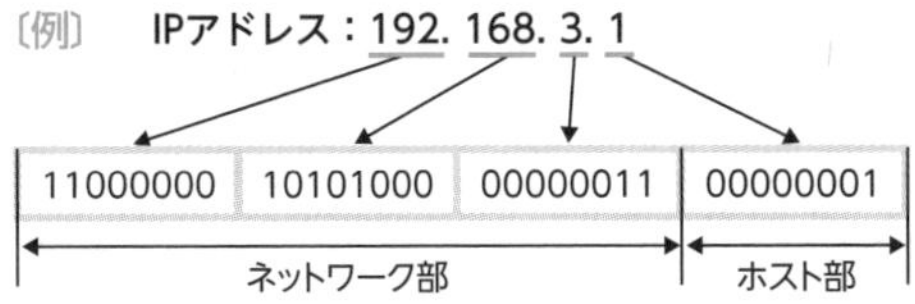

図表11-1　IPアドレスの構成

❷ネットワークアドレスとブロードキャストアドレス

ホスト部のビットがすべて‘0’のものはネットワークアドレス（ネットワーク自体を示すアドレス）、すべて‘1’のものはブロードキャストアドレス（同一ネットワーク内のすべてのパソコンを指す）と用途が決められています。

利用規模で分類するアドレスクラス 頻出

IPアドレスは、ネットワークの規模に応じていくつかのアドレスクラスに分類されています。先頭8ビットの

さらに詳しく

IPアドレスの管理

世界中のIPアドレスは、米国法人ICANN（アイキャン）が管理を行っている。

ICANNは地域インターネットレジストリ（RIR）と呼ばれる下部組織を配置し、さらにNIC（Network Information Center；ニック）が各国のIPアドレスの管理を行う。

アジア・太平洋地域のRIRはAPNICが管轄しており、さらにJPNICが日本国内のIPアドレスを管理するという階層関係になる。また、ドメイン名の割り当てとDNSの管理は、JPRSが行っている。

アドレスプリフィックス

IPアドレスのうち、ネットワーク部の長さを示すもの。IPアドレスの表記で、255.255.255.0/24のように「/」以降にプリフィックス長を書く方法がある。

値により、右表のようなクラス種別になっています。

先頭8ビットの値の範囲	種別
1～127（先頭ビットが'0'）	クラスA
128～191（先頭が'10'）	クラスB
192～223（先頭が'110'）	クラスC
224～239（先頭が'1110'）	クラスD

図表 11-2　クラスの種類

ネットワーク部のビット数は、クラスAが先頭から8ビット、クラスBが16ビット、クラスCが24ビットまでであり、クラスDは特殊用途でのみ使用されます。

同一ネットワーク内での接続可能台数は、例えば、ホスト部が8ビットで構成されるクラスCのネットワークでは、$2^8-2=254$台になります。

アドレスの無駄を防ぐサブネットマスク

クラス単位でのIPアドレスの割り当ては、利用されないアドレスが発生しやすく、限られたアドレス空間を有効に利用できません。このため、クラスに依存せず、サブネットマスクでネットワーク部の長さを識別するCIDR（Classless Inter-Domain Routing；RFC2050）方式を用いるのが一般的です。

サブネットマスクとは、ネットワーク部のビットがすべて'1'、ホスト部のビットがすべて'0'であるデータを使ってネットワークアドレスを取り出すことです。

具体的には、IPアドレスとサブネットマスクのビット単位の論理積（AND）を計算することで、ネットワークアドレスを取り出します。例えば、ネットワーク部が24ビットの場合のサブネットマスクは、「255.255.255.0」となります。

IPアドレス	11000000	10101000	00000011	00000001
	192.168.3.1			
サブネットマスク	11111111	11111111	11111111	00000000
AND)	255.255.255.0			
ネットワークアドレス	11000000	10101000	00000011	00000000
	192.168.3.0			

図表 11-3　サブネットマスクの例

ココも出る！

IPv4とIPv6

インターネットに接続するホストが、世界中で増え続けた結果、現在の32ビットのIPアドレスである、IPv4（IP version 4）では不足するようになった。そこで、128ビットのアドレス空間を持つ新規格IPv6（IP version 6）に移行が進められている。IPv6は、IPアドレスの自動設定（Plugin and Play）や、IPSecによるセキュリティ機能の実装、効果的なルーティング機構などを備える。なお、アドレスを表す場合は、128ビットを16ビットずつに分けて16進数に変換し、「:」で区切って記述する。

さらに詳しく

CIDRのメリット

CIDRでは、ネットワークアドレスを固定長とせず自由に分割して使えるため、各組織に必要最低限の数のIPアドレスを割り当てることが可能。このため、IPアドレス空間を効率的に利用できる。

さらに、連続したIPアドレスのブロックを割り当てることで、経路の情報を集約化できる（スーパーネットと呼ぶ）というメリットもある。

プライベートIPアドレス

頻出

インターネットへ常時接続し、公開用WWWサーバやメールサーバを独自運用したい組織は、プロバイダなどから重複しないIPアドレスを割り当ててもらう必要があります。これに対し、社内LANだけで使う場合は、全世界で重複しないアドレスにする必要はありません。このように使い分ける際、前者を**グローバルIPアドレス**、後者を**プライベートIPアドレス**<☞>と呼んでいます。

プライベートIPアドレスを使用したネットワークをインターネットに接続する場合は、インターネットとの接点になるルータおよび公開サーバにだけグローバルIPアドレスを割り当て、Proxy(代理)サーバや、次のような**ネットワークアドレス変換機能**を用いるのが一般的です。

❶NAT(Network Address Translation)

グローバルIPアドレスとプライベートIPアドレスを「1対1」で変換する機能です。インターネットへ同時に接続できる台数は、割り当てられているグローバルIPアドレスの個数までになります。

❷NAPT(Network Address Port Translation)

グローバルIPアドレスとプライベートIPアドレスを「1対多」で対応させる機能です。IPアドレスとポート番号の組合せにより通信(セション)を識別するため、1つのグローバルIPアドレスで、複数のパソコンが同時にインターネットを利用することができます。ただし同時接続は、ルータが管理できるセション数(アドレス変換テーブルのサイズ)の上限までです。なお、**IPマスカレード**(IP masquerade)と呼ばれるほか、こちらのほうが一般的になったため、単に**NAT**と呼ぶこともあります。

リレー式で届けるIPルーティング

頻出

インターネットに接続しているネットワーク間は、ルータで結ばれており、通信する相手のIPアドレスを指定すれば、ルータ間でパケットを転送し、相手先のネットワークまで届けてくれます。これが**IPルーティング**です。

さらに詳しく

プライベートIPアドレス

社内LANなどで使用するためのプライベートIPアドレスは、次のように定義されている。

10.0.0.0~10.255.255.255	クラスA
172.16.0.0~172.31.255.255	クラスB
192.168.0.0~192.168.255.255	クラスC

出題分析

クラスCのIPアドレス

クラスC(ネットワーク部は24ビット)のIPアドレスとして、コンピュータに付与できるものはどれか。

ア 192.0.0.255
イ 192.0.256.16
ウ 192.128.0.0
エ 192.128.0.128

アは、ホスト部がすべて'1'のブロードキャストアドレスでLAN内のコンピュータには付与できない。イの256は8ビットで表せない。ウはホスト部がすべて'0'でネットワークアドレスを指すため、誤り。

解答 エ

この機能により、サーバがどこに存在するかを知らなくても、IPアドレスを指定すれば通信することができます。

●IPルーティングの例

次の図では、ネットワークアドレスが異なる3つのLANとインターネットが、それぞれルータで接続されています。LAN内ではプライベートIPアドレスが使用されており、ルータ1のインターネット側のインタフェースにのみ、グローバルIPアドレスが割り当てられています。各ルータは、内部にルーティングテーブル(経路を選択するテーブル)を持ち、ルータに届いたパケットの宛先IPアドレス(ネットワークアドレス)と照らし合わせて、パケットの中継先の決定を行います。

例えば、それぞれのアドレスが図のようなとき、ルータ2のルーティングテーブルは表のようになります。

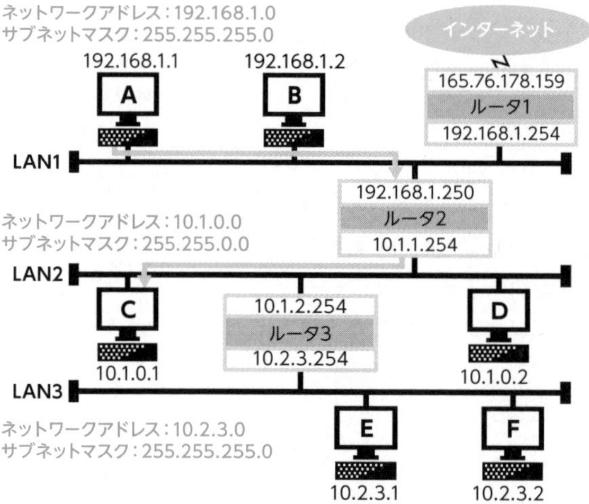

ルーティングテーブル

	宛先ネットワークアドレス	パケットの中継先
①	192. 168. 1. 0/24	192. 168. 1. 250
②	10. 1. 0. 0/16	10. 1. 1. 254
③	10. 2. 3. 0/24	10. 1. 2. 254
④	上記以外	192. 168. 1. 254

※宛先ネットワークアドレスの"/"以降の数値は、ネットワーク部のビット数を表す。

図表 11-4
IP ルーティング

〔図の解説〕

ルーティングテーブルの①と②の宛先は、ルータ2が直接接続されているLAN1、2のアドレスなので、ルータ2自身のIPアドレスが中継先として指定されている。ここで、LAN1内の端末A(192.168.1.1)からLAN2内にある端末C(10.1.0.1)への送信パケットをルータ2が受け取った場合、②によりLAN2側へパケットを中継する(図)。このとき、LAN2を流れるフレームの送信元MACアドレスは、ルータ2のLAN2側のMACアドレスに書き換えられる(ルータを経由するたびに変更される)。

ココも出る!

オーバーレイネットワーク

物理的に構築されているネットワーク上に、仮想的に構築したネットワークのこと。VPN(バーチャルプライベートネットワーク)の形で、自社専用のネットワークとして利用でき、セキュリティ上の効果も高い。

12
技術要素

ネットワーク管理

ネットワーク運用管理とは

日常的に企業や家庭で利用されるLANやインターネットは、障害が発生すると大きな損失を生み出します。高い信頼性を維持するためには、ネットワーク運用管理が重要になります。基本となるのは、構成管理、障害管理、性能管理ですが、このほか運用管理、機密管理、また必要に応じて課金管理を行います。

●構成管理

ネットワーク資源の構成を把握し、一元管理することで、効率の良い運用を行うことを目的としています。また、変更があった場合は速やかに記録を行います。

❶構成要素の把握：ネットワークに接続されている資源(ハードウェア、回線など)の種類と量、アドレス値や資源間の接続状況を把握します。ソフトウェアについては種類や配布状況に加えてバージョン管理が必要になります。

❷設定値の管理：ネットワークの稼働には、運用状況やサービスに応じた設定変更が伴います。設定したアドレス値やパラメタを管理します。

❸資源状態の管理：稼働している資源や待機資源、保守にある資源の状態を管理します。また、SDN<☞ p.261>の利用により、物理的なネットワーク構成や設定を、ソフトウェアで一元的に変更できます。

●障害管理

障害を早期に発見し、原因の特定、復旧を速やかに行うことを目的としています。また常に稼働状況を記録しておくことで、障害を未然に防ぐことも可能になります。

❶障害原因の特定：障害が検出され、警報を受け取った

ココも出る！

そのほかの管理

運用管理：ネットワーク運用を適切に行うため、運用手順を決め、障害対応を含めて文書化する。また、通常運用については自動化を検討し、確実性を確保する。

機密管理：ネットワーク資源に対してアクセス権を設定し、アクセス制御を行う。また機密保護が必要な資源へのアクセスについてログを監視して不正アクセスを防ぐ。

課金管理：ネットワークの使用率、個々の使用状況を記録することによって、全体コストの計算や適切な資源の割り当て、サービスに応じた課金計算を行う。

ら、診断ツールやテストツールなどで原因をつかみます。

❷**応急処置および復旧**：障害原因が特定できたらすぐに対処を行いますが、時間がかかる場合は待機状態にあるバックアップ装置や回線へ切り換えます。その後、システムの修正があれば対処し、記録を残します。

●性能管理

性能管理では、サービスレベルに基づいた性能が維持できているかを目安にします。データ量やスループット、回線利用率やエラー発生頻度など、日々の情報を基に判断します。また、基準値を超えるデータ量の増加傾向がある場合には、機器の増設や回線変更などを検討します。

3 運用管理に利用するツール

頻出

ネットワーク運用管理のためのネットワーク運用管理ツールとしては、次のようなコマンドがあります。

❶ping

IPアドレスとホスト名を指定したIPパケットを送り、その応答により通信状態（接続、応答速度）を確かめるために用いるコマンドです。

❷ipconfig／ifconfig

ipconfigは、ルータとの接続確認などに用いるコマンドで、IPネットワークにおけるネットワークの設定情報（ホスト名、最優先のDNSサフィックス、名前解決方法、ネットワークのDNS、IPアドレス、サブネットマスク、デフォルトゲートウェイなど）を確認できます。また、DHCPによって割り振られたIPアドレスの「解放／再取得」も行えます。UNIX系のOSでは、ifconfigを使います。

❸arp

宛先IPアドレスから、機器のMACアドレスを知るためには、ARP<☞ p.253>が使われます。取得したIPアドレスとMACアドレスのペアはARPテーブルに保存され定期的な更新が行われます。arpコマンドにより、保存された最新のMACアドレスを調べたり、テーブルを初期化したりなどの管理を行えます。

ココも出る！

ポートミラーリング

通信トラフィックの監視のための機能。通信のやり取りを行っているポートと同じパケットを別ポート（ミラーポート）から出力し、そこに監視用端末や機器を接続する。監視用のハードまたはソフトをLANアナライザという。使用に際しては、LANアナライザに表示されるパケットの盗聴に注意する必要がある。

そのほかのコマンドツール

netstat：ネットワークの通信状態（TCPコネクション）やルーティングテーブルの状況の確認、トラフィック量の情報調査などを行うコマンド。

ip：IPアドレス機器やルーティングなどを確認する。ipconfigなどに代わるコマンド。

ss：ネットワーク接続やルーティングの状況などを確認。netstatに代わるコマンド。

dig：DNSサーバへ、ドメインに対するIPアドレスなどを問い合わせる。

traceroute：あるホストから別のホストまでのネットワーク経路を調べる（経由するルータリストを表示）。tracertも同様の機能。

ネットワーク管理を行うSNMP

SNMP(Simple Network Management Protocol)は、TCP/IPにおけるネットワーク管理を行うためのプロトコルの1つです。具体的には、サーバやネットワーク機器(ルータやブリッジなど)、サービスの状態や稼働状況、トラフィックを監視することが可能です。

❶SNMPマネージャとエージェント

ネットワーク管理では、管理対象を管理する側をマネージャ(SNMP管理ステーション)、管理される側をエージェントと呼んでいます。それぞれで専用のアプリケーションソフトを動作させることで、メッセージをやり取りし、監視を行うことができます。また、障害発生時にはエージェント側から自発的に通知を行います。

❷管理情報ベース

MIB(Management Information Base)は、マネージャとエージェントが持つ、ネットワーク管理用のデータベースです。エージェントは機器等の情報をオブジェクト(オブジェクトID：OIDにより識別)という単位でMIBに格納し、マネージャからの要求に対してMIBを参照して通知します。また、マネージャからの情報更新も可能です。

柔軟に変更できる仮想ネットワーク

頻出

仮想ネットワークはソフトウェアによるネットワーク構築のことで、SDN(Software-Defined Networking)は、それらの技術の総称です。SDNでは、物理的なネットワーク構成や設定をソフトウェア制御によって動的に変更できることから、ネットワーク構築や拡張、資源管理を容易にし、ネットワーク障害への対応やセキュリティの強化にも柔軟に対応できます。具体的な実装は、標準化されたOpenFlowやNETCONF(ネットワーク機器の設定を行うプロトコル)、独自のAPIを利用します。

OpenFlowでは、ネットワークの制御(経路制御)と、データ転送の制御を論理的に分離して抽象化し、ソフトウェア的にネットワーク制御を一元管理します。

ココも出る！

NFV

NFV(Network Function Virtualization)は、複数の物理的なネットワーク装置を組み合わせ、共用の汎用サーバ上においてソフトウェア的に仮想的なネットワーク機能を実現する技術。NFVにより設備投資にかかる初期費用や運用費用の縮小が可能になる。

さらに詳しく

OpenFlow

SDNを実現するための標準化されたネットワーク制御の実装技術。ソフトウェアによるコントローラで集中して制御することで、ネットワーク構築や構成変更、高度な伝送制御を行える。

13

技術要素

電子メールとネットワークサービス

電子メールの仕組み

頻出

電子メールは、もっとも普及しているインターネット上の通信サービスで、次のようなメールアドレスを使って相手先を指定してメールを送ります。ここで、利用者名(アカウント名)は、利用者の識別に使用します。

利用者名＠ドメイン名

〔例〕 sato-san@gihyo.co.jp

●DNSによる名前解決の仕組み

数字の羅列によるIPアドレスは、覚えにくいものです。そこで、メールやWebサービスを利用する際には、インターネット上でユニークな名前となる**ドメイン名**を使います。このドメイン名とIPアドレスを対応付ける名前解決の仕組みが**DNS**(Domain Name System)です。

例えば、上記のメールアドレスでは、「@」以降がドメイン名になり、**DNSサーバ**によって送付先ドメインのメールサーバのIPアドレスを知ることができます。これにより、世界中のどのドメインの利用者とも、メールのやり取りが可能になるわけです。また、1つのドメインは、複数の**サブドメイン**に分割できます。右図で

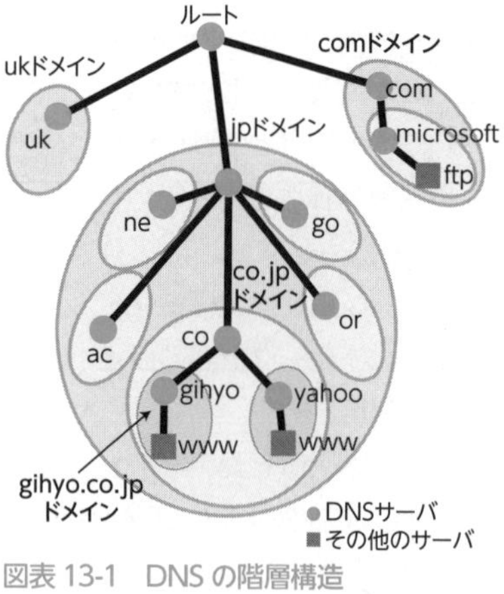

図表 13-1　DNS の階層構造

さらに詳しく

電子メールの構成

電子メールは、通常の手紙のようにエンベロープ(封筒)とメッセージ(便箋)で構成される。エンベロープには、メールサーバ(**MTA**；Mail Transfer Agent)が利用する宛先や送信元のメールアドレスが書かれている。またメッセージは、メールヘッダーとメール本文で構成されており、メールヘッダーには、宛先と送信元のメールアドレス、送信日、Subject、経由したメールサーバの情報、送信元のメールソフト(**MUA**；Mail User Agent)の情報などが記録されている。これらの情報は、受信したメールから確認することができる。

ココも出る！

FQDN

FQDN(Fully Qualified Domain Name：完全修飾ドメイン名)は、ドメイン名やサブドメイン名などを省略せずに記述した形。これに対し、ホスト名などを省略した形を複数持つことも可能。どちらもDNSにより関連付けられる。

は、「gihyo.co.jp」ドメインは、「co.jp」のサブドメインであり、さらに「co.jp」は「jp」ドメインのサブドメインです。

各ドメインには必ずDNSサーバが置かれ、ドメイン内のコンピュータ名とIPアドレス、サブドメインのDNSサーバ、さらにルートDNSサーバ(インターネットの最上位のDNSサーバ)のIPアドレスを記憶しています。

●電子メールが届く仕組み

送信されるメールは、まず、**1**メール転送プロトコルSMTPを使って送信者のメールサーバに送られます。**2**次にSMTPによりインターネット上を転送され、**3**受信者のメールサーバまで届けられて、サーバ上のメールボックスに蓄えられます。**4**到着したメールは受信者の要求により、メール受信用プロトコルPOP3により受け取ります。

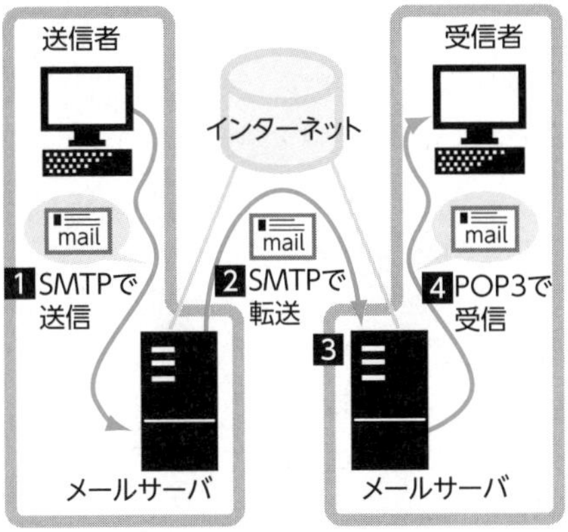

図表 13-2　電子メールが届く仕組み

●電子メールのエラーメッセージ

送信したメールが何らかの理由で届かなかったときには、メールサーバがエラーメールを送信します。エラーになる原因は、「メールアドレスの指定ミス」や「メールサーバが停止している」がほとんどで、エラーにより返されたメールには、送信者に「MAILER-DAEMON」や「Mail Delivery Subsystem」(どちらもメールの送受信を管理しているシステムの呼び名)という文字列が

ココも出る!

IMAP4

POP3による受信は、メールをメールサーバからクライアント側へダウンロードするとメールサーバからは削除されるため、複数のパソコンでメールを利用する場合に不都合なことが多い。IMAP4(Internet Message Access Protocol 4)はメールボックス管理機能を持ち、メール本文や添付ファイルをサーバに置いたままで、タイトルや送信者の情報だけを先に受け取ることができる。そこから件名や送信者のアドレスを見て、受信(ダウンロード)や破棄を選択することで、不要なメールを破棄できる。

MIME

MIME(Multipurpose Internet Mail Extentions)は、インターネットで送る電子メールにファイル添付をしたり、音声や画像などのマルチメディアデータを送受信するための拡張規格。また、メールの盗用や改ざんを防ぐためには、メッセージを暗号化したりデジタル署名を使う機能を持つS/MIME(Secure MIME)が使われる。

こちらも参照

S/MIME

☞ p.291

含まれます。

Host unknown (Host Not Found)	送信先サーバが見つからない（メールアドレスの@より右側の間違い）
User unknown	送信先のメールアドレスが見つからない（メールアドレスの@より左側を間違えている）
Could not send message for past 10 hours	10時間たっても宛先に送信できない状態だった（送信先のサーバや中継サーバが停止している）

図表 13-3　代表的なエラーメッセージ

文字も動画も閲覧できるWebシステム

インターネットの閲覧に利用されるWebページは、WWW（World Wide Web）サービスを利用して、文字や絵、音声や動画などのマルチメディア情報を世界中とやり取りできる仕組みです。このようなWWWサービスを提供する機能を果たしているのは、インターネットに接続している無数のWebサーバです。Webページの情報は、HTMLやXMLといったマークアップ言語で書かれ、Webサーバ上にファイルとして格納されています。

❶WebブラウザとURL

Webページにアクセスするには、Internet ExplorerやFirefox、ChromeなどのWebブラウザと呼ばれる閲覧ソフトを利用します。ブラウザの指定欄にWebページのデータが格納されている場所を示すURL（Uniform Resource Locator）を入力すると、その情報が該当するWebサーバに送られ、サーバから目的のWebページのデータが送られてくる仕組みです。

スキーム名「http」は使用するプロトコル。また、ホスト名で「www」は、ドメイン名と合わせてWebデータが保存されているWebサーバを示しています。

ココも出る！

CGI

CGI（Common Gateway Interface）は、HTML文書からWebサーバ上のプログラムを起動して、実行結果を返す仕組み。アクセスカウンターやアンケート集計など、HTMLだけでは記述できない複雑な処理や対話的な処理も、CGIによってプログラムと連携させることで実現可能になる。

cookie（クッキー）

cookieは、閲覧している利用者の情報などを、一時的に利用者のパソコンに保存する仕組み。あるWebページで利用者登録をすると、次にそのWebページを開いたときに、自動的にその利用者専用のページが表示される仕組みなどに利用される。便利な仕掛けではあるが、利用者が意図しない間に、保存している情報を盗まれたり、システムを改変されるなど、悪意を持ったプログラムの可能性もあるので注意が必要となる。

こちらも参照

CSS/XSL
☞p.103

HTTP
☞p.254

HTTPS
☞p.311

❷ハイパーリンク

WWWの大きな特徴は、関連する情報どうしを**ハイパーリンク**という仕組みで結びつけ、あるWebページから別のページへとリンクをたどって自由に移動ができることです。Webページ上では、文字色を変えてあったり、下線が引いてある部分をクリックすると、別のページに飛ぶことができます。これは、その部分に、リンク先のURLの指定が埋め込んであるからです。

❸検索エンジン

Web環境において検索を行う際、意識せず利用しているのが**検索**(サーチ)**エンジン**です。エンジンのアルゴリズムによって検索結果や優先順が決められます。代表的な「Yahoo！」や「Google」のほか、数多くのポータルサイトがありますが、必ずしも独自のエンジンを使っているわけではなく、共通している場合もあります。また、検索エンジンには次のようなタイプがあります。

・**全文検索型**：Web上の情報を保持しておき、文字列をキーワードとして検索を行う。
・**ディレクトリ型**：人手によってキーワードをカテゴリ別のディレクトリに登録しておき、キーワードに合ったディレクトリを検索する。
・**ロボット型**：Web上の情報をプログラム(ロボットやクローラなどという)により自動収集してデータベース化しておき、キーワードや検索式により検索を行う。

インターネット上のサービス

インターネットでは、さまざまなサービスが用意されており、目的に応じて利用することができます。

❶ファイル転送サービス

ファイル転送プロトコルの**FTP**を使って、FTPサーバとクライアントとの間で、大容量のファイルを高速でやり取りできるサービスです。サーバにファイルを移動することを**アップロード**、取り出すことを**ダウンロード**といいます。通常のFTPサイトは、利用者登録・認証が

出題分析

Webサーバとの連携

Webサーバにおいて、クライアントからの要求に応じてアプリケーションプログラムを実行して、その結果をWebブラウザに返すなどのインタラクティブなページを実現するために、Webサーバと外部プログラムを連携させる仕組みはどれか。

ア CGI
イ HTML
ウ MIME
エ URL

CGIは、Webブラウザなどからの要求によって、Webサーバ上のプログラムを起動するための仕組み。CGIを使うことで、要求に応じた返答をすることが可能になる。

解答 ア

必要で、サイトにあるデータを勝手にダウンロードできません。anonymus FTPは、誰でも自由にデータをダウンロードできる仕組みのことで、ソフトウェアの無料配布などに使われます。

❷イントラネット(Intranet)

インターネットの仕組みを利用した、企業内などの情報システムです。ローカルなWWWサーバを中心において、業務上の情報をやり取りします。外部とはファイアウォールで遮断し、遠隔地とのやり取りには、仮想的な専用線であるVPN(Virtual Private Network)<☞>を利用します。また、イントラネットどうしを相互接続したものをエクストラネット(Extranet)といい、EC(電子商取引)やEDI(電子データ交換)に利用されます。

インターネット接続サービス

インターネットが一般的になり、高速・定額の常時接続サービスが普及してきました。ただし、個人向けサービスのほとんどは、ネットワークの混雑時には通信速度を保証しないベストエフォート型(速度保証のあるものはギャランティ型)のサービスである点に注意が必要です。

❶FTTH(Fiber To The Home;光ファイバインターネット)

光ファイバケーブルによる高速データ通信回線の各家庭での利用を可能にするネットワークサービスで、高速(100Mbps以上)な接続が可能です。

❷CATVインターネット

ケーブルテレビ網を利用した接続サービスで、スプリッタ(TV放送とデータ通信を分離する機器)とケーブルモデムが必要です。1本の回線を複数の利用者が共有するベストエフォート型のサービスです。

❸IP電話

IPネットワークを経由して、デジタル化した音声データを送受信する電話サービスです。インターネットへの接続料金のみで、通話料金は不要です。使われているVoIP(Voice over IP)技術は、デジタルデータ化した音

ココも出る!

VPNの種類

VPNは、経費が安価なネットワークを用い、暗号化技術を使って、仮想的な専用線として利用する技術で、本社ー支社間のデータ通信回線などに使われている。通信事業者から専用回線を借りるより費用の面で有利になるが、仮想的な専用回線であり、実体は公衆回線なので、堅実なセキュリティ対策が必要となる。なお、電気通信事業者が持つIP網を利用したVPNサービスをIP-VPN、WWWを利用したVPNサービスをインターネットVPNと呼ぶ。そのほか、ルーティングにIPプロトコル以外も使え、より高速な広域イーサネットサービスがある。

ネットワークOS

ネットワークの管理や通信サービスの提供に特化したOS。パソコン上で動作するネットワークOSに、ノベルが開発したNetWare(ネットウェア)がある。

こちらも参照

ISP「ISP」
☞p.237

EC(電子商取引)
☞p.512

EDI(電子データ交換)
☞p.515

声信号をインターネットなどで送信する仕組みです。VoIPでは、アナログ音声をAD変換によりパケットに加工・分割して送信します。

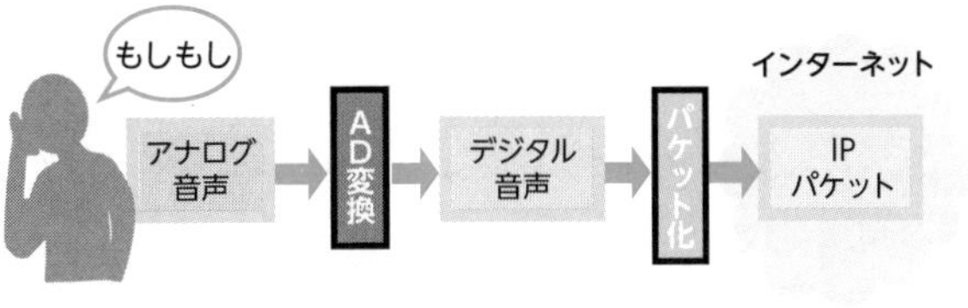

図表 13-4　IP 電話

❹パケット交換サービス

携帯端末用のインターネット接続サービス(NTT DocomoのiモードやauのEZ-Webなど)に使われる接続方法で、データをパケット単位に分割して送受信します<☞下記「図表13-5 通信サービスの種類」>。通信料は接続時間ではなく、データ量(パケットの数)で課金されます。

データ伝送に用いる通信サービス

個人向けや企業向けとして、表のようなさまざまなサービスがあります。

図表 13-5
通信サービスの種類

交換サービス	回線交換サービス	電話網 (アナログ回線) を利用したもの。通信する相手を交換機で選択する。距離と時間に応じて課金される。
	パケット交換サービス	データをパケット (データを一定の長さに分割し、それぞれに宛先やパケット番号を記したもの) に分割して通信する。ネットワーク内の交換機にパケットを蓄積し、パケットの宛先により、回線の混み具合に応じて経路を選択し送信する。データ量に応じて課金される。
専用線サービス	一般専用線サービス	アナログ伝送を行う帯域品目と、デジタル伝送を行う符号品目がある。特定の相手との専用の伝送路が確保されるため、回線の使用料は接続時間やデータ量に関係なく、毎月一定である。
	高速デジタル伝送サービス	デジタル専用線を用いたサービスで、64kビット／秒～6Mビット／秒のサービス品目がある。
ISDNサービス	回線交換モード パケット交換モード 専用線モード	統合サービスデジタル網(Integrated Service Digital Network)。デジタル回線を用いた64kビット／秒の情報 (B) チャネル2本＋16kビット／秒の信号 (D) チャネル1本で構成される基本インタフェース (2B＋D) と、光ケーブルを用いた1.5Mビット／秒と高速な1次群速度インタフェース (23B＋D) がある。
その他	移動体通信	携帯電話サービス、PHSサービスなどがある。
	衛星通信	広域をカバーし、同報通信 (同一データを複数か所に同時に送る) が可能なサービス。

ココも出る!

ATM交換(セルリレー)

非同期転送モード(Asynchronous Transfer Mode：ATM)を利用したWANサービスをATM交換またはセルリレーという。データを53バイト(固定長)のセルと呼ばれる単位に分け、高速転送を行う。

モバイルシステム

頻出

携帯電話に加え、スマートフォンやタブレットなどの携帯端末が普及し、モバイル環境における高速通信が普及しつつあります。これには次のような規格や技術が使われています。

❶LTE(Long Term Evolution)

LTEは、第3世代携帯の通信規格(3G)に続く、高速な携帯電話通信規格で4Gとも呼ばれます。通信速度の理論値は、ダウンロード時は100Mbps以上、アップロード時は50Mbps以上を仕様としています。またLTE回線はパケット交換網のみのため、通話時の音声は別途VoIP技術によりパケット化を行います。これをVoLTE(Voice over LTE)と呼んでいます。

❷キャリアアグリゲーション(CA)

キャリアアグリゲーション(carrier aggregation)とは、異なる複数の周波数帯の電波を結合して1つの回線として使い、仮想的に帯域幅を広げる手法です。通信速度の向上だけでなく、周波数を分散することで回線を効率的に利用でき、安定化を図ることができます。

❸5G(第5世代移動通信システム)

高速・大容量の通信を可能にするモバイル通信サービスで2020年に開始。次のような特徴があります。

- 高周波帯を用いて送信帯域幅を広くする(広帯域伝送)ことによって、伝送速度3.2Gbps以上を実現。
- 最小送信単位を短くすることで、伝送遅延を防ぐ。
- 多数の端末への同時接続が必要なIoT端末を前提としたサービスでは、送信帯域幅を狭くするなどで対応。

モバイルシステムを支える技術

頻出

モバイル通信を担う、基本的な通信技術には次のようなものがあります。

❶ハンドオーバー

携帯電話などのように移動しながら行う通信では、通

ココも出る！

移動体通信事業者

移動体通信事業者は、MNO(Mobile Network Operator)とも呼ばれる。移動体通信に必要な通信網を自社で保有し、自社ブランドで通信サービス(音声・データ)を展開したり、MVNOに通信網を貸し出したりするサービスを提供。

仮想移動体通信事業者

MVNO(Mobile Virtual Network Operator)とも呼ばれる仮想移動体通信事業者は、自社で基地局や通信設備を持つ移動体通信事業者(NTTドコモ、au、ソフトバンクモバイル)から回線を借り受けて通信サービスを提供する事業者。設備投資を抑えることで、低価格なサービスを提供できる。

仮想移動体サービス提供者

MVNE(Mobile Virtual Network Enabler)は、通信網を持たないMVNOのために、通信網を調達する代理業務や、MVNOが使う課金システムの構築などの支援サービスを行う。

SIMカード

SIMカードは、携帯電話やスマートフォンなどに内蔵されたICカードのこと。電話番号を特定するための固有情報が書かれており、SIMカードを入れ換えることで異なる端末の利用が可能になる。

信中に複数の基地局からの電波が届かない状況が発生します。そのため電波が途切れないように、端末と通信する基地局を自動的に切り換える必要があり、これをハンドオーバーといいます。現在では、複数の基地局と交信しながら、通信品質のよいアクセスポイントへ自動的に切り換えるソフトハンドオーバーが主流になっています。

❷ローミング

契約しているモバイル通信事業者(移動体通信事業者)の電波が届かないエリアにおいて、通信事業者が提携している事業者のエリア内であれば、同等の通信を行えることを指します。各事業者ともに国内外で提携を行い、広いサービスエリアをカバーしています。

❸MIMO(Multiple Input／Multiple Output)

MIMO(マイモ)は、無線LANにおいて、複数のアンテナを使い同時伝送することで通信を高速化させる技術です。送信側・受信側の双方でアンテナ数を増やすことで、通信品質が向上し、より効果が上がります。また、1対1の通信を行うSU-MIMO(Single-User MIMO)と、送信側が1に対して受信側が複数のMU-MIMO(Multi-User MIMO)があります。

❹LPWA(Low Power Wide Area)

LPWAは、長距離伝送が可能で、低消費電力の無線通信技術やネットワークを指します。IoTを取り入れたネットワークに欠かせないもので、通信速度は数kbps～数百kbps程度と遅いものの、電池で数年～数十年にわたって運用可能な省電力性、数km～数十kmもの通信が可能な広域性を特徴としています。用途としては、屋外での各種モニタリングや防犯・障害監視、水道・ガスメーターのデータ収集などがあります。

❺IoTエリアネットワーク

IoT機器によるネットワークは、要求ごとに家庭内や工場敷地内、さらに一定の範囲内などで構築されます。ここで機器を直接接続する部分(IoTゲートウェイまでの範囲)を、特にIoTエリアネットワークと呼んでいます。

ココも出る！

公衆無線LAN

プロバイダなどの通信事業者が、無線LANの基地局を設置するサービス。パソコンや携帯端末などのモバイルの際、基地局からの電波が届くところにいれば、どこででもインターネットにアクセスできる。このような場所はホットスポット(Wi-Fiスポット)と呼ばれ、駅、空港、ショップなどでサービスが展開されている。

テザリング

テザリング(tethering)とは、スマートフォンなどのネットワーク接続環境を利用してパソコンやタブレットをインターネットに接続すること。接続にはBluetoothやWi-Fiなどが使われる。

テレマティックス

モバイル通信やGPSを利用した情報提供サービスのこと。特に自動車への搭載が進んでいる。具体的には、カーナビと連携した交通情報サービスや運転状況・位置情報の把握による安全対策などがある。

第3章　章末まとめ問題　その②

シラバス　●大分類3：技術要素　●中分類10：ネットワーク
●小分類1：ネットワーク方式

出題：令和2年12月修了認定試験ほか

問1　必要なバッファリング時間

CHECK

符号化速度が、192kビット／秒の音声データ2.4Mバイトを、通信速度が128kビット／秒のネットワークを用いてダウンロードしながら途切れることなく再生するためには、再生開始前のデータのバッファリング時間として最低何秒間が必要か。

ア　50　　イ　100　　ウ　150　　エ　250

シラバス　●大分類3：技術要素　●中分類10：ネットワーク
●小分類1：ネットワーク方式

出題：令和3年12月修了認定試験ほか

問2　ポート番号の組み合わせ

CHECK

PCとWebサーバがHTTPで通信している。PCからWebサーバ宛てのパケットでは、送信元ポート番号はPC側で割り当てた50001、宛先ポート番号は80であった。WebサーバからPCへの戻りのパケットでのポート番号の組合せはどれか。

	送信元（Webサーバ）のポート番号	宛先（PC）のポート番号
ア	80	50001
イ	50001	80
ウ	80と50001以外からサーバ側で割り当てた番号	80
エ	80と50001以外からサーバ側で割り当てた番号	50001

シラバス ●大分類3：技術要素 ●中分類10：ネットワーク
●小分類2：データ通信と制御

出題：令和5年1月修了認定試験ほか

問3 CSMA/CD方式の送信動作

CHECK

CSMA/CD方式のLANに接続されたノードの送信動作として、適切なものはどれか。

ア 各ノードに論理的な順位付けを行い、送信権を順次受け渡し、これを受け取ったノードだけが送信を行う。

イ 各ノードは伝送媒体が使用中かどうかを調べ、使用中でなければ送信を行う。衝突を検出したらランダムな時間の経過後に再度送信を行う。

ウ 各ノードを環状に接続して、送信権を制御するための特殊なフレームを巡回させ、これを受け取ったノードだけが送信を行う。

エ タイムスロットを割り当てられたノードだけが送信を行う。

シラバス ●大分類3：技術要素 ●中分類10：ネットワーク
●小分類2：データ通信と制御

出題：令和4年7月修了認定試験ほか

問4 ネットワーク層の説明

CHECK

OSI基本参照モデルにおけるネットワーク層の説明として、適切なものはどれか。

ア エンドシステム間のデータ伝送を実現するために、ルーティングや中継などを行う。

イ 各層のうち、最も利用者に近い部分であり、ファイル転送や電子メールなどの機能が実現されている。

ウ 物理的な通信媒体の特性の差を吸収し、上位の層に透過的な伝送路を提供する。

エ 隣接ノード間の伝送制御手順（誤り検出、再送制御など）を提供する。

シラバス　●大分類3：技術要素　●中分類10：ネットワーク
●小分類2：データ通信と制御

出題：令和5年7月修了認定試験ほか

問5　ルータの経路選択に必要な情報

CHECK □□□

ルータがパケットの経路決定に用いる情報として、最も適切なものはどれか。

ア　宛先IPアドレス　　　イ　宛先MACアドレス
ウ　発信元IPアドレス　　エ　発信元MACアドレス

シラバス　●大分類3：技術要素　●中分類10：ネットワーク
●小分類3：通信プロトコル

出題：令和3年6月修了認定試験ほか

問6　割り振ってはいけないIPアドレス

CHECK □□□

次のネットワークアドレスとサブネットマスクをもつネットワークがある。このネットワークをあるPCが利用する場合、そのPCに割り振ってはいけないIPアドレスはどれか。

ネットワークアドレス　：200.170.70.16
サブネットマスク　　　：255.255.255.240

ア　200.170.70.17　　イ　200.170.70.20
ウ　200.170.70.30　　エ　200.170.70.31

シラバス　●大分類3：技術要素　●中分類10：ネットワーク
●小分類3：通信プロトコル

出題：令和3年12月修了認定試験ほか

問7　電子メールのプロトコル

CHECK □□□

インターネットにおける電子メールの規約で、ヘッダフィールドの拡張を行い、テキストだけでなく、音声、画像なども扱えるようにしたものはどれか。

ア　HTML　　イ　MHS　　ウ　MIME　　エ　SMTP

シラバス ●大分類3：技術要素 ●中分類10：ネットワーク
●小分類3：通信プロトコル
出題：令和５年６月修了認定試験ほか

問8 DNSの役割

CHECK □□□

TCP/IPネットワークでDNSが果たす役割はどれか。

ア　PCやプリンタなどからのIPアドレス付与の要求に対して、サーバに登録してあるIPアドレスの中から使用されていないIPアドレスを割り当てる。
イ　サーバにあるプログラムを、サーバのIPアドレスを意識することなく、プログラム名の指定だけで呼び出すようにする。
ウ　社内のプライベートIPアドレスをグローバルIPアドレスに変換し、インターネットへのアクセスを可能にする。
エ　ドメイン名やホスト名などとIPアドレスとを対応付ける。

シラバス ●大分類3：技術要素 ●中分類10：ネットワーク
●小分類3：通信プロトコル
出題：令和６年１月修了認定試験ほか

問9 ARPの説明

CHECK □□□

TCP/IPネットワークで使用されるARPの説明として、適切なものはどれか。

ア　IPアドレスからMACアドレスを得るためのプロトコル
イ　IPアドレスからホスト名(ドメイン名)を得るためのプロトコル
ウ　MACアドレスからIPアドレスを得るためのプロトコル
エ　ホスト名(ドメイン名)からIPアドレスを得るためのプロトコル

シラバス ●大分類3：技術要素 ●中分類10：ネットワーク
●小分類4：ネットワーク管理
出題：令和5年1月修了認定試験ほか

問10 SDNの説明

CHECK

OpenFlowを使ったSDN（Software-Defined Networking）の説明として、適切なものはどれか。

ア 単一の物理サーバ内の仮想サーバどうしが、外部のネットワーク機器を経由せずに、物理サーバ内部のソフトウェアで実現された仮想スイッチを経由して、通信する方式

イ データを転送するネットワーク機器とは分離したソフトウェアによって、ネットワーク機器を集中的に制御、管理するアーキテクチャ

ウ プロトコルの文法を形式言語を使って厳密に定義する、ISOで標準化された通信プロトコルの規格

エ ルータやスイッチの機器内部で動作するソフトウェアを、オープンソースソフトウェア（OSS）で実現する方式

シラバス ●大分類3：技術要素 ●中分類10：ネットワーク
●小分類5：ネットワーク応用
出題：令和6年7月修了認定試験ほか

問11 Webサーバと外部プログラムの連携

CHECK

Webサーバにおいて、クライアントからの要求に応じてアプリケーションプログラムを実行して、その結果をWebブラウザに返すなどのインタラクティブなページを実現するために、Webサーバと外部プログラムを連携させる仕組みはどれか。

ア CGI　　イ HTML　　ウ MIME　　エ URL

第3章　章末まとめ問題 その②　解答

問1　途切れずに再生するために必要なバッファリング時間は、音声データを符号化する時間（再生時間）と通信時間（ダウンロード時間）との差が何秒かを求めればよい。バイト単位にそろえると計算がラク。まず、符号化する時間は、

2.4〔Mバイト〕÷24k〔バイト/秒〕
＝2400k÷24k〔秒〕＝100〔秒〕

ネットワークの通信時間は、

2.4〔Mバイト〕÷128k〔ビット/秒〕
＝2.4〔Mバイト〕÷16k〔バイト/秒〕
＝2400k÷16k〔秒〕＝150〔秒〕

時間の差は50秒であり、この分をバッファリング時間とすればよい。

解答　ア

問2　TCPやUDPのやり取りでは、互いのアプリケーション（プログラム）を特定するためにポート番号が使われる。この問題では、PC側では50001、Webサーバ側では80が割り当てられているので、サーバからPCへの戻りパケットには送信元を80、宛先を50001となる。なお、サーバ側のポート番号80は、HTTPとして割り当てられているウェルノウンポート番号である。

解答　ア

問3　CSMA/CD方式は、あらかじめネットワークの使用状況を確認して、使用可能（伝送路上に伝送データが存在しない）であればパケットを送出する。2台以上のコンピュータから同時にパケットが送出されてしまうと、ケーブルやハブ内部でパケットの衝突が発生するので、衝突を検出したらランダムな時間の経過後に再送信を行う。
その他の選択肢は、ア：優先度方式。ウ：トークンパッシング方式。エ：TDMA方式。

解答　イ

問4　ネットワーク層（第3層）は、ネットワークアドレスを用いて、目的の端末までの経路を選定し、データ（パケット）を中継するためのプロトコルを規定している。イ：アプリケーション層（第7層）、ウ：物理層（第1層）、エ：データリンク層（第2層）の説明。

解答　ア

問5　インターネットに接続しているネットワークどうしはルータで接続されており、相手先までの経路選択に用いるのが宛先IPアドレスである。実際にはルータがパケットに含まれるIPアドレスを読み取り、中継するルータ間でパケットを転送し、相手先のネットワークまで届く。この仕組みにより、サーバの場所を知らなくても通信することが可能になる。

解答　ア

問6　ホスト部として割り振れるのは、サブネットマスクのビットが0になっている桁数分であるが、全ビット0と全ビット1は割り振れない。問題のサブネットマスクの最下位桁の240は2進数で「11110000」なので、下位4ビットがホスト部として使える。
そのうち、割り振れないIPアドレスの下位8ビットは、全ビットが0＝00010000＝16　全ビットが1＝00011111＝31である。

解答　エ

問7　MIMEは、文字情報しか転送できなかった従来の電子メールを拡張し、英語以外の言語を使ったり、音声ファイル、画像ファイルなどのマルチメディアデータをメールに添付して送受信することを可能にする規格である。選択肢に含まれるHTML（HyperText Markup Language）は、マークアップ言語。MHS（Message Handling System）は、メッセージ通信処理システム。

解答　ウ

問8　DNSは、TCP/IP環境において、接続されたコンピュータのURL（ドメイン名＋ホスト名）とIPアドレスを相互に変換する機能を持つ。URLとIPアドレスはDNSサーバが管理している。ア：DHCPの説明。イ：RPC（Remote Procedure Call：遠隔手続き呼出し）の説明。ウ：NAT機能の説明。

解答　エ

問9　ARP（Address Resolution Protocol）は、IPアドレスからMACアドレスを求めるためのプロトコル（ア）。指定したIPアドレスをもつノードのMACアドレスを、同一ネットワーク内にブロードキャスト（すべてのノードに対して問合せを行う）する。その他の選択肢は、イ：DNS（通常の正引きではなく、逆引きの仕組みを利用）、ウ：RARP、エ：DNS の説明。

解答　ア

問10　SDN は、ソフトウェアによるネットワーク構築を行う仮想ネットワーク技術のこと。またOpenFlowは、SDNの実装技術で、経路制御とデータ転送制御を論理的に分離して抽象化し、ソフトウェア的にネットワーク制御を行う。

解答　イ

問11　CGIは、Webブラウザなどからの要求によって、Webサーバ上のプログラムを起動するための仕組み。CGIを使うことで、要求に応じた返答を返すことが可能になる。アクセスカウンタやアンケート集計など、HTMLだけでは記述できない複雑な処理や対話的な処理が実現できる。

解答　ア

14

技術要素

情報セキュリティ

情報セキュリティの概念

どこへでも、瞬時にデータを送受信できるネットワークは、情報化社会に欠かせないものです。ただ便利な反面、どこからでも不正行為を受ける可能性があります。

情報資産は、**機密性**(confidentiality：情報が守られていること)、**完全性**(integrity：常に正確なデータであること)、**可用性**(availability：いつでも使えること)が確保されていることで価値を生み出します。これらを維持することが、情報セキュリティの目的で、情報セキュリティの3要素と呼んでいます<詳細 ☞ p.302「セキュリティの3大要素」>。

●情報セキュリティの7要素

情報セキュリティを確保するため、基本となる3要素に次の要素を加え、7要素としています。

- **真正性**(Authenticity：主張する情報が偽物でなく、正しく作成された本物であること。
- **責任追跡性** (Accountability)：情報の生成から更新、削除の履歴をたどれること。
- **信頼性** (Reliability)：情報に矛盾がなく、信頼に足ること。
- **否認防止** (Non-Repudiation)：事実と異なる主張をされないよう防止すること。

セキュリティ上の弱点となる「穴」

インターネットへの常時接続の普及とともに、ネットワーク経由で外部からシステムやデータが攻撃される報告が激増しています。ここでポイントになるのが、シス

ココも出る！

セキュリティバイデザイン

セキュアバイデザインともいう。ソフトウェアや情報機器などを含むシステムの企画・設計段階から、セキュリティへの方策を考慮しておくこと。結果的に運用コストの削減につながる。特にIoT機器をシステムの一部と捉えることが重要になる。同様な考え方にプライバシーバイデザインがある。

さらに詳しく

否認防止の例

否認の例としては、後から「購入操作を行ったのは自分ではない」、「発注書が改ざんされている」などといった主張。これらを防ぐため、電子商取引では、デジタル署名を用いて本人確認や改ざんの有無を検証する防止策がとられている。

テムのセキュリティにおける弱点を意味する**脆《ぜい》弱性**で、その多くはOSやアプリケーションソフトの**バグ**(不具合)または仕様上の欠陥が原因です。

このような“セキュリティ上の欠陥”を**セキュリティホール**と呼び、**クラッカー**(不正侵入者や破壊者を指す)は、ここを狙って攻撃をしかけます。セキュリティホールは、開発者も意図しないことから、攻撃を受けてから見つかることが多くなります。原因がわかればすぐに修正プログラムなどが配布されるので、OSやアプリケーションソフトは常にアップデートを行い、最新状態に更新しておくことが重要です。

脅威の理解が対策につながる

頻出

セキュリティの基本は、何をどの範囲で守るかを明確にすることです。つまり、情報への脅威となる不正やミスを把握しておくことが重要になります。

●物理的脅威

地震・火災・水害などによる情報システムの被災、破壊行為や盗難行為、不正侵入などが含まれます。特に自然災害の場合は、ライフラインの損傷も多く、復旧まで長時間が必要になります。

●技術的脅威

主にネットワークを介した不正行為が該当し、その代表的なものが**不正アクセス**です。不正アクセスの定義は「本来アクセス権限を持たない者が、サーバや情報システムの内部へ侵入を行う行為」とされており、機密情報の漏えい、Webなどの公開情報の改ざん、攻撃の踏み台にされるなどがあります。これらは直接的な損害を与えるだけでなく、企業のブランドイメージを大きく損なう要因にもなり得ます。また、ネットワーク上で送受信されるデータも次のような脅威にさらされます。

❶盗聴

ネットワーク上を流れるデータを傍受して、情報を不正に入手する行為です。盗聴を防ぐためには、データが

ココも出る！

クラッキング

クラッキング(Cracking)は、悪意を持ってシステムやデータに不正にアクセスし、意図的に改変や破壊を行う行為の全般を指す。

さらに詳しく

特権ユーザーへの対処

システムの開発や管理などを行う目的で、情報の範囲を制限されない権限を持つ利用者を**特権ユーザー**(Administrator)という。特権ユーザーが悪意を持って不正侵入した場合、情報のすべてを漏えい・破壊する可能性がある。開発が終了したり、運用担当者が変わった場合、すみやかに権利を消去する必要がある。

傍受されても内容を解読できないように、通信データを暗号化することが必要となります。

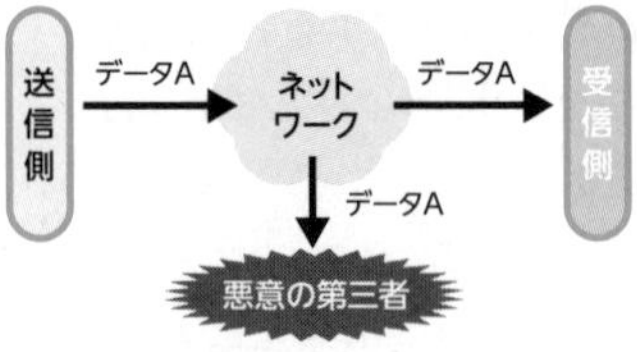

図表 14-1　盗聴

❷なりすまし

悪意の第三者が正当な利用者であるかのように振る舞い、システムへの不正侵入や不正な取引を行う行為です。なりすましの対策として、相手が正当な利用者かどうかを確認する認証や、相手の正当性を保証するデジタル署名を利用します。

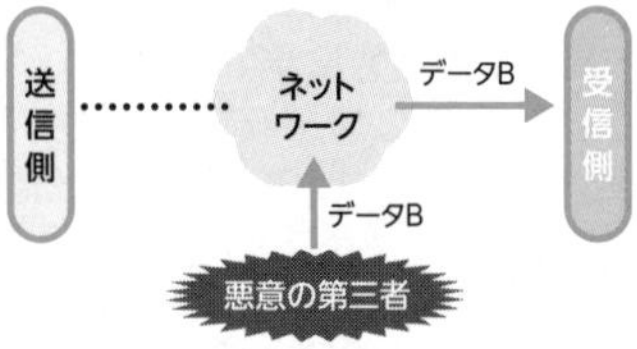

図表 14-2　なりすまし

❸改ざん

不正な手段でデータ(電子メール、ファイルなど)を書き換える行為です。改ざんの対策として、伝送データとそこから生成されたダイジェストの整合性によって改ざんの有無を検出するメッセージ認証(デジタル署名を活用)が有効となります。

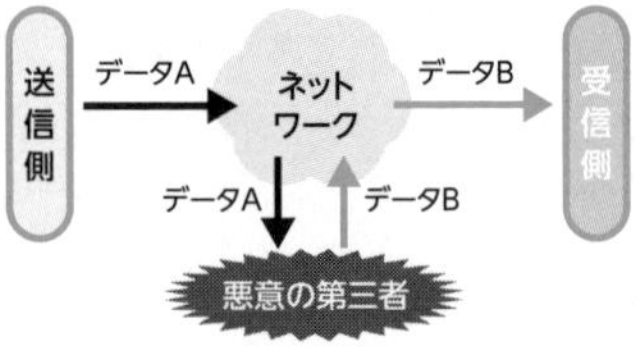

図表 14-3　改ざん

●人的脅威

人が直接原因となる脅威のことです。ミスや故意による情報の漏えいやシステムの破損、ノートパソコンや記録メディアの紛失などが人的脅威に分類されます。そのほか、次のような行為があります。

❶ソーシャルエンジニアリング

社員になりすまして電話で情報を聞き出したり、廃棄された書類から重要機密を盗み読むなど、電子的方法を用いない方法です。特に後ろから肩越しにのぞき込むといった方法で情報を盗み出す行為をショルダーハックと呼んでいます。外出先でタブレットなどを使うときは、の

出題分析

ソーシャルエンジニアリング

ソーシャルエンジニアリングに該当する行為はどれか。

ア　OSのセキュリティホールを突いた攻撃を行う。

イ　コンピュータウイルスを作る。

ウ　パスワードを辞書攻撃で破ってコンピュータに侵入する。

エ　本人を装って電話をかけ、パスワードを聞き出す。

ソーシャルエンジニアリングは、コンピュータを用いずに、人間の心理の隙を突いて、パスワードなどを盗み、クラッキング(不正侵入)を行う方法である。例えば、警察や役所の職員を装って電話を掛け、暗証番号を聞き出したり、銀行ATMを操作している横から、暗証番号を盗み見る行為などが該当する。

解答 エ

ぞき見防止シートを貼っておくと予防になります。

❷誤謬《ごびゅう》

意図的に行われる「不正」に対して、思い違いなど意図的でない誤りを指します。

マルウェアと不正プログラム

頻出

マルウェアとは利用者の意図しない動作を行う「悪意を持った」ソフトウェアの総称です。

●マルウェアの種類

マルウェアの多くは、メールに添付して送り込まれたり、Webサイトを開くと勝手にダウンロードされることで感染します。また、有用なアプリケーションに見せかけて不正なソフトウェアをインストールさせることもあるので、出所が怪しいものをむやみに実行しないよう注意が必要です。動作もバックグラウンドで行われる(表示が出ない)ことから、利用者が感染に気付かなかったり、さらに広めてしまうこともあります。

❶コンピュータウイルス

コンピュータウイルスは、正常なプログラムやデータに対して故意に障害を引き起こすソフトウェアを指します<ウイルスの定義 ☞>。具体的には、システムやファイルの破壊、データの改ざんや盗用、意図しないメッセージ出力や画面表示の不具合などを行います。

・**マクロウイルス**：マクロ機能は、一連の操作手順を記録しておき、同じ手順を繰り返す機能で、ワープロや表計算ソフトなどに備えられています。マクロウイルスは、この機能を悪用したもので、プログラムを実行しなくてもファイルを開くだけで感染する仕掛けです。

❷ワーム

ネットワークを介して、他のコンピュータに自分自身を複製し、伝染する性質を持った不正プログラムです。

❸ボット(BOT)

ボットは、感染したコンピュータをネットワーク経由で操作することを目的とする**遠隔操作型ウイルス**です。

ココも出る！

サラミ法

被害者にわからないように、ほんの少額ずつ詐取する手法。会計プログラムに手を加えて、毎月ごく少額ずつ自分の銀行口座に振り込ませる、顧客のクレジットカード番号を悪用して、複数の顧客の口座から少額を引き落とすなどがある。

偽セキュリティ対策ソフト

「ウイルスに感染している」など嘘の警告を画面表示させ、偽の対策ソフトの購入を促すソフト。金銭をだまし取ったり、クレジットカード情報などを入手することが目的。

さらに詳しく

ウイルスの定義

コンピュータウイルスは、**自己伝染機能**(他のシステムへ伝染)、**潜伏機能**(一定時間症状を出さない)、**発病機能**(意図しない動作を行う)のうち1つ以上を持つものを指す。

またボットネットは、C&Cサーバ(攻撃を指示するサーバ)と、ゾンビコンピュータ(ボットに感染した状態でネットワークに接続されたコンピュータで、遠隔操作によって悪用される)から成るネットワークのことで、所有者が気がつかないまま一斉攻撃などに利用されます。

❹トロイの木馬

正規のプログラムに見せかけてコンピュータに入り込み、潜伏後に利用者の意図しない動作(システムやデータの改変や破壊など)を行います。木馬に人を忍ばせ、敵陣内部に運ばせた神話が名称の由来です。

・RAT(Remote Access Trojan；リモートアクセス型トロイの木馬)：遠隔操作を目的とするマルウェア。感染後、標的となるコンピュータに潜み続け、攻撃者のリモート操作によってデータを盗み出したり、改ざん・破壊を行ったりといった行為に使われます。また、パソコンに内蔵するカメラやマイクを操作して盗聴や盗撮を行うケースもあります。

❺スパイウェア

システム内に潜伏し、個人情報などのデータを特定のサイトに勝手に送信したり、メールを送ったりします。

❻ランサムウェア

初めにシステムやデータを勝手にロックしたり暗号化したりして使用不能の状態にします。そのうえで解除と引き換えに金品の要求を行うといった犯罪行為です。その内容から身代金要求型ウイルスとも呼ばれます。

●不正プログラムの種類と不正行為

不正プログラムには、マルウェアのように悪意を持ったものだけでなく、特定の目的を持ったソフトウェアも含まれます。要は本来の目的以外の使い方によって不正行為が可能になるため、より注意が必要になります。

❶キーロガー

キーボードのタイピング情報を記録するソフトウェアやハードウェアを使って、入力したIDやパスワードを盗み出す行為を指します。

ココも出る！

ルートキット

ルートキット(rootkit)とは、攻撃者が不正侵入した後に利用する、侵入を隠蔽したり、再侵入するときに必要となるツール群。侵入の痕跡を隠すログ改ざんツール、バックドア用ツール、偽システムコマンドなどがある。なおrootはシステム管理者の利用者名を指す。

ファイルレスマルウェア

OSの機能や管理ツールを利用して、悪意のあるコマンドやスクリプトを実行させ、盗聴や情報窃取、遠隔操作などを行うマルウェア。メモリ上で実行されるため、ファイルの痕跡を残さず発見されにくい。感染経路は不正な添付メールやWebサイトなどがある。

❷バックドア

悪意を持った侵入者が、不正アクセス用にシステムに設けた裏口です。システムの機能を乗っ取ることができるため、他のコンピュータを攻撃する踏み台として使われる場合があります。一度システムに侵入されてしまうと、知らぬ間に加害者になってしまうこともあります。

セキュリティの軽視が脆弱性を招く

他社がサイバー犯罪に巻き込まれても、「ウチは大丈夫」などとセキュリティ対策をおろそかにしていると、さまざまな脆弱性を招くことになります。情報セキュリティ対策は、個人に委ねるものではなく組織全体で取り組むべき課題です。そのためには、行動規範や職務分掌などの整備、従業員への意識付けも大切といえます。

○BYOD／シャドーIT

BYOD(Bring Your Own Device)とは、会社の許可を得て私物のパソコンや私的なクラウドサービスなどを業務に使用したり社内ネットワークに接続したりすること。コスト削減などに寄与する反面、ウイルスに感染したり、データが持ち出されることによる情報漏えいといった脆弱性が発生します。またシャドーITは、会社が許可していないにもかかわらず、会社が管理していない私物を使用したり、禁止されているにもかかわらず無許可でBYODを行うことを指します。

不正のメカニズムと攻撃者を知ろう

ウイルスを広めたり、データを破壊するといった不正を働く者の行動について知っておくと、セキュリティ対策に役立ちます。

●不正のメカニズムと予防対策

❶不正のトライアングル

人は、①動機(不正を行いたいと考える原因)、②機会(行動を起こせるチャンス)、③正当化(これは不正ではないと思う理由)の3要件が揃ったとき、不正を起こしやす

ココも出る!

人為的脆弱性

人為的脆弱性は、システムやネットワークではなく、人の振る舞いが原因となって脅威を引き寄せる可能性のある脆弱性(ウィークポイント)のこと。

ビジネスメール詐欺(BEC)

取引先や自社の経営者、弁護士などになりすまし、振込み先の変更や業務命令による入金を促すなど、偽メールを使った詐欺。BEC(Business Email Compromise)とも呼ばれている。

くなります。これを不正のトライアングルと呼んでいます。

❷状況的犯罪予防

犯罪を誘発する状況を改善することで、犯罪発生を予防する方法です。①犯行を難しくする、②捕まるリスクを高くする、③犯行の見返りを減らす、④犯行の挑発を減らす、⑤犯罪を容認する言い訳を許さない、という5項目を柱とした対策を行います。

❸防犯環境設計

犯罪が発生しにくい環境を創るための設計や考え方。方策として、①対象物の強化、②接近の制御、③監視性の確保、④領域性の確保、という４要素を総合的に組み合わせることが重要とされています。これを情報セキュリティにあてはめて対策をとることが必要になります。

●攻撃者の種類と攻撃の動機

❶内部関係者

役員や従業員、派遣社員だけでなく、外部の委託先や退職者など、ネットワーク経由の場合も含め、システムやデータにアクセスできる可能性のある者を指します。

❷愉快犯・詐欺犯

犯罪によって影響を受けた人の反応や、社会での反響などを観察して楽しむのが愉快犯。人をだまし金品を奪い取ったり損害を与える詐欺行為を行うのが詐欺犯です。

❸故意犯・過失犯

犯罪になることを自覚して行うのが故意犯。犯罪になることを知らなかったり、本人が意図しない状況が起こり、その結果犯罪になってしまったのが過失犯です。

攻撃手法を整理しておこう　頻出

企業の情報システムや個人に対して行われる攻撃手法には、さまざまな方法があります。特定の攻撃対象を狙う場合、複数の攻撃方法を組み合わせることもあります。

●システムの脆弱性を突く攻撃手法

❶SQLインジェクション(SQL Injection)

Webアプリケーションの脆弱性を利用した攻撃。デー

ココも出る!

割れ窓理論

割れたガラス窓を1枚放置しておくと、割られるガラス窓が次第に増えていくこと。転じて、わずかな犯罪も見逃さずに対策しておくことで、大きな犯罪につながらないという理論。

サイバー空間／サイバー攻撃

サイバー空間は、コンピュータネットワーク上の仮想空間を指す。また、サイバー攻撃とは、ネットワーク経由で、コンピュータシステムやデータに対して行われる攻撃のこと。

サイバーテロリズム

一般に政府機関や停止すると生活に支障をきたすインフラ事業者等のシステムを狙った攻撃のこと。国をまたがって行われることもあり、国際的な連携による対策が必要になる。

ダークウェブ

特殊なブラウザでのみアクセス可能な闇サイトを指す。サイバー攻撃や実犯罪における情報交換、不正取引などに使われやすい。

タベースに悪意のある問合せや操作を行うSQL文を入力し、データを改ざんしたり、不正に取得したりします。

❷ディレクトリトラバーサル(Directory Traversal)

相対パス記法(../ で親ディレクトリを表す)を悪用し、管理者が意図しないファイルへアクセスする行為です。

❸ゼロデイ攻撃

発見されたソフトウェアのセキュリティホールが、ソフトウェアベンダーからの修正プログラム(パッチ)が提供され、修正されるまでの間を狙って行われる攻撃です。

●パスワードを盗み取る攻撃手法

何らかの方法を使ってパスワードを不正に入手することをパスワードクラックといいます。方法はさまざまですが、例えば平文で送受信されるメールが盗聴され、その内容からパスワードを割り出すなどがあります。

❶辞書攻撃

他人のIDで不正ログインする目的で、辞書などに載っている言葉を自動的に片っ端から試すことでパスワードを探る行為です。

❷ブルートフォース攻撃(総当たり攻撃)

ブルートフォース攻撃(Brute Force Attack)は、利用者IDに対応するパスワードを手当たり次第に入力して割り出す行為。逆にパスワードを固定して利用者を割り出す行為をリバースブルートフォース攻撃といいます。

❸パスワードリスト攻撃(クレデンシャルスタッフィング)

別のシステムから流出したIDとパスワード(アカウント情報)などを使って不正ログインを試みる攻撃です。

●閲覧者をだます攻撃手法

❶クロスサイトスクリプティング(XSS)

クロスサイトスクリプティング(Cross Site Scripting)は、Webサイトの掲示板など、書き込み欄のあるアプリケーションの脆弱性を突き、スクリプト(命令)を埋め込むことで偽ページを表示させ、閲覧者を他のサイトに誘導する方法です。これによってフィッシングなどに遭う危険が発生します。利用者が被害にあったことに気付きにくいの

ココも出る!

サイバーキルチェーン

攻撃者から見た攻撃の過程のこと。対象とした標的に対し、事前調査から侵入、盗み出しまで、段階を踏んで行う攻撃手順を指す。このような全体像を把握することで、それぞれの段階における対策を取ることができる。また、組織全体のセキュリティへの意識付けにも役立つ。

レインボー攻撃

パスワードとハッシュ値の組合せを大量にテーブル化しておき、手当たり次第に突き合わせる行為。

クリックジャッキング

クリックジャッキング(Clickjacking)とは、視覚的にだまして(表示が透明になる細工など)正常に見えるWebページ上のコンテンツをクリックさせ、個人情報などを不正取得する。

ドライブバイダウンロード

ドライブバイダウンロード(Drive-by Download)は、Webサイトを閲覧した際、利用者の意図にかかわらず、ウイルスなどの不正プログラムをPCにダウンロードさせる行為。

が特徴です。

❷クロスサイトリクエストフォージェリ(CSRF)

クロスサイトリクエストフォージェリ(Cross-Site Request Forgeries)は、SNSなどにログイン中、細工されたリンクをクリックすることで、リンク中に仕掛けられた悪意ある要求(request)を、本人の要求であるかのように偽って(forgery)実行させる行為です。

❸DNSキャッシュポイズニング/SEOポイズニング

DNSキャッシュポイズニング(DNS cache poisoning)は、偽のDNS応答をDNSサーバのキャッシュに記憶させ、利用者を有害サイトに誘導する攻撃です。また、**SEOポイズニング**(SEO poisoning)は、Web検索の際、自サイトが上位に来るようにする技術(SEO;Search Engine Optimization)を利用して、上位の検索結果に悪意のあるサイトを仕込んでおく行為です。

❹フィッシング

フィッシングは、Webサイトやメールを利用した詐欺行為全般を指します。金融機関などのWebサイトに見せかけて、クレジットカード番号などの個人情報を入力させて詐取したり、メールで架空請求を送り付けて振り込みをさせるなどがあります。

- **ワンクリック詐欺**:Webページ上のURLやボタンをクリックしただけで、了承していないサービスや商品を購入したとして、不当に高額な料金を架空請求するなどを行う詐欺犯罪です。
- **スミッシング**:SMS(ショートメッセージ)を利用したフィッシング行為。スマートフォン利用者をターゲットにして、乗っ取りや情報搾取を行います。

●盗聴/なりすまし/改ざんを行う攻撃手法

❶セッションハイジャック

通信におけるセッション(一連のやり取り)を乗っ取り、データを盗んだり、不正操作を行う手法です。

❷MITB(Men-In-The-Browser) 攻撃

サーバとWebブラウザ間に入り込む中間者攻撃です。

ココも出る!

IPスプーフィング

IPスプーフィング(IP Spoofing)とは、攻撃元を隠蔽するために、偽の送信元IPアドレスを持ったパケットを作成して送ることを指す。

プロンプトインジェクション

自然言語処理を行う生成AIのプロンプト(指示)に悪意のある巧妙な質問を行い、AIから情報漏洩を含んだ応答を引き出す行為。

出題分析

アカウントを乗っ取る攻撃

別のサービスやシステムから流出したアカウント認証情報を用いて、アカウント認証情報を使い回している利用者のアカウントを乗っ取る攻撃はどれか。

ア パスワードリスト攻撃
イ ブルートフォース攻撃
ウ リバースブルートフォース攻撃
エ レインボー攻撃

流出したアカウント認証情報から、アカウントを乗っ取る行為は、パスワードリスト攻撃を指している。

解答 ア

まずマルウェアに感染させ、Webブラウザから行う取引などからアカウント情報を盗み取り、なりすまし行為や改ざんを行います。特にオンラインバンキング取引を狙われると、不正送金につながる恐れがあります。また偽サイトへ誘導するフィッシングと異なり、正規のサーバとの取引を行っていることから発覚が困難です。

●システムダウンを狙う攻撃手法

❶DoS(Denial of Service) 攻撃

大量のデータを送り付ける攻撃手法。攻撃対象のシステムへのアクセスを集中させることで、サービス提供を不能にしたり、システムをダウンさせることを目的としています。

❷DDoS(Distributed DoS：分散サービス妨害) 攻撃

ウイルスなどによって第三者のマシンに攻撃プログラムを仕掛けて踏み台にし、踏み台とした多数のマシンから標的に大量のパケットを同時に送信する攻撃です。

❸バッファオーバーフロー攻撃

プログラムのバッファを故意にオーバーフローさせることで、動作不能にする、攻撃の踏み台にする、アクセス権限を盗み取るなどを目的とした攻撃です。

●ターゲットを絞った攻撃手法

❶標的型攻撃

標的とする企業などの社員に偽メールを送り、添付ファイルを開かせるなどでウイルスに感染させ、企業情報を入手する方法です。

❷APT(Advanced Persistent Threats)

標的の弱点を研究し、複数の攻撃方法を組み合わせてカスタマイズ。動作を軽くしたりデータ送信を小分けにして気づかれないようにするなど、長期間活動できる工夫を行ったうえで、機密情報を盗み出すなどを行います。

❸やり取り型攻撃

問合せ窓口などへの問合せを装い、メールを何度かやり取りして信用させた後、ウイルスを添付したメールを送りつける方法。標的型攻撃の一種です。

ココも出る！

ディープフェイク

AIで作成した本人そっくりの動画や音声。これを悪用し、なりすまし行為や詐欺行為などに利用する。名称の「ディープ」はディープラーニングからとったもの。

中間者攻撃

中間者攻撃(Man-In-The-Middle)は、マルウェアを使い、やり取りしている2者の間に入り込み、通信内容を盗み見たり、中継したり、相手になりすまして改ざんを行う行為。攻撃者側と通信を行っていることに気付きにくいという特徴がある。

EDoS攻撃

EDoS攻撃(Economic DoS)は、経済的な損失を与える目的で行われるDoS攻撃。閲覧者のアクセス数や従量に応じて課金が発生するWebサイト運営者などを攻撃対象とし、DoS攻撃の手法を使って攻撃を仕掛け、無駄な利用料を発生させるといった行為を行う。

水飲み場型攻撃

Webページを閲覧にきた利用者にウイルス感染させるように、Webページを勝手に改ざんする攻撃。肉食動物が、水飲み場に集まる動物を狙う様子に例えて名付けられた。

●その他の攻撃手法

❶第三者中継(オープンリレー)

メールサーバの転送機能(SMTPサーバとしての機能)を不正利用し、外部の第三者が、全く関係のない組織のメールサーバを踏み台にすること。出所を隠しつつサーバに負荷をかけずにSPAMメールなどを大量に発信したり、身元を隠したウイルスメールを発信したりといった攻撃に利用されます。

❷サイドチャネル攻撃

暗号化や復号を行っているコンピュータの表示メッセージや、ICカードの放射電磁波や電流変化など、外側から得られる情報を使って推測することで、暗号解読の手がかりを得る方法です。

●攻撃の準備段階の行為

❶ポートスキャン

TCP/IPでよく使用されるポート番号<☞p.315「ポート番号」>は、用途ごとにあらかじめ設定されているものがあります。サーバが通信を行うためにポートを開放していると、攻撃者の侵入経路となります。ポートスキャンは、管理用のソフトウェアを使い、サービスを設定する目的のために各ポートへ順番にアクセスして(パケットを送る)アクセス可能なポートや稼働中のサービスを調べる通常の行為ですが、攻撃を目的とする準備段階として脆弱性のある(認証を行わないなど)サービスが稼働していないかを調べるためにも用いられます。

❷フットプリンティング

攻撃を仕掛ける前に、攻撃対象のさまざまな情報(サーバの応答状況、ネットワーク機器やサービス、侵入可能経路、稼働しているOSなど)を収集し、標的の弱点をつかむことで攻撃効果を高めます。収集は、目的に応じた各種のツールを用いますが、ツール自体は一般に使われるものが多いです。

出題分析

DNSキャッシュポイズニング攻撃

DNSキャッシュポイズニングに分類される攻撃内容はどれか。

ア DNSサーバのソフトウェアのバージョン情報を入手して、DNSサーバのセキュリティホールを特定する。

イ PCが参照するDNSサーバに誤ったドメイン情報を注入して、偽装されたWebサーバにPCの利用者を誘導する。

ウ 攻撃対象のサービスを妨害するために、攻撃者がDNSサーバを踏み台に利用して再帰的な問合せを大量に行う。

エ 内部情報を入手するために、DNSサーバが保存するゾーン情報をまとめて転送させる。

「同一のアクセスは、保管しておいたキャッシュの内容を返す」というキャッシュの仕組みを利用した方法。あらかじめDNSサーバのキャッシュに偽のドメイン情報を記憶させ、PCの利用者にキャッシュからの情報を返すことで不正なサイトに誘い込む。

解答 イ

15
技術要素

暗号技術

共通鍵暗号方式と公開鍵暗号方式 頻出

インターネット上の商取引など、暗号化は日常的に使われています。暗号化の基本は次のようになっています。

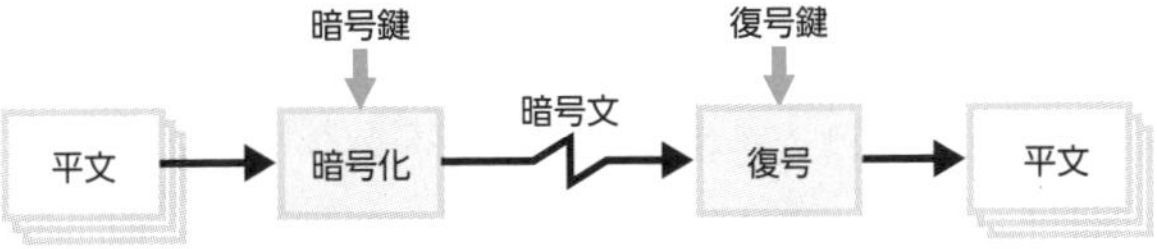

図表 15-1　暗号化と復号

❶共通鍵(秘密鍵)暗号方式

通信する当事者間で共通鍵を使用して暗号化(平文から暗号を作る)と復号(暗号を平文に戻す)を行います。この方式では、通信する相手ごとに、秘密の鍵をあらかじめ何らかの方法で共有しておく必要があり、オンラインショップなどの不特定多数との通信には、相手の数だけ共通鍵が必要になるため向きません。

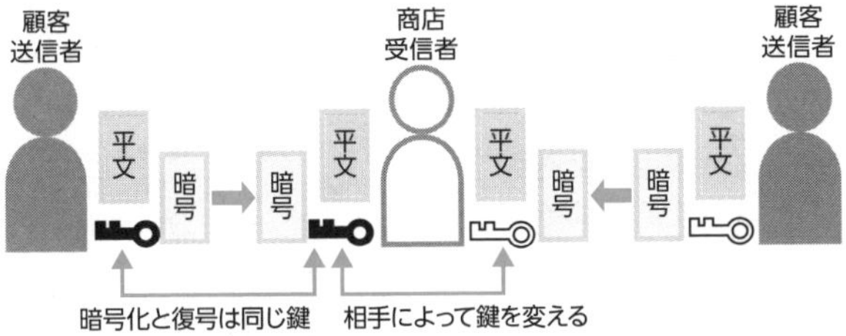

図表 15-2　共通鍵暗号方式

・AES(Advanced Encryption Standard)

米国商務省標準局が制定した共通鍵暗号方式の1つ。鍵の長さは128/192/256ビットです。

❷公開鍵暗号方式

受信側が秘密鍵と公開鍵という異なる鍵を持つ方式です。2つの鍵は1対のもので、ある公開鍵で暗号化した

ココも出る！

CRYPTREC暗号リスト

政府機関が電子調達を行う際に用いるべき、強度と実用性のある暗号方式のリスト。CRYPTREC(Cryptography Research and Evaluation Committees：暗号技術評価プロジェクト)が評価・選定し、総務省と経済産業省が共同で所管している。

ハイブリッド暗号

共通鍵暗号方式(鍵の受け渡し)と公開鍵暗号方式(暗号化/復号に時間がかかる)の弱点を克服するための方法。最初に公開鍵暗号方式で共通鍵を送り、以降は共通鍵で暗号化/復号処理を行う。

メッセージダイジェスト

暗号化を目的として、メッセージ(任意の長さのデータ)から、ハッシュ関数により得られるハッシュ値のこと。ハッシュ値からメッセージを復元することは困難(一方向性)なため、改ざんがないかの裏付けとなる。ハッシュ関数のうち、MD5やSHA-1は脆弱性が見つかったため、SHA-2(SHA-256、SHA-512などを含む)が推奨される。

データは対応する(受信者だけが知る)秘密鍵でしか復号できないことを利用します。公開鍵は共通であり自由に配布できるので、不特定多数とのやり取りに向きます。

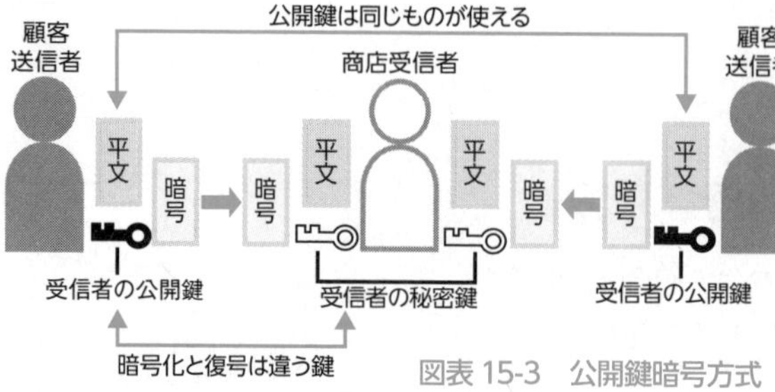

図表 15-3　公開鍵暗号方式

• RSA(Rivest-Shamir-Adleman)

業界標準の公開鍵暗号方式。暗号解読には大きな数の素因数分解が必要で、その計算時間が膨大になることを利用して暗号の安全性を保っています。同じ鍵のペアを暗号化とデジタル署名に利用できるのが特徴です。

• ECC(Elliptic Curve Cryptography；楕《だ》円曲線暗号)

RSA暗号に代わる次世代の公開鍵暗号方式で、楕円曲線上の離散対数問題の解読の困難さを応用して安全性を確保します。RSAに比べて短い鍵長で同レベルの安全性を実現できるのが特徴。計算量が少なく処理速度が速いことから、ICカードや映像機器に採用されています。

改ざんを見破るメッセージ認証

メッセージ認証は、メッセージが本物であり改ざんされたものではないこと(完全性)を証明する技術です。メッセージが本物であることを示すには、**MAC**(Message Authentication Code；**メッセージ認証符号**)が用いられます。メッセージ認証は、次のような手順で行います。

〔送信側の処理〕

メッセージを受信側へ送信するとともに、メッセージを秘密鍵で暗号化し、メッセージ認証符号を作成して受信側へ送信します。

〔受信側の処理〕

受信したメッセージを秘密鍵で暗号化してメッセージ

ココも出る！

ブロック暗号とストリーム暗号

共通鍵暗号方式には、**ブロック暗号**(固定長のブロック単位で暗号化)と**ストリーム暗号**(ビットまたはバイト単位で暗号化)がある。後者のほうが暗号化/復号は高速で、ストリーム暗号の**KCipher-2**は、ブロック暗号のAESに比べ、最大10倍速い。

ブロック暗号利用モード

ブロック暗号を利用して、ブロック長より長いメッセージを暗号化する仕組み。主な機能としては、メッセージの秘匿と認証がある。

PGP

PGP(Pretty Good Privacy)は、公開鍵暗号方式を用いて、メールやファイルを暗号化するためのソフトウェアのこと。デジタル署名を使い、改ざんを検出する機能も持つ。

DSA

DSA(Digital Signature Algorithm)は、離散対数問題の困難さを利用したエルガマル暗号を改良した方式。デジタル署名に利用され、暗号化の機能はない。

DH

DH(Diffie-Hellman)は、離散対数問題の困難さを利用した方式で、共通鍵の受渡し用として使われる。なりすましに弱いことから、デジタル署名には利用できない。

認証符号を作成します。作成した認証コードと受信した認証コードを照合して、誤りがないかを確認します。

誤りがなければ、そのメッセージが本物であり、改ざんがないことを確認できます。なお、秘密鍵は送信側と受信側とで共有しているものを使用します。

本人確認のためのデジタル署名

頻出

メッセージ認証では改ざんは検知できますが、送信者本人であるか(なりすましがないか)は確認できません。デジタル署名は、公開鍵暗号方式の鍵を逆に使うことで、送信者の真正性(なりすましの有無)と改ざんの検知(完全性)を同時に確認する方法です。デジタル署名では、秘密鍵を署名鍵、公開鍵を検証鍵と呼ぶことがあります。なお、公開鍵の所有者が実在する本人であるかという身元の正当性については、認証局(CA;Certificate Authority)により発行されるデジタル証明書によって証明されます。具体的には、次のような手順になります。

ココも出る!

タイムスタンプ(時刻認証)

文書(電子データ)が、ある時刻に存在していたこと(存在性)、改ざんされていないこと(完全性)をを証明する。TSA(Time Stamp Authority;時刻認証局)によるサービス。

XML署名

電子商取引などに用いられるXML文書に添付するデジタル署名。方法はデジタル署名と同じで、添付したXML文書の作成者を証明し、改ざんがないことを検証できる。

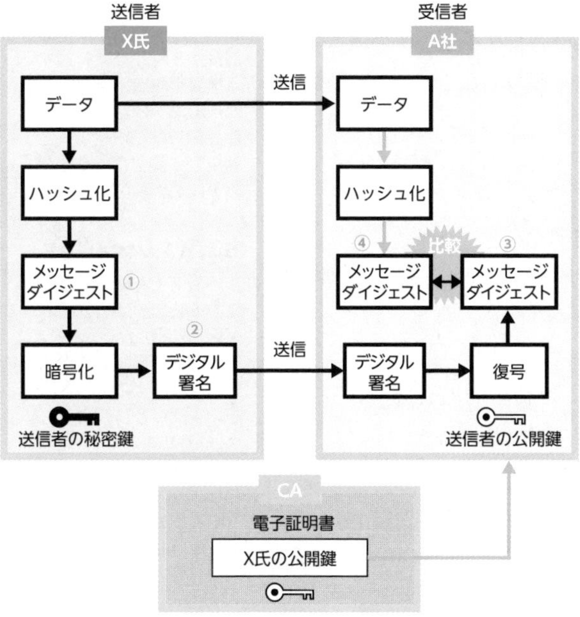

図表 15-4　デジタル署名の手順

〔手順〕

①まず送信者は、送信する文書(平文)からハッシュ関数を使ってメッセージダイジェストを作成する。ハッシュ関数とは、任意の長さのデータから、固定長のデータを作り出す関数で、関数から元のデータへ復元することはできない。また、元のデータの内容が異なっていれば、できるメッセージダイジェストも異なる。

②メッセージダイジェストを送信者の秘密鍵(署名鍵)で暗号化したもの(デジタル署名)を、平文とともに送信する。

③受信者は、送信されてきたデジタル署名を送信者の公開鍵(検証鍵)で復号し、メッセージダイジェストに。これは、送信者の公開鍵でなければ復号できないことから、送信者本人が送っていることが証明される。

④受け取った平文は、送信者と同じハッシュ関数を使ってメッセージダイジェストを作成し、③のメッセージダイジェストと比較。両者が一致すれば平文が改ざんされていないことが証明できる。

PKIはセキュリティ確保の基盤

頻出

PKI(Public Key Infrastructure：公開鍵基盤)は、公開鍵暗号技術を利用した、情報セキュリティを実現するためのインフラ(基盤)を指します。具体的には、デジタル証明書(公開鍵証明書)と、それの正当性を証明するCA(Certificate Authority；認証局)および、それらの運営や管理の仕組みが中心になります。

●CAとその役割

デジタル署名の仕組みにおいては、公開鍵を所有する発信者から送信されたことを証明できますが、その発信者の身元までは保証できません。例えば、B商店がA商店になりすましてWebショップを開設した場合、B商店は自分の公開鍵を使い、顧客からの注文をA商店と偽って受けることができてしまいます。これでは、いくらデジタル署名を使っていても不正は防げません。

そこでCAは、現実に存在する身元が確認できる組織や個人が作成した公開鍵であることを、デジタル証明書(公開鍵証明書)を発行することによって証明します。具体的には、証明書発行依頼者を事前に調査し、依頼者の身元と依頼内容が正しいことを確認したうえで、証明書を発行します。証明書(下記参照)は、ITU(国際電気通信連合)が標準規約として定めている、ITU-T勧告 X.509という規約に従った形式で発行されます。証明書には、シリアル番号、所有者名、発行CA名、公開鍵、有効期限などに加えてCAのデジタル署名が収められています。

- ●バージョン
- ●シリアル番号
- ●証明書の発行者（認証局）
- ●有効期限（開始と終了）
- ●証明書の所有者（証明される人）
- ●所有者の公開鍵情報
- ●発行者ID
- ●所有者ID
- ●デジタル署名のアルゴリズム
- ●発行者（認証局）のデジタル署名

図表 15-5
デジタル証明書の内容
（X.509の一部）

ココも出る！

CRL

CRL(Certificate Revocation List)とは、証明書失効リストのこと。証明書が有効期限内であるにもかかわらず、証明書の資格が失われた場合に、CAが公開する。

OCSP

OCSP(Online Certificate Status Protocol)とは、証明書の利用者が、オンラインで証明書の失効情報を確認するためのプロトコルのこと。RFC2560で規定されている。

GPKI

GPKI(Government Public Key Infrastructure)とは、政府認証基盤のこと。国民から行政機関に対する申請や届出、行政機関から国民への結果の通知などを、インターネットを利用して安全に行う仕組みとして整備されている。

BCA(ブリッジCA)

複数のCA間で相互認証する場合、CAそれぞれが個別に相互認証(メッシュ型)すると認証パスが膨大になる。そこで相互認証の中継点として設け(スター型)たものが、BCA(ブリッジCA)である。これにより、認証パスを減らすことができる。GPKIでも採用されている。

●デジタル証明書の種類と役割

証明書には、いくつかの種類があります。まずクライアント証明書は企業や個人を証明するもので、サーバにアクセスするクライアント側が正当な利用者であるかを証明します。一方サーバ側のサーバ証明書(Webサイトでは SSL サーバ証明書)は、運営組織などになりすましがないことを証明します。さらにルート証明書は、各認証を行った認証局自体についての信頼性を証明します。

なおサーバ証明書については、CRL <☞ p.290>を確認することで安全性を高めることができます。

アプリケーションからのPKI利用

頻出

暗号化やデジタル証明書の確認は、PKIに対応するアプリケーション技術を利用する必要があります。具体的には、S/MIME に対応した電子メールやSSL を利用できる(HTTPS;HTTP over SSL)Webブラウザが代表的なものです。

❶S/MIME(Secure MIME)

暗号化機能やデジタル認証機能などのセキュリティ対策を取り入れたMIMEの拡張規格です。MIMEは、文字情報しか転送できなかった従来の電子メールに対し、画像ファイルやサウンドファイルなどのバイナリデータをメールに添付して送受信することを可能にした規格です。

❷SSL(Secure Socket Layer)/SSL/TLS

HTTP、FTPなどの上位レベルのさまざまなプロトコルに、セキュリティ機能を提供するプロトコルで、TCP層とアプリケーション層の中間に位置します。実際には、相手方のサーバから電子証明書を受け取り、なりすましでないことを確認したら、公開鍵暗号方式を使って共通鍵を送ります。また、以降のデータ送信には処理が高速な共通鍵を使って暗号化を行います。SSLを使ったやり取りを行うWebサイトにアクセスすると、Webブラウザには鍵マークが表示されます。なお、SSLからTLSになったため、「SSL/TLS」と表記されることもあります。

さらに詳しく

CAの運営

CA が発行するデジタル証明書は、いわば印鑑証明に相当するものといえる。そのため CA の運営は国や公的機関が関与することが望ましい。ただ CA は企業がビジネスとして運営していることが多く、すべてに国が関与することは不可能なため、実際には CA どうしが階層構造により認証し合うことで成り立っている。また、CA の運営に際しては主務大臣の認定を受ける制度がある。

認証局の階層化

デジタル証明書には、認証を行った認証局が記載されるが、その認証局も上位の認証局から認証を受けている。つまり認証局は階層化され、最上位に当たるのがルート認証局となる。ルート認証局は、自分自身でルート証明書の正当性を証明することになるが、その信頼を得るために国際的な審査基準に基づく監査を受けている。なお、Webブラウザには代表的なルート証明書が設定されており、信頼性を確認できるようになっている。

ココも出る!

TLS/HTTP over TLS

TLS(Transport Layer Security)は、SSLのバージョンが上がり名称変更されたもの。HTTPSもHTTP over TLSになっている。

16

技術要素

利用者認証

正規利用者を証明する「利用者認証」 頻出

システムの正当な利用者であり、本人であるかの識別には、利用者ID（ユーザーID）とパスワードを組み合わせて使用するのが一般的です。コンピュータによる管理では、利用者IDやパスワードが記憶している情報と一致すると、自動的に利用許可を与えてしまいます。したがって、個々の利用者がパスワードを第三者に知られないように管理するとともに、システムに保管してあるこれらのデータが盗まれないような対策が重要です。

通常、コンピュータ上に保存されているパスワードは、ハッシュ関数（データ長にかかわらず決まった長さの出力データを作成する関数）で暗号化された値だけが保存されているため、そのファイルを盗み見られても、容易には解読できません。システム側では利用者からパスワードが入力されるとハッシュ関数を使って計算し、その値とファイルに保存された値が一致しているかを確認します。

パスワードは作成だけでなく更新が重要

経済産業省が告示している「コンピュータ不正アクセス対策基準」では、パスワードと利用者IDの管理について、次のように定めています。

良いパスワードは、大文字と小文字、数字などを混在させ、記憶できる範囲で、ある程度長い文字列です。一方、悪いパスワードの例は辞書に出ている単語や、誕生日、家族やペットの名前、電話番号などで、推測可能な文字列です。また、漏えいや類推を避けるため、定期的にパスワードの変更を促すことも重要です。

さらに詳しく

パスワードの例

《悪いパスワード》
- 自分や家族の名前
- 誕生日
- 単語や社名、業界用語や文字の繰返しなど

《良いパスワード》
- 複数の単語の組合せ、英数字、大文字、小文字を混在させる
- 記憶できる範囲の桁数にする
- 入力のしやすさを加味したもの

ココも出る！

ICカード

ICチップを搭載したカードのこと。ICチップにはCPUやメモリを内蔵し、外部から電力や入力信号を受け取って、内部で計算処理を行う。

PINコード

PIN（Personal Identification Number）は、ICカードなどのデバイスそのものに結びつけられた、システム側と利用者の間でパスワードとして使われる番号のこと。

●ID、パスワード設定上の注意点

①利用者（ユーザー）IDは、複数のシステム利用者で使用しない。
②利用者IDは、パスワードを必ず設定する。
③複数の利用者IDを持っている場合は、それぞれ異なるパスワードを設定する。
④悪いパスワードは、設定しない。
⑤パスワードは、随時変更する。
⑥パスワードは、紙媒体等に記述しておかない。
⑦パスワードを入力する場合は、他人に見られないようにする。
⑧他人のパスワードを知った場合は、速やかにシステム管理者に通知する。
⑨利用者IDを利用しなくなった場合は、速やかにシステム管理者に届け出る。

※参考「コンピュータ不正アクセス対策基準」

●パスワードによる利用者認証の手順

利用者認証の手順の例を示します。ここでは「許可」の後にアクセス権限を調べて、ファイルやデータベースへのアクセス権限を併用しています。また、システム管理者は、ログインの失敗に関するログを残しておき、一定回数以上パスワードの入力ミスがあると、その利用者IDの利用を停止する**アカウントロックアウト機能**を有効にしておくなどの対策が必要です。

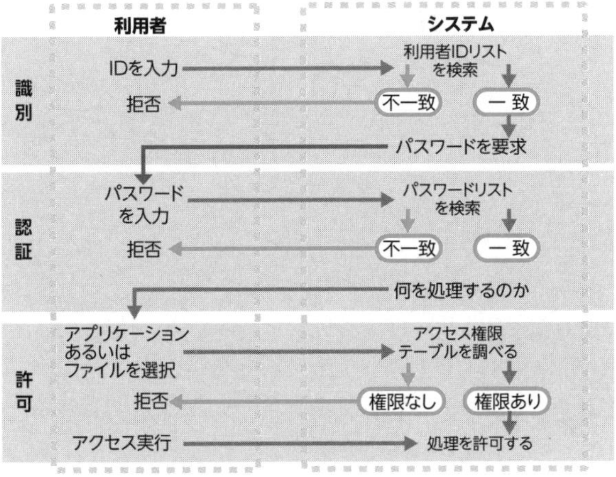

図表 16-1　利用者認証の手順

ココも出る！

CAPTCHA

CAPTCHAは、「人間とマシンを判別するチューリングテスト」と訳される英文の頭文字を取ったもの。Web上での登録や投稿などで、自動化されたコンピュータによる大量アクセスを避ける目的で使用される。方法は、歪められた文字や自動認識しにくい画像を提示し、利用者に判断を求める。

コールバック

コールバック（Callback）は、利用者からの接続要求があった場合、受信側システムは回線をいったん切断。システム側から改めて掛け直し、回線を接続して通信を行う。登録以外の場所からの不正アクセスを防ぐ効果がある。

多要素認証／多段階認証

多要素認証は、漏えいや不正使用のリスクに備えるため、性質の異なる複数の認証を組み合わせる方法。例えば、IDとパスワードに、秘密の質問やワンタイムパスワードを加えるなどがある。また、入退室などの物理的な認証では、IDカードに生体認証を組み合わせる方法がとられる。**多段階認証**は、認証を段階的に行う方法で、ネットショップの決済時に第2パスワードを要求する例などがある。

使い捨ての「ワンタイムパスワード」

一般的な固定式パスワードは、変更しない限り同じものを使い続けるため、長い間変更がないと漏えいの危険が高まり、セキュリティ上好ましくありません。そこで、プログラムによって得られる1回限りのパスワードを使うワンタイムパスワード(使い捨てパスワード)が考えられています。これには次のような方式があります。

❶チャレンジレスポンス方式

固定式のパスワードに対してワンタイムパスワードを加える方法です。接続要求のあったクライアント(認証される側)に対して、サーバ(認証する側)が毎回異なる乱数(チャレンジ)を渡します。クライアントは、受け取った乱数+自身のパスワードからハッシュ値を計算し、この値(ワンタイムパスワード)と利用者IDを返します(レスポンス)。サーバ側は、受け取ったハッシュ値とサーバ上で計算したハッシュ値(利用者IDに対するパスワードをサーバ側は記憶している)を比較し、同じであれば接続を許可します。

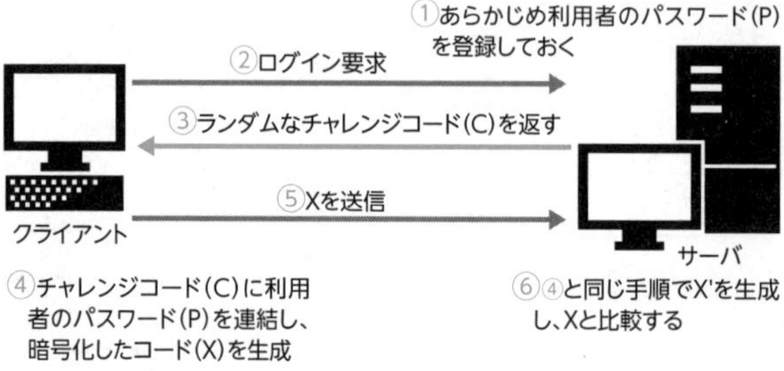

図表16-2　チャレンジレスポンスの手順

❷S/Key方式(RFC1760)

パスワードそのものを、アクセスのたびに計算によって変更することで強化を図った方法です。手順は、あらかじめキーワードを規定回数(n回)だけ繰り返しハッシュ演算して、サーバに記憶しておきます。クライアントからはn－1回目のハッシュ値(ワンタイムパスワード)が送られてくるので、そのハッシュ値に1回のハッシュ演算

出題分析

サーバへの認証方式

携帯用パソコンを用いて、社外から社内サーバにあるデータを利用する場合のセキュリティ対策として、有効なものはどれか。

ア　携帯用パソコンには事前に必要データをできるだけコピーしておき、ネットワーク利用は最小限にする。

イ　社外で利用するときの簡便さを考慮し、ログイン画面中の利用者ID、パスワードは、あらかじめ携帯用パソコン内に設定しておく。

ウ　社内サーバへのログインのたびにパスワードを変更するワンタイムパスワードを利用する。

エ　なるべく近くにあるアクセスポイントに接続する。

ワンタイムパスワードは万一漏えいしても、アクセスできないため、安全性が高い。

ア：社外にデータを持ち出すことはデータの漏えいにつながる。イ：携帯用パソコンに利用者IDとパスワードを登録すると、他人が利用してもログインが可能になる。必ず毎回入力を行うこと。エ：アクセスポイントまでの距離は、セキュリティとは直接関係しない。

解答 ウ

を行いサーバに記憶している値と比較して、合致していたら認証します。認証できたら、送られてきたワンタイムパスワードを記憶します。次回のアクセスでは、クライアントは、さらにn－1回目(最初からはn－2回目になる)のハッシュ値が送られてくるので、同様に認証を行います。こうしてハッシュ回数を減らしていき、0になったら再度登録し直します。

アクセス権は運用を考えた設定が大切

アクセス権とは、利用者がファイルやデータベースを利用する際、個々の利用者やグループに与える使用権限のことです。権限は、対象者の役務レベルやアカウント、ACL(アクセスコントロールリスト)などを基に判別するのが一般的です<☞次ページ「図表16-3」>。

❶アクセス権の設定方法

権限を与える単位は、ディレクトリやファイル、データベースのテーブルなど、機密レベルなども考慮して設定します。さらに、参照のみ(R：Read)、読み書き可能(U：Update)、追加(W：Write)、削除(D：Delete)、アクセス不可などの権限は、必要最低限に与えるようにすることが重要です。また管理対象が多い場合は、権限を個人ごとに設定するのではなく、グループや役職ごとに設定しておき、そこに個人を結び付けていけば煩雑になるのを避けることができます。

❷アクセスログの取得

不正アクセスを素早く発見し対応するためには、どの利用者がいつどんな操作をしたかといったアクセス記録(アクセスログ)を残し、常に監視しておくことが重要になります。また、アクセス記録は一定期間保存して、後日問題が発生したときに参照できるようにしておきます。

万一不正アクセスが発見されたら、被害の状況を把握し、例えば不正アクセスのあった利用者IDを使用禁止にする、調査が終わるまでデータベースのアクセスを禁止するなどの措置を行い、被害の拡大を防止します。

ココも出る!

セキュリティトークン

セキュリティトークンは、ワンタイムパスワードの発行や表示を行うための専用装置。首にかけられる大きさのものやUSBメモリタイプなどがある。

さらに詳しく

アクセス権の管理

アクセス権の管理者は、社員が入社した場合には所属を確認して速やかにアクセス権を与える必要がある。一方、異動した場合には、直ちに設定を変更しないと、アクセス管理が機能しない。

次のような場合には不正なアクセスの原因となってしまうことがある。

- 退職した場合にはすぐにアクセス権を削除する。
- パスワードを忘れた(または誰かに見られた)場合の再発行は、前のパスワードを破棄し、新しいパスワードを設定させる。

なお、パスワードの新規発行や再発行手順は、

①アクセス管理者が仮のパスワードを発行
②利用者はこれを使ってシステムやネットワークにログイン
③新しいパスワードを入力
④確認のため新パスワードを再度入力

という手順が一般的に行われている。

アクセスコントロールリスト

許可／禁止	アカウント	アクセスの種類
許可 ◎	グループA	参照
許可 ◎	グループB	参照、書換え
許可 ◎	利用者1	すべて可(R、U、W、D)
許可 ◎	利用者2	参照
禁止 ×	利用者3	すべて不可

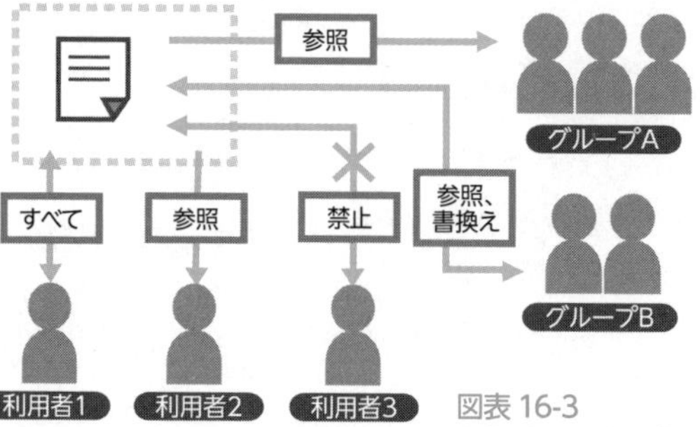

図表 16-3
ACL とアクセス権の例

身体の特徴を利用する生体認証

頻出

生体(バイオメトリクス)認証は、人の生体情報を利用する方法で、ほぼ同じものが存在しないため信頼性が高く、忘れたり盗まれたりする心配もありません。また、精度を表す値として、本人なのに認証されない確率を**本人拒否率**(**FRR**：False Rejection Rate)、本人ではないのに認証されてしまう確率を**他人受入率**(**FAR**：False Rejection Rate)と呼んでいます。両者は相反する関係にあり、安全性と利便性との兼ね合いで認証方法を選択したり、精度の調整を行ったりします。

❶身体的特徴を抽出して認証する方法

指紋、網膜や虹彩、静脈図、声紋などのパターンを登録しておき、認証時に読み取ったものと照合します。声紋や顔認証の場合、加齢によって変わる場合があるため、パターン更新が必要です。

❷行動的特徴を抽出して認証する方法

サイン認証<☞>やまばたきなど、本人の行動や癖を見分けて認証する方法です。

ココも出る！

シングルサインオン

シングルサインオン(Single Sign-On)は、一度認証されると、関連する複数のシステムやサイトへのログインが省略される仕組み。システムごとにログインし直したり、多数のIDやパスワードを管理するといった利用者の負担を軽減できる。

サイン認証

署名認証ともいう。タブレット端末などへ筆記されたサインについて、座標と筆圧を測定し、事前に登録された本人のサインと照合する。

技術要素

情報セキュリティ管理とセキュリティ技術評価

情報セキュリティ管理とは

情報セキュリティ<☞p.276>は、守るべき情報資産を価値あるものとして維持することです。そのためには情報資産の存在を最新の状態に更新し、それに対する価値とリスクを把握しなければなりません。さらにセキュリティポリシー<☞>を定め、どんなときにも継続的にセキュリティ対策を実施するための基準を決めていきます。このような活動が**情報セキュリティ管理**の中心になります。

●情報資産の分類

守るべき情報資産は、次のように分類できます。

❶**情報**：企業や組織が利用しているファイルやデータベース(顧客情報、製品情報、取引情報など)、事業関連書類、契約書や同意書類、システムに関する文書やマニュアル類、監査証跡など。

❷**ソフトウェア資産**：システムを構成するソフトウェアやアプリケーションソフト、開発ツールなど。

❸**物理的資産**：コンピュータ機器や通信・ネットワーク設備、電源設備、各種デバイスなど。

❹**サービス**：情報サービス、通信サービスなど。

❺**人的資産**：人そのものに加えて、保有する技能、資格、経験など。

❻**無形資産**：企業の社会的信用やブランド力、評判やイメージなどを指します。

リスク分析と評価の手順

情報資産が危険にさらされている状態のことを「リスクがある」といいます。情報に関するリスクは、①情報資産

さらに詳しく

セキュリティポリシー

企業のセキュリティ対策に関する恒久的な指針のこと。どのような資産を、どのように守るかの基準となる。**情報セキュリティポリシー**ともいう。

ココも出る！

情報セキュリティ事象

策定した情報セキュリティ方針に沿わないすべての事柄を**情報セキュリティ事象**という。これは策定時点では想定し得なかったことや管理策の不備も含む。また、その中で情報セキュリティを脅かす可能性の高い事象を**情報セキュリティインシデント**という。

情報資産の重要性

情報資産について、**機密性**、**完全性**、**可用性**の側面から重要性を分類し、保護するための判断基準を作成する。これにより、情報セキュリティの水準を定めることができる。
<☞p.302 セキュリティの3大要素>

が存在し、②その情報資産に対する脅威があって、③脅威を助長するような脆弱性が生じている場合に、現実のものとなります。また、リスクの大きさを損失額で表すと、次のような計算式になります。

リスク＝予想損失額×発生確率

リスクをいかに顕在化させないかという**リスクマネジメント**は、以下の手順で行っていきます。

リスクの特定

企業活動を行ううえで、不利益が発生するリスクが存在するかを検討し、予想できるリスクを特定する。

↓

リスク分析と評価

個々のリスクを分析し、それぞれについて起こりうる結果（損失額など）と起こりやすさ（発生確率）から、リスクの大きさ（リスクレベル）を評価し、優先順位を付ける。

↓

リスク対応

優先順位によって、リスクを回避したり、リスクを減らすための措置を講じ、不利益が発生する確率を減らす。

図表 17-1　リスクマネジメントの手順

リスクの種類

情報資産に対して、どのようなリスクが存在するかを知っておくことで、正確なリスク分析が行えます。

❶**オペレーショナルリスク**：通常業務において損失を引き起こす可能性のあるリスクです。作業者のミスや不正行為、業務システムの故障や災害などがあります。

❷**サプライチェーンリスク**：部品や原材料の調達、製品の流通や販売など、サプライチェーンの要因により損失が起こるリスクです。災害による物流の停止や、調達先の倒産による供給停止なども含まれます。

❸**外部サービス利用のリスク**：業務委託先のシステム障害や業務不履行、クラウドサービスでのデータ漏えいや消失などがあります。

❹**SNSによる情報発信のリスク**：SNS<☞p.516 個人ベースで発信するCGM>へ流した情報や宣伝などが社会的な批判

ココも出る！

リスクマネジメント

国際規格ISO31000（国内規格 JIS Q 31010:2012）には、組織的にリスクマネジメントを行っていくうえでの、一般的な指針と適用範囲が示されている。ISO31000では、リスクマネジメントの手順を「①リスク特定→②リスク分析→③リスク評価→④リスク対応」と示し、①～③をリスクアセスメントと呼んでいる。

情報資産台帳

情報資産台帳は、セキュリティ上の重要度を分析・検討するために作成される情報資産の一覧のこと。品目や分類、保有者（管理者）、保管形態や保管場所、利用（閲覧）方法や利用制限、廃棄方法などの項目がある。また資産の重要度を数値化するために、機密性、完全性、可用性の各ランク（1～5）を記入する。

さまざまな損失

リスクとなる損失には、次のようなものがある。

財産損失：自然災害や盗難など。

責任損失：製品の事故により顧客や株主から賠償責任を問われるなど。

純利益の損失：売上の減少や為替変動など。

人的損失：従業員や経営者などの過失、事故や病気、同業他社への引き抜きなど。

を浴びたり、情報やプライバシーの漏えいに該当したりといったことがあります。

リスクを分析して重要度を決めよう

リスクを特定できたら、その影響を定量的、定性的に分析して把握し、必要なリスクレベル(起こりうる結果と起こりやすさからなる評価)を設定していきます。また、組織が定めたリスク受容基準に基づく評価を行います。このような情報資産に対する、リスク特定→リスク分析→リスク評価までの流れを情報セキュリティリスクアセスメントと呼んでいます。

●リスク受容基準

リスク受容基準とは、個々の組織が決める「あるリスクに対して、どの程度であれば対策を行うかという判断基準」です。リスクの発生確率や、起こった場合の損害の大きさや損害額などを判断の基準とします。

●リスク分析手法

リスク分析は、次の2段階で行います。

❶定性的リスク分析:リスクの発生頻度や損害の大きさなどを記載したリスク登録簿などを基に、対応すべきリスクの優先順位を決めていきます。

❷定量的リスク分析:定性的リスク分析で優先度が高かったリスクを、モデル化やシミュレーションなどの技法を使ってさらに詳細に分析します。分析結果は、リスク登録簿に追記します。

リスクに対応するさまざまな方法 頻出

リスク対応としては、次のような方法があります。

●リスクコントロール

リスクを未然に防いだり、軽減のための方策をとることなどで、リスクをコントロールする方法です。

❶リスク軽減(リスク最適化):予想できるリスクの大きさに応じて、さまざまな措置を講じ、リスクをできるだけ

ココも出る!

ペリル

ペリル(peril)とは、損失原因や事故を意味する言葉で、リスクにつながる直接的な原因のこと。地震や洪水などの自然的要因、機械故障などの物理的要因、ミスや不正行為などの人的要因などがある。

ハザード

ハザード(hazard)とは、危険性、危険状態などと訳される。ペリルを損失の発生につなげ、損失の大きさを増大させる要因となるものを指す。例えば、建物の構造がぜい弱であったり、提供されているセキュリティパッチ(修正プログラム)が未適用などである。

モラルハザード

モラルハザード(moral hazard)とは、道徳の欠如や倫理観の欠如を表す言葉。例えば、情報漏えいの原因が、内部の人間のモラルハザードによる情報の持ち出しであることも多い。

リスクコスト

リスクコストは、リスク低減のために行うリスクコントロールに掛かる費用のこと。安全対策に必要な設備費や社員の訓練費用、火災保険料や自動車保険料などのコスト要因が含まれている。

少なくする方法です。リスクの少ない機器に入れ換える、バックアップをとる、作業者の教育訓練を充実して作業ミスを減らすといった、さまざまな対策をとります。

❷**リスク回避**：リスクが発生する可能性のある業務をせず、リスク回避を行う方法です。例えば重要な情報を外部のネットワークから切り離すといった方法をとります。ただし利便性が低下することがあります。

❸**リスク分散**：大きなリスクや同時多発リスクが発生しないように、業務や情報資産を分離する方法です。運用をアウトソーシングしたり、システムを分散させるなどの方法があります。ただし、新たなリスクを生み出す要因にもなります。

❹**リスク集約**：リスクとなる要因を1か所に集中させ、そこを重点的に管理する方法です。管理コストがかかってもかまわない機密情報などが該当します。

●リスクファイナンシング

リスクとして考えていたことが発生したとき、できるだけ財政面の損失を抑えるためのコントロール方法です。

❶**リスク移転**：保険などをかけて、リスクを他へ移転する方法です。万一のときには保険会社が損害額を払うことになります。

❷**リスク保有**：予想リスクが小さく、万一発生しても大きな影響を与えないと判断したときは、あえてリスク対策を行わず、代わりにかかる費用を算入しておく方法です。

どんなときにも継続できることが大切

事故や災害など、不測の事態が起こったとき、事業の継続および早期復旧を目指す手段としてBCP(事業継続計画)／BCM(事業継続管理)<☞ p.530>の策定が重要になりますが、情報セキュリティについても、この一環として組み込んでおく必要があります。これを**情報セキュリティ継続**といいます。ポイントはITのコンティンジェンシープランだけでは事業継続の点では意味がなく、一体化してこそ事業復旧が実現できるということです。

ココも出る！

残留リスク

リスク対応を行っても発生をゼロにはできないリスクを指す。リスクの対応後も監視を行うなど、万一発生した場合の損害を低減するための措置を講じておく。

リスク対応計画

リスク分析によって対応することが決定したリスクに対する対応計画のこと。その発生を防止したり、リスクによって発生する損害を低減させるための対応策を検討したりして、計画していく。

リスクコミュニケーション

リスクに関する情報について、そのリスクに影響を受ける可能性のある個人や組織で共有して、意思疎通を図っておくこと。適切に情報公開の機会を設けることに加え、日常的な対話や報告窓口の設置、教育・訓練などを一体化して進めていく。

ディザスタリカバリ

ディザスタリカバリ(Disaster Recovery Plan)とは、**災害対応計画**のこと。災害や事故などが発生した場合に、この計画に基づいて初動対応がとられ、被害状況が明確になれば、緊急時対応計画に基づいて、ITシステムの復旧を行う。

情報セキュリティポリシーはすべての指針

情報セキュリティポリシーとは、「どのような情報資産を、どんな脅威から、どうやって守るのか」についての基本的な指針です。さらに、セキュリティを確保するための体制、組織および運用方針を含みます。

❶情報セキュリティ方針：情報セキュリティ対策に対する根本的な考え方を表します。どのような情報資産を、どのような脅威から、なぜ保護しなければならないのかを明らかにし、情報セキュリティに対する取組み姿勢を示すことを目的とします。

❷情報セキュリティ目的：情報セキュリティを守るために、達成すべき目標です。ISO/IEC27001では、「①情報セキュリティ方針に沿っていること、②実行可能な目的の場合には測定可能であること、③リスクアセスメントやリスク対応の結果が反映されること」を基本要件として定めています。

❸情報セキュリティ対策基準：情報セキュリティ方針により定められた、情報セキュリティを確保するために遵守すべき行為、および判断などの基準を示したものです。情報セキュリティ方針を実現するために何をすべきかを表したものといえます。

●情報セキュリティ実施手順

情報セキュリティポリシーでは具体的な方策は示しませんが、それでは行動に移すことができません。情報セキュリティ実施手順は、対策基準に定められた内容を、情報システムや業務において、どのような手順に従って実施していくのか、具体的な内容を示したものです。マニュアルとして作成し、適宜見直しを図っていきます。

情報セキュリティマネジメントシステム

頻出

情報セキュリティマネジメントシステム(ISMS：Information Security Management Systems)は、企業などの組織がセキュリティレベルを保つための仕組みや

ココも出る！

コンティンジェンシープラン

コンティンジェンシープラン(Contingency Plan)とは、緊急時対応計画のこと。緊急事態(非常事態)が発生した場合の対応方法(手順や具体的対策)を規定したもの。情報セキュリティは、IT災害復旧計画のなかで、ITコンティンジェンシープランとして独立して推進されてきた。

プライバシポリシー

個人情報保護方針とも呼ばれるプライバシポリシー(privacy policy)は、収集した個人情報をどのように扱うかを定めた規範を指す。なお、一定量以上の個人情報を取り扱う事業者は、個人情報保護法によって遵守すべき義務が規定されており、本人の了解なしに個人情報の流用や売買が規制されている。

取組みを指します。まず組織全体として守るべきセキュリティレベルを定め、セキュリティ対策計画に基づく資金・人員・設備などの配分を行い、システムを運用(維持および改善)していきます<☞ p.568「情報セキュリティの標準」>。

ISMSに関する国際規格**ISO/IEC 27001：2013**(国内規格 **JIS Q 27001：2014**)では、組織が保護すべき情報資産について、三大要素をバランス良く維持し改善することとしています。さらに責任追跡性、真正性、信頼性、否認防止を含めることもあります<☞ p.276>。

●セキュリティの3大要素

機密性：正当な利用者のみに、情報資産を使用可能にすること。対策には、漏えいの防止、暗号化、アクセス権の設定などがある。

完全性：情報資産の正確さ、完全さを保護する。対策には、改ざんの防止や検出などがある。

可用性：正当な利用者が情報資産の使用を要求したとき、いつでも使用可能な状態にあること。対策にはシステムの多重化、バックアップなどがある。

●ISMS認証と実施手順

ISMSには、第三者機関による評価制度(**ISMS適合性評価制度**)も設けられています。ISMS認証を取得することは、統合的セキュリティ対策が適切になされていることの証明となります。またISMSは、状況に合わせて更新していく必要があり、**PDCAサイクル**によるアプローチが奨励されています。

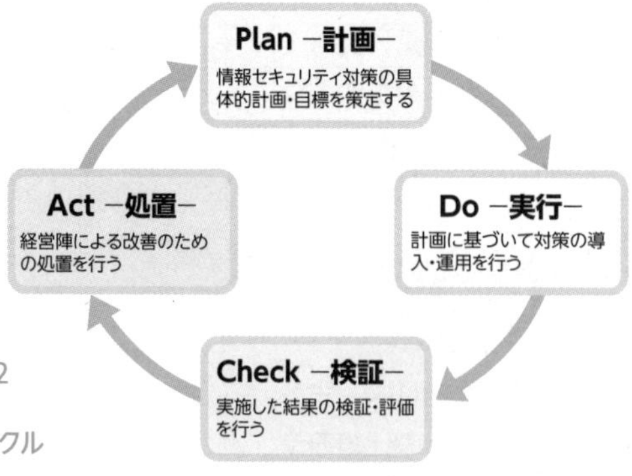

図表 17-2
ISMS の
実施サイクル

さらに詳しく

ISO/IEC 17799

英国規格のBS7799を基に策定された情報セキュリティ管理実施基準(実践のためのガイド)の国際規格。これを翻訳したものがJIS Q 27002(旧JIS X 5080)である。

ココも出る!

ISMS適用範囲

ISO/IEC27001では、まずISMSをどこまでの業務、組織、場所、資産、技術などに適用するのか、その範囲を決める必要があるとしている。範囲選択に当たっては、独立した単位であり、セキュリティ上重要であることを重点におき、それらに関わる利害関係者からの要望を考慮して検討することが求められる。

パフォーマンス評価

ISO/IEC27001で定義しているパフォーマンス評価は、「ISMSで計画・運用しているセキュリティ管理が適切であり、管理目的を達成できているかを監視して評価する。さらに、構築したISMSを今後も継続することが妥当かどうかを検証し、必要があれば改善を行う」としている。

情報セキュリティに関する組織と機関

セキュリティに関する組織では、不正アクセス被害の受付、再発防止の提言、セキュリティの啓発を行います。

❶**情報セキュリティ委員会**：セキュリティ管理やISMSの構築のために、企業内に設けられる組織です。

❷**CSIRT**(Computer Security Incident Response Team；シーサート)：インシデント(緊急事態)に対応するための組織。発生時の緊急対応に加え、セキュリティ攻撃に関する情報の収集・分析や対策の検討を行います。

❸**SOC**(Security Operation Center)：システムやネットワークを監視し、サイバー攻撃や社内の不正行為などを検知して対応を行います。

セキュリティ技術評価

セキュリティ技術評価とは、情報システムのセキュリティレベルを評価するもので、第三者機関が対象となる製品やシステムのセキュリティ機能について、「目標とするセキュリティレベルが適切であり、機能が正確であること」をセキュリティ評価基準に基づき検証するものです。

セキュリティ評価基準としては、国際標準の**ISO/IEC 15408**(コモンクライテリア)<☞ p.569>があり、日本では、IPAが運営する**JISEC**(**ITセキュリティ評価及び認証制度**)が設けられています。これは、認証機関としての役割もあり、上記国際標準に基づく第三者機関による評価結果の認証も行っています。

❶**脆弱性検査**：ソフトウェアやシステムにセキュリティ上の弱点(脆弱性)がないかどうかをチェックする検査。

❷**CVSS**(Common Vulnerability Scoring System；**共通脆弱性評価システム**)：情報システムの脆弱性を評価する汎用的な手法。ハードやソフトに依存しない同一基準を用い、具体的な数値によって結果を評価します。

❸**ペネトレーションテスト**(penetration test)：サーバやネットワークシステムに対して、攻撃者が実際に侵入できるかを試みるテスト。侵入テストともいいます。

ココも出る！

情報セキュリティ早期警戒パートナーシップガイドライン

ソフトウェア製品やWebアプリケーションなどに脆弱性を見つけたとき、IPA(情報処理振興事業協会)に連絡すると、確認・検証のうえ運営者に通知してくれる制度。脆弱性を早期に発見でき、対策や告知を行えることから、安全性向上につながる。

サイバーセキュリティ戦略本部

サイバーテロなどの発生を防ぐ施策を総合的に推進するために内閣に置かれた組織。また**NISC**(内閣サイバーセキュリティセンター)は、サイバー攻撃やその対応技術の分析調査、セキュリティ施策計画の立案などの活動を行っている。

JPCERTコーディネーションセンター(CC)

サイバー攻撃などのセキュリティインシデントについての報告を受け付け、技術的な立場から対応支援や再発防止の助言を行う組織。CSIRT構築・運用のための**CSIRTマテリアル**の作成も行っている。

耐タンパ性

耐タンパ性(tamper resistant)は、システムの内部構造や記憶しているデータの解析の困難度を表す指標。例えば、ICカードに記憶されているデータであれば、盗み出そうとする行為に対する耐性の度合いである。

18

技術要素

情報セキュリティ対策

情報セキュリティ対策とは、企業や個人に対する災害や脅威に対して、個別に対応を行うことです。方法は情報セキュリティマネジメントに基づいて行いますが、担当範囲については詳細に理解しておく必要があります。

人的セキュリティ対策

人的セキュリティ対策とは、人によるミスや盗難、不正行為を防ぐことです。日頃からのセキュリティに対する考え方を教育したり、事故が起こった場合の対処法を訓練することなどにより発生を減らすことができます。

手順としては、明確にした情報セキュリティポリシーを基に、社内規定や操作・運用マニュアルの作成、アカウント管理やアクセス管理を確実に行います。さらにアクセスログの監視や入退室管理、情報漏えい対策（ネットへの流出や情報の持出しなど）も重要になります。

技術的セキュリティ対策

頻出

技術的セキュリティ対策とは、業務に被害が出ないようにさまざまな方策を講じることです。基本となるのは不正者からのアクセスを防ぐことですが、脅威の種類と利用者の行動をよく理解し、それによる被害を理解したうえでバランスよく漏れのない対策を考える必要があります。また1つの対策方法を過信せず、さまざまな対策を多層的に組み合わせたり、入り口対策（侵入調査や攻撃メールなどのブロック）、内部対策（潜伏や破壊行動の早期発見と除去）、出口対策（情報流出のブロック）など、場所を変えて組み合わせたりといった考え方も重要です。

ココも出る！

組織における内部不正防止ガイドライン

企業や組織における内部不正対策の実施および発生時の早期発見、拡大防止を目的として、作成されたガイドライン。内部不正防止対策およびその体制、関連する法律などのほか、組織における内部不正対策の基本方針、資産管理、技術的管理、証拠確保、コンプライアンス、職場環境などを具体的な対策で示している。

こちらも参照

利用者認証

p.292

●クラッキング対策

クラッキングとは、コンピュータやネットワークに侵入してデータの改ざんや破壊を行う行為です。クラッキング対策のポイントは、まず不正者の侵入経路を作らないこと。そのためにはセキュリティーホールをふさぐ、バックドアを作らせないということが重要になります。具体的にはアクセス権<☞ p.295>の厳密な管理、アクセス制限、ファイアウォールの導入などが重要です。

●不正アクセス対策

不正アクセスとは、不正アクセス禁止法<☞ p.561>で定義された「侵入行為」や「なりすまし行為」などを指します。

技術的対策には、ファイアウォールの設置<☞ p.314>、外部からの不正行為を検出する侵入検知システム(IDS)<☞ p.309>の導入、セキュリティパッチ(ソフトウェアの脆弱性を修正するプログラム、脆弱性パッチともいう)の適用、アカウントやアクセス権の管理<☞ p.295>、アクセスを行うパソコンなどのハードウェアを認証するPC認証、デジタル署名<☞ p.289>、生体認証<☞ p.296>などがあります。

●情報漏えい対策

情報漏えい対策とは、標的型攻撃(特定の企業や組織、個人を狙った攻撃)や内部不正による情報漏えいを脅威と

> **ココも出る!**
>
> **マルウェアの定義**
>
> マルウェアは、悪意を持ったソフトウェア全般を指したもの。それまでは一般にコンピュータウイルスと呼ばれていたが、さまざまな種類が生まれ、コンピュータウイルスの定義に収まらないものも増えたことからマルウェアと総称するようになった。
>
> **ビヘイビア法(振る舞い検知)**
>
> ウイルスが疑われる実行ファイルを実際に動作させ、挙動を監視して見つけ出す方法。動的ヒューリスティック法ともいう。感染しても影響のない別環境(サンドボックス<☞ p.306>)で動作させるのが安全だが、サーバへの接続を前提として動作を行うウイルスもあるため慎重な対応が求められる。

試験はこう出る

問 ウイルス検出におけるビヘイビア法に分類されるものはどれか。

ア あらかじめ検査対象に付加された、ウイルスに感染していないことを保証する情報と、検査対象から算出した情報とを比較する。

イ 検査対象と安全な場所に保管してあるその原本とを比較する。

ウ 検査対象のハッシュ値と既知のウイルスファイルのハッシュ値とを比較する。

エ 検査対象をメモリ上の仮想環境下で実行して、その挙動を監視する。

答 ビヘイビア法は、ウイルスの行動を基に検出を行うもので、感染しても影響のない環境で実行してみて、その挙動を確認する。例えばメモリ上の仮想環境で実行すれば、ウイルスが行動を起こしても他の環境に影響を及ぼさない。

解答 エ

する対策です。不正アクセス対策や人的対策などを基本として、通信やファイルの暗号化、無線LANのセキュリティ設定、ウイルス対策ソフトの導入などを行います。

また、万一漏えいした場合に備え、データを暗号化したり、ファイルを分割管理(個人情報なら、基本情報と口座情報を分けるなど)したりといった方法も有効です。

●マルウェア・不正プログラム対策

マルウェアや不正プログラムとは、**コンピュータウイルス**<☞ p.279>を含む悪意のあるプログラムを指します。ウイルスソフトの導入を含めて、メールに添付された実行形式ファイル、マクロファイルのほか、アーカイブ形式のファイルをむやみに開かないこと。また、ファイル共有の利用時も注意が必要となります。そのほか、ポート番号によるアクセス先の検査も有効になります。

❶マルウェアの特徴

マルウェアの感染経路は、電子メールの添付ファイル、ホームページの閲覧、外部からのファイルの持ち込みなどで、発病すると、ファイルの消去や書換え、ハードディスクの破壊などの深刻な被害を与えるものから、いたずらのメッセージを画面表示するものまで、さまざまな障害を引き起こします。

❷マルウェアの予防と感染対策

対策として最も重要なことは、感染の予防と早期発見です。感染後のマルウェア駆除と復旧のための作業や、業務の停止、機密情報の流出、さらにはマルウェアの新たな感染源となってしまった場合の社外への影響などを考慮しつつ、必要に応じて複数の方法を組み合わせます。

- **マルウェア対策ソフトの導入**：マルウェア対策ソフトは、マルウェアの検出と除去を行うもので、パソコンに常駐してマルウェアを監視してくれます<☞「パターンマッチング」>。ただし、**マルウェア定義ファイル**(既知のマルウェアを登録したファイル)を最新状態にしておかないと新しく発見されたマルウェアに対応できないだけでなく、未知のマルウェアの検出はできません<☞「ヒューリステ

ココも出る!

パターンマッチング

既知のマルウェアの特徴(シグネチャという)をデータベース化しておき、それと比較することでマルウェアの検出を行う方法。従来からウイルス対策ソフトの中心的な処理方法として行われてきた手法。

ヒューリスティック検知

マルウェアそのものの特徴ではなく、マルウェアの行動を登録しておきチェックする方法。定義ファイルが作られていない未知のマルウェアや亜種のマルウェアにも効果がある。

サンドボックス

マルウェアなどによって攻撃されてもシステムに問題が起こらないようにするために設けた仮想空間、および実行する仕組み。遊んでも怪我をしない砂場から付けられた。なお、他に影響を及ぼさないということから、例えばWebページ上で実行されるプログラムの環境としても利用される。この場合は、必ずしも悪意があるとは限らないが、安全対策として有効となる。

ィック検知」>。なお、次々に新しいマルウェアが登場している現在、対策ソフトを導入していても過信は禁物です。

❸マルウェア感染時の対処

万が一、自分が使っているコンピュータにマルウェアが感染してしまった場合、そのコンピュータを使い続けていると、被害が大きくなる可能性があります。即時に下記のような対応を行ったうえで、マルウェアの種類に応じた処置(マルウェア対策ソフトによる除去、感染していないバックアップからの復元など)を行います。

- **ネットワークから切り離す**：他のコンピュータへの感染を防ぐために、ただちにマルウェアに感染したコンピュータをネットワークから切り離します。これにより二次感染を防ぐことができます。
- **システム管理者に連絡する**：ネットワークを通じて感染が広がる可能性があるため、すぐにシステム管理者に連絡し、他の利用者に連絡してもらいます。

●脆弱性管理

OSやアプリケーションには、バグを含めた脆弱性が存在します。これらは開発メーカーが発見次第、情報提供と更新プログラムによる対策が行われます。更新プログラムは、**セキュリティパッチ**(脆弱性修正プログラム)とも呼ばれるもので、提供後は直ちに実施してOSやソフトウェアを最新状態にしておくことで、**セキュリティホール**<☞p.277>を突く攻撃やマルウェアに対応できます。

●DMZ(De-Militarized Zone)

元の意味は「非武装中立地帯」。外部とのやり取りが直接発生するサーバを、社内LANとは別セグメントに分けることで、システムやデータを、外部の攻撃から守る役割のために設けます。実際には、Webサーバなど、外部からの要求に応える機能を持つサーバをこのセグメントに置き、DMZの内側(内部)にある社内LANへの直接アクセスは原則不許可とする対策をとります。

●検疫ネットワーク

社員のタブレットPCやノートPCなど、社外で用いて

ココも出る！

セキュアブート

PCの起動に先立って、ファームウェアによって行われるセキュリティ検査機能。OSやドライバのデジタル署名を確認し、有効な場合のみOSが起動する。これにより、許可されていないものを実行しないようにすることができ、OSの起動前に実行されるマルウェアを防ぐことができる。

こちらも参照

ファイアウォール

☞p.314

いるパソコン類を無防備に社内LANに接続すると、セキュリティ上の問題が発生することがあります。

検疫ネットワークは、このような問題を防ぐためのチェック専用のネットワークやその仕組みを指します。まずチェック専用のネットワークに接続し、「マルウェア感染はないか」、「問題を引き起こすソフトウェアがインストールされていないか」、「OSのセキュリティホールを改修する更新は済んでいるか」などの検疫を行い、正常であれば社内LANへ自動的に接続します。

●IoTのセキュリティ

Webカメラやスマートスピーカー、TVやゲーム機などの情報家電、自動車などのIoTデバイスは、機器どうしが自律的につながることもあり、想定外の脅威にさらされる危険性があります。接続しているカメラやマイクに不正アクセスされると、盗撮や盗聴被害に遭うこともあります。

また専用の制御用ソフトウェア(ファームウェア)を持つことから、マルウェア感染も起こり得るでしょう。特に購入したままの状態で使い始めると、初期設定のログイン情報が使われ、IoTネットワーク全体の侵入経路になることがあります。そのほか、IoTデバイスは管理者から離れた場所に設置されることもあるため、デバイス自体の盗難対策も必要です。

《対策方法の例》

- IoTネットワークの接続機器が把握できるように、全体構成を明確にしておく。
- 導入時には、初期設定のログイン情報(利用者ID、パスワード)を必ず変更する。短く、類推しやすいパスワードを避ける。
- 機器自体にセキュリティ機能がない場合、ホストや中継機器において対策を行う。
- IPアドレスやポート番号によって接続先を制限する。
- 入力および出力データを監視し、不正アクセスを防ぐ。
- 利用者認証、メッセージ認証により、なりすましや改ざん、情報漏えいを防止する。

ココも出る!

デジタルフォレンジックス

情報漏えいなどの犯罪捜査などを行う際、パソコンやスマートフォンなどに残されている電子記録を収集・解析し、証拠とすること。証拠保全には原本と複製の同一性を証明するためハッシュ値を使用する。

フォールスネガティブ／フォールスポジティブ

マルウェア対策ソフトや迷惑メールの分類などにおいて、誤った判断がなされること。**フォールスネガティブ**は、例えばウイルスに感染しているファイルを、感染していないと判断してしまうこと。「検出漏れ」を意味する。一方、**フォールスポジティブ**は感染していないファイルを感染していると判断すること。「誤検出」を意味する。

・データの通信路やデータそのものを暗号化する。
・ハードウェア、ソフトウェアによる耐タンパ性の向上手段として、筐体の開封を感知して自動消去を行ったり、内部構造やデータ解析を困難にしたりといった対策をとる。
・遠隔操作により、機能のロック、データの消去を行う。

セキュリティ製品・サービス

一般に知られるマルウェア対策ソフトのほか、次のようなものがあります。ネットワークを介した攻撃に対する防御のための製品が中心になっています。

❶SIEM（シーム；Security Information and Event Management）

ネットワーク機器やセキュリティ機能などから集められたログを一元管理・分析するシステム。複数のログ情報を統合的、かつリアルタイムに分析することで、管理者が異常を早期に発見して警告を発することができます。

❷WAF（Web Application Firewall）

WAFは、脆弱性を突く攻撃からWebアプリケーションを守る機器またはソフトウェアです。利用者からWebアプリケーションに渡される入力などの通信内容を、あらかじめ設定した検出パターンに基づいて検査することで、攻撃と見なされるアクセスを遮断することができます。また、利用者のブラウザとWebサーバの間に設置するため、複数のWebアプリケーションをまとめて、SQLインジェクション<☞ p.282>やクロスサイトスクリプティング<☞ p.283>などから保護することができます。

❸IDS(Intrusion Detection System)／IPS(Intrusion Prevention System)

IDSは、侵入検知システムと呼ばれ、ネットワークを流れるパケットやコンピュータ内部の挙動を監視して、不正な侵入を検知します。またIPSは、侵入防止システムと呼ばるもので、不正な侵入を検知するだけでなく、その防止（接続を遮断する）も行ってくれます。そのほか、攻撃の詳細を定義した検出パターン（許可リストまたはパ

出題分析

IoTのセキュリティ

IoTデバイスの耐タンパ性の実装技術とその効果に関する記述として、適切なものはどれか。

ア CPU処理の負荷が小さい暗号化方式を実装することによって、IoTデバイスとサーバとの間の通信経路での情報の漏えいを防止できる。

イ IoTデバイスにGPSを組み込むことによって、紛失時にIoTデバイスの位置を検知して捜索できる。

ウ IoTデバイスに光を検知する回路を組み込むことによって、ケースが開けられたときに内蔵メモリに記録されている秘密情報を消去できる。

エ IoTデバイスにメモリカードリーダーを実装して、IoTデバイスの故障時にはメモリカードをIoTデバイスの予備機に差し換えることによって、IoTデバイスを復旧できる。

IoTデバイスにおける耐タンパ性は、機密データの漏えいやハードウェアの解析などを防ぐ能力。選択肢ウが、筐体の開封を感知したときに、データの自動消去を行うといったハードウェアによる耐タンパ性の実装技術である。

解答 ウ

スリスト)により、さまざまな種類の攻撃(OSの脆弱性を悪用した攻撃、ファイル共有サービスへの攻撃など)を防御することができます。

❹UTM(Unified Threat Management)

統合脅威管理、またはその機器を指します。ファイアウォール、不正侵入防止、アドレスフィルタリング、ウイルス検知などの複数の機能が、1台の機器に統合されているものです。

❺MDM(Mobile Device Management)

スマートフォンやタブレットなどのモバイル端末用管理ツール。利用状況やバージョン管理、機能やアプリの利用制限、パスワードや紛失時の漏えい対策などを行えます。

物理的セキュリティ対策

物理的要因とは、外部からの侵入、情報資産の盗難、落雷や地震、火災などによる被害などを指します。起こりうる要因に対しては、情報システムの信頼性、可用性を確保する観点<☞p.154 RASIS>で、それぞれ適切なレベルで対応します。主な対応策としては、システムの多重化<☞p.148 システム構成>、データの多重化<☞p.150 RAID>、RAS<☞p.316 リモートアクセス>やUPS<☞p.437 ファシリティマネジメント>の導入など。発生時の対応としては、復旧のためのバックアップ<☞p.176>や漏えいに備えたデータの暗号化<☞p.287 暗号技術>などが有効です。

そのほか、適切な記憶媒体の管理<☞「クリアデスク／クリアスクリーン」>、記憶媒体の処分や再利用を行う際は復元されないように、専用のソフトウェアを用いる、専門のセキュリティ業者に依頼する、といった対策を行います。

ココも出る！

セキュリティゲート

企業の出入り口に設けられた入退室管理用のゲート。認証方法はICカードのほか、顔認証や指紋認証などが使われる。

クリアデスク／クリアスクリーン

クリアデスクは、帰宅時に机上にPCや情報を記録した媒体を放置せず、施錠できる場所に格納するといった対策。クリアスクリーンは、一定時間経過するとPC画面をパスワードでロックされるスクリーンセイバーに切り替わる設定にしておくといった対策。

19

技術要素

セキュリティの実装技術

ネットワーク、データベース、アプリケーションには、それぞれセキュリティを考慮した実装技術が用意されています。使う局面に当てはめて理解しておきましょう。

セキュアプロトコル

頻出

セキュアプロトコルは、通信データの盗聴、不正アクセスを防ぐ目的で使われるもので、次の規格があります。

❶IPsec (Security Architecture For Internet Protocol)

IPsecは、IP層で安全に通信を行うためのプロトコル群で、通信データの盗聴や改ざんを防ぐことができます。含まれるプロトコルには、認証を行うAH、認証とパケットの暗号化を行うESP、秘密鍵の交換を行うIKEなどがあります。なお、IPv6からは標準でサポートされています。

❷TLS (Transport Layer Security) SSL(Secure Socket Layer) /TLS

SSLは、WebブラウザとWebサーバ間で認証と暗号化通信を行うためにNetscape Communications社が開発したトランスポート層のプロトコルです。また、SSLをベースにRFC 2246として文書化されたものがTLSで、SSL3.0以降のバージョンはTLSになります。SSL/TLSは知名度の高いSSLをそのまま残した表記です。

❸HTTPS (Hypertext Transfer Protocol Secure) ／HTTP over TLS

SSL/TLSを利用して、HTTPによる通信に暗号化機能を追加したものです。これによりサーバとWebブラウザ間の通信を安全に行うことができます。

このとき、Webブラウザのアドレス欄には「https://」

ココも出る！

DNSSEC

DNSSEC(DNS Security Extensions)は、DNSへの問合せに対する応答の正当性を保証する拡張仕様。DNSを偽装するキャッシュポイズニングに対して有効となる。

PEAP

PEAP(Protected EAP)は、EAP-TTLSを基にした認証方式。マイクロソフト、シスコシステムズ、RSAセキュリティの3社によって開発された。ウィンドウズに標準搭載されている。

APOP／POP3S

APOP(Authenticated POP)は、メール受信の際に用いられるPOP3<☞p.263>における認証時のパスワードを暗号化する方式。APOPは脆弱性が発見されている。一方、POP3S(POP3 over SSL/TLS)では、SSL/TLSを用いて伝送路そのものを暗号化する。これによりID、パスワード、メッセージ本文が暗号化され、盗聴リスクが低くなる。

と、鍵を表すアイコンが表示されます。

❹SSH(Secure Shell)

暗号化と認証により安全にコンピュータを遠隔操作するプロトコルです。なお、同様の役割を持つTelnetは平文でパスワードを送信することから危険を伴います。

●無線LANの暗号化

頻出

無線LANは、機器が出す電波が届く範囲にいれば誰でも受信できるため、ファイアウォールに加えて盗聴などを防ぐセキュリティ対策が必要です。また、アクセスポイントからLAN内に侵入したり、LAN内の利用者になりすましてインターネットに接続される危険もあるでしょう。

これを防ぐには無線通信を暗号化するのが効果的です。仮に電波を傍受されても、解読できなければ漏えいしたことにはなりません。また、アクセスポイントへの接続にはパスワードが必要となるため、LAN内への不正侵入も遮断できます。実際には、アクセスポイントと無線LANカード間の電波通信を暗号化します。

❶WEP(Wired Equivalent Privacy)

初期の無線LANの暗号化規格であり、すでに脆弱性(クラッキングソフトなどによって、平文データをある程度推定できる)が指摘されています。安全性が低いことから旧機器との互換性など、特に理由がなければ使用を避けるべきです。

❷WPA2(Wi-Fi Protected Access2)

WPA2<☞>は、IEEE802.11iの規格に正式対応し、暗号化方式にはより安全性の高いCCMP(Counter mode with CBC-MAC Protocol)を、暗号化アルゴリズムにはより強度の高いAES暗号方式を標準としています。無線LAN機器などの設定で「WPA2-PSK(AES)」としているのは、CCMPとAESによるパーソナルモードであることを示しています。ここで、PSK(Pre-Shared Key:事前共有鍵)は、認証サーバを使わずに、利用者がパスフレーズを入力したものを暗号鍵として使用する方式です。

ココも出る!

EAP／EAP-TLS

EAP(Extensible Authentication Protocol:拡張認証プロトコル)は、インターネットを介して社内LANなどにアクセスする際に設置するRADIUS(認証)サーバとクライアント間において、さまざまな認証方式が使えるように拡張するプロトコル。認証方式としては、EAP-TLS(EAP-Transport Layer Secuirty:認証方法にデジタル証明書を利用する)、EAP-TTLS(サーバのみデジタル証明書を利用し、クライアント側ではパスワードで認証)がある。

WPA2／WPA3

WPA2/3(Wi-Fi Protected Access2/3)は、業界団体Wi-Fiアライアンスによる無線LANの暗号化方式の規格。暗号化鍵の鍵長を増やし、利用者認証とセキュリティ強化を図ったのがWPA2。さらにWPA2の脆弱性への対応を図ったWPA3では、「SAE(同一入力データの同時認証)」による認証の強化と、機密性の強化が行われた。なお、WPA3には個人向けの「WPA3-Personal」と、より防御強度を高めた企業向け「WPA3-Enterprise」がある。

認証・認可技術

認証・認可技術は、なりすましによる不正アクセスやサービスの不正使用を防ぐために用いられます。次のような認証プロトコルにより対策を行います。

❶ベイジアンフィルタリング

主にスパムメール(迷惑メール)対策として使われる技術で、受信メールからスパムメールを自動で振り分けます。アルゴリズムにベイズの定理を応用しており、正誤判定が増えるほど精度が高まっていきます。

❶SPF(Sender Policy Framework)

SMTPを利用したメール送受信で、送信者のドメイン偽装を防ぎ、正当性を検証するための仕組みです。電子メールを受信したメールサーバが、送信元メールアドレスのドメインのDNSサーバからメールサーバのIPアドレスを取得し、SMTP接続元のIPアドレスと比較することで、正規サーバからのメールであることを検証します。

❷DKIM(DomainKeys Identified Mail)

受信した電子メールが「正当な送信者から送信された改ざんされていないメール」かどうかを検証できる送信ドメイン認証技術です。メール送信時に秘密鍵で生成した署名をメールのヘッダーに添付し、メール受信時に署名ドメインのDNSサーバの公開鍵で署名を検証します。

❸SMTP-AUTH(SMTP Authentication)

SMTP-AUTHは、メール送信に使うプロトコルSMTPに、利用者認証機能を追加したものです。RFC 2554としてIETFにより文書化されています(現RFC 4954)。

❹OAuth(オーオース)

OAuthは、複数のWebサービスを連係して動作させるための仕組みです。あらかじめ信頼関係を構築したサービス間で、利用者の同意の基に利用者権限を受け渡すことで、異なるWebサービス間でIDやパスワードを再入力することなく、アプリケーション間の連動が可能になります。OAuth2.0についてはRFC 6749として文書化されています。

ココも出る!

OP25B

OP25B(Outbound Port 25 Blocking)とは、ネットワークの境界にあるルータなどの機器で、宛先ポート番号25への送信を禁止すること。これによりスパムメールの防止や迷惑メールの削減の対策を行える。ここでポート番号25は、SMTP(メール送信用プロトコル)が利用するポートだが、利用者認証機能を持たないため、不正利用されやすい。25ポートを制限した場合は、SMTP-AUTHと587ポートを利用して利用者認証を行ったり、通信の暗号化を行うSMTPsと465ポートの利用にSMTP-AUTHを加えたりする方法などで回避する。

こちらも参照

RADIUS

☞p.316「RADIUSサーバ」

ネットワークセキュリティ

頻出

社内LANを外部ネットワークからの攻撃や不正侵入から守るための仕組みをファイアウォール(firewall：防火壁)と呼びます。ファイアウォールは、図表19-2のように、複数の方法を使い分けながら実現していきます。

●パケットフィルタリング

通信データ(パケット)に含まれる情報を手がかりに、不正なパケットを通過させないようにする方法です。外部からLANへ入ってくるデータを遮断するだけでなく、LANから出ていくデータもフィルタリングします。

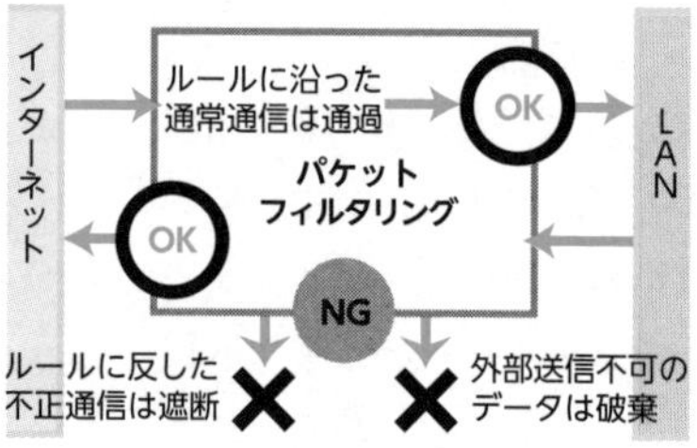

図表19-1　パケットフィルタリング

遮断する手がかりとなるのがIPヘッダー情報<☞次ページ 図表19-3>で、これにより、送信元IPアドレスと宛先IPアドレスを特定し、ポート番号(使用するプロトコルでデータを引き渡す先のアプリケーションをほぼ特定できる)ごとに通信の許可／拒否を判断します。

これらを基に、ルータ内のフィルタリングテーブルに、

こちらも参照

MACアドレスフィルタリング

☞p.241

NAT
IPマスカレード

☞p.257「プライベートIPアドレス」

DMZ

☞p.307「DMZ」

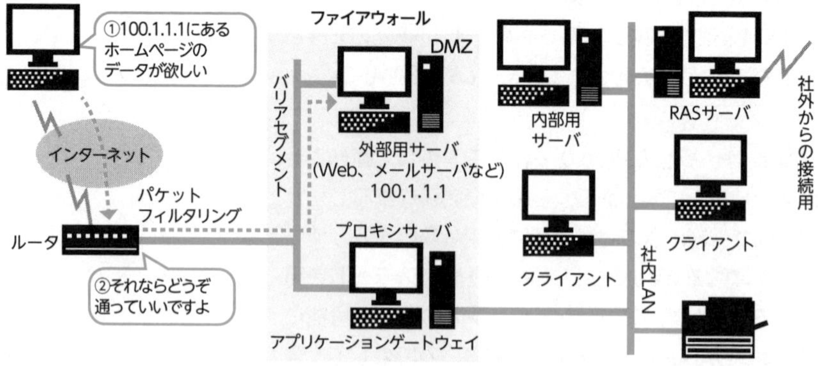

図表19-2　ファイアウォールの仕組み

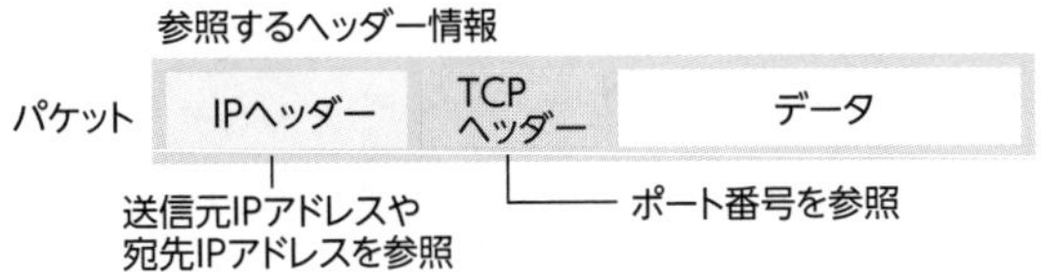

図表 19-3　IP ヘッダー情報

あらかじめ「送信元・宛先のIPアドレス・ポート番号、通過の許可・拒否」といった通信ルールを設定して、それに基づいてパケットの通過または廃棄を行います。

以下の例は、社内LAN内部から送信されたパケットのうち、宛先ポート番号が80(HTTP)で、IPアドレスが100.1.1.1の、Webサーバ宛のパケットの通過を許可する設定です。

フィルタリングテーブルの設定例 (0は制限しないことを表す)

	IP層		動作
	送信元IPアドレス	宛先IPアドレス	
行き	0	100.1.1.1	許可
帰り	100.1.1.1	0	許可

	TCP層		動作
	送信元ポート番号	宛先ポート番号	
行き	0	80	許可
帰り	80	0	許可

図表 19-4　フィルタリングテーブルの概念

●アプリケーションゲートウェイ

社内LANとインターネットの間にプロキシ(Proxy：代理)サーバを設置し、インターネットとのやり取りをすべてプロキシサーバを通じて行う方法です<☞図表 19-2>。プロキシサーバには、HTTPやFTPといった応用層のプロトコルごとにゲートウェイプログラムを用意し、LANの内部から接続要求があると、クライアントに代わってプロキシサーバ自身のIPアドレスを使ってインターネット上のサーバへアクセスを行います。反対にサーバから送信されたデータは、いったんプロキシサーバが受け取り、要求元のクライアントに結果を戻します。

LANの内側ではプライベートIPアドレス、外へはプロキシサーバ用のグローバルIPアドレスを使ってアクセスするため、外部からはプロキシサーバしか見えません。

ココも出る！

ポート番号

TCP/IPで使用されるポート番号(Well-knownポート；ウェルノウンポート)には、下記のようなものがある。例えば、インターネットからログインしてルータ設定を変更できる機能などは、第三者に悪用される可能性がある。この場合は、外部からのログインに使われる受信側のHTTPとTELNETの通信は遮断しておく。

ポート番号	プロトコルとその働き
20, 21	FTP (ファイル転送)
23	TELNET (仮想端末)
25	SMTP (メール送信)
80	HTTP (WWWの閲覧)
110	POP3 (メール受信)
119	NNTP (ネットトニュース)

❶コンテンツフィルタリング

アプリケーションゲートウェイでは、すべてのパケットについてデータの中身まで検査できるため、特定の用語があるWebサイトへのアクセスを禁止したり、特定用語を含む電子メールは通過させないといった制御が可能です。例えば「社外秘のデータをメールに添付している」など、内部から発する通信のチェックも含みます。ただし、判断基準が複雑になるので管理者がうまくルールを作る必要があります。また、社内LANに出入りする膨大な量のデータを確認するため、システムに大きな負荷がかかるというデメリットもあります。

❷Webアクセスの高速化

Webサーバへアクセスした際は、インターネットからのデータをプロキシサーバのキャッシュに保存します。これを次回以降のLAN側からのアクセスに利用することで、Webへのアクセスが高速化できます。

リモートアクセス

インターネット経由で社内LANにアクセスするリモートアクセスでは、ファイアウォールによって阻まれるため、RAS(Remote Access Servier;リモートアクセスサーバ)を設置します。社外から社内のネットワークへ接続するときは、いったんRASに接続し、RASは正規の利用者かどうかの認証を行ったうえで、社内LANに接続します。ただし、せっかくファイアウォールがあるのにRASを設置したことでLAN内部へ侵入されないよう、利用者IDとパスワードだけでなく、ワンタイムパスワード<☞ p.294>などの認証技術も利用します。また、RASは、VPN<☞ p.317>と併用するのが一般的です。

●RADIUSサーバ

RADIUS(Remote Authentication Dial In User Service)とは、利用者の認証などを行うプロトコルです。

リモートアクセスの際、RADIUSサーバを認証サーバとしてRASサーバと別に設けることで、より安全性を高

ココも出る!

リバースプロキシ

リバースプロキシとは、特定のサーバ(複数可)の代理として、外部からサーバへのリクエストを中継するプロキシサーバのこと。通常のプロキシサーバと方向が逆になることからリバースプロキシと呼ばれる。外部の利用者がサーバへアクセスしようとした場合、そのリクエストはすべて担当するリバースプロキシか仲介し、サーバはリバースプロキシへのみ結果を送信する。これにより、攻撃からのリスクを軽減できる。

ハニーポット

不正アクセスの手口やクラッカーの侵入経路を探るため、意図的に脆弱性を残し、おとりとして設置するサーバやネットワークシステムのこと。

めることができます。そのほか、利用者の利用状況の把握やアクセス権の管理などに利用します。

仮想の専用回線 —VPN

VPN(Virtual Private Network)は、安価な公衆網を、暗号化技術などを用い、仮想的な専用線(仮想私設網)として利用するセキュリティ技術です。電気通信事業者が持つIP網を利用したIP-VPNや、インターネットを利用したインターネットVPNなどが、コストの高い専用線に代わる新しいインフラとして、企業を中心に普及しています。データをパケットで包んでカプセル化するので、社内LAN用にプライベートIPアドレスを用いたパケットでも通信可能です(レイヤー2 VPNであればIP以外のプロトコルでも通信可能)。通信相手との間に第三者がアクセスできない仮想トンネルを作ることから、トンネリングと呼ばれます。

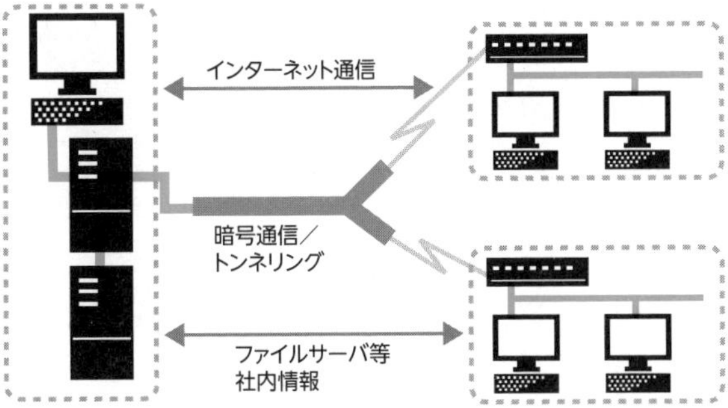

図表 19-5　VPN

データベースセキュリティ

ネットワークシステムにおいて、サーバと連動しているデータベースには、取引データや個人データなどの機密情報が数多く記録されています。そこで、セキュリティ機能を取り入れて、不正アクセスや破壊などの脅威に備えることが重要になります。

❶データベースの暗号化

格納されている重要なデータや個人情報については、不

出題分析

マルウェアの動作

PCへの侵入に成功したマルウェアがインターネット上の指令サーバと通信を行う場合に、宛先ポートとしてTCPポート番号80が多く使用される理由はどれか。

ア　DNSのゾーン転送に使用されることから、通信がファイアウォールで許可されている可能性が高い。

イ　Webサイトの HTTPS通信での閲覧に使用されることから、侵入検知システムで検知される可能性が低い。

ウ　Webサイトの閲覧に使用されることから、通信がファイアウォールで許可されている可能性が高い。

エ　ドメイン名の名前解決に使用されることから、侵入検知システムで検知される可能性が低い。

ポート番号は、クライアント側が特定のサービスを通信相手として指定するために用いられるもので、よく使われるサービスには固定されたポート番号が割り当てられている。問題文中の「80番」は、Webサーバの閲覧などのサービス(HTTP)を指定する番号で、通常は通信が許されていることからファイアウォールをすり抜けやすい。

解答 ウ

正利用に備えてデータベースの暗号化対策<☞ p.226>を行います。ただし、全データに対して暗号化処理を行うのは、スループットの悪化やサーバ負荷の増大につながる場合があるので、データを絞ったり、特定部分だけに限定して暗号化する処置を考えます。また、データベースからの通信内容の盗難や改ざんにも配慮します。

❷データベースのアクセス制御

データベースへのアクセス認証は、不正アクセスに備えて不必要な権限を与えないように管理<☞ p.295「アクセス権の設定方法」>します。役職や部門単位、プロジェクト単位などでアクセス権を付与し、異動や退社時には速やかにアクセス権を削除します。

❸障害時の復旧対策

データベースシステムの障害やデバイスの故障などが起こると、業務に大きな影響を与えます。データの安全性と速やかな復旧にはデータベースのバックアップが重要です<☞ p.227「障害からの回復のための方策」>。また、分散処理やシステムの多重化構成を行う場合は、それぞれのシステムに付随するデータベースの整合性も考慮する必要があります。

❹ログの取得

障害の復旧や原因の究明、内外部からの不正アクセスの痕跡を調べるためにはデータベースへのアクセスログの取得が効果的です。また、ログは常に管理・分析を行うことで異常の早期発見につながります。

アプリケーションセキュリティ　頻出

●Webシステムのセキュリティ対策

インターネット上で運営されるWebアプリケーションやWebサービスは、業務用ソフトだけでなく、ネットショップやe-ラーニング、さらにフリーメールに代表されるWebメールなど、日ごろ意識せずに利用しています。これらのWebアプリケーションに対する攻撃(サーバの破壊や乗っ取り、データの盗難や改ざんなど)も増加して

出題分析

SQLインジェクション対策

クライアントとWebサーバの間において、クライアントがWebサーバに送信されたデータを検査して、SQLインジェクションなどの攻撃を遮断するためのものはどれか。

ア　SSL-VPN機能
イ　WAF
ウ　クラスタ構成
エ　ロードバランシング機能

WAF(Web Application Firewall)は、Webアプリケーションへの攻撃から守るためのファイアウォール。設定した検出パターンに基づいて、パケット内容の確認を行う。

解答 イ

おり、セキュリティ対策は必須といえます。

❶セッションハイジャック（セッションの乗っ取り）対策

　セッションとは、ショッピングサイトなどで利用者とWebサイト間で行われる一連のやり取りのことです。「終了時にログアウトを行わない」、「セッションIDを盗み出される」などによりセッションの乗っ取りが行われます。

〔対策方法〕

　Webサーバにおいて、ログアウト時にセッションIDを無効にして再利用させない、一定時間経過するとセッションを終了させる、といった処理を組み込みます。

❷DNSキャッシュポイズニング対策

　DNSサーバは、内部ネットワークからの問合せに応じて、ドメイン名からIPアドレスを求める名前解決を行います。このときドメインに対するIPアドレスはサーバ内にキャッシュされます。攻撃者は外部ネットワークから問合せを行い、自ら偽のIPアドレスを返答（DNS応答）してキャッシュに記憶させます。結果として、ドメイン名を指定すると偽のサイトに誘導されます。

〔対策方法〕

　外部からのDNSサーバへの問合せを防ぐこと。試験の出題例では、「再帰的な問合せは、内部ネットワークからのみ許可する」としています。再帰的な問合せとは、問合せを受けたDNSサーバが解決できるまで他のDNSサーバに問合せを行い、最終結果を返すことです。

❸SQLインジェクション対策

　Webアプリケーションに設けられた文字入力欄に、不正なSQL文を組み立てる文字を入力して実行させることで、サーバから情報を盗み出したり、データを改ざんしたりといった攻撃を行います。

〔対策方法〕

　入力された文字によって不正なSQLの組立てが行われないように、**プレースホルダ**（後から入力される部分に仮に入れておく文字）を指定しておくようにします。このほか**WAF**<☞ p.309>を導入することで攻撃を察知してアク

ココも出る！

ソースコード静的検査

　主にソースコードそのものを実行せずに検査する方法。検査は目視のほか自動解析ツールなどで行う。これにより、脆弱性に関わるコーディングパターンを早期に見つけ出すことができる。

プログラムの動的検査

　プログラムを実行した結果を解析して行う方法を動的検査という。既知の脆弱性の発見には、代表的な攻撃手法を送信し、特徴的な応答を観察する**脆弱性診断**がある。

ファジング

　ファジング（fuzzing）とは、通常の入力ではありえないデータや問題を引き起こしそうなデータを入力することで、バグや脆弱性を見つけ出すテスト手法。入力データは手作業で行うほか、自動的にデータを作り出したり、データの組合せをテストできるファジングツールを利用する。

セスを遮断します。

〔類似する対策方法〕

・クロスサイトスクリプティング対策

HTML タグが含まれていたら削除。

・ディレクトリトラバーサル攻撃対策

ディレクトリ指定文字（../）が含まれていたら削除。

❸パスワードクラック対策

パスワードクラック<☞ p.283>は、解析によりパスワードを探り当てる行為のこと。総当たりで探ったり、入力しやすいパスフレーズを試すなどを行います。対策としては、誤入力の回数でロックをかける方法が一般的です。

❹バッファオーバーフロー対策

バッファオーバーフロー攻撃<☞ p.285>は、文字入力欄からメモリ上のバッファ領域を侵害させるリクエストを送ってバッファを故意にオーバーフローさせます。対策としては、セキュアプログラミングによる入力データ検査、ソースコード静的検査などが有効になります。

●セキュアプログラミング

セキュアプログラミングの基本は、脆弱性を作らないことと、予防としての準備をしておくことです。具体的には、外部入力のデータはすべて検査する、外部出力するデータは問題を起こさないように加工する、シンプルな設計にする、許可ではなく拒否ベースでアクセスを決める、多層防御を行い被害を限定する、などです。

●脆弱性低減技術

開発するアプリケーションは、さまざまな検査を行うことにより、機能テストでは発見の難しいバグや脆弱性を発見することができます。方法には、**ソースコード静的検査**、**プログラムの動的検査**、**ファジング**などがあります<☞ p.319>。

ココも出る！

レインボー攻撃対策

ハッシュ値からパスワードを類推するレインボー攻撃に対しては、ハッシュ変換の際に意味のないランダムなデータ（**ソルト**という）を付与することで、別のハッシュ値を作り出す方法がある。

シラバス　●大分類3：技術要素　●中分類11：セキュリティ
●小分類1：情報セキュリティ

出題：令和５年７月修了認定試験ほか

問1 シャドーITに該当するもの

CHECK

シャドーITに該当するものはどれか。

ア　IT製品やITを活用して地球環境への負荷を低減する取組

イ　IT部門の許可を得ずに、従業員または部門が業務に利用しているデバイスやクラウドサービス

ウ　攻撃対象者のディスプレイやキータイプを物陰から盗み見て、情報を盗み出す行為

エ　ネットワーク上のコンピュータに侵入する準備として、侵入対象の弱点を探るために組織や所属する従業員などの情報を収集すること

シラバス　●大分類3：技術要素　●中分類11：セキュリティ
●小分類1：情報セキュリティ

出題：令和４年７月修了認定試験ほか

問2 DNSキャッシュポイズニング攻撃の影響

CHECK

企業のDMZ上で１台のDNSサーバを、インターネット公開用と、社内のPCおよびサーバからの名前解決の問い合わせに対応する社内用とで共用している。このDNSサーバが、DNSキャッシュポイズニング攻撃による被害を受けた結果、直接引き起こされ得る現象はどれか。

ア　DNSサーバのハードディスク上のファイルに定義されているDNSサーバ名が書き換わり、インターネットからの参照者が、DNSサーバに接続できなくなる。

イ　DNSサーバのメモリ上にワームが常駐し、DNS参照元に対して不正プログラムを送り込む。

ウ　社内の利用者間の電子メールについて、宛先アドレスが書き換えられ、送信ができなくなる。

エ　社内の利用者が、インターネット上の特定のWebサーバにアクセスしようとすると、本来とは異なるWebサーバに誘導される。

シラバス ●大分類3：技術要素 ●中分類11：セキュリティ
●小分類1：情報セキュリティ

出題：令和４年７月修了認定試験ほか

問3 ブルートフォース攻撃の試行回数

CHECK

AES-256で暗号化されていることがわかっている暗号文が与えられているとき、ブルートフォース攻撃で鍵と解読した平文を得るまでに必要な試行回数の最大値はどれか。

ア　256　　イ　2^{128}　　ウ　2^{255}　　エ　2^{256}

シラバス ●大分類3：技術要素 ●中分類11：セキュリティ
●小分類1：情報セキュリティ

出題：令和４年１月修了認定試験ほか

問4 公開鍵暗号方式

CHECK

公開鍵暗号方式を用いて、図のようにAさんからBさんへ、他人に秘密にしておきたい文章を送るとき、暗号化に用いる鍵Kとして、適切なものはどれか。

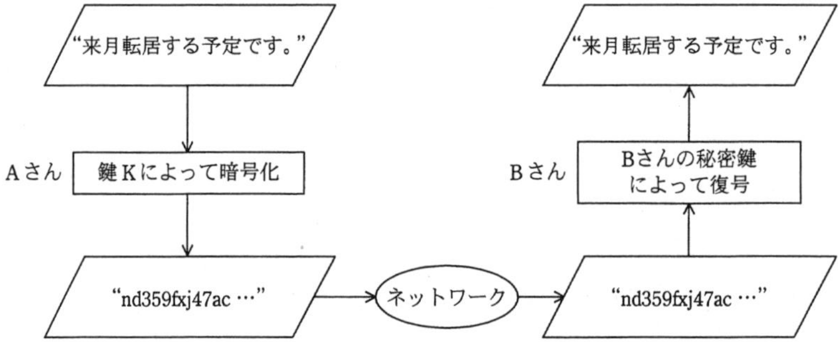

ア　Aさんの公開鍵　　イ　Aさんの秘密鍵
ウ　Bさんの公開鍵　　エ　共通鍵

シラバス ●大分類3：技術要素 ●中分類11：セキュリティ
●小分類1：情報セキュリティ

出題：令和2年12月修了認定試験ほか

問5 デジタル署名の使い方と目的

CHECK □□□

メッセージの送受信に関するデジタル署名における署名鍵の使い方と、デジタル署名を行う目的のうち、適切なものはどれか。

ア　受信者が署名鍵を使って、暗号文を元のメッセージに戻すことができるようにする。

イ　送信者が固定文字列を付加したメッセージを署名鍵を使って暗号化することによって、受信者がメッセージの改ざん部位を特定できるようにする。

ウ　送信者が署名鍵を使って署名を作成し、その署名をメッセージに付加することによって、受信者が送信者による署名であることを確認できるようにする。

エ　送信者が署名鍵を使ってメッセージを暗号化することによって、メッセージの内容を関係者以外にわからないようにする。

シラバス ●大分類3：技術要素 ●中分類11：セキュリティ
●小分類1：情報セキュリティ

出題：令和5年1月修了認定試験ほか

問6 2要素認証に該当する仕組み

CHECK □□□

2要素認証に該当する仕組みはどれか。

ア　クライアント証明書、ハードウェアトークン

イ　静脈認証、指紋認証

ウ　パスワード認証、静脈認証

エ　パスワード認証、秘密の質問の答え

シラバス ●大分類3：技術要素 ●中分類11：セキュリティ
●小分類2：情報セキュリティ管理

出題：令和3年12月修了認定試験ほか

問7 “完全性”を脅かす攻撃

CHECK □□□

情報の“完全性”を脅かす攻撃はどれか。

ア　Webページの改ざん

イ　システム内に保管されているデータの不正コピー

ウ　システムを過負荷状態にするDoS攻撃

エ　通信内容の盗聴

シラバス　●大分類3：技術要素　●中分類11：セキュリティ
●小分類2：情報セキュリティ管理

出題：令和5年6月修了認定試験ほか

問8 リスク回避に該当するもの

CHECK

リスク対応のうち、リスクの回避に該当するものはどれか。

ア　リスクが顕在化する可能性を低減するために、情報システムのハードウェア構成を冗長化する。
イ　リスクの顕在化に伴う被害からの復旧に掛かる費用を算定し、保険を掛ける。
ウ　リスクレベルが大きいと評価した情報システムを用いるサービスの提供をやめる。
エ　リスクレベルが小さいので特別な対応をとらないという意思決定をする。

シラバス　●大分類3：技術要素　●中分類11：セキュリティ
●小分類4：情報セキュリティ対策

出題：令和5年12月修了認定試験ほか

問9 DMZに設置するもの

CHECK

1台のファイアウォールによって、外部セグメント、DMZ、内部セグメントの3つのセグメントに分割されたネットワークがあり、このネットワークにおいて、Webサーバと、重要なデータをもつデータベースサーバから成るシステムを使って、利用者向けのWebサービスをインターネットに公開する。インターネットからの不正アクセスから重要なデータを保護するためのサーバの設置方法のうち、最も適切なものはどれか。ここで、Webサーバでは、データベースサーバのフロントエンド処理を行い、ファイアウォールでは、外部セグメントとDMZとの間、およびDMZと内部セグメントとの間の通信は特定のプロトコルだけを許可し、外部セグメントと内部セグメントとの間の直接の通信は許可しないものとする。

ア　WebサーバとデータベースサーバをDMZに設置する。
イ　Webサーバとデータベースサーバを内部セグメントに設置する。
ウ　WebサーバをDMZに、データベースサーバを内部セグメントに設置する。
エ　Webサーバを外部セグメントに、データベースサーバをDMZに設置する。

シラバス ●大分類3：技術要素 ●中分類11：セキュリティ
●小分類3：セキュリティ技術評価

出題：令和4年6月修了認定試験ほか

問10 ICカードの耐タンパ性

CHECK

ICカードの耐タンパ性を高める対策はどれか。

ア　ICカードとICカードリーダとが非接触の状態で利用者を認証して、利用者の利便性を高めるようにする。

イ　故障に備えてあらかじめ作成した予備のICカードを保管し、故障時に直ちに予備カードに交換して利用者がICカードを使い続けられるようにする。

ウ　信号の読み出し用プローブの取付けを検出するとICチップ内の保存情報を消去する回路を設けて、ICチップ内の情報を容易に解析できないようにする。

エ　利用者認証にICカードを利用している業務システムにおいて、退職者のICカードは業務システム側で利用を停止して、他の利用者が使用できないようにする。

シラバス ●大分類3：技術要素 ●中分類11：セキュリティ
●小分類5：セキュリティ実装技術

出題：令和4年6月修了認定試験ほか

問11 第三者中継と判断できるログ

CHECK

自社の中継用メールサーバで、接続元IPアドレス、電子メールの送信者のメールアドレスのドメイン名、および電子メールの受信者のメールアドレスのドメイン名から成るログを取得するとき、外部ネットワークからの第三者中継と判断できるログはどれか。ここで、AAA.168.1.5とAAA.168.1.10は自社のグローバルIPアドレスとし、BBB.45.67.89とBBB.45.67.90は社外のグローバルIPアドレスとする。a.b.cは自社のドメイン名とし、a.b.dとa.b.eは他社のドメイン名とする。また、IPアドレスとドメイン名は詐称されていないものとする。

	接続元IPアドレス	電子メールの送信者のメールアドレスのドメイン名	電子メールの受信者のメールアドレスのドメイン名
ア	AAA.168.1.5	a.b.c	a.b.d
イ	AAA.168.1.10	a.b.c	a.b.c
ウ	BBB.45.67.89	a.b.d	a.b.e
エ	BBB.45.67.90	a.b.d	a.b.c

シラバス　●大分類3：技術要素　●中分類11：セキュリティ
●小分類5：セキュリティ実装技術

出題：令和4年7月修了認定試験ほか

問12 WPA3

CHECK

WPA3はどれか。

ア　HTTP通信の暗号化規格
イ　TCP/IP通信の暗号化規格
ウ　Webサーバで使用するデジタル証明書の規格
エ　無線LANのセキュリティ規格

シラバス　●大分類3：技術要素　●中分類11：セキュリティ
●小分類5：セキュリティ実装技術

問13 攻撃者がポートスキャンを行う目的

CHECK

攻撃者がシステムに侵入するときにポートスキャンを行う目的はどれか。

ア　後処理の段階において、システムログに攻撃の痕跡が残っていないかどうかを調査する。
イ　権限取得の段階において、権限を奪取できそうなアカウントがあるかどうかを調査する。
ウ　事前調査の段階において、攻撃できそうなサービスがあるかどうかを調査する。
エ　不正実行の段階において、攻撃者にとって有益な利用者情報があるかどうかを調査する。

シラバス　●大分類3：技術要素　●中分類11：セキュリティ
●小分類5：セキュリティ実装技術

出題：令和3年6月修了認定試験ほか

問14 意図的に脆弱性を持たせたシステム

CHECK

侵入者やマルウェアの挙動を調査するために、意図的に脆《ぜい》弱性をもたせたシステムまたはネットワークはどれか。

ア　DMZ　　イ　SIEM
ウ　ハニーポット　　エ　ボットネット

問1　私物のパソコンやスマートフォン、私的なクラウドサービスなどを、業務に使用したり社内ネットワークに接続することをBYOD（Bring Your Own Device）と呼ぶ。特に、会社が管理していないものを使用したり、禁止されているにもかかわらず無許可でBYODを行うことをシャドーITという。いずれもウイルスに感染したり、データが持ち出されることによる情報漏洩のリスクがある。

解答　イ

問2　DNSキャッシュポイズニングは、DNSサーバのキャッシュに偽のドメイン情報を仕込んでおくことで、利用者にキャッシュからの情報を返すようにする行為。キャッシュの仕組み（同一のアクセスは、保管しておいたキャッシュの内容を返す）を逆手にとった不正といえる。これにより利用者を不正なWebサイトに誘い込むといった行為が行われる。選択肢ではエの現象が該当する。

解答　エ

問3　ブルートフォース攻撃では、利用者IDに対応するパスワードを手当たり次第に入力して割り出す。AES-256は、鍵の長さが256ビットの共通鍵暗号方式であることから、2^{256}通りの鍵が存在する。これをすべて試行すれば解読できることになる。

解答　エ

問4　受信者（B）は、公開鍵暗号方式で使う2つの鍵のうちの1つを公開し、送信者（A）は公開された「Bさんの公開鍵」でデータを暗号化して受信者（B）に送信する。公開された鍵で暗号化したデータは、受信者（B）が持つ鍵（秘密鍵）でだけ復号できる。

解答　ウ

問5　デジタル署名を利用することで、次の2つを確認することができる。

- 送信者の確認：送信者は署名鍵を秘密にし、検証鍵を公開する。受信者が検証鍵で復号できれば、署名鍵をもつ本人が暗号化したことがわかる。
- 改ざんの有無：署名鍵を持っていない第三者は検証鍵で復号できる暗号を作れない。したがって、送信の途中で改ざんがなかったことが証明される。

解答　ウ

問6　2要素認証（多要素認証）は、2つの認証方法を組み合わせることで、より強固なセキュリティを確立する方法である。このとき、認証の性質（知識による認証、生体による認証、所有物による認証）のうち、異なるものを組み合わせることでより確実性が高くなる。

ア：共に所有物、イ：共に生体、ウ：知識と生体による認証を組み合わせている（正解）、エ：共に知識。

解答　ウ

問7　完全性とは、情報資産の正確さや完全さを保つこと。完全性を脅かす攻撃としては、Webページの改ざんが該当する。

イ、エ：機密性を脅かす攻撃。ウ：可用性を脅かす攻撃。

解答　ア

問8　リスク回避は、リスクが発生する可能性のある業務を止めて、リスクを完全に避ける方法。リスクコントロールやリスクファイナンシングの手段としては、最も安全性は高くなるが、例えば情報システムの利用について考えたときには、利便性の低下などにつながることになる。

ア：リスク軽減について述べたもの、イ：リスク移転について述べたもの、エ：リスク保有（受容）について述べたもの。

解答　ウ

問9　この問題では3つのセグメントがあり、DMZは内部セグメントと外部セグメントの間に位置づけられている。また、外部セグメントと内部セグメントはDMZを介してのみ通信が可能になっている。そこで、インターネットに公開するデータを含むWebサーバをDMZに置き、重要なデータをもつデータベースサーバを内部セグメントに置くことで、セキュリティを確保できる。

解答　ウ

問10　耐タンパ性は、システムの内部構造や記憶しているデータにおける解析困難度を表す指標。例えば、ICカードに記憶されているデータなら、盗み出そうとする行為に対する耐性の度合いになる。耐タンパ性を高める方策としては、機密データの漏洩やハードウェアの解析などを防ぐための手段が講じられているかであり、選択肢の中ではウが該当する。なお、文中の「信号の読み出し用プローブ」は、電気信号を測定するためのセンサーや機器のこと。ICカードから発せられるデジタル信号を測定し、内容を解析するために取り付けられる。

解答　ウ

問11　第三者中継とは、メールサーバの転送機能（SMTPサーバの機能）を利用して、全く関係のない組織のメールサーバを踏み台にすること。出所を隠しつつサーバに負荷をかけずにスパムメールなどを大量発信する、ウイルスメールを発信するといった攻撃に使われる。選択肢を順に見ていこう。ア：接続元IPアドレスと送信者のドメイン名が社内、受信者のドメイン名が社外であることから、社内から社外へのメール送信である。イ：送信、受信とも社内のドメイン名ということから、社内間のメールである。ウ：接続元IPアドレスが社外であり、送信、受信ともに社外のドメイン名であることから、第三者中継のログと判断できる。エ：接続元IPアドレスと送信が社外で、受信が社内のドメイン名であることから通常のメール受信である。

解答　ウ

問12　WPA3は、業界団体Wi-Fi アライアンスによる無線LANの暗号化方式の規格の1つ。個人向けの「WPA3-Personal」と、より防御強度を高めた企業向け「WPA3-Enterprise」がある。ア：HTTP通信の暗号化は「HTTPS」。イ：TCP/IP通信の暗号化は「IPsec」。ウ：WebサーバのTLSやS/MIMEで使用するデジタル証明書の規格は「ITU-T X.509」が該当する。

解答　エ

問13　ポートスキャナによるポートスキャンは、対象としたコンピュータやルータにアクセスを行い、応答を確認することで各ポートの開閉状態を調べること。ポートスキャナとは、管理用のソフトウェアツールで、本来の目的は、管理者が不要なサービスが稼働していないことを確認するために用いられる。不正を目的とした場合は、攻撃できそうな脆弱性のあるサービスが稼働していないかを事前調査するために使われる。

解答　ウ

問14　ハニーポットは、侵入者やマルウェアの挙動調査を目的として設けたシステムやネットワーク。おとりとして機能するように、弱点（脆弱性）を残しておき、つられてやってきた侵入者の攻撃や行動パターンを見たり、身元を特定したりといったことを行う。これにより今後のセキュリティ対策に繋げる。また、稼働中のシステムから目をそらすためのおとりとして用いることもある。

解答　ウ

第 4 章

開発技術

テクノロジ系 開発技術

第4章 この章の構成と攻略法

この章の内容と学習ポイント

本章はシステム開発に関する2つの中分類に分かれています。「システム開発技術」がシステム開発の手順および開発からテスト・運用・保守に至る流れ、「ソフトウェア開発管理技術」では開発手法や開発を取り巻く知的財産権、開発環境、ソフトウェアの構成・変更管理について取り上げています。攻略法としては、開発の流れを確認しながら進めていくとスムーズです。また近年は、開発手法としてアジャイルがよく取り上げられています。1つのフレームワークとも言えますが、どのような役割のメンバーが、どのようなステップを踏んで開発を進めていくかが詳細に問われます。手順ごとの内容を把握しておきましょう。

中分類 12 システム開発技術

ここでは、JIS「ソフトウェアライフサイクルプロセス」のシステム開発手順に従って、順次進めていく作業を取り上げています。該当する工程で行う範囲に加え、前後の工程とのインタフェース部分があるので、各小分類が連続しているテーマであることを意識しておくとよいでしょう。なお、ここで対象とするシステムとは、1つ以上の目的を持った、ハードウェア、ソフトウェア、データ、人間およびプロセスや手順などを指した言葉です。またソフトウェアとは、コンピュータで動作する複数のソフトウェアユニットからなるプログラムと捉えておくと理解しやすいでしょう。

小分類 1 システム要件定義・ソフトウェア要件定義

1 システム要件定義のタスク
2 システム要件の定義
3 システム要件の評価およびレビュー
4 ソフトウェア要件定義のタスク
5 ソフトウェア要件の定義
6 ソフトウェア要件の評価およびレビュー
7 業務分析や要件定義に用いられる手法

攻略法と他章との関連

システム要件定義は、システム開発の範囲や機能についての要望をまとめていく作業です。ここでは、ソフトウェアだけでなく、システムを機能させるためのすべてを含みます。また、ソフトウェア要件定義は、システムを構成するソフトウェア部分について範囲や機能を決めていく作業です。両者の関係を踏まえたうえで、各種の図式手法(DFD、E-R図、UML、決定表など)の使い方を整理しておきましょう。

小分類 2　設計

1. システム設計のタスク
2. システム設計
3. システム総合テストの設計
4. アーキテクチャおよびシステム要素の評価およびレビュー
5. ソフトウェア設計のタスク
6. ソフトウェア設計
7. ソフトウェア要素の評価およびレビュー
8. ソフトウェア品質
9. ソフトウェア設計手法
10. ソフトウェア要素の設計
11. モジュールの設計
12. 部品化と再利用
13. アーキテクチャパターン
14. デザインパターン
15. レビュー

攻略法と他章との関連

設計は、求められる機能を実現するために必要なハードウェア、ソフトウェア、処理方式などを決めていく工程です。試験では、「この工程で行うべき作業」などが問われます。そのほか設計手法の出題が多く、構造化設計、オブジェクト指向設計、モジュール設計が出ています。それぞれ出題頻度や問われる深さが異なるので、過去問対策によって、出題パターンや判断のポイントとなる選択肢のキーワードを把握しておきましょう。

小分類 3　実装・構築

1. ソフトウェア構築のタスク
2. ソフトウェアユニットの作成
3. ソフトウェアコードおよびテスト結果の評価基準
4. コーディング基準
5. コーディング支援手法
6. コードレビュー
7. デバッグ
8. ソフトウェアユニットのテスト

攻略法と他章との関連

プログラム言語を使ってソフトウェア構築を行い、ユニットテストを実施する工程です。主な出題テーマはユニットテストの手法（ブラックボックス法／ホワイトボックス法）やテストケースの種類（命令網羅、条件網羅、限界値分析法、同値分析法）、デバッグツールの使い分けなどです。また、レビューの種類については、すべての工程に共通するテーマです。

小分類４　統合・テスト

1 ソフトウェア統合のタスク
2 ソフトウェア検証テストのタスク
3 ソフトウェア統合
4 ソフトウェア統合テスト
5 ソフトウェア検証テスト
6 ソフトウェア統合
およびソフトウェア検証テスト結果の評価
7 システム統合のタスク
8 システム検証テストのタスク
9 システム統合
10 システム統合テスト
11 システム検証テスト
12 システム統合
およびシステム検証テスト結果の評価

攻略法と他章との関連
統合はソフトウェアやシステムを完成させるための最終段階です。ここでは、仕様どおりの要件を満たし、動作するかを確認するテストが重要になります。また、テストは要件定義と設計工程に対応する形で、段階的に行われます。それぞれの対応関係を整理しておくとよいでしょう。出題テーマとしては、統合テストの手法(トップダウンテスト／ボトムアップテスト)、テストの種類(性能テスト、負荷テスト、回帰テストなど)がよく問われています。

07　システム統合テストと
ソフトウェア統合テスト　☞ p.359

小分類５　導入・受入れ支援

1 システムおよび／またはソフトウェアの導入のタスク
2 システムおよび／または
ソフトウェアの受入れ支援のタスク
3 妥当性確認テストのタスク
4 導入
5 受入れ支援
6 妥当性確認テスト

※「および／または」は、ISO原文における英文表現の「and／or」の直訳と考えられます。ここでは、「システムおよびソフトウェア、またはそのどちらか」と捉えればよいでしょう。

攻略法と他章との関連
導入は、完成した新システムのインストールや環境整備に加え、旧システムからの移行作業を含みます。また、受入れは利用者側の視点での言葉で、開発者側は受入れを支援する形で関わります。受入れに関する利用者側のテスト、システム利用のための教育訓練、利用者マニュアルの整備などがテーマになります。出題は多くないので、過去問を中心に対策をしておけばよいでしょう。また、導入以降の運用は、第6章のサービスマネジメントと関連しています。

小分類６　保守・廃棄

1 保守のタスク
2 廃棄のタスク
3 保守のタイプおよび形態
4 保守の手順
5 廃棄

攻略法と他章との関連
導入後のシステムは、運用体制に基づいて稼働し、保守が行われます。これらは、システムライフサイクルの中で、次世代のシステムに移行した時点で廃棄の工程に入ります。出題は、保守に関する方式の種類などですが、それほど多くは出題されません。

08　導入と受入れ支援
および保守・廃棄　☞ p.364

中分類 13 ソフトウェア開発管理技術

ソフトウェア開発管理技術は、開発プロセス内に限定した内容で、開発手法や再利用技術、知的財産の管理などが中心です。開発工程をプロジェクトとしてとらえたときの全体の管理は、第５章のプロジェクトマネジメントで取り上げています。

小分類 1 開発プロセス・手法

1 ソフトウェア開発手法
2 構造化手法
3 形式手法
4 開発プロセス

攻略法と他章との関連
ソフトウェア開発手法としては、ウォーターフォールモデルやスパイラルモデルなどの具体的な手法が問われます。また、アジャイル、XP、スクラムは念入りに。そのほか、リバースエンジニアリング、マッシュアップ、モバイルアプリケーションソフトウェア開発などが頻出テーマです。

09 ソフトウェアの開発手法 ☞ p.369

小分類 2 知的財産適用管理

1 著作権管理
2 特許管理
3 ライセンス管理
4 技術的保護

攻略法と他章との関連
ソフトウェアの知的財産適用管理は開発において重要なテーマです。特にソフトウェア開発における著作権については毎回出題されているほど。第9章の「企業が関わる法務(p.556)」とも密接に関連しています。そのほかライセンスの種類、コピーガードなども押さえておくとよいでしょう。

小分類 3 開発環境管理

1 開発環境構築
2 管理対象

小分類 4 構成管理・変更管理

1 構成管理
2 変更管理

攻略法と他章との関連
開発環境管理は、システム開発時に必要となるデータや、開発用ソフトウェアおよびツールに関わる内容です。また、構成管理・変更管理は、システム全体におけるソフトウェアの構成やその変更管理についてです。第6章と関連しているほか、フレームワークについては第7章「システム開発のお手本フレームワーク(p.463)」、第9章の「開発と取引の標準(p.567)」と関連しています。

10 システム開発に伴うさまざまな管理 ☞ p.375

01

開発技術

システム開発のプロセス

ユーザーニーズを実現するシステム開発

　開発プロセスは、企画プロセス<☞ p.463>や要件定義プロセス<☞ p.464>で明らかにした利用者が必要とする機能を、具体的なシステムへと展開し、現場へ実装するまでのプロセスになります。

　まずシステム要件定義、ソフトウェア要件定義でシステムの全体像を決定することから始め、工程が進むにつれ、より細部の機能や仕様を決めていきます（段階的詳細化）。導入および受入れ支援を行った後は、利用者側の運用<☞ p.428～437 サービスマネジメント>へ引き渡されます。

〔工程1〕**システム要件定義**
〔工程2〕**ソフトウェア要件定義**
（要件定義は、2段階で行う）

↓

〔工程3〕**設計**
（システム方式設計、ソフトウェア方式設計、ソフトウェア詳細設計）

↓

〔工程4〕**実装・構築**
（ソフトウェア構築）

↓

〔工程5〕**統合・テスト**
（ソフトウェア結合・ソフトウェア適格性確認テスト、システム結合・システム適格性確認テスト）

（工程3〜5：それぞれの工程において、実装作業を段階的に行う）

↓

〔工程6〕**導入・受入れ支援**
（導入、受入れ支援）

↓

〔工程7〕**保守・廃棄**<☞ p.366～368>

※括弧内は、従来の分類を示す

図表01-1　情報システムの要件定義から、保守・廃棄までの流れ

> さらに詳しく
>
> **開発プロセスの変更**
>
> 　IPAから発表されている「基本情報技術者シラバスVer.8.0」において、「システムの開発技術」は、JIS X 0160:2021を前提としている。ここでは、システム開発フェーズでの作業手順を左のように定めている（括弧内は、従来から使われている呼び方）。
>
> 　これは、利用者側と開発者側が同じ認識を持つための共通の枠組みである共通フレーム2013<☞ p.463>に準拠したもので、開発時の言葉の違いによる誤解やトラブルの発生を予防することができる。ただし、使い慣れた言葉を変えるのは容易ではなく、従来からの呼称も使われることがある。

〔工程1〕システム要件定義

最初の工程であるシステム要件定義では、システム戦略に基づき、システムを機能的な単位に切り分けることから始めます。ここでシステムとは、ハードウェア、ソフトウェアのほか、データや人間、プロセスや手順などを含んだものです。切分けは利用状況や運用シナリオに基づき、無駄なく開発作業が進むよう考慮します。また、API<☞ p.376 マッシュアップ>の利用や既存サービスの利用も視野に入れ、開発を効率的化することも必要です。機能的な境界を整理できたら、今回の開発で目標とすべきシステムとその対象範囲をまとめていきます。具体的には、利用者の業務手順、操作手順、入出力データを分析・整理し、利用者からの要求を踏まえながらシステムに入れるべき機能を明確にしていきます。工程の最後に、システムへの要件を要件定義書にまとめ、システムの利用者側と開発者側が共同でレビュー<☞ >を行い、結果を確認します。

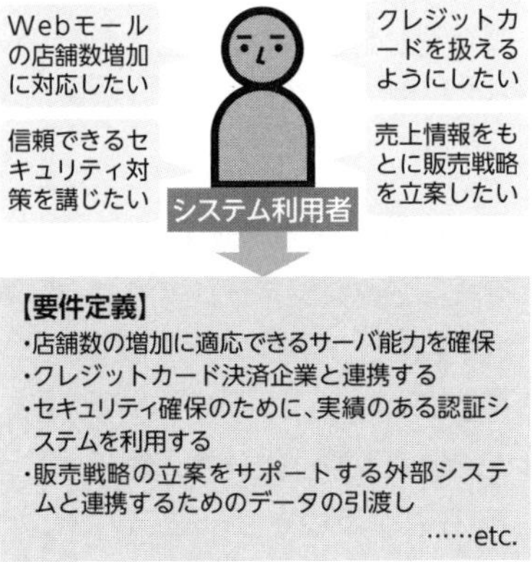

システム要件定義でまとめる内容は、①システム化の目標と対象範囲、②システムの機能と必要となる性能、③対象業務の処理手順、対象データ(データベース、セキュリティ)、利用者の操作イメージ(移行・テスト、運用、保守、障害対策、教育訓練等を含む)、④システムの構成や開発期間、品質、開発環境、などです。

〔工程2〕ソフトウェア要件定義

ソフトウェア要件定義では、構築するシステムのソフトウェア部分について要件を確立していきます。システ

ココも出る!

レビュー

レビュー(review)は、複数の関係者によって作成された仕様書やプログラムなどの成果物を検査し、問題点を洗い出す作業で、開発の各工程の最終段階で行う。

設計工程で仕様書を検査するレビューをデザインレビュー、プログラミング段階でプログラムを検査するレビューをコードレビューという。また、レビューには、次の2つの代表的な手法がある。

ウォークスルー：プログラム作成者などが互いに助言し合うことで、欠陥を見つけたり、改善を図る手法。エンジニアの能力評価が目的ではないので、管理者は含めずに行うのが一般的。

インスペクション：モデレータと呼ばれる責任者が検討会議の準備と進行を担当。会議形式で組織的に不具合の検出と修正を行う。モデレータ以外の参加者にも、インスペクター(検証役)などの役割が振り当てられている。ウォークスルーでの検討後に行われることが多い。

ムの完成時には利用者が直接関わる部分を決めていくため、開発者と利用者が協力し合い、対象となる業務を整理しながら作業を進めていきます。

具体的には、①業務の詳細な流れをシステムとして形にする、②データの流れをつかむ、③画面などのインタフェースや帳票、伝票などの形を設計、④セキュリティ対策を決める、⑤システム保守を決める、などを行います。

作業に当たっては、**ヒアリング**のほか、さまざまな手法<☞>を利用します。また、工程の最後には、ソフトウェア要件定義書を作成し、利用者側と開発者側が共同でレビューを実施します。

〔工程3〕設計

設計の工程では、システム要件定義、ソフトウェア要件定義を受けて、システムを具体化していきます。ここでは、次のように2段階で行っていきます。

❶システム設計

システム要件を、ハード、ソフト、サービスの利用、手作業に振り分けていき、それぞれに必要なシステム構成を決めていきます。また、機能要件と非機能要件<☞ p.473>も整理・分類しておきます。

実際に決定していく内容は、①信頼性や性能要件、効率性をふまえた**ハードウェア構成**(クラウドサービス「IaaS、PaaS、SaaS<☞ p.468>の利用も含む)の決定、②ソフトウェアの方針(自社開発かパッケージ利用か)やミドルウェアの選択といった**ソフトウェア構成**の決定、③集中処理、分散処理、クライアントサーバシステムなど、**システムの処理方式**の決定、④**データベース方式**の決定を順に行っていきます。

そのほか、システムとして稼働させる際の最終テストであるシステム統合テストのテスト内容(範囲、計画、手順)を決め、テスト仕様書を作成しておきます(**システム統合テストの設計**)。また、最後にシステム全体の構造(アーキテクチャ)、システム要素がシステム要件に合致

ココも出る!

ヒアリング

ヒアリングは、開発対象となるシステムを開発者が理解したり、利用者側の考え方や認識を把握するために行う聞き取り調査のこと。統一的な質問書を作成し、聞き取り結果の網羅性を高めるとともに、実施者の主観を排除することも重要となる。

ヒアリング結果は**ヒアリング議事録**にまとめ、必要に応じて関係者が閲覧できるようにしておく。

こちらも参照

ユースケース図
☞ p.338

プロトタイプ
☞ p.370

DFD
☞ p.340

E-R図
☞ p.341

UML
☞ p.338

決定表
☞ p..342

しているかをレビューします(**評価およびレビュー**)。

❷ソフトウェア設計

開発者側の観点で、システムを**コンポーネント**(機能単位であり部品化による再利用の単位)や**モジュール**(機能単位)〜**ソフトウェアユニット**(プログラム単位)まで分割し、それぞれの機能を決めます(**ソフトウェア設計**)。さらに各単位においてインタフェース仕様を決めていきます(**インタフェース設計**)。さらに、システム設計と同様に、各単位におけるテスト仕様を決め、最後にソフトウェア設計としてのレビューを行います。

〔工程4〕実装・構築

前工程のソフトウェア設計により、細部の仕様が決められ、分割した各ソフトウェアユニットについて、実際に**コーディング**(**プログラミング**)を行っていきます。各ユニットのデバッグを経て、完成したソフトウェアユニットについて、レビューおよびテストデータを用いた**ユニット(モジュール)テスト**を行います。

〔工程5〕統合・テスト

機能単位に検証できるようソフトウェアを統合(**ソフトウェア統合**)し、さらにそれらをまとめ、システムとして機能するように統合(**システム統合**)する工程です。まずは統合計画を作成し、さまざまなレベルや観点からテストを行っていきます。また、テスト結果について評価とレビューを実施し、必要に応じてシステムのチューニング(調整)を実施します。

〔工程6〕導入・受入れ支援

完成後は、**導入計画**を作成し、計画に基づき導入(インストール)を行います。また利用者側に対し、テスト支援や教育訓練、利用者マニュアルの整備などの受入れ支援も実施していきます。システムは保守を続け、次期システムの完成による廃棄まで稼働を続けます<☞ p.364>。

ココも出る!

データ中心設計

従来のプロセス中心設計に対して、データが処理を起動するという考え方に基づく設計方法。まず、データ構造を設計し、プロセス構造はデータ構造に付随する形で設計を行う<☞ p.340 DFD>。

出題分析

ソフトウェア要件定義

ソフトウェア要件定義で行う作業として、適切なものはどれか。

ア 画面レイアウト
イ システム開発計画
ウ 流れ図
エ 物理データベース仕様

ソフトウェア要件定義は、システムの機能およびヒューマンインタフェースに関する部分の設計を行う工程である。具体的には、画面および帳票設計、コード設計など、利用者が直接操作する部分の設計を行う。

なお、イ：システム開発計画は主にシステム要件定義、ウ：流れ図のうちプログラム流れ図はソフトウェア設計およびプログラミング、エ：物理データベース仕様はソフトウェア設計で行う。

解答 ア

02

開発技術

業務分析や要件定義に用いられる手法

設計で用いる図式手法

システムの要件定義や設計では、システムの利用者側とシステムの開発者側が相互に理解を深めるため、さまざまな図式手法を用いて情報を共有します。これらは、「①相互に理解できる図式手法であること」、「②ローカルなルールによって認識に差異が生じないこと」、が重要になるため、規格化された図式手法が適しています。

また、デファクトスタンダードの図式手法を使う場合は、同じ用語を使っていても認識に違いが出ることがあるので、互いにルールを確認したうえで利用します。

さまざまな図でモデル化するUML 頻出

UML(Unified Modeling Language：統一モデリング言語)は、オブジェクト指向技術の標準化を行う国際的な非営利団体のOMG(Object Management Group)によって統一表記法としてまとめられたものです。UMLでは、以下に説明する数種類のわかりやすい図を使って、システム開発における業務の流れの分析やシステムに要求される機能、構造を図示できます。これらを用いることで開発作業の効率化とともに、開発プロジェクトのメンバー間の意思疎通を円滑化し、利用者側と開発者側との認識の違いを解消する効果が期待できます。

❶アクティビティ図

対象システム全体の処理内容とその流れを表すためのもので、業務フロー図として整理するために用います。

❷ユースケース図

システムとその利用者とのやり取りを整理し、利用者

出題分析

UMLで用いられる図式

UMLのダイアグラムのうち、インスタンス間の関係を表現するものはどれか。

ア アクティビティ図
イ オブジェクト図
ウ コンポーネント図
エ ユースケース図

UMLには、クラス図やオブジェクト図などのシステム構造を表す図とその振舞いを表すユースケース図など、多数のダイアグラムが用意されている。ここで、具体的な値であるインスタンス間の関係を表現するのはオブジェクト図である。

ア：対象となるシステム全体の処理内容と流れを表す図。ウ：クラスをまとめて1つの部品としたコンポーネントのつながりを表現する図。エ：利用者の視点に立ったシステム機能を表す図。

解答 イ

の視点でシステムの機能を表すための図です。ユースケース図では、アクタ（システムでの役割を担う人やコンピュータ）ごとに、ユースケース（アクタに提供する機能）をまとめます。

また、複数のユースケースをくくり、システムの対象を明確にする（システム境界）ことも行われます。

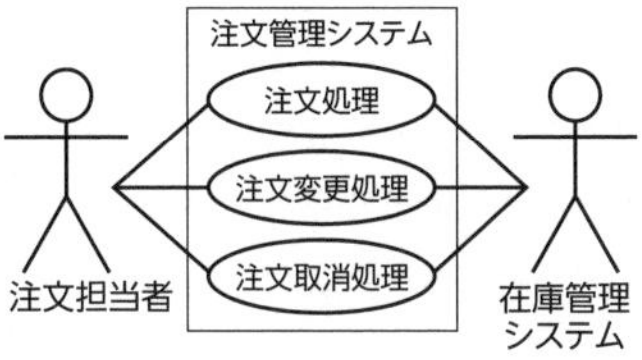

図表02-1　ユースケース図

❸クラス図

システムの構成要素となるクラス（データとその処理手順を一体化した概念）の型や属性、クラス間の関係など、そのシステムの概念を表現します。

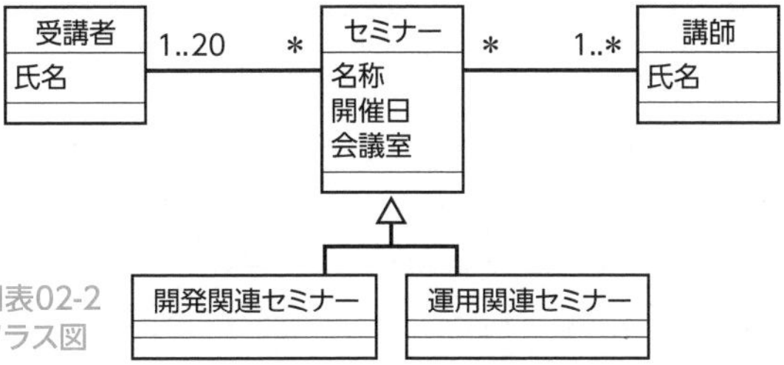

図表02-2
クラス図

❹オブジェクト図

概念であるクラスを具体化したインスタンス（例：クラス＝社員、インスタンス＝山田太郎）どうしのつながりを表現する図です。

❺シーケンス図

オブジェクト（処理対象となるもの）の間に生じるメッセージのやり取り（システムの動作）を表現します。

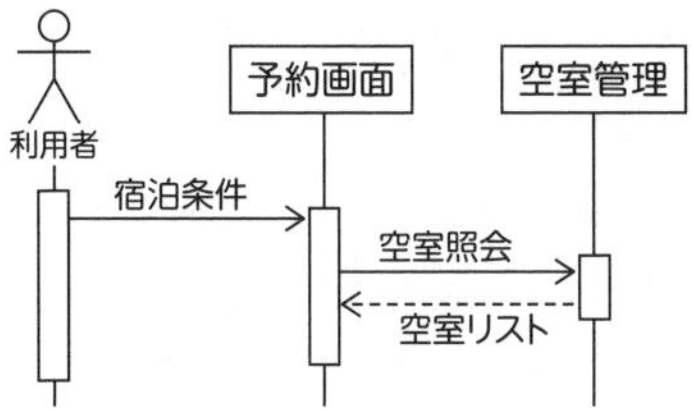

図表02-3　シーケンス図

UMLには、このほか、コミュニケーション図、相互作用図、ステートマシン図（状態遷移図）、パッケージ図、コンポーネント図、配置図などがあります。

出題分析

クラス図の読み方

UMLのクラス図において、集約の関係にあるクラスはどれか。

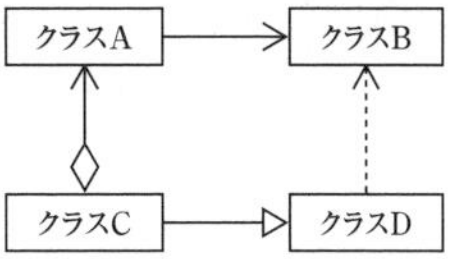

ア　クラスAとクラスB
イ　クラスAとクラスC
ウ　クラスBとクラスD
エ　クラスCとクラスD

「集約」の関係は、UMLのクラス図では白抜きのひし形で表す。問題の図では、「クラスA（部分）はクラスC（全体）の一部である」という意味を表す。

ア：実線矢印は「関連」で、矢印はどちらの方向へたどれるかを示している。「クラスAはクラスBに関連する」。ウ：点線矢印は「依存」の関係で、「クラスDはクラスBに依存する」。エ：白抜きの矢印は、共通する性質をまとめて、より抽象的なスーパークラスを導き出す「汎化」で、クラスC（サブクラス）はクラスDの「特化」という関係を示す。

解答 イ

データの流れを見せるDFD

頻出

DFD(Data Flow Diagram)は、データフロー図とも呼ばれ、業務内容を、業務を構成する機能とデータの流れに着目して、モデル化したものです。

図式表現を用いるため理解しやすく、「あいまいさを排除できる」、「システムの不備を発見しやすい」などの特長があります。しかし、時間の経過の概念を盛り込めないため、「その現象がいつ発生するのかわからない」といった短所もあります。

記号	名称	意味
	データ源泉/データ吸収	業務におけるデータの発生源、または最終的な受渡し先を示す。
	データストア(ファイル)	データを蓄積するファイルや台帳などのデータの集合体を示す。
	プロセス(処理)	処理の内容を示す。
	データフロー	データの流れを示す。

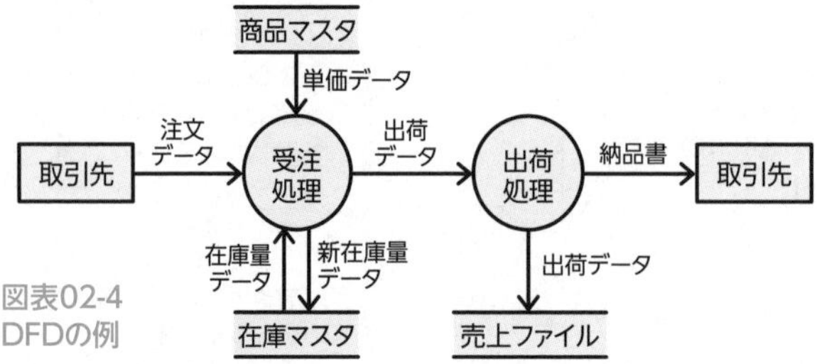

図表02-4
DFDの例

●DFDの読み方

- ・「取引先」はデータの発生源。ここから受け取った注文データを基に「受注処理」を行う。
- ・「商品マスタ」からは商品の「単価データ」が、「在庫マスタ」からは「在庫量データ」が渡される。ここで在庫の有無を確認して在庫量から注文数を差し引いた値を「新在庫量データ」として「在庫マスタ」へ更新する。
- ・さらに「受注処理」で確定した「出荷データ」を基に「出荷処理」が行われ、取引先へ納品書を送付して納品が完了する。また並行して「売上ファイル」の更新が行われる。

出題分析

DFDの特徴

DFDに関する記述として、適切なものはどれか。

ア 構造化設計によって得られるプログラム構造図である。

イ データ間の関連に着目して、システムがデータをどのように処理するかを図式で表現したものである。

ウ データの流れに基づいて、要求されたシステムの機能を図式で表現したものである。

エ 入出力データを、連続・選択・繰返しでモデル化して表現したデータ構造図である。

DFDは、機能とデータの流れに着目した図式表現。

ア：プログラム構造図とは、プログラムを構成するモジュールの階層構造図を指す。イ：データ関連図の説明。エ：ジャクソン法の説明。

解答 ウ

「関連」を表すE-R図

E-R図(Entity-Relationship Diagram)は、業務活動やデータ間の関連をE-Rモデルにより表した図式表現で、物や人、概念などに相当するエンティティ(Entity；実体)、エンティティどうしの関連を示すリレーションシップ(Relationship；関係)、エンティティの詳細を示すアトリビュートを使って現実世界をモデル化していきます。E-R図の記述には、いくつかの方法がありますが、過去の試験問題では次の２つの記述方法で出題されています。

E-R図で用いる記号

次の記号を用いる。

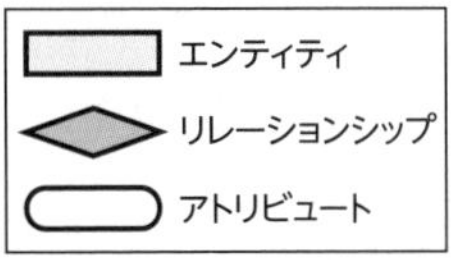

エンティティ「顧客」と「商品」の間には、「発注する」というリレーションシップが存在する。また、エンティティ「商品」には「商品コード」と「商品名」、エンティティ「顧客」には「顧客番号」と「顧客名」、リレーションシップ「発注する」には「発注数量」というアトリビュート（属性、データの性質を表す項目）がある。なお、識別子（主キー）のアトリビュートには下線を引く。

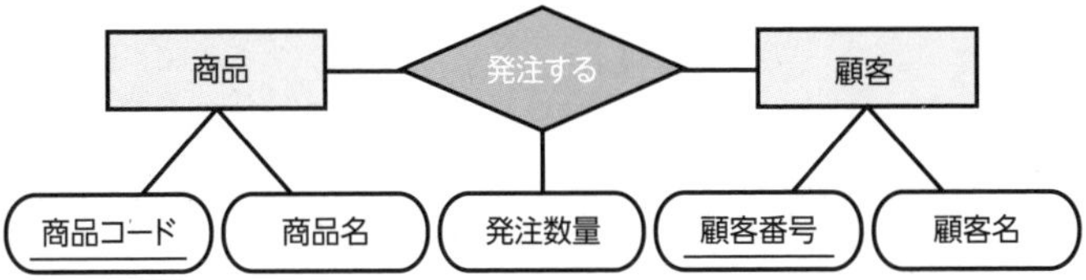

図表02-5　E-R図の例①

ある会員制のスポーツジムでは、各種の講習会が随時開催されている。会員は参加費を払って複数の講習会(同時に行われるものは不可）に参加することができる。講習会ではインストラクタ1名が10～15名程度の会員の指導に当たる。講習会を担当するインストラクタは、このジム専属の5人のインストラクタであり、1人のインストラクタが複数の講習会を担当する（同時には不可）ことができる。

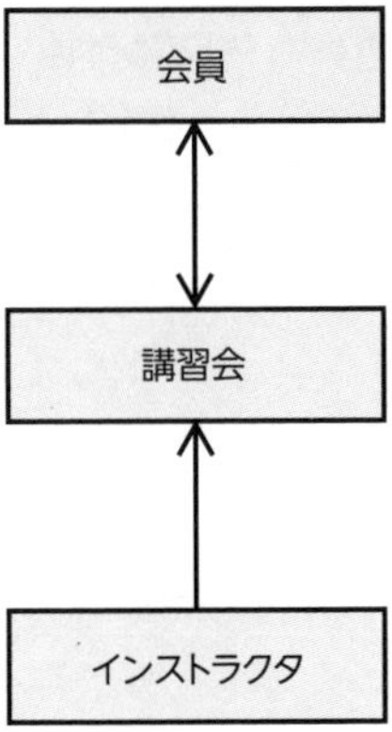

＜会員と講習会の関連＞
- 1人の会員は複数の講習会に参加できる（講習会側に矢印がつく）
- 1つの講習会には複数の会員が参加する（会員側に矢印がつく）

＜講習会とインストラクタの関連＞
- 1つの講習会は1人のインストラクタが担当する（インストラクタ側には矢印は付かない）
- 1人のインストラクタは複数の講習会を担当する（講習会側に矢印が付く）

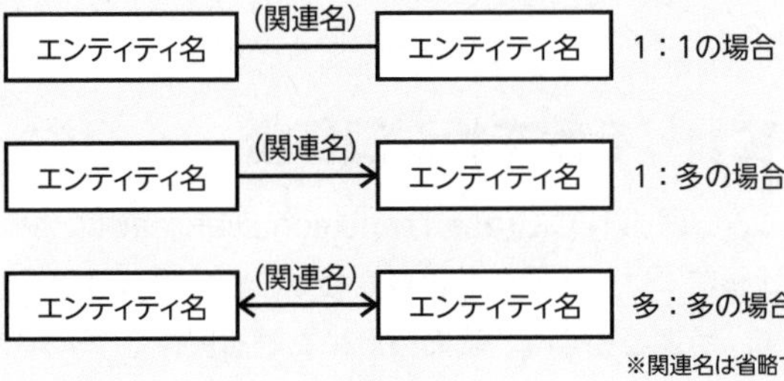

図表02-6　E-R図の例②

※関連名は省略できる

条件に対する行動を示す決定表

頻出

決定表(デシジョンテーブル)は、条件とそれに対する行動を整理した表で、各条件の組合せによってどのような行動をとるべきかを明らかにしたり、条件に応じた結果を評価する際に用います。

見出し部	
条件表題部	条件記入部
行動表題部	行動記入部

図表02-7　記述のルール

見出し部
　決定表の名前を記入
条件表題部
　条件を記入
条件記入部
　Y：条件が満たされるとき
　N：条件が満たされないとき
　ー：行動に影響を与えない
行動表題部
　行動を記入
行動記入部
　X：実行するとき
　ー：実行しないとき

次の例では、合計得点が150点以上で、筆記試験および実技試験が70点以上であれば「合格」、合計得点が150点以上で、筆記試験が70点未満または実技試験が70点未満のときは「追試」、合計得点が150点未満のときは、筆記試験および実技試験の結果とは無関係に「不合格」であることを表しています。

条件表題部	条件記入部			
合計得点が150点以上	Y	Y	Y	N
筆記試験の得点が70点以上	Y	Y	N	－
実技試験の得点が70点以上	Y	N	Y	－
合格	X	－	－	－
追試	－	X	X	－
不合格	－	－	－	X
行動表題部	行動記入部			

図表02-8　決定表の例

移り変わりを示す状態遷移図

頻出

状態遷移図(STD；State Transition Diagram)は、情報や状態について時間的な移り変わりを表現する図式手法です。用途としては、画面設計における遷移やリアル

出題分析

決定表の特徴

システム開発で用いる設計技法のうち、決定表を説明したものはどれか。

ア エンティティを長方形で表し、その関係を線で結んで表現したものである。

イ 外部インタフェース、プロセス、データストア間でのデータの流れを表現したものである。

ウ 条件の組合せとそれに対する動作とを表現したものである。

エ 処理や選択などの制御の流れを、直線又は矢印で表現したものである。

決定表は、条件と行動を整理した表。それぞれの選択肢は問題になり得るので、特徴やキーワードを整理しておこう。
ア：E-R図を説明したもの。イ：DFDを説明したもの。エ：流れ図の説明。

解答 ウ

タイムシステムの開発、通信プロセス間の情報の流れを表現する際などに利用されます。

	システムがとりうる状態。 ○の中に状態名を記述する。
	状態の遷移を示す。→の上または下に状態を遷移させる事象を記述する。 ／で区切って、事象と出力を書く場合もある。 →で元の状態に戻ることも許される。

図表02-9　状態遷移図の表記ルール

下図は画面の推移を表しており、主メニュー画面からサブ画面に至る操作の流れを明確にしています。

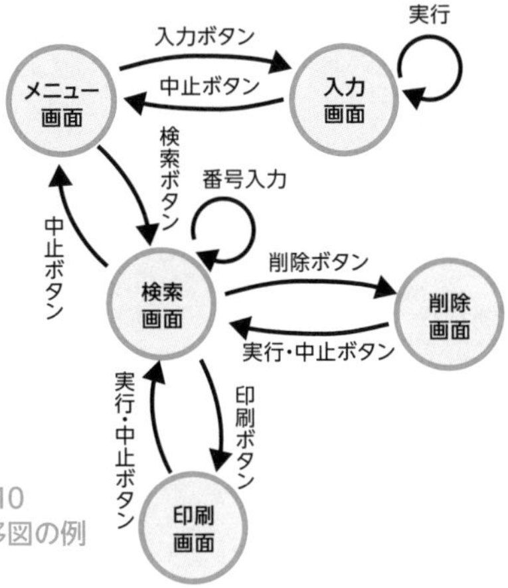

図表02-10
状態遷移図の例

また、状態遷移図による流れを整理するため、**状態遷移表**を用いることもあります。

事象／状態	ボタン・入力						
	入力	検索	削除	印刷	実行	番号入力	中止
メニュー画面	入力画面	検索画面					
入力画面					入力画面		メニュー画面
検索画面			削除画面	印刷画面		検索画面	メニュー画面
削除画面					検索画面		検索画面
印刷画面					検索画面		検索画面

図表02-11　状態遷移表（上の状態遷移図に対応したもの）

出題分析

状態遷移図の特徴

システムの設計において、状態遷移図を用いるのが適したシステムはどれか。

ア センサーの読取り結果で温度を一定に保つシステム

イ チケットカウンターでのチケット予約システム

ウ 段階的に変動する従量制による電気料金課金システム

エ インターネットによる受注管理システム

状態遷移図は、時間の経過や状況の変化に応じて状態が変わるようなシステムの動作を記述するときに用いられ、DFDでは扱えないリアルタイムシステムの分析や設計に有効な技法である。したがって、アの「センサーの読取り結果で温度を一定に保つシステム」に適している。

解答 ア

03

開発技術

構造化設計に用いられる手法

構造化設計と図式手法

大規模なソフトウェアを効率的に開発したり、保守をスムーズに行うには、関わるメンバーがプログラムの内容を把握しやすくしておく必要があります。

そのためには、プログラムの処理機能を階層化して分割し、モジュール化を行います。このようなモジュール構成で開発を進めていく手法を構造化設計と呼びます。

構造化設計にはさまざまな図式手法が用いられ、開発段階や設計内容に応じて使い分けられます。

処理手順を示すNS図

NS図(Nassi-Shneiderman diagram)は、構造化プログラミング向きの処理手順の図式表現で、連続、選択、反復で構成します。

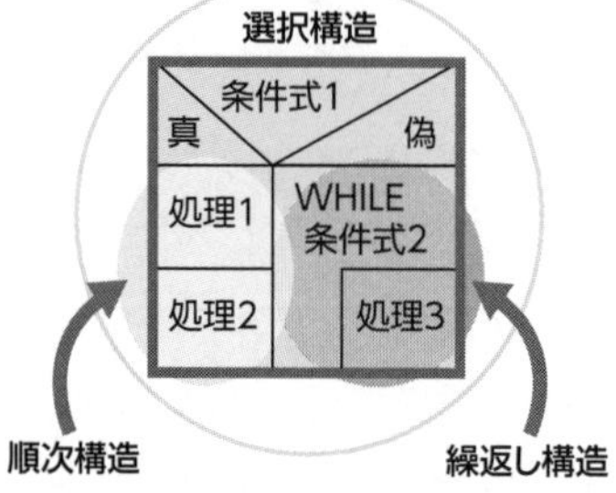

図表03-1　NS図

入力vs.出力の関係を示すジャクソン法

ジャクソン法(Jackson structured programming)は、入力データと出力データの構造の違いから処理プログラムの構造を明らかにする図法です。まず、「基本・連続・選択・繰返し」の4つの要素を示す木構造を組み合わせて、入力と出力データ構造を記述します。さらに両データ構造を対応させ、プログラム構造を作成します。

さらに詳しく

構造化チャート

構造化チャートは、アルゴリズムを構造化定理に基づいて図式的に表現する図法。構造化定理とは、入り口1つ、出口1つのプログラムは3つの基本制御構造(順次、選択、繰返し)<☞ p.354>の組合せですべて表現できることを示したもの。

これに基づいて作成したプログラムは、作り手による違いが少なく、構造がわかりやすいことから検証が容易になり、結果的に信頼性の高いソフトを作ることができる。

ジャクソン法のデータ構造

基本：構成要素の最小単位。データ項目に相当。
連続：一定の順序で複数の異なる基本要素(データ項目)が出てくる構成要素。レコードに相当。
選択：いくつかの構成要素から、1つを選ぶ処理。
繰返し：同じ構成要素が何度も繰り返される。配列や順次ファイルのレコードに相当。

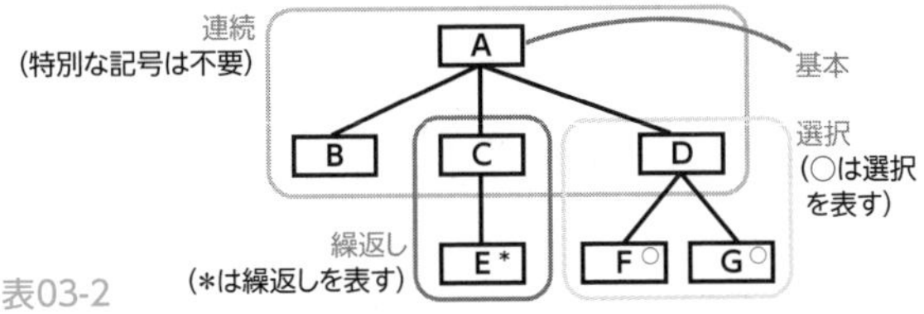

図表03-2
ジャクソン法の例

入力データの構造から表すワーニエ法

ワーニエ法(Warnier design method)は、データを集合としてとらえ、それが「どこで、いつ、何回」使われるかを明確化することで、入力データの構造からプログラム構造を明らかにします。プログラム構造図は、入力データ構造の順次、選択、繰返しの制御構造を組み合わせて表現します。

機能を表現するHIPO

HIPO(Hierarchy plus Input Process Output；ハイポ)は、ソフトウェアの機能を入力(Input)、処理(Process)、出力(Output)に分け、階層的に表現する手法です。次のドキュメントから構成されます。

- 図式目次(VTOC)：システムやプログラムの機能構成を階層的に表現。
- 総括ダイアグラム(総括IPO図)：サブシステムやプログラムへの入力(Input)、処理(Process)、出力(Output)を記述し、入出力と処理との関係を明確にする。
- 詳細ダイアグラム(詳細IPO図)：総括ダイアグラムよりも下位レベルの機能を記述。

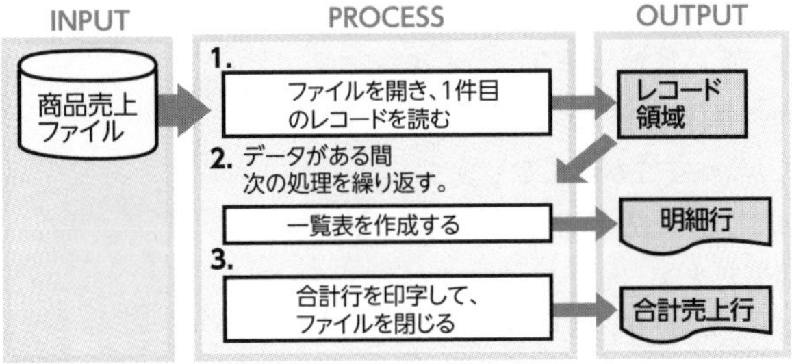

図表03-3　HIPOの例

出題分析

構造化チャート

プログラム図式の1つである構造化チャートを説明する記述として、最も適切なものはどれか。

ア GOTOを表現する方法を持たず、論理の階層化を図的に表現できる。モジュール内の論理を構造化して表現するのに都合の良い図式である。

イ 制御システムなどの内部設計に広く用いられる手法。データの流れを示せないので、ほかの図式と併用するのが合理的である。

ウ データの流れを表すのが容易な図式。処理の手順を表しにくい。

エ モジュール構造図を示す図式目次と、各モジュールの機能を入力・処理・出力の形式で記述した図からなる。構造化手法の特徴であるトップダウン設計向きの図式である。

構造化チャートは、構造化プログラミングを支援するために開発された図式手法である。NSチャートが最初の構造化チャートで、PSD(NSチャートの改良版)、PADなどが順次開発されている。

イ：状態遷移図、ウ：DFD(バブルチャート)、エ：HIPOの説明。

解答 ア

シラバス　大分類4：開発技術　中分類12：システム開発技術
小分類2：設計

04

開発技術

オブジェクト指向設計

オブジェクト指向の考え方

頻出

システムで処理を行うときは、それに伴うデータが必要になります。つまりプロセスとデータは常に一体化して、1つの処理対象（**オブジェクト**）として扱われます。このような考え方が**オブジェクト指向**です。

●カプセル化

オブジェクト指向では、オブジェクトが持つデータを**属性**、機能を**メソッド**（method：**振舞い**）、また、属性とメソッドを一体化することを**カプセル化**と呼びます。

例えば、銀行の預払いシステムを考えた場合、口座をオブジェクトとしてとらえると、口座オブジェクトには「銀行名、支店名、口座種類、口座番号、口座名義人、口座残高」といった属性と、「口座から出金する」、「口座へ入金する」といったメソッドを持ちます。

口座から出金する場合、利用者はその手続きの依頼方法さえ知っていれば、実際の処理がどのように行われているかを意識しなくても、要求したサービス（口座からお金を引き出す）を受けることができます。

●情報隠蔽

カプセル化した属性やメソッドを外から見えないようにすることを**情報隠蔽**と呼びます。情報隠蔽を行うことで、属性やメソッドへ直接アクセスするのを禁止できるので、1つ1つのオブジェクトの独立性が高くなります。また、各オブジェクトを部品化することができるので、別のプログラムでも簡単に流用できます。修正についても必要なものだけを変更すればよいことから保守が容易になります。

出題分析

オブジェクト指向

オブジェクト指向に基づく開発では、オブジェクトの内部構造が変更されても利用者がその影響を受けないようにすることができ、それによってオブジェクトの利用者がオブジェクトの内部構造を知らなくてもよいようにすることができる。これを実現するための概念を表す用語はどれか。

ア カプセル化
イ クラス化
ウ 構造化
エ モジュール化

オブジェクト指向の基本的な考え方が問われている。他の選択肢はオブジェクト指向と関係のない用語かダミーの造語なので、間違えないように整理しておこう。

解答 ア

●メッセージパッシング

あるオブジェクトが別のオブジェクトに対して処理を要求するときの単位がメッセージです。オブジェクト指向では、属性やメソッドはカプセル化されているので、メッセージはオブジェクトに対して指示できる唯一の手段となります。また、オブジェクトどうしはメッセージをやり取りしながら処理を行います。これを、メッセージパッシングと呼びます。

オブジェクト指向の決まり事

例えばスポーツクラブの会員を管理するシステムであれば、会員はオブジェクトになります。会員の氏名や住所などは属性、入会登録をして会費を払い込むなどの手続きはメソッドということになります。

●クラスとインスタンス

オブジェクトのうち共通する性質を持つものをまとめて名前を付けたものをクラス(class)と呼びます。クラスはオブジェクトを抽象化したもので、ひな形(テンプレート)のような存在と理解すればよいでしょう。

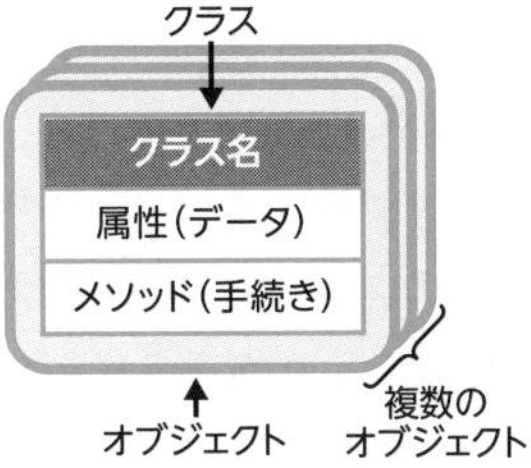

図表04-1　クラス

クラスに対し、クラスから生成された具体的な値を持つオブジェクトをインスタンス(instance)と呼びます。

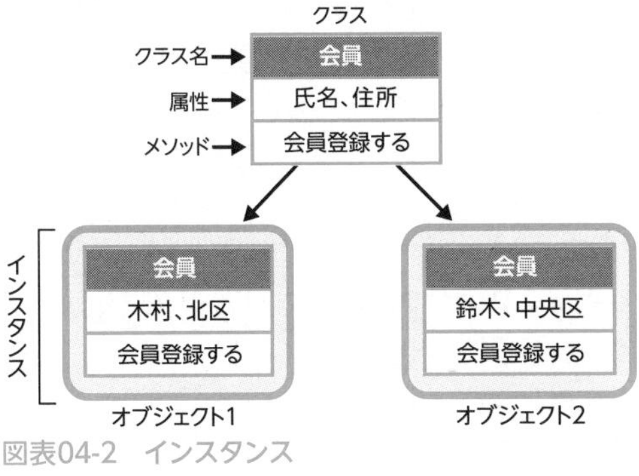

図表04-2　インスタンス

さらに詳しく

抽象クラス

抽象クラスとは、インスタンスを生成できないクラスのこと。具体的な処理内容が定義されていない抽象メソッドを1つ以上持つ。抽象メソッドの処理内容は、継承したクラスで定義する。

ココも出る！

サブクラスとスーパークラス

サブクラスの共通する性質をまとめて定義した(汎化)ものがスーパークラスであり、スーパークラスの性質を具体化してそれぞれ定義した(特化)ものがサブクラスである。サブクラスにはスーパークラスの属性とメソッドに加え、独自の属性とメソッドを追加することができる。

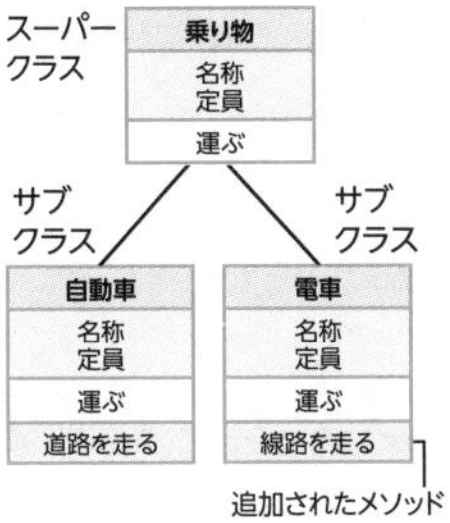

●インヘリタンスと差分プログラミング

インヘリタンス(inheritance)は、継承とも呼ばれ、上位のクラス(スーパークラス)で指定された性質(属性、メソッド)が、下位のクラス(サブクラス)へ引き継がれることを指します。例えば、「乗り物」、「車」、「バス」の関係で見てみましょう。「車」から見ると、「乗り物」はスーパークラスに、「バス」はサブクラスになります。

サブクラスでは、スーパークラスで定義された共通の性質以外を定義すればよいので、開発の効率化を図ることができます。これを差分プログラミングといいます。

●ポリモーフィズム

ポリモーフィズム(polymorphism)は、多相性または多態性、多様性などとも呼ばれます。オブジェクト間のメッセージのやり取りで、サブクラスのオブジェクトに対して同一のメッセージを送信しても、それぞれのオブジェクトが異なるメソッド(振舞い)を実行できるというものです。これは、あるクラスを継承する際、スーパークラスのメソッドをサブクラスのメソッドで置き換える(オーバーライドする)ことで、異なる動作をさせます。

例えば、「生物」というスーパークラスに、「鳥」と「魚」というサブクラスが定義されているとします。「生物」が「移動する」というメソッドを持つ場合、「鳥」は「空を飛ぶ」、「魚」は「水中を泳ぐ」という動作で実行します。このように、同じメッセージに対して、異なる処理が行われるのがポリモーフィズムです。

オブジェクト間の関係

頻出

クラス間の関係には、次のような種類があります。

●is-a 関係(汎化-特化)

「あるクラス(サブクラス)が他のクラス(スーパークラス)の一種である」という関係を表します。サブクラスからスーパークラスを作成することを汎化、スーパークラスからサブクラスへ展開することを特化と呼びます。

ココも出る！

委譲

メッセージに対するメソッド(機能)を、そのオブジェクト内で他のオブジェクトに依頼すること。継承がクラス単位(属性、メソッドを含む)なのに対し、委譲はメソッドのみを利用できる。

出題分析

オブジェクト指向の特徴

オブジェクト指向に関する記述として、適切なものはどれか。

ア オブジェクトは、クラスのテンプレートである。

イ カプセル化とは、クラスをライブラリ化することである。

ウ クラスは、必ず1つ以上のインスタンスを持つ。

エ クラスは、その親のクラスから属性とメソッドを継承できる。

1つの用語の意味だけでなく、関連する用語も含めた特徴が問われているので、より確実な理解が必要となる。

ア：クラスがオブジェクトのテンプレートである。イ：カプセル化は属性とメソッドを一体化すること。ウ：抽象クラスは、インスタンスを持たない。

解答 **エ**

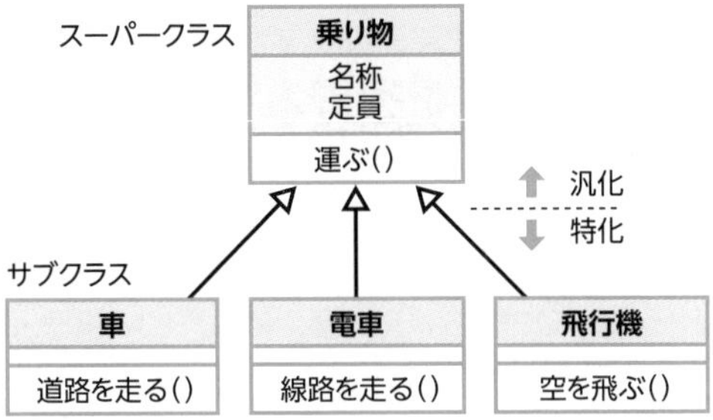

図表04-3　クラス図（継承）

●part-of 関係（分解-集約）

「あるオブジェクトが複数のオブジェクトによって構成されている、つまり、あるクラスが他のクラスの一部である」という関係を表します。全体を部分を表すクラスへ展開することを分解、部分を表すクラスを1つのクラスにまとめることを集約と呼び、クラス図では —◇ の記号で表します。なお、全体と部分の関係がより強い関係（全体が消滅すると構成する部分も消滅するような関係）をコンポジションと呼び、記号は —◆ になります（下図は自動車を廃車にしても各パーツは利用できるとする）。

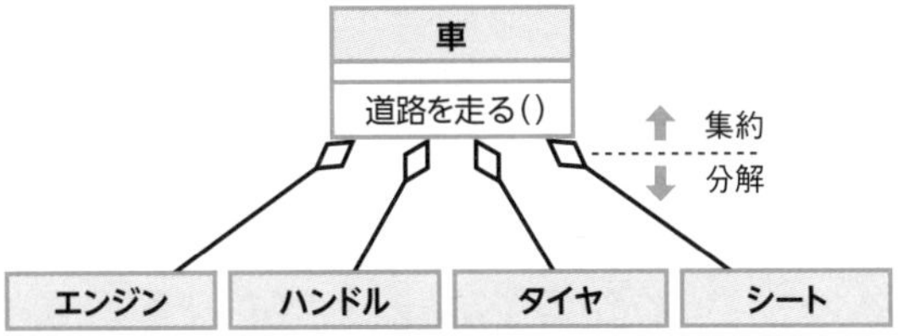

図表04-4　クラス図（コンポジション）

●関連と依存関係

「あるクラスと別のクラスに何らかのつながりがある」関係を関連、「あるクラスから一時的に別のクラスを利用する」関係を依存関係と呼びます。矢印を付けた場合は、矢印の方向にだけメッセージを送ることができます。これを誘導可能性と呼びます。

図表04-5　クラス図（依存と関連）

出題分析

クラスとサブクラス

オブジェクト指向方法論において、一般に"自動車"のサブクラスといえるものはどれか。

ア エンジン
イ 製造番号
ウ タイヤ
エ トラック

"自動車"をスーパークラスとした場合、バス、トラック、軽自動車のようなサブクラスが考えられる。ここで、"自動車"と"トラック"の関連を「is-a関係（汎化・特化関係）」といい、「トラックは自動車の一種である」を意味する。この「A is-a B」関係の特徴は、Aのオブジェクトがいくつ欠けた場合でもBのオブジェクトは成立する。そのほかの選択肢はpart-of関係となる。

解答 エ

ココも出る！

ドメイン駆動設計

ドメイン駆動設計（DDD:Domain-Driven Design）は、業務内容に合わせてシステム設計や開発を行うという考え方。手法としては、業務担当者とシステム担当者が共通の認識を持ちながら業務内容をモデル化したドメインモデルを基にソフトウェアを構築していく。

05

開発技術

モジュール設計

開発しやすい大きさに分割

ソフトウェア要件定義<☞p.335>で定義したシステムは、開発しやすいように必要に応じて独立した機能単位となる**サブシステム**やサブシステムをより小さな機能単位に分割した**コンポーネント**、プログラミングしやすい大きさに分割した**モジュール**（複数の段階がある場合は**サブモジュール**を設ける）に分割していきます。最終的にはプログラミングの単位である**ソフトウェアユニット**まで分割していきます。モジュール分割のメリットには、処理効率の向上や部品化による再利用、信頼性向上や保守の効率化などがあります。

図表05-1
分割の単位

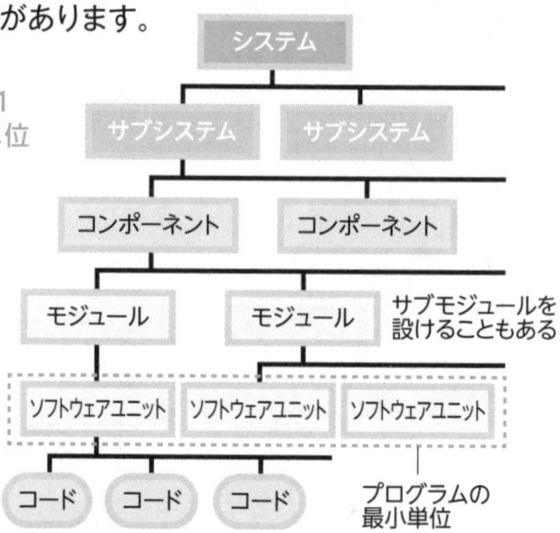

モジュール分割の工程と目安

ソフトウェアの分割は、各設計段階で順次行っていきますが、分割の意図や観点はそれぞれ異なります。

❶ソフトウェアの機能単位での分割

ソフトウェア要件定義<☞p.335>で分割されたシステムまたはサブシステムは、ソフトウェアの機能単位となる

さらに詳しく

ソフトウェアの名称

システムを構成するソフトウェアは、開発規模や開発単位、提供される形態などにより、さまざまな名称で呼ばれることがある。

コンポーネント：システムを構成する機能単位。座席予約や入金処理といった、一連の作業を1つにまとめたものを指すことが多い。また、部品化による再利用を想定した単位を指すこともある。

モジュール：開発側から見た分割単位。複数の階層からなる場合は、複数階層の**サブモジュール**と呼ぶこともある。

ソフトウェアユニット：独立してコンパイルできるプログラム単位。最下層のモジュールととらえることもある。複数のコード（命令）などからなる。

コンポーネント(モジュールと呼ぶこともある)に分割します。コンポーネントは、処理のタイミング、処理効率の違い、データなどの資源が同時に使用できるか、などを基準として分割します。また、再利用を前提として部品化を行う目的で分割することもあります。

❷プログラムの作りやすさでの分割

コンポーネントは、さらに小さなモジュール(ソフトウェアユニット)に分割します。ここではプログラムの作りやすさ、デバッグや保守の容易性などを考慮します。

・適正な階層：10モジュール／層、2～4階層程度。
・モジュールどうしの関連性：モジュールの独立性を考慮。

モジュールの分割技法

分割技法には、視点の異なる2つの技法があります。

●データの流れに着目した技法

分割されたモジュールは、さまざまな処理を行いますが、「あるモジュールからデータを受け取り、処理を行って、別のモジュールにデータを渡す」という基本的な仕組みは同じです。次に挙げる方法はこの「データの流れ」に着目して分割を行う技法です。

❶STS分割

プログラムの構造を「Source(源泉)」、「Transform(変換)」、「Sink(吸収)」の3つに分解し、それに基づいて各モジュールを分割する方法です。

Source (源泉)	入力データを処理する部分
Transform (変換)	入力データを出力データに変換する部分
Sink (吸収)	出力データを処理する部分

❷トランザクション(TR) 分割

入力されたデータによって、必要な処理(トランザクション)が異なる場合があります。そのようなケースでは、データに対応するトランザクションの種類ごとにモジュールを分割するこの技法が適しています。STSで分割したモジュールをさらに細分化する場合にも使われます。

さらに詳しく

モジュール分割の手順

モジュール分割(構造化設計)は次の手順で行う。

①最上位(中核)モジュールの定義
プログラムが起動すると最初に呼び出されるモジュールを定義する。最上位モジュールは、プログラム全体の制御や初期設定、終了処理を行う機能のみを備える。

②モジュールの機能分析
プログラムを分析して、それぞれのモジュールの機能を整理する。その際、異なる機能は分割し、同じ処理を行う機能は共通化しておく。

③分割技法の選択と実施
どのような観点で分割するのかによって、最適な分割技法を決定する。モジュール分割は、上位→下位の順序で行い、個々のモジュールの機能を定義していく。

④モジュール間インタフェースの定義
上位モジュールは下位モジュールを呼び出し、下位モジュールは処理したデータを引き渡す。この関係を定義し、受け渡されるデータ(入力・出力)を明確にする。

⑤モジュールの評価(再分割・再統合)
分割したモジュールの大きさや機能が適切かどうかを判断する。大きすぎるものは再分割し、似た機能のモジュールは共通化するなどの調整を行う。

❸共通機能分割

同じような機能を整理して、共通する1つのモジュールとして作成する方法です。例えば、同じデータを読み込んで同一の計算を行う機能や、同じ書式でプリントアウトする機能などは共通化することができます。

●データ構造に着目した技法

どんなプログラムも、順次・選択・繰返しの3つの論理構造（基本制御構造<☞ p.354>）に集約できます。データ構造に着目して分割を行う技法で、代表的な方法にはNS図やジャクソン法、ワーニエ法<☞ p.344~345>などがあります。

モジュール分割の評価

頻出

適切にモジュール分割がされているかどうかを判断する場合、次のようなポイントで評価を行います。

- モジュールの独立性が確保されているか
- 処理効率（性能）の向上が実現されているか
- プログラムの信頼性が向上したか
- 部品化、再利用が容易になったか
- 保守が容易になったか

特に重要視されているのは独立性です。各モジュールは、他のモジュールからの影響をなるべく受けず、独立した機能を持つことが重要です。互いに複雑に関連したモジュールでプログラムが作られていると、ミスの発見に手間がかかり、修正や変更時にいくつものモジュールに手を加えなければならず、修正内容も複雑になります。

独立性を見るには、次の2つの尺度があります。

●モジュール強度

モジュール内部の命令の関連性の強弱を表します。モジュール内に関連のない複数の機能を持たせず、関連する機能のみで構成するほうがより強度が上がります。独立性を高めるには、強いほど望ましいとされます。

出題分析

モジュール分割技法

データの流れに着目したモジュール分割技法はどれか。

ア NSチャート
イ STS分割
ウ ジャクソン法
エ ワーニエ法

モジュール分割技法には、さまざまなものがあるが、「データの流れに着目した分割技法」、「データの構造に着目した分割技法」にどんな種類があるか、また、それぞれの特徴を大まかにつかんでおくとよい。

解答 イ

強度	分類	説　明
強	機能的強度	特定の機能を実行するために、モジュール内のすべての命令が関連している。
	情報的強度	特定の情報やデータ構造を扱う複数の機能が1つのモジュールにまとめられている。
	連絡的強度	モジュール内でデータの受渡し、または参照を行いながら、複数の逐次的機能を実行する形。
	手順的強度	複数の逐次的機能を実行するモジュール。例えば、流れ図の一部を無作為にモジュール化した形。
	時間的強度	ある時点に連続して複数の機能を実行するために同一モジュール化された形。機能間の関連性は弱い。
	論理的強度	関連したいくつかの機能を含み、機能を指定するパラメータ（引数）により、1つの機能を選択して実行する形。
弱	暗合的強度	モジュールを大きさだけで分割し、たまたま重複した部分は共通モジュール化した形。モジュール内の要素間に特に関係がない。

図表05-2　モジュール強度

●モジュール結合度

モジュール間の関係を示す尺度です。モジュール間の関連が弱いほうが、他のモジュールへの影響が少なく、保守もしやすくなります。つまり、弱いほど望ましいとされます。

関係	分類	説　明
弱	データ結合	相手モジュールをブラックボックスと見なす形。モジュール間のデータのやりとりは、制御論理を変えない引数（パラメータともいう）として受け渡す。
	スタンプ結合	データのやりとりを引数としてデータ構造ごと受け渡す形。不必要なデータを含むことがある。
	制御結合	モジュール内の制御を指示するデータを引数として受け渡す形。モジュールの強度は、論理的強度となってしまう。
	外部結合	共通データを複数のモジュールで使用する形。外部宣言したデータ項目（C言語における外部変数など）を使用するもの。
	共通結合	共通域を複数のモジュールで使用する形。共通域のデータに修正が発生した場合は、共通域を参照するすべてのモジュールの再コンパイルが必要。
強	内容結合	他のプログラムの内部を直接、参照・利用する形。修正が発生すると関連するプログラムすべてに影響。

図表05-3　モジュール結合度

出題分析

モジュールの独立性

ソフトウェアのモジュール設計において、信頼性、保守性を向上させるためのアプローチとして、望ましいものはどれか。

ア モジュール強度を高く、結合度を高くする。
イ モジュール強度を高く、結合度を低くする。
ウ モジュール強度を低く、結合度を高くする。
エ モジュール強度を低く、結合度を低くする。

モジュールの独立性を高くすれば、処理効率の向上、保守の効率化と信頼性の向上が期待できる。そこで、モジュール強度を高く、結合度を低くしてモジュールの独立性を高めればよい。

解答 イ

シラバス　大分類4：開発技術　中分類12：システム開発技術
小分類3：実装・構築、4：統合・テスト

06

開発技術

コーディングとモジュールテスト手法

プログラムの作成（コーディング）

実際にプログラムを作成するコーディング作業では、モジュール仕様書などを元に、モジュール内部の構造を決めます。モジュールに入力されるデータの内容と、処理後に作成されなければならないデータの内容を分析して、そのモジュールにはどんな処理が必要なのかといったアルゴリズム（処理手順）を考えます。

●基本制御構造

わかりやすく、信頼性、保守性に優れたプログラムを書くには、3つの基本制御構造「順次」、「選択」、「繰返し（前判定繰返し）」だけでその論理を記述するとよいと言われており、この定理は、「構造化（ストラクチャード）定理」と呼ばれます。プログラム言語は、構造化定理に基づいたアルゴリズムで記述できるように命令が用意されています。このほか拡張制御構造として、処理を行った後で条件式を判定する後判定繰返し（repeat until）と多岐選択（case）の2つが認められています。

さらに詳しく

モジュールテスト（ソフトウェアユニットテスト）

プログラム作成後、最初に行うテスト。各モジュール（ソフトウェアユニット）の機能や構造を確かめるため、事前にすべてのプログラムロジックを通るようなテストデータを用意し、ホワイトボックステスト<☞p.356>の手法などで行う。

静的解析と動的テスト

プログラムを実行せずに論理を確認する方法を静的解析といい、プログラムを動作させながらエラーを発見する方法を動的テストという。

図表06-1　3つの基本制御構造

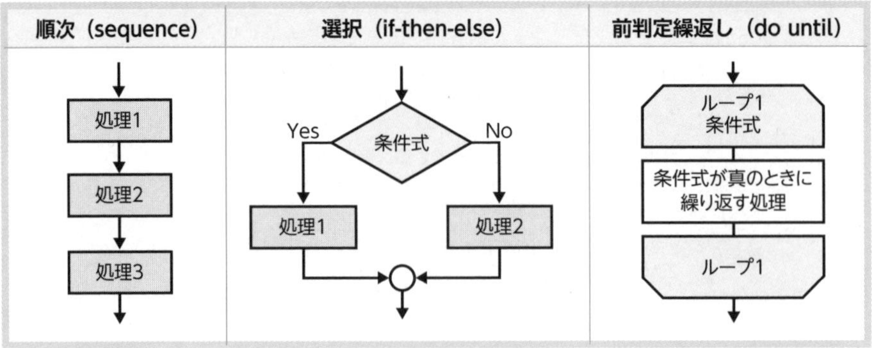

●コーディング基準

ソフトウェア設計書に基づいて、プログラムをプログラム言語で記述します。下記のような決められたコーディング基準に従います。

- インデント(字下げ)により、構造を見やすくする
- 段階的なネスト(入れ子)を使って論理構造を明確にする
- コメントの記入で第三者にわかりやすく
- 命名規則によりプログラムの統一化を図る
- 使用禁止命令(GOTO文など)のルールを作っておく

プログラムのデバッグ

デバッグ(debug)とは、コーディングしたプログラムモジュールからエラー(バグ)を取り除き、正しく動作することを確認する作業です。コーディングしたソースプログラムには多数のエラーが潜んでいる可能性があり、正しく動作させるためには、これらを取り除く必要があります。プログラム言語のルールに則していない文法エラーについてはコンパイラなどにかけて発見し<☞ p.182>、処理のアルゴリズムの誤りでおこる実行(論理)エラーについてはテストデータと出力をチェックして見つけます。

❶コードレビュー

コーディングし終わったプログラムについて、定められたコーディング基準に則っているか、ソフトウェア詳細設計書に基づいているか、効率性、保守性が適切かを確認します。

❷アサーションチェック

プログラム中に、そのプログラムが満たすべき論理的な条件を記述しておき、満たされないときにはメッセージを出すことで、エラーを発見するチェックです。

❸デバッガ(デバッグツール) の利用

デバッガとは、デバッグを容易にするツール群。トレーサーやスナップショットなどがあります<☞ p.180>。

ココも出る!

テストデータジェネレーター

テストデータジェネレーターは、条件を設定することにより、テストデータを自動的に作成してくれるソフト。<☞ p.180「動的解析ツール」>

テストカバレッジ分析

プログラムの命令や条件がくまなくテストされているか、そのカバレッジ(網羅率)を測定し、分析する方法。テストそのものの品質を確認できる。

ソースコードとオブジェクトプログラム

コンピュータが実行できるのは、そのコンピュータのアーキテクチャに適合した機械語のプログラムのみ。

プログラム言語を用いて記述した元のプログラムをソースコード(ソースプログラム、原始プログラム)と言うが、そのままでは実行できない。コンパイラやインタプリタを用い、機械語に翻訳したオブジェクトプログラム(目的プログラム)ができて、初めて実行が可能になる<☞ p.182「コンパイラによる実行工程」>。

モジュールテストのケース設計

頻出

モジュールテスト(ソフトウェアユニットテスト)では、どんな事柄についてどんな方法を使ってテストするのか、どんな結果が出たらテストを終了するのかを、あらかじめ決めておきます。また、テストデータがテストの目的に合っていないと、不具合を検出できないまま終えてしまい、テストに費やした時間は無駄になってしまいます。ここでは、2つのテスト方法について、その目的と必要なテストデータを確認しましょう。

●ホワイトボックステスト

ソフトウェアユニットテストやソフトウェア統合テストなどに使うテストで、プログラム内部の処理や論理に着目してテストデータを作成します。次のようなアルゴリズムでの例を考えます。

●流れ図

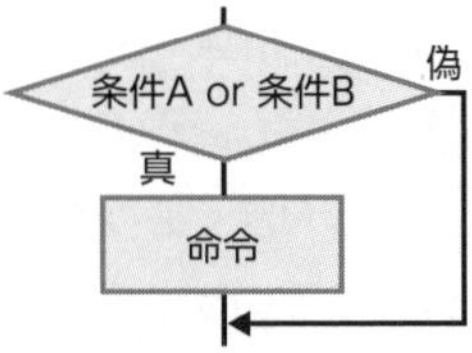

図表06-2
テストデータの条件

❶命令網羅

すべての命令を少なくとも1回は実行するテストデータを用意します。

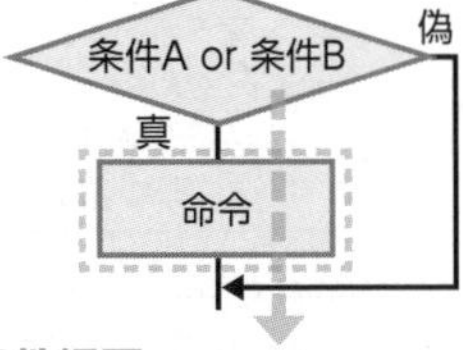

テストデータ

	1
条件A	真
条件B	真

❷条件網羅

個々の条件(ここでは条件Aと条件B)について、真と偽を含むテストデータを用意します。

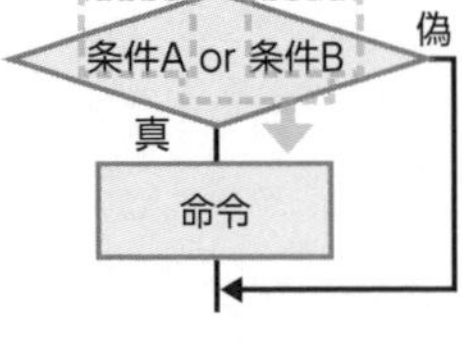

テストデータ

	1	2
条件A	真	偽
条件B	偽	真

出題分析

ホワイトボックステスト

テスト手法の1つであるホワイトボックステストの説明として、適切なものはどれか。

ア 下位のモジュールから上位のモジュールへと、順次統合してテストする。

イ 上位のモジュールから下位のモジュールへと、順次統合してテストする。

ウ モジュールの内部構造に注目して、テストする。

エ モジュールの内部構造を考慮することなく、仕様書どおり機能が作動するかどうかをテストする。

ホワイトボックステストは、プログラムの内部構造や、アルゴリズムに着目して行うテストである。主に開発者側がユニットテストを行う場合に採用される。

ア:ボトムアップテスト、イ:トップダウンテスト、エ:ブラックボックステストの説明。

解答 ウ

❸判定条件網羅（分岐網羅）

分岐部分の判定条件で真、偽ともに少なくとも１回は実行します。

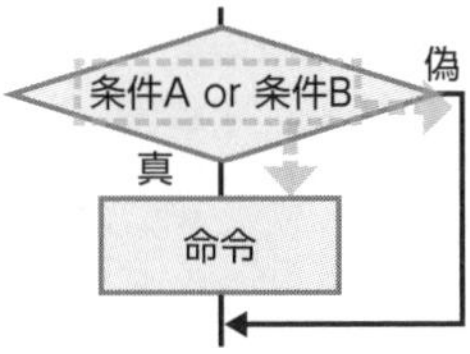

テストデータ

	1	2
条件A	真	偽
条件B	真	偽

この例はOR条件のため、条件は４通り「Aが真、Bが真→真」、「Aが真、Bが偽→真」、「Aが偽、Bが真→真」、「Aが偽、Bが偽→偽」。このうち、真になるのは３通りだが、どれか１つをテストデータにすればよい。

❹判定条件／条件網羅

❷と❸を組み合わせたものです。判定条件で真、偽ともに少なくとも１回は実行し、かつ判定条件の中の個別の条件が少なくとも１回の真と偽の結果を持つテストデータを用意します。

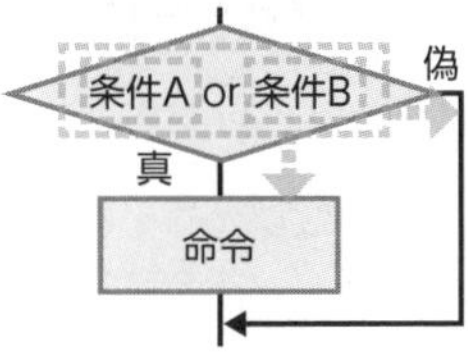

テストデータ

	1	2	3
条件A	真	偽	偽
条件B	偽	真	偽

❺複数条件網羅

❹の完全版です。個々の条件の真と偽のすべての組み合わせを網羅し、さらに判定条件（分岐）を網羅するようにテストデータを作成します。

テストデータ

	1	2	3	4
条件A	真	真	偽	偽
条件B	真	偽	真	偽

●ブラックボックステスト

ソフトウェア統合テストの工程で行うテスト方法で、プログラムの内部構造は意識せず（中身が見えないブラックボックスとする）、インタフェース（入出力）だけに着目してテストデータを設計します。「このプログラムではどんな値を入れたらどのような結果の値が出なければならないのか」を想定して、テストを行っていきます。

出題分析

ブラックボックステスト

ブラックボックス法によるテストケースの設計に関する記述として、適切なものはどれか。

ア 実データから無作為にテストデータを抽出しテストケースを設計する。

イ プログラムの外部仕様の観点からテストケースを設計する。

ウ プログラムのすべての命令が少なくとも１回は実行されるようにテストケースを設計する。

エ プログラムの内部ロジックに基づいてテストケースを設計する。

ブラックボックステストとは、プログラムに要求されている仕様から、機能とデータの関係に着目してテストケースを設計する方式である。テストデータは、論理に基づいて設計を行う。

ブラックボックステストに対し、プログラムの内部ロジックに基づいてテストケースを設計する技法が、ホワイトボックステスト（解答群ウ、エ）である。

解答 イ

❶同値分析法

入力データが取りうる値の範囲を同値クラスに分割し、各クラスの代表値をテストデータとします。入力データAの取りうる範囲が「－４≦Ａ≦３」の場合は、次のようなテストデータになります。

・有効同値クラス

正当な範囲内のデータクラス(－３、０、１など)

・無効同値クラス

不当(エラー)な範囲内のデータクラス(－６、４、６など)

❷限界値分析法

同値クラスの端(境界)に位置するデータをテストデータとします。下記の例では「－５、－４、＋３、＋４」など。

図表06-3
限界値分析

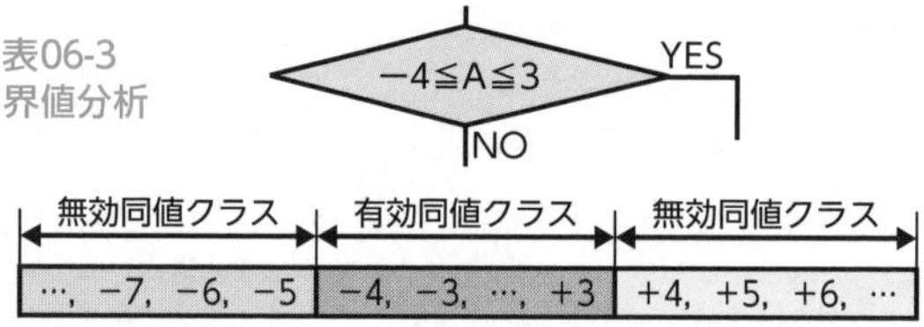

❸原因結果グラフ法

対象となるデータが、明確にクラス分けできないときに使う方法です。入力(原因)と出力(結果)を書き出して、原因結果グラフを作成し、デシジョンテーブル(決定表)で整理してテストデータを設計します。

符号と数値を2進数に変換する（第1データ＝符号、第2データ＝数字）
・符号がエラーならメッセージ1を出力
・数字がエラーならメッセージ2を出力

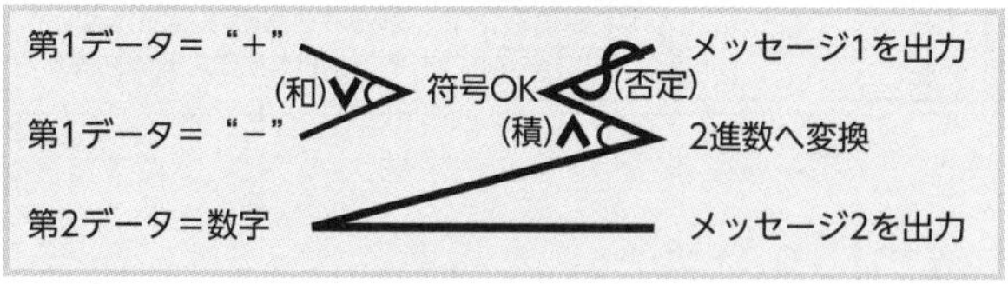

図表06-4　原因結果グラフ法

❹エラー埋込法

残存エラーを予測する際に使う方法です。プログラムの中に意図的にエラーを埋め込んでおき、埋込みエラーと真のエラーから、残存する真のエラーを推定します。

出題分析

限界値分析のデータ

入力項目“年齢”(整数値)の正常データ範囲が15≦年齢≦60であるとき、限界値分析に用いるテストデータの組合せとして、適切なものはどれか。

ア 14、15、60、61
イ 14、61
ウ 15、16、59、60
エ 15、60

限界値分析では、正常データ範囲(有効同値クラス)と非正常範囲(無効同値クラス)の境界値で正しく判定と処理が行われているかどうかを調べる。

問題のテスト対象のシステムでは、年齢を3つに分けて処理を変えている。そこで、限界値として、この3層の境界にある値をテストデータとして採用すればよい。

解答 ア

システム統合テストとソフトウェア統合テスト

設計工程とテスト工程の関わり

テストは段階を踏んで行われ、各段階において該当する設計書どおりにソフトウェアが作成されているかどうかを検証します。そのため、テストに使われるテスト仕様（検証する項目内容やその方法や結果の分析方法や基準など）とテストデータは、各設計工程において、あらかじめ検討し、作成しておく必要があります。

また下図のように、設計工程では大まかなところから次第に詳細な部分へと設計していきました（段階的詳細化）が、テスト工程ではその逆に、細かいプログラムから大きなプログラム（段階的統合化）へと検証していきます。

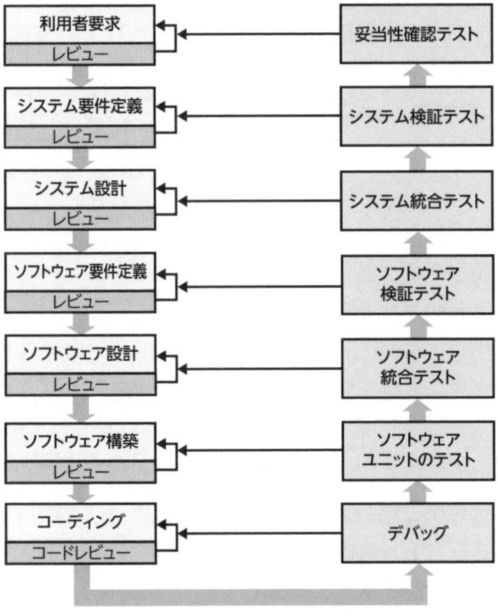

図表07-1　設計工程とテスト工程の対応

出題分析

テストの種類

分割して構築したソフトウェアユニットを統合し、ソフトウェアとしての動作を確認するために行うテストはどれか。

ア 妥当性確認テスト
イ ソフトウェア統合テスト
ウ システム統合テスト
エ ユニットテスト

ユニットやモジュールを組み合わせて、うまく稼働するかを検証するテストをソフトウェア統合テストという。

ア：妥当性確認テストは、導入・受入れ時に行うテスト。ウ：システム統合テストは、コンポーネントやサブシステムを統合した後、システム設計書どおりに機能や性能が満足するかを検証するテスト。エ：ユニットテストは、1つあるいは複数のモジュールのテストで、単体テストともいう。

解答 イ

❶デバッグおよびモジュール(ソフトウェアユニット)テスト

プログラム作成(コーディング)の工程で作成した各モジュールが、ソフトウェア設計におけるテスト仕様の要求事項を満たしているかどうかを検証します。テストはモジュールを作成した担当者やモジュールの設計者が実施します。仕様どおりに機能しない(実行エラーが起きた)場合は、ソースコード<☞ p.355>に戻って修正を行います。実行時のエラーを見つけるには、一般にデバッグツール<☞ p.180>を使います。

❷ソフトウェア統合テスト

ソフトウェア設計のテスト仕様に従って行うテストでソフトウェアの動作を確認します。テストは担当する設計者が主体となって行います。具体的には、テストの終わったモジュールを統合して、1つの機能を持つプログラム単位で稼働させ、動作および各モジュール間(プログラム間)のインタフェースなどを検証します。テスト方法には、増加テストと非増加テストがあります<☞次ページ>。

❸ソフトウェア検証テスト

ソフトウェア要件定義のソフトウェア要件に従って行い、要件どおりに機能が実現されているかを確認します。システム開発部門が主体で行う最終テストで、仕様に基づいてシステムの性能や負荷への対応、セキュリティなどについて検証していきます。

❹システム統合テスト

システム設計の仕様に従って行うテストです。複数のシステムやハードウェア、手作業が必要な部分など、すべてを統合したうえで仕様書どおりの要件を満たしているかを検証します。また必要に応じて、他のシステムとの連係についてもテストします。テストは、開発部門と利用者部門が協力して行います。

❺システム検証テスト

システム要件定義のシステム要件に従い、システムが要件どおりに実現されているかをテストします。導入前の最終テストであり、ソフトウェア検証テストのテスト内容を含めた、さまざまな項目を確認します。テストは、

出題分析

テストの特徴

システム統合テストに関する記述のうち、適切なものはどれか。

ア 端末応答時間などのシステムの処理効率については、ハードウェアの性能に依存するので、システムテストの範囲には含めない。

イ ファイル破壊やハードウェア障害からの復旧が容易に行われるかどうかをテストすることは、完成したシステムを損なう可能性があるので避けるべきである。

ウ ヒューマンインタフェースやシステムの操作性については、システムが運用される環境によって変化するので、テストすることは無意味である。

エ 要求仕様書の内容がどこまで実現されたかを確認するには、ブラックボックステストが有効である。

システム統合テストでは、システム設計の要求仕様が実現できているかを確認する。ソフトウェアユニットの内部構造を意識せず、結果のデータを見て仕様どおりに処理されているかを確認するため、ブラックボックステストが適している。なお、ア～ウは、いずれも省略せず、システム検証テストで実施すべき内容。

解答 エ

利用者部門が主体となって行います。

❻妥当性確認テスト

完成したシステムを導入し、実稼働の環境で行うテストです。開発部門や利用者部門のほか、運用部門や監査部門も参画して行います。発見された問題点は、記録に残すとともに修正や改善、再検証を行います。

ソフトウェア統合テストの手法

頻出

モジュール(ソフトウェアユニット)間のインタフェースを検証するソフトウェア統合テストでは、モジュール完成のタイミングにずれが生じるため、統合する順序にも工夫が必要になります。

●増加テスト

テスト済みモジュール群に、モジュールを順次統合させながら行うテストです。統合されるモジュールが徐々に多くなることから増加テストと呼ばれています。 エラーの原因特定が容易で(エラーの箇所を新たにテストに加えたモジュールまたはその部分のインタフェースに特定できる)、大規模なソフトウェアのテストに適しています。

❶トップダウンテスト

上位から下位モジュールへ順に統合しながら行うテスト方法です。一般に1つのコンポーネント(動作確認の単位)は複数のモジュールで構成されているため、未完成のモジュールがあるとテストできません。そこで、未完成

さらに詳しく

増加テストの特徴

トップダウンテストの特徴としては、次のようなメリットやデメリットがある。

- 重要度の高い上位モジュールが繰り返しテストされるので、上位モジュールおよびモジュール間インタフェースの信頼性が高くなる。
- 数の少ない上位モジュールから順に開発しテストを行うので、最初はプログラミングとテストの並行作業が難しい。
- モジュール単体の機能や論理を十分にテストできないことがある。

(注)ボトムアップテストの場合は、これと逆のことがいえる。

図表07-2　ドライバとスタブ

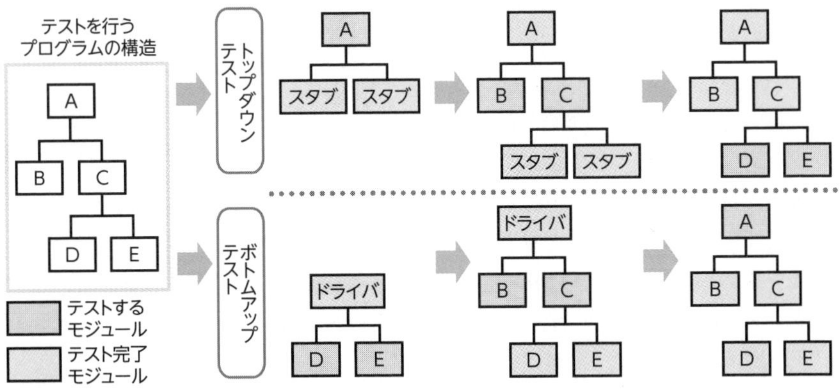

の下位モジュールに代わるスタブ(条件に合わせた結果を返す機能のみを持つ)を使ってテストを進めます。

❷ボトムアップテスト

単体テストが終わった下位モジュールから上位モジュールへ順に統合しながらテストする方法です。未完成の上位モジュールの代わりをするドライバ(下位モジュールを呼び出す機能のみを持つ)を使ってテストを進めます。

❸折衷(サンドイッチ) テスト

最上位に近いモジュールはトップダウンテスト、最下位に近いモジュールはボトムアップテストで行います。

●非増加テスト

構成する全ユニットを一度に統合してテストする方法です。不具合が見つかったとき、どのモジュール(ソフトウェアユニット)に原因があるのかを特定することが難しいため、小規模なソフトウェアのテストに用いられます。

代表的なものにビッグバンテストがあり、モジュールごとにドライバまたはスタブを用意して個別にテストし、最後に全モジュールを一斉に統合してテストを行います。

検証テストの手法

ソフトウェア検証テストやシステム検証テストでは、それぞれの観点やテスト範囲により、機能や性能を確認します。次のようなテストがあります。

❶機能テスト

仕様書に基づいて、利用者側の要求を機能面で満たしているかを評価します。

❷非機能要件テスト

仕様書で決められた機能以外についての全般を指します。ただし非機能要件は、システムの用途や重要度、社会性・公共性、システム利用者などによって異なります。参考として、IPAの非機能要求グレード2018では、非機能要求の項目として、(1)可用性、(2)性能・拡張性、(3)運用・保守性、(4)移行性、(5)セキュリティ、(6)システム環境・エコロジーが挙げられています。

ココも出る！

状態遷移テスト

状態遷移テストは、現在の状況や時間経過などによって、次の状態が変化するシステムを対象とした統合テスト手法。テストデータは、状態遷移図や状態遷移表<☞ p.343>を基に行うが、通常の統合テストより場合分けが複雑になる。

出題分析

スタブの役割

統合テストで用いられるスタブの役割の記述として、適切なものはどれか。

ア テスト完了のモジュールの代わりに統合される。

イ テスト対象のモジュールからの呼出し命令の条件に合わせて、値を返す。

ウ テスト対象のモジュールからの呼出し命令の条件に合わせて、テストデータを自動生成する。

エ テスト対象のモジュールを呼出し命令で呼び出す。

上位モジュールから統合していくトップダウンテストでは、未完成下位モジュールの代わりにスタブが使われる。スタブは、上位モジュールからの呼出しによって、設定された値を返す役割を持つ。

解答 イ

❸性能テスト

データの処理速度、画面からのリクエストに対する応答時間など、システム全体の性能を評価します。

❹操作性テスト

ヒューマンインタフェースが使いやすいか、操作ミスや入力ミスを起こしやすくないかなどを評価します。

❺負荷テスト(ストレステスト)

量的な負荷(データ量、同時発生するリクエストの数など)を与えて、システムの限界を評価します。

❻例外処理テスト

イレギュラーなデータの処理やエラー処理について、適切に(安全な方向に)動作するかを評価します。

❼障害回復テスト

障害が発生した際に、発生状況を把握でき、原因を突き止められ、的確な復旧作業の手順があり、迅速に回復できるかを評価します。

❽セキュリティテスト

ネットワークやデータベース、人が介在する部分などを含め、セキュリティを保持する観点でテストを行います。

テスト結果の評価

頻出

各テスト工程では、テスト実施後にテスト結果の記録、結果の分析と評価を行い、文書として記録しておきます。

不具合が生じた場合、バグであれば修正を行い、必要な性能を満たさないときは**チューニング**(プログラムの調整)を行います。また、仕様の変更を伴う場合には、文書やマニュアルを更新しておきます。

●回帰テスト(リグレッションテスト)

システムの変更(修正、機能追加)が行われたときは、該当する部分のみに目が行きがちです。しかし、それまで正常に稼働していた部分に、思わぬ影響を及ぼしていることがあります。**回帰テスト**(regression test)は、変更した機能と従来からの機能を含めてテストすることで、他の正常な部分に影響を与えていないかを検証する方法です。**退行テスト**ともいいます。

出題分析

テストの方法

新しく開発された受発注管理オンラインシステムへの移行前に、現行システムと2か月間の並行運用を行った。その期間中は2つのシステムにデータを入力し、出力をチェックした。並行運用を開始した当初は順調に処理が進んでいたが、システムの移行間際になって、新システムに同時に大量のデータが入力されると応答時間が長くなるという問題が発見された。問題の発見が遅れた原因として、どのテストが不十分だったと考えられるか。

ア 機能テスト
イ 障害回復テスト
ウ リグレッションテスト
エ 負荷テスト

大量データや長時間稼働など、システムに量的に大きな負荷(データ量、同時アクセス数、利用時間など)を加えても正常に稼働するかという観点での負荷テストが不十分だったと考えられる。

解答 エ

導入と受入れ支援および保守・廃棄

システムの導入作業

導入（インストール）作業では、開発したソフトウェアだけでなく、必要に応じてサーバや周辺機器などのハードウェア、ネットワーク環境、そして操作手順や業務プロセスなど、システムの稼働に必要なすべての要素を切り換える場合があります。新システムへの移行中も停止できないシステムでは、休日に切り換えたり、業務単位や支店単位に移行するなど、日常業務に支障が出ないよう考慮する必要があります。

●導入の手順

新システムへの導入は、次のような手順で行います。

移行対象データの決定	旧システムから新システムでも使用するデータ（例：製品コードと商品名の対象表など）を決める。
↓	
データ移行方法の検討	新システムで使用するデータをどのように準備するかを検討。そのまま使える場合や、データ変換が必要な場合もある。
↓	
移行計画の作成	移行の日時や移行手順など、移行計画を作る。移行方法によって、必要な要員が変わってくる。
↓	
移行の実施	移行計画に従って、移行作業を行う。一気に新システムに移行する方法や、旧システムと並行運用しながら数か月かけて移行する方法もある。

図表08-1　システムの移行手順

●移行計画の作成と実施

新システムへの移行は、十分な準備を行うために、綿

さらに詳しく

利用者用文書類

利用者用文書類（利用者マニュアル）は、ウィザード、学習書（チュートリアル）、オンラインヘルプが含まれる。これらはシステム開発部内に保管したり、利用部門の管理者が手元に持っているだけでは不十分といえる。使用頻度の高いものは各部門のわかりやすい場所に配置したり、個々の利用者に配布するなど、いつでも使える状態にしておく必要がある。また、紙媒体のほか、コンピュータ上で検索したり表示することができるオンラインヘルプの形も取り入れるとよい。

なお、文書類を作成したり配布したりするときは、どんな情報をどんな形で提供すればよいのかを利用者側に立って検討するようにしたい。

密な移行計画を作り、それに従って実施します。主に、次のような項目を検討して決定し、導入計画書として文書化します。

移行作業	移行に必要な個々の作業の洗い出し。
機器導入とデータ準備	新しく導入する機器の準備や、新システムに移行するためのデータの変換作業など。
移行スケジュール	上記作業の手順と必要工数、機器導入のタイミングなど、移行計画全体のスケジューリング。
人員体制	個々の作業に必要な人員の割り当てと確保。
費用	移行に必要な機器、人件費や管理費などの見積り。
利用者教育	新システムで業務を行う利用者に必要となる、操作方法や手順などのトレーニング。

図表08-2　システム導入計画の策定

システム導入の方法

　新しく導入されたシステムは、稼働後も不安定だったり、不具合が見つかったりすることがあり、業務に支障をきたすようなトラブルが生じる可能性もあります。そのため、旧システムを運用したまま、新システムを並行して稼働させながら導入していく方法もあります。

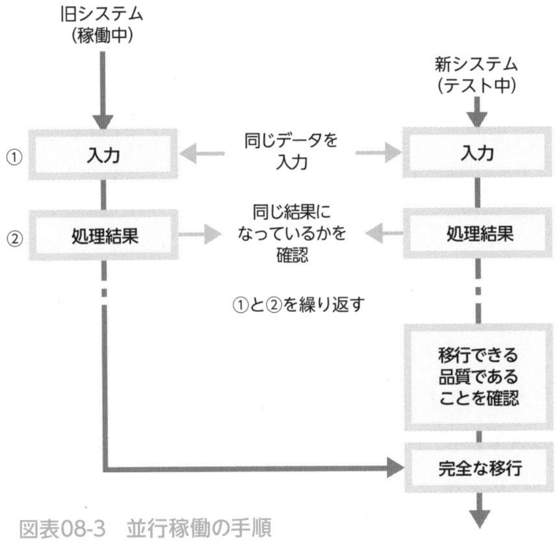

図表08-3　並行稼働の手順

出題分析

システムの一斉移行

　ある時点で旧システムから新システムへ一斉に切り換える一斉移行に関する記述として、適切なものはどれか。

ア 移行した結果、エラーが発生してもその影響は順次移行に比べて小さい。

イ 移行に伴う運用や保守の負担は順次移行に比べて少ない。

ウ 開発や移行の期間は順次移行に比べて長くなる。

エ 新システムに移行した後でも、再び旧システムへ戻すことが容易である。

　一斉移行は、移行の期間が短く、費用を抑えられる面では有利だが、トラブルが発生した場合の対応が難しいため、大規模なシステムになるほど危険を伴う。

　ウ：一斉移行に比べ、段階を分けて移行する順次移行の移行期間のほうが長くなる。エ：影響する範囲が大きいため、旧システムへ戻すのは容易ではない。

解答 イ

移行の方法には次のようなものがあります。

移行方法	説　明	長所と短所
全社的に一斉に移行	休日などを利用し、一気に新システムに切り換える。	移行期間が短くコストは安いが、システム障害時に業務に与える影響が大きい。
支店や部門単位に順次移行	支店単位などで、順次新システムに切り換える。	システム障害をその支店に限定できるが、他支店では旧システムが運用されており、運用が複雑で移行期間も長くなる。
サブシステムから順次移行	サブシステム単位で、新システムに切り換える。	システム障害をサブシステムに限定できるが、旧システムと新システムでデータをやり取りする必要があり、移行手順が複雑で移行期間も長くなる。

図表08-4　システム移行方法の種類

システムの受入れ支援

システムの開発者側で行うシステム統合テストが終わると、利用者側に引き渡されます。このとき、受け入れてよいかどうかを判断するために**妥当性確認テスト**が行われます。

システムの受入れ可否の判断は利用者側の責任で行うので、開発者側の支援を受けながら、利用者側が、受入れ基準やテストデータを準備して実施します。問題のないことが確認されたら**検収**を行いますが、運用に入ってからも、システムが安定して稼働するようになるまでは、運用状況を監視する必要があります。

そのほか、**利用者用文書類**や**運用規程**を整備したり、**教育訓練**を実施するなど、利用者がシステムを使いこなすための準備が必要になります。

システムの保守

保守とは、受入れが終了して本番稼働した後に、システムに潜むバグの発見や性能の低下、利用者によるシステム改善や機能拡張の要求などがあったとき、システムを修正、変更、改良する作業です。システムのライフサ

さらに詳しく

保守の対象

保守の対象によって、次のように分類できる。

ソフトウェア保守：稼働中のプログラムに不具合があったので修正する、業務の内容に変更があったのでソフトウェアの手直しを行うなど、ソフトウェアの変更や改修などを行う。

ハードウェア保守：ハードディスク装置が故障したので新しいものと交換した、新しい部署ができたのでLANケーブルを敷設したなど、装置や設備の変更や改修などを行う。

利用者教育の実施

新しく定められた運用ルールや操作方法などを利用者に知らせ、適宜利用者の指導や教育を行って、混乱なく業務を遂行できるようにする。必要であれば、**サービスデスク**<☞p.436>の設置などを考える。

イクルにかかる全費用の60〜70%が保守費用に当てられるといわれるほど、重要な作業工程となります。

●保守の作業内容

保守作業には、次のような種類があります。

修正作業	ソフトウェアのバグを修正する。業務に支障をきたすため、緊急を要するものが多い。
変更作業	業務の変更、税制や法律改正などによる税率や計算方法などの変更に対するソフトウェアの変更を行う。
改良作業	利用者の要求による仕様変更や機能追加依頼などへの対応（バージョンアップ）を行う。

図表08-5　保守の種類

保守のタイミング

保守は、障害発生後に修復する作業だけを指すものではありません。システムの運用状況を監視したり、故障する前に部品を交換するなど、システム障害が発生しないように、事前に対策をとることが重要です。保守を実施するタイミングで分類すると、次の2つの種類に分けることができます。

●予防保守

障害発生を防ぐための保守で、計画的に実施します。

日常点検	システムが稼働した状態で行うもので、システムを構成する機器の状態や性能を監視する。遠隔保守が利用されることもある。
定期点検	基本的にシステムを停止して行うもので、定められた一定期間ごとに、機器の検査や部品の交換などを行う。

図表08-6　予防保守

●事後保守

障害発生後や発生する可能性が高い場合に実施します。

臨時保守	通常の稼働状態とは異なる状況（急激な性能低下や異音など）が発生した場合に臨時的に実施される保守で、致命的な障害を未然に防ぐことを目的とする。
緊急保守	システム停止など障害発生時に実施される保守で、障害の原因となった機器の切離しや置換え、リカバリ作業などを行う。

図表08-7　事後保守

出題分析

予防保守

予防保守に関する説明として、適切なものはどれか。

ア サーバが何らかの原因でハングアップしたとき、自動的にシステムをリセットし、再起動する。

イ サーバにバッテリーを内蔵しておき、瞬断のような短時間の電圧低下が発生してもサーバがダウンしないようにしておく。

ウ ハードディスク装置などの自動訂正済みエラーを分析することで、故障の前兆をとらえて部品をあらかじめ交換する。

エ メモリモジュールをあらかじめ複数挿入しておき、どれかが故障した場合には、そのモジュールを論理的に切り離して起動する。

予防保守とは、障害が発生する前に障害の発生しそうな部品や装置を正常なものに交換し、障害を未然に防ぐ保守方法である。予防保守の実現には、過去に発生した障害の調査データの蓄積と分析が必要である。予防保守を行うことで、MTBF(平均故障間隔)を長くすることができる。

解答 ウ

●保守の手順

保守作業手順は、次のような手順で行います。①保守計画および手続きの作成など。②問題の把握や修正依頼の分析、問題の再現または検証、修正の選択肢の用意など。③問題の是正や機能追加、性能の改良など。④修正されたシステムやソフトウェアの動作確認と承認など。⑤根本原因の究明、類似事故について可能性を検討し、再発防止策を実施するなど。⑥修正したシステムやソフトウェアについて移行を行うなど。

●保守の外部委託

開発プロセスを外部のソフトウェア企業(ベンダー)に委託した場合や自社で保守要員を常時雇用しない場合、外部企業と保守契約を結び、保守作業を委託する形態が多くなっています。このとき、障害が発生する頻度やシステム停止時間の許容範囲などを考慮し、委託先を選択するとともに保守形態などを検討する必要があります。

・オンサイト保守：期間を決めて定額でサービスを行う。障害の頻度が多いと見込んだときに有効な契約。

・オンコール保守：依頼ごとのスポット契約でサービスを行う。障害の頻度が少ないと見込んだときに有効な契約。一般に1回のサポートはオンサイト保守より割高。

システムの廃棄

新システムの導入によって不要になった旧システムは、関係者へ通知のうえ、計画に基づいて廃棄の処理を行います。その際に重要なのは、新システム運用への信頼性が十分に確保されているかを判断することです。実際の廃棄作業に際しては、次のことに注意を払います。

・廃棄によって業務に支障は起こらないか。
・必要なデータがすべて新システムに移行され、バックアップも完了しているか。
・廃棄されたシステムからの情報漏えいの可能性はないか。

さらに詳しく

遠隔保守

遠隔保守とは、遠隔地の保守センタから通信回線を利用して、利用部門のコンピュータシステムの保守を行うこと。

技術者が常駐するのに比べ低コストで、障害発生時に素早く対応できるためMTTR(平均修理時間)を短縮できる。

09

開発技術

ソフトウェアの開発手法

ソフトウェアの開発モデル

頻出

　ソフトウェアやシステムを作成する場合に、どんな順序でどのような作業を行うのか、まずモデルケースを選択するところから始めます。ソフトウェア開発では、これまでの経験によって、このような内容・順序で構築していくとうまくできるといういくつかのモデルがあり、これらを開発モデルといいます。ここでは各モデルの特徴を解説します。

●ウォーターフォールモデル

　ウォーターフォールモデルは、開発作業の全体をいくつかの工程(phase)に分け、工程ごとに作業を管理していく手法です。ウォーターフォール(waterfall)とは滝の意味であり、上流から下流工程へ成果物(仕様書など)が順に流れ、作業が進んでいく様子を表しています。

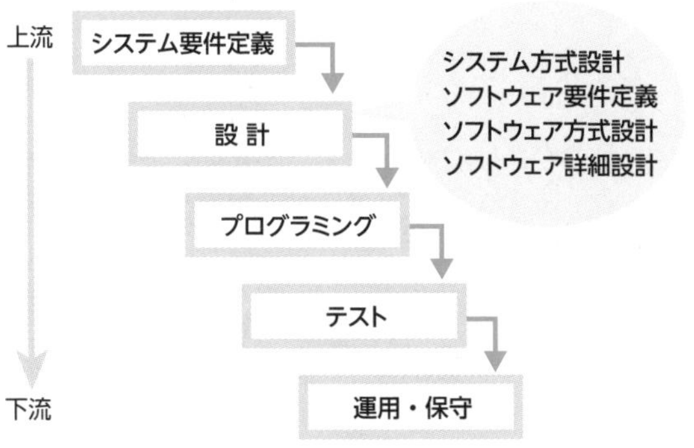

図表09-1　ウォーターフォールモデル

　ウォーターフォールモデルは、水の流れと同じように、作業の後戻りをしないのが原則で、次の特徴があります。

ココも出る！

RAD

RAD(Rapid Application Development)は、開発期間を短縮することを重視した開発モデル。利用者および少人数の開発チームで短期間にプロトタイピングを繰り返していく。開発の際には、RADツールやCASEツールを使って、あらかじめ用意されたモジュールを組み合わせ、開発の省力化と開発期間の短縮化を図る。

- 工程を終えてから次工程に進むため、進捗管理や工程管理が行いやすく、比較的大規模な開発プロジェクトに向いている。
- 途中段階の仕様変更に弱く、誤りの発見が遅れやすい。
- 原則として後戻りはしないが、誤りが発見された場合、その原因が上流工程であるほど修正に時間と費用がかかる。

●プロトタイピングモデル

開発の早い段階で作成した試作品(prototype：プロトタイプ)を使い、顧客の確認を得ながら開発を進める手法です。使い捨て型と拡張型(試作品を肉付けして本来のシステムを完成させる)の２つのタイプがあります。

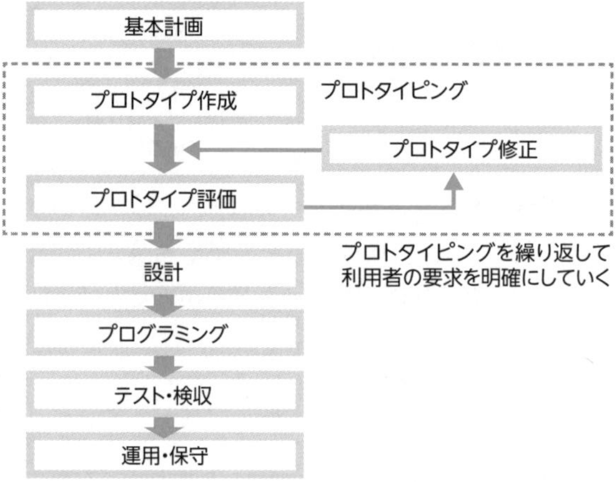

図表09-2　プロトタイピングモデル

プロトタイピングモデルには、次の特徴があります。

- 試作品を顧客が確認することで、仕様の誤解や食い違いを早期に発見でき、それによって手戻り作業の発生を防止できる。
- 埋もれていた要求や技術者が気付かない点が発掘され、システム品質が向上する。
- スケジュール調整が難しい。

●スパイラルモデル

大規模な開発をするとき、独立性の高い部分ごとに、

ココも出る！

段階的モデル

(incremental Model；インクリメンタルモデル)は、初期段階の計画や要求分析などを行った後、まずはコア部分を完成させ、その後は「設計、実装、検証」を繰り返しながら、システムの機能を段階的に増やしていく方法。要求分析を済ませているため、全体像を把握しながら、部分的に機能を確認できるが、工程やコスト管理が難しい。この変形型がスパイラルモデルであり、独立性の高い部分に切り分けることで、並行作業や再利用がしやすい。またプロトタイピングを取り入れることで初期段階でリスクの高い問題を検討でき、ひいては後半のコスト増を回避できる。

進展的モデル

(Evolutionary Model；エボリューショナリーモデル)は、初期段階の計画を作成した後、「要求分析、設計、構築、検証、妥当性確認および納入と提供」を繰り返しながら機能を増やしていく方法。分析と納入・提供を繰返しに含めることで、開発当初に要求事項が不明確な場合にも対応できる。一方、開発期間やコストの見積りが困難な面がある。

設計、プログラミング、テストの工程を比較的短期間で繰り返しながら完成度を高めていく手法です。

作成の様子が「らせん」の形で表現できることから、スパイラル(spiral：らせん)モデルと呼ばれています。

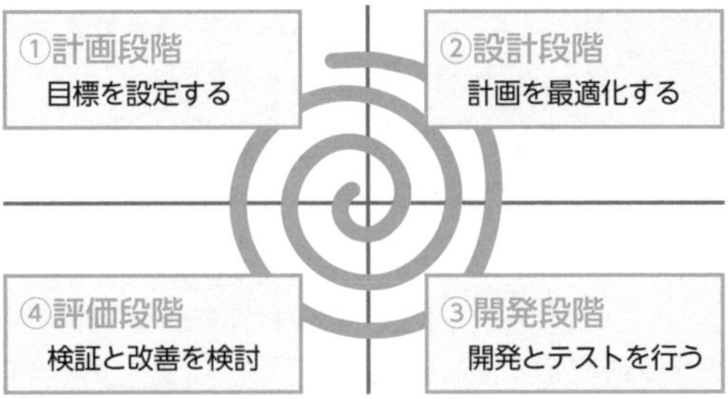

図表09-3　スパイラルモデル

スパイラルモデルには、次のような特徴があります。

- 開発単位が小規模で独立しているので、開発済みの部分を他の部分に再利用できる。
- 短期間で開発工程を繰り返すので、仕様変更や再設計に対応しやすい。
- ウォーターフォールモデルを部分的に踏襲しているので、工程管理が比較的容易。必要に応じてプロトタイピングも取り入れられる。
- 機能ごとに順次作成していくので、開発コストを見積りやすい。また必要な人員数を抑えることができる。

アジャイル

頻出

アジャイル(agile)は、システム開発を進めるうえでの定義で、その概念を示す「アジャイルソフトウェア開発宣言」によって誕生したものです。特徴は、数週間の単位で「要求、計画、開発、テスト、検証・評価、リリース」を繰り返し、開発期間の短縮を図ります。実際には顧客側と開発者側が少人数のチームを組み、密接にコミュニケーションをとりながら進めていきます。これにより顧客の要望や市場変化に対し、柔軟な対応が可能になります。

●XP(エクストリームプログラミング)

XPは、ケント・ベック氏らが考案したアジャイルタイ

ココも出る！

アジャイルの特徴

・理想と完成品とのギャップが少ない

常に利用者の意見を聞くことができ、仕様の変更要求に対して柔軟な対応が可能になる。

・小規模開発に向く

開発に関わるメンバーが意思疎通を図りながら単位ごとに短期間のうちに完成させていく方法のため、比較的小規模な開発に向いている。

アジャイルソフトウェア開発宣言

アジャイル開発で重視する「マインドセット」として記したもの。IPAによる要約した趣旨には、次のように書かれている。

・対面コミュニケーション

個人どうしの対話を通じて相互理解を深めることで、よりよいチームが作られる。

・実働検証

動くソフトウェアを使って繰り返し素早く仮説検証をし、その結果から学ぶことがよりよい成果を生み出す。

・顧客とのWin-Win関係

お互いの立場を超えて協働することにより、よりよい成果と仕事のやり方を作ることができる。

・変化を味方に

顧客ニーズやビジネス市場の変化は事前計画を狂わす脅威ではなく、よりよい成果を生み出す機会と捉える。

プの開発手法で、顧客側と開発者側が共有すべき価値に基づいて、プラクティス（実践すべき手法）によって作業を進めていきます。いくつかの実践手法がありますが、試験でよく問われるのは次の３つです。

❶ペアプログラミング（Pair Programming）

作業を二人一組にして、プログラム（ソースコード）の書き手とチェック役を担当する方法です。また、随時役割の交代とメンバーの入換えを行います。バグを減らし、プログラムの品質を向上できます。

❷リファクタリング（Refactoring）

外部から見えるソフトウェアが行う動作を変えないように、プログラム（内部構造）を置き換える手法です。機能追加にも対応しやすく、メンテナンス性も向上できる洗練されたものになります。

❸テスト駆動開発（TDD；Test Driven Development）

先にテストケースを作成してから、プログラム（ソースコード）を書く手法です。具体的には、まずテストケースを作成し、そのテストをパスさせるために必要最低限のプログラムを書きます。さらに、その状態を維持するようにリファクタリングを行い、これを繰り返すことで完成形へ近づけていきます。これにより、実装すべき機能が明確になり、テストを効率的に行うことができます。

●スクラム

ラグビーの「スクラム」から名付けたチームコミュニケーションを重視したアジャイル手法です。チーム内に顧客を取り込んで、小さな機能単位を短期間で開発するため、優先順位や目的に合ったものを目に見える形で作り上げることが可能です。また、スクラムチームではあらかじめ次の役割を決めておきます。

・プロダクトオーナー

全体の管理責任者。市場の動向を踏まえ、依頼者の要求をプロダクトバックログとしてまとめます。また、スプリントごとに動作するプロダクト（ソフトウェア）の評価を行ってプロダクトバックログの優先順位を

ココも出る！

アジャイルソフトウェアの12の原則

アジャイル宣言の背後にある原則。IPAによる要約した趣旨には、次のように書かれている。

①顧客の満足を求め続ける。②要求の本質を見抜き、変更を前向きに。③成果物を2〜3週間でリリースし続ける。④全員で共通の目標に向かおう。⑤人の意欲は信頼から。⑥顧客も開発チームも直接対話で。⑦進捗も品質も現物で。⑧一定のペースでプロジェクトにリズムを。⑨良い技術、良い設計、良い品質の追求。⑩「ムダ＝価値を生まない」を探してヤメる。⑪良いモノは良いチームから。⑫自分たちのやり方を毎週、調整する。

見直し、最終的に依頼者の要求が解決できるように調整を行っていきます。

- **スクラムマスター**

　スクラムチームの調整者の役割を担います。スプリントが円滑かつ確実に進むようあらゆるサポートを行い、進行についての責任を負います。また、メンバーへの指導やスプリントレビューの開催も行います。

- **開発者（スクラムメンバー）**

　数人でチームを組んだ開発メンバーです。

　このほかに、開発を行うプロダクトに関わる**ステークホルダー**（利害関係者）が存在しています。ステークホルダーは、スクラムチームと密接に関わっていきます。

◯スプリントの手順（スクラムイベント）

　スクラムでは、数週間～最長１か月程度の開発単位（**スプリント**と呼ぶ）を繰り返し、動作するソフトウェアを作り上げていきます。実際の作業は、**スクラムイベント**と呼ばれる次のような手順で行っていきます。

①スプリント計画	プロダクトバックログの中から、次のスプリントで行う範囲や機能（**スプリントバックログ**という）を、チーム全体の合意により決めていく。
②スプリント	スプリント計画に基づいて、最長1か月程度の単位で開発を行う。
③デイリースクラム	スクラムチームが日々行う15分程度のミーティングで、日々決められた時間と場所で行う。スプリントの作業内容や進捗をチェックし、問題点を早期に見つけ出すことを目的にする。
④スプリントレビュー	スプリント終了時に行う開発したプロダクト（成果物）のデモイベント。プロダクトオーナーが評価し、完成に至っているかどうかを判断する。これにより、追加・修正を含めたプロダクトバックログの見直しを図り、次のスプリントの優先順位を決めていく。ステークホルダーが参加することもあり、プロダクトへの助言や全体方針の変更を伝えるなどを行う。
⑤ふりかえり（レトロスペクティブ）	スプリント終了時に行うイベントで、スプリントチームの生産性向上を目的としている。スプリントで行ってきたプロセスをふりかえることで、次のスプリントの改善につなげるとともに、技術的、精神的な面を含むスクラムチームの成長を促していく。

図表09-4　スクラムイベントの流れ

ココも出る！

継続的インテグレーション

　継続的インテグレーション（CI：Continuous Integration）は、開発者それぞれが日々完成したプログラム（コード）について、あらかじめ用意されたテストプログラムを用いて自動ビルド（自動的に当該プログラムの実行環境を整えて動作させる仕組み）とテストを行うことを継続して行える環境や手法。個々のプログラムの不具合を早期に発見して修正できるため、統合時の影響を最小限に抑えられ、品質向上やコスト削減につながる。

継続的デリバリー

　継続的デリバリー（CD：Continuous Delivery）は、テストを終えた個々のプログラム（コード）について、統合、各種のテストを行うまでの作業を自動化する環境やツール。継続的インテグレーション（CI）と合わせて行っていく。

継続的デプロイ

　継続的デリバリー（CD）でテストを終えたプログラム（コード）について、リリースに向けてデプロイ（環境を整えて稼働するまでの一連の作業）を自動化する環境やツール。

なおスプリントにおいて、継続的インテグレーション(CI)と継続的デリバリー(CD)<☞前ページ▦>を取り入れることで、作業の効率化、問題点の早期発見・対応を実現でき、期間短縮や品質向上につなげることができます。

DevOps

DevOps(デブオプス)は、開発(Development)と運用(Operations)を合わせた造語で、開発～運用を統合することでライフサイクルプロセスを迅速に行っていく考え方です。これにより、品質向上や市場変化への対応、サービス範囲の拡大につなげていくことが目的です。

具体的には次のことを繰り返していきます。

・開発における各段階をツールを使うことで自動化し、一部分だけであっても素早くリリースを行う。

・運用における市場からの反応を迅速にフィードバックし、次の開発に取り入れていく。

またライフサイクル全体がつながることで信頼性が向上し、セキュリティも確保しやすくなります。加えて参加するメンバーも横断的に関われるため個人のスキルアップにもつながります。DevOpsでは、継続的インテグレーションと継続的デリバリー、継続的デプロイ<☞前ページ▦>を含む開発ツールの使用がベースになります。

ローコード／ノーコード開発

ローコード開発やノーコード開発は、プログラム(コード)を最小限または全く書かずに行える開発プラットフォームやソフトウェアツールを指します。実際に動作するプログラムは自動で生成されるため、さまざまなエラーやデバッグ作業自体も減らすことができます。

〔メリット〕利用者自ら開発できる、プログラミングスキルの習得が不要、開発期間の短縮など。

〔デメリット〕実現できる機能が限定的、開発規模が限られる、プラットフォームへの依存度が高くなるなど。

ココも出る!

MLOps(エムエルオプス)

MLOpsは、機械学習(Machine Learning)と運用(Operations)を合わせた造語。AIモデル(AIシステム)の開発～運用・保守(予測精度の維持)を対象として、統合する考え方やそのためのツール。運用・保守ではリリース後のモニタリングを行い、精度維持のための再学習などを行う。

SRE(サイト信頼性エンジニアリング)

SRE(Site Reliability Engineering)は、Webサイトなどのアプリケーションの運用について自動化を行う考え方やソフトウェアツール群。システムをモニタリングし、新規リリースや修正を行った際などに、求める品質が確保できているかを確認することで速やかに対応することが可能になる。

ソフトウェアの再利用

ソフトウェアの生産性と品質を高めるためには、既存のソフトウェアを再利用したり、メーカーが用意したパッケージソフトを使う方法があります。

●部品化による再利用

部品化とは、ソフトウェアを構造的にとらえ、その構成要素を部品として標準化しておくことです。新システムの構築時には、それらの部品を組み立てることで、高品質なシステムを短期間で完成させることができます。

●ソフトウェアパッケージのカスタマイズ

ソフトウェアパッケージとは、多くの企業で適用が可能な、汎用的な業務処理を製品化したソフトウェアで、業務パッケージとも呼ばれます。

業務システムを、個別に開発するよりも低コストで実現できますが、業務プロセスは企業ごとに異なるため、実際の導入にはソフトウェアパッケージのカスタマイズが必要となります。また、逆に業務そのものをパッケージに合わせて変更する方法もとられます。

さらに詳しく

パッケージの種類

ソフトウェアパッケージの種類には、在庫業務、物流業務、人事業務などさまざまな製品がある。特に、企業の基幹業務を統合化するものをERPパッケージと呼ぶ。

ココも出る!

互換性

ソフトウェアにおける互換性とは、例えばあるソフトウェアで採用しているファイル形式と、別のソフトウェアのファイル形式を相互にやり取りできること。ファイル形式の仕様が公開されていないとき、リバースエンジニアリングを行って互換性を得る場合は、知的財産権の侵害に注意が必要となる。

リエンジニアリング

頻出

システム開発の生産効率を上げるには、すでに完成し稼働しているシステムやソフトウェアを利用して、新しいシステムやソフトウェアを作成する方法があります。これがリエンジニアリング(re-engineering)で、次のようなアプローチがあります。

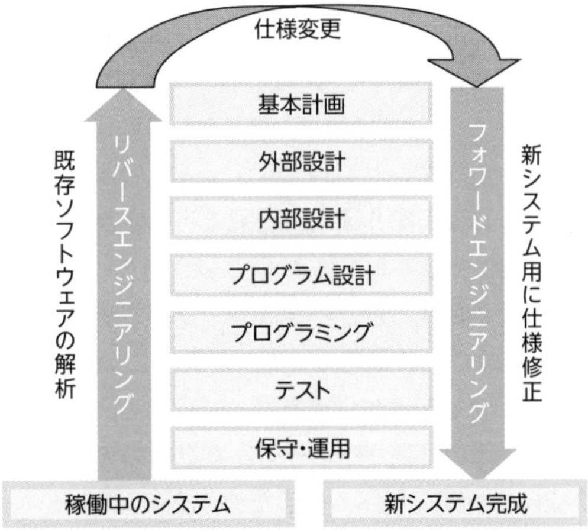

図表09-5　リエンジニアリング

●リバースエンジニアリング

既存ソフトウェアからシステム仕様を導く方法です。再利用開発を支援するだけでなく、既存ソフトウェアの機能の修正や追加などの保守作業にも役立てることができます。その際、基になるソフトウェアの権利者に許可なく開発や販売を行うと、知的財産権を侵害する恐れがあります。また、ソフトウェアのライセンス契約によってはリバースエンジニアリングを禁止している場合もあります。なお、仕様を基に作り出す方法は、フォワードエンジニアリングといいます。

マッシュアップ

複数の提供元からのAPI(Application Programming Interface)を組み合わせて、短時間で新たなサービスを作り出す方法をマッシュアップといいます。APIとは、あるプログラムからOSの機能や別プログラムの機能を呼び出して利用することを指します。またWebサイトの開発では、Web-API(Webサービス)を使って、Web上に公開されている別の機能を組み込んで利用する方法をとります。

モバイルアプリケーションソフトの開発

スマートフォンが普及し、モバイルアプリケーションの需要が急速に高まっています。開発に際しては、画面サイズ(解像度)やヒューマンインタフェース(タップやスワイプによる操作)、文字入力の方法などについて考慮する必要があります。動作環境については、ネイティブアプリケーション(単体のアプリとして動作し、ハードウェアの機能を生かせる)であれば、OSの種類やバージョンの違いによる動作環境に留意する必要があります。

また、モバイル用Webアプリケーション(Webブラウザ上で動作するもの)であれば、ブラウザの種類やバージョンによる動作環境の確認が必要となります。そのほか、両方の特徴を兼ね備えたハイブリッドアプリケーションは、ブラウザ機能を組み込んだ単体のアプリで、HTML機能や言語を利用できるため、OSの異なるバージョンを作りやすいという利点があります。

出題分析

マッシュアップ

マッシュアップに該当するものはどれか。

ア 既存のプログラムから、そのプログラムの仕様を導き出す。

イ 既存のプログラムを部品化し、それらの部品を組み合わせて、新規のプログラムを開発する。

ウ クラスライブラリを利用して、新規プログラムを開発する。

エ 公開されている複数のサービスを利用して、新たなサービスを提供する。

マッシュアップを含めて開発の省力化についての方法が問われている。

ア：リバースエンジニアリング、イ：部品化による再利用、ウ：オブジェクト指向開発での省力化。

解答 エ

ココも出る!

パーミッション要求

パーミッション要求とは、インストールされたアプリケーションが、そのモバイル端末のどの情報(個人情報など)を利用するかや、インターネットに接続するといった権限を要求すること。利用者は権限を任意に設定できるため、権限が失われると、アプリケーションの動作が制限されることが生じる。

10

開発技術

システム開発に伴うさまざまな管理

知的財産適用管理

頻出

システム開発に伴って作成するソフトウェアは、自社のシステム部門で開発する、他社に依頼する、パッケージソフトを購入してカスタマイズするなど、途中の経緯はさまざまで、複数が混在している場合もあります。これらのソフトウェアを社内のシステムとして適切に使い続けるためには、**知的財産権**(著作権や特許権など)を把握し、きちんと管理しておく必要があります。

●ソフトウェアの著作権

❶自社で開発したソフトウェア

ソフトウェアの著作権者は作成者になります。ただし、その企業の従業員が業務として作成し、法人の名義で公表されたソフトウェアは、原則としてその法人(企業)が著作権を持つことになります。なお、派遣契約の場合も派遣先の法人等が著作者となります。

❷外部(請負業者)へ委託して開発したソフトウェア

開発時の費用負担にかかわらず、契約で特に定めない限り著作権者はソフトウェアの作成を委託された側(請負業者)になります。そこで委託先企業との間で、「開発されたソフトウェアに関わる一切の権利およびソフトウェアの所有権は、委託料が完済された時点をもって移転する」という旨の契約を取り交わしておくのが一般的です。

❸パッケージソフトの改変

ソフトウェアを著作者に無断で改造することは、著作権の侵害になります。ただし、**パッケージソフトのカスタマイズ**や**マクロの作成**などについては、正規の利用者が自らそのソフトウェアを使用するための行為として必

さらに詳しく

自社開発の著作権

法律上は次のように定められている。

(第15条)法人等の発意に基づきその法人等の業務に従事する者が職務上作成するプログラムの著作物の著作者は、その作成の時における契約、勤務規則その他に別段の定めがない限り、その法人等とする。

ココも出る！

DRM(デジタル著作権管理)

DRM(Digital Rights Management)は、デジタルデータのコピーや配布を制限するための技術。コピーはできても特定のソフトでプロテクト解除をしないと再生ができないなど、映像や音楽データのコピーガードとして利用されている。

要と認められる限度においては許容されます。

●ライセンス

自社が権利を持たないソフトウェアを使用する場合には、ライセンス契約を交わす必要があり、獲得したライセンスは、契約の範囲で使用するよう、適切に管理する必要があります。また、共同開発を行った場合やそれぞれが保有している著作権を互いに利用し合う場合にはクロスライセンス契約を交わすことで、効率の良い利用ができます。また、ライセンス契約(使用許諾契約)には次のような形があります。

シングルユーザーライセンス	ソフトウェアの使用許諾権。一般に1ライセンスで、1人の利用者が1台のコンピュータで使用できる。
サイトライセンス	1つのソフトウェアを企業内、学校内などの決められた範囲内で複数の利用者が使用する権利。
サーバライセンス	ネットワークのサーバにインストールされたソフトウェアを、クライアントが読み込んで利用できる。
ボリュームライセンス	インストールできる台数を複数許可した契約。企業や学校などで利用される。

図表10-1　ライセンスの形態

開発環境管理

効率的に開発を進めるためには、開発環境の整備が必要になります。開発に必要なハードウェアやソフトウェア、ネットワークを実際に動作する環境に応じて用意したり、開発ツールを充実させることで、効率化や品質向上につながります。また、開発環境についても、ソフトウェアのライセンスの管理は重要です。

❶開発環境稼働状況管理

コンピュータ資源、開発支援ツールなど、開発環境を整備し、それら資源の稼働状況を管理します。

❷設計データ管理

システム設計に関わる、さまざまな設計データのバージョン管理、それらデータの共有管理、安全対策を行います。特に、企業機密や個人情報が含まれている場合に

ココも出る!

CPRM

CPRM(Content Protection for Recordable Media)は、録画用DVDメディアなどで採用されている著作権保護規格。これによりコピーワンス制限が掛けられているコンテンツ保護を実現している。このほか、ブルーレイディスクのコピーガードで採用されるAACS(Advanced Access Content System)がある。

アクティベーション

アクティベーションは、ソフトウェアをインストールする際に行うライセンス認証のこと。例えばインストール中にオンライン経由でメーカーに接続してロックの解除を行うと、決められた台数の範囲で使用可能になる。認証はライセンスのみであり、利用者登録とは異なる。

包括的な特許クロスライセンス

クロスライセンスを交わす場合、それぞれが複数の特許を持ち合っていることもある。このような状況においては、1件ごとではなく、特定の技術分野や製品分野をまとめて包括的なクロスライセンスを交わすことがある。

は、持ち出しの管理、不正持ち出しや改ざんなどの管理を行う必要があります。具体的には、アクセス権の設定や更新履歴の取得や分析などを行います。

❸ツール管理

開発に利用するソフトウェアや開発ツールの種類やバージョンを管理します。これらは社内外にかかわらず統一していくことが重要で、バージョンの不統一による互換性の影響や、ソフトウェアのバグやセキュリティホールによる影響を未然に防ぐことが重要になります。

❹ライセンス管理

開発に関わるソフトウェアについてもライセンスの管理が必要です。メンバーが増えたときの保有ライセンス数や同一ライセンスの適用範囲などを常に確認しておく必要があります。また、ソフトウェアや契約によってライセンス条項が異なることがあるので、条項違反による不正利用に当たらないよう注意する必要があります。

構成管理・変更管理

システムを構成するハードウェアやソフトウエア、データベース、ドキュメントなどは、使用期間中に何度も変更や更新が行われます。そこで最新バージョンを把握し、更新履歴を記録しておくことが重要になります。

❶構成管理

ハードウェアの台数や設置場所、ソフトウェアのライセンスやバージョンなどすべての情報資源を管理します。

❷変更管理

ある時点での構成を基準にして、品目の完全性を確保したうえで、変更計画を策定し、変更部分を管理します。

❸リリース管理

構成品目の完全性が保証されたものについて、ソフトウェアや関連文書のリリースを行い、バージョン管理と保管期間の管理を行います。

ココも出る！

SCM

SCM(Software Configuration Management：ソフトウェア構成管理)は、ソフトウェア全体を構成している品目の継続的な管理および記録、評価など。これにより、一部の変更による不具合などに対応でき、必要に応じて元に戻すことができる。また、次の世代へつなげるためのドキュメントを残すことが可能になる。

SCI

SCI (Software Configuration Item：ソフトウェア構成品目)は、ソフトウェア全体を構成する品目。ソフトウェア構成管理には、この洗い出しが必要になる。おもな品目としては、設計・仕様書、モジュール構成、プログラム(ソース、実行形式など)、外部モジュール、テスト仕様および結果、開発ドキュメント、発注書や契約書、利用マニュアルなどがある。

こちらも参照

共通フレーム

☞p.463

第4章 章末まとめ問題

シラバス ●大分類4：開発技術 ●中分類12：システム開発技術
●小分類1：システム要件定義・ソフトウェア要件定義

出題：令和6年6月修了認定試験ほか

問1 ソフトウェアの使用性を向上させる施策

CHECK □□□

ソフトウェアの使用性を向上させる施策として、適切なものはどれか。

ア　オンラインヘルプを充実させ、利用方法を理解しやすくする。
イ　外部インタフェースを見直し、連携できる他システムを増やす。
ウ　機能を追加し、業務の遂行においてシステムを利用できる範囲を拡大する。
エ　データの複製を分散して配置し、装置の故障によるデータ損失のリスクを減らす。

シラバス ●大分類4：開発技術 ●中分類12：システム開発技術
●小分類1：システム要件定義・ソフトウェア要件定義

出題：令和6年1月修了認定試験ほか

問2 DFDの記号が表すもの

CHECK □□□

図は、構造化分析法で用いられるDFDの例である。図中の“○”が表しているものはどれか。

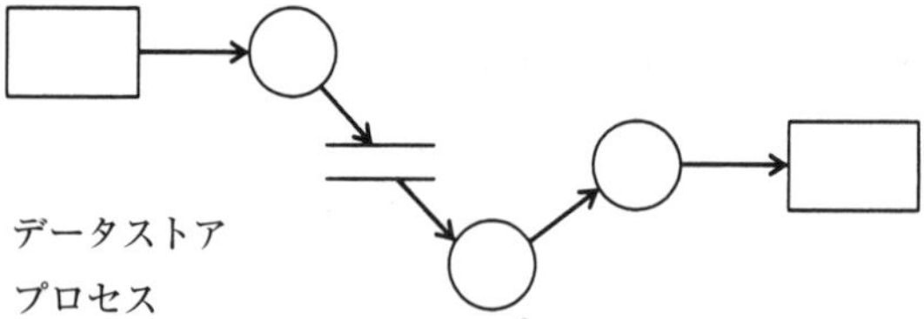

ア　アクティビティ　　イ　データストア
ウ　データフロー　　エ　プロセス

シラバス ●大分類4：開発技術 ●中分類12：システム開発技術
●小分類1：システム要件定義・ソフトウェア要件定義

出題：令和2年12月修了認定試験ほか

問3 決定表を説明したもの

CHECK □□□

システム開発で用いる設計技法のうち、決定表を説明したものはどれか。

ア　エンティティを長方形で表し、その関係を線で結んで表現したものである。
イ　外部インタフェース、プロセス、データストア間でのデータの流れを表現したものである。
ウ　条件の組合せとそれに対する動作とを表現したものである。
エ　処理や選択などの制御の流れを、直線または矢印で表現したものである。

シラバス ●大分類4：開発技術 ●中分類12：システム開発技術
●小分類2：設計

出題：令和2年7月修了認定試験ほか

問4 クラス図における汎化の関係

CHECK

UMLのクラス図のうち、汎化の関係を示したものはどれか。

ア

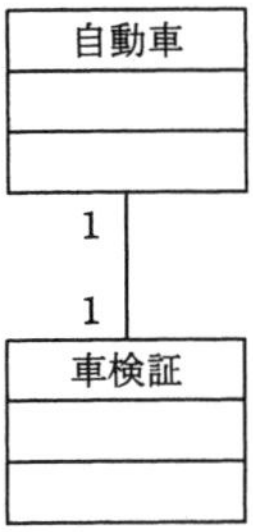

イ

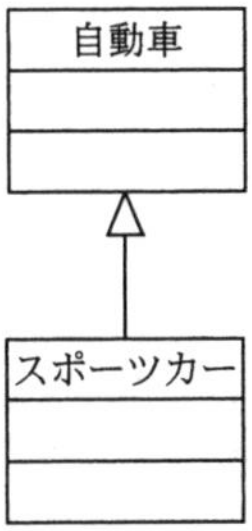

ウ

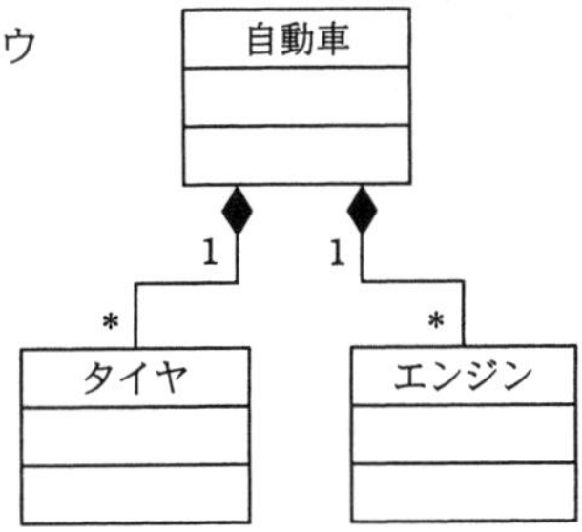

エ

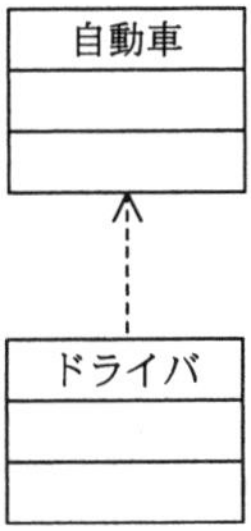

シラバス ●大分類4：開発技術 ●中分類12：システム開発技術
●小分類2：設計

出題：令和6年6月修了認定試験ほか

問5 自動車のサブクラスといえるもの

CHECK

オブジェクト指向の考え方に基づくとき、一般に“自動車”のサブクラスといえるものはどれか。

ア　エンジン　　イ　製造番号　　ウ　タイヤ　　エ　トラック

シラバス ●大分類4：開発技術 ●中分類12：システム開発技術
●小分類2：設計

出題：令和3年1月修了認定試験ほか

問6 モジュール結合度が最も弱くなるもの

CHECK

モジュール結合度が最も弱くなるものはどれか。

ア　1つのモジュールで、できるだけ多くの機能を実現する。
イ　2つのモジュール間で、必要なデータ項目だけを引数として渡す。
ウ　他のモジュールとデータ項目を共有するためにグローバルな領域を使用する。
エ　他のモジュールを呼び出すときに、呼び出したモジュールの論理を制御するための引数を渡す。

シラバス ●大分類4：開発技術 ●中分類12：システム開発技術
●小分類3：実装・構築

出題：令和4年7月修了認定試験ほか

問7 スタブとドライバの説明

CHECK

テストで使用するスタブまたはドライバの説明のうち、適切なものはどれか。

ア　スタブは、テスト対象モジュールからの戻り値の表示・印刷を行う。
イ　スタブは、テスト対象モジュールを呼び出すモジュールである。
ウ　ドライバは、テスト対象モジュールから呼び出されるモジュールである。
エ　ドライバは、引数を渡してテスト対象モジュールを呼び出す。

シラバス　●大分類4：開発技術　●中分類12：システム開発技術
●小分類3：実装・構築

出題：令和4年6月修了認定試験ほか

問8 判定条件網羅のテストケース

CHECK

プログラム中の図の部分を判定条件網羅（分岐網羅）でテストするときのテストケースとして、適切なものはどれか。

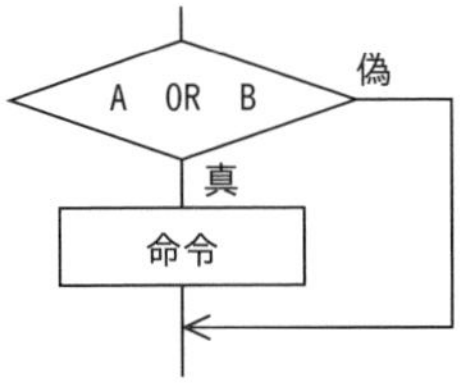

ア

A	B
偽	真

イ

A	B
偽	真
真	偽

ウ

A	B
偽	偽
真	真

エ

A	B
偽	真
真	偽
真	真

シラバス　●大分類4：開発技術　●中分類12：システム開発技術
●小分類4：統合・テスト

出題：令和4年7月修了認定試験ほか

問9 LAN環境で実施困難なテスト項目

CHECK

ある販売会社では、本社に設置したサーバのデータを自社ネットワークを介して、全国の事業所に提供するアプリケーションを開発している。システムテストを本社内のLAN環境で行うとき、この環境下のテストでは検証することが困難な項目はどれか。ここで、自社ネットワークは、本社および各事業所内のLANと、各事業所とを接続する通信回線とから構成されている。

ア　アプリケーションプログラムの処理時間

イ　応答時間

ウ　サーバが過負荷時の画面の動作

エ　サーバの処理能力

シラバス ●大分類4：開発技術 ●中分類13：ソフトウェア開発管理技術
●小分類1：開発プロセス・手法

出題：令和2年6月修了認定試験ほか

問10 リファクタリング

CHECK □□□

ソフトウェア開発の活動のうち、アジャイル開発においても重視されているリファクタリングはどれか。

ア ソフトウェアの品質を高めるために、2人のプログラマが協力して、一つのプログラムをコーディングする。

イ ソフトウェアの保守性を高めるために、外部仕様を変更することなく、プログラムの内部構造を変更する。

ウ 動作するソフトウェアを迅速に開発するために、テストケースを先に設定してから、プログラムをコーディングする。

エ 利用者からのフィードバックを得るために、提供予定のソフトウェアの試作品を早期に作成する。

シラバス ●大分類4：開発技術 ●中分類13：ソフトウェア開発管理技術
●小分類1：開発プロセス・手法

出題：令和6年1月修了認定試験ほか

問11 プロダクトオーナーの責任

CHECK □□□

スクラムチームにおけるプロダクトオーナーが責任をもつのはどれか。

ア 生み出されるプロダクトの価値を最大化するために、プロダクトバックログのアイテムを作成し、並び替える。

イ 完成の定義を忠実に守ることにより品質を作り込み、利用可能なインクリメントを完成させる。

ウ スプリントの計画を作成する。

エ チームのリーダーとして、自己管理型で機能横断型のチームのメンバーをコーチする。

シラバス ●大分類4：開発技術 ●中分類13：ソフトウェア開発管理技術
●小分類1：開発プロセス・手法

出題：令和３年12月修了認定試験ほか

問12 マッシュアップの利用

CHECK

　マッシュアップを利用してWebコンテンツを表示する例として、最も適切なものはどれか。

ア　Webブラウザにプラグインを組み込み、動画やアニメーションを表示する。

イ　地図上のカーソル移動に伴い、ページを切り替えずにスクロール表示する。

ウ　鉄道経路の探索結果上に、各路線会社のWebページへのリンクを表示する。

エ　店舗案内のWebページ上に、他のサイトが提供する地図検索機能を利用して出力された情報を表示する。

シラバス ●大分類4：開発技術 ●中分類13：ソフトウェア開発管理技術
●小分類2：知的財産適用管理

出題：令和３年７月修了認定試験ほか

問13 自社開発したソフトウェアの使用許諾

CHECK

　自社開発したソフトウェアの他社への使用許諾に関する説明として、適切なものはどれか。。

ア　既に自社の製品に搭載して販売していると、ソフトウェア単体では使用許諾できない。

イ　既にハードウェアと組み合わせて特許を取得していると、ソフトウェア単体では使用許諾できない。

ウ　ソースコードを無償で使用許諾すると、無条件でオープンソースソフトウェアになる。

エ　特許で保護された技術を使っていないソフトウェアであっても、使用許諾することは可能である。

問1　ソフトウェア品質特性のうち「使用性」は、操作性やインタフェースのわかりやすさなど、システムの利用者が感じる使いやすさを示す特性である。アの「利用方法を理解しやすくする」が該当する。

解答　ア

問2　DFDは、どこから来たデータを元に、どんな処理を行い、どこへ受け渡すかといった、データを中心とした流れを表現する手法。図中の○で表される「プロセス」はデータに対する処理を表している。

解答　エ

問3　決定表は、条件とそれに対する行動を整理した表で、各条件の組合せによってどのような行動をとるべきかを明らかにしたり、条件に応じた結果を評価する際に用いる。他の選択肢は、ア：E-R図、イ：DFD、エ：流れ図（フローチャート）の説明である。

解答　ウ

問4　インスタンス間の関係における「汎化」は、抽象化したスーパークラスと具体化したサブクラスの関係で、白抜きの矢印で表される（イ）。ア：自動車と車検証には1対1の関連があることを示している。ウ：集約関係のうちコンポジションを示している。エ：ドライバが自動車に依存していることを示している。

解答　イ

問5　“自動車”をスーパークラスとした場合、バス、トラック、軽自動車といったサブクラスが考えられる。ここで、”自動車”と”トラック”の関連を「is-a関連（汎化・特化関連）」といい、「トラックは自動車の一種である」を意味する。

解答　エ

問6　モジュール結合度は、弱ければ弱いほどモジュールの独立性が高まる。選択肢のうち、アはモジュール単体なので結合度とは関係がない。そのほかの選択肢は、モジュール結合度の弱い順に、データ結合（イ）→制御結合（エ）→外部結合（ウ）となる。

解答　イ

問7　トップダウンテストにおいて、スタブは未完成の下位モジュールの代わりとなるもので、上位モジュールからの呼び出しにより、設定された値を返す。一方、ボトムアップテストでは、未完成の上位モジュールに代わって下位モジュールを呼び出すドライバを用いる（エ）。

解答　エ

問8　判定条件網羅は、判定条件で真となる場合、偽となる場合をそれぞれ少なくとも1回は実行できるように設計する。ア、イ、エのテストケースでは、偽の場合しか実行できない。一方、ウのテストケースでは、「A＝偽、B＝偽」のとき「A OR B」は偽、「A＝真、B＝真」のとき「A OR B」は真となり、真と偽をそれぞれ1回は実行できる。

解答　ウ

問9　運用時には、本社と各事業所間は通信回線で接続するため、通信速度に関する検証を行っても、運用時との差が出る。つまり、処理を実行してから結果が返ってくるまでの応答時間は検証困難となる。

解答　イ

問10　アジャイル開発は、短期間のサイクルで、要件定義、設計・開発、テスト、評価・修正、リリースを繰り返していく開発手法の一つ。また、リファクタリングは、外部仕様を変えないで、内部構造（プログラム）を手直ししていく方法である。その他の選択肢は、ア：ペアプログラミング、ウ：テスト駆動開発、エ：プロトタイピングについて述べたもの。

解答　イ

問11　スクラムにおけるプロダクトオーナーは、プロダクト全体を管理する責任者であり、複数のプロダクトバックログ（製品への要求を検討して作られたリスト）について、優先順位や実施の有無を決定する。また、スプリントで完成させた機能をリリースするかの判断を行う。その他の選択肢を担当するのは、イ：スクラムチームメンバー、ウ：スクラムチーム全体、エ：スクラムマスター。

解答　ア

問12　マッシュアップは、公開されている情報やデータベース、Web-APIを組み合わせて新たなサービスを作り出す手法。場所の案内をする際に地図検索サービスの機能を組み込む例がある。その他の選択肢は、ア：Webブラウザに追加するプラグイン、イ：Ajaxによる機能、ウ：ハイパーリンク。

解答　エ

問13　問題における使用許諾は、ソフトウェアの著作権を持つ者が、他社に対して使用する許可を認めること。自社開発のソフトウェアの著作権は、原則としてその法人（企業）が持つ。一方、特許は特許法に基づいて新しいアイデアや技術を保護するもので、使用許諾とは関連がない。ア、イ：ソフトウェアは、ハードウェアや製品とは独立した著作物なので使用許諾は可能。ウ：無償提供が、無条件でオープンソースソフトウェアになることはない。

解答　エ

第5章

プロジェクトマネジメント

第5章　マネジメント系 プロジェクトマネジメント

この章の**構成**と**攻略法**

この章の内容と学習ポイント

ITシステムの開発やソフトウェア開発などのプロジェクトを総合的に管理していくのがプロジェクトマネジメントです。期限内に品質の良いものを仕上げることがプロジェクトの最終目的。この章では、プロジェクトの各過程において管理すべき項目が詳細に取り上げられています。学習に際しても流れを意識しておくとスムーズです。

中分類 14　プロジェクトマネジメント

プロジェクトマネジメントにおけるさまざまな項目が 11 の小分類に分けてまとめられています。この分類は、JIS Q 21500 を基にした体系になっています。

小分類 1　プロジェクトマネジメント

1. プロジェクト、およびプロジェクトマネジメントの目的と考え方
2. プロジェクトの体制と自己管理

01　プロジェクトマネジメントの全体像　☞ p.390

小分類 2　プロジェクトの統合

1. 統合の対象群が含むプロセス
2. 主要なインプットおよびアウトプット
3. ツールと技法

➔攻略法と他章との関連

プロジェクトの全体調整を行うプロセスです。出題は少なく、PDCAサイクルなどの出題があります。

小分類 4　プロジェクトのスコープ

1. スコープの対象群が含むプロセス
2. 主要なインプットおよびアウトプット
3. ツールと技法

02　プロジェクトのスコープ　☞ p.395

➔攻略法と他章との関連

プロジェクトの作業の洗い出しと変更管理を行います。出題の多くはWBSに関連した内容なので、しっかりと理解しておくとよいでしょう。

小分類 6　プロジェクトの時間

1. 時間の対象群が含むプロセス
2. 主要なインプットおよびアウトプット
3. ツールと技法

03　プロジェクトの時間　☞ p.397

➔攻略法と他章との関連

プロジェクトのスケジューリングと進捗管理を行います。日程計画(PERT)に関連した問題が中心です。クリティカルパスを求めたり、やや複雑な図を使った具体的な出題もあるので、十分な演習が必要です。また、PDMに関する問題も増えています。

小分類 7　プロジェクトのコスト

1 コストの対象群が含むプロセス
2 主要なインプットおよびアウトプット
3 ツールと技法

04 プロジェクトのコスト ☞ p.402

➔攻略法と他章との関連

プロジェクト予算の策定と進行中のコスト管理を行います。定番のファンクションポイント法は、やや複雑な計算問題も出るので要注意。そのほか標準タスク法の出題実績もあります。

小分類 9　プロジェクトの品質

1 品質の対象群が含むプロセス
2 主要なインプットおよびアウトプット
3 ツールと技法

05 プロジェクトの品質 ☞ p.407

➔攻略法と他章との関連

品質目標の策定と品質管理を行うプロセスです。ソフトウェア品質管理の指標、QC七つ道具を使った図式による判断などの出題実績がありますが、出題数は多くありません。第9章の「品質管理とQC七つ道具（p.543）」と関連しています。

小分類 3　プロジェクトのステークホルダ

1 ステークホルダの対象群が含むプロセス
2 主要なインプットおよびアウトプット
3 ツールと技法

小分類 5　プロジェクトの資源

1 資源の対象群が含むプロセス
2 主要なインプットおよびアウトプット
3 ツールと技法

➔攻略法と他章との関連

小分類3のプロジェクトのステークホルダは、プロジェクトに関わる利害関係者との調整を行う対象群で、用語問題中心です。また、小分類5の「プロジェクトの資源」では、人（要員）と物（機器、材料、インフラストラクチャなど）の管理を含みます。よく出る出題テーマとして、工数と要員に関する計算問題があります。

小分類 8　プロジェクトのリスク

1 リスクの対象群が含むプロセス
2 主要なインプットおよびアウトプット
3 ツールと技法

小分類 10　プロジェクトの調達

1 調達の対象群が含むプロセス
2 主要なインプットおよびアウトプット
3 ツールと技法

小分類 11　プロジェクトのコミュニケーション

1 コミュニケーションの対象群が含むプロセス
2 主要なインプットおよびアウトプット
3 ツールと技法

06 多角的に管理するその他の対象群 ☞ p.413

➔攻略法と他章との関連

小分類8はプロジェクトリスク評価とその対応で、中分類11と関連しています（p.297）。小分類10は機材調達や外部への業務委託などの管理です。調達については、関連する中分類18から出ています（p.473）。小分類11は、プロジェクトメンバー間の情報伝達などの管理を行います。出題は少ないので、ひと通り目を通しておけばよいでしょう。

01 プロジェクトマネジメント

プロジェクトマネジメントの全体像

「プロジェクト」とは？

頻出

プロジェクトとは、特定の目標達成のために特別に組織され、行われる活動のことです。通常業務とは異なり、「開始日と終了日を持ち、プロジェクトで実施されるさまざまな活動の調整や管理を行うためのプロセスで構成される」と定義されています。またプロジェクトマネジメントとは、「プロジェクト管理に必要な方法や技法・ツール・コンピテンシー（高い成果を出せる人材に共通する行動特性）を適用することで、プロジェクトを構成する各プロセスをスムーズに実施すること」とされています。

●プロジェクトのPDCAサイクル

1つのプロジェクトは、いくつかのフェーズに分けて行われます。各フェーズは、「**計画→実行→検証→処置**」という**PDCAサイクル**（Plan-Do-Check-Act cycle）で進めていき、プロジェクト終了までこのサイクルを繰り返します。

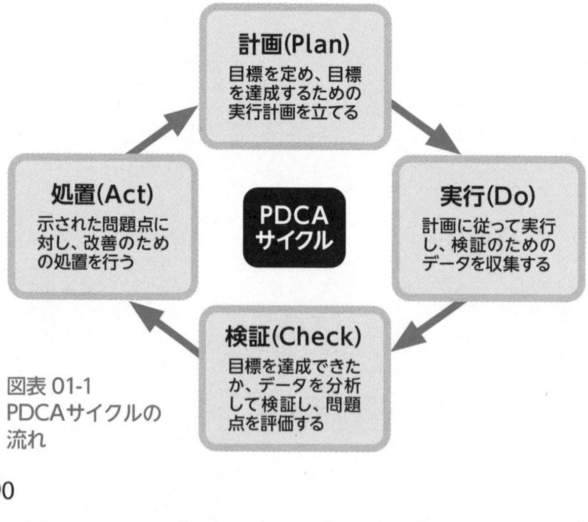

図表 01-1
PDCAサイクルの流れ

さらに詳しく

PMBOK

PMBOK（Project Management Body of Knowledge；ピンボック：プロジェクトマネジメント知識体系）は、米国プロジェクトマネジメント協会（PMI）が、プロジェクトの管理業務の標準化を目的として発刊したもので（最新版：2021年発刊第7版）、プロジェクト管理に必要な知識体系と手法が具体的に書かれている。

国際規格ではないが、各国のさまざまな業種で広く用いられており、プロジェクト管理のデファクトスタンダードとなっている。

プロジェクトの独自性

JIS Q 21500<☞次ページ>では、類似するプロジェクトにも独自性があり、次の点で相違が出ることがあるとしている。

- 提供するべき成果物
- 影響を及ぼすステークホルダ（利害関係者）
- 使用する資源
- 課される制約（期間・予算・資源・法的な規制）
- そのプロジェクトに最適な活動を行うためのプロセスの選択と修正

プロジェクトマネジメントのお手本となる「JIS Q 21500」

ISO 21500は、プロジェクトマネジメントの概念と、プロジェクト管理のために行うべき活動を示す国際標準で、PMBOK<☞前ページ>とは用語などに多少の違いはあるものの、相互に共通する内容となっています。

JIS Q 21500は、ISO 21500の日本版(日本産業規格)で、プロジェクトの遂行に必要なプロセス群を、①プロジェクト管理のために行うべき活動「**プロジェクトマネジメントのプロセス**」、②プロジェクト活動を支援する「**支援のプロセス**」、③成果物の完成後に行う「**引渡しのプロセス**」の3つに分類し、この規格では①の管理活動で行う内容を定義するとしています。

プロジェクトの管理活動は分野ごとに10項目の**対象群**に分けられ、さらに対象群ごとに5つの**プロセス群**としてPDCAサイクルに当てはめられています<☞p.393「図表01-4 各対象群の作業一覧」>。このように、プロジェクト開始～終了までの活動が定義されたプロセス(フェーズ)の集合を**プロジェクトライフサイクル**といい、これをお手本にしながら順に活動を進めていくことで、プロジェクトをスムーズに進められるようになっています。

> **出題分析**
>
> **プロジェクトの特性**
>
> プロジェクトの特性はどれか。
>
> **ア** 独自性はあるが、有期性がない。
> **イ** 独自性はないが、有期性がある。
> **ウ** 独自性も有期性もある。
> **エ** 独自性も有期性もない。
>
> 「独自性」とは、他にはない特徴や内容を持つこと、「有期性」とは期間が限られていること、どちらも一般的に使われる用語だ。プロジェクトは、それぞれ独自の目的を持って立ち上げられ(独自性がある)、目標達成によって活動は終了する(有期性がある)。試験本番では、見慣れない言葉を専門用語!?と早とちりして焦らないように気をつけよう。
>
> **解答 ウ**

図表 01-2　プロジェクトで使用するプロセス群

①プロジェクトマネジメントのプロセス

立ち上げ → **計画** → **実行** → **終結**

- **立ち上げ**：目標・成果物・達成基準などを定めたプロジェクト憲章<☞p.394>を策定し、開始の許可を得る。
- **計画**：各対象群で行う活動内容と順序を計画。これは、以降のプロセスで管理・評価を行うためのベースラインとなる。
- **実行**：計画に基づき、各対象群の活動を行う。またプロジェクトの成果物作成のための支援を行う。
- **終結**：活動結果を検証・報告し、プロジェクト終了の了承を得る。また、ドキュメント類を整理・保管する。
- **管理**：実行で行った結果と計画との差異を監視し、必要があれば日程・予算その他の項目の変更などの調整を行う。

②支援のプロセス：「プロジェクトマネジメントのプロセス」の活動や、プロジェクトの成果物作成に有益な支援を行う(例：財務会計、安全確保、資材などの運搬・保管など)。

③引渡しのプロセス：プロジェクトの結果として作成した仕様・製品・サービスの提供など、成果物の提示を行う。このプロセスの活動内容は成果物の特性によって変化する。

プロジェクトマネジメントの10項目

プロジェクトの活動では、コストや日程以外にも、さまざまな視点からの管理(**プロジェクトマネジメント**)が必要です。JIS Q 21500では、行うべき管理活動を10項目の**対象群**<☞次ページ>に分けて整理しています。

プロジェクトマネジメント

- **プロジェクトの統合**（プロジェクト統合マネジメント） <☞p.394>
- **プロジェクトのステークホルダ**（プロジェクトステークホルダマネジメント） <☞p.413>
- **プロジェクトのスコープ**（プロジェクトスコープマネジメント） <☞p.395>
- **プロジェクトの資源**（プロジェクト資源マネジメント） <☞p.414>
- **プロジェクトの時間**（プロジェクトタイムマネジメント） <☞p.397>
- **プロジェクトのコスト**（プロジェクトコストマネジメント） <☞p.402>
- **プロジェクトのリスク**（プロジェクトリスクマネジメント） <☞p.415>
- **プロジェクトの品質**（プロジェクト品質マネジメント） <☞p.407>
- **プロジェクトの調達**（プロジェクト調達マネジメント） <☞p.416>
- **プロジェクトのコミュニケーション**（プロジェクトコミュニケーションマネジメント） <☞p.417>

※( )内はPMBOKでの名称

図表 01-3　プロジェクトマネジメントの対象群

さらに詳しく

JIS Q 21500とPMBOKの用語

本書ではJIS Q 21500の用語で各活動の項目を解説しているが、試験問題の一部ではPMBOKの用語が使われることもある。

JISの対象群に対応するPMBOKの名称は、左の図表01-3の( )中に表記してあるので、ここではその他の異なる用語をまとめておく。

JIS Q 21500→PMBOK
・「対象群」→「知識エリア」
・プロセス群
「管理」→
「監視・コントロール」

対象群 プロジェクトの「資源」と「調達」

JIS Q 21500の対象群「資源」では、プロジェクトの実施に必要な資源の管理活動として、「人」と資材や設備などの「物」の両方を扱っている。さらに、「資源」の計画プロセスで見積もった結果、「プロジェクトの外部から資源(人・物)を調達」する必要が生じた場合に、対象群「調達」の活動と連携することになる。

ところが、古いバージョンのPMBOKガイド(Ver.5)では、人を「資源(人的資源)」、物を「調達」の知識エリア(対象群)で扱っていた。そのため、インターネット上の記事などは、古い情報のままになっていることもあるので、混乱しないように注意しよう。

各対象群の活動一覧

下表は、JIS Q 21500で定義された対象群とプロセス群をまとめたものです。細かく覚える必要はありませんが、大まかな活動内容と流れを把握しておきましょう。

プロセス群 / 対象群	立ち上げ	計画	実行	管理	終結
プロジェクトの統合 <☞p.394>	プロジェクト憲章<☞p.394>の策定	プロジェクト全体計画(プロジェクト計画+プロジェクトマネジメント計画)<☞p.394>の策定	プロジェクト作業の遂行を指揮	○プロジェクト計画に基づく進捗管理 ○変更管理(変更要求事項の登録、評価、承認)※1	○成果物提供と完了の検証、資源の解放 ○終結報告書、教訓文書作成
プロジェクトのステークホルダ <☞p.413>	ステークホルダの特定とステークホルダ登録簿作成	—	ステークホルダが持つニーズなどの把握と、ステークホルダ間で対立する課題の調整	—	—
プロジェクトのスコープ <☞p.395>	—	○スコープの定義とスコープ規定書の作成 ○WBS<☞p.395>の作成 ○WBSで定義した活動(アクティビティ<☞p.395>)を活動リストとして文書化	—	スコープ規定書に基づくスコープの管理と、必要なスコープの変更要求※2	—
プロジェクトの資源 <☞p.414>	プロジェクトチームの編成	○プロジェクトに必要な資源(人員・機材など)の見積り ○プロジェクト組織の定義(役割・責任・権限)	プロジェクトチームのパフォーマンス向上のための評価と関係改善	○資源の確保と管理 ○プロジェクトチームのマネジメントと変更要求※3	—
プロジェクトの時間 <☞p.397>	—	○活動(アクティビティ)の順序付けと活動期間の見積り ○スケジュールの作成	—	スケジュール管理と変更要求※4	—
プロジェクトのコスト <☞p.402>	—	○総コストの見積り(予想コスト) ○予算編成(配分)の作成	—	進捗データと実コストに基づくコスト管理と変更要求※5	—
プロジェクトのリスク <☞p.415>	—	○発生の可能性があるリスク特定とリスク登録簿の作成 ○リスク評価と対応の優先順位付け	リスク対応策の決定と緊急時対応計画の作成、およびリスク対応	リスク管理(対応の効果と進捗状況の評価、新たなリスクの特定と分析)と変更要求※6	—
プロジェクトの品質 <☞p.407>	—	品質計画の策定(品質目標と規格を検討・決定し、ステークホルダの合意を得る。さらに達成に必要なツール・技法・資源を決定し確保する)	品質計画に基づく活動を遂行し、目標や規格を満たすか品質保証のための監査を行う	品質管理の遂行(成果物の欠陥の発見と原因分析、予防・是正のための処置)および変更要求※7	—
プロジェクトの調達 <☞p.416>	—	調達計画の策定(内製or調達の一覧、調達方法の規定と調達仕様書の策定、推奨供給者リストの作成)	候補供給者(調達先)からの情報入手、評価→調達先の選定→契約	調達の運営管理(進捗情報の把握、品質やパフォーマンスの監視)および変更要求※8	—
プロジェクトのコミュニケーション <☞p.417>	—	コミュニケーション計画の策定(ステークホルダが必要とする情報の把握と配布方法の決定)	配布する情報の作成と配布	コミュニケーションのマネジメント(コミュニケーション上の問題が生じた場合の解決など)	—

図表 01-4　各対象群の作業一覧

※1～8：「変更要求」の発生には、2つの要因「成果物の仕様変更や機能追加などへの対応のための変更要求」と「計画と実績に大きな差が出た場合(作業の遅れなど)への対処のための変更要求」が想定される。各対象群の活動から出された変更要求は、対象群「統合」の「管理」プロセス(※1)で評価→承認が行われ、変更が実施される。

対象群「プロジェクトの統合」

プロジェクトの始まりは**プロジェクトの統合**（プロジェクト統合マネジメント）からです。「統合」では、プロジェクト全体に関わる統括的な指揮・管理・調整を行います。「複数の対象群にまたがる調整が必要なときは“統合”」と覚えておきましょう。各対象群ではどのような活動を行うのか、最初に「計画」プロセスで計画を立てて、「実行」プロセスに入ります<☞p.393「図表01-4 各対象群の作業一覧」>。「統合」でも、まずプロジェクトのスコープ、スケジュールやコストなど、プロジェクト全体に関わる計画をまとめた**プロジェクト全体計画**<☞>を策定します。

●仕様変更時の対応

「統合」の活動の中でよく出題されるのは、変更時の対応です<☞p.393「図表01-4 各対象群の作業一覧」下欄※1～8>。開発プロジェクトの途中でシステムの利用者から仕様変更の要求があった場合を例に、流れを追ってみましょう。

1 変更要求の受付け
変更を申し出る利用者（またはシステムの発注者）は、変更内容や変更理由について文書で提出。変更管理の担当者が受付け。

↓

2 変更内容の評価
仕様変更した場合に得られる効果（メリット）と、スコープ<☞次ページ>の変更に伴う開発作業の日程・工数・コストの増大などのリスクを検討し、決定権を持つ会議や責任者が承認または却下。

↓

3 変更の指示
変更要求が承認された場合は、再度必要な作業を洗い出し、コスト・時間・資源・調達など、影響がある対象群の計画を修正・更新。プロジェクトマネージャは開発担当者に変更を指示、各ステークホルダ（利害関係者）へ決定事項を通知する。

↓

4 変更の反映
変更指示を受けた開発担当者は、指示に従い仕様変更を実施。

図表 01-5　変更処理への対応

ココも出る！

プロジェクト憲章とプロジェクトマネージャ

プロジェクトのスタート時には、まずプロジェクト憲章を策定する。プロジェクト憲章とは、プロジェクトの目標や期待される成果物、負うべき義務や前提事項・制約などを定めた文書のこと。

組織の経営陣からプロジェクト実施の正式な認可を得たことを示す文書でもあり、プロジェクトマネージャはプロジェクト憲章によって公に任命される。

プロジェクトマネージャは、プロジェクトの納期・コスト・成果物の品質について管理を行う責任者であるとともに、プロジェクトメンバを指導する立場にもある。

さらに詳しく

プロジェクト全体計画の要素

プロジェクト全体計画は、プロジェクト全体を実施するための基準となるプロジェクト計画（スコープ・品質・スケジュール・コストなど）と、プロジェクトの実施・監視・管理の方法などを定義するプロジェクトマネジメント計画の２つの計画で構成される。

02 プロジェクトマネジメント

プロジェクトのスコープ

「スコープ」とは？

プロジェクトの**スコープ**とは、プロジェクトの目標と活動範囲、達成すべき成果物の仕様を指します。**「プロジェクトのスコープ」**（プロジェクトスコープマネジメント）はスコープを定義し、プロジェクト遂行に必要な作業を過不足なく洗い出していく活動です。定義したスコープは**スコープ規定書**に記載します。

プロジェクト活動では、予算や期間、使える資源（人・物）に制限があります。そのため、目的や成果物は何か（達成目標）、どの項目をどこまでやるのか（活動の範囲）を最初に明確化することで、プロジェクトによって得られるメリット（機会）を最大化し、デメリット（脅威）を最小限に抑えるのが対象群「スコープ」の活動の目的です。

分割して作業を洗い出すWBS

頻出

WBS（Work Breakdown Structure；ダブリュビーエス）は、プロジェクトの遂行に必要な作業項目を、大まかな分類から細かな分類へと、階層的に分割して検討することで、本当に必要な作業を明確にするための手法です<☞p.396「図表02-1 開発プロジェクトのWBSの例」>。

分割したときに最下層となる作業管理の最小単位を**ワークパッケージ**、ワークパッケージに含まれる作業項目を**活動（アクティビティ）**と呼びます。各ワークパッケージに含まれる活動に必要な人員・工数・費用などを検討し、これらをトータルして、課せられた制約条件の中に収まるように、再度作業範囲と必要なワークパッケージを再調整します。

ココも出る！

ベースライン

プロジェクトマネジメントにおける**ベースライン**とは、実際の活動内容やその成果を評価するための参照基準となるもののこと。各対象群の計画プロセスで策定される計画書・規定書・リストなどを指す。

例えば、**スコープ・ベースライン**では、「スコープ規定書」、「WBS」、「WBS辞書」の3つをベースラインとして用いる。他にも「コスト・ベースライン」や「スケジュール・ベースライン」などがある。

WBS辞書

WBSの作成では、対になるWBS辞書も同時に作成される。**WBS辞書**は、そのWBSの構成内容を詳しく定義したもの。

WBS上で枝分かれしていく作業の各枝の定義、枝に分かれた作業の階層を示す**WBSコード**（図表02-1中の1.1などの数字）、それぞれの作業内容の定義、作業の担当者…などの詳細が記載されている。

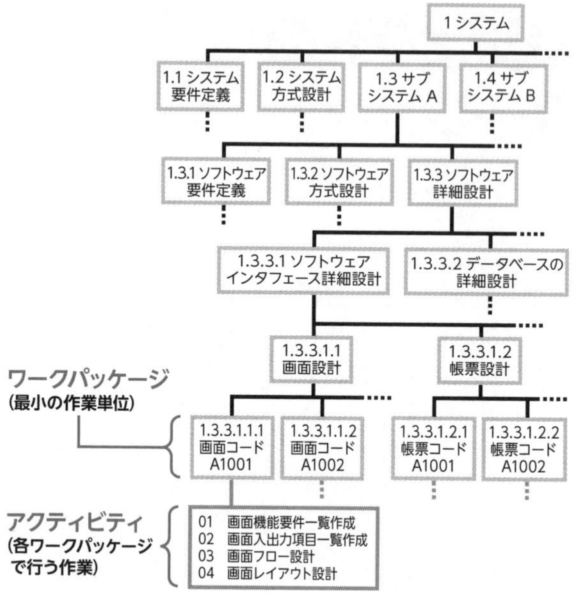

図表 02-1　開発プロジェクトの WBS の例

試験はこう出る

問　WBSで定義するもの

プロジェクトマネジメントで使用するWBSで定義するものはどれか。

ア　プロジェクトで行う作業を階層的に要素分解したワークパッケージ

イ　プロジェクトの実行、監視・コントロール、および終結の方法

ウ　プロジェクトの要素成果物、除外事項および制約条件

エ　ワークパッケージを完了するために必要な作業

答

WBSを用いて定義するのは、行うべき作業を階層的に分割したとき、その最下層(一番小さな単位)となるワークパッケージである。

解答　ア

ココも出る!

スコープクリープ

スコープクリープ(scope creep)とは、プロジェクト当初に定義したスコープの範囲を超える作業が、公にされないまま、次々と発生すること。「クリープ」には「忍び足で歩く」という意味があり、プロジェクト全体に与える影響(日程の遅れやコストの増加など)がきちんと検討されず、承認されないまま追加作業の発生が続く様子を表す。

スコープクリープの発生は、プロジェクト全体が失敗する重大な要因となることも多い。

テーラリング

プロジェクトマネジメントにおいて、標準化を目的としたPMBOKなどのフレームワークや規格などを、現実のプロジェクト内容や規模、組織形態に合わせていくこと。もとの英単語の意味は「仕立て直し」。

03

プロジェクトマネジメント

プロジェクトの時間

日程管理のためのマネジメント

プロジェクトには期間が設けられています。**プロジェクトの時間**（プロジェクトタイムマネジメント）は、定められた期間内にプロジェクトを完了させるために監視してスケジュール管理を行う活動です。

作業期間が不足すると、成果物の提出が遅れるだけでなく、その品質低下を招く可能性も大きいのです。

対象群「時間」の活動では、計画プロセスで作業の最小単位となる活動を洗い出した**活動リスト**（**アクティビティリスト**）を作成します。さらに、活動の作業順序を決め、各活動に必要な作業期間を見積もります。これを基に、プロジェクト全体の日程計画を、**大日程計画表**（**マスタスケジュール**）→**中日程計画表**（**工程別作業計画**）→**小日程計画表**（**週間作業計画**）と、段階的に策定していきます。

スケジュールの作成手法

頻出

スケジュール作成に使われる手法には、作業の内容や成果物の特性に応じてさまざまなものがあるので、ここでは代表的な手法を解説します。これらの手法は各活動（アクティビティ）に要する期間や活動どうしの関連を整理して、全体期間や必要な資源の量とタイミングを明らかにします。

●PERT（パート）

日程計画の策定に使われる最も代表的な手法**PERT**（Program Evaluation and Review Technique）では、活動の日数（時間）と活動どうしの関連を表します。

全体の日数を計算する場合、各活動の前後関係に注目

ココも出る！

さまざまな見積法

以下の４つの見積法は、日程の見積りだけではなく、コストの算出などにも用いられる代表的な手法。

類推見積りは、類似する過去のプロジェクトの実績を基に見積もる方法。**パラメトリック見積り**は、過去のデータと見積もる値に関わる変数との統計的な関係を用いて、数学的に求める方法。**三点見積法**<☞p. 405>は、「標準的な場合の値、楽観的な値、悲観的な値」の３通りの場合を考慮して見積もる方法。**ボトムアップ見積り**は、一番小さな単位となる要素で予測される値を出し、それらを合計することで全体の値を見積もる方法。

CPM

CPM（Critical Path Method；**クリティカルパス法**）は、クリティカルパス（作業上の最長の経路<☞p. 399>）に注目して工程計画・管理を行う手法。

与えられた工期内で作業日程を割り振る場合に、クリティカルパス上の作（↗）

すると、前の活動が終わらないと開始できない活動もあり、同時並行で作業ができるとは限りません。PERTでは、作業の順序を矢印で表したアローダイアグラム(Arrow Diagram；矢線図)を使って表現し、どの作業が終わってから、どの作業に取り掛かるのかを整理することで、全体の作業日数を求めることができます。

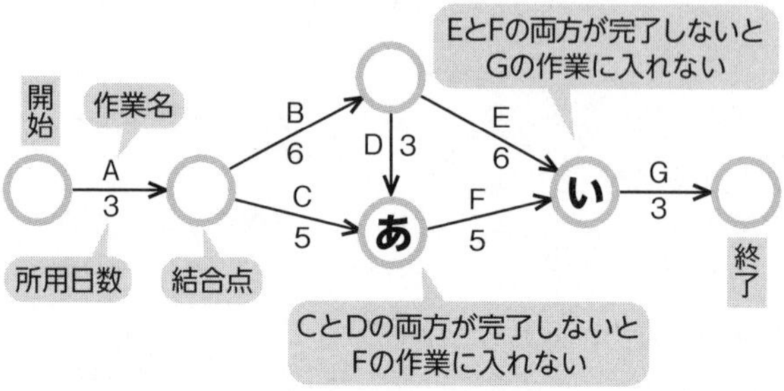

図表 03-1　アローダイアグラム（PERT図）

矢線の上のA～Gは**作業名**、矢線の下の数字はその作業の**所要日数**です。また、矢線の前後の丸は**結合点**と呼ばれ、作業全体の開始は左端の結合点、終了は右端の結合点になります。各結合点までの所要期間を**結合点時刻**といいますが、この例では時間ではなく日数で表しています。これを結合点の上に書き加えると下図になります。

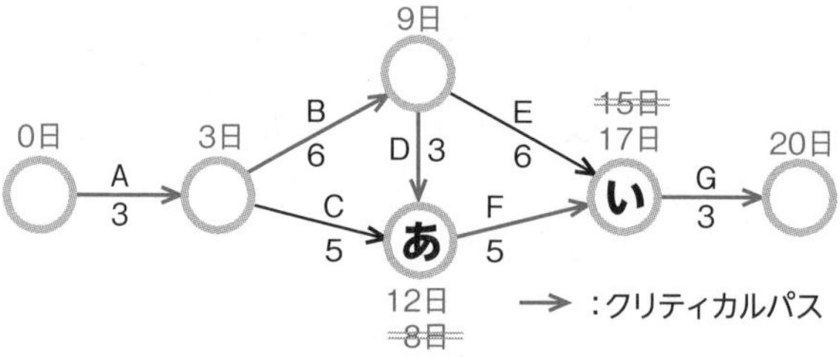

図表 03-2　結合点とクリティカルパス

結合点に複数の作業が入ってくる場合、最も長くかかる経路の日数が、その結合点までの所要日数になります。

例えば、結合点㋐はA→B→D＝12日、A→C＝8日なので、所要日数は12日です。同様に、結合点㋑はA→B→E＝15日、A→B→D→F＝17日なので、所要日数は17日です（結合点㋐まではA→B→Dの合計日

業に遅れが生じた（＝工期内に完了不可）場合に発生する追加費用（特急費用）を考慮して各作業の余裕時間を勘案したり、実際に遅れが生じた場合にどの作業を短縮すれば追加費用を抑制できるかを分析して決定する手法。

できるだけ少ない予算で、予定期間内に収めることを目的にしている。

ダミー作業

実際には作業は発生しない（作業日数は0日）が、PERT図上で作業の順序を示すものをダミー作業という。

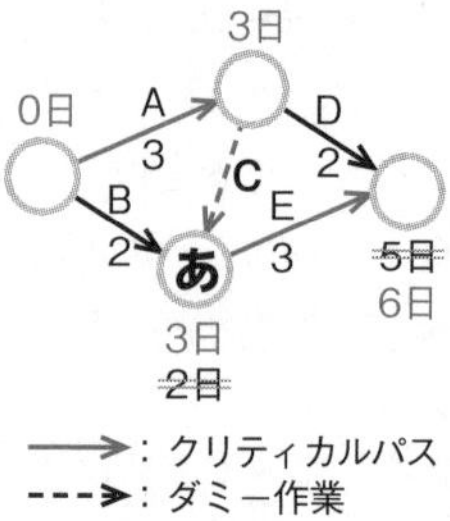

上図では作業Cがダミー作業を表し、実際にはCの作業はないので、「Eの開始前に作業Aが完了していなければならない」ことを表す。

{作業B(2日)}＜{作業A(3日)→C(0日)}なので、結合点㋐の結合点時刻は3日になる。

この図のようにダミー作業もクリティカルパス（A→C→E）の経路となる場合があることに注意しよう。

数になるので、A→Cの合計日数の計算は不要)。

ここで、最も所要日数がかかる経路を結んだA→B→D→F→G(20日)を**クリティカルパス**といいます。クリティカルパス上にある作業に遅れが発生すると、作業全体の終了が遅れるため、この経路を重点的に管理する必要があります。逆に全体の所要日数を短縮したい場合は、クリティカルパス上の作業を短縮することを考えます。

❶最早結合点時刻(最早開始時刻)

上記で解説した結合点時刻は、正確には**最早結合点時刻**といいます。これはその結合点以降の作業を最も早く始められる時刻を表しており、最初の作業から順に日数を加算していきます(右図)。

結合点㋐は、基点にAの日数を加算して1、㋑は1にBの日数2を加算して3というように求めていきます。最後の結合点㋓は2つの経路の作業日数が求められますが、値の大きいほうを最早結合点時刻とします。

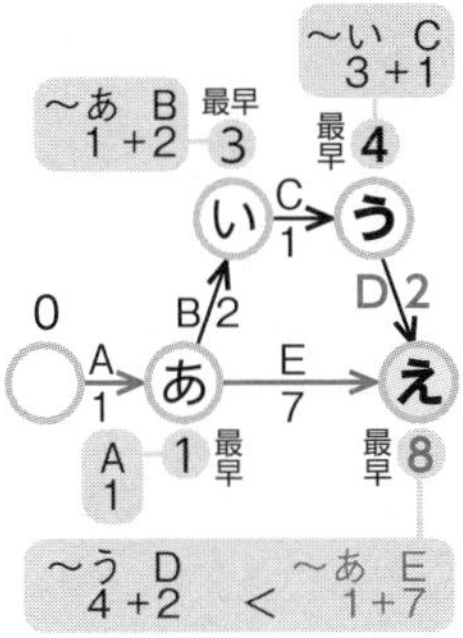

❷最遅結合点時刻(最遅開始時刻)

最遅結合点時刻は、最も遅く始めても間に合う時刻を表し、後の作業から遡って計算します。右図では、結合点㋓の最早結合点時刻は8日ですが、結合点㋒の最遅結合点時刻は8－2＝6になります。これは、作業D(結合点㋒)は、前の作業Cが終わる4日目以降(＝5日目)から開始せず、2日遅らせて7日目から始めても間に合うということです(2日分の余裕)。

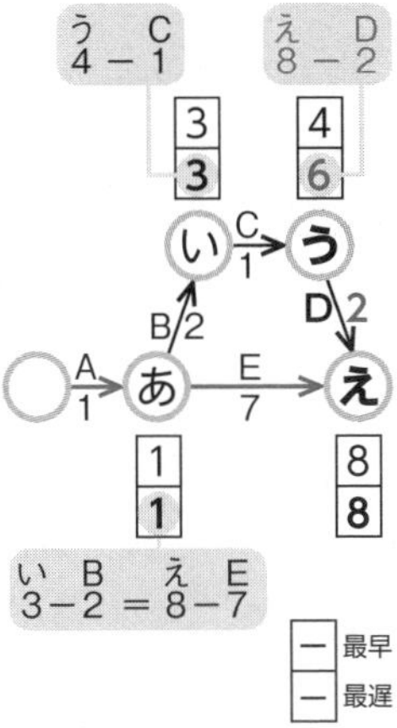

図表 03-3 最早結合点時刻と最遅結合点時刻

さらに詳しく

クリティカルパスの再計算

クリティカルパス上の作業の変更は全体の日数に直接影響を与えるため、日数の調整を行ったら再計算が必要。複数の経路がある場合は、日数調整によりクリティカルパスが変わることもある。せっかく作業を短縮しても、別経路の作業日数が多い(新たなクリティカルパス)ため、全体の短縮にならないこともあるので要注意!

クリティカルパスの計算方法

クリティカルパスは、最も日数がかかる経路のこと。PERT図にすれば一目瞭然だが、アルゴリズムを作るときには、1つ1つ経路を計算しながら求めていく。

具体的には、まず各結合点ごとに最早結合点時刻と最遅結合点時刻を求め、余裕時間を計算する。

余裕時間＝
　最遅結合点時刻
　　－最早結合点時刻

求められた余裕時間が0の結合点を結んだ経路がクリティカルパスということになる。

結合点㋐のように、開始点になっている作業が複数ある場合は、数値の小さいほう(より早く作業を始めなければならないほう)が、最遅結合点時刻になります。

試験はこう出る

問

結合点時刻の計算

次のアローダイアグラムで表されるプロジェクトがある。矢線上のアルファベットは作業名、数字は所要日数を示す。作業Hの最早開始日までの所要期間は何日か。

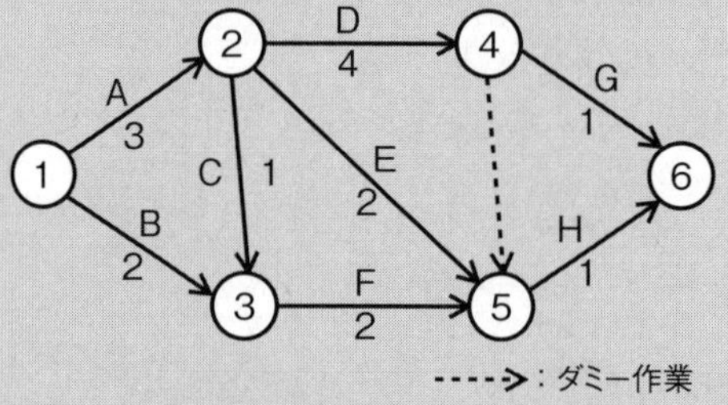

ア 4　　イ 5　　ウ 6　　エ 7

答

「最早作業日」と表現されているが、これは最早結合点時刻のこと。作業Hは、結合点⑤で完了する作業D(ダミー作業で図示されている)・E・Fがすべて完了しないと開始できない。そのため、この3つの作業に至る経路を洗い出し、結合点⑤の最早結合点時刻を求める。

<最早開始日の計算>

A～ダミー　A(3)+D(4)+ダミー(0)=7

A～E　A(3)+E(2)=5

A～F　A(3)+C(1)+F(2)=6

B～F　B(2)+F(2)=4

複数の作業が終了する結合点では、そこに至るまでに一番長くかかった経路の作業時間を、最早結合点時刻の値とする。上記の計算から、結合点⑤の最早結合点時刻は、一番大きな値である「A～ダミー」の7日。

解答　エ

ココも出る!

クリティカルチェーン

クリティカルパスの算出に際し、資源(人員や機材など)を勘案した作業の優先順位を加えた作業経路。

例えば、人員が限られている場合、ある作業に必要な人数と同時に行われる別の作業との競合を勘案し、優先順位にしたがって作業の順序を考えることになる。そのため、クリティカルチェーンはクリティカルパスのみで求めた場合より作業日数が伸びることが多い。

PDM

PDM(Precedence Diagramming Method：プレシデンスダイアグラム法)は、連続して行われる作業の順序関係(開始と終了のタイミング)を4つに分類する日程の計画手法。「FS(Finish to Start：終了－開始関係)前作業が終了したら、後作業が開始できる」、「SS(Start to Start：開始－開始関係)前作業が開始したら、後作業が開始できる」、「SF(Start to Finish：開始－終了関係)前作業が開始したら、後作業が終了できる」、「FF(Finish to Finish：終了－終了関係)前作業が終了したら、後作業が終了できる」がある。

上記に加え、ラグ(後作業開始までの待ち時間)やリード(前作業終了までの余裕時間、後作業を先に開始できる)も定義して、日程を検討することができる。

作業予定と関連がわかるガントチャート

作業の進捗を管理するための図法に、ガントチャートがあります。縦軸に作業項目、横軸に日付や時刻などの時間軸をとり、ある作業を開始してから終了するまでの予定期間を線の長さで表現します。さらに、実績(実際の作業期間)を示す線を書き込むことで、計画と実績を対比しながら進捗状況を把握することが可能になります。

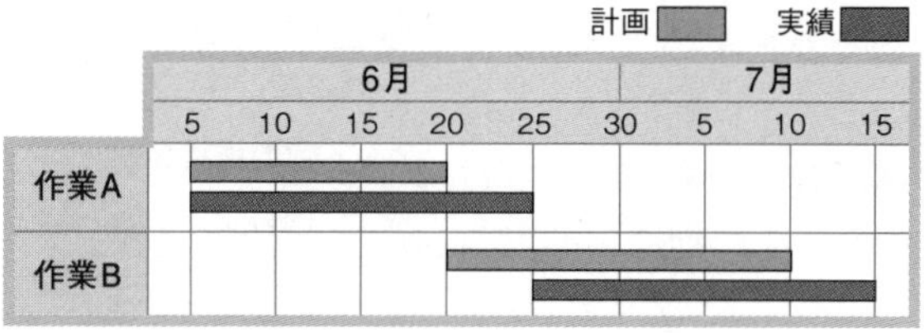

図表 03-4　ガントチャートの例

予実の推移がわかるトレンドチャート

トレンドチャートは、時間経過と予算消化率を軸にした折れ線グラフで、予定と実績の差異を確認する目的で使用します。作業進行上の区切りや重要なチェックポイントとなるマイルストーンを設定し、予定との差異を表現します。例えば、下図の1番目のマイルストーンは、「工期は予定より早まっているが(横軸)、予算消化率は予定を超えている(縦軸)」ことを示します。また2番目は、「工期は予定より遅れているが(横軸)、予算消化は予定を下回っている(縦軸)」ことを示しています。

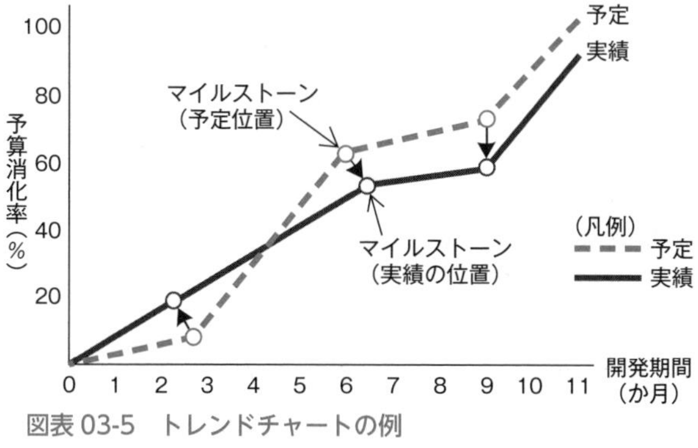

図表 03-5　トレンドチャートの例

ココも出る!

資源平準化

資源平準化とは、投入できる人員や機材などの資源に制約がある場合、日程への影響を避けるために、作業の開始日と終了日を調整すること。例えば、「短期間に多数の人員が必要」、「専門エンジニアにしかできない」、「特殊な機材を使う」などの作業が複数予定されている場合は、同じ資源を使う日程が重ならないよう調整を行う。

クラッシング

クラッシングとは、コスト増を最小限に抑えながら、資源(人員や機材など)を追加投入することで、作業の所要期間を短縮すること。

ファストトラッキング

ファストトラッキングとは、通常は順番に行う作業を並行して行うことで期間短縮を図ること。設計工程の完了前にシステムの一部を作り始めるケースなどがある。ただし、手戻りが発生した場合には、先行作業した部分が無駄になり、かえって作業期間が延びるリスクもある。

04
プロジェクトマネジメント

プロジェクトのコスト

コストマネジメントの活動内容

プロジェクトのコスト（プロジェクトコストマネジメント）は、定められた予算内でプロジェクトを完了させることが活動の目的です。主な活動は2つあり、1つはプロジェクトの初期段階で行うプロジェクト活動に必要なコストの見積りで、もう1つはプロジェクト活動中のコスト管理になります。

機械による作業の自動化がある程度達成されている製造業とは異なり、システム開発ではプログラムの一部を自動生成するツールなども使われてはいますが、エンジニアが直接手を掛ける作業がまだ多く残っています。

そのため、人件費などの計算の基となる「**工数**<☞>」を、どれだけ正確に見積もれるかが、開発プロジェクトのコスト管理の鍵を握ります。

コストの見積手法

頻出

コスト見積りで用いられる**トップダウン見積り**は、類似例などから新システム全体の工数やコストを推測し、その総量からそれぞれの作業に工数やコストを割り振っていく、「全体→細部」方式です。この方式の代表的な手法として**類推見積法**があります。

ボトムアップ見積りは、トップダウン法とは逆に、それぞれの作業にかかる工数やコストをまず見積もり、それらを合算することで新システム全体の工数やコストを計算する、「細部→全体」方式です。**標準タスク法**が代表的な手法になります。

ここでは、試験によく出題される、代表的な4つの見積手法を説明しておきます。

さらに詳しく

工数の見積単位

工数とは、ある作業を完了させるために必要な時間数のこと。

工数を表す単位として、人日や人月を用いる。**人日**は「1人の担当者がその作業を終えるのに何日必要か」を表している。

同様に、**人月**は「1人の担当者が完了するのに何か月必要か」を示す。

例えば、ある作業に5人日必要なら、1人のエンジニアが作業すれば作業期間は5日間になる。同じ作業を5人のエンジニアを投入して行えば、1日で完了する計算になる。

代表的なコストの見積手法

類推見積法
過去に行った類似するシステムの開発を基に、新システムとの相違点などを分析して、必要な工数とコストを見積もる、トップダウン見積りの代表的な手法。

標準タスク法
WBSの最小単位であるワークパッケージやアクティビティ（活動）<☞p.395>の1つ1つから工数とコストを予測。それらを積み上げて合計することで、新システム全体にかかる工数やコストを見積もる、ボトムアップ見積りの代表的な手法。

プログラムステップ法（LOC法）
新システムで開発するそれぞれのプログラムの、完成時のステップ数<☞>を予測。すべてのプログラムの総ステップ数から、工数やコストを見積もる手法。LOC(Lines Of Code) 法ともいう。

ファンクションポイント(FP) 法
ファンクションとは「機能」のこと。FP法では、プログラムに含まれる機能の数や、その機能の複雑度などから、工数やコストを見積もる手法。機能に注目するため、非エンジニアにもわかりやすく、利用者自身が見積もることも可能。

図表 04-1　代表的なコストの見積手法

試験はこう出る

問　**FP法の特徴**

ファンクションポイント法の説明はどれか。

ア　開発するプログラムごとのステップ数を積算し、開発規模を見積もる。

イ　開発プロジェクトで必要な作業のWBSを作成し、各作業の工数を見積もる。

ウ　外部入出力や内部論理ファイル、照会、インタフェースなどの個数や特性などから開発規模を見積もる。

エ　過去の類似例を探し、その実績と差異などを分析評価して開発規模を見積もる。

さらに詳しく

ステップ数

一般的にステップ数は作成するプログラムのソースコード<☞p.355>の行数を指す。

プログラムが長くなるほど、またシステムに含まれるプログラムの数が多いほど、設計やコーディング（プログラミング）には時間がかかる。

そのため、ステップ数は工数やコスト計算の目安として用いられている。

ココも出る！

COCOMOⅡ

COCOMOⅡ（COnstructive COst MOdel Ⅱ：ココモツー）は、予測されるソースコードの総行数に、「プログラムの特性、用いるハードウェアの特性、プロジェクトマネージャやエンジニアのスキル…」などの補正係数を掛け、工数やコストを見積もる手法。

元々のCOCOMOは行数に特定の係数を掛けるだけの単純な見積方法で、企画・設計や成果物の検証工程なども含む見積りはできなかった。そこで、FP法などの概念を取り入れ、開発の全工程の見積りが可能なCOCOMOⅡへと改良された。

答

選択肢ウの「外部入出力・内部論理ファイル・照会・インタフェース」は、プログラムの内容を分類するときの5種類の機能<☞>に該当する。「機能」や「特性」から見積りを行うのがFP法の特徴なので、正解はウ。キーワードとなる「機能」という言葉が出てこない問題もあるので、5つの機能の名称も覚えておこう。

なお、アはプログラムステップ法、イは標準タスク法、エは類推見積法の説明。

解答　ウ

> さらに詳しく
>
> **FP法の5つの機能分類**
>
> この5つの機能は、ユーザーファンクションタイプと呼ばれる。
>
> 内部論理ファイル：プログラムが扱うデータや制御情報のまとまりのこと。作成・更新・削除を、このプログラム自身が行う。
>
> 外部インタフェースファイル：他のプログラムやユーザーから入力されたデータや制御情報のまとまりのこと。
>
> 外部入力：外部インタフェースファイルを受け取り、これによって内部論理ファイルの作成・更新・削除などを行う機能。
>
> 外部出力：プログラムが内部論理ファイルの作成・更新・削除などを行い、他のプログラムや装置などに出力する機能。
>
> 外部照会：外部インタフェースファイルを参照する機能。参照した情報を単に画面に出力したり、他のプログラムへ渡すための機能で、内部論理ファイルの書き換えは行わない。

FP法の計算問題

頻出

FP法のFP値を計算させる問題もよく出題されています。FP法では、まずプログラムに含まれた機能を種類ごとに分けます。次に機能別の個数と、その機能の複雑度を用いて**FP値（ファンクションポイント値）**を計算します。

機能を実現する処理部分の複雑さによって、その部分の作成に必要な工数やコストは異なります。試験問題では、機能の種類ごとに異なる複雑さの度合いを**重み**として表し、その機能が含まれる個数と掛け合わせることで、FP値を計算させています。

さらに、他のプログラムとの関係性などを基に定義されたプログラム全体の複雑度を**補正係数**として、算出したFP値と掛け合わせ、プログラム全体のFP値を計算させる問題も出題されています。

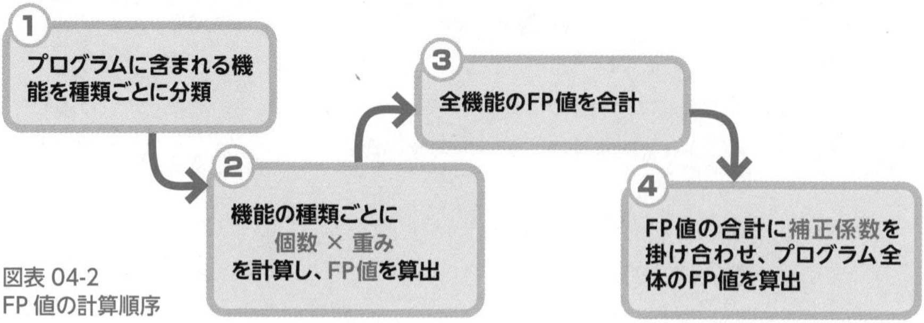

図表 04-2
FP 値の計算順序

試験はこう出る

問 プログラムのFP値の計算

表の機能と特性を持ったプログラムのファンクションポイント値はいくらか。ここで、複雑さの補正係数は0.75とする。

ユーザーファンクションタイプ	個数	重み付け係数
外部入力	1	4
外部出力	2	5
内部論理ファイル	1	10
外部インタフェースファイル	0	7
外部照会	0	4

ア 18　　イ 24　　ウ 30　　エ 32

答

この問題では、すでに表中に機能ごとの個数が示されているため、解答のスタートは機能ごとのFP値の計算(個数×重み付け係数)になる。下表の右端に機能ごとのFP値を、その合計値を下端に示す。

ユーザーファンクションタイプ	個数	重み付け係数	FP値
外部入力	1	4	4
外部出力	2	5	10
内部論理ファイル	1	10	10
外部インタフェースファイル	0	7	0
外部照会	0	4	0
		FP値の合計	24

問題文中に、「複雑さの補正係数は0.75とする」とあるので、プログラム全体のFP値は次式で計算できる。

$$24 \times 0.75 = 18$$

解答　ア

ココも出る！

三点見積法

三点見積法は、項目ごとに3通りの値を予測し、それぞれ重み(期待値)を掛けて見積値を算出する手法。

「楽観値：作業が上手く進んだ場合」、「最頻値：いつものペースで完了できた場合」、「悲観値：いろいろあって進みが遅くなった場合」という幅のある3つの想定値で工数を予測することで、より正確な見積値を算出できる。

一般に、楽観値と悲観値の重み(期待値)は「1」、最頻値の重み(期待値)は「4」として計算し、その合計値を期待値の合計(1＋1＋4＝6)で割って見積値を求める。

見積値
＝(楽観値×1
　＋ 最頻値×4
　＋ 悲観値×1)÷ 6

コストから進捗管理を行うEVM

EVM(Earned Value Management：アーンド・バリュー管理)は、コストに注目してプロジェクトの進捗管理を行う手法で、予算に対する出来高(そこまでの時点でできたものの価値)を見ていきます。EVMでは、次の4つが基本要素になります。

- **PV**(Planned Value)：計画コスト(ベースライン)。
- **EV**(Earned Value)：出来高(現時点で完了している作業を、プロジェクトの総予算から金額に換算した値)。
- **AC**(Actual Cost)：実コスト。
- **BAC**(Budget At Completion)：完了時総予算。

さらに、基本要素を用いて計算することで、指標となる値を求めます<☞>。

- **SV**(Schedule Variance)：スケジュール差異。作業が先行していれば値はプラス、遅延はマイナスになる。
- **CV**(Cost Variance)：コスト差異。予算に対して実コストが少ない場合の値はプラス、超過している場合はマイナスになる。

さらに詳しく

そのほかのEVMの指標

- CPI(Cost Performance Index)：コスト効率指数、EV／ACで求める。値が1なら計画どおりにコスト消化されており、1を下回るならコスト超過の状態。
- SPI(Schedule Performance Index)：スケジュール効率指数、EV／PVで求める。1ならスケジュールどおりに進んでおり、1を下回るなら遅れている状態。
- ETC(Estimate To Complete)：残作業予測コストで、(BAC－EV)／CPIで求める。
- EAC(Estimate At Completion)：完成時予測コストで、AC＋ETCで求める。

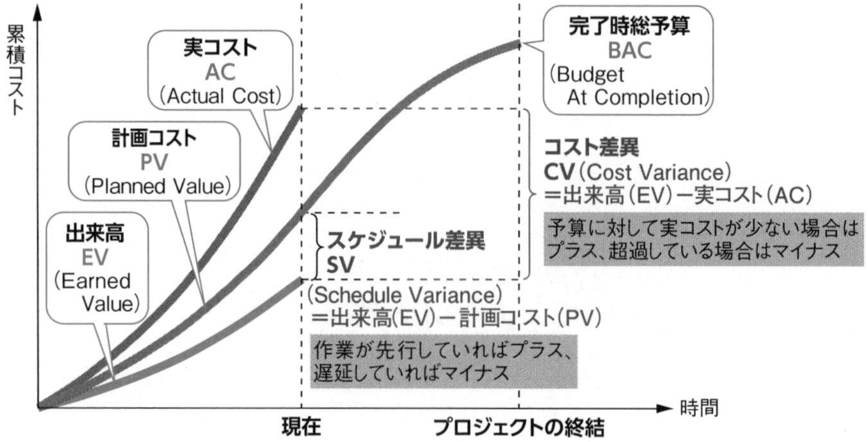

図表 04-3　EVMで用いる指標

05
プロジェクトマネジメント

プロジェクトの品質

品質向上を目指すマネジメント活動

プロジェクトの品質（プロジェクト品質マネジメント）では、プロジェクトとして達成すべき成果物の品質の目標策定（**品質計画**）と、品質のレビュー（**品質保証**）、**品質管理**を行います<☞>。

システムの開発プロジェクトでは、利用者からの要求を達成するため、作成するシステムやソフトウェアの**品質方針**と**品質目標**、品質に関して負うべき責任を定めて、品質を評価・管理していきます。

品質に関する規格

品質の目標策定時に参照したり、具体的な品質管理の手法を示すガイドとして、JIS規格が用いられています。

●品質管理と品質保証の規格（ISO9000シリーズ）

ISO9000シリーズ（JIS Q 9000ファミリー規格）は品質管理のための国際規格（JIS Q 9000ファミリーは日本語版）です。9000シリーズには複数の規格が含まれており、利用者の要求を満足させる品質を提供するための、品質管理と品質保証の方法について規定しています。

9000シリーズの規格に基づく品質マネジメントシステムの構築は、下図のような手順で行われます。

図表 05-1　ISO9000の品質マネジメントシステムの構築手順

1 品質に対する方針を策定 → 2 ①を、「品質目標」「品質マニュアル」という形で文書化 → 3 ②の文書を基に、品質の管理活動を運用 → 4 一定期間の経過後に、見直しを図る

さらに詳しく

対象群「品質」のプロセス

品質の活動は、次のプロセスで構成されている。

品質計画
成果物の品質要求事項や満たすべき規格などの品質基準を定義。必要なツールや技法を決定し、品質計画を作成。

↓

品質保証
品質計画に従った役割分担やツール・技法を用いて、品質向上のための活動が適切に実施されているかを監視。

↓

品質管理
プロジェクト活動の成果物が、品質計画で策定した基準を満たしているかを検査。欠陥などの不適格を発見したら原因を分析し、是正措置や予防措置を検討・決定して、担当するメンバに伝達。

ただし、ISO9000の認証取得企業では、ISO9000が定めた品質マネジメントシステムの構築手順（下図）に従う必要がある。

●ISO/IEC 25010の品質特性

ISO9000シリーズは、多様な製品全般に対応する品質管理の規格ですが、ISO/IEC 25010はシステムやソフトウェア製品の品質評価に特化した国際規格です（日本語版はJIS X 25010）。

ISO/IEC 25010では、品質評価に関して、下表の8つの特性（製品品質モデルという）を定めています。

機能適合性	システム・ソフトウェア製品への要求に対して、実際に実現された機能の度合いを示す特性。
性能効率性	稼働に用いる資源（ハードウェア・ソフトウェア・資材など）に対して、得られる性能の効率を示す特性。
互換性	ハードウェアやソフトウェアの構成が同じ環境で、システムやデータを交換したり共有したりする場合の容易さに関わる特性。
使用性	操作性やインタフェースのわかりやすさなど、システムの利用者が感じる使いやすさを示す特性。
信頼性	定められた時間、与えられた条件下で、必要とされる機能がきちんと稼働することを示す特性。
セキュリティ	システムやデータを保護し、なおかつアクセス権を持つ利用者には適切に提供できることを示す特性。
保守性	システム・ソフトウェア製品の修正・改変の容易さを示す特性。
移植性	ハードウェアやソフトウェアの構成が異なる別の環境へ移す（移植する）場合の容易さに関わる特性。

図表05-2　システム・ソフトウェア製品の8つの品質特性

品質管理上、重要視される活動

ここからは、システムやソフトウェアを開発するケースを中心に説明します。品質向上のための活動では、特にレビューやテストの工程がよく出題されています。

●レビュー

設計やプログラミングの工程で、成果物の検証や再検討を行うことをレビューといいます。複数のメンバが参加し、成果物の説明、問題点の指摘、改善策の検討などを行います。レビューは、後工程に課題や問題点を残さないことを目的に行われ、必要であればレビュー後に設計やコーディングをやり直すこともあります。

さらに詳しく

ISO/IEC 25010

ISOは国際標準化機構、IECは国際電気標準会議のこと。ISO/IEC 25010のように、ISO/IECと並記してあるものは、両標準化団体が連携して策定した規格。

ソフトウェアの品質に関わる日本版規格としてはJIS X 0129が存続しているが、JIS X 25010はこのJIS X 0129を改正・追補する形で新たに作られた規格。

こちらも参照

ウォークスルー／インスペクション

☞p.335「レビュー」

●テスト

テストは、設計内容や作成されたプログラムが、定められた仕様と一致しているかを検証する作業です。

プログラムの作成工程では、設計工程で作成したテスト計画に基づいて、作成したプログラムが仕様どおりに動作するか、要求されている性能を満たしているかを、漏れなく計画的に検証していきます。

品質を評価するための手法

頻出

システムの開発プロジェクトに求められるのは、限られた期間と資源で、必要な性能や機能を実現させること。品質の評価も、より確かな品質を確保できる効率的な方法を用いることが求められます。

●ベンチマーク

ベンチマークは、ハードウェアやプログラム（ソフトウェア）の処理能力を測るための手法です。

例えば、「あるデータの処理を3秒以内で完了し、画面に表示する」など、あらかじめ目的に応じた指標（ベンチマーク）を定めて、その指標と実測値を比較することで性能を評価します。

●信頼度成長曲線

信頼度成長曲線は、テスト時間を横軸、検出したエラー（バグ）の累積件数を縦軸にとって記録し、テスト開始からの時間経過とともに変化するバグの累積件数の傾きを見るためのグラフです。バグ曲線とも呼ばれます。

一般的な信頼度成長曲線の形状は、テストの開始直後

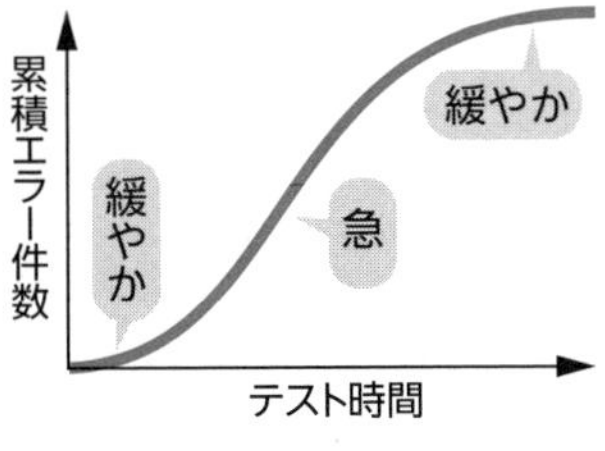

図表 05-3
信頼度成長曲線

こちらも参照

ベンチマークテスト

☞p.152「システムの性能を計る目安とは？」

ココも出る！

予防処置と是正処置

テストやレビューの結果、成果物に問題が発見された場合は、次のような処置が検討される。

予防処置：現段階では決定的な不具合とはいえないが、今後に問題が発生する可能性を含んでいるため、予防的に処置をしておくこと。

是正処理：計画や仕様に定められた品質を満たさないため、現段階で問題点となっている事柄に対し、原因を探り対処を行うこと（再発防止も兼ねる）。

は緩やかな曲線(エラーの検出数が少ない)を描き、テストが進むに従って傾きが急に(新たに検出されるエラー数が急増)なります。

終了に近い段階まで進むと、傾きは緩やかに(新たなエラーの検出が減少)なり、全体としてS字のカーブを描くことが知られています<☞>。

実際のテスト工程では、グラフの傾きが緩やかになり、バグの発見がごくわずかになれば、必要な品質を満たしたと判断し、テストを終了します。

ソフトウェアの品質管理に用いる図法

前項の信頼度成長曲線も、品質管理に用いられる図法の1つですが、そのほかにも試験によく出題されている図法があります。

●管理図

管理限界(許容される値)の上限および下限を明示し、値の変動を折れ線グラフで表したものです。

グラフ上にプロット(点を打つ)した点が、上限値や下限値の外側にある、上限や下限に近づいていく傾向がある、周期的に値が変動しているなど、何らかの異常があればひと目で判断できます。

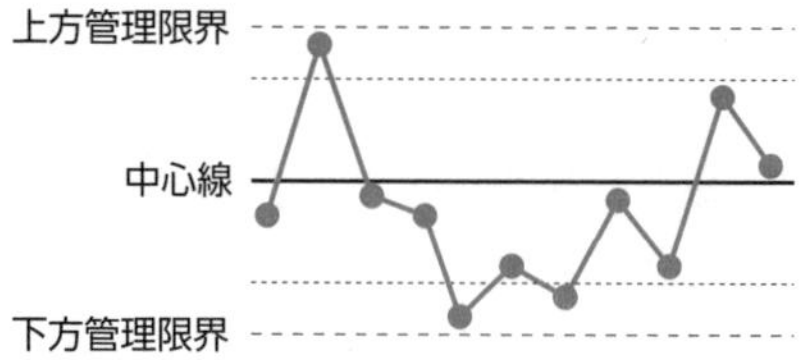

図表 05-4　管理図

●特性要因図

特性(ある**現象**や**結果**)と、それに影響を及ぼす**要因**(**原因**)との関係を整理して、魚の骨のような形に表した図です。その形状から、**魚骨図**や**フィッシュボーンチャート**とも呼ばれています。

さらに詳しく

信頼度成長曲線のS字カーブの異常

テストの実績グラフの形状が、一般的なS字カーブの形状と大きく異なる場合は、何らかの問題があることが予想できる。

①傾きが急なまま

曲線の傾きが急になったまま、いつまでも緩やかにならず、新たなエラーが多量に検出され続ける場合、プログラムに品質上の大きな問題が生じている可能性が高い。

プログラムの設計上の誤りやコーディングのミスなどの原因を追求し、修正を行うなどの対処が必要になる。

②傾きが緩やかなまま

曲線の傾きが開始直後からずっと緩やかなまま(エラー数が増加しない)というケースでは、設計段階で選択したテスト方法や、テストの実施方法に誤りがあることが考えられる。

そのままの方法でテストを続けても、バグを発見できないため、別の方法を検討する。

こちらも参照

品質管理の図法

☞p.543「QC七つ道具」

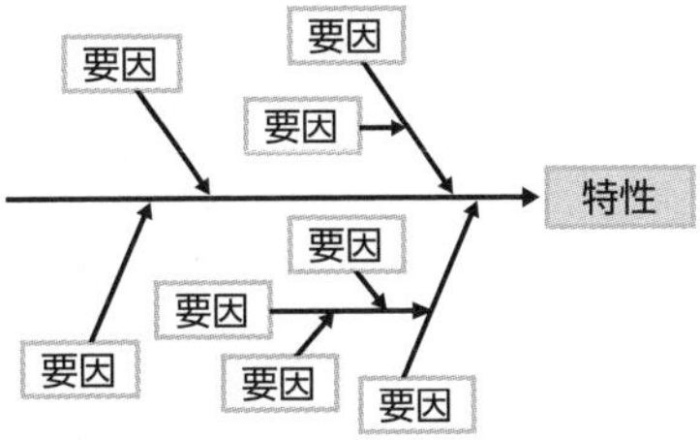

図表 05-5　特性要因図

●パレート図

項目のデータ値を降順に並べた棒グラフと、それらの項目の累積値を表す線グラフを、1つのグラフ内にまとめて表現した複合グラフです。

品質管理では、不良原因ごとの不具合の発生件数などの度数を棒グラフで、折れ線グラフで全体に対する各項目の度数の比率累計を表すなどの使い方があります。

どの項目が重要で、それが全体に占める割合がどの程度なのかひと目でわかるため、管理活動では対策の優先順位の検討などに使われています。

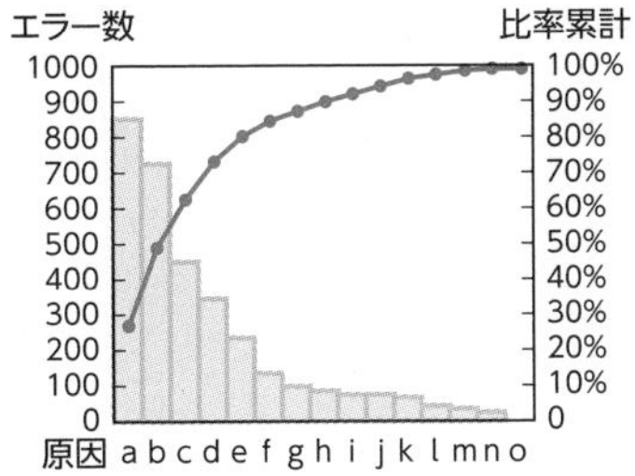

図表 05-6　パレート図

●散布図

何らかの因果関係があると予想される2つの特性の値をそれぞれ縦軸と横軸にとり、個々のサンプルの値をプロットする点グラフです。どちらかの特性の値が変わると、もう一方の値もそれにつれて変化する場合は「2つの系列間に相関がある」と判断することができ、グラフ上の点はほぼ直線上に分布します。

ココも出る！

品質とCMMI

CMMI（Capability Maturity Model Integration；能力成熟度モデル統合）は、ある組織がソフトウェア開発のために実行しているプロセスの成熟度レベルを1～5段階で評価するための手法。

「ソフトウェア（プログラム）の品質を高めるには、それを作成するプロセス（工程）自体の品質を高める必要がある」という思想を基に策定された。

評価を行うだけではなく、レベル別に設定されたプロセス改善のための詳細な目標をクリアしていくことで、その組織が実行するプロセスの成熟度が向上するように作られている。

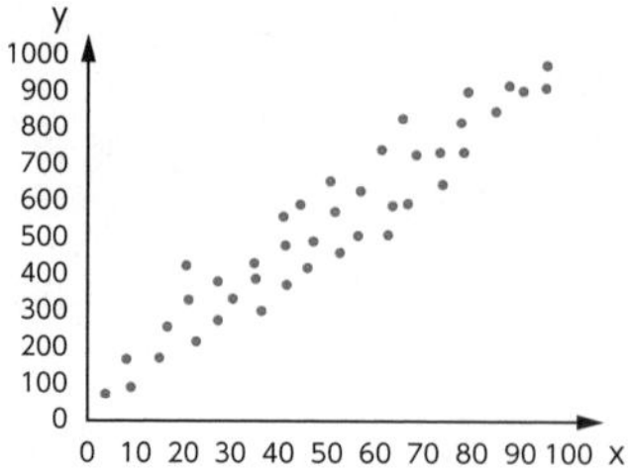

図表 05-7　散布図

試験はこう出る

問　品質問題解決に用いた図

品質問題を解決するために図を作成して原因の傾向を分析したところ、全体の80%以上が少数の原因で占められていることが判明した。作成した図はどれか。

ア　管理図　　　　イ　散布図
ウ　特性要因図　　エ　パレート図

答

「複数の項目が全体に占める割合(比率累計)」を示せるのは、エのパレート図のみ。問題文には「80%以上が少数の原因で～」とあるが、これをパレート図で表すと下図左側のようなグラフになる。このような場合、他の原因に比べてa、bが際立って多いため、根本的に対処すべき何らかの異常があることが推測される。

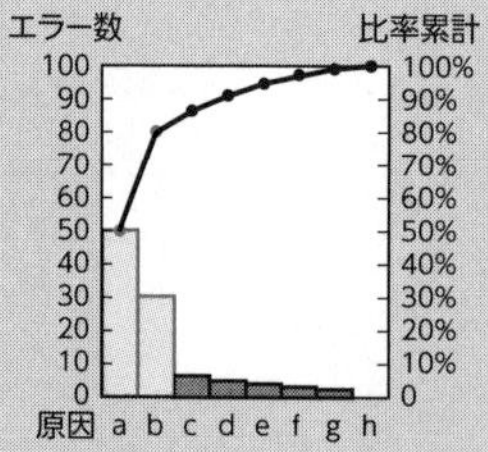

aとbの2つの原因で起こったエラーだけで、全体の80%を占める例

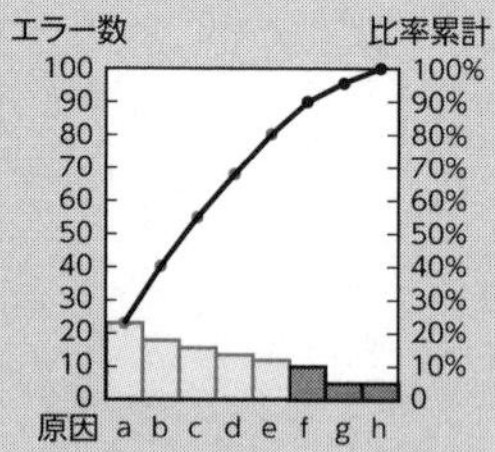

a～eの5つの原因で起こったエラーで、全体の80%となる例

解答　エ

ココも出る！

散布図の正の相関と負の相関

どちらかの項目の値が増えると、もう一方の値が増える傾向がある場合は、**正の相関**があると判断する。グラフには、右上がりの直線上にプロットされた点が並ぶ。

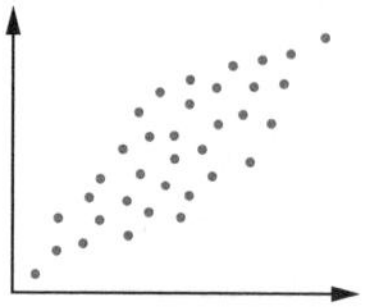

正の相関

どちらかの項目の値が増えると、もう一方の値が減っていく傾向がある場合は、**負の相関**があると判断する。グラフには右下がりの直線上にプロットされた点が並ぶ。

負の相関

こちらも参照

相関図

☞p.53「相関図と相関係数」

06

プロジェクトマネジメント

多角的に管理するその他の対象群

プロジェクトのステークホルダ

●ステークホルダとは？

ステークホルダとは利害関係者のことです。開発プロジェクトでは、システムの発注者（プロジェクトスポンサー）、システムの利用者、プロジェクトマネージャ、プロジェクトメンバなどがステークホルダです。

さらに、システムの開発作業を外部に依頼する場合は、委託先もステークホルダになります。

●ステークホルダマネジメントの目的とプロセス

プロジェクトのステークホルダ（プロジェクトステークホルダマネジメント）の目的は、ステークホルダによって異なるニーズや期待を把握し、ステークホルダ間の調整を行い、ステークホルダから得られる協力を最大限に引き出して、プロジェクト活動を円滑に進めることにあります。

活動は、まず初めにそのプロジェクトのステークホルダを特定します。「誰が利害関係者か」ということだけでなく、「プロジェクトとの関わりの深さ」、「プロジェクトへの影響力の大きさ」、「ステークホルダ間の関係」も明らかにして、**ステークホルダ登録簿**に記載します。

この対象群の実行プロセスでの活動の中心は、ステークホルダ間の情報共有と意見調整です。立場によって意見が対立した場合などは、交渉や駆け引きを交えながら調整し、各ステークホルダの同意を得て、プロジェクトを進めなければなりません。プロジェクト内での解決が難しい場合、プロジェクトマネージャはより上位の権限者（経営陣など）に協力を依頼する場合もあります。

さらに詳しく

ステークホルダの「利」と「害」

利害関係者と訳されるように、ステークホルダには「利を得る（メリットを受ける）人」と「害を被る（デメリットを被る）人」の両方が含まれることに注目しよう。

例えば、システムの利用者は業務の負担軽減（メリット）のために高機能のシステムを要求するが、機能の高度化はコストが増えるためスポンサーにとってはデメリット。また、開発の受注者には、受注額増というメリットと、作業負担増というデメリットの両面が生じる。

試験はこう出る

問

ステークホルダの説明

プロジェクトに関わるステークホルダの説明のうち、適切なものはどれか。

ア　組織の内部に属しており、組織の外部にいることはない。

イ　プロジェクトに直接参加し、間接的な関与にとどまることはない。

ウ　プロジェクトの成果が、自らの利益になる者と不利益になる者がいる。

エ　プロジェクトマネージャのように、個人として特定できることが必要である。

答

正解はウ。ステークホルダが受ける影響には「利」と「害」の両方がある<☞p.413>。

ア：システム開発会社に開発を依頼する場合、委託先(社外)もステークホルダ。イ、エ：例えば、人事管理システムの構築プロジェクトでは、プロジェクトメンバでなくても、新システムを業務で使う人事部員や管理対象となる一般社員もステークホルダとなる。

解答　ウ

プロジェクトの資源

プロジェクトの資源(プロジェクト資源マネジメント)は、プロジェクトの活動リストなどから必要な資源と使うタイミングを見積もり、過不足なく確保して管理する活動です。「**資源**」には、人員(プロジェクトマネージャやプロジェクトメンバなど)、施設、機器、材料、インフラストラクチャ、ツールなどが含まれています。

見積りの結果、プロジェクト内部では確保できる資源の不足がある場合には、対象群「プロジェクトの調達<☞

ココも出る！

PMO

PMO(Project Management Office)とは、企業内でプロジェクトマネジメントの支援を行う組織のこと。PMOでは、プロジェクトのマネジメント方式の標準化や、プロジェクトマネジメントに関する社員研修、プロジェクトマネージャなど人材の育成、プロジェクトの立ち上がり～運営の支援、同時並行で走っているプロジェクト間の調整などを行う。

プロジェクトマネジメントチーム

プロジェクトマネジメントチームは、プロジェクトメンバの中で、プロジェクトの管理活動を主に行っている要員のこと。プロジェクト活動の指揮を行い、プロジェクトマネージャを支援する。

p.416 >」の活動で外部から資源を確保することになります。

人員については、まず必要な人材とその役割や権限を検討し、要員を集めて**プロジェクトチーム**を結成して、そのチームを運営管理していきます。見落としてはならないのは、プロジェクトチームの育成や要員の指導・教育も、この活動の一環として行われるということです。

プロジェクトのリスク

頻出

プロジェクトのリスク（プロジェクトリスクマネジメント）で扱うリスクには、2つの種類があります。1つは、発生したときにマイナスの影響を与えるリスクで、**脅威**ともいいます。もう1つは、発生したときにプラスの影響を与えるリスクで、**好機**と呼ばれます<☞さらに詳しく>。

発生が予測できるリスクに対して、脅威はその影響を最小限に抑え、好機は最大限に生かせるよう、あらかじめ対策を考え、発生時に確実に実行していくことが、リスクマネジメントの目的です。

1 リスクの特定
プロジェクトメンバだけでなく、専門家や類似プロジェクトの経験者などからもヒアリングを行い、発生が予測できるリスクを洗い出し、リスク登録簿に記載。

2 リスクの評価
洗い出したそれぞれのリスクの発生確率や、発生した場合の影響の大きさなどを分析し<☞次ページ「定性的リスク分析と定量的リスク分析」>、対応の優先順序を付ける。

3 リスクへの対応
優先度の高いリスクについて、適用する対応戦略<☞次ページ「図表 06-2　8種類の対応戦略」>と具体的な対応策を検討し、リスク対応計画※を作成。

※緊急時の対応計画であるコンティンジェンシ計画を含む。

4 リスクの管理
発生したリスクへのリスク対応計画に基づく対応や追跡、新たなリスク発生の監視や特定など、継続的にコントロール活動を行う。

図表 06-1
リスクマネジメントの手順

さらに詳しく

開発プロジェクトの脅威と好機

脅威となるリスクの例
- 災害発生による開発作業の中断。
- 税率の変更など、関連する法律の改正によるプログラムの処理内容の変更。
- プロジェクトメンバの疾病による要員交代。

好機となるリスクの例
- 通貨レートの変動で、海外から輸入する機材を予算より安く購入。
- 他プロジェクトの早期完了で、不足していた専門技術者がプロジェクトメンバとして追加参加。
- 先行プロジェクトの成功でシステムの同じ機能部分が流用可能に。

●リスクへの対応戦略

対応戦略は、リスクが発生したときにどのように対応するのか、その方向性を示します。好機と脅威それぞれに4種類ずつ、計8種類の対応戦略があります。

	対応戦略		例
脅威	回避	リスクを避けるための対策を行う	・プロジェクトそのものを中止 ・リスクを避けられるようプロジェクトの計画を変更
	転嫁	リスクの発生時に被るマイナスの影響を第三者に移転する	・地震や火災など災害の発生に備え、保険に加入しておく ・開発用機材はメーカー保証のあるものを用意する
	軽減	リスクの発生確率や、発生した場合のマイナスの影響を、許容できるレベルに抑える	・故障の発生を避けるため、古い機材は使用しない ・作業の手戻りを防ぐため、レビューやテストを念入りに実施
	受容	リスクの発生や、そこから受ける影響を容認する	積極的な対応は行わない
好機	活用	好機が確実にくるように対策を行う	・類似プロジェクトの経験者をプロジェクトマネージャに迎える ・開発に必要な技術のスペシャリストをプロジェクトメンバに加える
	共有	好機を得やすいように、第三者にプロジェクト活動の一部（またはすべて）を割り当てる	・類似例の実績が豊富なインテグレータに開発を委託 ・外部の専門家にアドバイザーを依頼
	強化	好機の発生確率を高める要因や、プラスの影響を増大させる要因を最大化させる	・より高速処理が可能なサーバを開発用に準備 ・品質向上のため、通常よりもプロジェクト期間を長めに設定
	受容	リスクの発生や、そこから受ける影響を容認する	積極的な対応は行わない

図表 06-2　8 種類の対応戦略

プロジェクトの調達

プロジェクト活動に必要な資源（人員や機材など）を、プロジェクトの外部から得て管理するのがプロジェクトの調達（プロジェクト調達マネジメント）の活動です。

システム開発そのものを開発ベンダーに委託する場合などでは、委託先の選定と契約<☞ p.473「調達計画・実施」>、委託後の監視・進捗管理なども、この活動に含まれています。

ココも出る！

定性的リスク分析と定量的リスク分析

①定性的リスク分析

定性的とは、リスク発生の可能性や影響度など数値では表せない特性を基にリスクを分析すること。リスク特定で洗い出されたリスクが、日程やコストなど他の管理項目にどの程度影響を及ぼすかを調査。発生確率や発生時の影響度によって対応の優先順位を定め、リスク登録簿へ記載。

②定量的リスク分析

定量的とは、リスク発生時の対応に必要なコストや日程など、数値で測定できるデータを基にリスクを分析すること。優先度が高いリスクを、モデル化やシミュレーションなどの手法を用いてより詳しい分析を行い、リスク登録簿へ追記する。

アウトソーシングとコソーシング

アウトソーシングは、業務の一部を外部の専門企業へ委託し、負担減とコスト削減を図ること。委託した業務に関するノウハウが社内に蓄積されないデメリットもある。

コソーシングは、丸投げではなく、社内の人員と委託先が共同で業務を行うこと。これにより、委託先が持つ先進的なノウハウや技術を社内に吸収・蓄積できる。

プロジェクトのコミュニケーション

プロジェクトのコミュニケーション(プロジェクトコミュニケーションマネジメント)の目的は、ステークホルダ間の適切な情報共有によって、プロジェクトを円滑に進めること。実際の活動では、どのタイミングで・誰から誰へ・どの情報を・どんな手段を使って配布するのが適切かを判断して実行し、さらにやり取りされた情報を記録・管理していきます。

●コミュニケーション手段

試験では、コミュニケーションの手段について問われています<☞>。

プッシュ型のコミュニケーションは、特定の受け手に限定して情報を送る、1対1の伝達手段です。電子メールやFAXなどがこれに分類されます。送り手はそれぞれの受け手へ個別に情報を送るため、受け手の数が多いと、手間がかかって大変です。

一方、**プル型**のコミュニケーションは、受け手自身が、蓄積された情報の中から必要なものを選んで取り出す、1対多の伝達手段です。

送り手は蓄積場所に情報を置くだけなので、手間がかかりません。反面、受け手は能動的に蓄積場所にアプローチしないと情報が取れない(必要な人に情報が伝わらない)というデメリットがあります。イントラネットサイトやe-ラーニング<☞>などがこの型に分類されます。

ココも出る！

双方向型のコミュニケーション

プッシュ型やプル型が送り手から受け手への一方通行の伝達手段であるのに対して、**双方向型**のコミュニケーションは同時並行的にやり取りを行うコミュニケーション手段。**相互型**とも呼ばれる。

電話や会議、対面での会話などが、この伝達手段に該当する。

イントラネットサイト／e-ラーニング

イントラネットは、インターネット技術を用いて構築した組織内のみで用いるネットワーク。**イントラネットサイト**は、情報をWebページとして蓄積し、閲覧はWebブラウザを用いる。

e-ラーニングは、インターネットを用いた通信教育。テキスト・授業動画・練習問題などの教材がWebページとして蓄積されており、閲覧・視聴・回答はWebブラウザを用いる。

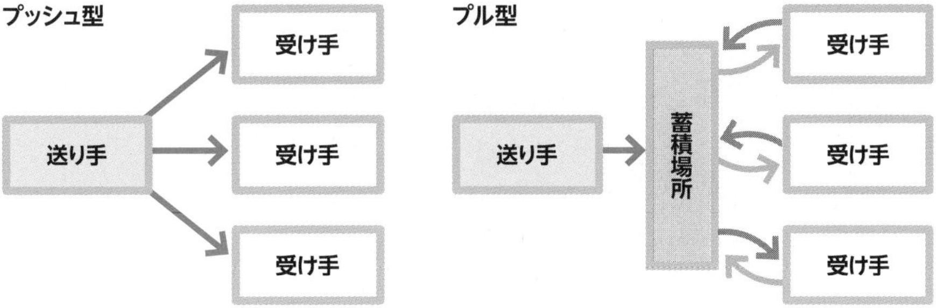

図表　06-3　プル型とプッシュ型の違い

シラバス ●大分類5：プロジェクトマネジメント ●中分類14：プロジェクトマネジメント
●小分類2：プロジェクトの統合

出題：令和2年7月修了認定試験ほか

問1 プロジェクトの課題を分析するための図

CHECK

プロジェクトで発生した課題の傾向を分析するために、ステークホルダ、コスト、スケジュール、品質などの管理項目別の課題件数を棒グラフとして件数が多い順に並べ、この順で累積した課題件数を折れ線グラフとして重ね合わせた図を作成した。

この図はどれか。

ア 管理図　　イ 散布図　　ウ 特性要因図　　エ パレート図

シラバス ●大分類5：プロジェクトマネジメント ●中分類14：プロジェクトマネジメント
●小分類4：プロジェクトのスコープ

出題：令和3年6月修了認定試験ほか

問2 WBSを使用する目的

CHECK

ソフトウェア開発プロジェクトにおいてWBS（Work Breakdown Structure）を使用する目的として、適切なものはどれか。

ア 開発の期間と費用がトレードオフの関係にある場合に、総費用の最適化を図る。

イ 作業の順序関係を明確にして、重点管理すべきクリティカルパスを把握する。

ウ 作業の日程を横棒（バー）で表して、作業の開始時点や終了時点、現時点の進捗を明確にする。

エ 作業を階層的に詳細化して、管理可能な大きさに細分化する。

シラバス ●大分類5：プロジェクトマネジメント ●中分類14：プロジェクトマネジメント
●小分類5：プロジェクトの資源
出題：令和6年1月修了認定試験ほか

問3 開発段階におけるピーク時の要員数

CHECK □□□

開発期間10か月、開発工数200人月のプロジェクトを計画する。次の配分表を前提とすると、ピーク時の要員は何人か。ここで、各工程では開始から終了までの要員数は一定とする。

工程名／項目	要件定義	設計	開発・テスト	システムテスト
工数配分（%）	16	33	42	9
期間配分（%）	20	30	40	10

ア 18　　イ 20　　ウ 21　　エ 22

シラバス ●大分類5：プロジェクトマネジメント ●中分類14：プロジェクトマネジメント
●小分類6：プロジェクトの時間
出題：令和6年1月修了認定試験ほか

問4 ガントチャートに関するもの

CHECK □□□

工程管理図表の特徴に関する記述のうち、ガントチャートに関するものはどれか。

ア　工程管理上の重要ポイントに着目した管理ができる。
イ　個々の作業の順序関係、所要日数、余裕日数などが把握できる。
ウ　作業開始と作業終了の予定と実績や、仕掛かり中の作業などが把握できる。
エ　作業の出来高の時間的な推移を表現するのに適しており、費用管理と進捗管理が同時に行える。

シラバス ●大分類5：プロジェクトマネジメント ●中分類14：プロジェクトマネジメント
●小分類6：プロジェクトの時間

出題：令和6年6月修了認定試験ほか

問5 プロジェクトのクリティカルパス

CHECK

アローダイアグラムで作業A～Hを見直したところ、作業Dだけが短縮可能であり、その所要日数は6日間に短縮できることがわかった。作業全体の所要日数は何日間短縮できるか。

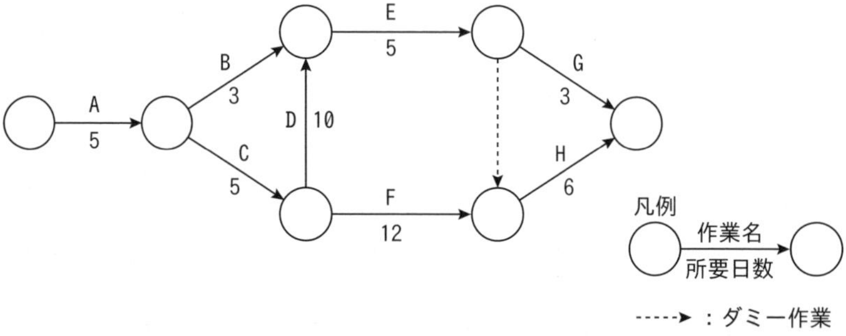

ア　1　　イ　2　　ウ　3　　エ　4

シラバス ●大分類5：プロジェクトマネジメント ●中分類14：プロジェクトマネジメント
●小分類6：プロジェクトの時間／7：プロジェクトのコスト

出題：令和2年12月修了認定試験ほか

問6 EVMの特性

CHECK

システム開発のプロジェクトにおいて、EVMを活用したパフォーマンス管理をしている。開発途中のある時点でEV－PVの値が負であるとき、どのような状況を示しているか。

ア　スケジュール効率が、計画より良い。
イ　プロジェクトの完了が、計画より遅れている。
ウ　プロジェクトの進捗が、計画より遅れている。
エ　プロジェクトの進捗が、計画より進んでいる。

シラバス　大分類5：プロジェクトマネジメント　中分類14：プロジェクトマネジメント
小分類7：プロジェクトのコスト　　出題：令和4年7月修了認定試験ほか

問7 標準タスク法で見積もる作業の工数

CHECK

全部で100画面から構成されるシステムの画面を作成する。100画面を規模と複雑度で分類したときの内訳は次のとおりである。

規模が“小”で、複雑度が“単純”である画面数：30

規模が“中”で、複雑度が“普通”である画面数：40

規模が“大”で、複雑度が“普通”である画面数：20

規模が“大”で、複雑度が“複雑”である画面数：10

すべての画面を作成する総工数を、表の作成工数を用いて見積もると何人日になるか。ここで、全部の画面のレビューと修正に5人日を要し、作業の管理にはレビューと修正の工数を含めた作業工数の20%を要するものとする。

画面当たりの作成工数

単位　人日

規模＼複雑度	単純	普通	複雑
小	0.4	0.6	0.8
中	0.6	0.9	1.0
大	0.8	1.0	1.2

ア　80　　イ　85　　ウ　101　　エ　102

シラバス　●大分類5：プロジェクトマネジメント　●中分類14：プロジェクトマネジメント
●小分類7：プロジェクトのコスト

出題：令和2年6月修了認定試験ほか

問8　FP法を用いた作業人月の計算

CHECK

　ある新規システムの機能規模を見積もったところ、500FP（ファンクションポイント）であった。このシステムを構築するプロジェクトには、開発工数のほかに、システム導入と開発者教育の工数が、合計で10人月必要である。また、プロジェクト管理に、開発と導入・教育を合わせた工数の10%を要する。このプロジェクトに要する全工数は何人月か。ここで、開発の生産性は1人月当たり10FPとする。

ア　51　　　イ　60　　　ウ　65　　　エ　66

シラバス　●大分類5：プロジェクトマネジメント　●中分類14：プロジェクトマネジメント
●小分類11：プロジェクトのコミュニケーション

出題：令和5年1月修了認定試験ほか

問9　プロジェクトメンバーの打合せ回数

CHECK

　10人のメンバで構成されているプロジェクトチームにメンバ2人を増員する。次の条件でメンバ同士が打合せを行う場合、打合せの回数は何回増えるか。

〔条件〕

・打合せは1対1で行う。

・各メンバが、他の全てのメンバと1回ずつ打合せを行う。

ア　12　　　イ　21　　　ウ　22　　　エ　42

シラバス ●大分類5：プロジェクトマネジメント ●中分類14：プロジェクトマネジメント
●小分類9：プロジェクトの品質

出題：令和6年6月修了認定試験ほか

問10 品質状況を判断するグラフ

CHECK

テスト工程での品質状況を判断するためには、テスト項目消化件数と累積バグ件数との関係を分析する必要がある。一定の品質が達成されつつあることを表しているグラフはどれか。

ア

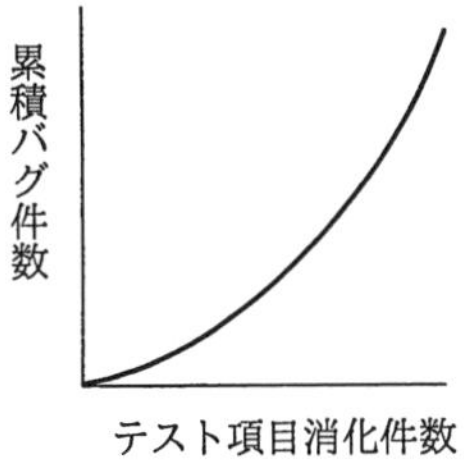

イ

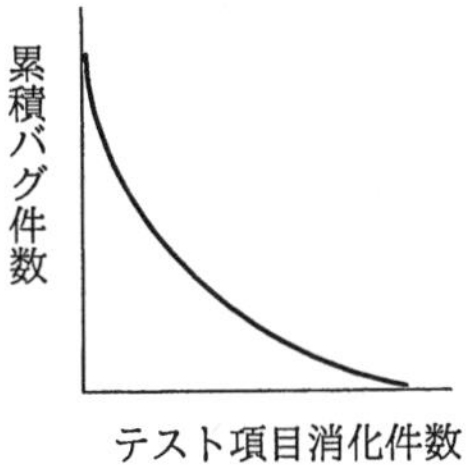

ウ

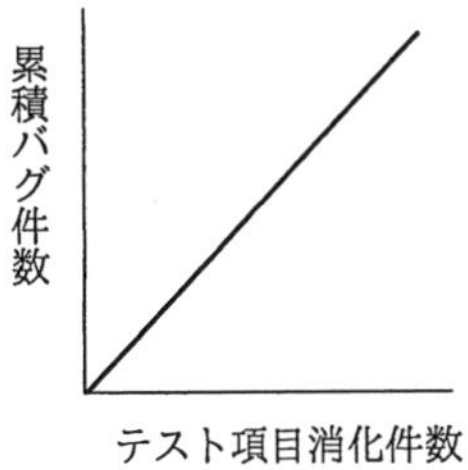

エ

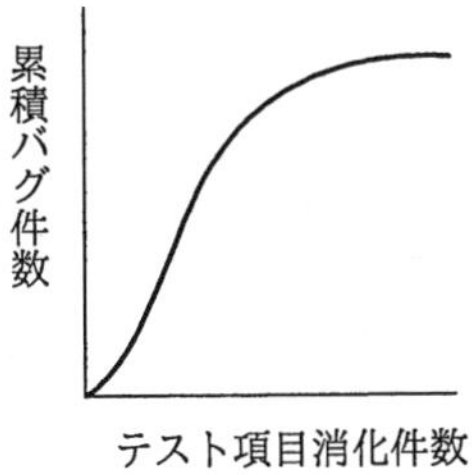

第5章　章末まとめ問題　解答

問1　「件数が多い順に並べた棒グラフと、累積した折れ線グラフの複合グラフ」からパレート図が該当。ア：管理図は、許容される管理限界を示し、時系列の変動をプロットした折れ線グラフの動向を読み取る。イ：散布図は、2項目の値を縦軸と横軸にとり、項目間の相関関係を判断する。ウ：特性要因図は、ある特性を導く複数の要素の関連を整理する。

解答　エ

問2　WBSの目的は、プロジェクトに必要となる作業項目を漏れなく明らかにし、作業を階層的に分割して管理可能な大きさに細分化することである（エ）。その他の選択肢が示す目的は、ア：EVM、イ：アローダイアグラム、ウ：ガントチャートが該当する。

解答　エ

問3　開発期間は10か月なので期間配分から月数を計算 ①要件定義：2か月、②設計：3か月、③開発・テスト：4か月、④システムテスト：1か月。開発工数200人月から工数配分を基に人月を計算 ①：32人月、②：66人月、③：84人月、④：18人月。必要な人数は、工数配分（人月）／期間配分（月）で求める ①：16人、②：22人、③：21人、④：18人。最も人数が多いピーク時は22人となる。

解答　エ

問4　ガントチャートは、作業のスケジュール管理に用いられる図。管理できるのは日程計画の予定と実績の関係であり、作業の進捗状況を把握するために利用することができる。各選択肢は、ア：トレンドチャート、イ：アローダイアグラム(PERT図)、エ：EVM。

解答　ウ

問5　業務全体の所要日数が何日短縮できるかを調べるには、短縮前の業務全体の所要日数と短縮後の業務全体の所要日数を比較すればよい。作業Dは、クリティカルパスA→C→D→E→H上にあるので、全体の日数を短縮可能である。ただし、作業Dを6日間短縮すると、クリティカルパスが、A→C→F→Hに変わるため、6日間分の短縮はできない。図のように、業務全体で短縮できる日数は、31－28＝3日となる。

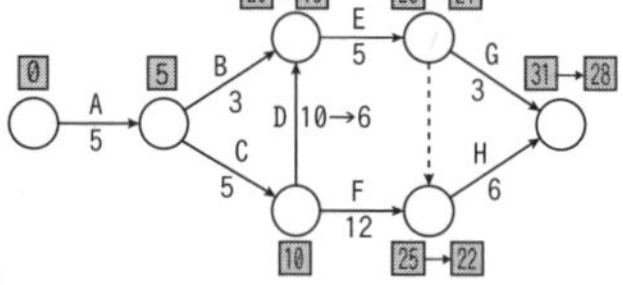

解答　ウ

問6　EVMは、コストに注目して進捗管理を行う手法で、予算に対する出来高を見ていく。EV（出来高）－PV（計画コスト）は、スケジュール差異を示しており、マイナスの場合は作業が計画より遅延していることを表している。選択肢では、ウが該当する。

解答　ウ

問7　標準タスク法は、細かく分解した各作業の標準時間を基に、作業工数を計算する方法。

小規模・単純：0.4人日 × 30画面＝12人日
中規模・普通：0.9人日 × 40画面＝36人日
大規模・普通：1.0人日 × 20画面＝20人日
大規模・複雑：1.2人日 × 10画面＝12人日
作成作業合計：80人日

レビューの工数（5人日）を足し、さらに管理の工数（20%→1.2倍）を含めた作業工数を計算。

（80人日＋5人日）×1.2＝102人日

解答　エ

問8　「生産性は1人月当たり10FP」「開発規模を見積もったところ、500FPあった」ということから、必要な人月を計算すると、500FP÷10FP（1人月）＝50人月。これに、システムの導入と開発者教育の工数10人月を加算する。

50人月＋10人月＝60人月

さらにプロジェクト管理のための作業10%（1.1倍）を掛け合わせると、

60人月×1.1＝66人月

解答　エ

問9　問題文の条件より、打ち合わせは「1対1」、「すべてのメンバーと1回ずつ行う」ということで、10人から2人を選ぶ（1対1なので）組合せと、12人から2人を選ぶ組合せの差異を求めればよい。45通り－66通り＝21回。より素早く解くには、増えた回数のみを求める。まず加わったメンバーの1人が10人のメンバーと打ち合わせをし、さらに加わったメンバーの1人が10人のメンバーと打ち合わせる（計20回）。最後に、加わった2人のメンバーが1回打ち合わせを行えば増えた回数になる（合計21回）。

解答　イ

問10　テストの開始直後は、エラー（バグ）が多数発見されるため、累積バグ件数は急速に増えていき、グラフの曲線は急角度で上昇する。行われたテスト項目でエラーが発見されるとそのつど修正が行われ、消化件数が増えるごとに修正が進んで発見されるエラーが減ってくる（＝品質が安定してくる）。つまり、曲線の傾きは段々と平坦になってくる（エ）。

解答　エ

第6章

サービスマネジメント

第6章

マネジメント系 サービスマネジメント

この章の構成と攻略法

この章の内容と学習ポイント

この章は、大きくサービスマネジメントとシステム監査に分かれています。前半は、システムの運用・保守を行うプロセスで、サービス内容の詳細が問われます。後半は独立した立場で情報システムの検証・評価を行うシステム監査人の役割を理解することを目標としています。また、企業側が行う内部統制を含んでいます。

中分類15　サービスマネジメント

サービスマネジメントは、運用および保守作業を「顧客に対するサービス」ととらえています。サービス内容の基準としては、ITILやJIS Q 20000などの標準的なガイドラインを基に構築していきます。幅広いテーマなので過去問中心の対策が効率的です。

小分類1　サービスマネジメント

1 サービスマネジメントの目的と考え方
2 サービスマネジメントシステムの確立、実施、維持および継続的改善　3 ITIL　4 SLA

小分類2　サービスマネジメントシステムの計画および運用

1 サービスマネジメントシステムの計画と支援
2 サービスの計画
3 サービスカタログ管理
4 資産管理　5 構成管理
6 事業関係管理　7 サービスレベル管理
8 供給者管理
9 サービスの予算業務および会計業務
10 需要管理
11 容量・能力管理
12 変更管理
13 サービスの設計および移行
14 リリースおよび展開管理
15 インシデント管理
16 サービス要求管理
17 問題管理
18 サービス可用性管理
19 サービス継続管理
20 情報セキュリティ管理

他の章との関連

小分類1は、サービスマネジメントシステムの確立までを含む項目で、ガイドラインとなる、ITILとSLAに関する出題があります。小分類2は、サービスの設計から移行に至るプロセス内容が具体的に問われます。第4章の「導入と受入れ支援および保守・廃棄(p.364)」と関連しています。小分類3は、具体的なサービス内容について取り上げた項目で、それぞれの管理の中で何を行うのかを整理しておくとよいでしょう。過去の実績では、サービスレベル管理(SLM)、可用性管理、インシデント管理、キャパシティ管理と、まんべんなく出題されています。

小分類 3 パフォーマンス評価および改善

1 パフォーマンス評価
2 改善

小分類 4 サービスの運用

1 システム運用管理
2 運用オペレーション
3 サービスデスク

小分類 5 ファシリティマネジメント

1 ファシリティマネジメント

01 サービスマネジメント ☞ p.428

他の章との関連

小分類4は、実際の運用についての内容で、システム障害が発生したときの対応などが問われます。よく出題されるのはサービスデスクに関連するもの。またバックアップの運用についても出題されていますが、ここは関連する第3章「データベース」の「障害からの回復のための方策(p.227)」で解説しています。

小分類5は、システムを運用する施設や設備などについて取り上げた項目で、UPS(無停電電源装置)、SPD(サージ保護デバイス)などを押さえておきましょう。

中分類 16 システム監査

システム監査では、監査に関するさまざまな項目が詳しく問われます。範囲の割に出題数が多いので、確実に押さえておきたい分類です。内部統制の出題は少なめです。

小分類 1 システム監査

1 監査業務
2 システム監査の目的と手順
3 システム監査の対象業務
4 システム監査計画の策定
5 システム監査の実施（予備調査、本調査、評価、結論）
6 システム監査の報告とフォローアップ
7 システム監査の体制整備
8 その他のシステム関連の監査
9 システム監査基準・システム管理基準

小分類 2 内部統制

1 内部統制
2 ITガバナンス
3 法令遵守状況の評価・改善

02 システム監査と内部統制 ☞ p.438

他の章との関連

小分類1からは、毎回1〜3問程度の出題があり、しっかりと押さえておけば加点できる項目といえます。監査の目的や対象、監査人の立場と役割、監査の実施と報告のそれぞれについて、キーワードをまとめておくとよいでしょう。出題の大半は、選択肢の文章を判断する形なので、まぎらわしい選択肢に惑わされないように、過去問を調べておくのも効果的です。

小分類2は、コンプライアンス、ITガバナンスといった用語がポイントです。これらは、第9章の「企業の責任と法制度(p.565)」とも関連しています。

なお、システム監査基準とシステム管理基準は、令和5年に大幅に改定されています。

01 サービスマネジメント

サービスマネジメント

ITサービスを効率的に運営する仕組み

情報システムの運用は、開発期間に比べると長期にわたるものです。サービスマネジメントは、情報システムの利用に伴う利用者のサポートやシステムの維持管理などを、独立したITサービスとしてとらえ、それらを効率的に運営していく仕組みです。また、サービスマネジメントを実施する際のガイドラインとなるのがITILと、ISO/IEC 20000 <☞>およびこれを基にしたJIS Q 20000 <☞p.430>です。

ITサービスの実践方法を示すITIL

ITIL(Information Technology Infrastructure Library)は、ITサービスを運用管理するためのベストプラクティス(最高の実践方法)を集め、ITサービスのフレームワーク(枠組み)を示したライブラリです。

具体的には、ITサービスの管理・運用の方法が成功事例として体系的にまとめられた書籍になっており、ITILバージョン3は、以下の5冊で構成されています。

なお、ITILでは、社内のIT運用管理部門を間接部門ではなく、顧客(経営者層)の要求によって、利用者(従業員など)にITサービスを提供するITサービスプロバイダ的な存在ととらえ、投資によって利益(業務効率の向上など)を生み出す部門と考えます。

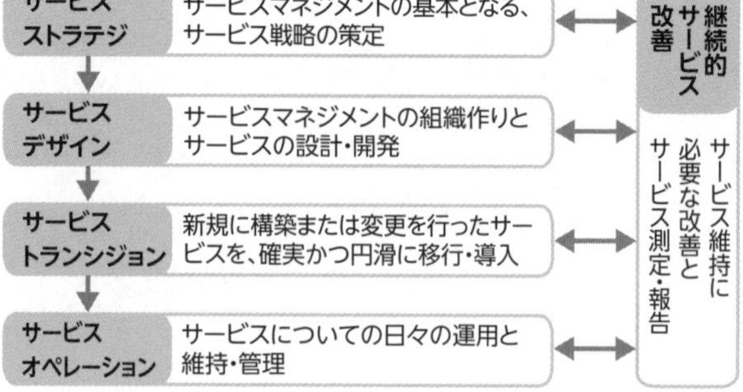

図表 01-1　ITILの構成

さらに詳しく

ISO/IEC 20000

英国政府が策定したITILは、ITサービスの管理・運用に関するガイドラインであり、導入レベルは企業自身の判断に委ねられていた。

ISO/IEC 20000は、ITサービスマネジメントシステム(ITSMS)の認証規格として規格化したもの(基になったのは、英国規格のBS 15000)。これには、ITサービスを提供するすべての組織に適用可能な標準的なマネジメントプロセスが規定されており、第三者機関により審査・証明する制度が想定されている。

提供するサービスを明確にするSLA 頻出

ITサービスは、その業務に精通したITサービス企業(または自社の情報システム部門など)がユーザーに対して提供します。高品質のITサービスを目指すほど多額の費用がかかるため、必要なサービスのレベルは費用と品質のバランスを考慮して決定します。

ITILでは、組織(プロバイダなどのサービス提供者)と顧客(サービス委託者)との間で合意に基づくサービスを提供するために、ITサービスの範囲と品質を明確にした**SLA**(Service Level Agreement：**サービスレベル合意書**)を締結することを求めています。

SLAには、サービス時間や可用性・信頼性の目標値、応答時間などのサービスレベルを数値によって定量的に明示しておき、サービスレベルを達成できなかった場合のルールも定めておきます。

〔SLAに含めておく項目〕

- サービスを提供する曜日や時間帯
- サービスデスク<☞p.436>が提供するサービス内容
- 障害発生時の解決に要する時間の目標値
- 目標とするサービスの稼働率
- システムが処理に要する時間や応答に要する時間の目標値

サービスマネジメントシステム 頻出

サービスマネジメントシステム(**SMS**)は、ITサービスを効率的に運用・管理していく活動で、計画、確立、導入、運用、監視、レビュー、維持および改善のプロセスを実施していくことで、企業が個々に作り上げていきます。また、サービスマネジメントシステムとそれに基づくサービスの提供方法は、いったん作ればよいというものではなく、常に見直しが必要になります。これには、**PDCA**(Plan＝計画、Do＝実行、Check＝検証、Act＝処置)の考え方<☞p.390>が適用できます。

サービスマネジメントシステムを実現する際は、サー

ココも出る！

SLO／SLI

SLO(Service Level Objective：**サービスレベル目標**)は、サービス品質の目標値として定めるもの。SLOは、顧客との契約であるSLAを達成するためにサービス提供者側の内部で共有するもので、業務の遂行を計画通りスムーズに行うために設定する。したがって、SLAのように顧客との合意は行わない。また、**SLI**(Service Level Indicator：**サービスレベル指標**)は、SLOで定めた目標を具体的に測るために用いる計算可能な基準値。

ビスマネジメントを実現するために必要な事項をプロセスとして体系的にまとめた**サービスマネジメントシステム要求事項**（JIS Q 20000-1、2020年に改正<☞>）が参考になります。試験対策として個々の要求事項をすべて覚えるのは困難ですが、それぞれの意図や全体の流れを把握しておくとよいでしょう。

サービスマネジメントの各プロセスどうしは密接に関係しています。例えば**インシデント管理**は、ITサービスのレベルが低下した場合に、原因追求は後回しにして、迅速に回復するための管理を行います。実際にパソコンのリセットボタンを押して再起動することで正常に動作すれば、インシデント管理は完了です。しかし、なんらかの原因があってトラブルが起きるのですから、その原因を追究して取り除く**問題管理**が必要になるわけです。

●サービスマネジメントシステムの各プロセス

サービスマネジメントシステムにおいては、用語を次のように定義しています。

- **サービス**…サービスマネジメントシステム（SMS）の適用範囲のサービスのこと。顧客に価値を提供する手段。
- **顧客**…サービスを受ける組織または組織の一部。サービスの質に関して保証を必要とし、サービスのライフサイクルにおいて、一貫した取り組みを求める。
- **組織**…サービスマネジメントシステムの適用範囲において、顧客に対するサービスを管理および提供する側。顧客が属する企業内部の部門である場合も、外部組織（ITサービスプロバイダなど）である場合もある。
- **利用者**…サービスを利用する側。顧客となる組織の従業員など。顧客そのものも含む。

❶サービスマネジメントシステムの計画と支援

サービスマネジメントシステムを運用するに当たり、必要なプロセスを計画します。まず、要求事項に基づいたプロセスに関するパフォーマンス基準を設定し、設定されたパフォーマンス基準に従ったプロセスの管理を

さらに詳しく

JIS Q 20000

ISO/IEC 20000-1 を基にしたサービスマネジメントに関するJIS規格。2020年3月に改正。2部構成で20000-1は、サービスマネジメントシステム要求事項、20000-2はサービスマネジメントシステムの適用の手引。

出題分析

サービスマネジメント

メールシステムに関するサービスマネジメントのPDCAサイクルのうち、C（Check）に該当するものはどれか。

ア メールシステムの応答時間を短縮するために、サーバ構成の見直しを提案した。

イ メールシステムの稼働率などの目標値を設定し、必要な資源を明確にした。

ウ メールシステムの障害回数や回復時間を測定して稼働率を算出し、目標値との比較を行った。

エ メールシステムの設計内容に従って、ファイルの割当てなどのシステムのセットアップ作業を実施した。

PDCAサイクルは、計画（Plan）→実行（Do）→検証（Check）→処置（Act）を繰り返す。ア：処置、イ：計画、エ：実行。

解答 ウ

実施していきます。さらに、**PDCAサイクル**を行うことで、サービスレベルの維持と向上を図ります。

❷サービスの計画

サービスの要求事項を決定し、文書化します。また、サービス要求事項に変更が生じた場合、変更の提案を行います。さらに、利用可能な資源を考慮して、変更要求および新規サービス、サービス変更の提案について、優先度付けを行います。

❸サービスカタログ管理

サービスカタログとは、顧客に提供するサービスを文書化した情報のことです。サービスを提供する組織は、サービスカタログを作成し、顧客や利用者に対して、適切な部分へのアクセス手段を提供しなければなりません。また、サービスカタログには、組織、顧客、利用者などに対して、サービスおよび意図した成果、サービス間の依存関係を説明する情報を含める必要があります。

❹資産管理

サービスマネジメントシステムの計画における要求事項および義務を満たすため、サービス提供のための資産管理を行います。

❺構成管理

ITサービスを構成するハードウェア、ソフトウェア、ドキュメントなどの構成品目(**CI**；Configuration Item)に関する情報を特定し、正確な構成情報やバージョンの記録・追跡・報告および検証、構成品目について**CMDB**(構成管理データベース)による情報管理を行います。

❻事業関係管理

顧客満足を維持し、サービスを提供する組織と顧客や利害関係者との間に良好な関係を確立するために、必要な取り決めを行います。

❼サービスレベル管理 (SLM；Service Level Management))

ITサービスレベル合意書(SLA)<☞p.429>を作成・締結し、その内容を実現し、維持・改善するための活動を

ココも出る！

サービスパイプライン

ITサービスプロバイダが、自社の提供可能なITサービスの内容や価格などをリスト化してデータベースに保存し、顧客やユーザーに公開しているものを**サービスカタログ**(service catalog)という。**サービスパイプライン**(service pipeline)は、まだサービスカタログに掲載できない、検討中または開発中のITサービスのこと。

CMDB

CMDB(Configuration Management Database)は、**構成管理データベース**とも呼ばれ、ITサービスの提供に用いられる資産の構成品目(CI)の情報や、その依存関係を記録する統合データベース。ITILにおけるサービストランジションのプロセス<☞ p.428「図表01-1 ITILの構成」>において中核に位置付けられる。

こちらも参照

サービスレベル目標
サービスレベル指標
☞p.429

行います。また、サービスレベルの監視結果に応じて、SLAやプロセスの見直しを図っていきます。

⑧供給者管理

外部供給者を用いる場合の管理活動（契約、パフォーマンス監視）を行います。また、内部供給者や供給者として行動する顧客についても管理対象に含めます。

⑨サービスの予算業務および会計業務

ITサービスに関わる予算業務と会計業務を行います。費用については財務管理や意思決定がしやすいように予算化し、期間を定めて実際の費用との比較、検討を行っていきます。

⑩需要管理

一定の間隔で、サービスに対する需要と消費を監視・報告し、将来の需要を予測していきます。また、十分な能力を提供するために容量・能力管理と連携します。

⑪容量・能力管理

人、技術、情報および財務に関する資源の容量・能力の要求事項を、サービスおよびパフォーマンスの要求事項を考慮して決定、維持を行います。また、資源の容量・能力の利用を監視し改善することで、現在および将来の需要に向けて十分なサービス提供を実現します。

⑫変更管理

- **変更管理の開始**：サービスの追加・廃止または変更要求を分類し、変更管理の活動を行います。場合により「サービスの設計および移行」で行うこともあります。
- **変更管理の活動**：要求の優先度を決定し、リスク、事業利益、財務への影響などを考慮して要求を承認します。また、承認されたものは開発を行い、「リリースおよび展開管理」を経て稼働環境に展開していきます。

⑬サービスの設計および移行

新サービスやサービス変更について、計画、設計を行い、文書化します。サービスの設計では、ユーザーニーズを満たし、SLAをクリアするには、どんな機能を持つサービスが適切かを検討します。サービスに用いるシス

出題分析

サービスレベル管理

サービスマネジメントにおいて、サービスレベル管理の要求事項はどれか。

ア サービス継続に対するリスクを評価し、文書化する。

イ 提供するサービスのサービスカタログとSLAを作成し、顧客と合意する。

ウ 人、技術、情報および財務に関する資源を考慮して、容量・能力の計画を作成、実施および維持する。

エ 予算に照らして費用を監視および報告し、財務予測をレビューし、費用を管理する。

サービスレベル管理は、SLA（サービス品質保証契約）により合意したサービスの範囲と品質を維持し、向上を図ることである。つまり、サービスレベル管理の要求事項は、提供するサービスカタログと合意書となるSLAを作成し、顧客と合意するのが正しい。ア：サービスの継続管理、ウ：キャパシティ管理、エ：サービス予算業務および会計業務。

解答 イ

テムの技術や必要な人材・機材、さらには新サービスへの移行計画や運用の引継方法なども検討し、**サービス設計書**を作成します。また、構築した新サービスの評価基準となる**SAC**（Service Acceptance Criteria：**サービス受入基準**）や運用開始後の評価に用いる運用サービス基準なども用意します。新サービスへの導入前には受入れテストを行い、機能や品質が受入れ基準を満たすかどうかの試験を実施します。

- **業務およびシステムの移行準備**：新しい稼働環境へ移行するまでに、移行計画を作成し、移行リハーサルなどを行ったうえで移行実施に備えます。また、運用業務の準備、導入実施計画の作成、運用評価基準の設定、運用テスト計画なども準備します。
- **移行の実施と受入れ**：移行計画に基づいて移行を実施し、移行評価を行います。その後、新旧環境での並行運用などの運用テストや受入れテストを経たうえで、運用へ引き継ぎます。

⑭リリースおよび展開管理

新規または変更管理で試験されたサービスなどを、実際の稼働環境で使える状態（リリースおよび展開）にします。また、緊急リリースを含むリリースの受入れ基準、受入れ試験環境の整備なども行います。

⑮インシデント管理

障害などの予期せぬサービスの中断（**インシデント**）に際して、可能な限り迅速に回復させるための対応を行います。また、発生したインシデントは、既知の要因として特定できるよう記録として残しておきます。インシデントへの対応は、**記録・分類→優先度付け→必要に応じた段階的取扱い（エスカレーション）→解決→終了**といった手順で行っていきます。特に重大なインシデントについては、トップマネジメントへ通知を行うとともに、解決後の報告や改善のためのレビューを実施します。

⑯サービス要求管理

サービス要求に対し、記録・分類を行い、優先順位や緊

ココも出る！

インシデント

インシデントとは「サービスの低下を招く出来事」という意味。システム障害などが含まれる。

急度を含む、定められた手順に従って実現していきます。

⑰**問題管理**

問題の根本原因を突き止め、インシデントの発生または再発防止への解決策を決定していきます。問題への対応は、**記録・分類→優先度付け→必要に応じた段階的取扱い（エスカレーション）→可能なら解決→終了**の手順で行い、また根本原因となる問題が解決できない場合は、サービスへの影響を低減または除去するための処置を決定します。これらは「既知の誤り」として記録し、参照できるようにしておきます。さらに、定期的に問題解決の有効性を監視し、レビュー、報告を行います。

⑱**サービス可用性管理**

サービスの利用者が利用したいときに確実にサービスを利用できるよう（可用性の確保）監視・記録を行い、あらかじめ定めたサービス要求事項および目標との比較を行います。また、可用性が失われた場合、原因を調査して必要な処置を行います。

⑲**サービス継続管理**

顧客と合意したサービス継続に基づいて、サービス継続計画を作成し、実施・維持を行います。サービス継続計画については、**RTO**（目標復旧時間＝障害発生後に、どのくらいの時間で復旧できればよいか）、**RPO**（目標復旧時点＝どの時点までデータが復旧できればよいか）を設定し、コールドスタンバイ、ホットスタンバイ、ウォームスタンバイ<☞p.149「待機系の運用形態」>などの手立てを用意しておきます。

⑳**情報セキュリティ管理**

情報資産の機密性、完全性、アクセス性を保つため、情報セキュリティ方針、情報セキュリティ管理策を作成し、情報セキュリティインシデントに関する事項を実施していきます。

パフォーマンス評価および改善

パフォーマンス評価では、サービスマネジメントシステムおよびサービスに関して、監視および測定が必要な

こちらも参照

情報セキュリティ管理

☞p.297

ISO/IEC 27001

☞p.301「情報セキュリティマネジメントシステム」

MTBF、MTTR

☞p.154「システムの信頼性指標」

出題分析

管理ツールの機能

クライアント管理ツールに備わっている機能のうち、業務に無関係なソフトウェアがインストールされていることを検出するのに最も有効なものはどれか。

ア インベントリ収集
イ 遠隔操作
ウ 稼働管理機能
エ ソフトウェア配信

インベントリとは、クライアントにインストールされているソフトや設定されているハードなどの資源情報のこと。インベントリ収集により不必要なソフトがインストールされていないか、社内LANに私用パソコンが接続されていないかなどを監視できる。

解答 ア

対象を決めたうえで、実際にパフォーマンスの測定を行い、サービス要求事項に照らして有効性を評価します。

また、あらかじめ定めた間隔で**内部監査**およびトップマネジメントによる**マネジメントレビュー**を行います。マネジメントレビューでは、組織のサービスマネジメントシステムおよびサービスが、引き続き適切、妥当かつ有効であることを確認します。改善では、不適合があった場合、原因を除去し、再発を防止するための**是正処置**を行います。さらに、**継続的改善**を行っていきます。

サービスの運用

サービスの運用は、資源(コンピュータおよび設備、要員、データ、マニュアルなど)管理や運用計画の策定に始まり、ジョブスケジューリングや運用オペレーション、バックアップ、利用者からの問合せ窓口となるサービスデスクの提供など、さまざまな管理項目が含まれます。

また、運用計画には、日常の運用計画、障害発生時の運用を適切に行うための計画、運用負荷低減のための改善計画を、それぞれ作成します。さらに、キャパシティ管理、情報セキュリティ管理、可用性管理の方針に基づいた運用も必要となります。

●運用オペレーション

システムを安定的に稼働させるため、手順に従い、システムの監視、操作、状況連絡を実施します。

❶スケジュール設計： システム運用設計の基本的な考え方、運用スケジュールを立案します。

❷障害時運用設計： データの回復や待機系への切換えなど、障害時の運用方式に関する設計を行います。

❸運用支援ツール

・**監視ツール**：システムの運用や情報セキュリティ状況を監視し、異常を発見してレポートするツールです。監視対象は、アプリケーションシステムやOSの稼働状況、CPUやメモリ、ディスクの使用率、ネットワーク利用率、サーバやファイルへのアクセス数などです。

ココも出る！

クライアント管理ツール

クライアント管理ツールは、クライアントのコンピュータの内部情報(ハード、ソフト構成など)の収集・分析、動作の監視、遠隔操作、ソフト配布、ウイルス対策などをネットワーク経由で管理するソフトウェア。

AIOps
(エーアイオプス)

AIOpsは、人工知能(AI)と運用(Operations)を合わせた造語。AIを使って、システムの運用管理を自動化する手法やツール。ビッグデータの収集および分析、パフォーマンス監視、異常検出などを行う。

・**診断ツール**：監視ツールからの情報や運用状況などを統合し、サービスマネジメントとしての意思決定支援を行うためのツールです。運用トラブル、セキュリティ侵害、SLAで合意したサービスレベルの達成状況を判断するための基礎数値を把握できます。

❹**バックアップ**：障害時の復旧や再実行に備えて、運用スケジュールに基づいた、計画的なバックアップを実施します。バックアップは、次のことに注意します。

・業務処理とバックアップ処理の時間帯が重ならないようにスケジュールを立てる。
・分散環境のファイルは、すべての更新処理が終了した時点で行う。
・バックアップデータは、バックアップ元のデータと同一媒体に置かない。
・同一媒体への上書きは行わない。再利用時は規定に従う。
・差分バックアップは、バックアップ処理は短いが、復旧処理は長くなる。

ココも出る！

SPOC

SPOC（Single Point Of Contact）とは、単一窓口のこと。各種の問合せに対応するサービスデスクが該当する。

CTI

CTI（Computer Telephony Integration）は、コールセンターなどで利用される電話を取り込んだシステム。自動着信した通話をオペレーターに割り振るなどを行う。

●サービスデスク（ヘルプデスク）

サービスデスクは、利用者からの問合せに対する窓口機能を提供し、適切な部署への引継ぎ、対応結果の記録と管理などを行います。下表のようなサービスデスク形

図表 01-2　サービスデスク形態

形態	内容	特徴
中央サービスデスク	すべての利用者からの問合せを受ける、単一の窓口を設ける。	サービスデスクを1拠点または少数の場所に集中することで、サービス要員を効率的に配置したり、大量のコールに対応したりすることができる。
ローカル サービスデスク	利用者に近い拠点ごと（国または地域）に窓口を設ける。	サービスデスクを利用者の近くに配置することで、言語や文化の異なる利用者への対応、専用要員によるVIP対応などが可能になる。
バーチャル サービスデスク	いくつかのサービスデスクをネットワークなどで結び、単一の窓口として機能させる。	実際のサービス要員は複数の地域や部門に分散させ、通信技術を利用することによって、単一のサービスデスクであるかのようなサービスを提供する。
フォロー・ザ・サン	分散拠点のサービス要員を含めた全員を中央で統括して管理し、統制のとれたサービスを提供する。	世界レベルの地理的に分散した、2つ以上のサービス拠点を結ぶことで、24時間途切れないサービスが可能になる。

態があります。また、サービスデスクには次のようなメリットがあります。

・窓口を一本化しておくことで、ユーザーの利便性を図り、トラブルの発生状況など、問題解決に必要な情報を統一的に収集することができる。

・障害発生時の問合せに対して、既知の対応策をサービスデスクで蓄積しておくことで、すぐに利用者に回答することができる(インシデント管理)。

ファシリティマネジメント

頻出

ファシリティマネジメントとは、建物や設備が最適な状態になるように、監視し改善する管理活動のことです。

例えば、建物に**免震装置**を備える、防災防犯設備を整える、機器の冷却用の通路(**コールドアイル**)や廃熱用通路(**ホットアイル**)により故障率を下げる、停電に備えて**UPS**や**自家発電設備**を備える、通信設備を整えるなど、適切な維持管理活動を行っていきます。

❶UPS(無停電電源装置)/自家発電設備

停電や瞬断に備えて、内部にバッテリを備えた装置を**UPS**(Uninterruptible Power Supply)といいます。停電時に10数分間程度の電源が供給されるため、システムを安全に停止させるなどが可能です。また、災害等により電力会社からの供給が途絶えたときに、エンジンやタービンを使って発電する設備が**自家発電設備**です。数十分~数日にわたる発電が可能ですが、供給はすぐに開始できないため、UPSなどと組み合わせて利用します。

❷通信設備

ビルやマンションなどには、複数の通信回線(電話回線、光回線など)を収容する**MDF**(Main Distribution Frame:主配線盤)を設けることで、通信配線を一元管理できます。そのほか、各階ごとには**IDF**(Intermediate Distribution Frame:中間配線盤)を置きます。

ココも出る!

チャットボット

コールセンターや対話型ヒューマンインタフェースなどで使われる自動応答システム。テキストや音声による利用者の問合せを分析し、自動的にコミュニケーションを行う。もともとは定型文のみだったが、AIを利用することで急速に利便性が増した。現在では、自然言語処理の技術により、違和感なく対話が成立するよう配慮されているシステムやサービスが増えている。

ミッションクリティカルシステム

障害や誤作動が起きると企業活動や社会に重大な影響を及ぼすシステムのこと。企業の基幹システム、社会システム、交通システム、金融システムなどが該当する。ミッションクリティカルシステムに該当する場合、特性に合わせた多重のバックアップが必要となる。

サージ保護デバイス(SPD)

サージ保護デバイス(SPD;Surge Protective Device)は、落雷などによる過電流や過電圧からコンピュータや通信機器を守る装置。家庭用のものから、大掛かりな設備用などがある。**避雷器**、**アレスタ**などとも呼ばれる。

02 サービスマネジメント

システム監査と内部統制

システム監査の役割と目的

頻出

　システム監査は、情報システム(ITシステム)に関するさまざまなリスクについて、第三者の目から見ることで早期に発見し、改善へつなげようというものです。令和５年４月の改定では、監査の趣旨や達成目標などを定めた「**システム監査基準**」と実施方法を定めた「**システム監査基準ガイドライン**」に分けられました<☞>。それらの中では、システム監査の目的を次のように示しています。

> システム監査の目的は、ITシステムに係るリスク<☞>に適切に対応しているかどうかを、高い倫理観の下、独立かつ客観的な立場のシステム監査人が検証・評価し、もって保証や助言を行うことを通じて、組織体の経営活動と業務活動の効果的かつ効率的な遂行、さらにはそれらの変革を支援し、組織体の目標達成に寄与すること、および利害関係者に対する説明責任を果たすことである。

●システム監査人の要件

　システム監査人は、監査対象となるシステムとは利害関係があってはならないため、開発や運用に関わっているメンバーなどは、一定期間は監査人から外れるなど独立性に留意する必要があります。また、監査人は**秘密保持の義務**を負い、監査で得た情報を外部に漏らしてはなりません。監査に当たっては、**監査証拠**<☞>に基づいて、公正かつ客観的に監査判断を行う必要があります。

●システム監査におけるその他の基準

　システム監査基準のほか、監査人が監査上の判断の尺度として用いる**システム管理基準**(令和５年４月に改定)

さらに詳しく

システム監査基準ガイドライン

　令和５年４月のシステム監査基準改定により、これまでのシステム監査基準から、システム監査の実践部分を切り離したもの。より柔軟に見直しができるよう、民間団体(日本システム監査人協会)が更新を行う(令和５年８月公表)。

監査対象に対するリスク

　監査対象に対するリスクとは、固有リスク(経営戦略との不整合、システムの機能不全、情報漏洩など)、統制リスク(固有リスクに対して発生防止および是正がされないリスク)、残存リスク(固有リスクのうち解決できないリスク)がある。

監査証拠

　システム監査報告書に記載する監査意見を立証するために必要な事実。物理的証拠、文書的証拠、文書化された口頭的証拠などがある。それらは監査調書にまとめる。

<☞ p.454 >、**システム管理基準ガイドライン**が策定されています。さらに情報セキュリティ監査<☞ p.442「情報システムに関するそのほかの監査」>の基準となる各種セキュリティに関する基準、業務に応じた関連法規や基準があります。

システム監査の対象業務と実施手続

頻出

システム監査の対象業務は、情報システムの企画、開発、運用・保守というシステムのライフサイクル全般に及びます。また、システム監査を円滑に実施するために、情報システムが監査を受けることを前提に構築、整備されている必要があります。これを**可監査性**といいます。

●システム監査の手続

監査の実施は、監査計画に基づき、情報システムの総合的な点検と評価、経営者への結果説明(結論、指摘事項、改善提案および計画など)、改善提案の確認とフォローアップ(モニタリングなど)という手続で行われます。

監査計画	監査の目的とテーマ、監査の対象範囲、実施時期や体制など、監査計画を策定する。
↓	
予備調査	監査対象の概要を把握するために、文書などの資料を集め、アンケート調査なども行う。
↓	
本調査	システム監査基準に基づいて、関連文書や聞き取り調査などで、監査の結論を裏付けるために十分かつ適切な監査証拠を入手する。
↓	
監査調書の作成と保管	監査のプロセスを監査調書として記録する。監査調書は、監査の結論の基礎となる。
↓	
監査の結論と監査報告書の作成	合理的な根拠に基づいて結論を導き、監査報告書としてまとめる。指摘事項は、監査対象部門との間で、十分な事実確認を行う。
↓	
監査の報告	監査依頼者(業務執行役員、経営陣など)に対し、監査報告書により監査報告を行う。報告には、結論および指摘事項や改善提案などがある。
↓	
改善提案のフォローアップ	監査報告書に改善提案を記載した場合、改善計画および実施状況に関する情報を収集し、改善状況のモニタリングを行う。

図表 02-1　システム監査の手続

さらに詳しく

本調査の監査手続

本調査では、インタビューや口頭証拠だけでなく、現物・状況確認、また、テストの実施や分析などを通じて、客観的で確証的な証拠を入手する。監査手続には次のような方法がある。

- チェックリスト法
  監査対象に合わせて作成した質問書に対して関係者から回答を求める。
- ドキュメントレビュー法
  監査証拠を得るために関連する資料および文書を入手して点検する。
- インタビュー法
  監査対象の実態を確かめるため関係者に問い合わせて回答を得る。
- ウォークスルー法
  データの生成から入力、処理、出力、活用までのプロセス、組み込まれているコントロールについて、書面で、または実際に追跡する。
- 突合・照合法
  複数の証拠資料間、または原始資料まで遡って突き合わせる。
- 現地調査法
  被監査部門に赴いて、対象業務の流れを視察、調査する。
- コンピュータ支援監査技法
  監査支援ソフトや表計算ソフトを利用して、監査対象ファイルの検索、抽出、集計などを行う。

❶システム監査計画の策定

効果的かつ効率的な監査を行うために、監査手続の種類、実施時期、適用範囲などについて、監査計画を策定し、**システム監査計画書**にまとめます。監査計画は、中長期、年度、通例、個別監査(個々の監査対象ごと)に分けて策定し、次のような視点から検証します。

- **ガバナンスの視点**：情報システムの利用・活用が経営目的に沿っているか、経営者が経営戦略に沿うようにシステム管理者に適切な方向付けを行っているか、IT投資の結果が適切なリターンを生んでいるかなどに重点を置きます。
- **マネジメントの視点**：経営者による方向付けに基づいて、PDCAサイクルが確立され、適切に運用されているかといった確認に重点を置きます。
- **コントロールおよび総合的視点**：業務プロセスにおいて、リスクに応じたコントロールが適切に組み込まれ、機能しているかを確かめることに重点を置きます。

そのほか、システム監査にあたり、**リスクアプローチ**が必要になります。これは、リスクの影響が大きい対象へ重点的に監査資源を配分すること、監査の結論を誤る監査リスクを低い水準に抑えるということです。

❷システム監査の実施(予備調査→本調査→調書の作成)

システム監査人は、監査計画に基づいて十分な調査を行い、システムの検証または評価を行います。

- **予備調査**：監査対象を把握するために、事務手続きやマニュアルなどによる業務内容や業務分掌の体制を確認します。被監査部門や関連部署などに対し、面談して**インタビュー**(**ヒアリング**)を行います。その際に問題となる事項を発見した場合は、裏付けとなる記録を入手したり、実際に現場の確認を行う必要があります。
- **本調査**：システム監査報告書に記載する監査意見を立証するために必要な証拠(**監査証拠**)を入手するプロセスです。物理的証拠、文書的証拠、文書化された口頭

出題分析

監査調書

次のうち監査調書に該当するものはどれか。

ア 監査人が行った監査プロセスの実施記録であり、監査の結論の根拠となるもの

イ 監査人が監査実施に当たり、被監査部門などへ提出する監査人自身のセキュリティ誓約書をまとめたもの

ウ 監査人が検討に利用した基準書、ガイドラインをまとめたもの

エ 監査人が判断根拠とする資料であり、監査報告書とともに公表するよう義務付けられたもの

監査調書は、システム監査人が実施した監査手続きの結果とその関連資料を記録したもの。監査調書は、監査の結論の基礎となるため、監査の結論に至った過程がわかるように記録し、適切な方法によって保存しなければならない。特に、閲覧方法、バックアップ、調書の散逸や改ざんには十分に注意する必要がある。

解答 ア

的証拠などがあります。証拠の収集には、インタビューのほか、現物や状況の確認、監査人によるテスト、分析などを行います<☞p.439>。

・**監査調書の作成**：**監査調書**とは監査人が実施した監査や監査証跡を記録したもので、監査の結論の基礎となります。監査調書に記載するのは以下の事項です。

- ●監査実施者および実施日時
- ●監査の目的
- ●実施した監査手続
- ●入手した監査証拠（資料、データ、証言、監査証跡など）
- ●監査手続に基づき確かめた結果
- ●発見した事実（事態・事象、真因、影響等）および発見事実に対する監査人の所見
- ●監査調書のレビュー実施日、レビューアの氏名

図表 02-2　監査調書の記載事項

・**監査の例（システム運用）**

(1) **運用部門の組織**：職務の分離と権限の明確化がなされているかを監査。データ入力を行う利用部門からの独立性を保ち、利用部門がデータの正確性を維持できるようにする。

(2) **入力データと利用部門**：入力データに際し、情報の脱落、入力の重複、内容の誤りや改ざんなどが発生しないようになっているか。伝票と入力処理リスト（プルーフリスト）との照合などを行う。

(3) **データとプログラム**：データのバックアップやリカバリ体制、アクセスのコントロール、多重化、安全性の確保が適切に行われているか。プログラムやデータベースの改変、テスト、リリースが職務分掌に基づいて適切に行われているかを監査する。

❸システム監査の結論の形成

　システム監査人は、監査調書の内容に基づき、合理的な根拠による**監査の結論**を導きます。また、監査結果を依頼者に報告するための**監査報告書**を作成します。監査

さらに詳しく

監査の種類

　監査は、監査人が誰であるかによって**外部監査**、**内部監査**に分けられる。さらに監査対象によって、**会計監査（業務監査）**、**システム監査**、**情報セキュリティ監査**、**個人情報保護監査**などの種類がある。会計監査については、一定の条件を満たす企業が受けなければならない**法定監査**であり、そのほかの監査は社内の方針に基づいた**任意監査**になる。

報告書に記載する指摘事項については、監査対象先や関連部門との間で、意見交換会や監査講評会などを通じて、あらかじめ事実認識の共有を行う必要があります。

❹システム監査の報告（システム監査報告書）

監査報告書は、監査の依頼者である、取締役会および経営者、監査対象先などを含む関係者へ提出します。また、報告内容に応じてITガバナンス機能を担う機関、被監査部門にも承認を得たうえで提出を行います。報告内容には、**結論**、**指摘事項**（根拠を合わせて）、**改善提案**および**改善計画**（監査対象先が作成）、必要に応じた**総合意見**があります。また、監査人から改善提案を受けた場合、是正が必要な業務の責任者（責任部門）は業務改善のための計画を策定し、実施する責任を負います。

❺改善提案のフォローアップ

監査報告書に改善提案を記載した場合は、適切な措置が適時に講じられているかを確認するため、情報収集を行って改善状況をモニタリングします。また、改善計画がある場合も同様です。その際、監査人は実施が適切であるかを取締役会や経営者へ報告するのが役割であり、改善の実施そのものに責任を持つことはありません。

情報システムに関するそのほかの監査

●情報セキュリティ監査

情報セキュリティ監査の目的は、「情報セキュリティに関わるリスクのマネジメントが効果的に実施されるように、リスクアセスメントに基づく適切なコントロールの整備、運用状況を、情報セキュリティ監査人が独立かつ専門的な立場から検証または評価し、もって保証を与えあるいは助言を行うこと」にあります。また、「情報システム」だけにとどまらず、より広くセキュリティを確保するために行います。なお、経済産業省からは、「**情報セキュリティ監査基準**」、「**情報セキュリティ管理基準**」、さらに、情報セキュリティ監査を行う主体が登録された「**情報セキュリティ監査企業台帳**」、「**クラウド情報セキュリティ**

ココも出る！

CIO

CIO（Chief Information Officer）は、最高情報責任者。情報化戦略の立案に当たり、経営戦略に沿って、企業全体の情報資源への投資効果を最適化するプランを策定する役割を持つ。

CISO

CISO（Chief Information Security Officer：最高情報セキュリティ責任者）は、企業内の情報セキュリティおよび企業情報についての管理、運用を統括する担当役員。

職務分掌

階層型組織では各層で管轄する範囲があり、上位層の責任者が下位層の組織すべてに権限と責任を持つわけではない。職務分掌とは、それぞれの果たすべき役割を分割・整理して配分すること（権限の分離）。また、職務分掌によって、不正行為が起こらないように牽制することができる。なお、各担当者が持つ権限や責任の範囲は、**職務分掌規程**に明示する。

<☞次ページ「図表02-3 内部統制を行うための整備」>

管理基準」が公表されています。

●個人情報保護監査

「個人情報の保護に関する法律」（個人情報保護法）の遵守状況を監査します。個人情報の取扱いに関しては、JIS Q 15001（プライバシーマーク制度に対応）で規格化されています。

健全な組織運営を司る内部統制

頻出

内部統制とは、「企業内部で不正や違法行為などが行われることなく、健全で効率的な組織運営のための体制を、企業が自ら構築して運用する仕組み」のことです。企業の経営者は、これらの仕組みを整備・運用する最終責任を負っています。

●内部統制実現のための重要項目

内部統制を実現するためには、コーポレートガバナンス（企業統治）<☞p.565>の体制を整え、コンプライアンス（法令遵守）<☞p.444>を徹底する企業倫理を確立し、リスク管理や社員教育を行うなどの対策が必要です。特に重要とされる項目は次のとおりです。

業務プロセスの明確化（可視化）	業務プロセス（業務の流れ）を業務フローチャートなどで表す。業務プロセスが可視化されることで、リスクを分析したり、業務の改善を行うことができる。
職務分掌の見直し	1つの部門や社員が、ある業務の全プロセスを行うことがないように、権限を複数の部門や複数の社員に分離する<☞前ページ>。
実施ルールの制定	業務プロセスごとに実施ルールを制定する。
チェック体制の確立	内部統制の有効性や効率性を継続的に評価するため、定期的に監査を行いモニタリングしていく。
ITガバナンスの確立	情報システム戦略を策定し、実行する組織体制を作る。

図表 02-3　内部統制を行うための整備

●J-SOX法による内部統制

財務報告に関する不正が多発したのをきっかけに、上

出題分析

内部統制の目的

内部統制に関する記述として、適切なものはどれか。

ア 内部監査人は、経営者による内部統制の整備や運用に対して監督責任を持つ。

イ 内部統制に関するリスクは、発生頻度でなく発生した場合の財務情報への影響度で評価する。

ウ 内部統制の評価法として、業務実施部門がチェックリストで自らの業務がルールどおりに行われているかを評価する独立的モニタリングがある。

エ 内部統制は、経営者が組織目的の達成について合理的な保証を得るためのマネジメントプロセスである。

内部統制とは、業務の有効性および効率性、財務報告の信頼性、事業活動に関わる法令等の遵守並びに資産の保全の4つの目的が達成されているとの合理的な保証を得るために業務に組み込まれ、組織内のすべての者によって遂行されるプロセスである。企業の経営者は、内部統制を実現するための仕組みを整備・運用する最終責任を負う。

解答 エ

場企業およびその連結子会社を対象に、**内部統制報告書**の作成と財務報告との同時提出が義務付けられ、公認会計士または監査法人の監査証明を受けなければならないことが**金融商品取引法**で規定されました。

金融商品取引法の、この規定に関する部分は、一般に**J-SOX法**と呼ばれています。J-SOX法は、内部統制に関する世界標準といえる**COSOフレームワーク**をベースに、**IT統制**(IT Control)を加えたものです。IT統制とは、内部統制の中のITを利用した部分で、業務プロセスをIT技術によって監視、記録、統制し、健全性を保証する仕組みです。

●ITガバナンス(IT governance)

ガバナンス(governance)には、「統治、管理」などの意味があり、「よりよい方向へ導くための仕組み」の意味です。また**ITガバナンス**とは、取締役会等がステークホルダのニーズに基づいて組織体の価値および信頼を向上させるために、ITシステムを利活用するための活動(システムのあるべき姿を示すIT戦略と方針の策定を含む)のことです。ITガバナンスの基準となるJIS規格としては、**JIS Q 38500**が規定されています。また、ITガバナンスの定義や原則を示す指針として、経済産業省から**システム管理基準**<☞p.454>が示されています。

●法令遵守状況の評価・改善

情報システムの構築、運用は、当該業務やシステムに関わる法令を遵守して行わなければなりません。

コンプライアンス(Compliance)という言葉が広く使われるようになりましたが、これは、法律や規則などの基本的なルールに従って行動することを指します。コンプライアンス違反をした企業は、信用失墜による売上の低下や損害賠償訴訟などによって、大きなダメージを受けています。このため、企業は適切なタイミングと方法で法令などの遵守状況を評価し、従業員の教育指導なども含めて常に監視し改善していく必要があります。

さらに詳しく

内部統制の定義(目的)

金融庁の企業会計審議会内部統制部会での、内部統制の定義(目的)は次のとおりである。

「内部統制とは、基本的に、業務の有効性および効率性、財務報告の信頼性、事業活動に関わる法令等の遵守並びに資産の保全の4つの目的が達成されているとの合理的な保証を得るために、業務に組み込まれ、組織内のすべての者によって遂行されるプロセスをいい、統制環境、リスクの評価と対応、統制活動、情報と伝達、モニタリング(監視活動)およびIT(情報技術)への対応の6つの基本的要素から構成される。」

第6章　章末まとめ問題

シラバス　●大分類6：サービスマネジメント　●中分類15：サービスマネジメント
●小分類1：サービスマネジメント

出題：令和5年1月修了認定試験ほか

問1　SLAを満たす停止時間

CHECK

次の条件でITサービスを提供している。SLAを満たすことができる、1か月のサービス時間帯中の停止時間は最大何時間か。ここで、1か月の営業日は30日とし、サービス時間帯中は、保守などのサービス計画停止は行わないものとする。

〔SLAの条件〕
- ・サービス時間帯は、営業日の午前8時から午後10時までとする。
- ・可用性を99.5%以上とする。

ア　0.3　　イ　2.1　　ウ　3.0　　エ　3.6

シラバス　●大分類6：サービスマネジメント　●中分類15：サービスマネジメント
●小分類2：サービスマネジメントの計画および運用

出題：令和3年12月修了認定試験ほか

問2　逓減課金方式のグラフ

CHECK

ITサービスにおけるコンピュータシステムの利用に対する課金を逓減課金方式で行うときのグラフはどれか。ここで、グラフの縦軸は累計の課金額を示す。

ア
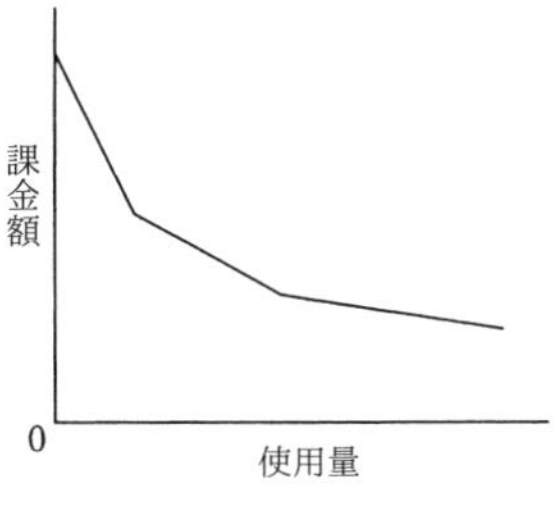

イ
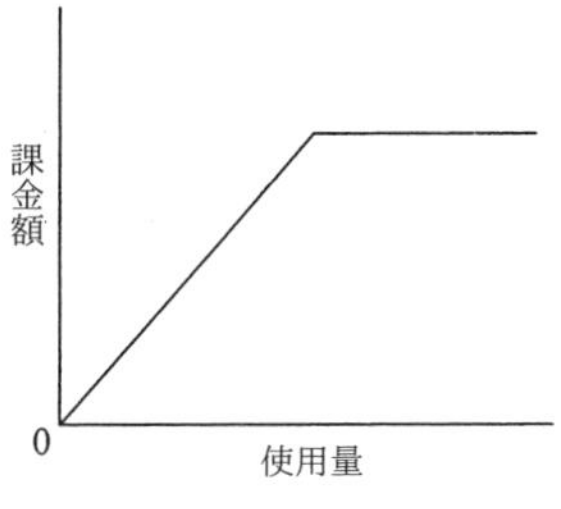

ウ
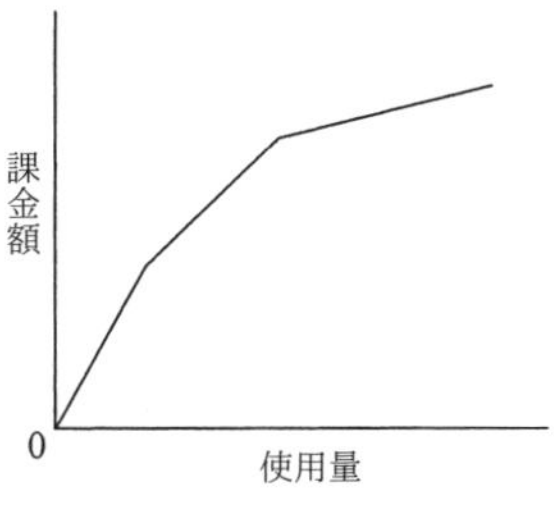

エ
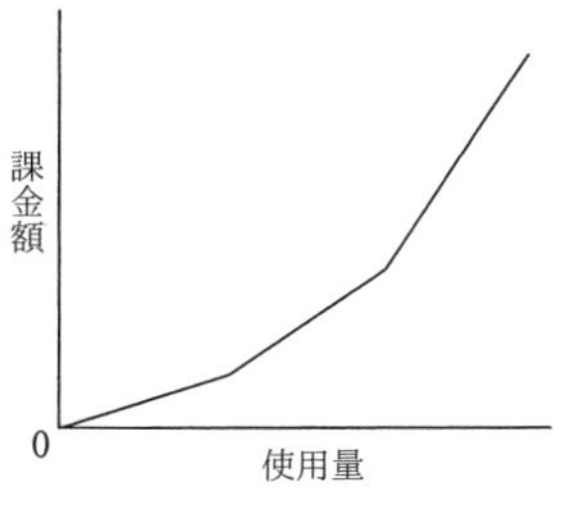

シラバス ●大分類6：サービスマネジメント ●中分類15：サービスマネジメント
●小分類2：サービスマネジメントの計画および運用

出題：令和3年12月修了認定試験ほか

問3 問題管理プロセスで実施すべきこと

CHECK

ITサービスマネジメントにおける問題管理プロセスにおいて実施することはどれか。

ア　インシデントの発生後に暫定的にサービスを復旧させ、業務を継続できるようにする。
イ　インシデントの発生後に未知の根本原因を特定し、恒久的な解決策を策定する。
ウ　インシデントの発生に備えて、復旧のための設計をする。
エ　インシデントの発生を記録し、関係する部署に状況を連絡する。

シラバス ●大分類6：サービスマネジメント ●中分類15：サービスマネジメント
●小分類4：サービスの運用

出題：令和6年1月修了認定試験ほか

問4 新規システムにおけるバックアップ方法

CHECK

新規システムにおけるデータのバックアップ方法に関する記述のうち、最も適切なものはどれか。

ア　業務処理がバックアップ処理と重なると応答時間が長くなる可能性がある場合には、両方の処理が重ならないようにスケジュールを立てる。
イ　バックアップ処理時間を短くするためには、バックアップデータをバックアップ元データと同一の記憶媒体内に置く。
ウ　バックアップデータからの復旧時間を短くするためには、差分バックアップを採用する。
エ　バックアップデータを長期間保存するためには、ランダムアクセスが可能な媒体を使用する。

シラバス　●大分類6：サービスマネジメント　●中分類15：サービスマネジメント
●小分類4：サービスの運用
出題：令和5年6月修了認定試験ほか

問5 ローカルサービスデスクの特徴

CHECK

サービスデスク組織の構造とその特徴のうち、ローカルサービスデスクのものはどれか。

ア　サービスデスクを1拠点または少数の場所に集中することによって、サービス要員を効率的に配置したり、大量のコールに対応したりすることができる。

イ　サービスデスクを利用者の近くに配置することによって、言語や文化が異なる利用者への対応、専用要員によるVIP対応などができる。

ウ　サービス要員が複数の地域や部門に分散していても、通信技術の利用によって単一のサービスデスクであるかのようにサービスが提供できる。

エ　分散拠点のサービス要員を含めた全員を中央で統括して管理することによって、統制のとれたサービスが提供できる。

シラバス　●大分類6：サービスマネジメント　●中分類15：サービスマネジメント
●小分類4：サービスの運用
出題：令和5年7月修了認定試験ほか

問6 ミッションクリティカルシステム

CHECK

ミッションクリティカルシステムの意味として、適切なものはどれか。

ア　OSなどのように、業務システムを稼働させる上で必要不可欠なシステム

イ　システム運用条件が、性能の限界に近い状態の下で稼働するシステム

ウ　障害が起きると、企業活動や社会に重大な影響を及ぼすシステム

エ　先行して試験導入され、成功すると本格的に導入されるシステム

シラバス　●大分類6：サービスマネジメント　●中分類15：サービスマネジメント
●小分類5：ファシリティマネジメント
出題：令和4年6月修了認定試験ほか

問7 ファシリティマネジメント

CHECK

電源の瞬断時に電力を供給したり、停電時にシステムを終了させるのに必要な時間の電力を供給することを目的とした装置はどれか。

ア　AVR　　イ　CVCF　　ウ　UPS　　エ　自家発電装置

シラバス ●大分類6：サービスマネジメント ●中分類16：システム監査
●小分類1：システム監査
出題：令和6年1月修了認定試験ほか

問8 指摘事項として記載すべきもの

CHECK

A社では、自然災害などの際の事業継続を目的として、業務システムのデータベースのバックアップを取得している。その状況について、“情報セキュリティ管理基準(平成28年)”に従って実施した監査結果として判明した状況のうち、監査人が指摘事項として監査報告書に記載すべきものはどれか。

ア　バックアップ取得手順書を作成し、取得担当者を定めていた。
イ　バックアップを取得した電子記録媒体からデータベースを復旧する試験を、事前に定めたスケジュールに従って実施していた。
ウ　バックアップを取得した電子記録媒体を、機密保持を含む契約を取り交わした外部の倉庫会社に委託保管していた。
エ　バックアップを取得した電子記録媒体を、業務システムが稼働しているサーバの近くで保管していた。

シラバス ●大分類6：サービスマネジメント ●中分類16：システム監査
●小分類1：システム監査
出題：令和2年7月修了認定試験ほか

問9 監査におけるインタビュー

CHECK

システム監査人がインタビュー実施時にすべきことのうち、最も適切なものはどれか。

ア　インタビューで監査対象部門から得た情報を裏付けるための文書や記録を入手するよう努める。
イ　インタビューの中で気が付いた不備事項について、その場で監査対象部門に改善を指示する。
ウ　監査対象部門内の監査業務を経験したことのある管理者をインタビューの対象者として選ぶ。
エ　複数の監査人でインタビューを行うと記録内容に相違が出ることがあるので、1人の監査人が行う。

シラバス ●大分類6：サービスマネジメント ●中分類16：システム監査
●小分類1：システム監査

出題：令和４年６月修了認定試験ほか

問10 監査報告書に記載する指摘事項

CHECK □□□

システム監査報告書に記載する指摘事項に関する説明のうち、適切なものはどれか。

ア　監査証拠による裏付けの有無にかかわらず、監査人が指摘事項とする必要があると判断した事項を記載する。

イ　監査人が指摘事項とする必要があると判断した事項のうち、監査対象部門の責任者が承認した事項を記載する。

ウ　調査結果に事実誤認がないことを監査対象部門に確認したうえで、監査人が指摘事項とする必要があると判断した事項を記載する。

エ　不備の内容や重要性は考慮せず、全てを漏れなく指摘事項として記載する。

シラバス ●大分類6：サービスマネジメント ●中分類16：システム監査
●小分類1：システム監査

出題：令和４年７月修了認定試験ほか

問11 ソフトウェア資産管理に対する監査

CHECK □□□

ソフトウェア資産管理に対する監査のチェックポイントとして、最も適切なものはどれか。

ア　ソフトウェアの提供元の開発体制について考慮しているか。

イ　ソフトウェアの導入時に既存システムとの整合性を評価しているか。

ウ　ソフトウェアのライセンス証書などのエビデンスが保管されているか。

エ　データベースの分割などによって障害の局所化が図られているか。

第6章　章末まとめ問題　解答

問1　1日のサービス時間は、14時間。1か月は30日で計算し、停止時間tを求めればよいので、次の式が成り立つ。

$$t / 14\text{時間} \times 30\text{日} = (1 - 0.995)$$

$$t = 14 \times 30 \times 0.005 = 2.1$$

以上により、2.1時間以内ならば、SLAを満たすことができる。

解答　イ

問2　「逓減」とは、だんだん減っていくこと。ここではコンピュータシステムの使用量が増えるにつれ、課金単価が下がっていくことである。ア：使用量が増えるほど利用料金が下がるという形で、課金方法としてはありえない。イ：使用量に応じて課金されるが、上限が決められている課金方式。携帯電話などの料金体系に取り入れられている。エ：使用量が増えるに従い、単位使用量あたりの単価が上がっていく方式。電気料金などはこの形である。

解答　ウ

問3　サービスマネジメントにおける問題管理では、発生した問題の根本原因を解決し、将来にわたり継続的にサービスへ影響を及ぼさないための対策を取ることが求められる。このことを述べているのは、選択肢のイ。その他の選択肢は、ア：インシデント管理、ウ：サービス継続管理、エ：サービスの運用におけるサービスデスクの役割。

解答　イ

問4　バックアップ作業は、大きな負荷がかかるため、業務で使用中のデータベースが対象の場合、業務に支障が出ないように注意が必要である。そのためには、システムが稼働していないとき（休日や業務時間外）にバックアップをスケジューリングするとよい。

解答　ア

問5　ローカルサービスデスクとは、利用者に近い距点（国や地域など）ごとに置くサービスデスクの形態。中央に集中させる形態に比べて、共通的なサービスが難しかったりやコスト増などのデメリットはあるが、文化や言語レベルに応じたサービスが可能になる。

解答　イ

問6　ミッションクリティカルシステムは、停止や誤作動が許されない業務で使用されているシステムを指す。これには、企業の基幹システム、公共システム、交通システム、金融システムなどが該当する。また、このようなシステムには、障害発生時に即時に切り替えられるホットスタンバイ構成をとったり、コンピュータ自体の信頼性を高めた無停止コンピュータを利用するなどの対策を行う。

解答　ウ

問7　瞬断時の電力供給や停電時にシステムを終了させるのに必要な時間ということから、UPS（無停電電源装置）が該当する。自家発電装置は、起動に時間がかかるため、即時の電力供給には対応できない。AVR（自動電圧調整器）は安定した電圧を得るための装置。CVCF（定電圧定周波数装置）は電圧と周波数が一定になるようにするための装置。

解答　ウ

問8　情報セキュリティ管理基準（平成28年改正版）は、「情報セキュリティ監査基準」に従って監査を行う場合に、監査判断の尺度とすべき基準であるとされている。この中で「バックアップ情報は、主事業所の災害による被害から免れるために、十分離れた場所に保管する」としている。自然災害時の事業継続のためには、バックアップが同時に失われないように、物理的に離れた場所に保管するのが望ましい。

解答　エ

問9　インタビューは、予備調査、本調査において、客観的立場で行われる監査手法である。問題点を発見した場合は、裏付けとなる記録などの入手や現場の確認を行う必要がある。インタビューの内容や調査確認の際の証拠を監査調書にまとめることで監査証拠とする。

解答　ア

問10　システム監査報告書は、システム監査人が監査依頼者に対して、監査結果を報告するためのものである。監査人が監査報告書を取りまとめる際には、事実誤認がないかを被監査部門と意見交換し、事実確認（結果の裏付けや結論に至った過程などとの整合性をとるなど）を行う必要がある。

解答　ウ

問11　ソフトウェア資産は導入時だけでなく、改変などが発生するため、常に完全な状態にしておく必要がある。そのためにはインストール先を特定でき、バージョンやライセンスを管理しておく必要がある、選択肢ウのエビデンスとは「証拠」のことで、適切にライセンス管理がなされているかをチェックすることが監査のチェックポイントとなる。

解答　ウ

第7章

システム戦略

第7章 ストラテジ系 システム戦略

この章の構成と攻略法

この章の内容と学習ポイント

情報システム戦略は、システム化を推進していく際の根本になるプロセスです。前提となるのは経営戦略であるため、第8章とは密接に関わっています。章は2つの中分類に分かれており、システム戦略では全体の戦略構想と流れを、システム企画では実際にシステムを適用する範囲を明確にして具体的な計画を立てていきます。

中分類 17 システム戦略

システム戦略は、経営方針との整合性をとりながら構想していくことから、やや広い範囲を扱っています。全体像を小分類で示すと、情報システム戦略で構想を決め、業務プロセスでシステム戦略に合わせた業務の見直しを行い、さらに外部への業務委託（「ソリューションビジネス」）を検討。完成後は、システム活用促進を行い、システム化の効果があったかどうかを検証する、となります。

なお、過去の出題には、システム管理基準の内容について問う出題もあるので注意が必要です。「システム管理基準」と「システム監査基準」は、ともに令和５年に改訂が行われています。該当する部分には目を通しておくとよいでしょう。

小分類 1 情報システム戦略

1 情報システム戦略
2 エンタープライズアーキテクチャ
3 プログラムマネジメント
4 フレームワーク
5 品質統制
6 情報システム戦略実行マネジメント

小分類 2 業務プロセス

1 業務プロセスの改善と問題解決

➔攻略法と他章との関連

各プロセスで行うべき作業が問われます。前提となるのが、システム管理基準で、その中で取り上げられている作業内容が出題されています。情報システム投資計画のROI、企業の戦略性を向上する統合管理システムである、ERP、SCM、CRM、SFAなどがよく出題されています。また、業務とシステムを同時に改善することを目的としたエンタープライズアーキテクチャは、4つの分類体系について問われます。
小分類2の業務プロセスでは、BPO、BPMが定番テーマです。

小分類 3　ソリューションビジネス

1 ソリューションビジネス
2 ソリューションサービスの種類

02 ソリューションビジネス ☞ p.466

➔攻略法と他章との関連

小分類3は、用語レベルの出題が多いので、よく出る用語の意味を押さえておけば、点につながります。SOA、SaaSやPaaSなどのソリューションサービスは確実に覚えておきたい用語です。

小分類 4　システム活用促進・評価

1 システム活用促進・評価

03 システム活用促進・評価 ☞ p.470

➔攻略法と他章との関連

小分類4は、項目内容、出題ともに少ないので、用語中心に覚えておくとよいでしょう。BYOD、BI、データマイニングなどが頻出用語。また、ビッグデータの活用事例も出題実績があります。

中分類 18　システム企画

試験対策としては、作業の流れを掴むことです。流れとしては、まず情報システム戦略に基づいてシステム化の対象となる業務を明確化し、さらに業務の全体構想を作成します。計画の立案では、システム化の適用範囲や要員計画、スケジュールを作成します。その後、要求分析と要件定義を行い、内容を確認して承認を受け、調達へ移ります。調達では、内部による開発か外部委託を行うかを決定し、詳細な検討を行ったうえで契約を締結します。

小分類 1　システム化計画

1 システム化構想の立案
2 システム化計画の立案

小分類 2　要件定義

1 要求分析
2 要件定義

小分類 3　調達計画・実施

1 調達と調達計画
2 調達の実施

04 システム企画 ☞ p.472

➔攻略法と他章との関連

中分類全体としては、出題数は数問程度と多くありません。小分類1と2からは、機能要件、非機能要件で行う作業の切り分けがよく出ています。システム戦略とも共通するので、覚えておけば、どちらからの問題でも対応できます。

小分類3の調達計画では、CSR調達、グリーン調達など。調達時の提案依頼に際して取り交わす、RFI、RFP、RFQの違いは確実に押さえておきたいところです。

シラバス ●大分類7：システム戦略 ●中分類17：システム戦略
●小分類1：情報システム戦略、2：業務プロセス

01 システム戦略

情報システム戦略と業務プロセス

業務モデルから立てる情報システム戦略

情報システム戦略とは、経営資源を最大限有効に活用するためのシステム構築を目的とし、業務においてどのように情報技術を活用していくのかを示す計画です。

策定には、まず「何を目的として、どの業務をシステム化するのか」を検討します。そのためには、現状の業務の流れを客観的に分析し、理想とすべき新しい業務モデルを策定する必要があります。

●情報システム戦略の策定手順

① 経営戦略の確認
② 業務環境の調査、分析
③ 業務、情報システム、情報技術の調査、分析
④ 基本戦略の策定
⑤ 業務の新イメージの作成
⑥ 対象の選定と投資目標の策定
⑦ 情報システム戦略案の策定
⑧ 情報システム戦略の承認

なお、経営戦略に基づく、情報システム戦略を構築していく際に、具体的な手本となるのがシステム管理基準<☞>です。これは情報システム管理における留意点をまとめたもので、情報システムの企画、開発から運用、保守などの局面で必要になることが述べられています。

情報システムの前提となるITガバナンス 頻出

ITガバナンスとは、取締役会等がステークホルダのニ

さらに詳しく

情報システムの管理組織

情報システムの企画、開発、運用、保守を行っていく組織形態は、企業が業務のための組織として編成する形と同様。職能別組織や事業部制組織などがある<☞p.532「企業組織の一般的な構成」>。

システム管理基準

システム管理基準(実践部分をシステム管理ガイドラインとして分冊)は、企業が経営戦略に沿って効果的に情報システム戦略を立案し、開発、運用・保守を行っていくための実践的な手本となる。

《システム管理基準の項目》

Ⅰ. ITガバナンス編
1. ITガバナンスの実践
2. ITガバナンス実践に必要な要件

Ⅱ. ITマネジメント編
1. 推進・管理体制
2. プロジェクト管理
3. 企画プロセス
4. 開発プロセス
5. 運用プロセス
6. 保守プロセス
7. 廃棄プロセス
8. 外部サービス管理
9. 事業継続管理
10. 人的資源管理

ーズに基づいて組織体の価値および信頼を向上させるために、ITシステムを利活用するための活動を指します。これにはITシステムのあるべき姿を示すIT戦略と方針の策定も含みます。ITガバナンスを実践するうえでは、①ITシステムの利活用に係るリスク、②予算や人材といった資源の配分、③情報システムから得られる効果の実現に留意する必要があります。なお、組織体制の分類としては、ITガバナンスに対する責任を負う「**取締役会等**」、ITマネジメントに対する責任を負う「**経営者**(CEOやCIOを含む)」、ITマネジメントの業務を執行する**ITシステム部門**、**利用部門**などが定義されています。

●ITガバナンスの達成目標

達成目標としては、次の3つがあります。

(1) 効果的なITパフォーマンスの実現

ITパフォーマンスとは、ITシステムの利活用による成果のこと。具体的には、組織体のデジタル活用能力の整備、それにより得られるビジネス機会による利益、リスク対応、新たな法律等に対応できることなどです。

(2) 責任あるIT資源管理の実施

組織体が責任あるIT資源管理(さまざまなデータに対するセキュリティ、障害対策、リスク対応や法令遵守の観点から適切な意思決定がされていることなど)を実施することによって、組織体に対するステークホルダの信頼向上に寄与することになります。

(3) 組織体における倫理的行動の確保

取締役会等が、ITガバナンスの原則を遵守することによって、組織体の倫理的な行動を推進することができます。具体的には、データを含むIT資源に関する所有権、使用権および機密性の保持、関連する法令・規則等を遵守した行動などです。

実際の管理・運用を行うITマネジメント

ITマネジメントは、ITガバナンスの方針およびIT戦略

さらに詳しく

EDMモデル

ITガバナンスにおける規格であるJIS Q 38500より、Evaluate(評価)、Direct(指示)、Monitor(モニタ)の3つの頭文字を取ったもの。ITマネジメント(情報システムの企画～運用・保守の管理)と、そのプロセスに対して、経営陣が評価、指示、モニタすることを前提としている。

- Evaluate(評価): 現在のシステムとあるべき姿を比較・分析して、期待する効果、必要な資源、想定されるリスクを見積もること。
- Direct(指示): 組織に対し、情報システム戦略の実現に必要となる責任および資源を割り当て、期待する効果の実現とリスクに対処できるように導くこと。
- Monitor(モニタ): 上記の「評価」と「指示」を行うため、現在の情報システムが、情報システム戦略で見積もった効果をどの程度満たしているか、資源をどの程度利用しているか、リスクの発現状況はどうかについて必要な情報を収集すること。

の目標を達成するために行う、ITシステムの利活用に関する具体的な管理活動のことです。これは、システムライフサイクルプロセス（企画、開発、運用、保守、廃棄）に基づいていますが、情報システム構築方法はさまざまな形を取るため、必ずしも順序が固定さたものではありません。システム管理基準においては、ITマネジメントを10のプロセスに分類しています<☞p.454>。

❶推進・管理体制

経営戦略およびIT戦略で定められた目標を達成するために、組織体全体を対象とした推進・管理体制を整備・運用する。

(1) 体制と機能
(2) システムライフサイクルモデル管理
(3) ITアーキテクチャ管理　(4) 資源配分管理
(5) 品質管理体制　(6) 知識資産管理

❷プロジェクト管理

経営戦略およびIT戦略で定められた目標を達成するために必要なプロジェクト管理の仕組みを整備し、個別プロジェクトに適用することによりプロジェクトを実行する。

(1) プロジェクト計画の策定と承認
(2) プロジェクトの実行と管理
(3) プロジェクト意思決定管理
(4) プロジェクトリスク管理　(5) 調達管理
(6) 外部委託管理　(7) 構成管理・変更管理
(8) 情報管理　(9) ドキュメント管理
(10) プロジェクトの生産性等の測定
(11) 情報システムの品質保証

❸企画プロセス

経営戦略およびIT戦略で定められた目標を達成するために必要なプロジェクト管理の仕組みを整備し、個別プロジェクトに適用することによりプロジェクトを実行する。

(1) ビジネス分析　(2) 業務要件定義
(3) システム要件定義　(4) 基本設計
(5) 詳細設計　(6) 実現可能性および効果の分析

❹開発プロセス

利用者および関係者の要望に沿った情報システムを実現するために、情報システムの構成要素の開発作業を行い、稼動後評価および報告を行う。

さらに詳しく

CxO（最高責任者）

CxO（Chief Experience Officer）は、それぞれの領域における最高責任者を総括した用語。xの部分にアルファベットが入ることで、例えば、CEO、CFO、CIOなどとなる<☞p.532>。

こちらも参照

CIO（最高情報責任者）

☞p.442

利害関係者（ステークホルダ）

☞p.413

ココも出る！

To-beモデル

To-beモデルとは、あるべき姿を示すもので、システムの目標とするために作成する。これに対し、As-isモデルは現状の姿を示すもの。両者を比較しながら、新モデルを考えていく。ただし、To-beモデルに対して、制約条件を加味した形になる場合もあり、これをCan-beモデル（現実的なモデル）という。

(1) 実装　…情報システムの導入と設定
(2) 統合　…構成要素を段階的に組み立てて利用可能にする
(3) 検証　…システム要件を反映しているかをレビュー
(4) ユーザ受入テスト
(5) 本番環境への移行　(6) 稼動後評価と報告

❺運用プロセス

組織体の方針および要求事項に沿ったサービスを提供するために、情報システムの運用体制を整備して運用を実施し、その監視、検証および報告を行う。

(1) 運用体制の整備
(2) 運用計画
(3) 運用の実施
(4) 運用における構成管理・変更管理
(5) インシデント管理・問題管理
(6) サービスレベル管理
(7) 運用の監視と記録
(8) 運用の評価と報告

❻保守プロセス

利用者の業務活動を支援する情報システムの能力・機能を維持するために、保守体制を整備し、保守依頼に応じた保守計画を策定して、それに基づいて保守作業を実施し、その検証、本番環境への適用、記録および報告を行う。

(1) 保守体制の整備　(2) 保守計画
(3) 保守作業の実施　(4) 保守作業の検証
(5) 本番環境への適用　(6) 実施結果の記録と報告

❼廃棄プロセス

組織体の方針および廃棄に関する要求事項に従って情報システムの利用を適切に終了するために、不要になった情報システムの構成要素を適切に廃棄する。

(1) 廃棄計画　(2) 廃棄の実施
(3) 廃棄結果の検証

❽外部サービス管理

IT戦略に基づいて外部サービス（クラウドサービスを含む）を利用するために、外部サービスの利用計画を策定し、外部サービス提供者を選定、契約、管理および評価する。

(1) 外部サービス利用計画の策定
(2) 外部サービスの選定と契約

出題分析

ITガバナンス

ITガバナンスに関する記述として、適切なものはどれか。

ア ITベンダーが構築すべきものであり、それ以外の組織では必要ない。
イ ITを管理している部門が、全社のITに関する原則やルールを独自に定めて周知する。
ウ 経営者がITに関する原則や方針を定めて、各部署で方針に沿った活動を実施する。
エ 経営者の責任であり、ITガバナンスに関する活動はすべて経営者が行う。

ITガバナンスは、経営目標を達成するために、情報システム戦略を策定し、戦略の実行を統制することである。まず、経営者（経営陣）によって、情報システム戦略の方針および目標を設定したうえで、各部署ではそれに従った活動を行っていく。また、経営者はその結果についてモニタを行う。

解答 ウ

(3) 外部サービスの運用管理
(4) 外部サービスの評価
(5) サービスレベル管理

❾事業継続管理

組織体のITシステムの利活用に関する事業継続の方針に基づいて、情報システムの業務継続を実現するために、情報システムの業務継続計画を策定し、訓練、検証、報告および改善を行う。

(1) リスクアセスメント
(2) 業務継続計画の策定
(3) 業務継続計画の管理
(4) 訓練、演習およびテストの実施
(5) 業務継続計画の評価および見直し

❿人的資源管理

組織体の人的資源に関する方針に基づいて、ITに関する人的資源を管理し、ITに関する組織の能力を維持向上させる。

(1) 人的資源管理計画
(2) 責任と権限の管理
(3) 業務遂行の管理
(4) 教育・訓練の管理
(5) 健康管理
(6) 要員のワーク・エンゲージメント向上

システム化計画はシステムの予想図 頻出

情報システム戦略の目標に基づき、システム化実現へ向けた計画を策定していくのがシステム化計画です。これには、**情報システム化基本計画**から始め、**情報システム投資計画**と**個別の開発計画**を策定していきます。

●情報システム化基本計画

次のような2つの段階に分けて計画していきます。

❶全体最適化方針

経営戦略に基づいて、組織全体として業務と情報システムが進むべき方向を示す指針を策定します。

・ITガバナンス方針を明確にすること。
・情報化投資および構想決定の原則を定めること。
・情報システムのあるべき姿を明確にすること。

出題分析

システム化計画

システム化計画の立案において実施すべき事項はどれか。

ア 画面や帳票などのインタフェースを決定し、設計書に記載するために、要件定義書を基に作業する。

イ システム構築の組織体制を策定するとき、業務部門、情報システム部門の役割分担を明確にし、費用の検討においては開発、運用および保守の費用の算出基礎を明確にしておく。

ウ システムの起動・終了、監視、ファイルメンテナンスなどを計画的に行い、業務が円滑に遂行していることを確認する。

エ システムを業務および環境に適合するように維持管理を行い、修正依頼が発生した場合は、その内容を分析し、影響を明らかにする。

システム化計画では、システム化の対象やその機能を定義する。また、構築にかかる費用、スケジュール、開発体制や役割分担などを明確にしていく(イ)。費用の検討では、算出の基準を明確にしておくことが重要。アは開発プロセス、ウは運用プロセス、エは保守プロセスで実施する事項。

解答 イ

・システム化による組織変更や業務変更の方針を明確にすること。
・情報セキュリティ方針<☞p.301>を明確にすること。

❷全体最適化計画

全体最適化方針に基づいて、企業の各部門で個別に作られたルールや情報システムを統合し、効率性や有効性を向上させるための計画を立てていきます。

・計画の立案体制や計画は、組織体の長や利害関係者の承認を得ること。
・コンプライアンス<☞p.444>を考慮すること。
・情報化投資の方針および確保すべき経営資源を明確にすること。
・投資効果およびリスク算定の方針を明確にすること。
・システム構築および運用のための標準化および品質方針を含めたルールを明確にすること。
・個別の開発計画の優先順位および順位付けのルールを明確にすること。
・外部資源の活用を考慮すること。

●情報システム投資計画

経営戦略との整合性を考慮しながら、情報システム化計画の効果、影響、期間、実現性を探っていきます。その際、複数の選択肢を検討して、計画を立案します。

ROI(Return On Investment：**投資収益率**)は、投資案件の実現に要した投資(費用)に対して、その案件によって得られた利益(効果)がどれくらいであったのかの比率です。ROIの値が高ければ投資によって得られた効果が大きく、低ければ小さかったことになります。ROIは、次の計算式によって求めます。

ROI＝利益額(効果額)÷投資額

●個別の開発計画(個別計画)

情報システム化基本計画に従って、個別の開発計画を立案していきます。戦略性を向上するシステムとして、企業全体または個々の事業活動の統合化を実現するシステム、企業間の一体運営に資するシステムを考慮します。

出題分析

情報システム投資計画

情報システム投資計画において、投資価値の評価指標であるROIを説明したものはどれか。

ア 売上増やコスト削減などによって創出された利益額を投資額で割ったもの
イ 売上高投資金額比、従業員当たりの投資金額などを他社と比較したもの
ウ 現金流入の現在価値から、現金流出の現在価値を差し引いたもの
エ プロジェクトを実施しない場合の、市場での競争力を表したもの

ROIは、投資によって利益を生み出しているかを判断する指標となる値。売上増やコスト削減などによって創出された利益額を投資額で割ることで求める。

解答 ア

さらに詳しく

個別の開発計画の作業

個別の開発計画の具体的な作業は次のとおり。①システム化の目的・範囲の定義、②システムの主要機能の定義、③システム概要の設計、④開発工数の見積り、⑤開発スケジュールの作成、⑥開発体制の立案、⑦投資効果の分析、⑧開発計画の承認。

業務システムの種類

頻出

システム化計画によって具体化していく業務システムには、資源を最大限有効に活用するもの、戦略(経営戦略)を立てるためのものなど、さまざまなものがあります。

●基幹業務システム

全社的に、もしくは複数の部門にまたがって企業活動の根幹を支える業務を基幹業務と呼びます。基幹業務は営業管理、生産管理、物流管理、財務管理、人事管理、設備管理などに分けることができます。

ERP(Enterprise Resource Planning：**経営資源管理**)は、**経営資源**(人材などの人的資源・生産設備や土地建物などの物的資源・資金調達力や販売力などの財務的資源)を有効活用するため、各基幹業務の情報を連携して管理し、全社的に業務の効率化を目指す考え方です。また、全社の連係作業をサポートするパッケージソフトの総称でもあります。

●営業管理業務システム

会社の売上げを伸ばす営業活動を支援するため、営業活動の計画・分析、営業活動に関わる情報の共有や事務処理を行うシステムです。需要の予測や販売計画の策定、受注、売上、請求などの管理を行います。

システム	機能
POSシステム (Point Of Sales system)	販売店の店頭で、顧客が購入した商品情報をバーコードリーダーなどで収集し、仕入れや商品開発などに利用するためのシステム。<☞p.506>
CRM **(Customer Relationship Management：顧客関係管理)**	電話対応やWebページといった顧客との接点に当たる部分のシステムを統合したもの。顧客情報を一元的に管理することで、ニーズの分析を即座に行うことが可能になる。顧客のライフサイクルに合わせ、タイミングのよいアプローチを図ることで、企業に対するロイヤリティと利益の向上を実現することが可能。

ココも出る！

KMS

KMS(Knowledge Management System：知識管理システム)は、企業内に散在する個々の知識を企業全体として共有し、活用するためのシステム。

SFA (Sales Force Automation)	顧客情報、資料作成のノウハウ、営業担当者の行動予定など、営業活動全般に関する情報を管理するシステム。無駄な時間を減らし、営業のノウハウを標準化し、質の高い営業活動を支援する。

図表01-1　営業管理システムの種類

●生産管理業務システム

商品の製造を中心に、生産数量、品質、原価、生産時間などを計画し、管理を行う業務システムです。商品の品質向上、納期の短縮、低コスト化を目的としています。

システム	機能
FA (Factory Automation)	コンピュータを利用して、商品の加工や組み立てを自動化し、効率的に製造するためのシステム。
CIM (Computer Integrated Manufacturing)	研究開発から設計、製造、販売、経営管理の各業務を統合して、生産の省力化、自動化を目指すシステム。

図表01-2　生産管理業務システムの種類

●物流管理業務システム

物流管理が不適切だと、生産活動の停滞、欠品発生、納入先の誤搬入などが多発し、輸送手段を効率的に利用できなくなります。**物流管理業務システム**は、商品の納品や資材の搬入が効率的に行えるよう管理するシステムで、運送、保管、返品、廃棄などの管理機能を持ちます。

システム	機 能
SCM (Supply Chain Management)	取引先を含めた関連企業全体で、受発注、部品や資材の調達、生産、販売といったモノの流れをコンピュータで管理するシステム。
EOS (Electronic Ordering System)	取引先とのデータの受渡しの自動化、在庫チェックや検品作業の省力化、発注業務の簡略化などを実現するためのシステム。POSシステムと連動させることで、在庫管理や物流コストの削減なども実現可能になる。

図表01-3　物流管理業務システムの種類

出題分析

業務システム

CRMを説明したものはどれか。

ア 卸売業者・メーカーが、小売店の経営活動を支援してその売上と利益を伸ばすことによって、自社との取引拡大につなげる方法である。

イ 企業全体の経営資源を有効かつ総合的に計画して管理し、経営の高効率化を図るための手法である。

ウ 企業内のすべての顧客チャネルで情報を共有し、サービスのレベルを引き上げて顧客満足度を高め、顧客ロイヤルティの最適化に結び付ける考え方である。

エ 生産、在庫、購買、販売、物流などのすべての情報をリアルタイムに交換することによって、サプライチェーン全体の効率を大幅に向上させる経営手法である。

CRMは、企業の顧客データを全社レベルで管理すること。部門ごとに管理していた顧客情報を全社で共有、管理し、顧客と企業との関係をより深める考え方に基づく。

ア：リテールサポートの説明。支援の内容には、情報提供、資金援助などがある。イ：ERPの説明。エ：SCMの説明。

解答 ウ

目標となるモデルを作るEA　頻出

<u>エンタープライズアーキテクチャ(EA；Enterprise Architecture)は、企業の業務と情報システムを統一的な手法でモデル化し、業務とシステムの統合的な改善を目的とする管理手法</u>です。

具体的には、業務プロセス、情報の種類と流れ、情報システムの構成などを整理した、下表の４つのアーキテクチャモデルを作成して、目標を明確にしていきます。また、実際にEAを構築するためのガイドラインとして、**ザックマンフレームワーク**があります。

アーキテクチャモデル	内容
ビジネスアーキテクチャ (Business Architecture：BA)	企業組織の目標や業務プロセスを体系化したもの。 **《手法・成果物》** 業務説明書、機能構成図（DMM：Diamond Mandara Matrix）、DFD、UML、業務流れ図（WFA：Work Flow Architecture）
データアーキテクチャ (Data Architecture：DA)	企業組織の目標や業務に必要となるデータの構成、データ間の関連を体系化したもの。 **《手法・成果物》** データ定義表、情報体系整理図（UMLのクラス図による）、E-R図
アプリケーションアーキテクチャ (Application Architecture：AA)	企業組織としての目標を実現するための業務プロセスと、必要となるアプリケーションとの関係を体系化したもの。 **《手法・成果物》** 情報システム関連図、情報システム機能構成図
テクノロジアーキテクチャ (Technology Architecture：TA)	業務プロセスを実現するために必要となる、ハードウェア、ソフトウェア、ネットワーク、およびその技術を体系化したもの。 **《手法・成果物》** ハードウェア構成図、ソフトウェア構成図、ネットワーク構成図

図表01-4　EAのアーキテクチャ

出題分析

エンタープライズアーキテクチャ

エンタープライズアーキテクチャの“4つの分類体系”に含まれるアーキテクチャは、ビジネスアーキテクチャ、テクノロジアーキテクチャ、アプリケーションアーキテクチャともう1つはどれか。

ア　システムアーキテクチャ
イ　ソフトウェアアーキテクチャ
ウ　データアーキテクチャ
エ　バスアーキテクチャ

問題文に挙げられたアーキテクチャ以外のものは、データアーキテクチャである。紛らわしい選択肢が多いので、4つのアーキテクチャ名称とその内容を整理しておこう。

解答 ウ

システム開発のお手本「フレームワーク」

システム化計画では、具体的なシステム構想を詰めていきますが、その際に参考になるのが「ひな型」や「規範」を意味する**フレームワーク**です。中でもシステム構築～運用・廃棄に至るライフサイクルを網羅しているのが、IPAが出している**共通フレーム**（**SLCP-JCF**；Software Life Cycle Process-Japan Common Frame）です。

●共通フレーム（SLCP-JCF 2013）

共通フレームは、システム開発作業全般（購入～開発～運用・保守、品質保証等）にわたって、受注側、発注側の双方が、共通認識を持つための枠組みで、最新版は「共通フレーム2013」です。

その構成は、(1)合意プロセス、(2)テクニカルプロセス、(3)運用・サービスプロセス、(4)支援プロセス、(5)プロジェクトプロセス、(6)組織のプロジェクトイネーブリングプロセス、(7)プロセスビュー、(8)テーラリング（修整）プロセスから成ります。

なお、システム開発の各工程は、**テクニカルプロセス**に定義されており、企画プロセス～保守プロセスに至るの6つのプロセスに分けて定義しています。このほか、システムの運用管理やシステムの廃棄については**運用・サービスプロセス**<☞ p.464>で、文書管理や品質保証、システムの検証、監査などについては**支援プロセス**<☞ p.464>で定義されています。

❶企画プロセス

主に、次のような内容と手順で行っていきます。

- 経営上のニーズや課題を確認。
- 現行業務やシステムを分析し、対象業務の明確化。
- 新業務プロセスの全体像を定義のうえ、業務機能と組織モデルを策定し、対象業務と投資目標を選定。
- 新システムの開発、運用、保守に関わる工数、費用、投資効果を検証。
- スケジュール、環境整備、教育訓練などの要件を整理。
- プロジェクト計画として文書化し、承認を得る。

ココも出る！

プログラムマネジメント

P2M※では、互いに関連するプロジェクト群を**プログラム**と呼ぶ。**プログラムマネジメント**は、それらを統合管理することで、より効率的に進行させるための活動である。決められた制約の中でやり繰りするプロジェクトマネジメントとは概念が異なり、業務環境やIT技術などの変化にも柔軟に対応する戦略的な活動であることが特徴である。

※P2M（プロジェクト&プログラムマネジメント知識体系）：日本型プロジェクトマネジメントのガイドライン。

品質統制

品質統制は、基準に定めた品質を維持するための管理活動。品質統制フレームワークは、これらの管理活動を展開するために、個々の組織が作成する枠組みで、整えるべき組織体系や管理プロセスの内容（品質モニタリング等）などを定めておく。

情報システム戦略実行マネジメント

情報システム戦略実行マネジメントとは、情報システム戦略の実現を目標としたプロジェクトの、管理活動を指す。具体的には、「戦略の分析と把握」、「実行状況の監視とコントロール」、「戦略実行上生じるリスクへの対応」などを行う。

❷要件定義プロセス

実現しようとする業務要件や組織要件を定義します。さらに、その業務で必要なシステムの機能（機能要件、非機能要件<☞ p.473>）を明確にして評価を行い、合意を得ます。

❸システム開発プロセス

まず、システムに関わる要件を定義したうえで、設計を行い、ソフトウェア製品やサービスの実装、システム結合、テスト（結合テスト、システム適格性確認テスト）、システム導入、システム受入れ支援などを行っていきます。

❹ソフトウェア実装プロセス

前プロセスで設計されたソフトウェアを作り上げていくプロセスです。構築（ソフトウェア要件定義、ソフトウェア方式設計、ソフトウェア詳細設計、プログラミング、ソフトウェア結合テスト、ソフトウェア適格性確認テスト）、ソフトウェア導入、受入れ支援まで行います。

❺ハードウェア実装プロセス

システムに必要な動作、インタフェースや実装上の制約条件を満たすハードウェアやサービスを構築または選定し、設置および設定などを行います。

❻保守プロセス

納入されたシステムやソフトウェア製品に対して、費用対効果を考慮した支援を行います。ソフトウェアの修正、教育訓練、サービスデスクの運用などを含みます。

●情報システムに関わるその他のフレームワーク

その他のフレームワークとしては、情報システム戦略の実践規範となるシステム管理基準<☞ p.454>、ITサービスのフレームワークとなるITIL<☞ p.428>が代表的です。さらに次のものがあります。

❶COBIT (Control OBjectives for Information and related Technology)

企業におけるITガバナンスの指針となる実践規範。

❷KGI (Key Goal Indicator) と KPI (Key Performance Indicator)

さらに詳しく

運用・サービスプロセス

共通フレームにおける運用・サービスプロセスは、システム構築後から廃棄までの内容を含む。

- 運用プロセス：運用の準備、運用テスト、システムの移行、稼働中の運用、利用者教育、投資・業務効果の評価など。
- 廃棄プロセス：システムライフサイクルにおける、廃棄業務全般（廃棄データの安全性確認、新旧環境の並行運用など）。
- サービスマネジメントプロセス：サービスレベル管理、可用性管理など、サービスマネジメント（第6章）で行う内容。

支援プロセス

共通フレームにおける支援プロセスは、各プロセスを支援するための内容を含む。

- 品質保証プロセス：システムが決められたとおりにできているか、作業が進んでいるかを確認する。
- 検証プロセス：契約内容、設計内容、プログラム、テストデータといった各作業の結果が仕様に基づいているかを確認。
- 妥当性確認プロセス：成果物が利用者の視点から意図された正しいものになっているかを確認。
- 監査プロセス：独立した立場の監査人が、システムやその運用が要求事項を満たしているかを評価。

ともに戦略目標の達成状況を評価する指標です。KGI（重要目標達成指標）は、達成すべき目標を示す指標。一方のKPI（重要業績評価指標）は、目標に向けた中間時点での進捗度合いを図る指標です。

業務プロセスの改善と再構築

頻出

企業内の業務は互いに関連しており、一定の実施順序があります。段階的に進む業務作業の一連の流れを業務プロセス（ビジネスプロセス）といいます。また、情報技術やインターネットを利用して、消費者や取引先とのアクセス方法から決済・配送までの一連の経済行為をシステム化し、モデル化したものをビジネスモデルと呼びます。業務プロセスを見直して最適化し、効果的なシステム活用を行う考え方として、次のものがあります。

❶QC(Quality Control：品質管理)

部門単位での業務改善には、品質向上のために体系的に活動を行うQC活動が効果的です。ただし、部分的な改善では問題を解決できない場合には、業務全体を抜本的に設計し直す必要があります。

❷BPR(Business Process Re-engineering)

BPRは、部門間のセクショナリズムを克服し、企業全体で仕事の手順をゼロから見直すことから始めます。そのうえで、業務プロセスを再構築し、業務の合理化やコスト削減を目指す企業改革を行っていきます。またBPM（Business Process Management）とは、PDCAサイクル<☞ p.390>を用いて、最適な業務プロセスを設計・適用し、継続的に監視・改善していく管理手法です。なお、BPMを実施・運用するための基盤となる仕組みをBPMS（BPM System）といいます。

ココも出る！

オフショア

オフショア（offshore）とは、国内企業から見た海外を意味する用語。業務プロセスにおいては、情報システムの開発や運用を人件費の安い海外の企業や子会社に委託すること。オフショア開発、オフショアアウトソーシングなどがある。

ワークフローシステム

ペーパーレスによる電子的な事務手続きを効率的に行うためのシステム。各種のりん議書などを、承認を得るべき担当者に回覧し、最終的に決済を得るまでの作業を自動化できる。

RPA

RPA（Robotic Process Automation）は、人による定型的なPC操作をソフトウェアによる仮想的なロボットで置き換えるシステム。ユーザーインタフェース操作を認識する技術とワークフロー実行を組み合わせ、表計算ソフトやメールソフト、ERPなど、複数のアプリケーションを使用する業務プロセスをオートメーション化する。

02

システム戦略

ソリューションビジネス

ソリューションビジネス

ソリューション(solution)とは、問題解決のことを指します。顧客企業の経営課題を、主にITを活用して解決するビジネスをソリューションビジネスといい、それを行う事業者をソリューションプロバイダといいます。プロバイダ(Provider)とは、「提供者、供給者」を指します。形態の違いによって、以下のようなサービスがあります。

**❶システムインテグレーション
(SI：System　Integration)**

業務処理に最適な製品を組み合わせて情報システムの企画・提案を行い、システム設計・開発、導入、運用、保守までの業務を一貫して請け負うサービスです。このような業務を行う者は、SI(システムインテグレータ)やSI事業者と呼ばれています。

❷アウトソーシング(outsourcing：業務委託)

自社以外の企業に、なんらかの業務を委託することを指します。例えば、情報システムの開発や運用などを、外部の企業に委託することなどがあります。

ソリューションサービスの形態

頻出

ソリューションサービスは、業種、業務、問題別にさまざまなものが存在しています。それらをうまく組み合わせることで、効率的に改善を行うことができます。

●業務プロセスのアウトソーシング

業務プロセスの一部を、一括して外部に委託することをBPO(Business Process Outsourcing)と呼んでいます。専門性に優れた外部企業を活用することで、業務

さらに詳しく

業務システム提案

ソリューションサービスの提案方法の例としては、問題点の聞き取りや調査を行った後、業務分析を行い、分析に基づいて最適な業務システムの提案を行っていく。

そのうえで適合する業務パッケージ<☞ p.375 >を選択し、業務システム提案に沿ったカスタマイズの提案を行う。個別にアプリケーション開発が必要な場合は、開発を受託する場合もある。そのほか、導入やセキュリティ、運用に関する支援等も行う。

ココも出る！

オンデマンド型サービス

顧客からの個別要求に応じて提供するサービスのこと。クラウドサービス形態のオンデマンドサービスでは、サーバや付帯する機能、規模を必要に応じて選択、増減できる。一般向けとしては、ビデオオンデマンド(番組配信)、オンデマンド印刷などがある。

の効率化やコスト削減ができるだけでなく、自社の経営資源を効果的に集中させることができます。

●クラウドコンピューティング

クラウド(cloud)とは雲のことで、ネットワークに接続された先を表しています。クラウドコンピューティングとは、インターネットを介して、アプリケーションやハードウェア(ストレージまたは保存領域)を利用できるサービス全般のことを指します。また、クラウドの形態にはさまざまなものがあります<☞>。

《メリット》

- 場所や端末の種類を問わず、即時かつ最新のアプリケーションが利用可能。
- 初期投資が必要なく、利用分だけの料金で済む。
- 資産管理やメンテナンス作業が不要。
- 不正アクセスやマルウェア対策、自社内からの情報漏えいのリスクを減らせる。

《デメリット》

- 自社のシステムの維持を相手先の企業に依存する。
- 運営者側からの情報漏えいやデータ消失のリスクが発生する。

●コンピュータ利用環境の提供

情報システムの機能やアプリケーションソフトなどをインターネット経由で利用できるサービスを提供している事業者を**ASP**(Application Service Provider)と呼んでいます。また、提供するサービスを**ASPサービス**といいます。ASPサービスを利用すると、従来のように各社員のパソコンにそれぞれアプリケーションをインストールする場合に比べ、運用管理が容易で管理費用を節減することが可能になります。

また、クラウドコンピューティングを取り入れたASPの発展型サービスが登場しており、**クラウドサービス**と呼ぶこともあります。次ページのようなものがあります。

ココも出る!

クラウドの種類と利用

- パブリッククラウド
  契約者(または登録者)であれば誰でも利用可能なクラウド環境の提供形態。クラウドを共有するため、コストは下がるが、セキュリティに問題が生じることもある。
- プライベートクラウド
  特定の個人や組織(企業など)専用のクラウド環境。占有使用なため、機能のカスタマイズやキャパシティの増強も可能で、安全性も高められるが、コストがかかる。
- ハイブリッドクラウド
  上の2つの形態や、クラウドと社内サーバの組合せなど、クラウドどうしや他の仕組みを組み合わせる利用方法。
- ソブリンクラウド
  安全性確保の観点から、データの主権を確保できるクラウドサービス。他国による情報開示が及ばないように国内事業者が国内にデータ保存することなどが求められる。
- クラウドネイティブ
  システムの構築や運用に際し、クラウド環境やサービスの活用を前提とすること。
- クラウドバイデフォルト
  情報システム構築において、クラウドの利用をデフォルトとするという考え方。

サービスの名称	サービスの内容
SaaS (Software as a Service)	《アプリケーションを提供》 複数の顧客企業が同じアプリケーションを共同で利用するマルチテナント方式のサービス形態。顧客企業ごとにアプリケーションを用意していたASPサービスに比べて、費用を抑えることができる。ただし、企業固有の機能を追加するなどのカスタマイズの自由度はない。
PaaS (Platform as a Service)	《開発環境(プラットフォーム)を提供》 既存の業務アプリケーションをSaaSで提供できるようにカスタマイズしたり、新たに開発するための環境(プラットフォーム)を提供したりするサービス。プラットフォームやOSの更新はプロバイダが行う。そのほかアプリケーションのカスタマイズや運用支援なども行う。
IaaS (Infrastructure as a Service)	《ハードウェアやインフラを提供》 ソフトウェアだけでなく、仮想的なハードウェアごとインターネット経由でサービスを行う形態。ハードウェアには、コンピュータそのもののほか、ストレージやサーバ機能などを含む。またOSを選択することも可能。ただし、管理・運用は自ら行う必要がある。
DaaS (Desktop as a Service)	《デスクトップ環境を提供》 端末で利用するデスクトップ環境そのものを、ネットワーク経由でサービスする形態。コンピュータ環境の構築費用を大幅に削減できる。社内だけでなく、自宅や外出先など、どこででも使える反面、不正利用やライセンスの問題がある。
FaaS (Function as a Service)	《サーバを提供》 運用や開発に必要となるサーバを提供する形態。サーバの状態を気にせずに、運用・開発を進めることができ、サーバ管理の必要がない。PaaSとの違いは、稼働させるプログラムに対するリクエストの管理も行ってくれること。イベントが発生したときのみプログラムが稼働するので、常時起動しておく必要がなく、処理を行った時間だけの課金(+リクエスト数)で済む。また、利用量の増減によってサーバのスケーリングも行ってくれるため、ECサイトなどの運営に適している。

図表02-1　クラウドサービスの形態

●システム開発や運用に関するソリューション

❶SOA(Service-Oriented Architecture)

情報システムの構築に関するソリューションとして、SOA(サービス指向アーキテクチャ)という設計手法があります。SOAでは、顧客企業が業務の遂行に必要なシステムを「受注サービス」、「在庫引当サービス」などのように、業務機能ごとに部品化して用意しておきます。顧客からシステム構築の要請があれば、必要なサービスを組み合わせてシステム全体を構成することで、素早く、しかも費用を抑えて対応することができます。

さらに詳しく

FaaSの利用法

FaaSを利用すれば、ネットショップなどの開設も容易になる。例えば、まず開発者がクラウド上のサーバ環境でアプリケーションを構築。完成したら、そのままクラウド上でサービスを開始でき、運用管理も不要になる。

❷MSP(Management Services Provider)

顧客企業の所有するサーバやネットワーク回線などの導入から運用、保守までを、一括して請け負う事業者およびサービスを指します。MSPは顧客との間で取り交わしたSLA<☞ p.429>に基づき、ネットワークを監視し、運用や保守を行います。

❸CRMソリューション

CRM(顧客関係管理)<☞ p.460「営業管理業務システム」>は、マーケティングから販売、問合せ窓口から保守サービスまで広範囲で多岐にわたっているため、それぞれの業種によって必要な範囲や形態は異なります。CRMソリューションは、複数のパッケージを組み合わせたり、新構築やカスタマイズを行い、統合管理の構築を容易にします。

❹セキュリティソリューション

複雑なネットワーク環境やセキュリティを脅かす要因の多様化により、専門のセキュリティ部門を持たない企業では、十分な対策を行うことが困難になっています。ソリューションサービスを利用することで、環境とセキュリティレベルに合わせた対応が容易になります。

●サーバの貸出しと運営

サーバの運用管理を行うサービスとして、次のような形態があります。

❶ホスティングサービス(hosting service)

サービス事業者が所有するサーバを貸し出すサービスで、レンタルサーバと呼ぶこともあります。サーバ1台を1顧客に割り当てる専用サーバや、複数の顧客企業で共同利用する共有サーバがあります。顧客企業は、低コストでサーバを導入できますが、使用できるOSやソフトウェアなどの制限を受けることがあります。

❷ハウジングサービス(housing service)

顧客企業のサーバをサービス事業者に預けて設置してもらうサービスで、併せて運用管理を委託する場合もあります。OSやソフトウェアなどを自由に選択でき、拡張性や柔軟性が高いのが特徴です。顧客企業は、サーバ用の電源や回線などの設置や運用のコストを削減できます。

ココも出る!

オンプレミス

「自社用」を意味するオンプレミス(on-premises)は、情報システムを構成する設備や機器を、すべて社内に設置・運用すること。自社運用とも呼ばれる。ソリューションサービス(ハウジングやクラウドなど)を用いず、自前で構築・運用するためコストは高いが、必要なセキュリティ管理を自らが行えるメリットがある。

出題分析

ソリューションサービス

インターネット経由でアプリケーション機能を提供するもので、1つのシステムを複数の企業で利用するマルチテナント方式が特徴であるサービスはどれか。

ア ISP(Internet Service Provider)

イ SaaS(Software as a Service)

ウ ハウジングサービス

エ ホスティングサービス

「マルチテナント方式」というキーワードから、SaaS(イ)が該当する。

ア:インターネット回線への接続サービス業者。ウ、エ:左記の解説を参照。

解答 イ

03

システム戦略

システム活用促進・評価

うまく利用できなければ意味がない！ システムの活用を促進する手立て

開発した情報システムや契約した情報サービスなどは、有効に活用し、業務改善につなげることで、ITガバナンスに寄与することになります。

そのため情報システムの構築時から周知を行い、システム利用者に使ってもらうための普及啓蒙活動を行っていく必要があります。また、導入後は利用実態を調査し、評価・検証を行い改善につなげていきます。

このような情報システムの利用実態の把握は、導入時の一定期間だけでなく、継続的に行う必要があります。もし不具合が多発する、業務のニーズにシステムが対応できないなど、システムが寿命に達したと判断できる場合は、システムの廃棄と新システムの導入を検討します。

❶デジタルリテラシー

コンピュータやアプリケーションソフトウェア、ネットワークなどを活用して、業務に必要な情報を安全かつ効率的に検索し、精査・分析するなど、デジタル技術を効果的に活用する能力を**デジタルリテラシー**といいます。デジタルリテラシーを確立することが、経営目標の実現につながります。

❷普及啓発

情報システムを業務や経営に生かすためには、社員一人ひとりが必要なデジタルリテラシーを習得できる環境作りを行っていく必要があります。そのために必要になるのは、業務マニュアル、システム利用マニュアルの整備、講習会やe-ラーニング<☞p.417>によるシステム

ココも出る！

デジタルディバイド

デジタルディバイド(digital divide：情報格差)とは、個人のITスキルやIT環境によって、受けられるサービスや情報の量や質に生じる格差のこと。

ゲーミフィケーション

ゲーミフィケーション(gamification)とは、ある行動を誘発したり継続させるために、ゲーム的な要素を取り入れること。システム活用の場面なら、システムの講習動画視聴にポイントを付与、操作をクイズにしてレベル認定など、楽しみながらモチベーションを高める工夫が考えられる。

こちらも参照

BYOD
☞p.281

KM(ナレッジマネジメント)
☞p.501

や関連知識の習得、コンプライアンス<☞ p.444「法令遵守状況の評価・改善>やセキュリティ知識の研修などを行います。

❸情報システム利用実態の評価・検証

情報システムが有効に機能しているかは、正確につかんでおく必要があります。実態調査としてログ分析などを行い、利用状況やパフォーマンス状況などを調べ、システムの改善につなげていきます。

頻出

データの分析および活用

情報システムに蓄積されたデータは、適切な処理を行い、必要な情報にすることで意味を持ちます。多くの情報の中から、専門知識や統計知識などを駆使して有効な情報を引き出す研究分野をデータサイエンスといい、その役割を担う人材をデータサイエンティストと呼んでいます。また、AIや機械学習を利用して、データサイエンティストをサポートする取組みも行われています。

❶データマイニングとテキストマイニング

データマイニング<☞ p.229>とは、データウェアハウス(蓄積型のデータベース)から規則性や法則性を見つけて有効なデータを見つけ出すことです。ただし、情報システムによって集められたビッグデータ<☞ p.229>は、データベースに格納されてない構造化データ<☞ p.230「データ資源の分類」>以外もあり、なかでも文章データの割合は多いものです。テキストマイニングは、文章データの中から自然言語処理やキーワードを基にした解析を行い、必要な情報を導き出します。例えば、コールセンターの音声のやり取りをテキストに変換したものやチャットデータなどからテキストマイニングを行い、サービスや商品開発に反映するといった利用法です。

❷エンタープライズサーチ

企業内にちりばめられている情報を一括して検索できる検索方法または検索システムを指します。エンタープライズサーチシステムにより、個々が蓄積したデータを全体の共有資産にすることができます。

ココも出る!

BIツール

BI(Business Intelligence)ツールは、蓄積されたさまざまな形式のデータを収集・分析し、結果をグラフや表などに加工するツール。専門知識がなくても、簡単な操作で目的に合った分析が可能になる。

ビッグデータの定義

総務省の白書によるビッグデータの定義は、①政府：国や地方公共団体が提供する「オープンデータ」。②企業が保有するデジタル化・構造化したデータ。③企業が保有するIoT機器などから収集されるM2M(Machine to Machine)データ。④個人の属性に係る「パーソナルデータ」としている。

オープンデータ/パーソナルデータ

オープンデータは、インターネットなどを通じて、誰もが閲覧できるデータのこと。公開されたデータや自由に利用できるデータという意味もある。経済産業省では、オープンガバメントおよびオープンデータ推進への取組みを行っている。一方、パーソナルデータは、個人を特定できる「個人情報」に加えて、個人と関係性が見出される、より広範囲な情報を指している。

04
システム戦略

システム企画

情報システム戦略<☞ p.454>に基づいて、経営目標達成に必要なシステム化の範囲、システムの内容や構成などを決定していき、システム化へ向けた具体的な手続きを進めていくのが**システム企画**です。システム企画は、大きく分けて**システム化計画**、**要件定義**、**調達計画および実施**の3つのフェーズで行います。

システム化範囲を決めるシステム化計画

システム化計画では、次のような2つを行います。

❶システム化構想の立案

経営戦略や情報システム戦略に沿って、システム化の目的と期待される成果、システム化対象とする業務の明確化、業務の全体像などを作成していきます。検討結果は文書化し、承認を得ます。

❷システム化計画の立案

対象業務や現システムの調査・分析を行い、以下の観点でシステム化の範囲や開発スケジュール、開発プロジェクトや要員の体制などを検討していきます。

- 現システムが実現している機能や扱っているデータ
- システム方式（データベースやネットワークの構成）
- 実現に必要な技術やハードウェア・ソフトウェア
- 新システムの開発やその後の運用・保守に必要な費用と人員
- 費用対効果の予測
- システム開発の全体スケジュール

さらにシステムの有効性や投資効果を検証して**システム化計画**として取りまとめ、経営陣の承認を得ます。ま

ココも出る！

ITポートフォリオ

ITポートフォリオとは、システム化計画の策定に際し、IT投資をどのようなバランスで行っていくか、ポートフォリオ分析<☞ p.489>を使って検討すること。投資対効果や、全体における資源の配分やバランスを見るほか、システムのライフサイクルを考慮しながら投資のタイミングを図ることも重要になる。

SoR／SoE／SoI

それぞれシステム設計における考え方を示す用語。SoR(System of Records：記録のためのシステム)は、業務処理を行うシステムなど、従来からある確実性を重視したシステム設計を指す。SoE(System of Engagement：つながりのためのシステム)は、利用者視点のシステム設計であり、状況やニーズによる変更や追加へ柔軟に対応できる設計。SoI(System of Insight：インサイトのためのシステム)は、上の2つを結びつける考え方で、双方のデータを分析して、見えない要求を引き出すことを重視する。

た、システムの開発を外部に委託する場合は、その作業項目やスケジュールなどを明らかにしておきます。

要件定義

要件定義では、まず要求分析を行って現状とニーズをつかんだうえで、要件定義を検討します。

❶要求分析

要求項目の洗い出し、現状分析を行い、システム化へ向けたニーズを整理していきます。さらに前提条件や制約条件の整理、解決策の検討、実現可能性の分析、新しい業務モデルと業務フローの提案などを行います。

❷要件定義

業務上実現すべき要件である**業務要件**を定義します。

- 業務の詳しい手順
- その業務を行うために必要な情報
- 業務を行った結果、出力される情報
- 業務上の制約事項やルール
- その業務に関わる組織(部や課など)での責任と権限の範囲

さらに、業務要件を実現するために必要な情報システムの機能を明らかにする**機能要件**<☞>、システムの性能や信頼性、移行要件など機能以外の要件である**非機能要件**<☞>に分けて定義を行います。

調達計画・実施

頻出

システムを購入したり、新たに作成(自社開発や外部企業への発注を問わず)することを**調達**と呼んでいます。自社開発以外の調達先となるのが**ベンダー**や**ITベンダー**と呼ばれる企業で、実際には、ソフトウェア開発企業や製品メーカー、販売者や販売代理店などを指した名称です。

●調達計画

要件定義書を踏まえ、製品やサービスの購入、内部や外部委託によるシステム開発などから調達方法を選択。

ココも出る!

機能要件

機能要件とは、業務に必要な機能そのもののこと。具体的には、業務機能要件、機能間のデータの流れ、人が介在する作業、情報の管理、外部とのインタフェースなどが含まれる。

非機能要件

非機能要件とは、機能要件をとりまく品質や運用、操作に関わる要件のこと。具体的には、品質要件(機能性、信頼性、使用性、保守性など)、技術要件(システム構成、開発基準や言語、環境など)、運用・操作要件(運用手順、障害対策、データの保存、利用者の操作方法など)、移行要件、利用者教育、運用支援、費用や納期などが含まれる。

調達の対象、要求事項、条件などを定義して調達計画を策定していきます。

●調達の実施（調達の依頼～契約締結）

一般的な調達の流れを示すと下図のようになります。ITベンダーや開発するシステムの規模などによっては、工程を省いたり、異なる順序で行うケースもあります。

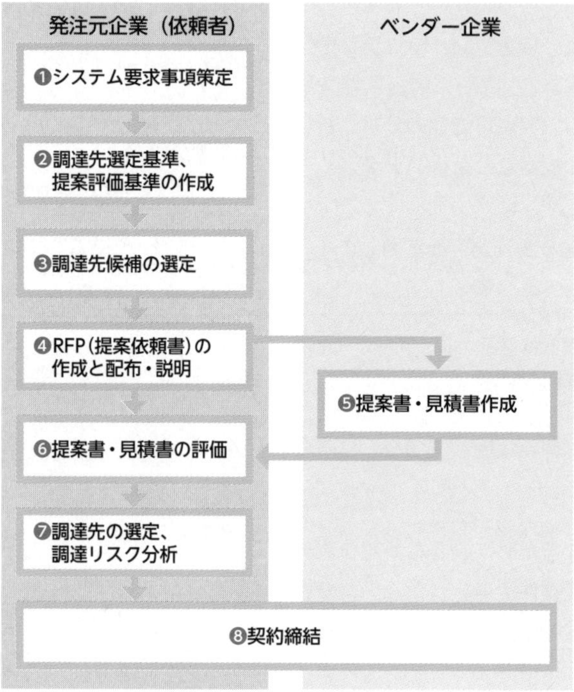

図表04-1　調達の流れ

❶システム要求事項策定

開発するシステムに求められる要件（システム化の範囲・必要な機能や性能など）をまとめます。

❷調達先選定基準、提案評価基準の作成

ベンダー企業からの提案書や見積書を検討する際に、何を重視して発注先の選考を行うか、また提案書の評価（開発の確実性、信頼性、費用内訳、工程別スケジュール、最終納期など）をどのように行うか、考慮する項目と選定の基準をあらかじめ決めておきます。

出題分析

調達先の選定

複数のシステム開発ベンダーからRFPに基づいた提案を受けた。開発ベンダーの選定方法として、最も適切なものはどれか。

ア あらかじめ設定しておいた評価基準を用いて、提案内容を比較して選定する。

イ 開発費用を抑えるために、提案内容によらず開発費用が最も安いベンダーを選定する。

ウ それぞれのベンダーの強みと弱みを、SWOT分析を用いて評価して選定する。

エ ファンクションポイント法を用いて、提案システムの機能の充実度を測定して選定する。

選定に当たっては、ベンダーから提案された提案書を基に、あらかじめ決めておいた調達先選定基準に照らし合わせて選定を行う。選定基準は、費用面だけでなく、実現性やリスク、コンプライアンスなどを総合的に判断する。

解答 ア

❸調達先候補の選定

事前に、ベンダー企業にRFI(情報提供依頼書)を配布し、ベンダー企業から提供された情報を基に、事前に候補企業を絞り込むこともあります。RFI(Request For Information：情報提供依頼書)は、調達に必要な技術情報などをベンダーから提供してもらうため、ベンダーに対してシステム化の目的や対象業務の内容を示すものです。

❹RFP(提案依頼書) の作成と配布・説明

調達を計画しているシステム対象、提案を求める事柄や調達条件などを明示して、ベンダー企業に提案書の提出を依頼するためにRFP(Request For Proposal：提案依頼書)、RFQ(Request For Quotation：見積依頼書)を作成します。用意したRFPやRFQを、調達先候補となるベンダー企業に配布して、説明を行います。

❺提案書・見積書の作成

ベンダー企業では、RFPの情報を基に、開発するシステムの構成や開発手法などを検討して、提案書を作成します。また、RFPに記載された作業の範囲に必要な費用を計算し、見積書を作成します。

❻提案書・見積書の評価

候補ベンダー企業から提案された開発手法や、機能実現のために用いる技術が、適切であるかどうかを分析します。また、見積書から、今回の開発に必要な作業項目が過不足なく含まれているか、見積金額は妥当かなどを確認します。

❼調達先の選定、調達リスク分析

提案書の評価を踏まえ、選定基準(②)に基づいて、調達先のベンダーを選定します。その際、調達リスク分析として、内部統制や法令遵守、CSR調達<☞>やグリーン調達<☞>などの観点からも検討を行います。

❽契約締結

選定した調達先ベンダー企業と契約を交わします。多くの場合、金額や作業内容・納期だけでなく、守秘義務や、完成したシステムの著作権などについても契約に含めておきます。

ココも出る!

CSR調達

CSR(Corporative Social Responsibility)は、企業の社会的責任と訳される言葉<☞ p.530>。CSR調達とは、調達時に取引先(サプライチェーン全体を含む)に対し、社員や外注先への人権や労働条件に配慮しているか、環境への配慮を怠っていないかなどを考慮して調達基準を決めること。

グリーン調達(グリーン購入)

グリーン調達(グリーン購入)とは、調達に際して、相手先企業が環境への負荷に配慮した製品作りや部品調達を行っていることを考慮し、そちらを優先的に選定すること。また調達基準を決めること。これは直接の取引先だけでなく、サプライチェーン全体として、共有していくことが重要となる。なお、環境省によって「グリーン購入法」が制定されている。

そのほか、情報通信機器メーカー大手18社が統一基準として作成した「グリーン調達基準」があり、資材・部品に有害物質を含まないものを選択するとしている。

第7章　章末まとめ問題

シラバス　●大分類7：システム戦略　●中分類17：システム戦略
●小分類1：情報システム戦略

出題：令和4年1月修了認定試験ほか

問1　ROIを説明したもの

情報化投資計画において、投資価値の評価指標であるROIを説明したものはどれか。

ア　売上増やコスト削減などによって創出された利益額を投資額で割ったもの
イ　売上高投資金額比、従業員当たりの投資金額などを他社と比較したもの
ウ　現金流入の現在価値から、現金流出の現在価値を差し引いたもの
エ　プロジェクトを実施しない場合の、市場での競争力を表したもの

シラバス　●大分類7：システム戦略　●中分類17：システム戦略
●小分類1：情報システム戦略

出題：令和6年7月修了認定試験ほか

問2　業務とシステムの理想的なモデル

エンタープライズアーキテクチャにおいて、業務と情報システムの理想を表すモデルはどれか。

ア　EA参照モデル　　　イ　To-beモデル
ウ　ザックマンモデル　　エ　データモデル

シラバス　●大分類7：システム戦略　●中分類17：システム戦略
●小分類2：業務プロセス

出題：令和6年6月修了認定試験ほか

問3 BPOの説明

CHECK

BPOを説明したものはどれか。

ア　自社ではサーバを所有せずに、通信事業者などが保有するサーバの処理能力や記憶容量の一部を借りてシステムを運用することである。

イ　自社ではソフトウェアを所有せずに、外部の専門業者が提供するソフトウェアの機能をネットワーク経由で活用することである。

ウ　自社の管理部門やコールセンターなど特定部門の業務プロセス全般を、業務システムの運用などと一体として外部の専門業者に委託することである。

エ　自社よりも人件費が安い派遣会社の社員を活用することによって、ソフトウェア開発の費用を低減させることである。

シラバス　●大分類7：システム戦略　●中分類17：システム戦略
●小分類2：業務プロセス

出題：令和6年1月修了認定試験ほか

問4 RPAの事例

CHECK

自社の経営課題である人手不足の解消などを目標とした業務革新を進めるために活用する、RPAの事例はどれか。

ア　業務システムなどのデータ入力、照合のような標準化された定型作業を、事務職員の代わりにソフトウェアで自動的に処理する。

イ　製造ラインで部品の組立てに従事していた作業員の代わりに組立作業用ロボットを配置する。

ウ　人が接客して販売を行っていた店舗を、ICタグ、画像解析のためのカメラ、電子決済システムによる無人店舗に置き換える。

エ　フォークリフトなどを用いて人の操作で保管商品を搬入・搬出していたものを、コンピュータ制御で無人化した自動倉庫システムに置き換える。

シラバス ●大分類7：システム戦略 ●中分類17：システム戦略
●小分類3：ソリューションビジネス

出題：令和５年６月修了認定試験ほか

問5 SaaSの説明

CHECK

SaaSを説明したものはどれか。

ア アプリケーションソフトウェアの機能を、インターネット経由で必要なときだけ利用者に提供するサービスのこと

イ 企業の経営資源を有効に活用するために、基幹業務を統合的に管理するためのソフトウェアパッケージのこと

ウ 既存の組織やビジネスプロセスを抜本的に見直し、職務、業務フロー、管理機構、情報システムを再設計すること

エ 発注者とサービス提供者との間で、サービスの品質の内容について合意した文書のこと

シラバス ●大分類7：システム戦略 ●中分類17：システム戦略
●小分類3：ソリューションビジネス

出題：令和５年１月修了認定試験ほか

問6 SOAの説明

CHECK

SOAの説明はどれか。

ア 売上・利益の増加や、顧客満足度の向上のために、営業活動にITを活用して営業の効率と品質を高める概念のこと

イ 経営資源をコアビジネスに集中させるために、社内業務のうちコアビジネス以外の業務を外部に委託すること

ウ コスト、品質、サービス、スピードを革新的に改善させるために、ビジネスプロセスをデザインし直す概念のこと

エ ソフトウェアの機能をサービスという部品とみなし、そのサービスを組み合わせることによってシステムを構築する概念のこと

シラバス ●大分類7：システム戦略 ●中分類17：システム戦略
●小分類4：システム活用促進・評価

出題：令和 4 年 12 月修了認定試験ほか

問7 BYODの説明

BYOD（Bring Your Own Device）の説明はどれか。

ア　会社から貸与された情報機器を常に携行して業務に当たること
イ　会社所有のノートPCなどの情報機器を社外で私的に利用すること
ウ　個人所有の情報機器を私的に使用するために利用環境を設定すること
エ　従業員が個人で所有する情報機器を業務のために使用すること

シラバス ●大分類7：システム戦略 ●中分類17：システム戦略
●小分類4：システム活用促進・評価

出題：令和 6 年 6 月修了認定試験ほか

問8 BIの活用事例

BI（Business Intelligence）の活用事例として、適切なものはどれか。

ア　競合する他社が発行するアニュアルレポートなどの刊行物を入手し、経営戦略や財務状況を把握する。
イ　業績の評価や経営戦略の策定を行うために、業務システムなどに蓄積された膨大なデータを分析する。
ウ　電子化された学習教材を社員がネットワーク経由で利用することを可能にし、学習・成績管理を行う。
エ　りん議や決裁など、日常の定型的業務を電子化することによって、手続を確実に行い、処理を迅速にする。

シラバス ●大分類7：システム戦略 ●中分類18：システム企画
●小分類1：要件定義

出題：令和6年7月修了認定試験ほか

問9 要件定義プロセスの実施項目

CHECK

企画、要件定義、システム開発、ソフトウェア実装、ハードウェア実装、保守から成る一連のシステム開発プロセスにおいて、要件定義プロセスで実施すべきものはどれか。

ア システムに関わり合いをもつ利害関係者の種類を識別し、利害関係者のニーズおよび要望並びに課せられる制約条件を識別する。

イ 事業の目的、目標を達成するために必要なシステム化の方針、およびシステムを実現するための実施計画を立案する。

ウ 目的とするシステムを得るために、システムの機能および能力を定義し、システム方式設計によってハードウェア、ソフトウェアなどによる実現方式を確立する。

エ 利害関係者の要件を満足するソフトウェア製品またはソフトウェアサービスを得るための、方式設計と適格性の確認を実施する。

シラバス ●大分類7：システム戦略 ●中分類18：システム企画
●小分類2：要件定義

出題：令和6年6月修了認定試験ほか

問10 非機能要件の定義

CHECK

非機能要件の定義で行う作業はどれか。

ア 業務を構成する機能間の情報（データ）の流れを明確にする。

イ システム開発で用いるプログラム言語に合わせた開発基準、標準の技術要件を作成する。

ウ システム機能として実現する範囲を定義する。

エ 他システムとの情報授受などのインタフェースを明確にする。

シラバス ●大分類7：システム戦略 ●中分類18：システム企画
●小分類3：調達計画・実施

出題：令和２年12月修了認定試験ほか

問11 公正なベンダ選定

CHECK

RFIに回答した各ベンダに対してRFPを提示した。今後のベンダ選定に当たって、公正に手続を進めるためにあらかじめ実施しておくことはどれか。

ア　RFIの回答内容の評価が高いベンダに対して、選定から外れたときに備えて、再提案できる救済措置を講じておく。

イ　現行のシステムを熟知したベンダに対して、RFPの要求事項とは別に、そのベンダを選定しやすいように評価を高くしておく。

ウ　提案の評価基準や要求事項の適合度への重み付けをするルールを設けるなど、選定の基準や手順を確立しておく。

エ　ベンダ選定から契約締結までの期間を短縮するために、RFPを提示した全ベンダに内示書を発行して、契約書や作業範囲記述書の作成を依頼しておく。

シラバス ●大分類7：システム戦略 ●中分類18：システム企画
●小分類3：調達計画・実施

出題：令和２年６月修了認定試験ほか

問12 グリーン調達の説明

CHECK

グリーン調達の説明はどれか。

ア　環境保全活動を実施している企業がその活動内容を広くアピールし、投資家から環境保全のための資金を募ることである。

イ　第三者が一定の基準に基づいて環境保全に資する製品を認定する、エコマークなどの環境表示に関する国際規格のことである。

ウ　太陽光、バイオマス、風力、地熱などの自然エネルギーによって発電されたグリーン電力を、市場で取引可能にする証書のことである。

エ　品質や価格の要件を満たすだけでなく、環境負荷の小さい製品やサービスを、環境負荷の低減に努める事業者から優先して購入することである。

問1 ROIは、投資案件の実現に要した投資(費用)に対して、その案件によって得られた利益がどれくらいであったのかの比率である。ROIの値が高ければ、投資によって得られた効果が大きく、値が低ければ効果は小さかったことになる。計算式、ROI＝利益額÷投資額で求める。

解答 ア

問2 業務と情報システムの理想を表すのはTo-beモデル（イ)。ア:EAの手法を取り入れた行政改革の手引きとして総務省が示したモデル。ウ:5W1Hの観点と、それぞれの立場（経営者や開発者など)からの視点をマトリクス図で表し、システムの要件を整理する手法。エ: 業務に必要なデータについて、扱う業務やデータの関連性を考慮して抽象化したもの。

解答 イ

問3 BPOは、自社の業務プロセスの一部（業務システムだけに限らない）を外部の専門業者へアウトソーシング（委託)すること（ウ)。エ: 派遣契約に基づく人材の提供であり、業務委託ではないので要注意。ア:ホスティングサービス、イ:SaaSの説明。

解答 ウ

問4 RPAは、人が行ってきた定型的な事務作業を、自動的に処理するためのソフトウェア。したがって、該当する事例はアになる。イ: 生産工程の自動化を行う場合に利用するシステムはFA（Factory Automation)。ウ:ICTを活用したシステムで販売業務を無人化した店舗のことを、スマートストアと呼ぶ。エ: 倉庫への入出庫作業や保管商品の管理作業を無人化する自動倉庫システムは、物流システムの一種。

解答 ア

問5 SaaSは、利用者が必要なときに、アプリケーションの必要な機能のみをネットワーク経由で提供するサービス。イ:ERP（Enterprise Resource Planning: 企業資源計画)。ウ:BPR（Business Process Re-engineering:業務プロセス再構築)。エ:SLA（Service Level Agreement:ITサービスレベル合意書)。

解答 ア

問6 SOAは、業務遂行に必要な各種サービスを行うソフトウェアを部品として用意しておき、必要なサービスを組み合わせることでシステム構築の生産性を高める考え方（エ)。ア:SFA（Sales Force Automation: 営業支援システム)。イ:BPO（Business Process Outsourcing)。ウ:BPR（Business Process Re-engineering:業務プロセス再構築)。

解答 エ

問7 BYODの直訳は「あなた自身の端末を持ち歩く」。そこから従業員が所有する端末（PCやタブレットなど）を、業務にも用いることを表す用語となったもの。情報機器のコストを削減できるというメリットもあるが、情報漏洩リスクなどのデメリットが大きいため、一般には禁止されていることが多い。

解答 エ

問8 BIは、蓄積されたさまざまな形式のデータを、簡単な操作で目的に合った方法で分析し、結果をグラフや表などに加工できるツール（イ)。ア: 企業の財務状態を記載したもの。企業が利害関係者に配布するもので蓄積されたデータではない。ウ: 電子化された学習教材の配信や、学習状況・成績管理などを一括して行うシステムはLMS（学習管理システム)。エ:ワークフローシステムやグループウェア。

解答 イ

問9 問題文の工程は、共通フレームでのプロセスの分類。利害関係者の識別と、利害関係者からの要望、制約条件の識別は、要件定義プロセスで実施する（ア)。イは企画プロセス、ウはシステム開発プロセス、エはソフトウェア実装プロセスで実施する内容。

解答 ア

問10 非機能要件は、パフォーマンスや信頼性、移行要件など機能以外の要件である。具体的には、品質要件（信頼性、保守性など)、技術要件（開発基準やプログラム言語、開発環境など)、運用要件（運用手順、障害対策など）がある。

解答 イ

問11 公正に選定するには、あらかじめ提案書や見積書の内容を評価する基準を決めておく必要がある（ウ)。ア、イ:提出された提案・見積書とは別に、特定ベンダに有利な評価を与えるのは公正ではない。エ:全ベンダが作業を行った場合、選定されなかったときに損害賠償を求められる可能性もある。

解答 ウ

問12 グリーン調達は、環境負荷の小さい製品やサービスを、環境負荷の低減に努める事業者から優先して購入すること。推進の一環として、平成12年5月にグリーン購入法(国等による環境物品等の調達の推進等に関する法律)が制定されている。

解答 エ

第8章

経営戦略

第8章

ストラテジ系 経営戦略

この章の**構成**と**攻略法**

この章の内容と学習ポイント

経営戦略は、第7章の情報システム戦略の上位の概念です。ただし、その内容は情報システムだけでなく一般的な経営手法を含みます。それぞれどんな目的のための手法なのかを調べて整理しておけば受験対策としては万全です。そのほか2つの中分類も同様で、取り上げられているシステムについてまとめておきましょう。

中分類 19 経営戦略マネジメント

ビジネスにおける一般的な経営分析手法が中心です。試験対策は、数多くある用語の意味を確実に押さえておくことです。過去問分析で用語数を絞るとよいでしょう。

小分類 1 経営戦略手法

1 経営戦略
2 全社戦略
3 事業戦略

01 経営戦略 ☞ p.486
02 経営分析の手法 ☞ p.489

➔攻略法と他章との関連
経営戦略としての比較・分析手法が問われます。よく出題されている手法としては、経営戦略ではベンチマーキング、全社戦略ではコアコンピタンスとPPM、事業戦略ではSWOT分析、バリューチェーン分析があります。

小分類 2 マーケティング

1 マーケティング理論
2 マーケティング戦略
3 マーケティング手法

03 マーケティング ☞ p.492

➔攻略法と他章との関連
マーケティングミックス、プロダクトライフサイクル、価格戦略に関する用語を中心に抑えておきましょう。期待需要を求めるなどの計算問題も出題されていますが、同じ問題が繰り返されているので、過去問を解いておくことをお勧めします。

小分類 3 ビジネス戦略と目標・評価

1 ビジネス戦略と目標の設定・評価
2 目標設定および評価のための手法

小分類 4 経営管理システム

1 経営管理システム

04 ビジネス戦略と経営管理システム ☞ p.500

➔攻略法と他章との関連
小分類3に関連する用語としては、CSF(重要成功要因)、BSC、ニーズ・ウォンツ分析などを押さえておきましょう。
小分類4は、ナレッジマネジメントのほか、全社システムが該当します。具体的には、ERP、SFA、CRM、SCMなどで、第7章の「業務システムの種類(p.460)」で取り上げたシステムをしっかりと。

中分類 20 技術戦略マネジメント

技術戦略は市場ニーズと技術を結び付けた戦略で、コア技術を定めて投資や人材を投入していきます。その際、未来像を描いた各種のロードマップを作成します。

小分類 1 技術開発戦略の立案

1 技術開発戦略

小分類 2 技術開発計画

1 技術開発計画
2 技術開発のロードマップ

05 技術開発戦略 ☞ p.503

攻略法と他章との関連
中分類としては範囲が小さく、出題数も多くはありません。試験対策はキーとなる用語を押さえておくとよいでしょう。技術のS字カーブ、プロダクトイノベーション、MOT、コンカレントエンジニアリングなどは必須です。

中分類 21 ビジネスインダストリ

各種業務に対応するシステムを取り上げています。それぞれのシステムがどんな役割を持ちどんな特徴があるのかを、しっかりとつかんでおくことが重要です。

小分類 1 ビジネスシステム

1 社内業務支援システム
2 基幹業務支援システムおよび業務パッケージ
3 行政システムおよび公共情報システム
4 AI (Artificial Intelligence：人工知能) の利活用

小分類 2 エンジニアリングシステム

1 エンジニアリングシステムの目的と考え方
2 生産の自動制御　3 生産システム
4 コンピュータ支援システム

攻略法と他章との関連
小分類1は、ビジネス系のシステムで社内業務や基幹業務のほか行政システムや公共情報システムが含まれます。IoTに関する問題、用語としてはデジタルディバイドが頻出しています。
小分類2は、生産現場におけるシステムが該当します。システムの種類が中心の用語問題に加え、生産方式による判断問題や計算問題も出されるので、十分な過去問対策が必要です。

06 ビジネスシステムとエンジニアリングシステム ☞ p.506

小分類 3 e-ビジネス

1 EC (Electronic Commerce：電子商取引)
2 EDI　3 ソーシャルメディア

攻略法と他章との関連
ECやEDIのほか、インターネット上で利用されているシステム、ソーシャルメディアの種類などが出題されています。そのほか、CGM、e-マーケットプレイス、HEMSなどが出題されています。

07 e-ビジネス ☞ p.512

小分類 4 民生機器

1 IoTシステム・組込みシステム
2 民生機器

小分類 5 産業機器

1 産業機器

攻略法と他章との関連
小分類4は、身近にある電子機器や情報家電、パソコン周辺機器などが対象です。小分類1を含めてIoTの知識が必須です。
小分類5は、生産現場や医療機器などが該当します。

08 民生機器と産業機器 ☞ p.517

01 経営戦略

経営戦略

経営方針を定める経営戦略マネジメント 頻出

経営戦略とは、市場や同業他社の動向をリサーチし、経営の目標や方針を見極め、施策を実行していくことです。経営戦略マネジメントでは、目標を設定したら、「計画→実行→検証→処置」というPDCAサイクル<☞ p.390>を繰り返しながら、戦略の実施結果や状況の変化を見極め、その後の施策に生かしていきます。

経営戦略を立てる際に、他社の動向を知るための方法として、次のようなものがあります。

❶ベンチマーキング

他社のプロセスを指標（ベンチマーク）として設定し、自社の業務プロセスと比較検討することです。ベストプラクティス（次項）を見つけ出す参考とします。

❷ベストプラクティス分析

他社のやり方を徹底的に研究して、自社に最適な実践方法（ベストプラクティス）を見つけ出す方法です。

さまざまな戦略手法 頻出

製品の機能や価格で他社製品との差別化を図るなど、他社には真似できない経営戦略を実行し、競合他社に対して優位にあることを「競争優位性が高い」といいます。

●集中戦略とコアコンピタンス経営

集中戦略は、特定範囲に経営資源<☞ p.460「業務システムの種類」>を集中させ、競争を優位に進める戦略です。事業の中で、他社より優れた技術やノウハウを持つ分野をコアコンピタンスと呼びます。コアコンピタンス経営とは「得意分野の事業に集中することで効率よく利益を上げる」

ココも出る！

多角化戦略

多角化戦略とは、現在主としている事業分野とは別の分野を開拓または進出すること。現事業と何らかの関連性を持たせることで、進出のしやすさを狙う場合と、関連性はないが有望な分野を狙うことで、現状打破やノウハウの蓄積などを狙う場合がある。

シナジー効果

シナジー効果とは、相乗効果のこと。複数の事業を組み合わせたり、企業の統合や同業他社を取り込むことで、市場を占有したり、付加価値を生み出すこと。

チェンジマネジメント

チェンジマネジメントは、市場や業務環境の変化に対応するため、業務内容や社員の意識を変革する取り組み。業務のやり方が大きく変わったり、組織変更が行われることもあり、変革の必要性を社員にどう理解してもらい、変革後の状況に適応できるようにするかがポイントとなる。

8 経営戦略

という戦略です。

●コストリーダーシップ戦略

大きなシェアを持つ優位性を生かしてコストダウンを図り、他社よりさらに優位に立つ戦略です。

●差別化戦略

他社が成し得ないような特化した製品やサービスに注力することで、シェアを確保する戦略です。

ポジションで変わる競争戦略

頻出

競争戦略では、市場や競合他社の製品を分析し、その市場や業界の中で自社がどのようなポジションにあるのかを明らかにすることで、経営戦略を検討します。企業のポジションを４つのタイプに分類しますが、それぞれ適した戦略が異なってきます。

❶リーダー

最大シェアを持つ企業。定期的、戦略的に新製品を投入したり、製品ラインナップを拡充するなど、市場の維持と拡大、ブランド力の強化を図り、常に他社をリードしていく戦略を立てます。

❷チャレンジャー

シェアは2～3番手の企業。リーダーの弱点や未開発の販売地域を狙うなど挑戦的な戦略が適しています。また、下位の企業の市場を奪ったり、他の企業を取り込むことで規模を拡大していく方法もあります。

❸フォロワー

シェアが少ない企業。徹底したコストダウンを図り、低価格競争が可能な製品を投入しながら、報復を招かないようにしてリーダーに追随する戦略を立てます。

❹ニッチャー

小さな規模の市場を独占的に占める企業。競合を回避すべく、狭い領域で特化した製品を投入するニッチ(すき間)戦略をとることで、高い利益を維持していきます。

ココも出る!

デジタルトランスフォーメーション

デジタルトランスフォーメーション(DX:Digital transformation)は、「情報通信技術の浸透が人々の生活をあらゆる面でより良い方向に変化させる」という考え方。経済産業省の「DX推進ガイドライン」におけるDXの定義では、「企業がビジネス環境の激しい変化に対応し、データとデジタル技術を活用して、顧客や社会のニーズを基に、製品やサービス、ビジネスモデルを変革するとともに、業務そのものや、組織、プロセス、企業文化・風土を変革し、競争上の優位性を確立すること」としている。

クラウドファンディング

事業を行うための資金を、その事業に賛同する不特定多数の人から調達する手法。起業者が、インターネットのクラウドファンディングサイトで事業内容をプレゼンし、賛同者からの寄付を集めるケースなどがある。

シェアードサービス

経理・人事・総務・情報システム部など、間接部門の業務をグループ企業内でシェア(共有)することで、効率化を図る経営手法。外部委託を行うBPOに比べて全体の運営コストはかかるが、ガバナンスの統一や情報流出のリスクを避けられるなどメリットも多い。

●協調戦略と合併・買収

企業どうしが競争を避け、協力し合って発展を目指す協調戦略を**アライアンス**といいます。協業のほか、さまざまな**業務提携**(販売提携、技術提携、生産提携、資本提携など)があります。互いの技術や市場を補完することで、短期間に大きな市場を取り込める反面、提携解消時にノウハウが流出するなど代償が発生するリスクもあります。

さらに強力な提携関係としては、企業の合併・買収を行う**M&A**(Mergers and Acquisitions)があります。競合製品を持つ企業を買収して市場の優位性を高めたり、まったく異なる分野の企業どうしが合併して新たな市場や製品の開発を目指したりするケースがあります。

○TOBとMBO

M&Aのために、株式公開買付が行われることもあります。**TOB**(Take-Over Bid)とも呼ばれ、ある企業の株式を、買取価格・買取株数・買取期間などを表明したうえで、不特定多数の株主から買い取り、一気に株を取得する方法です。大株主となることで、その企業の経営をコントロールできるようになります。

敵対的なM&Aを防ぐために、経営陣が株主から自社の株式を買い取り、経営陣が実質的な会社のオーナーとなる場合があります。これを**MBO**(Management BuyOut：**経営陣買収**)といいます。

ココも出る！

ブルーオーシャン戦略

ブルーオーシャン戦略は、競合他社がしのぎを削る分野(レッドオーシャン)を避け、未開拓分野に経営資源を投入する戦略。発想の転換と、多方面からのニーズ分析が必要。

ファブレスとEMS

ファブレスとは、自社では生産設備を持たず、製品の設計開発や販売のみを行う企業の形態。

EMS(Electronics Manufacturing Service)は、他のメーカーの委託を受け、指定された仕様・設計に基づいて製品を製作する受託生産のこと。

ファブレス企業とEMSを行う企業が連携する事業提携が、新たなビジネスモデルとして普及しつつある。

試験はこう出る

問 競争上のポジションで、ニッチャーの基本戦略はどれか。

ア　シェア追撃などのリーダー攻撃に必要な差別化戦略
イ　市場チャンスに素早く対応する模倣戦略
ウ　製品、市場の専門特化を図る特定化戦略
エ　全市場をカバーし、最大シェアを確保する全方位戦略

答 競争戦略でニッチャーがとるのは、狭い領域の製品や市場に特化する特定化戦略(ウ)。アはチャレンジャー、イはフォロワー、エはリーダーの最適戦略になる。

解答　ウ

02

経営戦略

経営分析の手法

経営分析の手法

頻出

経営戦略や事業戦略を立てる際には、さまざまな観点からの分析を行う必要があります。代表的な分析手法としては次のようなものがあります。

●ポートフォリオ分析

ポートフォリオ分析とは、複数の要素を2つの評価項目で評価し、それぞれの要素が占めるポジションによって、それらの特徴をつかむ手法です。最良の意思決定を行うため、収益性や成長性を分析し、効果の上がる投資の組合せや事業展開などを検討していきます。

ポートフォリオ分析によく使われるバブルチャートは、縦軸と横軸に別々の項目をとり、各グループに属するサンプルの値を、それぞれプロットします。プロットされた点の領域をグループごとに囲むことで、そのグループの傾向を知ることができます。

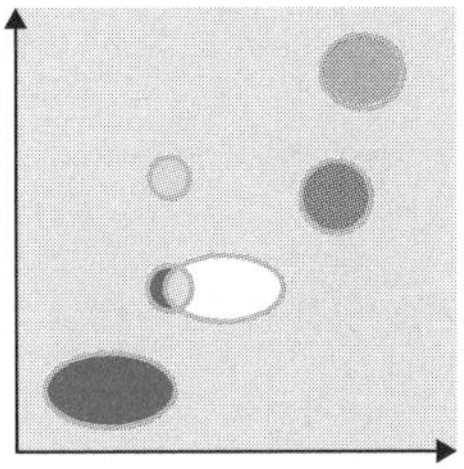

図表 02-1　バブルチャート

❶事業ポートフォリオマネジメント

企業が行っている事業を、ポートフォリオの手法によって分析し、方向性を明らかにすることを事業ポートフォリオマネジメントといいます。各事業の収益性や成長性を分析し、効果の上がる経営資源(資金や人材など)の配分や、今後の事業展開などを検討します。

❷PPM(プロダクトポートフォリオマネジメント)

PPM(Product Portfolio Management)は、市場成

出題分析

ポートフォリオ分析

プロダクトポートフォリオマネジメント(PPM)を説明したものはどれか。

ア 自社の強みと弱み、市場における機会と脅威を、分類ごとに列挙して、事業戦略における企業の環境分析を行う。

イ 製品と市場の視点から、事業拡大の方向性を市場浸透・製品開発・市場開拓・多角化に分けて、戦略を検討する。

ウ 製品の市場占有率と市場成長率から、企業がそれぞれの事業に対する経営資源の最適配分を意思決定する。

エ 製品の導入期・成長期・成熟期・衰退期の各段階に応じて、製品の改良、新品種の追加、製品廃棄などを計画する。

PPMは、最良の意思決定を行うための手法で、市場成長率と市場占有率の軸で4つの領域に分けた図を用い、製品や事業の分析を行う。

解答 ウ

長率と市場占有率(マーケットシェア)の値の高低で、4つの領域に分けた図を用い、製品の分析を行う手法です。

縦軸:市場成長率(高↑低) 横軸:市場占有率(マーケットシェア)(低→高)

問題児	花形製品
成長市場なのに売れていない。大きな投資を行えば、花形製品になる可能性がある。	成長市場なので常に新しい投資が必要で、あまり儲からないが、いずれ金のなる木になる可能性がある。
負け犬	**金のなる木**
市場成長率が低いので投資しても大きな効果は期待できず、シェアも低いので撤退すべきである。	市場成長率が低いので投資は少なくて済み、高いシェアを持つため利益は大きい。安定した稼ぎ頭である。

図表 02-2　PPM

事業戦略のための分析手法

頻出

事業戦略では自社だけでなく、業界や競争相手を分析・把握したうえで打ち勝つための戦略を立てていきます。

●SWOT 分析

SWOTは、「Strengths(強み)、Weaknesses(弱み)、Opportunites(機会)、Threats(脅威)」の頭文字をとったものです。SWOT 分析は、外部要因である「機会」と「脅威」、内部要因である「強み」と「弱み」をマトリックス

出題分析

SWOT分析

SWOT 分析を用いて識別した、自社製品に関する外部要因はどれか。

ア 機能面における強み
イ コスト競争力
ウ 新規参入による脅威
エ 品質における弱み

SWOT 分析は、外部要因と内部要因に分け、マトリックス図にして分析を行う手法である。企業内部ではコントロールができない外部要因は「新規参入による脅威(ウ)」のみ。他の3つの選択肢は、いずれも内部要因に分類される。

解答 ウ

図表 02-3　SWOT 分析

ある服飾メーカーが、「新開発の繊維を使ったアンダーウェアの販売戦略を検討する」場合を想定したSWOT分析の例。

		外部要因	
		機会(Opportunities) 温暖化の影響で気温が上昇しているが、省エネのため、エアコンの設定温度は下げられない。	脅威(Threats) ブランド力のあるアンダーウェア専門の大手A社が、流行を取り入れたデザインの夏用アンダーウェアを発売。
内部要因	強み (Strengths) 着ると涼しい新繊維を自社開発。生産体制も整っており、価格を抑えることが可能。	機会を捉え、 強みを生かす戦略 室温を下げなくても、このアンダーウェアなら涼しいため、「エコ+快適」であることを消費者にアピール。	強みによって、 脅威を克服する戦略 アンダーウェア選びのポイントは機能であり、弊社製品は画期的新機能を持ち、しかも低価格であることをPR。
	弱み (Weaknesses) 今まで、Tシャツなどアウターを専門に製品作りをしてきたため、アンダーウェアでの知名度はない。	機会を捉え、 弱みを克服する戦略 Tシャツでも同素材の製品を作り、アンダーウェアの組み合わせで、より涼しく着られることをPR。さらに、Tシャツとアンダーウェアのセット商品も販売。	弱み+脅威によって 最悪の結果になることを 回避するための戦略 アンダーウェア専門ショップではなく、弊社Tシャツを取り扱うショップに置く。既存顧客へ直接アピールできるため、購入につながる可能性が高い。

図に配置していく方法です。さらに、「脅威」と「弱み」の欄にはその対策方法、「機会」と「強み」の欄には、それをどう生かしていくのかも記入して、戦略を検討します。

●バリューチェーン分析

バリューチェーン（Value Chain：**価値連鎖**）とは、「製品の価値は、製造、販売、アフターフォローまで含め、企業活動の各工程で付け加えられる」という考え方です。

バリューチェーン分析は、「価値」をその製品が持つ「機能」と、その機能を持たせるために必要な「コスト」との関係として分析し、競合他社の製品と比較してどのように異なるのかを明らかにしていきます。

・バリューエンジニアリング（VE）

バリューエンジニアリング（Value Engineering：VE）は、製品価値を上げる戦略を立てるための手法です。バリューチェーン分析の結果を基に、顧客の視点で「必要な機能は何か」を追求します。さらに、開発から製造、物流にわたりコストを削減して価格を抑えることで、機能と価格の両面から製品の価値を上げていきます。

●成長マトリクス

成長マトリクスは、ロシアの経済学者イゴール・アンゾフが提唱した、市場の成長・拡大の方向性を探り、経営戦略を決定するための手法で、「アンゾフの成長ベクトル」とも呼ばれます。

「市場」と「製品」、「既存」と「新規」の２つの軸を持つ表を作り、それぞれの領域に「市場浸透」、「製品開発」、「市場開拓」、「多角化」の４つの戦略を当てはめて、分析を行っていきます。

	既存製品	新製品
既存市場	**市場浸透戦略** （既存市場＋既存製品）	**製品開発戦略** （既存市場＋新製品）
新市場	**市場開拓戦略** （新市場＋既存製品）	**多角化戦略** （新市場＋新製品）

図表 02-4　成長マトリクス

ココも出る！

事業ドメイン

ドメインは一般に「領域」と訳される。**事業ドメイン**とは、企業がその活動において展開する事業の領域のことで、市場・技術・サービスなどの切り口で設定する。

事業ドメインを設定し、活動領域を区切ることで、経営資本が無駄に分散することを防ぎ、事業の方向性を保つことができる。その一方で、あまりに狭いドメインを設定してしまうと、市場や技術の変化に対応できなくなる危険もある。

VRIO分析

企業の競争優位性は、その企業が持つ経営資源が源になると考え、

・Value（経済的な価値）
・Rarity（希少性）
・Imitability（模倣困難性）
・Organization（組織）

の区分から、自社の経営資源の「強み」と「弱み」を評価する分析手法。

03

経営戦略

マーケティング

市場原理をつかむマーケティング理論

マーケティングとは、消費者が求めている製品や、ある製品の消費者への受け入れ度合いを調べることをいいます。魅力ある商品を市場に投入するためには、マーケティング分析やマーケティングリサーチ（市場調査）を行い、自社の製品や市場における現状を把握します。

●マーケティング分析

❶3C分析

3Cとは、「自社：Company、顧客：Customer、競合相手：Competitor」の頭文字からとったもの。経営戦略を立案していくにあたって、3つの視点から事業の方向性（自社の強み・弱み）を見極めていく手法です。

❷STP分析

STP分析は、「市場分類：Segmentation、狙い：Targeting、自社の位置：Positioning」の頭文字を並べたもの。事業を展開するにあたって、市場のニーズを探ったうえで、他社との競合を踏まえ、自社の強みを生かした戦略を立てていくといった手法です。

❸コンジョイント分析

商品の企画・開発および宣伝などの目標を絞るための手法です。顧客が商品を購入する際、複合する商品要素の何が重視されるかを、アンケート調査の結果を定量化することで分析します。

●マーケティングミックス

商品のターゲットになる顧客層を決め、その顧客層の特性を探っていきます。しかし、世の中を見渡しても、必ずしも価格が安く技術的にも優れたよい製品だけが売れ

ココも出る！

マーチャンダイジング

マーチャンダイジング（merchandising）は、市場やターゲットの需要に合わせ、適正な製品やサービスを、タイミング、販売形態、価格を考慮して供給すること。マーケティングにおいては、そのときどきの需要を的確に把握し、機を逃さずに行動を起こすことが重要になる。

UX（利用者体験）

UX（User Experience）は、利用者が、製品やサービスを用いることで得られる体験やそれに伴う満足感のこと。CXとの違いは、商品やサービスそのものを対象にしており、範囲が限定される。例えば、Webサイトの評価項目として、ユーザーインタフェース（UI）と対比し、「UIは良いが、UXに乏しい」などと表現される。

4C：買手の視点		4P：売手の視点
Customer's value 顧客が求める価値	⇔	Products 魅力的な製品（品質、ブランドなど）
Customer's cost 顧客が負担できる費用	⇔	Price 魅力的な価格
Customer's convenience 顧客の入手の容易さ	⇔	Place 流通方法（店頭販売、通信販売など）
Communication 顧客とのコミュニケーション	⇔	Promotion 広告宣伝活動

両方の要素は、それぞれが対応する

図表 03-1　4C と 4P の要素

るとは限りません。そこで、マーケティング戦略に当たっては、さまざまな要素を組み合わせて考える**マーケティングミックス**が重要になります。

○4Cと4P

4P（製品、価格、流通、広告戦略）とは、市場調査（マーケティング）によって、ターゲットとした顧客への販売戦略を立てる際に考慮すべき要素の分類です。マーケティングミックスは、この4Pの要素を満足させる手段を組み合わせ、最適な戦略を立てることを表します。

4Pは「売り手側の視点」から必要な要素ですが、「買い手の視点」である**4C**も戦略上重要な要素です。上図のように、4Cと4Pの各要素はそれぞれ対応しています。

●CX（Customer Experience：顧客体験）

CXは、顧客が購入した商品やサービスについて、購入前のプロモーションから購入サポート、購入後の使用感やアフターフォローに至るまで、顧客視点による体験を価値として評価する考え方です。CXを向上することは、商品の満足度だけでなく、企業への信頼を生み、口コミの宣伝やリピート率のアップにもつながります。価値の尺度としては、価格や便利さといった満足度だけでなく、安心感や愛着などの満足度も含まれます。

市場競争に勝つマーケティング戦略　頻出

ある時点でマーケティングを行っても、市場は動いているため常に流れをつかんでおくことが重要です。マー

ココも出る！

コンバージョン率

コンバージョンとは「期待される成果」のこと。**コンバージョン率**は、例えば通販サイトなら、サイトへのアクセス数のうち、実際に商品が購入された割合を指す。何を目的にするかによって異なるので、しっかり決めておくことが重要となる。

リテンション率

リテンションとは「維持」や「保持」のこと。**リテンション率**は顧客を維持している割合を指す。例えば継続サービスであれば、リテンション率が高ければ顧客満足度が高いと判断できる。期間を決めて判断することが重要。

ケティング戦略は、製品の投入を見極める**製品戦略**、価格設定に関わる**価格戦略**、流通経路を確保する**流通戦略**、消費者に認知してもらうための広告や販売促進、パブリシティなどを行う**プロモーション戦略**に分けられます。

●製品戦略

製品戦略とは、マーケティングリサーチに基づいて、自社の製品について検討を行い、新商品や廃止商品、販売促進を行うべき商品を見極めることです。

製品戦略を立てる際には、**製品ライフサイクル**(PLC：Product Life Cycle、**プロダクトライフサイクル**)の見極めが必要です。製品ライフサイクルは製品を市場に投入してから、撤退するまでの一連の流れのことで、製品がどの時期にあるのかによって、選ぶべきマーケティング戦略が異なってきます。

① 導入期	製品が認知されるよう広告宣伝を行う。
↓	
② 成長期	市場が成長して需要が伸びるが、 競合他社も増加していく。
↓	
③ 成熟期	他社との競争激化、需要がピークに達する。
↓	
④ 衰退期	需要が減っていく時期で、撤退を検討する。

図表 03-2　製品ライフサイクル

また、製品ライフサイクルが異なる複数の製品を組み合わせ(**製品ミックス**)、売上と利益を確保し、投資すべき製品を見極めていくことも必要になります。これには、**プロダクトポートフォリオ**(PPM<☞ p.489>)を用います。

●価格戦略

価格戦略とは、利益を確保しつつも、顧客が満足する価格を決めること(**プライシング**)です。これには、次のような方法があります。

ココも出る！

コモディティ化

製品どうしの違いが少なくなり、均一化していくこと。例えば、今までにない機能を持つ製品が開発されても、後続メーカーが類似製品を発売することで、優位性が失われていく現象などを指す。

カニバリゼーション

自社商品どうしでシェアを食い合う状態のこと。類似商品や出店過多、複数ブランドによる競合など、さまざまなケースで発生する。ただし、自社のシェア獲得を優先するか、効率性を重視するかなど、競合他社の状況や目指す目的によって捉え方や対応が異なる。

サブスクリプションモデル

利用期間に応じて課金を行う形態のこと。ソフトウェアの「年額制」やデジタルコンテンツの「見放題」などで行われている。見た目の価格を低く設定できるため契約のハードルが下がり、そのつど購入してもらうよりも安定した収益を見込める。ただし、使い続けてくれる製品かどうかを見極める必要がある。

❶**コストプラス法**：製品の製造原価や営業経費などを基にマージンを加え、価格を設定する方法です。

❷**バリュープライシング**：顧客が判断する価値によって価格設定を行う方法です。

❸**スキミングプライシング**：新規開発製品の発売時に、価格を高く設定すること。競合製品が出そろっていないときに有効で、利益が大きくなり、商品イメージを上げる効果があります。

❹**ペネトレーションプライシング**：市場のシェアを奪うことを目的に、赤字覚悟で低価格に設定する戦略です。

❺**ダイナミックプライシング**：需要と供給のバランスを見ながら価格を変動させていく価格戦略です。「需要＞供給」なら価格を上げ、「需要＜供給」なら価格を下げるという戦略です。

●流通戦略

流通戦略とは、生産者の商品を消費者に届けるための**マーケティングチャネル**（販売経路）を考えることです。現代では、多くの販売方法に加えて、インターネットを通じた通信販売なども加わり、より複雑になっています。

●プロモーション戦略

消費者に商品を知ってもらうための活動をプロモーションといいます。方法としては、広告、販売促進（セールスプロモーション）、訪問によるプレゼンテーション、パブリシティ（主にマスメディアを通じた告知）があります。

●Webマーケティング戦略

Webメディアや電子メールを活用したマーケティング戦略を指します。自社から発信するインターネット広告だけでなく、商品認知につなげる**バナー広告**（ポータルサイトなどの広告枠に表示されるもの）、SNSやインフルエンサーなどによる商品レビューやコラボレーションなども含め、多方面から行っていきます。

❶**オプトインメール広告**：事前に顧客の同意を得たうえで配信する広告。メールマガジンなどを送る際、配信の

ココも出る！

フランチャイズ

フランチャイズは、小売業の事業形態のひとつ。フランチャイズ本部が、営業権や商標（店名など）の使用権、出店や運営に必要なノウハウなどを契約した加盟店に与え、その見返りに、本部は加盟店からロイヤリティ（使用料）を徴収する形をとる。

オムニチャネル

オムニチャネルとは、消費者がさまざまな方法・時間・場所で商品を購入できるように、あらゆる流通チャネル（経路）と販売チャネルを統合した環境のこと。

リレーションシップマーケティング

顧客との良好な関係を長期にわたって維持することに主眼を置いたマーケティング方法。コストに対する効果が高く、安定した売上が見込める。

マーケットバスケット分析

POSデータなどから購入商品の分析を行い、「同時に買われる商品の組合せ（アソシエーションルール）」を見つけ出す分析手法。買い物かご（1回の購入）を分析する手法であることから名付けられた。データマイニングの利用法としても知られている。

有無（オプトインが「許可」、オプトアウトが「拒否」）をチェックボックスで確認する方法をとります。

❷**ジオターゲティング（位置連動型）広告**：顧客の位置情報を利用して、その場所や地域の特性に応じた広告や関連する商品情報を個別に発信していきます。

❸**リスティング（検索連動型）広告**：ポータルサイトやネットショップなどの検索エンジンの履歴を基に、検索内容に関連する商品やサービスの広告を発信します。

ターゲットに応じたマーケティング手法

マーケティングを行う際には、ターゲットや販売チャネルに応じてさまざまな手法を用います。

❶**クロスセリング**：ある商品を購入した顧客に、購入した商品と関連する商品を薦める販売手法を、**クロスセリング**といいます。例えば、デジタルカメラを購入した顧客に、カメラバッグを薦めるなどです。

❷**プル戦略**：プル戦略（pull strategy）は、消費者を商品に引き寄せる戦略です。宣伝活動を行ったり、おまけを付けるなどの方法により、購買意欲を高めます。

❸**プッシュ戦略**：プッシュ戦略（push strategy）は、販売業者や流通業者を後押しする戦略です。販売数量に応じて販売奨励金を出す、販売員を店頭に派遣する、店頭で商品のデモンストレーションを行うなどの方法をとります。

❹**ワントゥワンマーケティング**：従来のマーケティングでは、ターゲットとなる顧客を「共通する特性を持つ集団」と捉えていました。これに対して、購買履歴などのデータを生かし、顧客一人ひとりに合うように、それぞれ異なるアピールやアフターフォローを行うことで、固定客の獲得を狙った手法が**ワントゥワンマーケティング**（One to One marketing）です。例えば、顧客ごとにWebページ上に専用のマイページを作り、その顧客が購入した製品のサポート情報や、付属品の案内などを掲載するなどの方法があります。

ココも出る！

SEO（検索エンジン最適化）

SEO（Search Engine Optimization）は、検索（ポータル）サイトの検索結果の上位に表示されるようWebページを工夫する手段。検索サイトでは、Webページを自動的に巡回・閲覧して、掲載情報を収集することから、情報が拾いやすくなるWebページを作成して検索順位が高くなるようにする。

レコメンデーション

顧客の購入やWeb閲覧情報、トレンド情報などを基に、顧客の嗜好に合わせたお薦め商品を表示するシステム。売れ筋商品だけでなくロングテールに位置付けられる商品を知ってもらうことができる。

アフィリエイト（成功報酬型広告）

企業のWebサイトや個人のブログにバナー広告を掲載し、クリックした閲覧者が商品を購入したり会員登録をすると、サイトやブログの主催者に成功報酬が支払われる仕組み。広告のリンク先が悪質なサイトの場合もある。

デジタルサイネージ

デジタルサイネージ（digital signage）は、電子看板のこと。文字やイラスト、動画、音声などを、表示板や大型ディスプレイに映し出す。案内表示や広告表示などに使われる。

マーケティングに関する計算問題

頻出

マーケティングのテーマからは、期待利益や需要予測などの計算問題が出ています。出題パターンはそれほど多くないので、慣れておくとよいでしょう。

●最大利益が見込める設定価格

《例題》 新製品の価格として、最大利益が見込める設定価格はどれか。どの場合も、下表の費用が発生するものとする。

固定費：1,000,000円　　変動費：600円／個

	設定価格（円）	この価格による予測需要（個）
ア	1,000	80,000
イ	1,200	70,000
ウ	1,400	60,000
エ	1,600	50,000

次のような公式と手順で求めることができます。

（設定価格－変動費）×予想需要数－固定費

❶売上高を求める。（選択肢アの例）

1,000円×80,000個＝80,000,000円

❷固定費と変動費の和から費用を求める

1,000,000円＋（600円×80,000個）

（1,000,000円：固定費　600円：変動費）

＝49,000,000円

❸売上高から費用を減じて利益を求める

80,000,000円－49,000,000＝31,000,000円

同様に利益を求めると、エが最大であることがわかる。

イ：41,000,000円　ウ：47,000,000円

エ：49,000,000円

●期待利益を求める

《例題》 予定する新製品を製造するために、固定費として1,000,000円、変動費として400円/個の費用が発生する。

製品Aの設定価格をx円とすると、期待販売数y個は、式y＝－30x＋90,000で近似できることがわかっている。価格を1,000円に設定したとき、期待できる利益は何万円か。

さらに詳しく

価格設定と利益の関係

経済の原則では、価格が高ければ購入者が減り、価格が低ければ購入者は増える。利益が最も増えるように価格設定を行うが、企業の戦略で、例えば、利益を減らしてでも商品のシェアを確保したいときは、設定価格を下げるなどの操作を行う。

固定費と変動費

固定費は、人件費や製品の開発費など、売上個数にかかわらず発生する費用で、変動費は、商品の原料費など商品の売上個数に比例して発生する費用である。固定費は、すべての場合に同額で発生するため、どれが最大利益になるかを求めるときは、計算から省いても解答には影響しない。

ア 2,500　**イ** 3,500　**ウ** 3,600　**エ** 5,900

次のような公式と手順で求めることができます。

①期待販売数をyとし、yを求める一次式を確認。

②設定価格をxとし、xに値を代入して期待販売数を求める。

③設定価格・期待販売数・固定費・変動費の各値を用いて、期待利益を計算。

❶期待販売数yを求める一次式を確認

y＝－30x＋90,000

❷設定価格xに値(1,000円)を代入して、期待販売数を求める

y＝－30×1,000＋90,000

＝－30,000＋90,000＝60,000個

❸利益を求める

売上：1,000円×60,000個＝6,000万円

費用：**固定費 ＋ 変動費**

100万円＋(400円×60,000個)

＝2,500万円

利益：**売上 － 費用**

6,000万円－2,500万円 ＝3,500万円(正解はイ)

●設定価格から期待する需要を求める

《例題》 ある製品の設定価格と需要との関係が1次式で表せるとき、aに入れる適切な数値はどれか。

(1) 設定価格を3,000円にすると、需要は0個になる。

(2) 設定価格を1,000円にすると、需要は60,000個になる。

(3) 設定価格を1,500円にすると、需要は［ a ］個になる。

ア 30,000　**イ** 35,000　**ウ** 40,000　**エ** 45,000

❶期待需要yを求める一次式を立てる

価格3,000円で需要0個（右グラフでは(1)）

→xが3,000のとき、yは0

価格1,000円で需要60,000個（右グラフでは(2)）

→xが1,000のとき、yは60,000

期待需要yを求める式：y＝－30x＋90,000

❷設定価格xに値を代入して、期待販売数を求める

x＝1,500のとき、

y＝（－30×1,500）＋90,000＝45,000（正解はエ）

さらに詳しく

一般的に、価格が高ければ販売数は減り、安ければ増える。この問題では、価格と販売数を表す一次式は次のようになる。

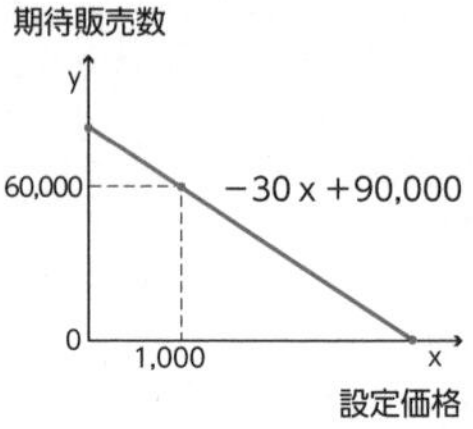

さらに詳しく

この問題の一次式のグラフは、次のような直線になる(括弧の数字は、問題文の設定価格)。

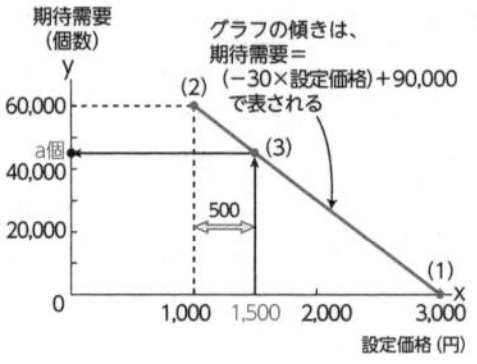

04

経営戦略

シラバス　大分類8：経営戦略　中分類19：経営戦略マネジメント
小分類3：ビジネス戦略と目標・評価、4：経営管理システム

ビジネス戦略と経営管理システム

経営戦略を具現化するビジネス戦略

頻出

企業理念や企業のビジョンを踏まえながら、経営戦略やマーケティングを具現化していくのが**ビジネス戦略**です。その際、周囲の状況などの**ビジネス環境**を分析しながら目標を定めていきます。さらに、次のような手法を用いて、評価・分析を行います。

●ビジネスモデルキャンバス

ビジネスモデルキャンバスは、ビジネスに必要な要素を整理するためのツールです。ビジネスモデルを、9つの構成要素に分け、各欄に状況を書き込んでいくことで整理していきます。これにより、全体のバランスを確認しながら現状のビジネスモデルを把握し、改善策や新規構想が成り立つのか、検討していくことができます。

パートナー	主要活動	価値提案	顧客との関係	顧客セグメント
	リソース		チャンネル	
コスト構造			収益の流れ	

※キャンバスの上段は、「価値提案」を中心にして、左側に利用できる要素、右側に顧客や販売の要素が振り分けられている。また、下段はコストと収益の要素になっている。

図表 04-1　ビジネスモデルキャンバス

●BSC(バランススコアカード)

BSC(Balanced Score Card)は、企業戦略の目標値を定め、業績を評価するための一連の手法です。特徴と

出題分析

バランススコアカード

バランススコアカードで使われる戦略マップの説明はどれか。

ア 切り口となる２つの要素をＸ軸、Ｙ軸として、市場における自社または自社製品のポジションを表現したもの

イ 財務、顧客、内部ビジネスプロセス、学習と成長という４つの視点を基に、課題、施策、目標の因果関係を表現したもの

ウ 市場の魅力度、自社の優位性という２つの軸から成る４つのセルに自社の製品や事業を分類して表現したもの

エ どのような顧客層に対して、どのような経営資源を使用し、どのような製品・サービスを提供するのかを表現したもの

「財務…学習と成長という4つの視点」という記述がヒントになり、正解はイ。ア：ポートフォリオ分析、ウ：PPM、エ：マーケティングミックスのこと。

解答 イ

して、従来から用いられてきた収益などの「財務の視点」だけでなく、「顧客の視点（市場占有率など）」、「内部ビジネスプロセス（業務プロセス）の視点」、「（従業員の）学習と成長の視点」からの戦略目標（**戦略マップ**）を加えていきます。

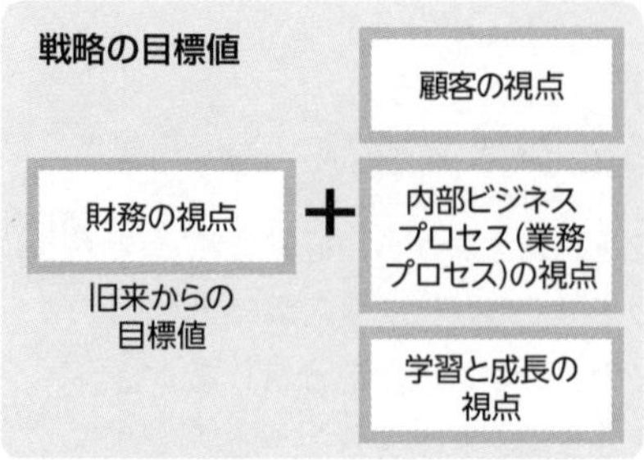

図表 04-2
BSC の 4つの視点

実際には、ビジョンに沿った戦略を立てたうえで、**CSF** <☞次項>により施策の選択を行い、スコアカードを作って目標と評価指標、具体的なプランをまとめていきます。これにより、従業員１人１人にとって取り組みやすい、具体的な行動目標が可視化され、全社が一丸となって目標達成に取り組めるようになります。

なお、BSCで立案した戦略プランの達成度合いは、**KGI**、**KPI** <☞ p.464>を設定して検証し、その結果によりBSCを適宜更新してくことが重要です。

●CSF（重要成功要因）

CSF（Critical Success Factors）とは、「競争優位を確立し、事業を成功させるために必須の重要な要因」のことです。

まず、戦略目標達成のために重要度の高い施策から優先順位を付け、必要な要因だけを選びます。そして、選んだ要因の施策に経営資源（資金や人材）を集中して投入することで、目標達成をより確かなものとします。

経営資源を生かす経営管理システム 頻出

経営管理とは、企業が持つ経営資源（人・モノ・金・情報）に加え、目標達成のためのさまざまな行動を管理する

ココも出る！

シックスシグマ

シックスシグマは、品質改善に注目して、既存の業務プロセスを見直すことで、経営改革を行う手法。名称は、正規分布の範囲を６σに入るよう管理することからきている。

TQM（総合的品質管理）

TQM（Total Quality Management）は、TQC（全社的に行う品質管理）を発展させたもので、個々の品質管理にとどまらず、業務や経営全体で品質管理を推進していく考え方。TQMにより、顧客や社会のニーズを満たし、効率的で適応力のある組織を長期的に維持することを目標としている。

ニーズ・ウォンツ分析

ニーズ（必要と感じる、また潜在的な欲求＝目的）とウォンツ（ニーズを具体的に解決するための欲求＝手段）を分析することで、デマンド（需要）を推し量っていく手法。

ことです。具体的には、人事管理、財務管理、生産管理、販売管理、顧客管理などが含まれ、これらはシステムを利用して運営していきます。

●経営管理の方法とそのシステム

❶KM(ナレッジマネジメント)

KM(Knowledge Management)のナレッジとは“知識”のこと。企業内に散在する個々の知識を情報として共有し、経営に生かそうとする考え方です。意思決定や改善策、合理化などの問題解決力の向上に役立ちます。

❷ERP(経営資源管理)

ERP(Enterprise Resource Planning)は、情報システムにより企業内の基幹業務を連係させて統合的に管理し、全体規模で最適化された企業活動を実現しようとする管理手法および実現のためのシステムです。

❸SFA(営業支援)

SFA(Sales Force Automation)は、顧客の情報や取引の履歴などをデータとして蓄積し、営業部全体で利用するための仕組みを備えた営業支援システムです。これにより、個人が所有していた情報やノウハウを営業部員で共有し、担当者が変わっても継続的に顧客を確保していくことが可能になります。

❹CRM(顧客関係管理)

CRM(Customer Relationship Management)は、一元管理された顧客データベースの活用により、顧客満足度向上と優良顧客の固定化を図るための管理およびシステムです。製品情報の発信から問合せ対応、購入後の保守サービスまで、一貫した顧客管理を行うことが可能になります。

❺SCM(供給連鎖管理)

SCM(Supply Chain Management)は、製品の製造や販売における管理で、SCMシステムとは、取引先との受発注、部品や資材の調達～生産、物流までの流れを管理・最適化して、在庫コストや流通コストの削減を行うためのシステムです。

出題分析

ナレッジマネジメント

ナレッジマネジメントを説明したものはどれか。

ア 企業内に散在している知識を共有化し、全体の問題解決力を高める経営を行う。

イ 迅速な意思決定のために、組織の階層をできるだけ少なくしたフラット型の組織構造によって経営を行う。

ウ 優れた業績を上げている企業との比較分析から、自社の経営革新を行う。

エ 他社にはまねのできない、企業独自のノウハウや技術などの強みを核とした経営を行う。

ナレッジマネジメントは、個々の持つ知識を共有化して経営に生かす管理手法。イ：フラット型組織の説明。階層化を減らすことで意思決定を迅速化する狙いがある。ウ：ベンチマーキングの説明。エ：コアコンピタンス経営の説明。

解答 ア

シラバス　●大分類8：経営戦略　●中分類20：技術戦略マネジメント
●小分類1：技術開発戦略の立案、2：技術開発計画

05

経営戦略

技術開発戦略

開発競争に負けない技術開発戦略　頻出

技術開発戦略は、経営戦略に基づいて将来に向けた投資目標を定めていきます。また、新たな技術研究は時間がかかるため、他社との業務提携や技術提携を結んで技術供与を受けたり、クロスライセンス契約<☞ p.378>などにより技術獲得をする方法もあります。

一般に、次のような手順で行います。

① 経営戦略に関連する技術の洗い出し
↓
② 技術と環境変化を予測
↓
③ 競争に打ち勝つ技術の見極め
↓
④ 自社技術力の位置付けと強化ポイントの選定
↓
⑤ 技術開発の優先順位を決め、ロードマップを作成

図表 05-1　技術開発戦略の手順

●技術開発戦略の考え方

技術の可能性を見極めて事業に結び付け、経済的価値を創出していくマネジメントのことを**MOT**(Management Of Technology：**技術経営**)といい、技術の継続的な進化や技術革新、新規事業の創出、戦略上価値の高い特許の取得、外部との共同開発などの方法があります。

●価値創出の３要素

技術開発によるイノベーションを継続的に生み出すためには、次の要素を循環させていくことが重要となりま

ココも出る！

プロダクトイノベーション
プロセスイノベーション

イノベーションとは「新機軸」や「革新」のこと。**プロダクトイノベーション**は、まったく新しいものや他社が作れない革新的な製品やサービスを作り出すこと。

また、**プロセスイノベーション**は、製品やサービスの製造工程や作業工程(プロセス)の革新によって、必要な時間やコストを下げること。

リーンスタートアップ

新たな事業や製品開発に取り組むときに、まず短期間で最小限の機能のみを持つ製品を作成。その後、「構築・計測・学習」のフィードバックを繰り返し、改良や方向転換を行うことで継続的にイノベーションを行う手法。

R&D

R&D(Research and Development)とは、研究開発業務やそれらの業務を行う部門、研究所など。技術の変革や市場変化の激しい今日では、R&Dはごく近い将来の収益を左右する重要な業務として認識されている。

す。これらを**価値創出の3要素**と呼んでいます。

❶技術・製品価値創造(Value Creation)

イノベーションを創造するための行動です。研究・開発の拡大や質の向上、人材育成や企業組織改革、情報の交流の活性化、起業の促進、などがあります。

❷価値実現(Value Delivery)

創造したイノベーションを実現する行動です。イノベーションを利用したビジネスモデルを設計、構築し、実証を行い、価値を送り出すための手立てを行います。

❸価値利益化(Value Capture)

イノベーションを市場価値に転換する行動です。新しい需要の創出、価値に見合う値付け、競争者との差別化、などを行っていきます。

●技術開発戦略の立案

技術開発における戦略は、まず自社の核となる技術を見極めることです。そのためには、目標とする市場における製品動向、将来にわたって必要となる技術およびその動向を分析し、効率よく無駄のない戦略を立てることが重要です。自社だけでは技術的に不足していたり、時間やコスト的な面で市場に対応できないときには、他社からの技術を獲得して補う戦略も必要になります。

❶コア技術

コア技術とは、他社には追従できない一連の技術を指します。さらに、将来にわたってその企業の収益を支え続ける技術ともいえます。コア技術の形成や保持のためには、積極的に経営資源を投入し続けることが重要です。

❷技術提携

それぞれの企業が保有している技術やノウハウを提供し合うことを**技術提携**といいます。技術提携は、互いに協力し合いながら技術を開発、発展させたり、保持している技術を使って新たに製品開発をすることなども含みます。また、一方のみが提供する場合を**技術供与**といいます。技術供与は有償または無償で行われますが、無償の場合は一見損をするように思えますが、供与した相手

ココも出る!

ベンチャーキャピタル/CVC

ベンチャーキャピタル(Venture Capital:VC)は、成長が見込まれる未上場の企業へ投資すること。投資ファンドを通じて行う。**CVC**(Corporate Venture Capital)とは、投資ファンドではない企業が、社内ベンチャーや、ベンチャー企業に投資活動を行うこと。

キャズム理論

イノベーション製品を普及させようとするとき、市場動向を判断してマーケティング戦略を考えるために使われる理論。リリース直後の導入期の市場と成長・成熟期の間には大きな溝(**キャズム**)があり、この溝を境に購買動機が異なるため、戦略を変える必要があるというもの。

魔の川、死の谷、ダーウィンの海

それぞれ、「研究→開発→事業化」に至るプロセス間にある障壁を指す用語。

魔の川:研究～製品開発プロセスまでの障壁。使われた研究費が川に流れていくという意味。

死の谷:開発プロセス～事業化までの障壁を示した名称。収益が見込めず、谷底に落ちてしまうという意味。

ダーウィンの海:市場へ投入された製品が、競合他社に勝ち、生き残れるかの障壁。ダーウィンの自然淘汰論からの名称。

の生産力を利用する、業界全体を発展させその中で優位に立てる、といったメリットが存在します。

技術開発計画で有効活用する開発投資 頻出

経営戦略や技術開発戦略に基づいて、計画を具体化していくのが**技術開発計画**です。内容としては、技術開発投資計画、技術開発拠点計画、人材計画、経営資源の最適配分、投資対効果の予測などを行います。

●開発工程の効率化

製品の企画、設計、開発、販売、保守など、複数の工程を同時並行的に進める方法が、**コンカレントエンジニアリング**(Concurrent Engineering)です。利点としては、全体期間の短縮が挙げられますが、後工程の意見をフィードバックしながら前工程を進めることで、無駄を省き、コストダウンにつなげることができます。

●技術開発の未来像を提示するロードマップ

計画に基づいた具体的なシナリオとして、ドキュメントを作成する際には、各種のロードマップを作成します。

技術ロードマップは、将来における技術分野の進展を予測し、「どんな技術が、いつ達成されるのか、その実現によってどのような影響(効果)がもたらされるのか」を、時系列で表現したロードマップのことです。策定した技術開発戦略の内容を、利用者向けにわかりやすく表現する場合などによく利用されます。

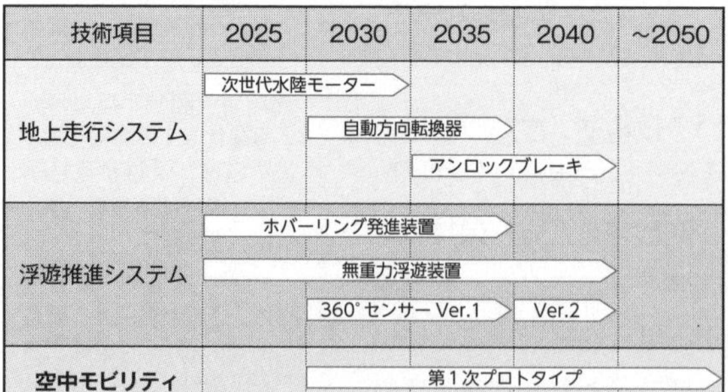

図表 05-2　技術ロードマップの例

ココも出る!

TLO

TLO(Technology Licensing Organization)は、技術移転機関のこと。大学を始めとする研究機関の成果を知的財産化し、企業等へ技術移転を支援することが目的。TLO法に基づいて運用される。

パイロット生産

パイロット生産とは、製品の量産化を行う前に行う試験的な少量生産のこと。試作段階で見つからなかった量産段階における問題の発生を未然に防ぐことができる。

ハッカソン

設計者やエンジニアが集まって目的達成や課題解決のための共同作業を行い、限られた期間内で成果を競い合うイベント。企画や事業の創出や技術向上などを目的とする。

技術のSカーブ

「新しい技術は、開発当初は緩やかに進歩するが、あるときからは急激に発展し、やがて停滞していく」という理論。

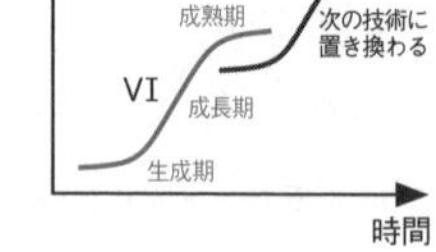

ビジネスシステムとエンジニアリングシステム

業務を支えるビジネスシステム

ビジネスシステムとは、社内外で業務に使われているシステム全般を指します。代表的なビジネスシステムとしては、分野ごとに次のようなものがあります。

●社内業務支援システム

社内業務をサポートするためのシステムです。業種に限らず必要な機能は共通するものが多いため、パッケージソフトの利用も可能です。パッケージソフトとは、あらかじめ基本部分が用意された市販ソフトで、自社の業務に合わせたカスタマイズを行ったうえで利用します。

・財務、会計システム
・人事、給与システム
・営業支援システム
・グループウェア<☞>
・Web会議システム
・ワークフローシステム

●基幹業務支援システム

企業活動の中心となる、メインの業務を支援するシステムです。業種や企業ごとに、必要な機能は異なりますが、共通部分はパッケージソフトの利用も可能です。

・生産業務(生産管理システム)
・物流業務(流通情報システム、物流情報システム)
・販売業務(販売管理システム、受発注管理システム、在庫管理システム、顧客管理システムなど)
・業種別業務(医療情報システム、金融情報システム、POSシステムなど)
・パッケージソフト(ERPパッケージ、業務別パッケー

ココも出る！

XBRL

XBRL(eXtensible Business Reporting Language)は、財務報告書などの財務・会計情報を共通化された情報として記述するためのXMLベースの言語。証券取引所の開示情報もXBRLで公開されている。

グループウェア

グループウェアは、ネットワークを介して共同作業を総合的かつ円滑に行うソフトウェアを指し、次のような機能を持つ。
・電子メール／電子掲示板
・スケジュール管理(共有)
・ドキュメントデータベース
・ワークフロー
・電子会議システム

CDN

CDN(Contents Delivery Network)は、Webサーバから提供されている動画などのコンテンツを、別のサーバ(CDNサーバ)にも配置する仕組み。分散配置によってWebサーバやネットワークの負荷を減らし、より利用者に近いサーバから配信することで表示速度を上げることが可能になる。

ジ、業種別パッケージ）<☞p.375「ソフトウェアの再利用」>

○POS（販売時点情報管理）システム

POS（Point Of Sales）システムは、バーコードの読取りにより、販売された商品の情報を即時に収集・処理するシステムで、小売りチェーンなどで利用されています。

仕組みは、販売のたびに小売店のPOSレジからネットワーク経由で情報（商品名、個数など）が送られます。本社では、送られた情報を基に在庫管理を行い、補充が必要な商品を在庫から配送するとともに、在庫が不足しているものはメーカーに発注します。

●行政システム、公共情報システム

企業や個人が行政と関わる部分をサポートする公共の情報システムで、政府や自治体によって運用されています。個人が利用する行政・公共情報システムでは、デジタルディバイド（情報格差<☞p.470>）によって起こる、利用者間の利便性の違いが問題になることがあります。

❶マイナンバー

国民一人ひとりが持つ12桁の番号、およびマイナンバーを利用した情報システムを指します。これにより、税、年金、雇用保険などの行政手続きが効率化されます。

❷住民基本台帳ネットワークシステム（住基ネット）

住民基本台帳とは、住民票を基に、氏名・生年月日・性別・住所・住民票コードとその変更情報を編成したもので、市区町村が管理しています。また、住基ネットは、住民基本台帳を全国規模のネットワークで結んだ行政システムで、住民の転出先自治体への通知、年金の現状確認などの業務に使用されます。

AIを使うためのルールを知っておこう

AI（Artificial Intelligence；エーアイ、人工知能）<☞p.67>は、人の手を介さずに物事を処理できるというのが利点ですが、その反面、AIが行ったことの正誤を誰がどう判断するのか、また何かトラブルが発生したときに、誰

ココも出る！

ブロックチェーン

ネットワークでつながれた複数のコンピュータを同期しながら、ブロック単位で取引データを記憶していくデータベース方式および技術。時系列に並んだブロックを互いに検証しながら保持することから「分散型台帳」とも呼ばれる。改ざんに強く（完全性）、可用性が高いといったメリットにより、信用性の高い情報交換システムを構築できる。金融分野では、暗号資産（仮想通貨）の基本技術として使われている。

スマートグリッド

ネットワークを介して、電力情報（電力消費や発電）をやり取りし、効率的な電力供給を行うシステムがスマートグリッド。電力メーターの代わりにスマートメーターを設置して、リアルタイムに電力消費情報を送受信する。

Society5.0

政府が提唱している取組み。これまで情報社会で解決できなかった問題対策にAIなどを利用しようというもの。Society5.0では「AIやIoTを活用したサイバー空間（仮想空間）とフィジカル空間（現実空間）を融合したシステムを構築することで、経済発展と社会的課題の解決を両立する人間中心の社会（超スマート社会）の実現を目指す」としている。

が責任を負うのかといった課題については、現在もルール作りが行われている段階にあります。最も基本になるのが「**人間中心のAI社会原則**」です。

●7つの「AI社会原則」

この中では、AIを活用して「人間の尊厳、多様性・包括性、持続可能性」の3つの価値を尊重した新しい社会を構築することで未来の社会の姿を示しています<☞「Society 5.0」p.506>)。

1.人間中心の原則
AIの利用は、基本的人権を侵すものであってはならない。

2.教育・リテラシーの原則
AIによって格差や分断が生じないよう、すべての人にデジタルリテラシーが学べる機会が提供されなければならない。また、AIは従来のツールより複雑で意図的な悪用もありえるため、以下のような素養が求められる。

政策決定者や経営者:AIの正確な理解と、正しい利用ができる知識と倫理を持つ。

AIの利用者:AIの概要を理解し、正しく利用できる素養を身につける。

AIの開発者:AI技術の基礎だけでなく、AIを用いたビジネスモデル、規範意識を含む社会科学や倫理等に関する素養の習得が重要。

3.プライバシー確保の原則
AIを前提とした社会では、個人の行動などに関するデータから、政治的立場、経済状況、趣味・嗜好等が推定できる。そのため、これらのパーソナルデータ<☞p.471>の扱いは、単なる個人情報を扱う以上の慎重さが求められる。
(以下、右欄へ)

●AIを活用するためのガイドライン

行政府などは、AIが原因となった損害に対する責任や保証など、さまざまな問題を解決するためのガイドラインを公表しています。総務省が2017年に発表した「AI開発ガイドライン(案)」は、AIシステムの開発者が守るべき原則を述べたもので、AI活用のための指針となります。

○AI開発ガイドライン(抜粋)

・**透明性の原則**:システムが行った動作を後から調査・検証できるようにデータを残しておく。

さらに詳しく

「AI社会原則」続き

4.セキュリティ確保の原則
まれな事故や意図的な攻撃に対して、AIが常に適切に対応することは不可能なため、新たなセキュリティリスクも生じる。AIを使う利点とリスクのバランスに留意し、全体として安全性や持続可能性が向上するよう務める。

5.公正競争確保の原則
AIに関する資源が特定の国や企業に集中した場合であっても、その優位的な地位を利用した不当なデータ収集や権利の侵害、不公正な競争、富や影響力の偏在があってはならない。

6.公平性、説明責任及び透明性の原則
AIの利用によって、その人の持つ背景による不当な差別や扱いを受けないよう、公平性と透明性のある意思決定と、その結果に対する説明責任が適切に果たされ、技術に対する信頼性が担保される必要がある。

7.イノベーションの原則
Society 5.0<☞p.506>を実現し、AIの発展によって継続的なイノベーションを目指すため、人種、性別、国籍、年齢、政治的信念、宗教等の垣根を越えて、幅広い知識、視点、発想等に基づき、国際化・多様化と産学官民連携を推進するべきである。

・**制御可能性の原則**：必要に応じて人間がAIシステムを制御できるようにしておく。
・**セキュリティ確保の原則**：AIシステムが書き換えられることなどがないよう防御を整える。
・**安全保護の原則**：AIシステムは人の生命・身体の安全に危害を及ぼさない。
・**プライバシー保護の原則**：AIシステムは利用者や第三者のプライバシーを侵害しない。
・**倫理の原則**：AIシステムの研究開発においては、人間の尊厳と自律を尊重する。

AIの利活用と留意点

AIを使ったシステムは、社会生活やビジネスシステムで実用化が進んでいます。ただし、トラブル回避の方法や事故発生時の対処方法など、具体的な対応策が確立されていないので注意が必要です。

●生成AIの利活用

生成AIは、AIによって新たな成果物を作り出す技術全般を指します。生成AIの特徴は、人の自然な言葉で指示できることで、専門知識が必要な分野でも、一般の人が生成AIで手軽に作ることが可能になります。

利用分野としては、文章生成AIに分類されるChatGPT <☞p.71>や翻訳AIのほか、画像生成AI、音声生成AI、3Dモデル生成AI、音楽生成AIなどが知られています。また、システム開発の分野では、文章生成AIを使ってプログラムを書かせたり、画像生成AIでE-R図や処理フローを描かせるなどの利用が進められてます。

●生成AIの留意点

生成AIで作られるのは、あくまでも正誤の判断が加えられていない過去データが基になってます。そのため、作られた内容が事実と異なっていることもあります。どのような学習用データを与えるのかも課題で、悪意や偏見（差別的表現など）の含まれたデータを学習すると、その情報を元に成果物を作ってしまうことになります。

さらに詳しく

生成AIの問題点

生成AIで作られるものは、出所が不透明になりやすく、ときには差別的な表現が含まれることもある。過度に依存することは危険を伴う。

・**誤情報の生成**
例えば、文章生成AIの場合、過去のデータを組み合わせて生成することから、作られた内容が、事実とはまったく異なる誤情報になっていることもある。このような正しくない回答が、さも正しいかのように出力されてしまうことを**ハルシネーション**と呼ぶ。

・**悪意のある学習**
悪意や偏見（差別的表現など）の含まれたデータを学習すると、生成AIではそれらの情報を元に回答を作成してしまう。

・**知的財産権**
生成AIの成果物をどう使うのかもルール作りや評価方法が課題となる。生成AIの成果物が著作権を侵害している場合や、指示を出したり成果物に手を加えたりした人の権利をどうするかは、今後の検討課題となっている。

・**損害発生時の責任**
生成AIによって誤った情報提供が行われたり、個人情報が含まれていることなどによって被害が生じたとき、誰が責任を負うのかという問題が発生する。

製造を支えるエンジニアリングシステム

エンジニアリングシステムは、製品の設計や開発に使うためのシステムの総称で、全範囲を網羅するCIM(コンピュータ統合生産)を筆頭に、それぞれの工程でさまざまなシステムが組み合わされ、利用されています。各システムどうしの関連は、右図のようになっています。

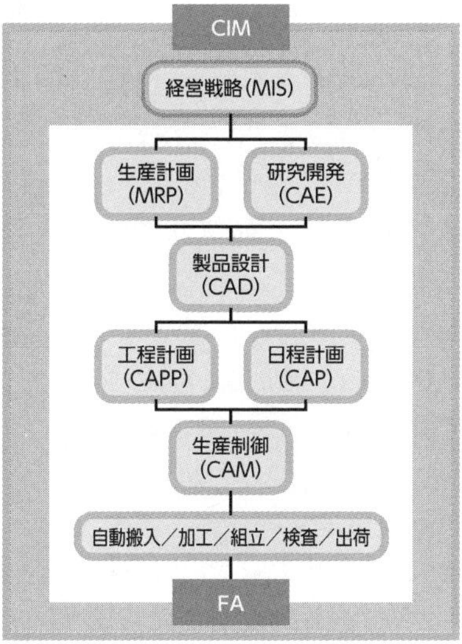

図表 06-1
エンジニアリング
システムの関連

●コンピュータ支援システム

❶CIM(コンピュータ統合生産)

すべての生産管理情報をコンピュータで一括管理し、各工程で情報を共有することで、生産の効率化を図るシステムをCIM(Computer Integrated Manufacturing)といいます。CIMの範囲は、経営戦略から開発・設計、資材発注、加工・組み立て、出荷に至るまで、製品に関わる技術情報や管理情報など、広く網羅します。

❷MIS(経営情報システム)

MIS(Management Information System)は、経営における意思決定の支援を行うシステムです。さまざまな情報をデータベースで管理し、必要なときに必要なデータを提供することを目的としています。

❸CAE(コンピュータ支援エンジニアリング)

CAE(Computer Aided Engineering)は、工業製品

出題分析

必要部品の数量計算

図は、製品Aの構成部品を示し、括弧内の数字は上位の製品・部品1個当たりの所要数量である。この製品Aを10個生産する場合、部品Cの発注数量は何個になるか。ここで、現在の部品Cの在庫は5個である。

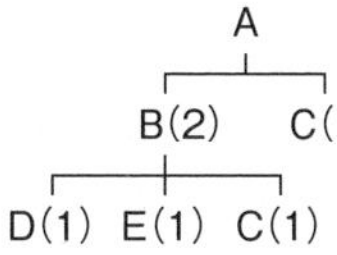

ア 15　　**イ** 20
ウ 25　　**エ** 30

問題の図は、製品Aの構成「B(2) C(1)」と、部品Bの構成「D(1) E(1) C(1)」の2階層で示されている(製品Aには部品Bが2個必要)。

部品B
＝部品D＋部品E＋部品C
↓
部品B 2個
＝部品D 2個＋部品E 2個
＋部品C 2個

製品A 1個
＝(部品D2個＋部品E2個
＋部品C2個)
＋部品C 1個
＝部品D 2個＋部品E 2個
＋部品C3個

製品Aを10個生産するには、部品Cが30個必要。ただし、部品Cの在庫が5個あるので、発注数量から減算するのを忘れないよう注意しよう。

解答 ウ

の設計段階で、コンピュータを活用して計画、設計、解析、試作などを行うことを指します。実際には、技術計算、CAD、CAM、データベース、モデリングなどを使って進めていきます。

❹CAD（コンピュータ支援設計）

CAD（Computer Aided Design）はコンピュータを使った設計を指すもので、データベース化された設計情報を基に、対話的に設計を行うことができます。入力装置には、キーボードやマウス以外にディジタイザなどが、出力装置には高性能のディスプレイ装置や図面の出力のためのプロッターなどが用いられます。

❺CAM（コンピュータ支援生産）

CAM（Computer Aided Manufacturing）は、機械加工等をコンピュータによって自動化して、無人化を可能にすることなどがあります。代表例としては、CADで作成された設計データに基づき、NC制御<☞>の工作機械に対する指令データを作成し、組立て・加工工程の自動制御を行います。

●生産システム

❶FA（ファクトリオートメーション）

FA（Factory Automation）は、工場における生産工程の自動化を図るシステムで、製品開発から製造までの情報化と自動化を進め、生産性の向上を図ることを目的としています。具体的には、CAD／CAMからの設計情報を受け取り、製造工程でのオートメーション化につなげたり、製造段階においてNC工作機械、産業用ロボットなどにより、部品の運搬から組立、検査、梱包、出荷に至る全工程での自動化、省力化が実現するなどです。このようなオートメーション化により、多品種少量生産などのニーズへの対応が可能になります。

❷CAP（コンピュータ支援計画）

CAP（Computer Aided Planning）とは、生産計画に基づいて、作業の日程や機械の割当てなどを行う管理システムです。

さらに詳しく

NC制御

数値情報によって制御を行うことをNC（Numerical Control）制御という。NC制御システムは、受け取った数値を解釈して動作するシステムで、プラント制御や工作機械に応用されている。

ココも出る！

FMC

FMC（Flexible Manufaturing Cell）は工場の自動化を目指したシステム。NC工作機械や産業用ロボット、無人搬送車などを組み合わせて、機械加工や組み立てを行う。

FMS

FMS（Flexible Manufacturing System）は、生産量の異なる多品種を効率的に生産するためのシステム。生産ラインを固定せず、自動化や無人化によって、多品種の同時生産を行う。フレキシブル生産システムともいう。

CAPP

CAPP（Computer Aided Process Planning：コンピュータ支援工程計画）は、CADの設計情報から、製品の加工手順を決定するシステム。加工機械の選択や、加工時間算出なども行う。

❸MRP(資材所要量計画)

MRP(Material Requirements Planning)は、生産計画を基に生産管理を効率化する手法です。必要な資材と期日、発注タイミングなどを的確に予測し、過剰在庫や資材不足で生産が滞るなどのトラブルを防止します。

MRPの手順

大日程計画(←生産計画) → ❶総所要量計算 → ❷正味所要量計算 → ❸発注量計算 → ❹手配計画

部品構成表
最終製品の部品構成から、製造に必要な部品等の数量(=総所要量)を計算

在庫状況
現在の在庫、発注済みの注文残、製造途中の仕掛残から、不足する数量(=正味所要量)を計算

発注方針
発注方法※1、ロットの編成方法※2、安全在庫※3などから発注量を計算

基準日程
製品の納期や部品のリードタイム※4から、発注日を決定

MRP計画表の例

部品調達を計画するMRP計画書の例。リードタイム：2週間、1ロット：50個、安全在庫：0個

期間		1週目	2週目	3週目	4週目
❶総所要量		15	60	40	35
❷注文残(入荷予定数)			50		
❷使用可能在庫	70	55	45	5	
❷正味所要量(不足数)					30
❸予定オーダー(納期)					50
❹予定開始日(発注日)			50		

足りない!
発注　納品
リードタイム

図表06-2 MRPの手順

※1 発注方式：定期的に発注する方式や、一定量まで減ったら発注する方式などがある<☞p.537>。

※2 ロット：発注や製造の際の最小単位となる数。部品調達では、少なすぎると発注回数が増え都度毎に発注の手間や輸送費などがかかり、過多だと無駄な在庫量が増え管理費用がかかる。

※3 安全在庫：万一のための余裕分<☞p.537>。

※4 リードタイム：発注→納品までに必要な時間。

さまざまな生産方式

生産現場では、製品の生産工程や販売方式の特徴に合わせた生産方式が用いられています。

❶ライン生産方式とセル生産方式

ライン生産方式は、作業者は特定の工程のみを担当し、ベルトコンベアなどを使い、製品の完成までの工程を連続的に作っていく方式です。一方、セル生産方式では、1人または少人数のグループで、1つの製品を最終工程まで作り上げます。ライン生産方式に比べ、多品種少量生産にもフレキシブルに対応した製品生産・供給が可能です。

❷ロット生産方式と個別生産方式

ロット生産方式は、同じ製品をまとめて大量に作る方式です。また個別生産方式は、顧客からの注文に応じて仕様の異なる製品を個別に作る方式です。

ココも出る!

JIT生産方式とかんばん方式

JIT(Just In Time：ジャストインタイム)は、「必要な物を必要なときに必要なだけ」という意味。JIT生産方式は、資材をタイムリーに仕入れることで、無駄な在庫を減らし、管理費などの削減につなげる手法。

かんばん方式は、JIT生産方式を実現する方法の1つ。生産ラインでの中間在庫を減らすため、後工程側が自工程の生産の進捗に合わせ、必要な数量のみ前工程へ取りに行く方式。どの部品をいくつ引き取ったかを前工程側に伝えるため、カード(「かんばん」と呼ばれていた)に記入したものを用いたのが言葉の由来。

CRP

CRP(Capacity Requirements Planning：能力所要量計画)は、MRPなどを用いた資材計画に基づいて、必要な資材を作るための一連の工程の実行計画を立てること。工程を担当する人員や生産設備が持つ能力を勘案し、所要工数を計算して各工程の負荷を把握し、人員や設備の配分等を調整して、工程ごとに日程計画を作成する。

07

経営戦略

e-ビジネス

e-ビジネスとは、ネットワークを利用してビジネスを行うシステムを指します。その範囲は年々拡大しており、企業間の取引はもとより、ネット銀行やショッピングモールなど、対消費者との取引、行政機関とのやり取りも一般的になっています。

ネット上で取引を行うEC

頻出

EC(Electronic Commerce：電子商取引)は、インターネット上で商取引の一部、または全部を行う取引形態です。次のようなさまざまなシステムに利用されます。

●電子受発注システム(EOS)

電子受発注システムは、EOS(Electronic Ordering System)とも呼ばれるもので、伝票などで行っていた受発注をデータの受け渡しによって行うものです。特にPOSシステム<☞p.506>と連動させ、在庫情報や物流、倉庫情報などのシステムを組み合わせることで、自動発注や検品作業の省力化につなげることができます。

❶電子調達システム

企業が資材や原材料などの調達を電子的に行うことを電子調達と呼んでいます。方法としてはEDI<☞p.515>を利用して直接調達を行う方法やe-マーケットプレイス<☞p.514>などを利用したオープンな調達方法があります。また、あらかじめ調達金額を提示して、応募者を募る逆(リバース)オークションも調達方法の1つです。

そのほか、国や自治体が調達を行う方法として、各種の電子調達システムが運営されており、調達情報が公開されています。

ココも出る!

ネットオークション

ネットオークションは、インターネット上でせり売りを行うシステム。入札・落札の仕組みや、決済の仕組みのほか、インターネットバンキングやクレジットカード決済の仕組みなどを組み合わせて運用している。

EFT(電子資金移動)

インターネットを通じて、銀行口座間の決済ややデジタル通貨決済、デビットカード決済などを行うことをEFT(Electronic Funds Transfer)という。

エスクローサービス

ネット上での商取引やオークションなどの個人間取引を行う際、金銭の授受を仲介することで安全性を確保するサービス。手順は、①売買が成立すると、②買い手は代金をエスクローサービス会社に預託し、③サービス会社からは売り手へ支払いが通知される。④売り手から商品を受け取って確認したら、⑤サービス会社に通知すると、⑥代金が売り手に支払われる。

❷電子入札

電子調達に対して入札を行うことです。主に公共事業などの調達で行われる電子入札では、公告から入札、通知、契約までの標準化が進んでおり、参加者はその仕組みを利用することで、自由に参加することができます。

❸オンラインショッピング

Web上の仮想店舗から商品を購入するやり取りで、**ネットショップ**ともいいます。また、多数のネットショップを集めたWebサイトを**バーチャルモール**（オンラインモール）と呼んでいます。

●電子決済システム

商取引などにおける決済をネットワーク上で行う仕組みです。金融取引だけでなく、デジタル通貨による決済などもあります。取引の際には、セキュリティを確保する仕組みや運用、認証システムが必要になります。

❶インターネットバンキング

ネットワークを通じて、銀行口座間の振込み、残高照会、振替などを行う仕組みです。また、証券取引を行う仕組みを**インターネットトレーディング**といいます。なお、インターネット上のやり取りには、SSL／TLS<☞p.311>による暗号化技術が利用されています。

❷ICカード、RFID応用技術

ICカードは磁気カードに比べて偽造されにくいため、銀行のキャッシュカードによるデビットカードやクレジットカード、デジタル通貨などに用いられています。また近距離無線通信による**RFID**は、非接触型で読み取り機に通さなくてもICチップの情報が読み取れることから、商品管理などに利用する**ICタグシステム**に利用されています。

e-ビジネスの進め方

頻出

e-ビジネスによる商取引の形態は、企業どうしはもとより、行政機関と企業との取引（電子入札など）、ネットショップのような企業と消費者、消費者どうしの取引（ネットオークションなど）などもあります。

さらに詳しく

ICカード

無線チップ（ICチップ）を埋め込んだカード状のものを**ICカード**といい、**スマートカード**とも呼ばれている。**接触型**と**非接触型**があり、接触型はキャッシュカードやクレジットカード、B-CASカード（デジタル放送受信の認証用）などに、非接触型はICタグやデジタル通貨などに利用されている。

RFIDとNFC

RFID（Radio Frequency IDentification）は、近距離の無線通信によって、ICに記録したデータを読み書きする技術。非接触での読み書きが可能で、汚れに強く複数のICからの同時読み取りもできる。

NFC（Near Field radio Communication）規格は、RFID技術を応用したもので、TYPE-F（FeliCa）は、非接触型IC決済（交通系ICカード、おサイフケータイ）などに使われている。

ココも出る！

キャッシュレス決済

現金を使わずに決済を行うこと。振込みやクレジットカードのほか、**非接触型IC決済**（NFCの規格の1つ「Felica」によるおサイフケータイなど）、**QRコード決済**（提示したQRコードを読み取る）、**キャリア決済**（スマホの通信利用金に付加される）、**暗号資産**などがある。

●e-ビジネスの分類

ビジネスでの取引は、取引を行う相互の立場によって分類できます。また、英文字の省略表現が一般的です。

B to B	企業間の電子商取引のことで、B(Business)は企業を意味している。受発注や決済、e-マーケットプレイスなど、さまざまな応用例がある。
B to C	企業と一般顧客との間で行われる電子商取引のこと。C (Consumer)は一般消費者の意味。ネットショップの商取引などが該当する。
B to E	企業とその従業員 (Employee)との間の電子商取引。社内販売などが該当する。
C to C	Cはどちらも一般消費者(Consumer)の意味。個人どうしで取引するネットオークションなどが該当する。
D to C	ダイレクトトゥコンシューマー(Direct to Consumer)のこと。メーカーがECサイトなどを通じて、直接顧客に販売すること。広告宣伝費は多くなりがちだが、意図通りに魅力を伝えられる、顧客情報を得られる、販売店マージンが不要、値崩れしないなどのメリットがある。
G to B	G(Government)は行政機関を意味しており、企業と行政機関との取引を指す。電子調達や入札が該当する。
G to C	官庁や地方自治体などの行政機関と国民・市民の間で行われる電子取引のこと。行政機関、市民との取引。具体的には、行政のホームページや電子メールを使った、申請や公共施設の予約などがある。
O to O	O to O(Online to Offline)は、ネットワーク情報から実店舗へ顧客を誘導すること。例えば、魅力的な商品特売情報を提示して店舗に赴かせたり、クーポン券や割引券を発行して、飲食店で使わせるなどがある。

図表 06-1　e-ビジネスの分類

●e-ビジネスの形態

e-ビジネスとして、次のような形態があります。

❶e-マーケットプレイス

インターネット上に開設されている企業どうしの取引の場を指します。さまざまな業種向けのe-マーケットプレイスがインターネット上に開設されており、複数企業間の電子商取引(主にB to B)が積極的に行われています。

❷ネットショップ

ネットショップは、在庫商品の保管場所さえあれば、店舗は不要で、接客も電話やメールのみなので、販売担

ココも出る!

暗号資産

インターネット上でやり取りされる通貨の役割をする仮想的な資産のこと。仮想通貨と呼ばれており、代表的なものにビットコインやイーサリアムがある。

暗号資産は、大きく変動するリスクがあるものの、国や地域の経済状況の影響が少なく、いつでも世界中から使えて通貨交換も不要なため、決済に用いるケースも増えている。平成29年には改正資金決済法などの法律が施行され、登録業者に対する義務(登録制の導入、利用者への情報提供、利用者財産の分別管理、取引時確認の実施)が定められた。

- マイニング(発掘):暗号資産を入手する手段の1つ。ブロックチェーンを更新するための計算作業を行うこと。
- クリプトジャッキング:マイニングによる報酬を得るため、他人のコンピュータを使って計算をさせる行為。合意なしに行う悪質なものもある。

当者も少数でまかなえます。実店舗の陳列棚とは異なり、商品紹介ページには多数の商品を長期にわたって掲載できるため、販売数量の少ない商品を扱うことも容易です。

ネットショップの取り扱い商品の販売傾向は、販売量の少ない商品がシッポのように長く続くグラフの特徴から、**ロングテール**と呼ばれています。ロングテール商品の売上全体に占める割合は増加し、売上への貢献度も高まっています。

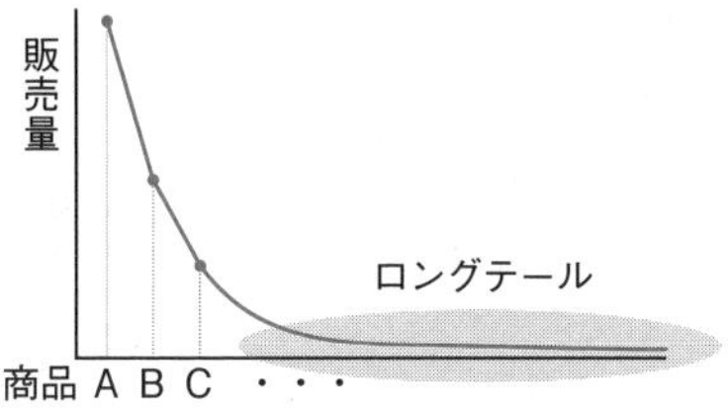

図表 06-2
ロングテール

❸クラウドソーシング

インターネット上で発注者が必要とする業務内容と条件を提示し、受注者を募集する方法。受注者が個人であることが多いため、クラウドソーシングの仲介業者のサイトを利用してマッチングを行う方法が普及しています。

●電子商取引の留意点

ネットワークを介した電子商取引は便利な反面、さまざまな攻撃にさらされることになります。なりすましによって商品をだまし盗られたり、サイバー攻撃による顧客情報の流出やサイト攻撃など、いずれも起こりうるものとして備えておく必要があります。

ビジネス文書を標準化するEDI

頻出

EDI(Electronic Data Interchange：**電子データ交換**)は、受発注書や見積書など定型業務で用いるビジネス文書をデータ化・標準化し、取引関係にある企業間でネットワークを介してやり取りすることを指します。

EDIにより、これまで通信プロトコルやデータ形式の違いなどから困難だった異業種間での取引を行うことも可能になります。現在では、その多くがインターネットを介した**Web-EDI**を使って運用されています。また、

ココも出る！

アカウントアグリゲーション

インターネットバンキングなどで使っている複数の口座情報(口座番号やパスワードなど)を集約し、入出金の明細情報などを一覧表示させる仕組み。データの取得は金融機関が提供するAPIを利用している(API連携という)。サービスの提供企業は、**電子決済等代行業者**として銀行法に基づいた登録が必要になる。

EDIには、その文書の用途などによって、いくつかの規格が作られています。

❶XML-EDI

EDIをXML形式にすることで、フォーマットの違うEDIに対し柔軟に対応するものです。また、発注データなどから直接XMLに変換することで、人手を介さずに、直接データの受け渡しを行えることもメリットです。

❷XBRL

XBRL(eXtensible Business Reporting Language)は、XMLをベースに、財務報告用の情報を記述できるように標準化された言語です。電子的な財務情報の作成、流通、再利用を可能にします。

❸STEP

STEP(STandard for the Exchange of Product model data：製品モデルデータの表現および交換に関する標準)は、CADなどの設計データをデータ交換用の標準データにするための規格です。ISOにより標準化され、国際規格になっています。

頻出

個人ベースで発信するCGM

ソーシャルメディア(social media)とは、インターネット技術を利用した、個人参加型の情報発信・交換の仕組みです。個人が日誌的な内容を発信する**ブログ**、自身の活動を記録に残す**ライフログ**、複数の参加者で情報を共有するX(旧Twitter)やFacebook、LINE、Instagramなどの**SNS**(Social Networking Service)、**BBS**(Bulletin Board System)とも呼ばれる**電子掲示板**など、さまざまなものがあります。

ソーシャルメディアに代表される、一般消費者が作成・公開・共有しているコンテンツのことを、**CGM**(Consumer Generated Media：消費者生成メディア)と呼びます。商品やサービスの購入者・利用者の、口コミや掲示板などからの情報発信は、企業の製品やサービスの内容や価格に強い影響を与えるようになっています。

さらに詳しく

EDIの4つのレベル

日本国内のEDI規格に**CII標準**(CIIシンタックスルール)がある。この規格では、どこまでを標準化・共通化するか、レベルによって4つに区分される。

レベル1：**情報伝達規約**
データをやり取りする回線の種類や、伝送手段に関する取決め。

レベル2：**情報表現規約**
取引企業の互いのコンピュータが、やり取りしたデータを理解できるようにするための、データ構造やデータ項目に関する取決め。

レベル3：**業務運用規約**
EDIを用いる業務やシステムの運用に関する取り決め。

レベル4：**取引基本規約**
やり取りしたデータの、法的有効性を確保する契約書に関する取決め。

ココも出る！

シェアリングエコノミー

ソーシャルメディアなどの情報交換機能を利用して、個人保有の遊休資産(スキルのような無形資産も含む)の貸出しを仲介する動きまたはサービス。

08

経営戦略

民生機器と産業機器

生活の中に浸透している情報機器

頻出

生活のいろいろな場面にはネットワークにつながった**情報家電**が浸透し、ITが活用されています。**ユビキタスコンピューティング**(ubiquitous computing)は、いつどこにいても簡単にコンピュータにつなげられるという概念です。

具体的には、身近な機器に組み込まれたコンピュータがネットワークを介してさまざまなシステムと連携し、利用者は特に意識することなく、それらが提供する情報やサービスを手軽に利用できる、という環境のことです。

カーナビを例に取ると、目的地を設定すれば自動的に、車の位置情報(GPSシステム)から渋滞情報(道路交通情報通信システム)を取得して表示し、さらに回避ルートの探索も行ってくれます。

●IoTシステムと組込みシステム

普段使っている家電の中に組み込まれているのが組込みシステムです。炊飯器やエアコンは**センサー**を持ち、感知した情報を基に、**マイクロコンピュータ**(**マイコン**)と**組込みOS**によって、リアルタイム制御を行います。

また、今後中心になる技術として、**IoT**(Internet of Things)があります。IoTとは、さまざまな物(IoTデバイス)をインターネットに接続し、さらにIoTネットワークを構築して、情報を収集して提供する、IoTデバイスどうしで情報をやり取りする、といったことを行います。IoTデバイスに含まれるものは、スマートフォンやタブレット、ネットワーク接続が可能な情報家電、スマートスピーカー、ヘルス機器、監視カメラを中心としたホーム

ココも出る！

ファームウェア

ファームウェア(firmware)とは、機器を制御するためのOSなどのソフトウェアのこと。書き換え可能なフラッシュメモリなどに保存されているものは、更新も可能。例えばデジタルカメラやAV機機などでは、ファームウェアを更新することで、動作が安定したり、新たな機能を増やすこともできる。

GPS(全地球測位システム)

GPS(Global Positioning System)は、現在位置を示す情報を得るためのシステム。複数のGPS衛星から発信された信号(発信時刻と衛星の軌道情報)から計算される衛星の位置と、それぞれの衛星からの距離の差で、現在位置を割り出す。

こちらも参照

エッジコンピューティング

☞p.150 <>

セキュリティシステム、各種センサーなどがあります。

また、工場や流通倉庫などの制御システム、産業用ロボットなど、産業用の機器もIoTデバイスに含まれます。

❶センサーネットワーク

センサーネットワークとは、無線通信機能を持ったセンサーどうしを連携させたネットワークです。用途としては、ビルなどの監視システム、空調制御や温度管理システム、医療や健康管理システム、植物・野菜工場、荷物輸送システム、交通システムなどさまざまです。

❷健康管理システム

スマートウォッチなど人の身体に直接付けるIT機器を**ウェアラブルデバイス**といい、その中でも人の状態を読み取る機能を持つIoTデバイスを、**アクティビティトラッカ**や**アクティブトレーサー**と呼んでいます。用途としてはマイクや温度センサーで心拍数・体温・血圧などを測ったり、加速度センサーやジャイロセンサーで人の動き(活動の様子)を読み取ったりして収集したデータを用い、異常の早期検知や健康管理に役立てます。

流通業や製造業を支える産業機器

これまで人の手に頼っていた製造ラインや流通拠点、医療・介護現場などでは、**産業用ロボット**による無人化や従事者へのサポートが進められています。また、省力化だけでなく、ネットワークとつながることで、迅速でより細やかな製造やサービスに対応できます。代表的な例としては、次のようなものがあります。

❶自動倉庫

パレット単位で商品や資材を保管するシステム。立体的に保管できるスペース効率に加え、無人搬送車との組合せで、搬入・搬出を無人化できます。

❷スマートファクトリー(Smart Factory)

工場内にある生産ラインや機器からのデータをIoTを利用して収集。AIなどを利用してあらゆる面からデータを分析・活用することで、生産性の向上とともに、生産ライ

ココも出る!

スマートスピーカー

スマートスピーカー(Smart Speaker)は、音声認識によって、ネットワークで接続された対応機器の操作を行う装置。認識した人の声をAIで処理し、返答をスピーカー音声により発することで、対話が成立する(AIアシスタント機能)。アマゾン社の「アマゾンエコー(Alexa)」、グーグル社の「グーグルホーム(Google アシスタント)」などが普及している。

M2M(エムツーエム)

M2M(Machine to Machine)は、IoTデバイスどうしが、IoTサーバなどを介さずに直接やり取りすること。基本的には、近くにあるデバイスどうしが、Wi-Fiなどの無線通信を使ってやり取りを行う。

HEMS

HEMS(Home Energy Management System:ヘムス)は、家庭のエネルギー使用を節減するための管理システム。このシステムを家庭に設置し、モニターで電気やガスなどエネルギーの使用量を「見える化」し、太陽光発電装置や家電などの各機器に接続して「自動制御」を行う。

日本政府は、エネルギー消費量の削減と地球温暖化の抑止を目的として、2030年までに全家庭にHEMSを設置することを目指している。

ン構築期間の短縮、品質向上、コストの削減、多様なニーズへの対応などを実現できる先進的な工場を指します。

実用化段階に入った自動車制御

自動車制御システムは、実験段階から実用段階に入ろうとしています。AIやGPSを支えるIoTシステムの発展も少なからず影響しているでしょう。また、コネクテッドカーとは、車に取り付けられた各種センサーからの情報を送り、IoTサーバからのフィードバックを運転支援に活用する車を指します。ルートを予測して渋滞の回避情報を送る、事故発生を検知して緊急通報する、盗難時には車両位置を追跡する、異常を検知して対処方法のアドバイスを送りロードサービスに取り次ぎを行う、など、これまでにさまざまな技術が実用化されています。

●セキュリティが求められる自動車制御システム

自動車には、数多くの制御用コンピュータが搭載されており、車載機器やスマートフォンを介したインターネット接続が行われています。そのため、閉じた世界では問題にならなかった脅威に備える必要性が高まっています。主に、次のような課題が発生しています。

❶制御システムに対する攻撃

自動車の制御がハードウェアからソフトウェアに移り、ネットワーク接続が容易になったことから、パソコンなどと同様な攻撃対象になりえます。制御システムは安全性に直結するため、高度なセキュリティ対策が必要になります。

❷情報の漏えい

カーシェアリング時の情報やクラウドに送信されたGPS情報などが漏えいすると、プライバシ侵害や犯罪につながる危険性が考えられます。

ココも出る!

デジタルツイン

インターネットに接続したIoT機器などを使い、現実空間の情報を取得し、仮想空間内に現実と同等な環境を再現すること。現実では実施できないシミュレーションやモニタリングなどを可能にする。

スマートシティ／スーパーシティ

スマートシティは、都市や地域の機能やサービスを効率化・高度化することで快適性や利便性を含む新たな価値を創出する取組みのこと。人口減少やインフラの老朽化、災害対策といった課題を解決する手段として期待されている。スーパーシティは、AI（人工知能）やビッグデータを活用することで、さまざまな最先端サービスを地域に取り入れていく取組みのこと。

MaaS（マース）

MaaS（Mobility as a Service）は、複数の移動手段（公共交通機関など の移動サービス）を組み合わせて、検索、予約から決済までを一括で行えるシステム。観光サービスや地域の街作り、輸送サービスなども含め、データの連携やキャッシュレス化が推進されている。

シラバス　●大分類7：経営戦略　●中分類19：経営戦略マネジメント
●小分類1：経営戦略手法

出題：令和3年6月修了認定試験ほか

問1　ベンチマーキングの説明

CHECK

企業経営で用いられるベンチマーキングを説明したものはどれか。

ア　企業全体の経営資源の配分を有効かつ総合的に計画して管理し、経営の効率向上を図ることである。

イ　競合相手または先進企業と、自社の製品、サービス、オペレーションなどを定性的・定量的に比較して、自社の戦略策定に生かすことである。

ウ　顧客視点から業務のプロセスを再設計し、情報技術を十分に活用して、企業の体質や構造を抜本的に変革することである。

エ　利益をもたらすことができる、他社より優越した自社独自のスキルや技術に経営資源を集中することである。

シラバス　●大分類7：経営戦略　●中分類19：経営戦略マネジメント
●小分類1：経営戦略手法

出題：令和3年6月修了認定試験ほか

問2　SWOT分析

CHECK

SWOT分析を用いて識別した、自社製品に関する外部要因はどれか。

ア　営業力における強み　　イ　機能面における強み

ウ　新規参入による脅威　　エ　品質における弱み

シラバス　●大分類8：経営戦略　●中分類19：経営戦略マネジメント
●小分類2：マーケティング

出題：令和3年12月修了認定試験ほか

問3　価格戦略の手法

CHECK

コストプラス法による価格設定方法を表すものはどれか。

ア　価格分析によって、利益最大、リスク最小を考慮し、段階的に価格を決める。

イ　顧客に対する値引きを前提にし、当初からマージンを加えて価格を決める。

ウ　市場で競争可能と推定できるレベルで価格を決める。

エ　製造原価、営業費など費用総額を基準にし、希望マージンを加えて価格を決める。

シラバス　●大分類8：経営戦略　●中分類19：経営戦略マネジメント
●小分類2：マーケティング

出題：令和５年６月修了認定試験ほか

問4　マーケティングミックス

CHECK □□□

マーケティングミックスの説明はどれか。

ア　顧客市場をある基準で細分化し、その中から最も競争優位に立てる市場を選定すること

イ　市場の成長率と自社の相対的市場シェアの組合せから、各事業の位置づけを明確にし、それぞれの事業の今後の施策を検討すること

ウ　製品戦略、価格戦略、チャネル戦略、プロモーション戦略などを適切に組み合わせて、自社製品を効果的に販売していくこと

エ　導入期、成長期、成熟期、衰退期のそれぞれにおいて、市場や競合商品などとの関係を意識した、適切な施策を採っていくこと

シラバス　●大分類8：経営戦略　●中分類19：経営戦略マネジメント
●小分類3：ビジネス戦略と目標・評価

出題：令和５年６月修了認定試験ほか

問5　バランススコアカード

CHECK □□□

バランススコアカードの学習と成長の視点における戦略目標と業績評価指標の例はどれか。

ア　持続的成長が目標であるので、受注残を指標とする。

イ　主要顧客との継続的な関係構築が目標であるので、クレーム件数を指標とする。

ウ　製品開発力の向上が目標であるので、製品開発領域の研修受講時間を指標とする。

エ　製品の納期遵守が目標であるので、製造期間短縮日数を指標とする。

シラバス　●大分類8：経営戦略　●中分類19：経営戦略マネジメント
●小分類4：経営管理システム
出題：令和２年７月修了認定試験ほか

問6　SCMの目的

CHECK

SCMの目的はどれか。

ア　顧客情報や購買履歴、クレームなどを一元管理し、きめ細かな顧客対応を行うことによって、良好な顧客関係の構築を目的とする。
イ　顧客情報や商談スケジュール、進捗状況などの商談状況を一元管理することによって、営業活動の効率向上を目的とする。
ウ　生産や販売、在庫管理、財務会計など基幹業務のあらゆる情報を統合管理することによって、経営効率の向上を目的とする。
エ　複数の企業や組織にまたがる調達から販売までの業務プロセス全ての情報を統合的に管理することによって、コスト低減や納期短縮などを目的とする。

シラバス　●大分類8：経営戦略　●中分類20：技術戦略マネジメント
●小分類1：技術開発戦略の立案
出題：令和３年１月修了認定試験ほか

問7　プロダクトイノベーションの説明

CHECK

技術経営におけるプロダクトイノベーションの説明として、適切なものはどれか。

ア　新たな商品や他社との差別化ができる商品を開発すること
イ　技術開発の成果によって事業利益を獲得すること
ウ　技術を核とするビジネスを戦略的にマネジメントすること
エ　業務プロセスにおいて革新的な改革をすること

シラバス ●大分類8：経営戦略 ●中分類21：ビジネスインダストリ
●小分類1：ビジネスシステム

出題：令和4年6月修了認定試験ほか

問8 デジタルディバイドの説明

デジタルディバイドを説明したものはどれか。

ア　PCなどの情報通信機器の利用方法が分からなかったり、情報通信機器を所有していなかったりして、情報の入手が困難な人々のことである。

イ　高齢者や障害者の情報通信の利用面での困難が、社会的または経済的な格差につながらないように、誰もが情報通信を利活用できるように整備された環境のことである。

ウ　情報通信機器やソフトウェア、情報サービスなどを、高齢者・障害者を含む全ての人が利用可能であるか、利用しやすくなっているかの度合いのことである。

エ　情報リテラシの有無やITの利用環境の相違などによって生じる、社会的または経済的な格差のことである。

シラバス ●大分類8：経営戦略 ●中分類21：ビジネスインダストリ
●小分類2：エンジニアリングシステム

出題：令和3年7月修了認定試験ほか

問9 MRPの特徴

MRPの特徴はどれか。

ア　顧客の注文を受けてから製品の生産を行う。

イ　作業指示票を利用して作業指示、運搬指示をする。

ウ　製品の開発、設計、生産準備を同時並行で行う。

エ　製品の基準生産計画を基に、部品の手配数量を算出する。

シラバス ●大分類8：経営戦略 ●中分類21：ビジネスインダストリ
●小分類3：e-ビジネス

出題：令和2年12月修了認定試験ほか

問10 e-ビジネスの用語

インターネットショッピングで売上の全体に対して、あまり売れない商品の売上合計の占める割合が無視できない割合になっていることを指すものはどれか。

ア　アフィリエイト　　　イ　オプトイン

ウ　ドロップシッピング　　　エ　ロングテール

シラバス ●大分類8：経営戦略 ●中分類21：ビジネスインダストリ
●小分類3：e-ビジネス
出題：令和5年1月修了認定試験ほか

問10 シェアリングエコノミーの説明

CHECK

シェアリングエコノミーの説明はどれか。

ア ITの活用によって経済全体の生産性が高まり、更にSCMの進展によって需給ギャップが解消されるので、インフレなき成長が持続するという概念である。

イ ITを用いて、再生可能エネルギーや都市基盤の効率的な管理･運営を行い、人々の生活の質を高め、継続的な経済発展を実現するという概念である。

ウ 商取引において、実店舗販売とインターネット販売を組み合わせ、それぞれの長所を生かして連携させることによって、全体の売上を拡大する仕組みである。

エ ソーシャルメディアのコミュニティ機能などを活用して、主に個人どうしで、個人が保有している遊休資産を共有したり、貸し借りしたりする仕組みである。

シラバス ●大分類8：経営戦略 ●中分類21：ビジネスインダストリ
●小分類：4 民生機器
出題：令和4年1月修了認定試験ほか

問11 HEMSの説明

CHECK

IoTの応用事例のうち、HEMSの説明はどれか。

ア 工場内の機械に取り付けたセンサーで振動、温度、音などを常時計測し、収集したデータを基に機械の劣化状態を分析して、適切なタイミングで部品を交換する。

イ 自動車に取り付けたセンサーで車両の状態、路面状況などのデータを計測し、ネットワークを介して保存し分析することによって、効率的な運転を支援する。

ウ 情報通信技術や環境技術を駆使して、街灯などの公共設備や交通システムをはじめとする都市基盤のエネルギーの可視化と消費の最適制御を行う。

エ 太陽光発電装置などのエネルギー機器、家電機器、センサー類などを家庭内通信ネットワークに接続して、エネルギーの可視化と消費の最適制御を行う。

第8章　章末まとめ問題　解答

問1　ベンチマーキングは、経営の抜本的な改革を図るため、業務プロセスを改革する手法。設定した指標（ベンチマーク）と自社の評価値とを比較し、具体的な目標を持ちながら改革を進める。
まず対象業務でベストプラクティスを行う企業を選び、製品、サービス、オペレーションなどを定性的、定量的に把握。自社のデータと比較することで問題点を明確化し、自社にとってのベストプラクティスを検討する。さらに目標値を設定し、改善と評価を繰り返す。
解答　イ

問2　SWOT分析では、内部要因である自社の「強み」と「弱み」、外部要因である市場や他社からの影響を示す「機会」と「脅威」をマトリックス図に配置し、現状を把握したうえで経営戦略を立てていく。
選択肢ア～エの中で、企業内部ではコントロールができない外部要因は「新規参入による脅威（ウ）」のみ。他の3つの選択肢は、いずれも内部要因に分類される。
解答　ウ

問3　コストプラス法による価格設定では、製造原価に加え、営業その他の経費や得たいマージンを加えていき、価格を設定する。ただし、商品の独自性が薄かったり、競合他社との優位性を保ちたいなどの場合、戦略的な価格設定も検討していく。
解答　エ

問4　マーケティングミックスは、製品戦略、価格戦略、チャネル戦略（流通方法のこと）、プロモーション戦略を組み合わせて行う。
ア：市場を細分化（セグメンテーション）、顧客層を選択し（ターゲティング）、製品の市場でのポジションを決めるセールスポイントを決定（ポジショニング）するSTP手法。イ：プロダクトポートフォリオマネジメント（PPM）。エ：プロダクトライフサイクル。
解答　ウ

問5　バランススコアカードでは、4つの視点で考え、バランスをとりながらビジネス戦略の目標を立てていく。学習と成長の視点とは、目標達成のために、人材や企業自体がどう変化したかを評価する指標で、選択肢ではウが該当する。この他にも、資格の保有数や特許の出願数などが指標となる。
ア：財務の視点、イ：顧客の視点、エ：内部ビジネスプロセスの視点。
解答　ウ

問6　SCMは、調達から販売に至る供給に関わる情報を一元的に管理することで、納期短縮やコスト削減などを目的としている（エ）。
ア：CRM（顧客関係管理）の目的、イ：SFA（営業支援システム）の目的、ウ：ERP（企業資源計画）の目的。
解答　エ

問7　プロダクトイノベーションは、全く新しいものや他社が作れない革新的な製品やサービスを作り出すこと。
エ：プロダクトイノベーションと対で出題されるプロセスイノベーションの説明。製品やサービスの製造工程や作業工程（プロセス）の革新によって、時間やコストを下げること。イ：MOTの説明。ウ：技術開発戦略の説明。
解答　ア

問8　デジタルディバイドは、情報技術の利用機会や情報リテラシ（情報を活用する能力）の有無またはスキルなどによって格差が生じること（エ）。
ア：行政システムなどで、情報機器を扱えないことにより、必要な情報の入手ができないなどに遭遇する人を情報弱者という。イ：誰もが情報通信を利用できる環境を情報バリアフリーという。ウ：年齢や障害の有無などにかかわらず、多くの利用者が使えるようにすることをアクセシビリティという。
解答　エ

問9　MRPは、必要な資材と期日、発注タイミングなどを的確に予測することで、過剰在庫や資材不足で生産が滞るなどのトラブルを防ぐ。
大まかな流れは、生産計画から大日程計画を作り、最終製品の部品構成から製造に必要な総所要量を出す、これに在庫量を含めた正味所要量を計算し、ロットや安全在庫を加味して発注量を決定。さらに納期やリードタイムから手配計画を立てる。
解答　エ

問10　ロングテールは、ネットショップの取扱い商品の販売傾向を示すグラフの形を指した用語。販売量の少ない商品がシッポのように続くグラフの特徴を捉えている。

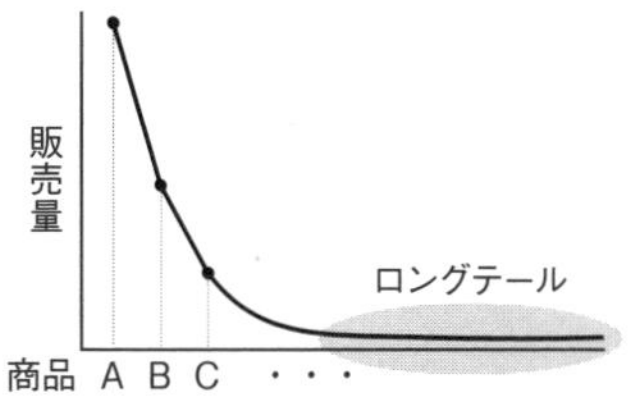

解答　エ

問11 シェアリングエコノミーは、一般の人どうしが、使用していない資産（物だけでなく、宿泊施設や駐車場などの場所や個人のスキルなどさまざま）を貸与したり、空き時間を使って役務（フードデリバリーなど）を提供したりすること。
ソーシャルメディアのコミュニティ機能や仲介サービス（マッチングや決済、評価の閲覧等を提供）などを利用する。
解答 エ

問12 HEMSは、電気・ガスのメータ、家電製品・住宅設備、各種センサーなどを家庭内ネットワークで結びHEMSコントローラに接続することで、エネルギー使用を可視化して節約に結び付けたり、快適な生活環境を作るための制御を行うシステム（エ）。
ア：予防保守の日常保守に該当する。
イ：先進運転支援システム（ADAS：Advanced Driving Assistant System）と呼ばれ、運転に有用な情報を運転者に知らせたり、危険が迫っている場合は運転者に代わり車を制御する機能などを持つ。
ウ：IoTやクラウドを中心とした情報技術を活用して、対象の地域からさまざまなデータを取得し、それらを分析・活用・共有して地域が抱える問題の解決に役立てる仕組みをスマートシティという。
解答 エ

第9章

企業と法務

第9章

ストラテジ系 企業と法務

この章の構成と攻略法

この章の内容と学習ポイント

本章は、企業活動に関すること、企業が関わる法務に関することに分けられています。それぞれの知識は、業務で関わった経験があれば比較的解答が容易な基本知識です。ただし専門知識でもあるため、漏れのない対策をしておかないと問題を解くことが難しくなります。法制度の変更や標準規格・標準化団体名などの変更には注意が必要です。

中分類22 企業活動

それほど深い知識は問われませんが、ORやIEなどは計算や判断問題が多いため、理解していない場合は、過去問でしっかり対策して慣れておく必要があります。

小分類1 経営・組織論

1. 企業活動
2. 経営管理
3. 経営組織
4. 経営環境の変化
5. 社会におけるIT利活用の動向

01 企業活動と組織 p.530

➔攻略法と他章との関連

企業活動は全体から、経営管理はヒューマンリソースマネジメントから用語レベル（ワークシェアリングなど）の出題があります。また、経営組織は階層型組織、プロジェクト組織の特徴、経営者層の別称と役割など、経営環境の変化からは、裁量労働制の特徴などが問われています。

小分類2 業務分析・データ利活用

1. OR・IE
2. データ利活用

02 業務分析と データ利活用 p.535
03 品質管理とQC七つ道具 p.543

➔攻略法と他章との関連

OR・IEに関する図の読み取り、表のデータを使って答えを導く問題、計算問題などがあります。知っていないと解答時間がかかるので、関連する問題を数多く解いておくとよいでしょう。ORの技法については、QC七つ道具が出題の中心です。こちらは第5章の「ソフトウェアの品質管理に用いる図法（p.410）」でも詳しく取り上げています。

小分類3 会計・財務

1. 企業活動と会計
2. 財務会計と管理会計
3. キャッシュフロー会計
4. 資金計画と資金管理
5. 資産管理

04 企業会計と財務 p.547

➔攻略法と他章との関連

企業が行う財務会計、管理会計、キャッシュフロー会計については、ひととおりの基本が問われます。そのほか、企業活動と会計からの「損益分岐点分析」、資産管理からの「減価償却費」、「棚卸資産の評価」については図を読み取って判断したり、計算が必要な問題もあります。しっかりと過去問演習をしておきましょう。

中分類 23　法務

法制度はしばしば改訂が行われるため、最新の情報で確認しておくとよいでしょう。セキュリティに関連する法律やガイドラインはしっかり押さえておきたいところです。

小分類 1　知的財産権

1 知的財産権
2 著作権法
3 産業財産権法
4 その他関連する法律など

小分類 2　セキュリティ関連法規

1 サイバーセキュリティ基本法
2 不正アクセス禁止法
3 刑法
4 個人情報保護法、マイナンバー法
5 電子署名および認証業務に関する法律
6 プロバイダ責任制限法
7 特定電子メール法

小分類 3　労働関連・取引関連法規

1 労働関連の法規
2 取引関連の法規
3 企業間の取引に関わる契約

➔攻略法と他章との関連

小分類1～3については、それぞれの法律について選択肢を選ぶ用語問題が多く出ています。著作権法のうち、ソフトウェア開発に関わる部分は、関連する第４章の「知的財産適用管理(p.377)」に含めています。

小分類 4　その他の法律・ガイドライン・技術者倫理

1 デジタル社会形成基本法
2 官民データ活用推進基本法
3 コンプライアンス
4 情報倫理・技術者倫理
5 その他の法律・基準

小分類 5　標準化関連

1 標準・規格と標準化団体
2 デファクトスタンダード
3 開発と取引の標準
4 ソフトウェアの標準
5 データの標準
6 国際認証の枠組み

➔攻略法と他章との関連

いずれも用語問題対策が必要になります。小分類4は、デジタル社会形成基本法やガイドライン、企業やIT技術者の倫理を取り上げたコンプライアンス、ITガバナンス、CSRなどが主な出題テーマです。第６章の「健全な組織運営を司る内部統制(p.443)」でも取り上げています。

小分類5は、標準化団体のほか標準化規格については、第３章の「情報セキュリティマネジメントシステム(p.301)」、第７章の「共通フレーム(p.463)」などが範囲に含まれます。また、第１章の「文字コード(p.60)」なども関連しています。

企業活動と組織

「企業」とは何だろう？

企業とは、保有している有効な資源（ヒト、モノ、カネ、情報）を使い、利益を上げることを目標にする組織体です。企業形態の1つである**株式会社**は、株主から集めた資金を基に企業活動を行い、得られた利益を株主に還元します。ここで重要になるのは**企業理念**です。企業活動の指針であり、従業員、顧客、社会に対して、その企業の使命や存在意義を示すものです。企業理念を基に、経営戦略を立て、さまざまな企業活動を行っていきます。

●企業に求められる社会的責任

企業活動の前提となるのは、コンプライアンスや労働環境を守ったうえで、株主や利害関係者（**ステークホルダ**<☞p.413>）に対し、正しく経営実績を報告する**アカウンタビリティ**（Accountability：**説明責任**）です。

また、より広く企業活動をとらえる考え方として、**CSR**（Corporate Social Responsibility：**企業の社会的責任**）があります。企業が社会的信頼を得るための活動がすべて含まれ、取引先や地域住民など、より広範囲の利害関係者の利益を実現する行為であり、社会のニーズと企業理念に基づく企業活動そのものといえるとらえ方です。

●従業員や顧客に対する責務とリスクマネジメント

企業には従業員の雇用を継続することや顧客や取引先に製品やサービスを提供し続ける責務があります。**BCP**（Business Continuity Plan：**事業継続計画**）は、事故や災害などの発生に備え、どう対処するかを文書化しておくもので、損害を最小限に抑えて事業の継続や早期復旧を目的としています。また、具体的な管理手法として、

ココも出る！

IR

IR（Investor Relations）とは、企業が投資家に向けて発信する経営、財政活動のこと。「投資家向け広報」と訳され、Webページなどで IR 情報として公開されている。

コーポレートアイデンティティ

コーポレートアイデンティティとは、その企業が持つ個性や特徴を一般消費者にわかりやすく提示し、自社のイメージとして定着させることで、存在価値を高める企業戦略。

コーポレートブランド

コーポレートブランドは、その企業が提供する商品すべてに共通して付けられるブランド名称。同じブランドの商品評価が高ければ、消費者は別商品にも良いイメージを持ちやすい。

こちらも参照

コーポレートガバナンス
☞p.565

BCM(Business Continuity Management：事業継続マネジメント)<☞>があります。

ヒューマンリソースマネジメント

企業にとって人材は大切な経営資源の1つと考えられており、受け入れや育成、能力を発揮できる環境作りが重視されています。

❶DE&I（ダイバーシティ・エクイティ&インクルージョン）

多様性、公平性、包括性を合わせた用語です。人種・国籍・宗教・年齢・性別などが異なる、多様な人材の能力を発揮できる取り組みを指します。ここで公平性は、「一人ひとりに合わせる」という意味で使われています。多彩な思考や価値観に基づく発想、能力を取り入れることで、斬新なアイディアを創出したり市場の変化・多様化に対応することを目的としています。

❷HRテック(HRTech)

HR(Human Resources)は人的資源のこと。HRテックとは、人材に関する情報をデータ化して統合し、AIやビッグデータ解析などIT分野の新技術を用いて多角的に分析し、将来的な予測を含めて人事管理全般に役立てるための仕組みを表す造語です。すでに、社員のスキルや適性(現在の業務とは無関係な事柄も含む)をデータ化して人材配置や育成管理に用いるタレントマネジメントを導入し、人材の掘り起こしや個人の適性に応じたキャリアアップ指導に活用している企業もあります。

❸人材の教育と研修

アダプティブラーニングとは、AIなどを用いて学習者の習得状況を分析して理解度や不得意分野などを割り出し、一人ひとりに最適な内容・レベルの教材提供を行うための仕組みで、学校教育や企業の人材教育の手法として取り入れられています。OJT(On the Job Training)は、上司や先輩社員の指導を受けながら、実際の業務を通じて、業務遂行に必要な技術を習得する研修制度です。これに対し、OffJT(Off the Job Training)は、外部の研

さらに詳しく

BCM(事業継続管理)／ISO 22301

BCM(事業継続マネジメント)は、緊急時の影響を予測し、発生時のリスクを最小限にする活動を行うための管理方法を示すもの。JIS Q 22301では、BCMで行うべき活動内容や手順について規定している。

ココも出る!

コンピテンシー(competency)

コンピテンシーとは、能力のある人材の行動特性のこと。優秀な人材の行動を分析し、業務や人材教育に生かす、人事考課の基準にするなどに用いる。

コーチング／メンタリング

どちらも1対1でコミュニケーションしながら行う育成方法。コーチングは、自身で課題解決の答えを出せるよう、経験や知識を持つコーチが助言や指導を行うこと。メンタリングの指導者(メンター)は、コーチングに加え、心理面の支援のためカウンセリングなども行う。

修など担当業務を離れて訓練を受けることです。

❹働き方への取組み

仕事に対するワークライフバランス<☞ >の考え方や働き方の適性などは個人ごとに異なります。企業がさまざまな働き方を用意することで、ワークエンゲージメント(仕事に対する共感や働きがい)の向上につながります。

企業のトップ陣が負うべき役割 頻出

企業における最高意思決定機関は、株式会社であれば株主総会であり、その決定の執行は取締役会が行います。代表取締役は会社の経営執行の責任者で、通常は取締役社長、または社長と呼ばれています。また経営者層の各責任者は、下表のような別称を使うことがあります。

企業組織の一般的な構成 頻出

●職能別組織と部門の役割

一般的な企業組織は、担当する業務の内容によって、分業化が行われています。これを職能別組織と呼びます。

職能別組織では、各部門、課、係などの階層構造をとっています。これは、階層型組織(ピラミッド型組織)と呼ばれ、階層によって業務に対する責任範囲の分担が行われており、各階層に部長、課長、係長などの責任者を置くことが一般的です。

ココも出る!

ワークライフバランス

仕事と生活(休養、育児や介護、趣味や生涯学習、地域活動など)のバランスを取り、公私共に充実させる生き方のこと。労働時間の見直しや、適切な休暇取得などの具体策がある。

ワークシェアリング

労働者の勤務時間を短縮したり、複数の労働者で業務を分担するなど配分を見直すことで、より多くの雇用を確保する方法。雇用の安定と創出を目的としている。

テレワーク

テレワークは、情報通信技術を活用することで、場所や時間の制約を受けずに働くことができる勤務形態。事業所とは別に設けられた小規模オフィスや在宅での勤務(SOHO)などに用いられている。

CEO (Chief Executive Officer)	最高経営責任者。取締役社長を指す。
CIO (Chief Information Officer)	最高情報責任者。経営戦略との整合性をとりながら情報化戦略を立てる。情報システム部門の担当役員。
CDO (Chief Digital Officer)	最高デジタル責任者。企業の DX を推進する役割を担う。
CISO (Chief Information Security Officer)	最高情報セキュリティ責任者。情報セキュリティ管理の責任を担い、セキュリティ戦略の立案・計画・遂行を行う。
CPO (Chief Privacy Officer)	最高プライバシー責任者。個人情報管理やプライバシーポリシーの策定、個人情報に関する問題解決に当たる。
CFO (Chief Financial Officer)	最高財務責任者。財務戦略の立案・遂行を行う。
COO (Chief Operating Officer)	最高執行責任者。CEO の指揮の基、業務運営の責任を負う。

図表 01-1　経営者層の呼称

❶ライン部門(直接部門)

組織本来の業務の目的を直接的に遂行し、収益に直接関係する部門です。それぞれの企業の業種により、主軸となる業務(例：製造業→製造業務、流通業→販売業務、金融業→融資業務など)を担当します。

❷スタッフ部門(間接部門)

ライン部門を支援する部門(人事部、経理部、情報システム部など)のことで、主に業務活動の管理を担当します。

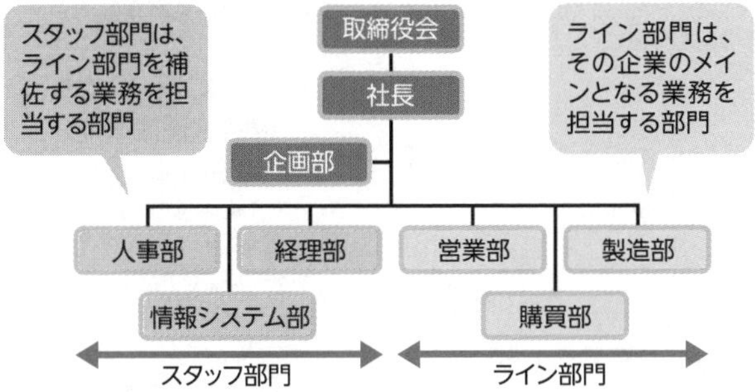

営業、販売部門	顧客に製品やサービスを販売(提供)し、売上を回収する。
生産、製造部門	工場などでの製品の製造、および製造管理を行う。
購買、資材部門	製品の原料や業務に必要な資材を調達する。
人事、労務部門	人事計画の立案、雇用、昇進、配置、教育などを行う。
経理、財務部門	金銭面の管理。資金調達や運用などを行う。
総務部門	部門間の調整や対外的な業務を行う。
研究開発、マーケティング部門	市場の調査・分析や、新製品の開発・研究などを行う。
情報システム部門	情報システムの構築、運用、保守を行う。

図表 01-2　職能別組織の構成

●そのほかの組織形態

多くの企業では職能別組織を採用していますが、異なる組織形態を採用したり、複数の形態を使い分けている企業もあります。

❶事業部制組織

社員数が数千人から数万人の大企業では、製品分野や地域などの単位で事業部に分けた組織形態が用いられま

ココも出る！

スパンオブコントロール

1人の管理者が直接監督できる部下の人数や業務範囲を指す。社員数が多いのにスパンオブコントロールが少ないと、課の下にチームを置くなど階層が深くなり、上層←→下層間の情報伝達や、意思疎通などの連係が悪くなる。

ラインアンドスタッフ組織

職能別にライン組織とスタッフ組織の2つの組織で構成する組織形態。スタッフ組織はライン組織へのサポートや専門家としての助言などを独立した立場で行う。

プロジェクト組織

商品開発など特定の目的のためにプロジェクトチーム<☞ p.414「プロジェクトの資源」>を組み、専門的な知識や能力を持つ人材を各部門から集めて臨時に編成する組織。プロジェクトには期間や目標が定められており、終了時にはチームも解散する。

カンパニー制組織

社内分社制の一種で、事業部制より権限委譲を強め、独立色が濃い。各カンパニーを擬似的な1つの会社組織と見なし、統括する本部が各カンパニーに疑似資本金を投資し、各カンパニーは独立採算で事業を行い、本部に対して利益配当を行う仕組みとなっている。

す。これを事業部制組織と呼んでおり、事業部ごとにそれぞれラインやスタッフなどの職能別組織を持ち、1つの独立した企業のように活動します。大きな権限を事業部に与える代わりに独立採算制をとり、利益責任を明確にすることで効率のよい経営を行うことが目的です。

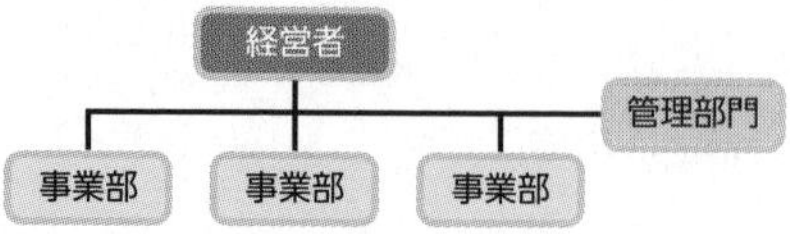

図表 01-3　事業部制組織の構成

❷マトリックス組織

職能組織に属しながら、プロジェクトチームに参加したり、製品別のグループに参加するなど、1人のメンバーが2つ以上の部門に属する形態をマトリックス組織と呼びます。柔軟な組織編成が可能になる反面、管理者の責任範囲が曖昧になったり、指揮命令系統が複雑になるなどの欠点も存在します。

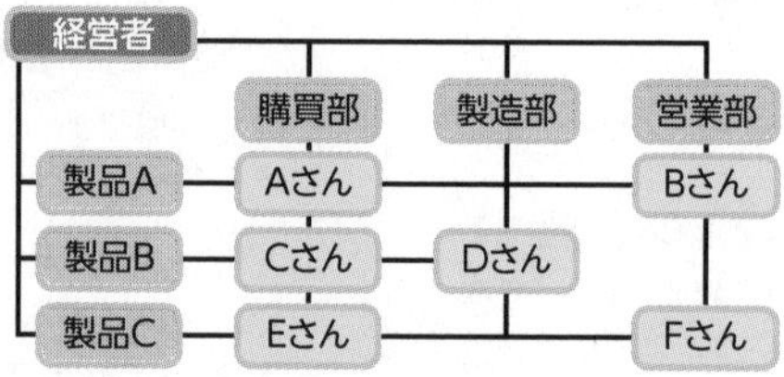

図表 01-4　マトリックス組織の構成

社会におけるIT利活用の動向

AIの進化、コンピュータの処理能力向上、情報の多様化やデータ量の増大などによって、社会生活は大きく変化を続けています。企業においてはIT利活用の動向を見極めながら、社会の変化に対応していく必要があります。また、国家規模や地球規模の問題点にもITを前提とした取組が進められています。

○デジタルトランスフォーメーション(DX)

デジタル技術の利活用によって企業の業務改革を推進し、新しい価値やビジネスモデルを創出することです。

ココも出る！

レピュテーションリスク

レピュテーションとは「評判」のこと。レピュテーションリスクは、悪い評判が立つことで、企業の社会的信用が損なわれ、損害の発生や業績の悪化を招くリスクを指す。

インダストリー4.0（第4次産業革命）

AIやIT(情報技術)、ICT(情報通信技術)によって実現される第4次産業革命のこと。ヘニング・カガーマン博士を中心とするワーキング・グループが提言したもの。製造プロセス円滑化にとどまらず、既存のバリューチェーンの変革や新たなビジネスモデルの構築をもたらすことを目的としている。

こちらも参照

Society5.0

☞ p.506

スマートシティ／スーパーシティ

☞ p.519

02

企業と法務

業務分析とデータ利活用

企業活動の業務分析を行う際に、「そこそこよかった」とか、「大まかに改善した」という評価では、正確な判断ができません。また、全体の収支金額だけでは、どの事業が好調だったのか、改善が必要な業務がどれなのかもわかりません。そんなとき有効なのがORとIEです。

OR（Operations Research：オペレーションズリサーチ）は、企業経営の意思決定の場面や、運用・管理の問題解決の場面で、情報を数値を用いて定量的に分析・評価し、数学的に解法を得るための手法です。

また、IE（Industrial Engineering：経営工学）は、生産現場から発展してきた手法です。資源を効率的に活用し、無駄を省いて生産性を高めるための管理手法ですが、現在ではさまざまな分野に使われています。

定量分析に用いるORの手法

代表的なORの手法には、次のようなものがあります。

分　野	手　法	概　要
線形計画法	シンプレックス法	与えられた複数の条件から最大の効果を得るための解を求める。
在庫管理	EOQ（最適発注量）公式	与えられた条件の基で、在庫総費用を最小にする。
日程計画	PERT／CPM	日程が最短になるように計画、管理する。
待ち行列	待ち行列理論	確率的手法により、サービスを受けるまでの待ち時間や待ち行列の長さを予測する。
需要予測	時系列分析 回帰分析	過去から現在までの情報から、将来の動向を予測する。

図表 02-1　代表的な OR の手法

ココも出る！

回帰分析

回帰分析は、2項目の観察データの相関関係を分析する方法。一方の変量を原因、もう一方を結果として因果関係を想定し、将来の値を予測する。

例えば、「保管温度を1度上げると熟成期間は1日間、2度上げると2日間短くなる」という食品なら、3度上げると3日間短くなるだろうという予測ができる。

時系列分析

時系列分析は、過去のデータが何らかの要因に左右されるとき、その変化から結果を予測する方法。

例えば、冬は売れて夏は売上が落ちる」、「発売後から3か月を経過すると需要が落ち販売価格が下がる」などのデータ予測に有効となる。

こちらも参照

日程計画

☞p.397「スケジュールの作成手法」

配分問題を解く線形計画法

頻出

線形計画法は、限られた資源や材料を用いて何種類かの製品を生産するとき、「どの製品にどれだけの資源や材料を割り当てれば、最も効率よく利益を上げることができるか」という配分問題を解く手法です。最も広く使われているのが**シンプレックス法**で、次のように解きます。

《例題》　ある工場で製品A、Bを生産している。製品Aを1t生産するのに、原料p、qをそれぞれ4t、9t必要とし、製品Bについてもそれぞれ8t、6t必要とする。また、製品A、Bの1t当たりの利益は、それぞれ2万円、3万円である。原料pが40t、qが54tしかないとき、製品A、Bの合計の利益が最大となる生産量を求めよ。ここで、製品A、Bの生産量をそれぞれxt、ytとする。

上記では、まず求める製品A、Bの生産量をそれぞれx、yとし、各材料の**最大使用量**(使用限界量)に着目すると、次の不等式が成り立ちます。

Aをxt製造するのに必要なpの量　　Bをyt製造するのに必要なpの量

原料p：　$4x + 8y \leqq 40$　……①

原料q：　$9x + 6y \leqq 54$　……②

Aをxt製造するのに必要なqの量　　Bをyt製造するのに必要なqの量

ここで、x、yは生産量ですからマイナス(負)になることはないものとします。

$x \geqq 0,\ \ y \geqq 0$　…③

製品Aをx個、製品Bをy個生産するので、最大化する利益は次の式で表せます。

利益：$2x + 3y$→最大化　…④

制約条件式の交点が最適解になることに着目し、①、②を連立一次方程式として解き、④に当てはめます。式を解くと、利益を最大にするには、製品Aを4t、製品Bを3t製造すればよく、最大利益は17万円になります。

問題の条件を定式化したもの(①、②)を**制約条件**とい

さらに詳しく

グラフによる解法

線形計画法の目的関数を最大にするx, yを求めるためには、制約条件をグラフに描いて判断する方法もある。

①かつ②の領域

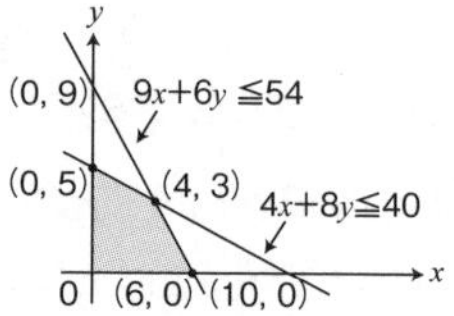

最大化する解は、(0,5)、(4,3)、(6,0)の3つあるが、それぞれ利益の式に当てはめると、$x = 4$、$y = 3$が最も大きくなる。

○計算式の解き方

$$4x + 8y = 40$$
$$9x + 6y = 54$$
↓
$$36x + 72y = 360$$
$$-\ 36x + 24y = 216$$
↓
$$48y = 144$$
$$y = 3$$
$$x = 4$$

い、目的を表す式(④)を**目的関数**といいます。また生産量x、yは負にはならない(③)ことを**非負条件**といいます。

適正な在庫量を保つ在庫管理

在庫管理とは、適正な商品在庫量になるように管理を行うことです。在庫数が少ないと品切れが発生し**販売機会**を失い、逆に、過剰に在庫を持つと、倉庫代など余分な**在庫維持費用**がかかります。したがって、最低限必要な在庫数を持つことが望ましいといえます。在庫管理の方法として、次の2つがあります。

❶定期発注方式

発注間隔をあらかじめ定めておき、これに従ってそのつど必要量を発注する方式です。この方式は、単価が高く、品切れの許されない厳密な管理を必要とする商品の発注に適しています。

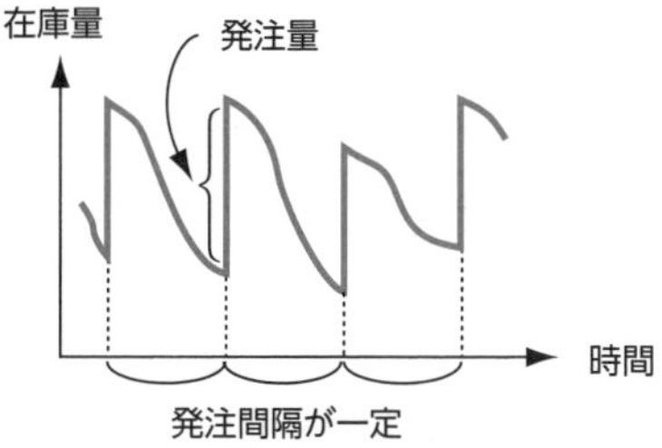

図表 02-2
定期発注方式

定期発注方式では、次の式で発注量を求めます。

発注量(在庫補充量)
=需要推定量−発注残−現在の在庫量+安全在庫量

ここで、発注してから納入されるまでの時間を、**リードタイム**(調達期間)といいます。また**需要推定量**は、「調達期間+発注間隔の間に予想される需要量」です。**発注残**は、発注済でまだ納入されていない量です。

予想した状況が変化しても、在庫切れを防ぐ余裕を持たせるための在庫量を**安全在庫量**といいます。

出題分析

在庫管理の方式

在庫管理における定期発注方式に関する記述として、適切なものはどれか。

ア ABC分析でのAランクの品目を管理するのに適した方式である。
イ 運用コストを最小にする経済的発注量が用いられる。
ウ 二棚法で採用している方式である。
エ 発注点方式ともいわれている。

定期発注方式は、単価が高く厳密な管理が必要となる品目(ABC分析のAランク)の管理に適している。一方、定量発注方式は、単価の低い品目(ABC分析のB、Cランク)に適用される。

解答 ア

❷定量発注方式

在庫がある一定の量(発注点)まで減ったときに一定量の発注をする方式です。この方式は、単価が低く細かい管理は不要で、1回の発注量がある程度多い商品の発注に適しています。

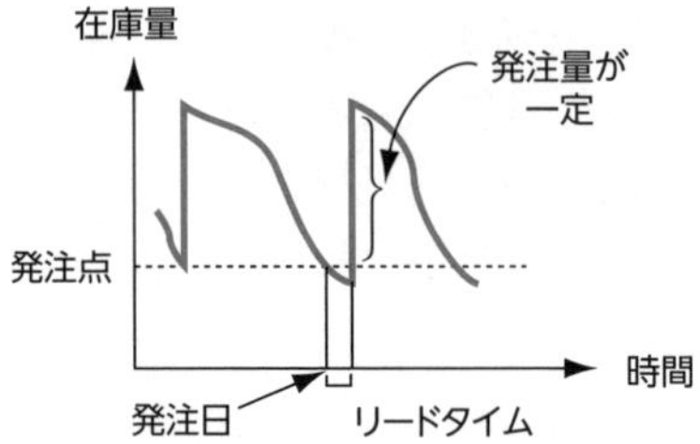

図表 02-3
定量発注方式

●在庫総費用とEOQ(経済的発注量)

在庫に掛かる費用を在庫総費用といい、次の式で求めることができます。

在庫総費用=在庫維持費+発注費

需要が一定の場合、在庫総費用を最小にする1回あたりの発注量は、**EOQ公式**により求めることができます。

EOQ公式

$$1回当たりの発注量=\sqrt{\frac{2\times期間中の需要量\times1回当たりの発注費}{単位当たりの期間在庫維持費用}}$$

EOQ(Economical Ordering Quantity;経済的発注量)

また、在庫総費用(=在庫維持費+発注費)と経済的発注量<☞>の関係は、下図のようになります。

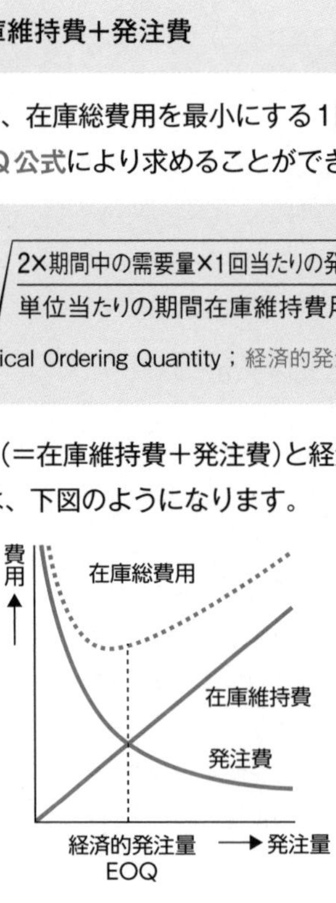

図表 02-4
経済的発注量

ココも出る!

二棚法(2ビン法)

二棚法は、在庫管理における簡便な管理方法。2ビン法、ダブルビン方式ともいう。運用方法は、まず2つの棚に部品を一杯まで入れ→①部品の下に発注票を置く→②一方の棚からのみ部品を使う→③部品がなくなり発注票が出てきたら発注する→④もう一方の棚の部品を使うという手順をとる。

さらに詳しく

在庫総費用の内訳

在庫管理にはさまざまな費用が発生する。まず在庫を保管するために必要になるのが在庫維持費(保管費)で、在庫量を少なくするほど費用を抑えることができる。また、発注時にかかる発注費は、発注のつどかかる費用で、発注回数を減らせば費用を削減できる。

この在庫維持費用と発注費用を合わせたものが在庫総費用であり、さらに在庫総費用を最小にする発注量を経済的発注量(EOQ:Economic Order Quantity)という。

こちらも参照

スケジュールの作成手法(PERT)

☞p.397

相手の行動を読むゲーム理論

ゲーム理論とは、相手の行動を読みながら自らのとる行動によって、どのような結果になるかを予測する手法です。市場における販売競争の予測など、経営戦略を立てる際の意思決定に利用することができます。

代表的な手法にマクシミン戦略（マクシミン原理）があります。これは「最悪の場合に得られる利益に着目して、利益が最大になるものを選択する戦略」です。「最悪の中でも、最もましなものを選ぶ」ことになります。損失を極力抑えるということで、消極的な戦略といえます。

●マクシミン戦略の例

下表において、左側の数値がＡ社の利得、右側がＢ社の利得とします。Ａ社は戦略a1を選ぶと最悪で－15、戦略a2を選ぶと最悪で0の利益があるため、戦略a2を選択します。同様にＢ社は、戦略b1で－5、戦略b2で－20なので、戦略b1を選びます。以上により、表の場合のＡ社の利得は5ということになります。

		B社	
		戦略b1	戦略b2
A社	戦略a1	－15, 15	20, －20
	戦略a2	5, －5	0, 0

生産の効率化を図るIE分析手法

IE（Industrial Engineering：経営工学）分析手法は、生産現場などの作業手順や作業時間を分析することで、作業の効率化を図ったり、作業現場の改善につなげることを目的に行うものです。次のような手法があります。

❶作業時間分析法

実際の動作や作業にかかる時間を測定し分析を行います。これを基に作業工程の省力化につなげたり、作業計画の策定を行ったりしていきます。

❷PTS法（Predetermined Time Standard）

標準的な作業者が行う各動作について、あらかじめ標

ココも出る！

マクシマックス戦略

マクシマックス戦略（マクシマックス原理）とは、最良の中で、最も良い結果になる選択をする戦略。つまり利益をとことん突き詰めるということで、積極的な戦略といえる。

ゼロ和2人ゲーム

参加する２人の利得と損失の和がゼロになるゲームのことを、ゼロ和２人ゲームという。

出題分析

検査手法に使う曲線

抜取り検査において、ある不良率のロットがどれだけの確率で合格するかを知ることができるものはどれか。

ア OC曲線
イ ゴンペルツ曲線
ウ バスタブ曲線
エ ロジスティック曲線

イ、エ：どちらも成長曲線の一つ。成長曲線は、エラー発見数などの傾向を見るために利用される。ウ：システムの故障率の推移を表現するときに使われる曲線。

解答 ア

準時間を決めておき、それに基づいて予定している作業全体を見積もる方法です。生産計画に利用されるほか、原価計算や作業環境の見直しなどにも利用されます。

❸ワークサンプリング法

午前10時や午後3時、週末や月末など、観察時刻や観察回数を決めて繰り返し観察し、得られたデータを統計的な手法で分析する方法です。事務作業など、定量化が難しい作業量の見積りに利用されます。

検査手法 ……OC曲線の読み取り

検査手法として代表的なものにOC曲線(検査特性曲線)があります。抜取り検査(1ロット中からいくつか抜き出して検査する手法)を用いた品質管理の図式手法で、ロット当たりの抜取り個数や、抜き取ったうちの何割が不良品ならロット全体を不合格とするかといった判断を行うために使われます。試験では、用語問題のほか、グラフの読取りやグラフ形状の変化が問われます。

❶グラフの読取り

下図のように、グラフの縦軸はロットの合格率(q)、横軸がロットの不良率(p)です。つまり、「p%よりも大きい不良率のロットが合格する確率は、q%以下である」ということになります。

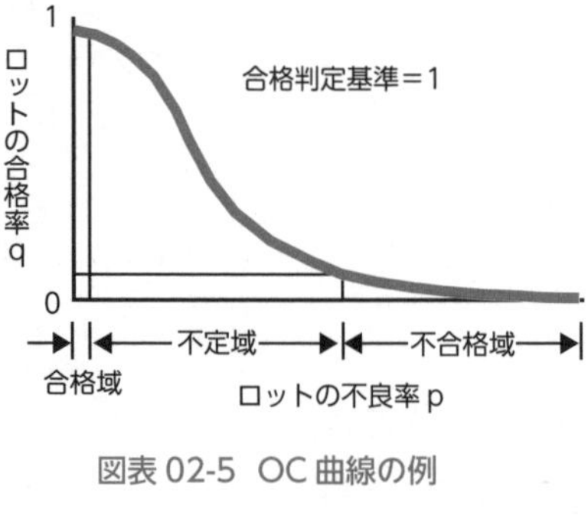

図表 02-5 OC 曲線の例

❷合格判定個数の変化

過去の試験では、合格判定個数が0,1,2…と変化したときの曲線の変化が問われました。合格判定個数は、不

さらに詳しく

OC曲線の変化

OC曲線(検査特性曲線)は、抜取り検査(1ロット中からいくつかを抜き出して検査する)を用いた品質管理の手法。ロット当たりの抜取り個数や、抜き取った内の何割が不良品ならロット全体を不合格にするかといった判断値を検討するときに使われる。

具体的な例で、OC曲線が変化する様子を見てみよう。ここで、1ロットの数量と、そこから抜取り検査する数は①〜③とも同じとする。

合格の基準は、①：0割(抜取り検査した製品に不良品がなければそのロットは合格)、②：1割(不良品が、抜取り検査した製品の1割以内ならそのロットは合格)、③：2割(不良品が、抜取り検査した製品の2割以内ならそのロットは合格)。

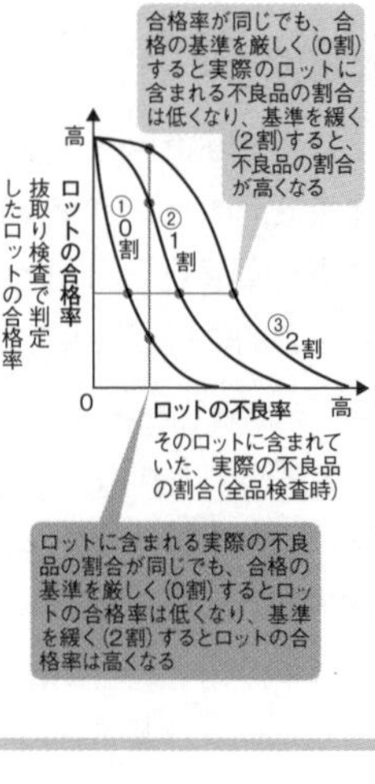

良品に対する許容個数(合格の基準)なので、数が多く(基準が緩く)なれば、グラフの縦軸が大きくなり、グラフ全体が右上に膨らみます<☞p.540>。

業務分析・業務計画の手法

業務改善を行うためには、まずデータを収集し、次にそれを整理・分析し、その結果に基づいて具体的な改善案を見つけていきます。次のような手法があります。

❶ブレーンストーミング

新しいアイデアを生み出すための会議。多くのアイデアが出るように、批判禁止、質より量、自由奔放、結合と便乗OKのルールの下で行います。

❷データマイニング

収集したデータから、経営にとって必要な法則性を見つけ出す手法です。例えば弁当と飲み物の購入データを分析し、「高い確率で一緒に買われている」といった法則性を見つけ出します<☞p.229>。

❸クラスタ分析法

大量データの多くの要素について、それらが持つ特性が似ているものどうしを集めて、グループにまとめて分けて特性や傾向を明確にする分析手法です。このグループ(集団)のことをクラスタ(cluster)と呼んでいます。

❹デルファイ法

将来の技術動向など、未来の予測をまとめるときに行う手法。まず複数の専門家から意見を聞きます。さらに、「得られた意見を統計的に集約→集約データを参照してもらい、さらに意見を出してもらう」というフィードバックを繰り返しながら、最終的な意見に集約します。

データを集めて生かす、データ利活用

データ利活用は、社会を支えているあらゆるデータを利活用して社会や組織の競争力につなげる行為や考え方です。これは、国が推進するデジタル基盤である「データ

ココも出る！

レーダーチャート

複数要素のバランスを見ることができるチャート。同時に、別項目を重ね合わせて比較することもできる。

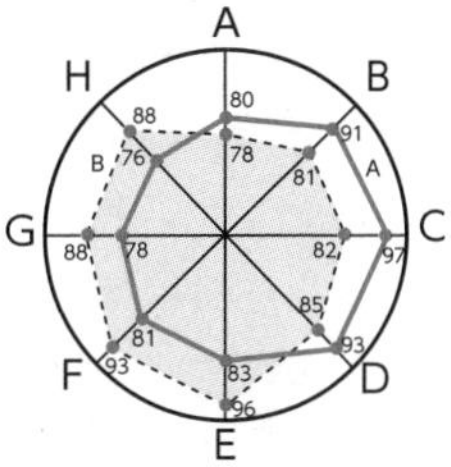

ファシリテーター

ファシリテーターとは、会議などの場で、参加者に発言を促したり、話の流れを整理するなど、話し合いを活性化・効率化させるための支援を行う役割を持つ人のこと。

1次データ／2次データ

1次データは、目的を持って独自に収集したデータ。**2次データ**は、他の企業などが収集したデータ。公開されているものや非公開で販売されているものなどがあり、目的に合わせて選択して利用する。

スペース」構想にも通じてくるでしょう。データ利活用の具体的な内容は、次の４つに分かれます。

❶データの収集

数値や文字、画像や音声など、多くの種類があること、発生のタイミングや発生頻度を考慮する必要があります。

- **取得方法による分類**：人の行動ログ、機械の稼働ログ、調査データ、実験データ、SNSデータなど
- **取得主体による分類**：1次データ、2次データ<☞ p.541>
- **データの属性による分類**：構造化データ、非構造化データ(文字、画像、音声など)、メタデータ

❷データの加工・分析

収集したデータは、必要な抽出を行い、データクレンジング(外れ値や異常値、重複や欠損を補正)を行ったうえでデータ統合を行います。さらにデータの質を高める加工、有用な情報を引き出すための分析を行っていきます。新しいインサイトを見つけ出すことができたら事業戦略に生かしていきます。

- **データの加工**：特徴量エンジニアリング<☞>
- **データの分析**：データサイエンスの分析手法<☞>

❸データ分析における統計的手法

統計的手法を用いたデータ分析と、その結果が何を意味するのかを読み取っていきます。

- **データの種類**：量的変数、質的変数、標本抽出(単純無作為抽出、層別抽出、多段抽出など)
- **統計手法**：データの分布(ヒストグラム)、代表値(平均値、中央値、最頻値など)、ばらつき(分散、標準偏差など)、相関関係、因果関係
- **データの読取り**：データや事象の重複を見抜く、条件をそろえる、誇張表現を見抜く、集計ミスなどの特定

❹図やグラフによるデータの可視化

グラフやチャートを用いて、データ分析の結果や統計情報をわかりやすい形で説明できるようにしていきます。

- **図やグラフの種類**：棒グラフ、折れ線グラフ、箱ひげ図、ヒートマップ、レーダーチャートなど

ココも出る！

特徴量エンジニアリング

データの分析を行うにあたって、目的に合った数値で表せる特徴を見つけ出すこと。例えば顧客データであれば、名前やIDは特徴量として意味を持たないが、年齢や来店回数は何らかの分析を行う際の特徴量となる。構造化データでは選択すればよいが、非構造化データの場合は、何かしらの判断を行って特徴量を作り出す必要がある。

分析手法の種類

代表的な分析手法には、次のものがある。

- クロス集計
  2つの要素を選び、2次元の表形式で表したもの。最も基本的な分析法。
- アソシエーション分析
  「～を購入する人は、～も購入する傾向がある」といった、データどうしの関連性を分析する際に用いられる手法。
- 時系列分析
  販売予測や株価予測など、時間的な変化を分析するための手法。過去の実績を分析して未来の傾向を予測することができる。

こちらも参照

ABC分析

☞p.543「パレート図」

03

企業と法務

品質管理とQC七つ道具

QC七つ道具とは

QCとは、品質管理(Quality Control)のこと。生産管理分野では、いろいろな品質管理技法が用いられてきました。７つの分析ツールを集めたQC七つ道具は、定量的(数値で表せるもの)な分析に利用するのに対し、新QC七つ道具は定性的(数値で表せない性質や傾向など)な分析に適しています。これらは品質管理だけではなく他の分野にも活用することができます。

QC七つ道具の種類と特徴

頻出

次の７つのツールで構成されます。管理図、特性要因図、パレート図、散布図については、第５章<☞ p.410「ソフトウェアの品質管理に用いる図法」>でも解説しています。

❶特性要因図

特性(結果)とそれに影響を及ぼす要因(原因)との関係を整理し、魚の骨のような図(フィッシュボーンチャート<☞ p.411 特性要因図>)に体系化したものです。

❷パレート図

データを大きい順に並べた棒グラフと、その累積和を表す折れ線グラフを重ねた複合グラフです。

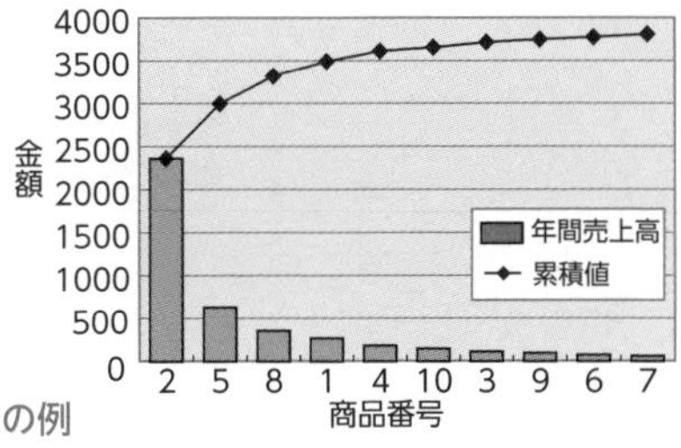

図表 03-1
パレート図の例

出題分析

ABC分析

ABC分析に基づく在庫管理に関する記述のうち、適切なものはどれか。

ア A、B、Cの各グループともに、あらかじめ統計的・確率的視点から見た発注点を決めておくほうがよい。

イ Aグループは、少数の品目でありながら在庫金額が大きいので、重点的にきめ細かく品目別管理をするほうがよい。

ウ Bグループは、品目数が多いわりに在庫金額が小さいので、できるだけおおざっぱな管理がよい。

エ Cグループは、定期的に必要量と在庫量を検討し、発注量を決める方式がよい。

ABC分析におけるAグループの品は、重点管理項目として厳重に管理する。Bグループの品は在庫数が、発注点まで下がったら発注する定量発注方式で管理する。Cグループの品は重要度が低いので、大まかな方法で管理する。

解答 イ

重要項目と、それが全体に占める割合がひと目でわかるのが特徴で、この特性を利用した代表的な方法として、ABC分析があります。これは、項目を重要度A、B、Cの３グループに分け、全体の約70％程度を占める項目をAグループ、全体の約90％程度を占める項目のうちAグループのものを除いたものをBグループ、それ以外の項目をCグループに分類する方法をとります。

例えば、売上データをこの手法で分析すると、Aグループに属する商品の在庫管理は厳重に行い、Cグループの商品は品切れが発生してから発注するといった、項目の重要度に従った管理方針を決定することができます。

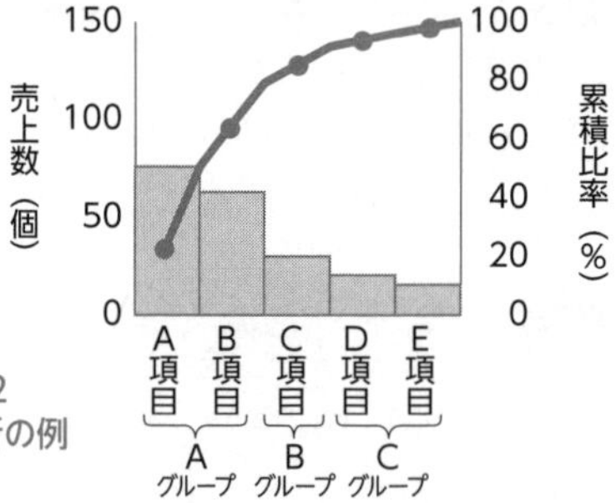

図表 03-2
ABC 分析の例

❸ヒストグラム

データ範囲をいくつかの区間に分割し、それぞれの区間に入るデータの出現度数を棒グラフで表したものです。ヒストグラムを作成することで、データの分布の形や、中心、ばらつきなどを知ることができます。

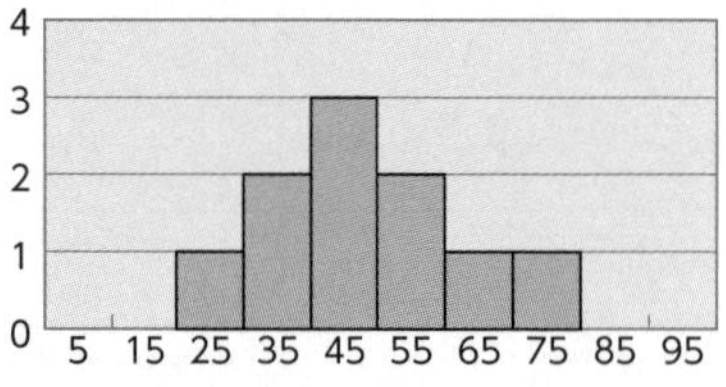

図表 03-3　ヒストグラムの例

❹散布図（相関図）

２つのデータ系列を縦軸と横軸にとり、個々のデータをプロット（点を打つ）した点グラフで、点の散布状況によって2つの項目の間にある相関関係がわかります。

出題分析

QC七つ道具

品質管理に用いられる図の説明のうち、適切なものはどれか。

ア 散布図は、1変数のデータのばらつき状態を知るために役立ち、平均値や標準偏差が容易に求められる。

イ 親和図は、錯そうした問題点や、まとまっていない意見やアイデアなどを整理し、まとめるために用いられる。

ウ 特性要因図は、２つ以上の変数の相互関係を表すのに役立つ。

エ 度数分布図は、原因と結果を対比させた図式表現であり、不良原因の追求に用いられる。

親和図は、列挙した項目の中で親和性の高いものをグループ化して図にまとめ、問題点を発見・整理するための技法。

ア：散布図は、２つの特性値の間に関係があるかどうかや、その関係がどのような状態かを調べるために用いる。ウ：特性要因図は、特性と、それに影響を及ぼすと思われる要因との関連を整理し、体系図に表したもの。エ：度数分布図（ヒストグラム）は、要素の分布状態や全体的な特性の把握に適した図。

解答 イ

相関の強さを表す相関係数は、＋1～－1までの値をとり、相関係数が正の場合は右上がりの直線上に、負の場合は右下がりの直線上に点の分布が集まります。

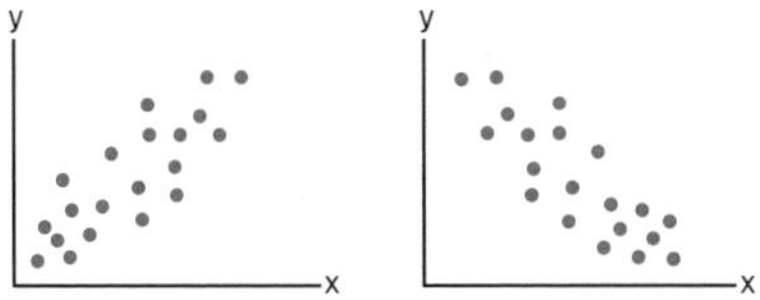

正の相関
点が右上がりに分布

負の相関
点が右下がりに分布

図表 03-4
散布図の例

❺チェックシート

チェックシートは、点検を行い記録する項目を表にしたもので、チェック漏れを防ぐ目的で使用します。

チェック項目	チェック欄
研磨剤の補充	✔
製品のセット位置確認	✔
安全装置のロック解除	✔

図表 03-5　チェックシートの例

❻層別

層別とは、データ全体を、ある特性によって分類し、分類されたものを個別に分析する手法です。例えば、データを商品別、担当者別、地域別、得意先別などに分類し、さらにヒストグラムやグラフを使って表現することで、問題の全体像がわかりやすくなります。

❼管理図

管理図は、管理限界の上限および下限を明示し、特性値の変動を折れ線グラフで表したものです。製品の品質管理などに用います。

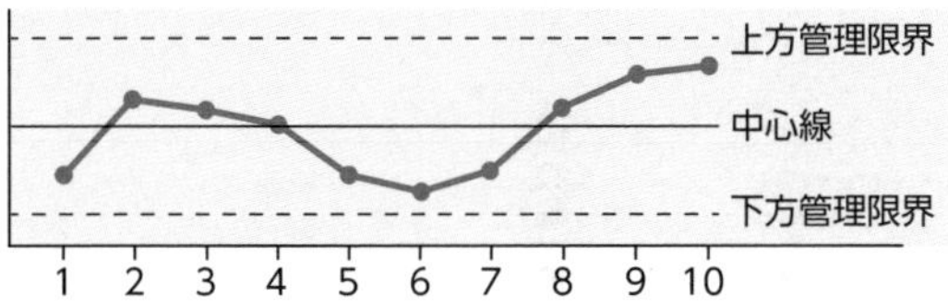

図表 03-6　管理図の例

出題分析

相関図の読取り

図は、製品の製造上のある要因の値xと品質特性の値yとの関係をプロットしたものである。この図から読み取れることはどれか。

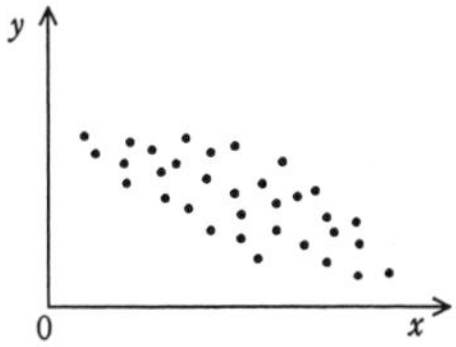

ア xからyを推定するためには、2次回帰係数の計算が必要である。

イ xからyを推定するための回帰式は、yからxを推定する回帰式と同じである。

ウ xとyの相関係数は正である。

エ xとyの相関係数は負である。

図の点の分布は、ほぼ直線上に分布していることから、2つの系列間に相関が存在する。図は右下がりの直線上に点が分布するため、xとyの相関係数は負であることが読み取れる。

なお、イの回帰式とは、一方からもう一方を求める一次式。直線の傾きが45°（もしくは－45°）であれば、$x \to y$と、$y \to x$の回帰式は同じになる。しかし、この問の図は傾きが45°ではないため、2つの式は異なる。

解答 **エ**

文字で表現される情報を扱う 新QC七つ道具

QC七つ道具が主に数値データ（定量的データ）の分析に用いられるのに対して、新QC七つ道具は文字データ（定性的データ）の分析に用いられます。

具体的にはインタビューやアンケートで集めた調査結果を分類したり、報告書やブレーンストーミングなどで出た意見を整理して、問題点を導き出したり、方向性を決めるときなどに利用します。

連関図法	複雑に絡み合った問題を整理するため、原因と結果、目的と手段などの因果関係を矢印で結び、問題の構造を明らかにする図法。
親和図法	列挙した項目の中で親和性の高いものをグループ化してまとめ、問題点を発見・整理するための図法。
系統図法	目的・目標を達成するための手段・方策を、系統立てて表す図法。問題←解決手段←その手段を実施するための方策…、というように順次展開（階層化）していく。
マトリックス図法	対になる要素を2次元の表の行と列に配置し、その交点に着目して、要素の組合せのパターンを発見、特定する図法。
マトリックスデータ解析法	マトリックス図で発見された要素の組合せをグラフ等を用いて分析する図法。
PDPC法	PDPC（Process Decision Program Chart：過程決定計画図）法は、目的を達成するためのプロセスを、できる限り望ましい方向へ導く方策を、事前に検討し、整理するための手法。流れ図と似た図式化技法である。
アローダイアグラム法	作業の前後関係を整理して、日程計画図として表す手法。プロジェクト管理技法でよく用いられるPERTで使われる図として知られている<☞ p.397>。

図表 03-7　新 QC 七つ道具

出題分析

新QC七つ道具

連関図法を説明したものはどれか。

ア 事態の進展とともにさまざまな事象が想定される問題について、対応策を検討して望ましい結果に至るプロセスを定める方法である。

イ 収集した情報を相互の関連によってグループ化し、解決すべき問題点を明確にする方法である。

ウ 複雑な要因の絡み合う事象について、その事象間の因果関係を明らかにする方法である。

エ 目的・目標を達成するための手段・方策を順次展開し、最適な手段・方策を追求していく方法である。

連関図法は、問題の原因となる事象を列挙。さらに事象どうしを矢線で結んで因果関係を整理し、問題や原因を究明していく。

そのほかの選択肢は、ア：PDPC、イ：親和図法、エ：系統図法、について述べたもの。

解答 ウ

企業会計と財務

企業活動における売上と利益の関係 頻出

企業は、自らの持つ資産（人、物、金）を使って生産物やサービスの提供を行い、顧客から売上を得ます。その売上と使った費用との差額が利益になります。

売上に対する直接的な費用を原価といい、原価は、固定費と変動費に分けられます。

❶固定費

売上高の増減に関係なく、常に一定額発生する費用のことで、人件費や地代家賃、生産設備の減価償却費などが該当します。

❷変動費

売上高の増減に応じて変化する費用のことで、材料費や商品仕入（売上原価）などの費用が該当します。

●損益分岐点分析

売上高と費用が一致する値を損益分岐点といい、この点を超えて売上高を伸ばせば、利益が生まれます。反対に下回ると損失になります。

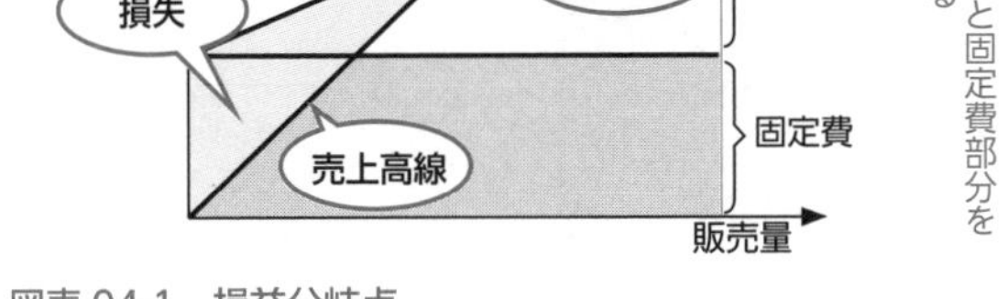

図表 04-1　損益分岐点

さらに詳しく

変動費と固定費から計算する利益

左下のグラフからわかるように、損益分岐点は売上高線と変動費線の交点。変動費線は、変動費に固定費を足した費用。

売上高や費用は、販売数量（nとする）に比例し、次式で表せる。

売上高＝販売単価×n
費用＝1個の変動費×n＋固定費

2直線の交点（損益分岐点）は、売上高と費用の値が一致する点。

販売単価×n
＝1個の変動費×n＋固定費

交点（損益分岐点）の販売数量nは、上式を変形して計算。

n＝固定費÷（販売単価－1個の変動費）

利益は、売上高から費用（変動費＋固定費）を引いたもの。

利益＝売上高－変動費－固定費
＝販売単価×n－1個の変動費×n－固定費
＝（販売単価－1個の変動費）×n－固定費

損益分岐点の売上高は、次の公式から計算できます<☞前ページ「変動費と固定費から計算する利益」>。

$$\text{損益分岐点売上高} = \frac{\text{固定費}}{1 - \dfrac{\text{変動費}}{\text{売上高}}} = \frac{\text{固定費}}{1 - \text{変動費率}}$$

企業会計の必要性

売上に対する費用がどれだけかかったかといった計算を行うためには、日々発生する取引を**仕訳**の形で分類・記帳しておく必要があります。仕訳とは、「～を購入し現金で支払った」、「～から預金に入金した」などという取引ごとに発生するもので、**勘定科目**（または**補助科目**）ごとに分類しておくことです。

これをまとめたものが**総勘定元帳**で、そこから**試算表**（**残高試算表**）を作り、最後に**決算書**としてまとめます。

企業活動を行った結果は**会計期間**（通常は1年間）ごとにまとめ、財政状態を報告する義務があります。

この作業を**決算**と呼び、必要な報告書（**決算書**）として代表的なものが、**貸借対照表**（**B/S**）と**損益計算書**（**P/L**）です。また、この2つを含む、さまざまな書類を**財務諸表**と呼んでいます。

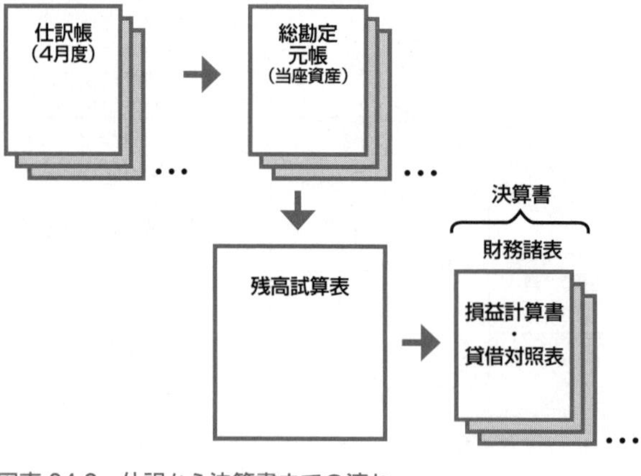

図表 04-2　仕訳から決算書までの流れ

ココも出る！

機会損失

機会損失とは、本来得られたであろう利益を何らかの原因によって失うこと。商品の投入時期を誤った、販売価格が高すぎたなど経営上の判断ミスや、生産設備の故障で製品の在庫がなくなったなどの例が考えられる。

出題分析

損益分岐点の計算

損益計算書から算出した各項目が表の値のとき、損益分岐点は何万円か。

単位万円

項目	金額
売上高	1,000
変動費	800
固定費	100
利益	100

ア　500　　**イ**　700

ウ　800　　**エ**　900

左記の損益分岐点売上高の公式を基に計算すると、以下のとおりとなる。

変動費率
＝800万円÷1000万円
＝0.8

損益分岐点売上高
＝100万円÷(1－0.8)
＝500万円

解答 ア

財務諸表の種類

頻出

決算書などの財務諸表は、企業ごとに勝手な基準で作るわけにはいきません。投資家や取引先などの利害関係者は、決算書によって企業の業績を判断するため、基準がまちまちでは比較できないからです。

財務諸表には次のような種類があり、法律(会社法や金融商品取引法など)に則った会計基準によって作成することが義務付けられています。

❶貸借対照表(B/S：Balance Sheet)

現時点における会社の財務状態を示すものです。資産と、負債および純資産を、左右に比較して記載することから、バランスシートとも呼ばれます。所有する資産と支払い義務(負債)がどう構成されているかがわかります。

❷損益計算書(P/L：Profit and Loss statement)

会計期間における経営成績です。売上に対する費用の内訳と損益の結果を知ることができます<☞ p.551>。

❸キャッシュフロー計算書(C/F：Cash Flow statement)

会計期間において、資金(現金または現金と同等の預金など)に、どのような増減があったかを知ることができます。キャッシュフロー(収入、支出)を、営業活動、投資活動、財務活動に分類して記載します<☞ p.553>。上場企業には、作成が義務付けられています。

❹株主資本等変動計算書

会計期間において、貸借対照表における純資産が1年間にどれだけ変動したかを示すものです。新たな会社法の施行により、貸借対照表、損益計算書とともに、作成が義務付けられるようになりました。

決算書によってわかること

決算書を読み取ることは、企業の現在の状態を理解することです。貸借対照表と損益計算書は、日々の取引をまとめた残高試算表を介して連動しており、それぞれにおける利益(純利益)は一致します。

ココも出る！

連結決算

親会社と子会社が連携しているグループ企業では、それぞれの決算だけでなく、親会社と子会社や関連会社なども含めた、グループ全体の決算も行う必要がある。これを連結決算といい、その際に作成される、グループ企業全体の収支を表す決算書類は連結財務諸表と呼ばれている。

さらに詳しく

情報公開

財務諸表は、投資家や取引先など、社外の利害関係者にとっても重要な情報源となる。日本では、投資家(株主)の保護を目的として、大企業には経営や財務の状態などを公開することが、法律(会社法・金融商品取引法)により定められている。この情報開示のこと(または情報開示の制度のこと)をディスクロージャという。

さらに一歩進んで、これらの情報をWebサイトなどを使い、積極的に開示する広報活動(IR：Investor Relations<☞ p.530>)を行う企業も増えている。

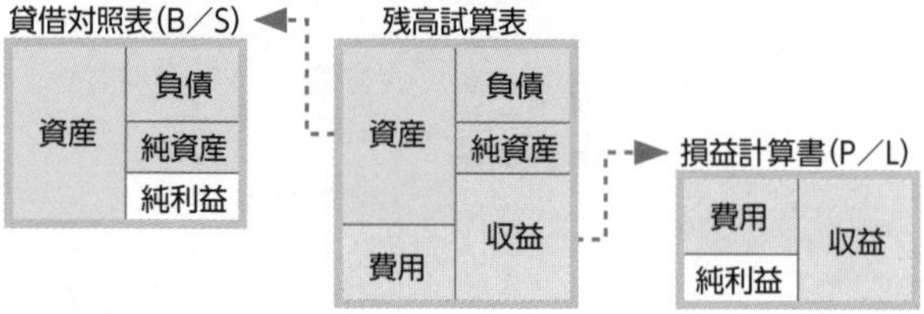

❶ 資産：所有する財産

流動資産	当座資産	現金、預金、受取手形、売掛金など
	棚卸資産	商品、製品、原材料、半製品など
	その他	前渡金、未収入金、立替金など
固定資産	有形固定資産	土地、建物、機械、車両など
	無形固定資産	営業権、借地権、特許権など
	投資その他	子会社株、投資有価証券など
繰延資産	将来の収益に役立つ研究開発費、社債発行費など	

❷ 負債：将来の支払い義務

流動負債	未払金、支払手形、短期借入金、納税引当金など
固定負債	社債、長期借入金、退職給与引当金など

❸ 純資産：資産総額から負債総額を差し引いた純粋な資産

株主資本	株主から集めた資本金や、法令で定められた準備金など
評価・換算差額等	有価証券などの評価差額（当期の損益に含まれない場合）
新株予約権	新株予約権発行に伴う対価（発行価額）

❹ 収益：営業活動の結果、企業に入る経済的価値

営業利益	営業活動から生み出した売上高など
営業外収益	営業活動以外の受取利息、受取配当など
特別利益	臨時的な固定資産の売却など

❺ 費用：営業活動のために、企業から出た経済的価値

売上原価	原材料や仕入などの費用
一般管理費	営業活動に必要な広告費、給料、光熱費など
営業外費用	営業活動以外のもの。支払利息など
特別損失	臨時的な固定資産売却損、災害損失など

図表 04-3　決算書の項目

さらに詳しく

会計監査

規模の大きな企業(資本金5億円以上または負債の合計が200億円以上)では、決算で作成した財務諸表などに関して、会計監査人(外部の公認会計士や監査法人)が、その内容が適正であるかどうかを確かめる会計監査を受けることが、会社法によって義務付けられている。

出題分析

財務諸表

財務諸表のうち、一定時点における企業の資産、負債及び資本を表示し、企業の財政状態を明らかにするものはどれか。

ア キャッシュフロー計算書
イ 損益計算書
ウ 貸借対照表
エ 利益処分計算書

資産、負債、資本から構成され、年度末における企業の財政状態を表すのは貸借対照表。

ア：会計期間における資金の収支を事業活動の内容別に集計。イ：会計年度における企業の経営成績を表す。エ：未処分利益の配分内容(配当や役員報酬など)を表す。

解答 ウ

損益計算書から求められる利益

頻出

企業の利益(または損失)には、税金がかけられたり、投資によって増減が生じたりするため、単純に「売上から原価を引いたもの」とはなりません。利益には、次のような項目があります。

❶売上総利益

売上高－売上原価

商品やサービスの提供によって得られた利益で、一般には「粗利(あらり)」と呼ばれています。

❷営業利益

売上総利益－販売費及び一般管理費

営業活動によって得られた利益です。

❸経常利益

営業利益＋営業外収益－営業外費用

営業利益に、営業活動以外の投資など、経常活動での利益や損益を加えた値です。

項目	金額	計算
売上高	100	⊖
売上原価	75	
売上総利益	25	⊖
販売費及び一般管理費	10	
営業利益	15	⊕
営業外収益	3	⊖
営業外費用	7	
経常利益	11	⊕
特別利益	0	⊖
特別損失	2	
税金等調整前当期純利益	9	⊖
法人税・住民税及び事業税	3	
当期純利益	6	

※数値の単位は億円

図表 04-4　損益計算書

❹税金等調整前当期純利益(税引前利益)

経常利益＋特別利益－特別損失

イレギュラーな事態により発生した損益(例：建物の焼失)や利益(例：保険金の入金)を加えた値です。

❺当期純利益

税引等調整前当期純利益－法人税・住民税及び事業税

税金等を差し引いた当期の純粋な利益です。

経営判断に用いる財務指標

頻出

管理会計とは、財務会計で得られた数値を分析し、さまざまな財務指標を導くことを指します。このような指標を目安に、企業活動の見直しを図ったり、経営者の意思決定を行います。主に次のような指標があります。

●安全性指標

企業の財政の安定度を示す指標で、いずれも貸借対照表の値を使って求めます。

さらに詳しく

売上高総利益率

売上高総利益率は、収益性指標の1つで、粗利率ともいう。売上総利益÷売上高で求められ、値が高ければ、売上原価と販売価格の差が大きい(＝利幅が大きい)、つまり製品の付加価値が高く、市場競争力が高いことを表している。

総資産回転率

総資産回転率は、保有する総資産がどれだけ効率的に活用されているかを示す指標。売上高÷総資産で求められる。

❶流動比率

流動資産÷流動負債

流動比率の値が大きければ「この企業には支払い能力がある」と見なすことができます。値が1より大きければ、1年以内に支払義務が生じる負債より、現金化できる資産が多いことを表します。

❷固定比率

固定資産÷自己資本

保有する固定資産(土地建物や有価証券など)のうち、どれくらいの割合を借り入れでなく自己資本でまかなったのかを示す値です。値が1を超えた場合は、他人資本(借金)で固定資産を購入しており、いずれ返済が必要なため、企業の財政は不安定になりがちです。

❸自己資本比率

自己資本÷総資本(総資産)

総資本(資産の部の合計額)のうち、自己資本(純資産の部の合計額)の割合を示す値です。これが低い場合は、他人資本(借金)が多く不安要素が大きいことを表します。

●収益性指標

企業が利益を得る力を図る指標で次のものがあります。

❶自己資本利益率(ROE:Return On Equity)

当期純利益÷自己資本

株主が出資した資本金に対して、企業がどれくらいの利益を上げられたのかを表します。投資家にとっては、配当金の多い少ないを予測する指標となります。

❷総資産利益率(ROA:Return On Assets)

当期純利益÷総資産

保有しているすべての資産を、いかに効率的に利用し、どれだけの利益を上げられたのかを表します。ROAを改善するには、**売上高総利益率**<☞前ページ>を良くするか、**総資産回転率**<☞前ページ>を上げるかという、どちらかの方策が必要になります。

出題分析

ROEの説明

ROE(Return On Equity)を説明したものはどれか。

ア 売上高に対して在庫が何回転したかを示した指標

イ 企業における財務活動の安全性を表した指標

ウ 自己資本に対する収益性を表した指標

エ 当期純利益から株主へ配当される金額の率を表した指標

ROE(自己資本利益率)は、企業活動によって得られた利益を、自己資本との比率で表したもの。ROEの値が高いほど、高い収益性を持つ企業であると判断できる。

解答 ウ

こちらも参照

ROI (投資収益率)

☞p.459「情報システム投資計画」

現金の流れが見えるキャッシュフロー会計

キャッシュフロー会計とは、現金や預金の動きに注目して、企業の財政状態を把握することを指します。これらの動きを記載するキャッシュフロー計算書は、財務諸表の1つになっています。

流動資産や売上高には、まだ販売代金を回収していない売掛金なども金額に含まれています。そのため、貸借対照表や損益計算書では資金的な余裕があるように見えても、実際には近々の支払いが難しい状況にある場合もあります。キャッシュフロー計算書には、未収や未払いの金額は記載されないため、企業の現実的な支払い能力の有無を推測することができます。

●キャッシュフロー計算書の項目

キャッシュフロー計算書では、「お金の流れ」を、営業活動、投資活動、財務活動の3つの項目で記述します。

❶営業活動によるキャッシュフロー

本業が順調かどうかを示す指標となります。商品の販売(収入)、従業員の給与(支出)、原材料の購入(支出)などがこの項目に区分されます。

❷投資活動によるキャッシュフロー

今後の企業活動の維持・発展のために、必要なお金をかけているかを示しています。土地建物の取得(支出)、有価証券の売却(収入)、定期預金への預入れ(支出)などがこの項目に区分されます。

❸財務活動によるキャッシュフロー

不足する資金の調達や、余剰金の扱いをどうしているかを示しています。株式の発行(収入)、社債の償還(支出)、配当金の支払い(支出)などがこの項目に区分されます。

キャッシュフロー計算書の各項目には、キャッシュが増える要素(収入)と減る要素(支出)の両方が含まれることに注意しましょう。例えば、「財務活動によるキャッシュフロー」では、借入金は収入(お金が増える)、配当金(株主に支払う利益の還元)は支出(お金が減る)になります。

ココも出る!

キャッシュマネジメント

キャッシュマネジメントとは、企業の経営活動に必要となる資金(運転資金や設備資金など)を過不足のない状態に維持することを指す。グループ企業を含めた、資金調達や決済などを管理し、キャッシュマネジメントを効率的に行うシステムとして、キャッシュマネジメントシステム(CMS)がある。

出題分析

キャッシュフローの改善

キャッシュフローを改善する行為はどれか。

ア 受取手形の期日を長くして受け取る。

イ 売掛金を回収するまでの期間を短くする。

ウ 買掛金を支払うまでの期間を短くする。

エ 支払手形の期日を短くして支払う。

キャッシュフローは現金や預金の流れなので、回収していない売掛金を早く回収できたり、受取手形を早く換金できれば改善できることになる。逆に買掛金や支払手形を支払うまでの期間は長くするとよい。

解答 イ

保有資産の評価と管理を行う資産管理 頻出

資産管理とは、企業が決算時に保有している資産の評価を行うことです。代表的なものに減価償却と棚卸資産の評価があります。

●減価償却

会社が保有する建物や機械、コンピュータなどは、複数年にわたって使用します。このような資産を減価償却資産と呼び、その資産の取得に要した費用は購入した会計期間に全額計上するのではなく、使用される期間（耐用年数）の中で分割し、期ごとに**減価償却費**として計上します。

減価償却額の算出方法や償却率、法定耐用年数は、資産の種類ごとに財務省令で定められています。

❶定額法による減価償却額の計算方法

耐用年数に含まれる期間中、期ごとに一定額を償却していく方法です。最終年度では、簿価として1円を残します（残存価額または備忘価額という）。

取得価額×該当耐用年数の定額法の償却率

❷定率法による減価償却額の計算方法

耐用年数に含まれる期間中、期ごとに一定の償却率で償却する方法。前期末の未償却残高（まだ償却していない残りの簿価）から計算するので、毎期一定の金額にはなりません。定額法より早い段階で未償却残高が減少します。

前期末の未償却残高×該当耐用年数の定率法の償却率

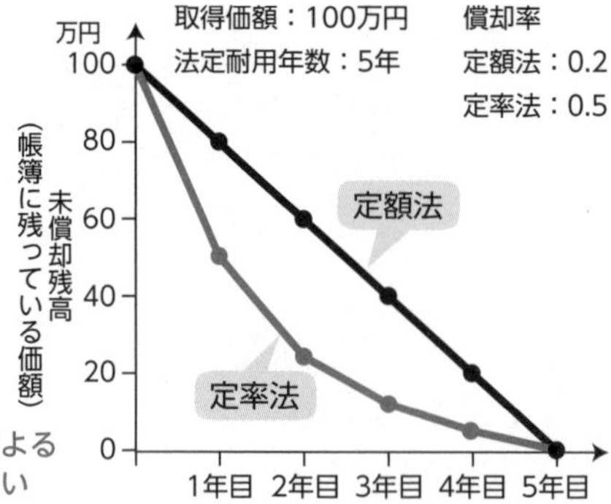

図表 04-5
減価償却方法による未償却残高の違い

出題分析

定率法による減価償却

100万円で購入した機械装置の減価償却を5年の定率法で実施すると、1年目の減価償却額は約50万円である。2年目の減価償却額は約何万円か。

ア 10　　**イ** 25
ウ 50　　**エ** 75

1年目の減価償却額から償却率を求めると、

＝50万円÷100万円
＝0.5 ←償却率

したがって、2年目の減価償却額は、次のようになる。

＝（100万円－50万円）×0.5
＝25万円

解答 イ

さらに詳しく

定額法の簡易的な計算

減価償却額の計算には、定められた償却率を用いなければならない。

ただし、定額法の減価償却額は毎期同じなので、備忘価額が0円なら、耐用年数10年→取得価額の1/10、5年→1/5が毎期の減価償却額になる（実際の省令でも、耐用年数10年の資産：償却率0.1、耐用年数5年の資産：償却率0.2と定められている）。

そのため、問題文に償却率がなくても、耐用年数がわかれば計算可能だ。

リース契約とレンタル契約

パソコンやコピー機などの機機を大量に購入するような場合、初期投資が高額になり、固定資産の管理も複雑になります。そこで、毎月一定額を支払うリース契約やレンタル契約などを利用します。

❶リース契約

2～5年の長期間の契約で、契約終了後は返却するか、低額の再リース契約を結びます。途中で解約すると多大な解約料が発生します。物品の所有権はリース会社です。

❷レンタル契約

数日～数か月程度の短期間に、必要なものを借り入れる契約です。1日当たりのレンタル料が基本で、長期にわたる場合は割高になります。

棚卸資産の評価

頻出

決算の際には、製品製造用の材料や販売用商品の在庫状態を確認し、その価値を把握(評価)する**棚卸**(たなおろし)を行います。同一商品でも、仕入時期や仕入数量、仕入先などによって仕入単価が変わることがあります。

例えば、商品を前回は1個100円で仕入れたのに、今回は110円だったといった価格変動です。棚卸時の商品の評価額の計算は、いくつかの方法の中からあらかじめ決めておき、そのルールに従って評価を行います。

名称	原価の決め方
個別法	個々の取得価額を原価とする。
先入先出法	先に仕入れた商品から先に出荷したものとして、現在在庫となっている商品の仕入れ価格から原価を決める。
総平均法	期末に、在庫となっている商品のそれぞれの仕入れ時点での価格を合計し、総個数で割って原価を計算。
移動平均法	仕入れごとに、その時点で在庫となっている商品と新たに仕入れた商品の仕入価格を合計、総個数で割って原価を計算。

図表 04-6　棚卸の評価方法

ココも出る!

オフバランス

オフバランスとは、簿外取引のこと。バランスシート(貸借対照表)に記載されないことから、このように呼ばれている。

リースやレンタル契約では、機器を購入する際、リースやレンタル会社の資産として、そこから賃貸借契約を行う。こうすることにより、料金は経費処理で済み、資産管理や固定資産税の負担をなくすことができ、自己資本利益率の改善につながる。

ただし、資産の実体が見えにくくなることや、実質的にリース契約は途中解約が不可のため、会社の規模によってはオフバランスが認められない。

05

企業と法務

企業が関わる法務

知的財産権とは

知的財産権（知的所有権）とは、知的創作物や営業標識に関する権利で、保護する法律の体系上、次表のように分類されています。なお、知的財産権保護に関する国際的な専門機関として、国連が設立したWIPO（World Intellectual Property Organization）があります。

知的財産権		保護する法律	出願・登録
著作権		著作権法	不要
産業財産権	特許権	特許法	必要
	実用新案権	実用新案法	必要
	意匠権	意匠法	必要
	商標権	商標法	必要
回路配置利用権		半導体集積回路の回路配置に関する法律	必要
営業秘密（トレードシークレット）		不正競争防止法	不要

図表 05-1　知的財産権の分類

著作物の権利を守る著作権法

頻出

著作権は、絵画や映画、小説などの一般著作物や、コンピュータプログラム、データベース、マルチメディア素材などの知的創作物に関する権利で、出願や登録の必要はなく、著作物が創作された時点で権利が発生します。

著作者人格権	公表権、氏名表示権、同一性保持権で構成される。著作者だけに帰属する権利。
著作権（財産権）	複製権、公衆送信権、頒布権、譲渡権、貸与権などから構成される。譲渡や相続の対象となる。

図表 05-2　著作者の構成

出題分析

知的財産権の種類

事業者の取り扱う商品やサービスを、他者の商品やサービスと区別するための文字、図形、記号など（識別標識）を保護する法律はどれか。

ア　意匠法
イ　商標法
ウ　特許法
エ　著作権法

商標法（イ）は、意匠法の対象外の、文字・図形・記号を保護しており、企業名や製品名、ロゴデザインやキャラクターなどが保護対象となる。

ア：意匠法は、製品の形状や模様・色彩などのデザインを保護対象とする。ウ：特許法は「技術的な発明で、高度なもの」を保護の対象とする。エ：著作権法は、小説や美術などの著作物のほか、プログラム、データベースなどの知的創作物を対象とする。

解答 イ

試験では、主に著作者の権利である著作者人格権と著作権（財産権）が問われていますが、著作権法には、著作権のほか著作隣接権も規定されています。さらに著作隣接権は、演奏者や制作者等の権利である実演家人格権と財産権（著作隣接権に関する財産権）に分かれています。

著作権法による財産権の保護期間は2018年に改正が行われ、著作者が個人の場合は死後70年、法人の場合は公表後（未公表の場合は創作後）70年までです。

●情報システムにおける著作権

ソースプログラム、目的プログラム、マニュアル、データベースなど、「表現」と認められているものは著作権法で保護されます。プログラム言語や通信プロトコル、アルゴリズムなどは「表現」ではないため保護されません。

健全な産業発展を促すための法律

特許庁が所管する産業財産権（工業所有権）を保護する法律は、「新しい技術やデザイン、ネーミングなどについて独占権を与え、模倣防止のために保護し、研究開発を促進したり、取引上の信用を維持することによって、産業の発展を図ること」を目的としています。これには、特許権、実用新案権、意匠権、商標権の４つの権利があり、同名の法律で保護され、いずれも出願・登録が必要です<☞ p.556 図表05-1>。

回路配置利用権は経済産業省指定の登録機関が所管し、半導体集積回路の回路配置に関する法律（半導体回路配置保護法）<☞ p.556 図表05-1>によって保護されています。

●特許法の保護対象

特許法は「技術的な発明で、高度なもの」を保護の対象としています。科学や工業の分野だけでなく、ビジネスモデル（ITなどを活用した独創的な発明であるビジネスの仕組み）、ソフトウェア（ITシステムとして成り立った独創的な発明であり、進歩性があることが条件）なども特許法の保護対象になります。

出題分析

ソフトウェアの著作権

プログラム開発において、法人の発意に基づく法人名義の著作物について、著作権法で規定されているものはどれか。

ア 就業規則などに特段の取決めがない限り、権利は法人に帰属する。

イ 担当した従業員に権利は帰属するが、法人に譲渡することができる。

ウ 担当した従業員に権利は帰属するが、法人はそのプログラムを使用できる。

エ 法人が権利を取得する場合は、担当した従業員に相当の対価を支払う必要がある。

作成したプログラムの著作権の帰属については、著作権法15条２項に規定がある。就業規則や作成時の契約などに、著作権の帰属に関する条項がない場合、「①法人の発意に基づき、②雇用関係にある従業員が、③職務上作成したプログラム」であれば、著作権は法人に帰属すると定めている（ア）。

これに対し特許権では、職務上の発明であっても特許を受ける権利は発明者（従業員）にある。従業員が法人に特許取得の権利を譲渡する場合、従業員は報償など相当の利益を受ける権利を得る（イとエは特許権の場合）。

解答 ア

営業秘密を守る不正競争防止法

不正競争防止法とは、営業秘密（トレードシークレット）を保護するもので、企業間の公正な競争を確保することを目的として作られた法律です。この法律の特徴は「不正競争」とは何かについて、具体的な定義が書かれていることです。また不正競争により被害が発生した場合の罰則規定や、損害賠償に関する規定も盛り込まれています。

《不正競争の具体例》

- 企業が社外秘として管理している顧客情報や製品の技術情報を不正に取得したり開示したりする行為
- コピーガードされた音楽や映像を不法コピーしたり、コピーしたものを販売、Webサイトなどへ転載する行為
- 商標や商号の不正使用や消費者に誤解を与える類似品を販売する行為

営業秘密と認定される要件は、企業内で秘密として管理され、事業活動に有用な情報、公然と知られていない（一般に入手できない）ことです。最新の改正では、海外流失への重罰化や未遂処罰規定などが盛り込まれています。

労働関連・取引関連の法規

頻出

労働者の権利を守るため、最低賃金や労働時間の上限など、雇用側の企業が最低限守らなければならない義務は労働基準法に定められています。

●労働者派遣法

労働者派遣とは、派遣会社（派遣元）に雇用された労働者を、必要とする企業など（派遣先）に派遣する事業形態です。労働者派遣法は、労働者派遣事業の適正な運用や派遣労働者の保護を目的とした法律で、日雇い派遣（30日以内）や多重派遣の禁止や期間の制限（同一労働者の同一事業所への派遣は3年まで）、無期限雇用への転換などが定められています。また、同一労働同一賃金は、派遣労働者の待遇を正社員と同等になるよう配慮する努力義務として、派遣元と派遣先に課せられています。

出題分析

不正競争防止法

不正競争防止法に規定された不正競争に該当するものはどれか。

ア 競争関係にある他社の信用の低下につながる、反社会的な行為を公表した。

イ 自社のドメイン名が、偶然他社のドメイン名と類似していた。

ウ 新聞に記載されていた掃除用具開発の着想を参考にして、オリジナルな文房具を開発した。

エ 取引先から入手した情報が他社の営業秘密に当たるものであることを知っていながら、自社で使用した。

不正競争防止法における営業秘密の条件は、企業内で秘密として管理され、公然と知られていないこと。したがってエが該当。

解答 エ

ココも出る！

独占禁止法

独占禁止法の目的は、公正かつ自由な競争を促進すること。競争相手を妨害して市場を独占（私的独占）、複数の企業が共謀して製品の価格や生産数量などを決める（カルテル）、公共工事などで入札する工事の割り振りや落札価格を事前に相談（入札談合）などを違反行為としている。

●ソフトウェア開発業務の契約形態

ソフトウェア開発などの業務は、専門性が要求され、一定期間で終了するため、一般企業で専門技術者を直接雇用するのは難しい面があります。このため技術者に出向いてもらう労働者派遣契約か、開発会社に開発を依頼する請負契約などで要員を確保するのが一般的です。

労働者派遣契約では、労働者は派遣元に雇用されていますが、指揮命令権は派遣先にあり、労働者への仕事の指示は派遣先が行います。一方、請負契約では、請負業者が雇用する労働者を、請負業者が指揮命令して、請け負った業務を遂行・完成させます。労働者への仕事の指示を発注元が直接行うことはできません。

なお請負契約において、成果物が請負契約の記載事項を満たしていない場合は契約不適合となり、納品後であっても、改善要求や減額請求が可能になります。

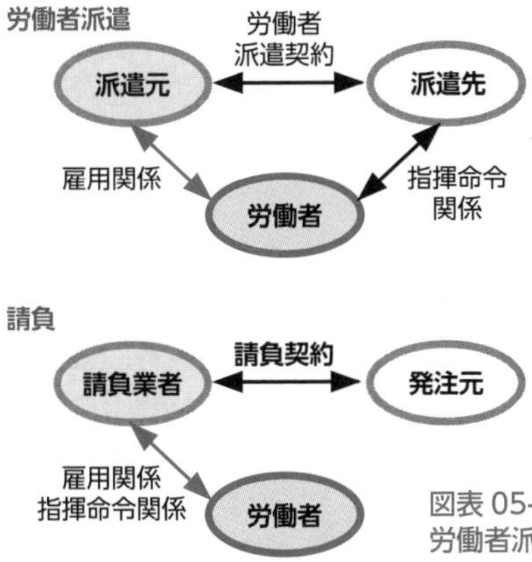

図表 05-3
労働者派遣と請負の違い

●取引に関する法規と契約

企業間の取引や企業と個人との取引に際しても、多くの法規があります。主なものを挙げておきます。

❶下請法(下請代金支払遅延防止法)

発注元に対して、弱い立場にある下請業者を保護するための法律です。この法律には、下請代金について支払い期日を定め、それを明示した書面を下請業者に交付する義務が発注元にあることや、下請代金の支払い遅延や

ココも出る！

偽装請負

偽装請負とは、請負契約を結んだ受注側の労働者に対して、発注側が直接指揮命令を行う違法行為。直接雇用だと発生する社会保障費(健康保険や厚生年金)の企業負担や、派遣法の制限事項(派遣期間の制約等)などの回避のために行われている。

準委任契約

準委任契約は、作業時間や工数に対して対価を支払う契約。要件のまとめ作業など、成果物が特定できない業務に適している。完成責任は負わないが、プロとして当然な注意をして業務を遂行する義務が課せられている。

裁量労働制

裁量労働制は、専門性の高い業務や企画・調査・分析業務などで、実労働時間ではなく、裁量による見なし時間で、労働時間の計算を行う方法。

ソフトウェア開発契約

ソフトウェア開発を受託する場合の契約形態のことで、手本となる「ソフトウェア開発委託モデル契約」には、双方で合意すべき内容が盛り込まれている。また、契約書の手本となる「情報システム・モデル取引・契約書」が経済産業省から公表されている。

買いたたきの禁止、発注元の製品の購入強制の禁止などが定められています。

❷外部委託契約と守秘契約

他社に業務を委託する場合、相手先企業と取決めを交わすのが**外部委託契約**です。また、外部委託契約のほか、請負契約や派遣契約を結ぶ場合、多くの企業が同時に**守秘契約**(Non-Disclosure Agreement：**NDA**、**秘密保持契約**)を結びます。この契約には、「業務上知り得た秘密を他に漏らしてはならない」、「作業室の入退出管理を行うなど、守秘義務を守る環境を整える」などの項目を含めて、自社の秘密情報を守る手立てを行っておきます。

❸ソフトウェア使用許諾契約

知的財産権であるソフトウェアを販売または配布する際、使用条件などの取決めを行います。**ライセンス契約**とも呼ばれ、さまざまな形態があります<☞ p.378>。なお、市販のパッケージソフトなどでは、使用許諾条件を外箱に表示しておき、封を開けることで契約に同意したと見なす**シュリンクラップ契約**がよく用いられています。

また、インターネット上などで提供されるソフトウェアには次のような配布形態があります。

フリーウェア	フリーソフトともいう。インターネットなどから無料で入手できるソフトウェア。著作権は製作者に帰属しており、再利用・配布については、製作者が定める規約を守る必要がある。
シェアウェア	無料で試用できるが期間が定められており、継続して使用する場合には料金を支払う必要がある。
PDS (パブリックドメインソフトウェア)	製作者が著作権を放棄したソフトウェア。自由に利用でき、改変も自由に行える。また、改変後のソフトを販売することも可能。
GPL (General Public License)	著作権の放棄はしないが、ソースコードを改変し、再頒布することを認める形態。ただし、再配布したソフトについても配布条件を変更しないことが条件。これをコピーレフトの考え方という。
LGPL (Lesser General Public License)	主に他のソフトにリンクされるソフトを対象とし、GPLライセンス継承を緩和した形態。LGPLと組み合わせて再配布する場合、LGPLのソースコードを含まない部分はソースは公開しなくてもよい。

図表 05-4　ソフトウェアの配布形態

ココも出る！

資金決済法

銀行などの金融機関以外の事業者(事前登録が必要)が、為替取引のための資金移動(代金の前払いや送金など)を行うための制度と、銀行間の資金決済の強化に関して定めている法律。

特定商取引法

特定商取引法は、訪問販売や通信販売などを対象に、消費者保護のためのルールを定めている。

事業者には、①事業者名や勧誘目的を事前に告げる、②広告には重要事項を表示、③契約締結時等に重要事項を記載した書面を交付、などを義務づけている。また、消費者による一定期間内の契約の解除(クーリング・オフ)が認められている。

電子消費者契約法

電子消費者契約法は、ネットショップなどで購入や契約の申込みを行う(電子契約)場面で起こる、消費者の操作ミスの救済を目的とした、民法の特例法。

事業者には、その操作(クリックなど)が申込み意思表示となることを明示、最終の意思表示となる操作の前に申込み内容を表示、などを義務づけている。また電子契約の成立は、申込み操作後に、事業者から申込者に承諾通知が到達した時点になる。

06

企業と法務

セキュリティに関する法規とガイドライン

セキュリティ関連法規

頻出

ITに関する法律にはさまざまなものがあり、ITを事業活動に用いる以上、「知らなかったから」という言い訳は通用しません。特にセキュリティ関連法規は、犯罪からシステムを守るためにも理解しておく必要があります。

●サイバーセキュリティ基本法

サイバーセキュリティ基本法は、年々深刻化するサイバー攻撃の脅威に対応するための法律です。この法律では、国や地方自治体の各機関、重要インフラ事業者（電力会社など）、サイバー関連事業者（通信事業者など）に対し、安定したサービスの供給のため、サイバーセキュリティの確保に努める責務があることを規定しています。

また、政府は国としての**サイバーセキュリティ戦略**を策定し、内閣サイバーセキュリティセンター（NISC）を設置しました。NISCでは、サイバーセキュリティ対策に関する情報収集や研究、セキュリティ政策の立案、同法に基づく中央省庁や独立行政法人などへの不正通信の監視などを行っています。

●不正アクセス禁止法

IDとパスワードを使った認証などの防御措置（**アクセス制御措置**）をとったコンピュータに、ネットワークを介して不正アクセスを行った場合、被害の有無にかかわらず、不正アクセス禁止法で処罰されます。

また、実在の企業になりすまして偽メールを送って偽サイトに誘導し、IDとパスワードを入力させるフィッシング<☞p.284>行為も増えています。フィッシング行為や

ココも出る！

刑法

刑事罰に該当する不正行為には次のものがある。

不正指令電磁的記録に関する罪（ウイルス作成罪）：正当な理由がないのにもかかわらず、他人のコンピュータで実行する目的で、コンピュータウイルスの作成、提供および供用、取得、保管行為をしたものに対する処罰。

電子計算機使用詐欺罪：コンピュータを利用した詐欺行為に関する処罰。

電子計算機損壊等業務妨害罪：コンピュータによる業務を妨害する行為に対する処罰。加害行為には、データの消去や改ざん、ウイルスに感染させる行為などが含まれる。

電磁的記録不正作出及び供用罪：データとして記録されている、権利や義務および事実の証明に使われる情報を不正に作成したり、不正に作成されたデータを利用した場合の処罰。

支払用カード電磁的記録不正作出等罪：他人のキャッシュカードやクレジットカードなどの情報を使い、偽造などを行った場合の処罰。

他人のIDやパスワードを取得したり保管したりする行為も、不正アクセス禁止法の処罰対象です。

①不正アクセス行為の禁止

他人の利用者IDやパスワードを使ったり、セキュリティホールなどをついて、不正アクセスする行為の禁止。

②他人のIDとパスワードなどを不正に取得・保管する行為の禁止

不正アクセスを行う目的で、他人の利用者IDやパスワードを取得したり、保管したりすることを禁止。

③不正アクセス行為を助長する行為の禁止

自分自身が不正アクセスをしなくても、他人の利用者IDやパスワードを提供するなど、不正アクセスを助長する行為も禁止。

④IDとパスワードの入力を不正に要求する行為の禁止

アクセス管理者になりすまし、IDとパスワードを入力させたり、入力を促す内容の電子メールを送信したりすることを禁止（フィッシングの禁止）。

⑤アクセス管理者による防御措置

アクセス管理者は、利用者IDやパスワードの管理を適切に行い、不正アクセス行為の防御措置を講ずること。

⑥都道府県公安委員会による援助

不正アクセスを受けたら、都道府県公安委員会へ援助の要請を申し出ることができ、資料の提供や助言などの援助を受け、再発防止に努める。

●個人情報保護法

個人情報保護法（「個人情報の保護に関する法律」）とは、個人情報の取扱いに関する法律です。指紋やDNAなど身体の特徴に関する情報や、免許証番号やマイナンバーなど公的な番号は、それ単体で個人情報（個人識別符号）になります。また、他の情報と氏名や生年月日などを結び付けて、容易に個人が特定できるものも個人情報となります。特に、人種・信条・病歴・犯罪歴などは、要配慮個人情報として、本人の同意を得ない取得や、オプトアウト<☞ p.564>を用いた同意による第三者への提供を禁止するなど、より慎重な取扱いを求めています。

ただし個人情報保護法には、ビッグデータの活用促進

ココも出る！

マイナンバー法

マイナンバー法（番号法）は、個人番号および法人番号で情報管理を行うことで、行政事務の迅速化を図り、手続きの簡素化による国民負担の軽減を目的としている。この法律には、マイナンバーの利用範囲（年金・社会保険等の管理、税務申告など）、マイナンバーの適切な管理のために講ずるべき措置、盗用したり漏えいさせた場合の罰則などが定められている。

サイバーセキュリティ協議会

官民の多様な組織（行政機関、地方公共団体、重要インフラ事業者、サイバー関連事業者、教育研究機関など）が連携して情報共有を行い、サイバー攻撃対策について協議を行うための協議会。平成30年12月のサイバーセキュリティ基本法改正に基づいて創設されることになった。

個人情報取扱事業者

個人情報取扱事業者には、管理する個人情報の件数や事業者の規模などにかかわらず、個人情報を扱うすべての事業者が含まれる。

個人情報保護委員会

個人情報保護法に基づき、個人情報の適正な取扱いの確保のために設置された機関。個人情報取扱事業者に対する指導や勧告などを行う権限を持つ独立性の高い組織。

を目的として、個人情報を基に特定個人を識別できないように加工した情報(匿名加工情報)については、個人情報よりも緩やかな扱いでよいことも明示されています。

①個人情報の安全管理措置

個人情報の保管庫には鍵を掛ける、名簿データは暗号化する、従業員や個人データ加工の委託先などに対して個人情報を適切に扱うための教育・監督を行うなど、個人情報取扱事業者には安全管理措置を講じることを義務づけている。

②個人情報の取得と利用

個人情報を取得する際は、その利用目的を公表(または本人に通知)し、利用はその範囲内に限る。目的外に利用したい場合は、本人の同意を得なければならない。

③個人情報の第三者への提供

第三者への提供には、本人の同意が必要。同意を得て提供した場合も、個人情報の受領者の氏名等を記録し保存しなければならない。また、第三者から提供を受けた場合も、提供者の氏名や取得経緯などを記録し保存しておく義務がある。

④本人からの請求への対応

本人からデータの開示、誤りの訂正、利用停止の申し出があった場合や苦情を受けたときは、速やかに対応しなければならない。

●プロバイダ責任制限法

正式名称は「特定電気通信役務提供者の損害賠償責任の制限及び発信者情報の開示に関する法律」といいます。

①プロバイダの賠償責任の制限

- 他人の権利を侵害する情報が、提供するサービスを利用したサイト等に掲載されていても、権利侵害があることをプロバイダが知らなかった場合、被害者に対する賠償責任はない。
- 権利を侵害する情報を削除するよう被害者から要請があった場合、プロバイダはその情報を掲載した発信者に照会する。照会後7日を経過しても発信者から削除の同意が得られないときは、サイトの公開を止めたり情報を削除できる。この場合、プロバイダにはサイトの発信者に対する賠償責任はない。

②発信者情報の開示

- 提供するサービスを利用したサイト等に掲載された情報により、被害者の権利が侵害されたことが明らかな場合、被害者が請求すれば情報発信者の情報を開示しなければならない。

ココも出る!

その他の個人情報の保護規則

JIS Q 15001(個人情報保護マネジメントシステム ― 要求事項)は、個人情報取扱事業者が扱う個人情報の適切な管理に関する手引きとなる規格。

特定個人情報の適切な取扱いに関するガイドラインは、特定個人情報の中でも慎重な取扱いが要求されるマイナンバーなどについて、事業者が行うべき施策に関するガイドラインが定められている。事業者編、金融機関編、行政機関等・地方公共団体等編の3種類のガイドラインがある。

EU一般データ保護規則(GDPR:General Data Protection Regulation)は、EU(欧州連合)内の個人情報の保護強化に関する規則で、EU圏外への個人情報の輸出も対象としている。

サイバー・フィジカル・セキュリティ対策フレームワーク

サイバー攻撃が現実空間(フィジカル空間)にある個人生活に損害を与えるケースがある。例えば、自宅監視カメラの映像盗用など、個人利用の製品が悪用されるリスクも高まっている。

このフレームワークは、IoT技術を使ったサイバー空間と現実空間にまたがる製品やサービスを供給するベンダーに向け、リスク源やセキュリティ対応方針などを整理する際の枠組みを提示している。

●その他の基準とガイドライン

コンピュータ犯罪防止法（刑法）	1987年に行われた刑法改正のうち、コンピュータによる詐欺や業務妨害等の犯罪に対するものをまとめた呼称。
電子署名および認証業務に関する法律	一般には電子署名法と略され、電子署名と認証業務について規定した法律。事業者が国の認定を受ける特定認証業務の制度や、認定を受けた事業者の義務等を定めている。
コンピュータウイルス対策基準	コンピュータウイルスの予防、発見、駆除、復旧等、実効性の高い対策をまとめたもの。
コンピュータ不正アクセス対策基準	コンピュータ不正アクセスによる被害の予防、発見、復旧、拡大・再発防止について、企業や個人が実行すべき対策をまとめたもの。
ソフトウェア等脆弱性関連情報取扱基準	ウイルスや不正アクセスによる被害の予防のため、セキュリティホールとなり得る脆弱性に関する情報の取扱い方法を定めたもの。
政府機関の情報セキュリティ対策のための統一基準	サイバーセキュリティ基本法によって作成が定められた複数の基準群。政府機関が行うべき管理の指針や組織体制整備、対策の実施項目や遵守すべき事項などについて定めている。
サイバーセキュリティ経営ガイドライン	保有する情報資産をサイバー攻撃から守るため、企業の経営者が知っておくべき3つの原則と、行うべき10項目のセキュリティ対策について、経済産業省がまとめたもの。
中小企業の情報セキュリティ対策ガイドライン	中小企業や個人事業主など小規模な事業者が、情報セキュリティ対策に取り組む際の、「経営者が認識し実施すべき指針」、「社内において対策を実践する際の手順や手法」をまとめたもの。
IoTセキュリティガイドライン	IoT機器に対するサイバー攻撃に対応するため、IoT機器の利用者と機器やシステムの供給者に向けて、「セキュリティ方針策定」、「リスク分析」「セキュリティリスクに配慮した設計・構築・接続」「運用・保守」などに関する指針を示すもの。
コンシューマ向けIoTセキュリティガイド	IoT機器の製造者やサービスの提供者に向けて、機器の機能や使われる場面ごとにセキュリティリスクが発生する可能性や対応策などを整理するためのガイドとなるもの。
スマートフォン安全安心強化戦略	スマホを安全に使うため、総務省が提言している戦略。「青少年が安心・安全にスマホを使うための対策」、「通信事業者が適切なサービスを提供するための方策」、「アプリケーションの利用者情報の扱いに関する指針」の3つを柱とする。
ソーシャルメディアガイドライン（SNS利用ポリシー）	著作権を無視したコンテンツのアップなどを避けるため、企業や学校等が、所属する社員や学生に向けて、ソーシャルメディアを適切に利用するためのマナーやルールについて定めたもの。

図表 06-1　情報セキュリティに関する基準、指針

ココも出る！

特定電子メール法

特定電子メールとは、営業目的で広告や宣伝を行うために送信されるもの。これについては特定電子メール法（迷惑メール防止法）の規制を受ける。

送信の制限：原則として事前に同意した者だけに送信できる（オプトインメール）。送信に同意した記録を保存しなければならない。受信拒否の通知を受けたときは送信をしてはならない。なお、同意なしに送信を行うオプトアウトメールは、この法律で禁じている。

表示義務：送信する際は、送信者か送信委託者の氏名・名称、受信拒否を通知するための電子メールアドレスなどを表示しなければならない。

偽った送信の禁止：電子メールアドレスを偽って送信したり、架空のアドレスで送信してはならない。

オプトイン／オプトアウト

オプトインとは、あらかじめ同意を得ること。広告メールなど（特定電子メール）を送る際には、オプトインの取得が必要となる。一方、オプトアウトとは、同意を拒否することや、いったん同意したものを取り消すこと。送信した広告メールなどにはオプトアウトが容易に行えるようにしておくことが望まれる。

07

企業と法務

企業の責任と標準化

企業の責任と法制度

頻出

　企業は法律を守って事業を運営するのはもちろん、「人権を尊重しプライバシーに配慮する」、「セキュリティ対策を怠らずネット上のモラルを守る」、「顧客や関連会社と節度ある健全な関係を保つ」など、遵守すべき倫理があります。このような企業倫理を**コンプライアンス**（Compliance：**法令遵守**<☞p.444>）と呼んでいます。

　多くの企業では、コンプライアンスを明記した倫理規定を策定したり、社員教育を行うなど、企業の社会的信用を保つための取組みが行われています。

●コーポレートガバナンス（Corporate Governance：企業統治）

　企業が正しく経営されているか、株主などの利害関係者が監督・監視する仕組みを指します。経営者の不正行為などが発覚すると企業価値が損なわれ、株主や顧客が不利益を被ることになるため、コーポレートガバナンスは重要になります。

　具体的には、企業運営のルールを作り、それに基づく監査（社内／社外）を行い、監査結果を開示するなどの対策を行っていきます。

●情報倫理・技術者倫理

　企業や企業で働く技術者は、業務を行う場所にかかわらず、常にモラルと倫理感を持ち、セキュリティリスクなどに対する意識を高めておくことが重要になります。データの「ねつ造・改ざん・盗用」をしないといった基本的な**情報倫理**はもちろん、SNSにフェイクニュース（根拠のない偽情報）やヘイトスピーチ（特定の個人や集団を

ココも出る！

デジタル社会形成基本法

　デジタル社会形成基本法は、デジタル社会の形成が、我が国の国際競争力の強化や国民の利便性の向上などに資するものとして、デジタル社会形成を迅速に推進するための理念や基本方針などを盛り込んだ法律。令和3年9月に施行され、デジタル庁設置もこの一環。なお、これまでのIT基本法は廃止された。

官民データ活用推進基本法

　官民データ（国、地方公共団体、独立行政法人、その他の事業者が保有するデータ）を適正かつ効果的に利用することを推進する法律。基本的施策には、行政手続のオンライン化、情報格差の是正、官民の情報システム連携のための基盤整備、マイナンバーカードの利用などが盛り込まれている。

こちらも参照

健全な企業経営の体制

☞p.443「内部統制」

攻撃・侮辱する発言)を掲載しない、デマや誹謗中傷を拡散するチェーンメールを転送しないなど、ネチケット(ネット上のエチケット)を守る倫理感が問われます。

○不正の通報者を守る「公益通報者保護法」

公の利益のために、労働者が自身が働いている企業の法令違反を法で定められた通報先に通報した場合には、解雇や望まない業務への異動などの不利益を受けないよう、**公益通報者保護法**によって保護されます。ただし、雇用関係のない企業に関する通報や指定外の機関への通報、掲示板での告発などは、この法律では保護されないことに注意しましょう。

●サステナビリティやSDGsへの取組み

現代の企業にはより長期的で国際的な視点からの社会的な役割が求められています。

❶サステナビリティ

「持続可能性」と訳されるサステナビリティは、現在の地球環境・社会システム・経済活動などが将来にわたって継続していけるかどうかを示す概念です。環境の変化(温暖化など)や、資源(例:原油、金属材料となる鉱物、魚類など水産資源)の枯渇など、企業活動に直接関わる課題が多く含まれており、企業には資源の再利用や再生可能エネルギーの利用促進などが強く求められています。

❷SDGs(エスディージーズ)

SDGs(Sustainable Development Goals)は、「持続可能な開発目標」と訳され、2015年の国連サミットで採択された国際目標です。世界の人々が安全で健康的な生活を送り、持続可能な経済成長を続けていくために、2030年までに達成すべき17の目標(飢餓や貧困、ジェンダー、資源、気候変動などの諸問題を解決・軽減するための目標)が掲げられています。

仕様の統一を図る標準化　頻出

情報技術の分野では、広く仕様が統一されること(標準化)で、異なるメーカーのハードウェアやソフトウェア

ココも出る!

PL法(製造物責任法)

PL法では、製品の欠陥によって、消費者がけがをしたり損害を被った場合、その製品の製造業者などには損害賠償責任があることを規定している。ソフトウェアは法律の対象外だが、組込みソフトを含む機器(ハードウェア)を、製品として出荷した場合には法律の対象となる。

出題分析

国際的な取り組み

持続可能な世界を実現するために国連が採択した、2030年までに達成されるべき開発目標を示す言葉として、最も適切なものはどれか。

ア コーポレートガバナンス
イ コンプライアンス
ウ SDGs
エ サステナビリティ

正解はウのSDGs。そのほかの選択肢については本文を参照。企業が果たすべき社会的責任や企業や技術者の倫理については、混同しそうな概念を示す用語が多い。しっかりとキーワードを押さえておこう。CSR(企業の社会的責任)、BCP(事業継続計画)なども、選択肢として注意しておきたい。

解答 ウ

を組み合わせたり、ネットワークやデータベースを共有するなどのメリットが生まれます。さまざまな技術分野で規格が作られていますが、それらを統一する国内および国際規格についても理解しておく必要があります。

●標準化団体と規格

規格・標準化団体	内容
JIS (Japanese Industrial Standards)	日本産業規格。国内における各種産業の標準化を目的とした国家規格。産業標準化法に基づき、JISC（日本産業標準調査会）の答申や認定標準作成機関の申し出を受けて、その規格が対象とする内容を管轄する担当大臣が制定する。
ISO (International Organization for Standardization)	国際標準化機構。電気・電子技術分野を除く各産業分野の国際規格を策定している。
IEC (International Electrotechnical Commission)	国際電気標準会議。電気・電子技術分野の国際規格を策定している。コンピュータや情報技術関連の分野は、JTC 1（第一合同技術委員会）という独立した組織が担当し、ISOとIECの共同で規格が策定される。これら共同規格には「ISO/IEC XXXXX」という名称が付けられる。
IEEE (Institute of Electrical and Electronic Engineers)	米国電気電子学会。電気・電子工学、コンピュータ工学などの分野の規格を策定しており、分野では世界最大規模。無線LANの通信規格であるIEEE802シリーズや、インタフェース規格などがよく知られる。

図表 07-1　代表的な規格と標準化団体

●開発と取引の標準

　システム開発における標準化には、共通フレームが用いられています。また、品質管理や環境マネジメントの標準化規格としてISOシリーズがあります。ISOシリーズには、申請した企業を第三者機関が調査し、基準に適合すると、該当する規格に適合したことを認証され、認証企業として公表できる制度が設けられています。

❶共通フレーム(SLCP-JCF)

　SLCP-JCF（Software Life Cycle Process -

ココも出る！

デファクトスタンダード

　デファクトスタンダードとは、業界標準のこと。標準化機構により正式に標準として制定または勧告をしていないが、多くの企業が採用しているため事実上の標準となっているものを指す。具体例には、TCP/IPプロトコル、シフトJISコードなどが代表的。デファクトスタンダードは、後に標準となることもある。なお、デファクトスタンダードに対して、標準化されたものをデジュレスタンダードと呼んでいる。

W3C

　W3C（World Wide Web Consortium）は、Webで使われる技術の標準化を行っている業界団体。策定された企画は、デファクトスタンダード（事実上の標準）になる。HTTP、HTML、XML、XHTML、CSSなどは、この組織によって取りまとめられている。

Japan Common Frame)は、国際規格ISO/IEC 12207(JIS X0160)をベースに、日本独自に強化・拡張したソフトウェア開発(企画・開発・運用・保守)に必要な作業内容を規定したものです。システム開発作業全般にわたって、受注側、発注側双方に共通認識を持つための枠組みとして作られた規格です<☞p.463>。

❷品質管理および品質保証の規格(ISO 9000シリーズ)

品質マネジメントシステム(JIS Q 9001)とも呼ばれ、品質管理や品質保証のための国際的な標準規格で、ISOによって制定されたものです。これらは、顧客の要求を満たす品質の良い製品をメーカーが提供するための手本となっており、品質管理の方法や手順、体制などを見直すための基準として使われます。

❸環境管理の規格(ISO 14000シリーズ)

環境マネジメントシステム(JIS Q 14001)とも呼ばれ、組織活動や製品、サービスによって生じる環境への影響を軽減するための規格です。環境問題に対する方針や取組み、点検や是正措置などが含まれています。なお、ISO 9001とISO 14001では規定の多くを共有できるため、一方の取得後に、もう一方を取得することは比較的容易になります。

●情報セキュリティの標準

セキュリティ対策は非常に煩雑で、多忙な日常業務に埋もれがちです。それを防ぐために、セキュリティ保持の視点から仕事のサイクルをシステム化したものが情報セキュリティマネジメントシステムです<☞p.301>。

❶情報セキュリティマネジメントシステム(JIS Q 27001)

情報セキュリティマネジメントシステムを構築する場合には、基本的な部分の“ひな型”に、企業ごとの要件を上乗せしていく方法が容易です。

JIS Q 27002(情報セキュリティマネジメントの実践のための規範)には、情報セキュリティマネジメントを実施する際に、「どのような設備を投入すればよいのか」、「組織や人的な管理はどうすればいいのか」、「システムの運

さらに詳しく

ISO 19011

ISO 19011は、マネジメントシステム監査のための指針。品質マネジメントシステム、環境マネジメントシステム、情報セキュリティマネジメントシステムなどの監査を行うときに用いる。

ココも出る!

ソフトウェアの標準

CORBA(Common Object Request Broker Architecture)は、オブジェクト指向技術の標準化団体OMGによって定義されたオブジェクト管理プラットフォームの標準モデル。

また、EJB(Enterprise Java Beans)は、パーツを組み合わせて構築を行うJava Beansに分散型利用のための機能を追加した仕様。サーバ側のアプリケーション開発を容易にする。

ISBNコード

ISBN(International Standard Book Number)コードは、書籍や雑誌に付けられる国際標準図書番号。全世界共通の13桁のコードで、図書を検索したり管理する手がかりとなっている。JANコードと同じく、末尾にはチェック数字が付加される。

用にはどのような方法があるのか」などのガイドラインが示されています。

❷セキュリティ評価基準(ISO /IEC 15408)

ISO/IEC 15408(CC：Common Criteria；コモンクライテリア)は、情報セキュリティの観点から、情報システムやIT技術に関連した製品が適切に設計され、作られていることを評価するための国際標準規格です。国内規格ではJIS X 5070が該当します(一部を追加)。

データの標準化とコード

データ交換を行う際には、文字コード体系<☞p.60>に注意する必要があります。コード体系が違うと文字化けを起こし、正しく読み取れなくなります。また、製品や流通情報を入力したり、システム間でデータをやり取りするため、さまざまなコードが使われています。

●JANコード

JAN(Japan Article Number)コードは、商品のバーコードに使われる商品識別コードの規格です。国際的な共通規格であるEANコードの国内用規格として策定されました。一般に流通している、ほとんどすべての商品に付けられています。

13桁の標準バージョンと、8桁の短縮バージョンがあり、最後の桁には、エラー検出用のチェック数字<☞p.205「チェックキャラクター」>が付けられています。

XX	XXXXXXX	XXX	X
1〜2桁目 国コード (日本は45と49)	3〜9桁目 メーカーコード	10〜12桁目 商品コード	13桁目 チェック数字

●QRコード(2次元バーコード)

小面積で、より多量の情報を表示できるバーコードの一種です。冗長コードが付加されており、部分的にコードが読めなくても正しい情報が読み出せます。

出題分析

標準化団体

インターネットで利用される技術の標準化を図り、技術仕様をRFCとして策定している組織はどれか。

ア ANSI
イ IEEE
ウ IETF
エ NIST

正解はウのIETF。IETF(Internet Engineering Task Force)は、インターネットで利用される各種技術の標準化を推進する組織で、誰でも個人として自由に参加できる任意団体。

ANSI(American National Standards Institute：米国規格協会)は、アメリカ国内の工業分野での規格を策定している標準化団体(ア)。

IEEEは米国電気電子学会<☞p.567>。(イ)。

NIST(National Institute of Standards and Technology：アメリカ国立標準技術研究所)は、時間・物質の質量や硬度・物質の特性など、計量に関する標準化を行っている組織(エ)。

解答 ウ

章末まとめ問題

シラバス ●大分類9：企業と法務 ●中分類22：企業活動
●小分類1：経営・組織論

出題：令和5年12月修了認定試験ほか

問1 企業の組織形態

CHECK

社内カンパニー制を説明したものはどれか。

ア 1部門を切り離して別会社として独立させ、機動力のある多角化戦略を展開する。
イ 合併、買収によって、自社にない経営資源を相手企業から得て、スピーディな戦略展開を図る。
ウ 時間を掛けて研究・開発を行い、その成果を経営戦略の基礎とする。
エ 事業分野ごとの仮想企業を作り、経営資源配分の効率化、意思決定の迅速化、創造性の発揮を促進する。

シラバス ●大分類9：企業と法務 ●中分類22：企業活動
●小分類1：経営・組織論

出題：令和3年6月修了認定試験ほか

問2 CIOが果たすべき役割

CHECK

CIOの果たすべき役割はどれか。

ア 各部門の代表として、自部門のシステム化案を情報システム部門に提示する。
イ 情報技術に関する調査、利用研究、関連部門への教育などを実施する。
ウ 全社的観点から情報化戦略を立案し、経営戦略との整合性の確認や評価を行う。
エ 豊富な業務経験、情報技術の知識、リーダーシップを持ち、プロジェクトの運営を管理する。

シラバス ●大分類9：企業と法務 ●中分類22：企業活動
●小分類1：経営・組織論

出題：令和4年6月修了認定試験ほか

問3 ヒューマンリソースマネジメント

CHECK

従業員1人当たりの勤務時間を減らして社会全体の雇用維持や雇用機会増加を図るという考え方はどれか。

ア カフェテリアプラン　　イ フリーエージェント制
ウ ワークシェアリング　　エ ワークライフバランス

シラバス　●大分類9：企業と法務　●中分類22：企業活動
●小分類2：業務分析・データ利活用

出題：令和6年1月修了認定試験ほか

問4　期待値原理による最大の利益

生産設備の導入に際し、予測した利益は表のとおりである。期待値原理を用いた場合、設備計画案A～Dのうち、期待利益が最大になるものはどれか。

単位　百万円

		経済状況の予測			
		状況1	状況2	状況3	状況4
予想確率		0.2	0.3	0.4	0.1
設備計画案	A	40	10	0	−6
	B	7	18	10	−10
	C	8	18	12	−5
	D	2	4	12	30

ア　A　　イ　B　　ウ　C　　エ　D

シラバス　●大分類9：企業と法務　●中分類22：企業活動
●小分類2：業務分析・データ利活用

出題：令和4年1月修了認定試験ほか

問5　機会損失による損失額の計算

表の条件でA～Eの商品を販売したときの機会損失は何千円か。

商品	商品1個当たり利益 （千円）	需要数 （個）	仕入数 （個）
A	1	1,500	1,400
B	2	900	1,000
C	3	800	1,000
D	4	700	500
E	5	500	200

ア　800　　イ　1,500　　ウ　1,600　　エ　2,400

シラバス ●大分類9：企業と法務 ●中分類22：企業活動
●小分類3：会計・財務

出題：令和5年7月修了認定試験ほか

問6 財務諸表の種類

CHECK □□□

財務諸表のうち、一定時点における企業の資産、負債及び純資産を表示し、企業の財政状態を明らかにするものはどれか。

ア　株主資本等変動計算書　　イ　キャッシュフロー計算書

ウ　損益計算書　　エ　貸借対照表

シラバス ●大分類9：企業と法務 ●中分類22：企業活動
●小分類3：会計・財務

出題：令和3年7月修了認定試験ほか

問7 先入先出法による売上原価

CHECK □□□

ある商品の前月繰越と受払いが表のとおりであるとき、先入先出法によって算出した当月度の売上原価は何円か。

日付	摘要	受払個数		単価
		受入	払出	(円)
1日	前月繰越	100		200
5日	仕入	50		215
15日	売上		70	
20日	仕入	100		223
25日	売上		60	
30日	翌月繰越		120	

ア　26,290　　イ　26,450　　ウ　27,250　　エ　27,586

シラバス ●大分類9：企業と法務 ●中分類22：企業活動
●小分類3：会計・財務

出題：令和4年12月修了認定試験ほか

問8 定額法で計算する減価償却費

CHECK □□□

当期の建物の減価償却費を計算すると、何千円になるか。ここで、建物の取得価額は10,000千円、前期までの減価償却累計額は3,000千円であり、償却方法は定額法、会計期間は1年間、耐用年数は20年とし、残存価額は0円とする。

ア　150　　イ　350　　ウ　500　　エ　650

シラバス ●大分類9：企業と法務 ●中分類23：法務
●小分類1：知的財産権

出題：令和3年6月修了認定試験ほか

問9 ソフトウェアの保護範囲

CHECK □□□

著作権法によるソフトウェアの保護範囲に関する記述のうち、適切なものはどれか。

ア　アプリケーションプログラムは著作権法によって保護されるが、OSなどの基本プログラムは権利の対価がハードウェアの料金に含まれるので、保護されない。

イ　アルゴリズムやプログラム言語は、著作権法によって保護される。

ウ　アルゴリズムを記述した文書は著作権法で保護されるが、そのアルゴリズムを用いて作成されたプログラムは保護されない。

エ　ソースプログラムとオブジェクトプログラムの両方とも著作権法によって保護される。

シラバス ●大分類9：企業と法務 ●中分類23：法務
●小分類1：知的財産権

出題：令和4年1月修了認定試験ほか

問10 営業秘密となる要件

CHECK □□□

不正競争防止法において、営業秘密となる要件は、"秘密として管理されていること"、"事業活動に有用な技術上または営業上の情報であること"と、もう1つはどれか。

ア　営業譲渡が可能なこと　　イ　期間が10年を超えないこと

ウ　公然と知られていないこと　　エ　特許出願をしていること

シラバス ●大分類9：企業と法務 ●中分類23：法務
●小分類2：セキュリティ関連法規

出題：令和3年7月修了認定試験ほか

問11 ウイルスの作成行為を処罰する法律

CHECK

コンピュータウイルスを作成する行為を処罰の対象とする法律はどれか。

ア 刑法
イ 不正アクセス禁止法
ウ 不正競争防止法
エ プロバイダ責任制限法

シラバス ●大分類9：企業と法務 ●中分類23：法務
●小分類3：労働関連・取引関連法規

出題：令和3年12月修了認定試験ほか

問12 労働者派遣とみなされる行為

CHECK

請負契約を締結していても、労働者派遣とみなされる受託者の行為はどれか。

ア 休暇取得の承認を発注者側の指示に従って行う。
イ 業務の遂行に関する指導や評価を自ら実施する。
ウ 勤務に関する規律や職場秩序の保持を実施する。
エ 発注者の業務上の要請を受託者側の責任者が窓口となって受け付ける。

シラバス ●大分類9：企業と法務 ●中分類23：法務
●小分類4：その他の法律・ガイドライン・技術者倫理

出題：令和2年12月修了認定試験ほか

問13 製造物責任法の対象となるもの

CHECK

ソフトウェアやデータに瑕疵《かし》がある場合に、製造物責任法の対象となるものはどれか。

ア ROM化したソフトウェアを内蔵した組込み機器
イ アプリケーションソフトウェアパッケージ
ウ 利用者がPCにインストールしたOS
エ 利用者によってネットワークからダウンロードされたデータ

第9章　章末まとめ問題　解答

問1　社内カンパニー制は、会社内部に仮想的な企業を作り、独立採算で事業を行う形態。迅速な意思決定や創造性の発揮を期待する方法の1つで、事業部制よりも独立色が濃い。経営のための資本は、社内からの配分を受け、利益は配当として社内へ還元する。
ア：実際に別会社として独立させるわけではない。イ：M&A（企業合併および買収）の説明。ウ：経営戦略の方法の1つであるMOT（Management of Technology：技術経営）の説明。

解答　エ

問2　CIO（最高情報責任者）の役割は、経営戦略に則った情報化戦略の立案を行うこと（ウ）。
情報技術に関する調査・研究・教育は、CTO（最高技術責任者）や情報システム部の役割（イ）。エは、開発プロジェクトなどのプロジェクトマネージャの役割。

解答　ウ

問3　勤務時間短縮や業務分担による雇用機会創出はワークシェアリング（ウ）。
ア：カフェテリアプランは、選択型の福利厚生制度（例：ポイントの範囲内で、医療検診や施設利用などのメニューを選択）。イ：フリーエージェント制は、社内人事にとらわれず、職種や所属の希望を出せる制度（異動先との調整も必要）。エ：ワークライフバランスは、仕事上の社会生活だけでなく、家庭や地域における私生活との調和により充足感を得られる社会を目指す取組み。

解答　ウ

問4　期待値原理とは、起こり得る状況（取り得る行動案）が実現した場合の利益（あるいは費用）の期待値を計算し、これが最大（あるいは最小）となるような意思決定を行うこと。したがって、各状況が生じる予測確率と、各計画案で得られる利得を乗じて、合計値を求めて比較すればよい。

・設備計画案A
$0.2\times 40+0.3\times 10+0.4\times 0+0.1\times(-6)=10.4$

・設備計画案B
$0.2\times 7+0.3\times 18+0.4\times 10+0.1\times(-10)=9.8$

・設備計画案C
$0.2\times 8+0.3\times 18+0.4\times 12+0.1\times(-5)=11.3$

・設備計画案D
$0.2\times 2+0.3\times 4+0.4\times 12+0.1\times 30=9.4$

以上より、期待利益が最大になるのは「設備計画案C（ウ）」である。

解答　ウ

問5　機会損失とは、販売側の事情によって販売できるチャンスを逃したために、得られたはずの利益を失うこと。この問題の場合、需要数は販売できたはずの数、仕入数は実際に販売できた数に該当する。そのため、「需要数＞仕入数」のときに損失が発生し、その額は次式で求めることができる。

損失額（千円）
＝1個当たり利益×（需要数－仕入数）

商品A：1,500＞1,400　1×（1,500－1,400）＝100
商品B：900＜1,000（機会損失は発生していない）
商品C：800＜1,000（機会損失は発生していない）
商品D：700＞500　4×（700－500）＝800
商品E：500＞200　5×（500－200）＝1,500
合計　2,400

解答　エ

問6　資産・負債・純資産を表示し、企業の財政状態を明らかにする財務諸表はエの貸借対照表。アの株主資本等変動計算書は、貸借対照表における純資産が1年間にどれだけ変動したかを示すもの。会社法により、貸借対照表、損益計算書とともに、作成が義務づけられている。

解答　エ

問7　棚卸資産の評価について、先入先出法では先に仕入れた商品から払い出したとみなして、払出単価を決める。時系列に追っていくと次のようになる。

＜15日の払出分70個の内訳＞
先入先出法で計算するため、この70個は、前月繰越の単価200円の在庫分に該当。
200円×70個＝14,000円
（この時点で前月繰越分の残りは30個）

＜25日の払出分60個の内訳＞
前月繰越分の残りが30個あるので、60個の内30個は前月繰越の価格。
200円×30個＝6,000円
（この時点で前月繰越分の残りは0個）
残り30個は5日に仕入れた受入分の単価で計算
215円×30個＝6,450円
（この時点で5日仕入分の残りは20個）

＜売上原価の合計＞
14,000円＋6,000円＋6,450円＝26,450円

解答　イ

問8　定額法は前期の帳簿価額（＝取得価額－減価償却累計額）に関係なく、減価償却費は毎期一定になる。計算には使わないので要注意！取得価額：10,000千円、耐用年数：20年、残存価額：0円なので、ここから毎期の減価償却費を計算する。
10,000千円÷20年＝500千円／毎期

減価償却累計額からは、前期までの償却年数（3,000千円÷500千円＝6年）がわかる。

解答　ウ

問9　著作権法では、ソースプログラムとオブジェクトプログラムが、著作権の保護対象となる（エ）。

ア：OSもアプリケーションプログラムとして保護対象。対価の有無とは関係がない。イ：著作権法には、「その著作物を作成するために用いるプログラム言語、規約（文法）および解法（アルゴリズム）に及ばない」との規定がある。ウ：著作権法には、保護のおよぶ著作物として「プログラムの著作物」が規定されている。

解答　エ

問10　営業秘密の3つ目の要件は、「公然と知られていないこと」（ウ）。特許出願の有無は要件にならない。逆に、新たな技術を開発し、特許を出願した場合、特許法の出願公開制度により出願内容が一般に公開される。そのため、この技術は営業秘密とは認められない。

解答　ウ

問11　コンピュータウイルスの作成を処罰の対象とするのは、刑法の「不正指令電磁的記録に関する罪（ウイルス作成罪）」。

権利や義務の証明となるデータの不正な作成や書換えを対象とした「電磁的記録不正作出及び供用罪」、業務用データの消去などコンピュータを使って行う業務への妨害を対象とした「電子計算機損壊等業務妨害」なども、刑法に定められた刑事罰の対象となる不正行為。

解答　ア

問12　請負契約では、労働者の帰属は受託者側にあり、発注者には指揮命令権はない。労働者が休暇取得の承認を得る場合、受託者の企業に対して行う必要がある。発注者側の指示に従う行為は、指揮命令権に該当するため、労働者派遣とみなされる。発注者側が、労働者の休暇についての調整が必要になる場合は、エのように受託者側の責任者に対して要請を行う。

解答　ア

問13　製造物責任法では、製造物の定義を「製造または加工された動産」としているため、ソフトウェア（無体物）は対象外となる。ただし、ソフトウェアを内蔵した組込み機器については製造物とみなされ、欠陥がソフトウェアにあると認められた場合は、その製造者に損害賠償責任が生じる（ア）。それ以外の選択肢については、無体物になるので対象外。

解答　ア

巻末付録

擬似言語の攻略

01

擬似言語の攻略 ―宣言部の文法―

擬似言語の構造は、**宣言部**と**処理部**の2つに分かれています。本文<☞p.85>でも触れていますが、宣言部でプログラム中で使用する変数などの名前や仕様を決め、処理部で具体的な処理手順を記述していきます。ここでは、試験の仕様について実例を挙げながら解説していきます。なお、擬似言語の仕様についてはIPAが公開している「試験で使用する情報技術に関する用語・プログラム言語など」（現在の最新はVer.5.1）で示されていますので、確認しておくとよいでしょう。

```
1  ○整数型：seikyu(整数型：goukei)
2
3    if(goukei が5000以上である)
4      goukei ← goukei × 0.9
5      /* 5,000以上なら0.9倍 */
6    endif
7    goukeiを表示
```

宣言部（1行目）

処理部（3〜7行目）

宣言部の文法　手続名や関数名を宣言する

宣言部は、手続名や関数名の名称やプログラム内で使用する変数などを定義します。準備段階に当たる部分で、実際の動作は行われません。

❶手続名、関数名

宣言部は、最初に「○」印を付ける決まりで（上のプログラムの１行目）、「手続名」または「関数名」を宣言します。

《擬似言語の仕様》

○手続名または関数名	…… 手続または関数を宣言する

○プログラムの記述例

```
○整数型：seikyu(整数型：goukei)
```

手続名や関数名の名前に使える文字数や文字の種類に規定はありませんが、処理内容がわかるような名前を付けるとよいでしょう。試験問題では、名前自体が処理内容を示すヒントになっています。なお手続名と関数名の違いは、試験問題を解くうえで特に意味は持ちませんが、呼び出す側への**戻り値**がある場合を関数と呼んでいるようです。戻り値がある場合には関数名に戻り値に合わせた**型**を指定します。

例えば、戻り値が整数型なら関数を整数型とし、戻り値が論理型なら関数を論理型とします。また、試験で使われる型(データ型)には次のようなものがあります。

○データ型の種類

データ型の名称	説 明
整数型	小数点以下の値のない数値。正と負の数、および0も含まれる。
実数型	小数点以下の値も含む数値。
文字型	アルファベット、数字、漢字、ひらがな、カタカナの1文字。
文字列型	複数の文字を連ねた値。
論理型	値がある条件にあてはまるかどうかを判断した結果を示す論理値。「true(真)」または「false(偽)」のいずれかのみ。

データ型を指定するのは、その変数や配列に代入されている値が文字なのか、数値なのかによって、データの扱いが変わるからです。例えば、整数型として宣言された変数に、文字列を代入しようとするとエラーになります。また実数型の変数の値どうしで計算を行い、計算結果を整数型の変数に代入した場合は、自動的に型変換が行われ小数点以下が切り捨てられます。

❷引数

引数は呼び出す側から値を受け取るために使う領域で、手続名や関数名の後に括弧で括って指定します。引数の実体は変数や配列なので、名前とデータ型の指定が必要です。また、引数のデータ型は、呼び出す側に合わせる必要があります。

宣言部の文法 変数や配列を宣言する

変数や配列は、プログラム内で値を入れ換えて使うことができる領域です。処理部で必要になる変数や配列は、あらかじめ宣言部で宣言しておかないと使うことができません。なお、引数として定義してある変数や配列は、あらためて宣言し直す必要はありません。また、データ型についてはプログラム名と同じです。

《擬似言語の仕様》

型名: 変数名	…… 変数を宣言する
型名: 配列名	…… 配列を宣言する

❶変数の宣言

任意の変数名を指定します。型が異なる場合は、型ごとに指定を行います。

○プログラムの記述例

```
○整数型：ruikei, zeikomi
○整数型：value ← 0
○文字型：komento
```

カンマ「,」で区切ることで、同じ型の変数を複数宣言することができます。また、宣言と同時に初期値の格納も可能で、2行目は初期値として0を設定しています。

❷配列の宣言

配列とは、同じ型の変数が集まったものです。複数の値をまとめて扱いたいときに使う器のようなもので、それぞれを配列の**要素**といいます。プログラム中では、[ ]内に**要素番号**を指定して、どの要素かを特定します。例えば、seiseki[3]のように配列名に続けて要素番号を指定します。

○プログラムの記述例

```
整数型の配列：seiseki            …… 配列を宣言する
```

一般的なプログラム言語では配列は要素数を定義しますが、擬似言語では定義しないことから、上記のように言葉で記述して区別します。また、次のように配列の初期値が設定されていればそこから要素数が特定できます。

○プログラムの記述例

```
整数型の配列：seiseki ← {31, 25, 9, 61, 65, 76, 45, 86, 11, 21}
```

	[1]	[2]	[3]	[4]	[5]	[6]	[7]	[8]	[9]	[10]
seiseki	31	25	9	61	65	76	45	86	11	21

上記のように配列要素を中括弧で囲んで値を記述します。二次元配列の場合は、中括弧を二重にして使います。外側の中括弧は二次元配列を表し、内側の中括弧に囲まれた部分が1行分の要素に該当します。下記の例は3行5列の二次元配列です。

○プログラムの記述例

```
整数型の配列：seiseki2 ← {{85, 75, 88, 95, 65}, {80, 65, 93, 60, 51},
{75, 55, 75, 58, 81} }
```

02

擬似言語の攻略 —処理部の文法—

処理部は、プログラムで行う処理を記述していきます。言語仕様には、定義した変数や配列への値の代入、先に取り上げた基本制御構造<☞p.80「3つの制御構造がアルゴリズムの基本」>が用意されています。そのほか、プログラムをわかりやすくするための注釈が記述できます。

処理部の文法　順次処理

順次処理は、変数や配列要素に値を代入します。新たな値が代入されると、それまで変数に入っていた値は上書きされるので、古い値を残しておきたいときには別の変数に値を代入して保存しておく処理が必要になります。また、式を記述する際は、四則演算子、比較演算子、論理演算子が使えます。なお、擬似言語の仕様には、「式」と書かれていますが、実際には変数や配列の要素や値も含まれます。

演算子の種類		演算子	優先度
式		( ) .	高
単項演算子		not ＋ −	↑
二項演算子	乗除	mod × ÷	
	加減	＋ −	
	関係	≠ ≦ ≧ ＜ ＝ ＞	
	論理積	and	↓
	論理和	or	低

※演算子 . は、メンバ変数またはメソッドのアクセスを表す。

《擬似言語の仕様》

```
変数名 ← 式            …… 変数に式の値を代入する
```

❶変数への値の代入

次のプログラムの1行目は変数に値そのものを代入するパターンで、主に初期値の設定に使います。2行目は左側の変数に右側の変数の要素の値を代入します。なお、/＊～＊/の部分は補足説明用のコメントで、処理には影響しません。

○プログラムの記述例

```
a ← 0                  /* 変数aに0を代入 */
tokuten ← tanka        /* 変数tokutenに変数tankaの値を代入 */
```

❷配列への値の代入

配列への値の代入は、[ ]を使って配列の要素番号を指定します。2行目の二次元配列の場合は[ ]内をカンマで区切り、[行番号, 列番号]の形で指定します。

○プログラムの記述例

```
tanka[1] ← 0          /* 配列tankaの要素番号1の要素に0を代入 */
tanka2[2, 3] ← 0      /* 配列tanka2の2行3列目の要素に0を代入 */
```

❸計算式を直接記述する

右辺に式を直接記述することもできます。2行目は、左辺と右辺に同じ変数が書かれており、左辺の変数の値が右辺の結果で更新されます。値の増減や累計などでよく使われるパターンです。

○プログラムの記述例

```
goukei ← tanka × kingaku      /* 変数tankaとkingakuの値の積を代入 */
ruikei ← ruikei + goukei      /* 累計金額に合計金額を加算する */
```

処理部の文法 選択処理

選択とは、条件によって処理を場合分けする処理です。選択に使用する**if文**は、「**条件を満たす**(真;true)/**条件を満たさない**(偽;false)」によって、処理方法を分けます。

❶行うか行わないかで分けるとき

ifの後の(　)内に処理を分ける条件を記述し、最後にif文の終わりを示す**endif**を記述します。

《擬似言語の仕様》

```
if ( 条件式 )          …… 処理の流れを分ける条件式
  処理                 …… 条件式を満たす場合の処理
endif
```

❷2通りの処理方法に分けるとき

if文に**else**を加えると、「条件を満たさない」ときにも処理を行うことができます。elseは、「そうでないとき」という意味です。

《擬似言語の仕様》

```
if ( 条件式 )            …… 処理の流れを分ける条件式
  処理1                  …… 条件式を満たす場合の処理
else
  処理2                  …… 条件式を満たさない場合の処理
endif
```

❸3通り以上の処理方法に分けるとき

if文のelseの前に**elseif**を追加すると、3通りの場合分けを記述することができます。elseifを複数記述することで、3通り以上の選択条件も可能です。

《擬似言語の仕様》

```
if ( 条件式1)            …… 処理の流れを分ける条件式
  処理1                  …… 条件式1を満たす場合の処理
elseif ( 条件式2)
  処理2                  …… 条件式2を満たす場合の処理
elseif ( 条件式n)
  処理n                  …… 条件式nを満たす場合の処理
else
  処理n+1                …… 条件式nを満たさない場合の処理
endif
```

○プログラムの記述例

```
if (合計金額が5000円未満)
  goukei ← goukei + 700                /* 合計金額に送料を加算する */
endif
```

「合計金額が5000円未満なら送料700円を加算し、5000円以上なら送料をサービスする」という処理です。送料を加算するときだけ処理を行うので、このパターンに該当します。

また、流れ図では右のようになります。

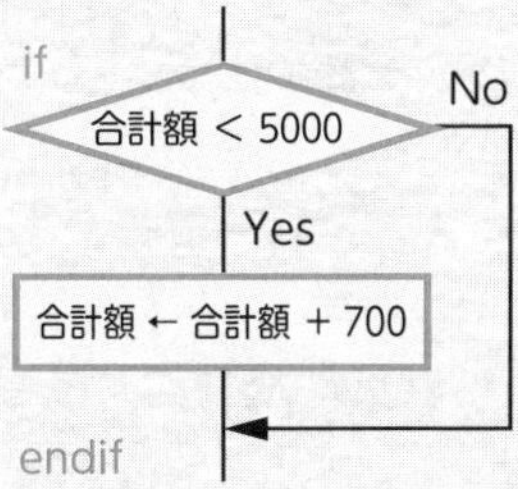

処理部の文法　繰返し処理

擬似言語の仕様には、3種類の繰返し文が定義されています。繰返し文に含まれる条件式は必ず、「条件式を満たす(true)間、繰返し処理を続ける」という継続条件で記述します。繰返しには、条件を満たしたとき繰返しを抜ける「終了条件」もあるので、混同しないように注意しましょう。

❶前判定繰返し《while文》

前判定繰返しは、while文を使って、while～endwhileの間の処理を繰り返します。while文では、継続条件を前側に記述します。

《擬似言語の仕様》

```
while ( 条件式 )          ……繰返しを継続する条件式
  処理                       条件式が真の間、処理を繰返し実行する
endwhile
```

○プログラムの記述例

```
// 配列「商品」に格納されている金額を、「予算(引数)」の範囲で累計
ruikei ← 0                     /* 累計を加算する変数を初期化 */
i ← 1                          /* iに初期値1を代入 */
while(ruikei ≦ Yosan)          /* 予算以内なら継続 */
  ruikei ← ruikei + Shohin[i]    /* Shohinの要素を順に累計 */
  i ← i + 1
endwhile
```

なお、プログラム中の“//”から始まる行は、コメント行を表しています。

❷後判定繰返し《do while文》

後判定繰返しは、do while文を使って、do ～while間の処理を繰り返します。do while文では、継続条件を後側に記述し、1回目の処理は無条件で行われます。

《擬似言語の仕様》

```
do
  処理
while ( 条件式 )          ……繰返しを継続する条件式
```

上記の前判定繰返しと同じ処理を、後判定繰返しで記述した例です。この例では、継続条件を判断する位置が変わるだけで結果は変わりません。

○プログラムの記述例

```
// 配列「商品」に格納されている金額を、「予算(引数)」の範囲で累計
ruikei ← 0                    /* 累計を加算する変数を初期化 */
i ← 1                         /* iに初期値1を代入 */
do
  ruikei ← ruikei + Shohin[i]
  i ← i + 1
while(ruikei ≦ Yosan)    /* 予算以内なら継続 */
```

❸制御記述《for文》

for文は、制御記述を使った前判定繰返し処理です。制御記述とは、繰返しの制御を行う方法で、「**制御変数**」、「**初期値と終了値**」、「**増減値**」の３つを記述します。実際の試験では、for(iを1からmaxまで1ずつ増やす)という形で、言葉を使って書かれます。while文やdo while文と書き方が異なるので慣れておきましょう。

《擬似言語の仕様》

```
for(条件式)          …… 制御記述による条件式
  処理               …… 制御記述に合致する間、処理を繰返し実行する
endfor
```

- **制御変数**：繰返しの制御に使う制御変数の指定
- **初期値と終了値**：制御変数の最初の値と最後の値
- **増減値**：繰返しの最初で、制御変数を更新する方法(「1ずつ増やす」など)

○プログラムの記述例

```
// 配列「商品」に格納されている金額を、「予算(引数)」の範囲で累計
ruikei ← 0                    /* 累計を加算する変数を初期化 */
for(iを1から(ruikei > Yosan)まで1ずつ増やす)
  ruikei ← ruikei + Shohin[i]
endfor
```

03 擬似言語の攻略 ―オブジェクト指向問題を解く―

オブジェクト指向とは、データと手続を一体化した「オブジェクト」を基本とする考え方です。手続き型のプログラミングとは異なるので難しく感じられますが、科目Bの試験では必ず出題されるので問題に慣れておくことが重要になります。

オブジェクト指向　クラスとインスタンスの考え方

オブジェクト指向のプログラミングでは、オブジェクトに対してメソッドを指定して命令していきます。試験では、問題文には振舞い(メソッド)の種類と機能の説明、戻り値などが一覧表で示されるので、使い方の説明どおりに利用するだけです。まずは、よく使う用語の意味を知っておきましょう。

属性	オブジェクトに含まれる**データ**のこと。
メソッド(振舞い)	オブジェクトに含まれる**機能**のこと。

❶クラスとインスタンスの概念

オブジェクト指向における**クラス**とは、テンプレート(ひな型)のようなもので、クラスのテンプレートを使って生成したものが**インスタンス**です。どちらもオブジェクトであり「属性」と「メソッド」をもっています。両者の概念を具体的に示すと、次の図のようになります。

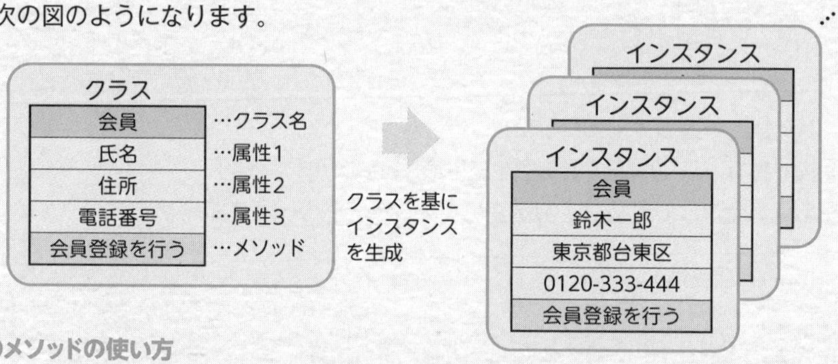

❷メソッドの使い方

メソッドへのアクセスは、演算子「.」を使います。実際にIPAが公開している問題で見ていきましょう。なお、問題文中の「**大域**」とは、プログラムの宣言部で定義する変数(そのプログラムの中だけで使用できる)に対して、実行に関連する複数のプログラムからアクセスできる共通領域のことを示しています。これは、問題文の前提として、あらかじめ「英単語群が格納されている」としていることからです。

○試験問題の例

（途中略）

4語の英単語“importance”、“inflation”、“information”、“innovation”から成る英単語群において、c1を“n”、c2を“f”とする。英単語の末尾の文字以外に“n”は五つあり、そのうち次の文字が“f”であるものは二つである。

（途中略）

プログラムにおいて、英単語群はWords型の大域変数wordsに格納されている。クラスWordsのメソッドの説明を、表に示す。本問において、文字列に対する演算子“＋”は、文字列の連結を表す。また、整数に対する演算子“÷”は、実数として計算する。

表 クラスWords のメソッドの説明

メソッド	戻り値	説明
freq(文字列型: str)	整数型	英単語群中の文字列strの出現回数を返す。
freqE(文字列型: str)	整数型	英単語群の中で、文字列strで終わる英単語の数を返す。

（途中略）

〔プログラム〕

```
大域: Words: words          /* 英単語群が格納されている */
```

（以下略）

まずは、クラスとインスタンスの関係です。英単語群は４語あるので、クラスWordsから、４つのインスタンス(Words型)が生成されていると判断できます。クラスWordsにはメソッドが２つあるので、インスタンスにも引き継がれています。また、〔プログラム〕中で英単語群は、あらかじめ大域にwordsとして格納されているので、それぞれのインスタンスがもつメソッドにアクセスすれば結果が返ってきます。メソッドの説明が示されているので、そのとおりにアクセスしてみましょう。例えば、s1(文字列型の変数)に“n”を設定してアクセスすると次のようになります。

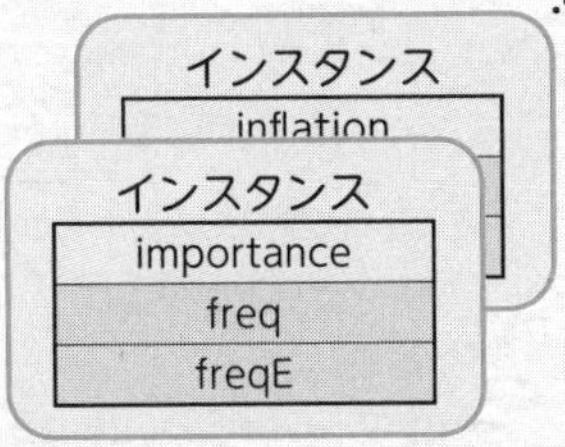


```
words.freq(s1)        戻り値 8  …全単語に含まれる“n”の数
words.freqE(s1)       戻り値 3  …全単語に含まれる単語の末尾が“n”の数
```

オブジェクト指向 問題の解き方

オブジェクト指向の考え方を使うと、スタックやキュー、リストといったデータ構造をすぐに使うことができるので、試験でもよく取り上げられています。ここではリスト構造の問題（選択肢は省略）を使って、解き方とルールを解説していきます。

○試験問題の例

次のプログラム中の [a] と [b] に入れる正しい答えを、記述せよ。

手続appendは、引数で与えられた文字を単方向リストに追加する手続である。単方向リストの各要素は、クラスListElementを用いて表現する。クラスListElement の説明を図に示す。ListElement型の変数はクラスListElementのインスタンスの参照を格納するものとする。大域変数listHeadは、単方向リストの先頭の要素の参照を格納する。リストが空のときは、listHeadは未定義である。

コンストラクタ	説明
ListElement(文字型: qVal)	引数qValでメンバ変数valを初期化する。

メンバ変数	型	説明
val	文字型	リストに格納する文字。
next	ListElement	リストの次の文字を保持するインスタンスの参照。初期状態は未定義である。

表 クラスListElementの説明

〔プログラム〕

```
大域: ListElement: listHead ← 未定義の値
○append(文字型: qVal)                    …… 引数は、リストに追加する文字
  ListElement: prev, curr                 …… prevはリスト要素の参照を入れる
  curr ← ListElement(qVal)                ……インスタンスの生成と初期化を行い
                                            その参照をcurrに設定
  if (listHead が [ a ] )
    listHead ← curr                       …… リスト要素が空のときの処理
  else
    prev ← listHead                       …… 最初のリスト要素の参照を設定
    while (prev.nextが 未定義でない)       …… リストの最終要素を見つけ出す
      prev ← prev.next                    …… 次の要素の参照を設定し直す
    endwhile
    prev.next ← [ b ]                     …… 最終要素に、追加要素の参照を設定
  endif
```

※行番号は、解説用に付加しています。

❶単方向リストへ要素を追加する手順

この問題の手続appendは、単方向リストへの文字追加、すなわちリスト要素の追加を行っています。リスト構造へ要素を追加する手順は、要素3までのリストに要素4を追加する場合なら、図のような２つの手順になります。図中では「要素の参照」を“[要素番号]”で表します。

手順1：要素4のインスタンスを生成　…文字“D”で生成し、メンバ変数next(次ポインタ)に“未定義”を設定。

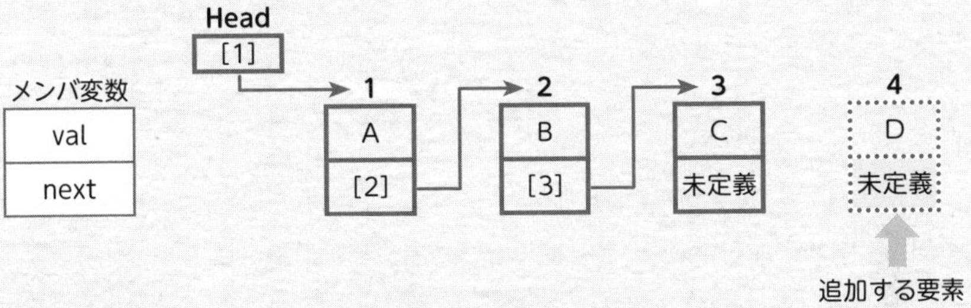

手順2：要素3の次ポインタを変更　…要素3のnextに、要素4の参照を設定。

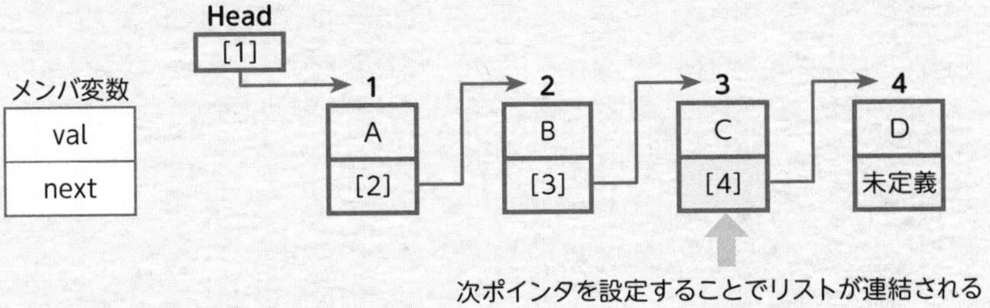

•コンストラクタとメンバ変数

コンストラクタとは、オブジェクトを生成する(クラスからインスタンスを生成する)際に呼び出される特殊な手続を指し、問題ではコンストラクタの機能が提示されており、新しく生成したオブジェクトが使用できるように初期設定を行っています。また**メンバ変数**とは、個々のインスタンスに属している変数のことで、上記の単方向リストの要素を表現するのであれば、「データ部」と「ポインタ部」が該当します。コンストラクタにより初期状態では“未定義”が入っています。

•クラス型変数

問題文中でListElement型としているのは、整数型や文字型といった型ではなく、クラスの特徴をもつ**クラス型**と呼ばれているものです。クラス型の特徴は、オブジェクトを参照できるアドレス情報を持っていることやクラスのメソッドが使えることです。アドレス情報によりインスタンスを特定できるので、リストのポインタになります。なお、クラス型の変数を定義しただけではアドレス情報はないため、インスタンスを生成してコンストラクタを呼び出す際、「参照」としてアドレス情報を代入するのが定番パターンです(プログラムの4行目)。

❷問題の解き方

この問題は、インスタンスのメンバ変数をどうやって指定するかがポイントになります。ここで、問題文には「ListElement型の変数は、クラスListElementのインスタンスの参照を格納するものとする」とあり、3行目で定義している変数prevとcurrには、この単方向リストにおける参照が格納されることがわかります。

次の4行目はコンストラクタを呼び出すことで、追加する要素の初期化(メンバ変数nextに"未定義"を設定)を行い、変数currに参照を代入しています。つまり、currには追加した要素の参照が入ることになります。

•プログラムを解析する

前ページ手順1の要素追加を行っているのが次のif～else～endifの部分です。5行目のif条件の部分は、ヘッダであるlistHeadに変数currを代入しています。ヘッダが直接、新たに追加された要素を指すのですから、もともとリストには要素が存在せず、追加する要素が最初の要素ということです。これを判断するには、listHeadが"未定義"かを見ればわかります。これが空欄a(**未定義**)になります。

7行目からのelse条件は、リストに要素が存在している場合です。行うべきことは、現在の最終要素を見つけ出してその参照を追加する要素に変更すること。見つけ出す方法は、ヘッダから順にリストをたどりながら、メンバ変数nextが"未定義"かどうを判断していきます。これがwhile～endwhileの部分です。

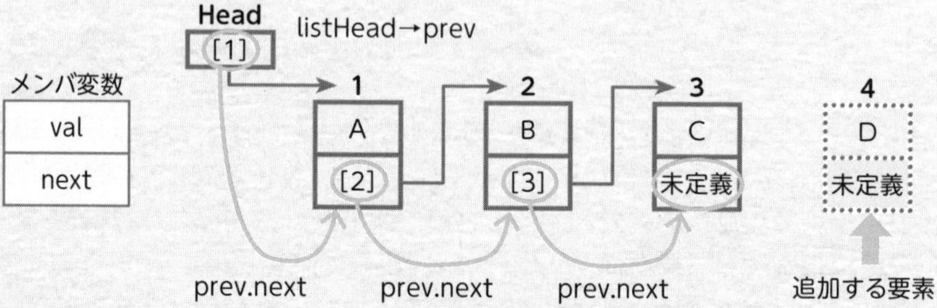

手順を整理していきましょう。まず最初の要素の参照を示すlistHeadを変数prevに代入します。すると最初の要素 (上図では要素1)のメンバ変数は「prev.next」で指定できるので、これが未定義であるかどうかを判断します。もし未定義でなければ、「prev.next」を新たなprevとすれば、「prev.next」で次の要素のメンバ変数を指定できます。

これを繰り返していくと、「prev.next」が"未定義"だった時点がリストの最終要素ということになります。ここへ新たに追加する要素の参照を入れればよいので、追加する要素の参照が格納されているcurrを代入すれば連結が完了です(空欄bは**curr**)。

重要用語 索引

■へ■

問題演習Webアプリ

DEKIDAS-Webについて

本書の読者の方の購入特典として、DEKIDAS-Webを利用できます。DEKIDAS-Webは、スマホやPCからアクセスできる問題演習用のWebアプリで、基本情報技術者試験の平成22年春期～令和元年秋期までの20回分の午前問題（科目A問題に該当）と科目A・科目Bの公開サンプル問題に挑戦できます。

年度やジャンルで問題を選んだり、キーワードによる問題検索、自動採点による分析など、試験対策に役立ちます。

ご利用方法

スマートフォン、タブレットで利用する場合は右のQRコードを読み取り、エントリーページへアクセスしてください。

PCなどQRコードを読み取れない場合は、以下のページから登録してください。

URL：**https://entry.dekidas.com/**
認証コード：**fe07Qh28kfHA3mLs**

なお、ログインの際にメールアドレスが必要になります。

【注意】対応ブラウザは、Edge、Chrome、Safariです。IEは対応していません。

有効期限

2026年11月10日まで利用できます。

●角谷一成（かどたにかずなり）
イーアイエスプランニング代表。システムエンジニア、コンピュータ専門学校講師等を経て、教育支援＆ソフトウェア開発会社を設立。情報処理技術者試験対策をはじめ、ネットワーク関連、プログラミングなど、主に企業向け研修を担当。
著書：「基本情報技術者　試験によくでる問題集【午後】」（共著）　技術評論社

●イエローテールコンピュータ
情報処理技術者試験対策用の参考書や問題集をはじめ、IT 関連書籍などの企画・執筆を幅広く手がける。
著書：「基本情報技術者の新よくわかる教科書」、「基本情報技術者【科目B】ゼロからわかるアルゴリズムと擬似言語」、「基本情報技術者 試験によくでる問題集【午後】」（共著）
技術評論社

●カバーデザイン …………NONdesign　小島 トシノブ
●カバーイラスト …………みき尾
●本文デザイン ……………渡辺 ひろし
●担当 ………………………熊谷 裕美子

令和《れいわ》07年《ねん》
基本情報技術者《きほんじょうほうぎじゅつしゃ》 合格教本《ごうかくきょうほん》

2016年　2月25日　初　版　第1刷発行
2024年　12月3日　第10版　第1刷発行

著　者　角谷一成《かどたにかずなり》
編　著　イエローテールコンピュータ
発行者　片岡 巌
発行所　株式会社技術評論社
東京都新宿区市谷左内町 21-13
電話　03-3513-6150　販売促進部
03-3513-6166　書籍編集部

印刷／製本　昭和情報プロセス株式会社

定価はカバーに表示してあります。

ISBN978-4-297-14433-3 C3055
Printed in Japan

●問い合わせについて

本書に関するご質問は、FAX か書面でお願いいたします。電話での直接のお問い合わせにはお答えできませんので、あらかじめご了承ください。また、下記の Web サイトでも質問用フォームを用意しておりますので、ご利用ください。

ご質問の際には、書籍名と質問される該当ページ、返信先を明記してください。メールをお使いになられる方は、メールアドレスの併記をお願いいたします。

お送りいただいたご質問には、できる限り迅速にお答えするよう努力しておりますが、場合によってはお時間をいただくこともございます。なお、ご質問は、本書に記載されている内容に関するもののみとさせていただきます。

◆問い合わせ先
〒 162-0846　東京都新宿区市谷左内町 21-13
株式会社技術評論社　書籍編集部
「令和 07 年 基本情報技術者 合格教本」係
FAX：03-3513-6183
Web：https://gihyo.jp/book

なお、ご質問の際に記載いただいた個人情報は質問の返答以外の目的には使用いたしません。また、質問の返答後は速やかに削除させていただきます。